清代文書檔案圖鑒

中國第一歷史檔案館 編著

三聯書店（香港）有限公司 出版發行

前言

中國是世界四大文明古國之一。據有文字可考的歷史記載，中國已有四千多年的文明史。溯古迄今，我們的祖先給我們留下了極其豐富的文化遺產，其中檔案文獻更是浩瀚與珍貴。自殷商以來，從甲骨金石，簡牘縑帛，到鐵卷金冊，紙墨文書，各種形質的檔案文獻為我們記錄下了可信的歷史，其年代之久遠，內容之豐富，價值之珍貴，舉世無雙。

中國自漢代蔡倫發明造紙術以來，紙質文書得到迅速發展與普遍應用。由於歷史的諸多原因，漢、唐、宋、元等朝代紙質文書傳世的並不多，但是明、清王朝的紙質檔案卻被大量保存下來。據調查統計，現存明清檔案數量最多的是中國第一歷史檔案館，典藏有明清檔案一千萬件，其中明朝的文書檔案三千多件，清朝文書檔案達九百多萬件，主要為清代帝后及中央國家機關的文書。台灣故宮博物院及歷史語言研究所等也存有明清檔案約四十多萬件。其他內地各省市及海外各國也存有部分明清檔案，其總數量不下一千多萬件。這些浩如煙海的檔案，詳細記載了明以來，尤其是清王朝的政治、經濟、軍事、文化、科技、外交、民族、宗教、宮廷、社會等各方面的歷史狀況，是明清五百年來歷史的真實紀錄與憑證。它不僅是研究明清歷史的第一手史料，也是我們今天經濟、文化建設和社會發展可借鑒和參考的重要歷史資料。

明清檔案文書的種類也很豐富，其中有皇帝的詔令文書，如制、詔、誥、敕、上諭、廷寄等；臣僚的奏疏，如題、奏、表、箋等；各衙門的來往文書，如咨、照、移、呈等，以及宮中並各衙署的記事檔冊和圖籍，計有各種文書一百多種，它集我國歷代文書之大成，實為中華古代珍檔秘籍之薈萃。

明清兩代中央集權制度的發展達到了中國封建社會的頂峰。文書成為皇帝實行專制統治的重要手段。因此，我們通過研究文書檔案就可以了解整個封建國家統治機器是如何運作的。為了讓世人更好地了解、鑒賞和利用明清檔案的基本史料，我們劃出檔案較豐富和典型的清王朝作為主題，遴選了一批較有代表性的檔案材料，編寫了《清代文書檔案圖鑒》一書。全書共分八章，導論及第一章，主要介紹清代的政治制度與國家機關的概況，和與之相適應的文書處理機構及相關制度的建立、發展與改革的歷史；第二、三、四章，分類論述了清代的詔令文書、題奏文書及各機關來往文書的種類、程式及辦理制度；第五章，主要論述清代的考試、財賦、外交等專門文書；第六章主要論述了文書的稽察、驛遞和相關的印信等制度；第七、八章主要論述使用檔案編纂史籍的制度及文書歸檔之後，清代檔案的典藏、利用。通過全書文字的敘述，使讀者對清代文書檔案的產生、發展及文書的種類、程式、規制以及辦理過程和歸檔保存狀況有一個系統的了解。為使讀者對清代文書檔案有直觀、形象的認識，我們採用圖文並茂的形式，全書共收錄各類文書檔案真迹圖片五百多張，並對每種文書圖片做了詳細的說明，包括文書的質地、尺寸、格式及有關典制的解釋等。我們希望通過這種圖、文對照的方式，能使讀者更好地閱讀和研究清代文書檔案。

本書所輯錄的文件，主要選自中國第一歷史檔案館所藏的各全宗檔案。選材時主要遵循下列原則：(一)力爭所選文書檔案種類齊全，要在每種文書之中選出最具有代表性的文書，且該文書的各要素要齊備，包括文書的名稱、外形、格式、具文時間、用印以及文書處理標記要齊全；(二)所選文書檔案的內容要比較重要，或獨具某些特點，兼具一定的史料價值和鑒賞價值；(三)所選文書檔案的時間，要涵蓋清代的早、中、晚期，使各個朝代的文件都有選錄，以便反映清代文書檔案的全貌；(四)所選文書的作者具有一定的代表性，既有歷代帝后、王公，也有中外的文臣武將；既有高級官員，也兼顧中、下級官吏；(五)所選各類文書的文字，以漢、滿文為主，也兼顧蒙、藏、回文及俄、日、英、法等諸種文字，這既反映了清王朝是統一的多民族國家，又反映了清王朝與世界各國的交往情況。本書不僅是研究清代文書檔案制度的基本工具書，而且也是研究清代歷史和人物以及清代典章制度和語言文字的重要參考和憑證材料。

本書今天能夠付梓面世，我們要特別感謝香港三聯書店的領導和編輯同仁。他們為弘揚中華民族的傳統優秀文化，不惜投入巨資和人力，組織編纂、出版這本書。我們在編寫過程中，曾得到趙斌先生和鄭德華博士以及陸智昌設計師的指導和幫助。對此，我們由衷地表示敬佩和感謝。由於我們的水平有限，加之時間緊迫，對某些問題深入研究也不夠，因而其中難免有這樣或那樣的錯誤和不足，尚望有關專家和廣大讀者不吝指正。

本書編纂是一個集體創作的過程。本書從定題到編纂至出書，是在中國第一歷史檔案館徐藝圃館長領導下進行的。秦國經擔任主編，負責全書提綱的擬定及編輯，最後通閱審定全部書稿。本書前言由秦國經撰寫；正文由秦國經、胡忠良撰寫；檔案文書的選錄及每種文書圖片的釋文，由鄒愛蓮負責並撰寫導論和第一、七章；胡忠良負責並撰寫第四、五、六、八章；高換婷負責並撰寫第二、三章。霍華負責全書檔案圖片的拍攝及複製工作。在選錄和撰寫的過程中，雖有分工，但更多的是合作，本書所選的每一件文書和每章節的文字，都是經集體討論，最後由主編定稿的。本書在編撰過程中，曾參閱了研究明清檔案的前輩方甦生、徐仲舒、單士魁、單士元、張德澤、殷鍾麒以及本館同行諸多有關論著。在此，我們一併向他們表示由衷的感謝和敬意。

本書在編纂過程中，曾得到中國第一歷史檔案館領導和保管利用部、技術部以及辦公室有關人員大力支持和幫助，保管組的同事反覆為我們查找和提調檔案；照像和複印組的同事精心地為我們拍照和複印檔案；打字室的同事耐心地為我們打印稿件和資料。本書能夠完成，和他們的幫助是分不開的，在此，我們也向他們表示深深的謝意。

編者

目錄

導論　清代的政治制度與國家機關……1

第一章　清代文書制度和文書處理機構……7

第一節　清代文書制度的建立、發展與改革

第二節　清代文書處理機構

第二章　皇帝詔令文書……51

第一節　儀制性文書：制書／制辭、詔書、誥命／誥書、敕、冊書、祝文／碑文／諭祭文

第二節　政務性文書：諭旨、廷寄、朱諭

第三節　記錄皇帝宮廷生活的檔案

第三章　臣工題奏文書……119

第一節　政務文書：題本、奏本、奏摺、啟本

第二節　慶賀文書：表文／箋文、詩文

第四章　中央和地方官署往來文書……163

第一節　上行文：呈文、咨呈、申文、詳文、驗文、稟文

第二節　下行文：諭、牌文／牌票／牌檄、劄／劄付

第三節　平行文：咨文、移會、照會、關文、牒呈、交片

第五章　清代專門文書……207
第一節　科舉考試文書
第二節　賦役財經文書
第三節　外交文書
第六章　清代文書的保密、稽察、發遞和印信……281
第一節　文書的保密和稽察制度
第二節　文書的發遞制度
第三節　文書的印信制度：御寶、寶、印、關防、圖記、條記、鈐記
第七章　清代官修史籍制度……313
第一節　例開之館：實錄館、玉牒館
第二節　長開之館：國史館、方略館、起居註館
第三節　特開之館：會典館、明史館、三通館
第八章　清代檔案制度與檔案的典藏……341
第一節　清代檔案制度：繳回朱批制度、文件副本制度、文件彙抄存查制度
第二節　清代檔案的典藏：皇史宬、內閣大庫、清史館大庫

圖版目錄

第一章　清代文書制度和文書處理機構

【一・一・一】清太祖起兵伐明告天七大恨榜文……20
【一・一・一輔】瀋陽攻戰圖……20
【一・一・二】滿文木牌……21
【一・一・三】户部諭……22
【一・一・四】揭帖……22
【一・一・五】前三朝題本、奏本……23
【一・一・六】朱改票簽……24
【一・一・六輔】票簽擬寫過程圖……24
【一・一・七】題、奏副本……25
【一・一・八】小密摺……26
【一・一・八輔】四川重慶鎮總兵皂保奏摺匣……26
【一・一・九】述旨……27
【一・一・一〇】雍親王（雍正）給年羹堯的信……28
【一・一・一一】鄭經致孔將軍書……28
【一・一・一二】電報密碼本……30
【一・一・一三】電報局信封……30
【一・一・一四】李鴻章電奏譯稿……31
【一・一・一四輔】李鴻章朝服像……31
【一・一・一五】題本事由單……32
【一・一・一六】回投、回照、回票、回條……32
【一・一・一七】手摺、清摺、察核……33
【一・一・一八】改題為奏之上諭、摺件……34
【一・一・一九】西班牙國王甘恭賀宣統登極的國書……35
【一・一・二〇】拉藏汗奏表……36

【二・一・三】敕書……70
【二・一・三輔】「敕命之寶」印譜……70
【二・一・四】乾隆帝給班禪額爾德尼敕諭……71
【二・一・四輔】乾隆帝像……71
【二・一・五】趙爾巽坐名敕……72
【二・一・五輔】趙爾巽書札……72
【二・一・六】祖之望夫人誥命……74
【二・一・七】誥命（局部）……74
【二・一・八】告誡督撫為政之道的敕諭……75
【二・一・九】慈禧玉冊……76
【二・一・九輔①】慈禧寶文印模……76
【二・一・九輔②】皇后之寶……76
【二・一・九輔③】慈禧皇太后……76
【二・一・九輔④】養心殿垂簾聽政處外景……77
【二・一・一〇】莊妃冊文……78
【二・一・一〇輔】孝莊皇后寶文……78
【二・一・一一】瑾嬪冊文……79
【二・一・一一輔】瑾妃像……79
【二・一・一二】雍正帝為平定噶爾丹告天祭文……80
【二・一・一二輔】額爾德尼召大戰陣圖……81
【二・一・一三】御製碑文……82
【二・一・一三輔】清御製石碑……83
【二・二・一】朱諭……84
【二・二・二】康熙親筆朱諭……84
【二・二・三】康熙平定台灣之朱諭……85
【二・二・三輔】平定台灣圖……85

【一・一・二〇輔】職貢服飾圖……37
【一・一・二一】請寶牌……38
【一・一・二一輔】袁世凱照片……38
【一・二・一】皇帝祭祀關帝祝版……39
【一・二・一輔】關帝廟圖……39
【一・二・二】內閣票簽部本式樣……40
【一・二・三】紅本批字……41
【一・二・四】內閣各機構之間來往文書……42
【一・二・五】六部檔卷清釐冊……43
【一・二・六】內閣印領……43
【一・二・七】膳牌……44
【一・二・八】京報……44
【一・二・九】官報……45
【一・二・一〇】説帖……46
【一・二・一一】諭帖……46
【一・二・一二】電報……47
【一・二・一三】電報費收據……47
【一・二・一四】滇越鐵路章程……48
【一・二・一四輔①】中國鐵路全圖……49
【一・二・一四輔②】火車頭……49

第二章　皇帝詔令文書

【二・一・一】詔書……66
【二・一・一輔①】「皇帝之寶」……66
【二・一・一輔②】頒詔圖……67
【二・一・二】遺詔……68
【二・一・二輔】康熙皇帝朝服像……69
【二・二・四】秘密立儲匣……86
【二・二・四輔】乾清宮正大光明匾……86
【二・二・五】嘉慶四體字上諭……87
【二・二・五輔】白度母佛像……87
【二・二・六】雍正帝斥諸兄弟之上諭……88
【二・二・七】鈐有同道堂印之上諭……88
【二・二・七輔】同道堂印章……89
【二・二・八】廷寄……90
【二・二・九】電旨……91
【二・三・一】刊印千叟宴御製詩……92
【二・三・一輔】千叟宴圖……92
【二・三・二】經筵御論……92
【二・三・三】經筵講章……93
【二・三・三輔①】文華殿御經筵圖……93
【二・三・三輔②】文華殿外景……93
【二・三・四】雍正帝禪機語錄……94
【二・三・四輔①】佛經語錄序……94
【二・三・四輔②】雍正佛裝圖……94
【二・三・五】元旦開筆……95
【二・三・六】康熙帝算草……96
【二・三・七】十五阿哥詩稿……96
【二・三・八】顒琰（嘉慶帝）書文……97
【二・三・九】光緒皇帝御筆……97
【二・三・一〇】溥儀字畫……98
【二・三・一〇輔】溥儀照片……98
【二・三・一一】圍場撤圍圖……99
【二・三・一一輔】清皇子習武用小弓、撒袋……99
【二・三・一二】皇帝與皇子圖……99

【二・三・一三】內起居註……100
【二・三・一四】宮中進單……101
【二・三・一五】康熙萬壽慶典圖……101
【二・三・一六】南巡詩冊……102
【二・三・一六輔】南巡圖……102
【二・三・一七】乾隆帝八字……103
【二・三・一八】乾隆帝刺虎圖……103
【二・三・一九】宮中日曆……104
【二・三・二〇】脈案……104
【二・三・二一】壽皇殿供像冊……105
【二・三・二二】皇帝法駕鹵簿圖……105
【二・三・二三】帝后膳食檔……106
【二・三・二三輔】清宮製糕點工具及餐具……107
【二・三・二四】清西陵圖……109
【二・三・二五】西陵路程單……109
【二・三・二五輔】西陵崇陵工程現場……109
【二・三・二六】宮中春帖子……110
【二・三・二七】九九消寒圖……112
【二・三・二八】圓明園大水法圖……113
【二・三・二九】宮中寵物冊……113
【二・三・二九輔】清末宮中婦女與寵物……113
【二・三・三〇】宮中戲曲……114
【二・三・三〇輔①】故宮漱芳齋內戲台……114
【二・三・三〇輔②】清末京劇照……115
【二・三・三〇輔③】戲班練武……115
【二・三・三一】秀女排單……116
【二・三・三二】秀女記名牌……116
【二・三・三二輔】清代戎裝女子像……116

【三・一・二一輔】軍機處外景……153
【三・一・二二】官員履歷引見摺……154
【三・一・二二輔①】官員履歷單……154
【三・一・二二輔②】官員履歷片……155
【三・一・二二輔③】官員引見排單……155
【三・一・二三】繳回朱筆引見摺……156
【三・一・二四】朱簽……156
【三・一・二五】奏冊（黃冊）……157
【三・一・二六】啟本……157
【三・二・一】賀表（正表）……158
【三・二・二】賀表（表副）……158
【三・二・三】光緒帝上慈禧太后賀表……159
【三・二・三輔】萬壽舞詞合譜……159
【三・二・四】賀箋（正箋）……160
【三・二・五】賀箋（箋副）……160
【三・二・六】官員慶賀詩冊……161
【三・二・七】翰林頌詩……161

第四章　中央和地方官署往來文書

【四・一・一】呈……174
【四・一・二】副呈……175
【四・一・三】咨呈……176
【四・一・四】申文……176
【四・一・五】申呈……177
【四・一・六】詳文……177
【四・一・七】照詳……178
【四・一・八】印稟……178

【二・三・三三】宮禁門照……117
【二・三・三四】宮中腰牌……118

第三章 臣工題奏文書

【三・一・一】內閣辦理題本運轉程序示意圖……134
【三・一・二】軍機處辦理奏摺運轉程序示意圖……135
【三・一・三】題本……136
【三・一・四】部本……136
【三・一・五】通本……138
【三・一・五輔】通政使司印鑒……138
【三・一・六】紅本……138
【三・一・七】揭帖……140
【三・一・八】貼黃……141
【三・一・九】賀題……142
【三・一・九輔】曾國藩像……143
【三・一・一〇】題副……144
【三・一・一一】錄疏……144
【三・一・一二】六科史書……145
【三・一・一三】奏本……146
【三・一・一四】奏副……146
【三・一・一五】朱批奏摺……148
【三・一・一六】恭錄朱批檔冊……148
【三・一・一七】朱批摺底……149
【三・一・一八】副摺……150
【三・一・一九】請安摺……150
【三・一・二〇】內務府奏案……152
【三・一・二一】軍機處奏片……153

【四・一・九】紅稟……178
【四・一・一〇】稟札……180
【四・一・一一】稟狀……180
【四・一・一二】稟摺……180
【四・一・一三】稟報……182
【四・一・一四】稟帖……182
【四・一・一五】塘報……182
【四・一・一六】節略……182
【四・一・一七】説帖……184
【四・一・一八】甘結……184
【四・一・一九】印結……185
【四・一・二〇】審結……185
【四・一・二一】訴狀……186
【四・二・一】杜兇告示……186
【四・二・二】安民告諭……186
【四・二・三】諭帖……187
【四・二・四】堂諭……188
【四・二・五】堂交……188
【四・二・六】憲牌……189
【四・二・七】功牌……190
【四・二・八】旌表節婦牌文……190
【四・二・九】捐官執照……191
【四・二・一〇】繳部存查……191
【四・二・一一】戶部捐監執照……191
【四・二・一二】奉天三聯式捐監實收……192
【四・二・一三】印照……192
【四・二・一四】劄付……193
【四・二・一五】劄……193

【四・二・一六】手箚……194
【四・二・一七】簽文……194
【四・二・一八】傳票……194
【四・二・一九】限票……194
【四・三・一】咨……196
【四・三・二】密咨……196
【四・三・三】咨冊……196
【四・三・四】移會……197
【四・三・五】移付……198
【四・三・六】移咨……198
【四・三・七】知照……198
【四・三・八】知會……198
【四・三・九】關文……200
【四・三・一〇】照會……200
【四・三・一一】牒文……200
【四・三・一二】牒文稿……201
【四・三・一三】片……202
【四・三・一四】傳付……202
【四・三・一五】手本……202
【四・三・一六】領狀……203
【四・三・一七】領……204
【四・三・一八】驗領……204
【四・三・一九】宗人府的各種存抄稿文……205

第五章　清代專門文書

【五・一・一】清代科舉考試系統簡表……216
【五・一・二】童生縣試考卷……217
【五・一・三一】容城縣高等小學修業文憑……238
【五・一・三二】上三科散館等第錄用單……238
【五・一・三三】內閣京堂考卷……239
【五・一・三四】玉牒館謄錄試卷……240
【五・一・三五】大考試卷……241
【五・一・三六】考差卷……241
【五・一・三七】欽定考試滿洲教習題……242
【五・一・三八】欽定考試翰詹題……242
【五・二・一】卷票……243
【五・二・二】領照票……243
【五・二・三】內閣測繪生試卷……244
【五・二・四】內閣俄羅斯文館翻譯試卷……244
【五・二・五】雨雪糧價單……245
【五・二・五輔】瑞穀圖……245
【五・二・六】各種門牌……246
【五・二・七】地畝冊……247
【五・二・八】地丁清冊……248
【五・二・九】買房執照……249
【五・二・一〇】買賣房契……249
【五・二・一一】土地買賣的契尾及循環編號……250
【五・二・一二】買田契……251
【五・二・一三】庫收……251
【五・二・一四】易知由單……252
【五・二・一五】串票……253
【五・二・一六】執業清田單……254
【五・二・一七】納糧照票……254
【五・二・一八】牙帖……255
【五・二・一九】牙稅環簿……256

【五・一・三】鄉試卷……218
【五・一・四】鄉試闈墨……219
【五・一・五】考官履歷……220
【五・一・六】批回……220
【五・一・七】會試朱卷……221
【五・一・八】會試薦卷簿……221
【五・一・九】覆試名單……222
【五・一・一〇】會試題名錄……222
【五・一・一一】殿試策題……223
【五・一・一二】殿試卷……224
【五・一・一三】殿試題名錄……225
【五・一・一四】殿試錄取名單……226
【五・一・一五】大金榜……228
【五・一・一六】小金榜……228
【五・一・一七】博學鴻詞科……229
【五・一・一八】拔貢試卷……229
【五・一・一九】結票……230
【五・一・二〇】欽定孝廉方正試題……230
【五・一・二一】翻譯科試卷……231
【五・一・二二】欽定宗室試題……231
【五・一・二三】宗學試卷……232
【五・一・二四】咸安宮官學課卷、報到名單……233
【五・一・二五】書院試卷……234
【五・一・二六】稟生點單……234
【五・一・二七】國子監監照……235
【五・一・二八】江南將備學堂畢業證……236
【五・一・二九】江南陸師學堂畢業證……236
【五・一・三〇】江蘇常州金匱縣高等小學清冊……237
【五・二・二〇】施送棉衣票……256
【五・二・二一】收銀簿……256
【五・二・二二】四項出入清摺……257
【五・二・二三】照票……258
【五・二・二四】領據（工資單）……259
【五・二・二五】推糧票……260
【五・二・二六】收租簿及租票……260
【五・二・二七】承攬、承據……260
【五・二・二八】當稅由單……261
【五・二・二九】當票……261
【五・二・三〇】借貸憑票、字據……262
【五・二・三一】崇壽當租摺……262
【五・二・三二】咸陽清茂店店票……264
【五・二・三三】押據……264
【五・二・三四】大清寶鈔……265
【五・二・三五】官銀票……265
【五・二・三六】大清寶鈔圖樣……266
【五・二・三七】清末股票……267
【五・二・三八】清末彩票……267
【五・三・一】清政府致比利時國書……268
【五・三・一輔】大清國旗……268
【五・三・二】辛丑條約……269
【五・三・三】清駐意大利使館印……270
【五・三・四】覲見各國使臣檔……270
【五・三・五】意大利使館開送的覲見名單……271
【五・三・六】葡萄牙國書……272
【五・三・七】英國國書及照會……273
【五・三・八】比利時公使上的頌詞……273

【五・三・九】法國照會上的火漆……274
【五・三・一〇】美國駐華使臣印信關防……274
【五・三・一一】英人在華旅遊護照……275
【五・三・一二】各國洋人遊歷出入境清冊……275
【五・三・一三】朝鮮國王奏表……276
【五・三・一四】美國總統羅斯福致慈禧壽誕電……276
【五・三・一五】第五回日本勸業博覽會請柬……277
【五・三・一六】清末購買外艦的文件……278
【五・三・一七】英商在華購買土貨之報單……279
【五・三・一八】醫療藥費單據……280
【五・三・一九】留學生李兆濂的家書及照片……280

第六章　清代文書的保密、稽察、發遞和印信

【六・一・一】官員考語冊……290
【六・一・二】京察冊……291
【六・一・三】官員手鏡摺……292
【六・一・四】履歷手本……292
【六・二・一】勘合……294
【六・二・二】勘合牌文黄冊……295
【六・二・三】火票……295
【六・二・四】驛站排單……296
【六・二・四輔①】京師至各省驛站路程單……296
【六・二・四輔②】貴州省驛遞路程圖……297
【六・二・五】護照……298
【六・二・六】解單……298
【六・二・七】路引……298
【六・二・八】奏匣……299

【七・一・五】玉牒……324
【七・一・六】太和門進書單……325
【七・一・七】星源集慶……326
【七・一・八】玉牒館功課執照……326
【七・二・一】《平定兩金川方略》……327
【七・二・一輔】金川戰圖……327
【七・二・二】多爾衮開國史館之敕書……328
【七・二・三】滿文老檔……328
【七・二・四】起居注冊……330
【七・三・一】光緒會典、光緒會典事例……331
【七・三・二】滿文會典……332
【七・三・三】明史稿本……332
【七・三・四】《皇朝文獻通考》……333
【七・三・五】《四庫全書》總目……334
【七・三・五輔】違礙書目……335
【七・三・六】《大清一統志》……336
【七・三・七】刻版……337
【七・三・七輔】欽定內務府則例……337
【七・三・八】《大學》……338
【七・三・九】《帝鑒圖説》……338
【七・三・一〇】《三國演義》……339

第八章　清代檔案制度與檔案的典藏

【八・一・一】繳回朱諭……348
【八・一・二】錄副奏摺……349
【八・一・三】絲綸簿……350
【八・一・四】上諭檔……351

【六・二・九】奏匣……299
【六・二・一〇】夾板……299
【六・二・一一】道光朱批信封……301
【六・二・一二】光緒皇帝御筆封押……301
【六・二・一三】郵票……302
【六・二・一四】信封……303
【六・三・一】清帝寶譜及有關上諭……304
【六・三・二】將軍印譜……305
【六・三・三】提督山西總兵官印……305
【六・三・四】慈禧用寶印樣……306
【六・三・五】平南王印……306
【六・三・六】紅藍紫三色印鑒……307
【六・三・七】出外代寶記載清冊……307
【六・三・八】預用空白……308
【六・三・九】監國攝政王章……308
【六・三・一〇】關防……309
【六・三・一一】印簿……309
【六・三・一二】圖記……310
【六・三・一三】鈐記……310
【六・三・一四】戳記……311

第七章　清代官修史籍制度

【七・一・一】實錄……320
【七・一・二】《滿洲實錄》……321
【七・一・三】蒙文實錄……322
【七・一・三輔】包實錄、聖訓的包袱……322
【七・一・四】聖訓……323

【八・一・五】祭祀壇廟冊……352
【八・一・六】依都檔……352
【八・一・七】宮中各種記載簿冊……353
【八・一・八】和圖禮檔……354
【八・一・九】牌樣檔……354
【八・一・一〇】記載檔……355
【八・一・一一】英華殿供器檔案……355
【八・一・一二】記事珠等簿冊……356
【八・一・一三】五年一次預備閱看馬步箭宗室名冊……357
【八・一・一四】門照底簿……358
【八・一・一五】號簿……358
【八・一・一六】地方奏冊……359

導論　清代的政治制度與國家機關

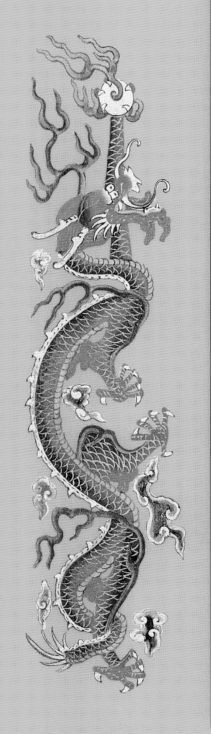

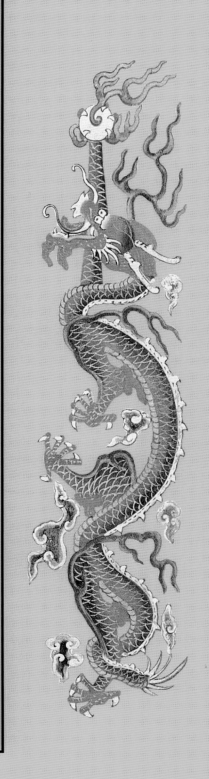

一六四四年，崛起於東北黑水白山間的滿洲少數民族政權揮戈南下，奪取了明末農民起義的果實，迅速建立起一個新的全國性政權——清王朝。

清朝雖是中國歷史上最後一個封建王朝，卻維持了長達二百六十八年之久的專制統治。它繼承歷代封建王朝的統治經驗，特別是吸取了明王朝亡國的教訓，進一步加強了封建專制主義的政治制度。這一制度的實質，就是在以滿族貴族為主體的滿漢地主聯合專政的基礎上，由皇帝實行高度的獨裁統治。皇帝自稱受命於天，以天為父，以地為母，所以又稱「天子」。君臨天下，統御萬邦。皇帝的言行就是法律和準繩，皇權是至高無上的、神聖不可侵犯的。他要求一切人都對其俯首稱臣，不容許有任何對立勢力和離心傾向的存在。為了使這一思想能夠有效地貫徹執行，清王朝逐步建立起一套與之相應完整的、龐大的國家機器。指揮整個國家機器運作的核心就是皇帝。

清朝的中央國家機關仿照明朝，設有內閣、六部、都察院。

清朝設內閣，以之「表率百僚」，「掌議天下之政，宣布絲綸，釐治憲典，總均衡之任」（《光緒會典》卷二）。早在入關前，清太宗皇太極便於一六三六年設立「內三院」，即內秘書院，內國史院，內弘文院。各司掌管和起草對外文書及敕諭，收錄各衙門奏疏詞狀；記註詔令、編纂史書；以及為皇帝講經，註釋古今史實，教誨諸親王頒行制度等。各院設大學士。一六五八年（順治十五年）正式改內三院為內閣。大學士名額不定，地位較明代為高，官秩為正一品，位列百官之首，但實權遠不及明朝，實際上它衹是皇帝的高級秘書班子。

清朝的中央行政機構設有吏、户、禮、兵、刑、工六部。吏部掌全國文職官員的任免及獎懲封贈事宜。户部掌全國的疆土、田畝、户口、財穀之政令。禮部掌國家典禮、學校、科舉事宜。兵部管全國武職官員的考核任免事宜。刑部掌全國之刑罰政令。工部掌全國的工程與營造事宜。但各部權力較明代更小，且互相牽掣。清帝甚至還有意識地把一件事情分幾個機關共管。如關稅由户、工二部分管，户部所屬的叫户關，工部所屬的叫工關，而內務府和順天府也派員參加，這樣使重要的事務不致專於一司。各部尚書、侍郎直接對皇帝負責。尚書、侍郎意見不一，可分別上奏，候旨裁定，便於皇帝從中操縱。

清朝設都察院，與刑部、大理寺合稱三法司。一些重要刑事案件，要經三法司會審。凡大政大獄事件，還要經由六部尚書、都察院都御史、通政使和大理寺卿組成的九卿會議或會審，最後由皇帝裁決執行。一七二三年(雍正元年)，又將歷來掌封駁權的六科，合併成都察院。這樣「台」「諫」合一，科道官員衹是充當皇帝的耳目而已。

此外，清朝沿明制仍設翰林院、詹事府、國子監、欽天監等機關，以管文教、天文氣象事宜。設太常、光祿、鴻臚三寺管祭祀禮儀，但較明代為簡。設宗人府管理皇族事務。清朝鑒於明朝宦官專權的教訓，曾立下鐵牌，嚴禁太監參預政事，並限定太監品級不得超過四品。清初曾設十三衙門，後改設內務府「掌上三旗包衣之政令與宮禁之治」(《光緒會典》卷八十九)。內務府是專門供辦皇帝起居膳食的機構，設內務府堂及士司三院並數十個附屬機構，主要負責內廷禁衛安全，帝后的日常起居，宮苑的修繕管理，太監宮女的選送管理等。

總體來看，清朝的國家機關是沿明舊制建立起來的，但這種封建國家機器辦公形式及名稱上的承襲，無非是為了適應對以漢族為主體的，且有着幾千年文化背景運作慣性的大中國的統治。顯然，在這些沿襲下來，用以迤辦理日常例行公事的國家機關存在的同時，在清朝還存在着另外一些非漢族傳統的國家機構形式與名稱。因為國家大機器中起決定作用的往往是這些部分，所以它們是十分關鍵的。如在內閣被視為朝廷中樞機構而存在的同時，國家的核心權力及軍國機密要務，實際上卻被另一套機密機構承擔掌握着。清初有滿洲貴族組成的議政王大臣會議。「每五日集朝一次，辦議國政」(《清朝續文獻通考》卷一一八)，「凡軍國重務不由閣臣票發者皆交議政王大臣會議」(《嘯亭雜錄》卷二)。隨着封建制度的日益高度發達，這種多少帶有些軍事民主制流風餘韻的樞機團體不可避免地與日趨專制的皇權統治之間開始出現不諧、裂隙，甚至激烈的對立。當年輕有為的康熙皇帝終於在皇權與八旗貴族老臣之間的政治鬥爭中佔了上風，清除了鰲拜等人以後，便開始採取了一系列措施來限制滿洲王大臣的權力。議政王大臣會議已經式微，康熙設南書房，揀詞臣優者入值。一些機密重要諭旨，不經王大臣會議，逕交南書房撰擬。這時「議政王大臣會議祇是奉行敕諭尊行而已」（康熙朝《東華錄》卷二十八）。而一七三〇年（雍正八年）軍機處的設立，「掌書諭旨，綜軍國之要，以贊上治機務」（《清朝續文獻通考》卷一一八）。徹底宣告了王大臣會議大限已臨，一七九一年（乾隆五十六年）便乾脆取消了。軍機處是封建專制主義高度發達的產物，絕不同於議政王大臣會議。議政王大臣是從滿洲貴族中遴選，而軍機大臣則由皇帝隨意指定，人數不限。軍機處祇設有軍機大臣和軍機章京，有官而無吏，機構簡練，其辦事之密速、效率非內閣等機構可比。

清代的地方行政機構也是基本上沿襲明制而設置的，設有省、道、府、縣四級。省是地方最高一級的行政組織，設有總督、巡撫。總督一般管數省，巡撫轄一省，總督為正二品官，巡撫為從二品官。督撫在明朝時是臨時派遣的，清朝時成為固定的封疆大吏，代表皇帝總攬一省或數省的軍政大權。督撫例兼兵部尚書、兵部侍郎銜，統轄本轄區的軍隊。清廷為了防止督撫權力過大，造成地方割據的局面，有意在一些重要地區，既設總督，又置巡撫，還有督撫同駐一城，使事權不致專於一人。而且一省內的政務又分之於布政司、按察司及守巡各道。布政司俗稱「藩司」，掌一省的行政及財賦的出納，國家政令都由它向府、州、縣宣布，所以全稱為「承宣布政使司」。品級與巡撫相同。按察使司又稱「臬司」，掌全省刑法事宜，全稱「提刑按察使司」，正三品官。司、道都是監督府、州、縣的，所以通稱「監司」。在明朝，道是監察分區，並非行政區，道員是因事派遣的。清代自乾隆時，把道員改為實員，設守道和巡道。守道有固定的轄區，主管錢穀政務。巡道則分巡某一區域，主管刑獄案件。還有因專門事務而設立的道員，如督糧道、鹽法道、河道、海關道等。道下為府，設有知府。府內設廳、州。廳設同知；州設知州。州、廳雖為固定的行政單位，但不是一級政權機關。府以下為縣，設知縣一人，主管全縣的政務。

清朝在各府州縣廳所屬的城廂市鎮村屯採用里甲制。規定一百一十户為里，設里長一人；里下設甲，設甲首一人。在城鎮設坊廂，每五年編審一次。里正、坊廂長的職責是調查糧丁數，編制賦役冊。同時，清統治者還創設保甲法。規定以户為單位，每户給予門牌，書寫姓名、丁男、口數於上，出外註明所往，入則註其所來。十户為一牌，十牌為一甲，十甲為一保，分設牌頭、甲長、保正。里甲與保甲是清朝統治的基層組織，里甲制下的户籍統計，以户為主，專管徵收地方的賦稅；保甲制下的户籍統計，以人為主，目的是監視人民的思想和行動。

為了統治各少數民族，清朝還專門建立了專管蒙、回、藏等少數民族事務的機構——理藩院。理藩院原叫蒙古衙門，崇德三年改為理藩院。設尚書一人，左右侍郎各一人，都由滿人或蒙人擔任。內部設有旗籍、王會、典屬、柔遠、徠遠、理刑六個清吏司，「掌外藩之政令，制其爵祿，定其朝會，正其刑罰」（《光緒會典事例》卷六十三）。此外，還在新疆、內外蒙古、青海、西藏各地設置特殊的機構，派將軍都統大臣等，分別駐紮，就地管理，並啟用各族王、公及宗教上層人物管理本民族所屬的地方行政事務。清朝是我國封建社會統一的多民族國家最鞏固的時期。理藩院的設立等一系列措施，對於調解各民族糾紛，維護多民族國家團結起了一定的作用。

清朝的軍事制度具有較濃的民族統治的特色。清軍主要分為八旗和綠營兩種。清朝以八旗兵起家，《清朝通典》載：「八旗之制，實我朝開國經政啟造之始基。」八旗兵是按民族進行編制的。八旗制度是努爾哈赤時期，在原來「牛錄」打獵組織的基礎上，逐步建立起來的一種軍政合一的組織。開始建滿洲鑲黃、正黃、正白、正紅、鑲白、鑲紅、正藍、鑲藍八旗。皇太極時，又參照滿洲八旗之制，建立了蒙古八旗和漢軍八旗。旗設都統，由中央八旗都統衙門掌握，地方督撫無權徵調。八旗兵，尤其是滿洲八旗兵，是清朝最親信的武裝力量，分別駐防京師和全國重鎮要塞。八旗都統直接受皇帝指揮，形成了對全國的嚴密控制網。八旗軍是職業的軍隊，清統治者規定旗人不許經商、做工，祇許做官、當兵、應差。清政府還給旗軍以特殊的政治地位、優厚的待遇和精良的裝備，企圖永遠保持這支軍隊的戰鬥力，以便維持其民族統治。

與八旗兵相應的另一支國家武裝力量是綠營兵，這是一支漢人組成的武裝。綠營兵分騎兵、步兵、水師，以招募漢人和各地收編的漢族地主武裝組成，因使用綠色軍旗、以營為建制單位故名。綠營兵歸兵部管轄。統兵的軍官是提督、總兵、副將、參將、都司、游擊、守備、千總、把總，兵額不定。嘉慶後，旗兵退化腐朽，綠營兵逐漸成為國家軍事的主要力量。後來，甚至綠營兵也退化腐朽，清末支撐天下，不得不靠一些鄉勇團練等地方地主武裝，如曾國藩的湘軍、李鴻章的淮軍等，並進行軍政改革。

清朝整個國家機器是以皇帝為中心而運轉的。而這種龐大的政治機器的運轉必須依靠文書這個上傳下達的紐帶來帶動，所以，清朝建有一套非常系統、嚴密的文書制度和相應的文書處理機構。

第一章 清代文書制度和文書處理機構

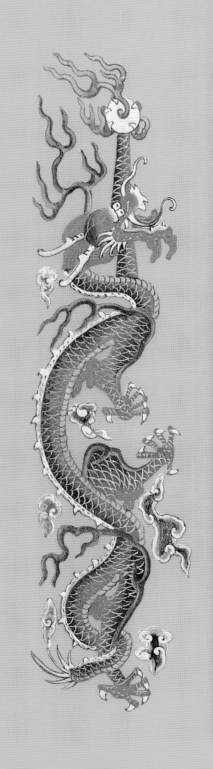

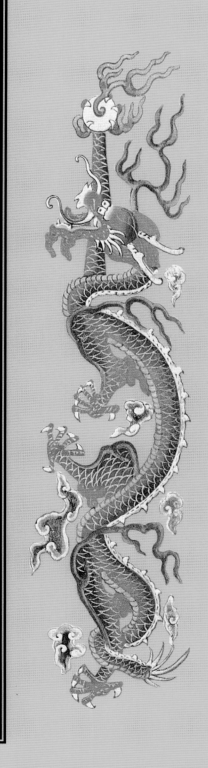

第一節　清代文書制度的建立、發展與改革

清代文書檔案制度的建立與發展，始終與清政權的盛衰息息相關。

入關前，清政權處於統一全國的戰爭時期，一切規制比較簡單。努爾哈赤時，每有征戰，與諸貝勒就地而議，上馬而傳令，並不着重文書的使用，即使所用也不過木牌一塊，寥書數字。現存於世的二十多枚「滿文木牌」，便是清初英王阿濟格與明軍作戰的報告。楊賓在《柳邊紀略》中談到：「邊外文字，多書於木，往來傳遞曰牌子，以削木若牌故也。存貯年久者曰檔案、曰檔子，以積累多貫皮條掛若檔故也。」這種帶有濃厚的邊外民族特色的文書形式，對清代的文書有一定的影響，後來清宮中出現的紅頭牌、綠頭牌，當是這一祖制文書形式的遺韻。隨着清朝國勢日昌，文書的使用也得到了推動，皇太極時期始設文館以記註國家政事。這一時期文書從形式到內容已達到了一定的水準，滿漢文合璧的文書已開始大量出現。

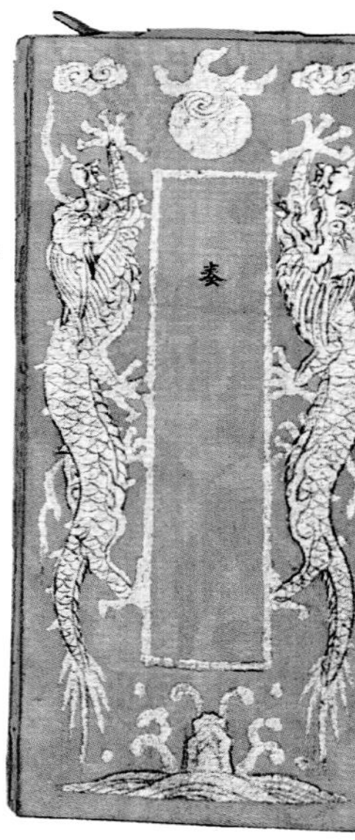

清代國是文書的基本定型，是在順治時期。其時清軍揮師入關，承襲了明朝國家機構及其運行體制，因此文書上的沿承也是順理成章的事。其臣工言事於皇帝公事用題本，私事用奏本的承襲與定制，基本定下了整個清朝二百多年間公務文書規範的基調。此外，當順治帝年幼，多爾袞以攝政王身份執政時期，臣僚上書攝政王使用啟本，以合明代臣僚上書皇太子用啟本之制。當然，隨着多爾袞的死、順治的親政，這一啟本制度也隨之而廢。

康熙統治時期，全國基本實現統一。政治事務日趨繁雜，而題奏文書的數量龐大，處理程序繁瑣等弊病，都顯示原有的題奏制度已不能適應當時處理全國政務快捷簡便的需要。而且題奏的辦理，須經內閣的票擬後，才能到達皇帝手中，這樣也不易保密。於是自康熙中葉起，一種臣工奏報機密要事時使

用的秘密文書——奏摺開始興起。奏摺須具摺大臣親自書寫，可密封直接送給皇帝，不需要通過通政使司和內閣辦理。皇帝於奏摺上親筆批閱後，封送具摺大臣執行，辦事既速且密。這種密摺，對於皇帝了解全國政情，考察官員，進行獨裁統治，起了很大作用。康熙帝在蘇州織造李煦奏摺上朱批：「凡寫奏帖，萬不可與人知道。」在江寧織造曹寅奏摺上朱批：「朕體安善，爾不必來，可以密摺請旨。凡奏摺不可令人寫，但有風聲，關係匪淺，小心，小心，小心，小心！」（《關於江寧織造曹家檔案史料》）

雍正執政時，出於政治鬥爭的需要，曾大興密奏之風。雍正帝以此手段，察貪除奸，排除異己。為了維護皇權和防止機密外洩，雍正帝登極之後，即諭令滿、漢大臣及各省督撫提鎮等官員：「所有皇考朱批諭旨，俱著敬謹封固進呈。若抄寫存留，隱匿焚棄，日後發覺，斷不寬宥，定行從重治罪。……嗣後朕批密旨，亦著繳進，不可抄寫存留。」（《宮中檔案·硃批吳陞奏摺》）以後歷代相沿，並形成了繳回朱批制度。這一起源於君臣之間私人密信的文書形式，後來竟成了超越題（本）奏（本）的一種固定的公文形式，是人們始料不及的。

為了及時掌握施政的情況，雍正帝還建立了文書稽查制度。雍正五年（一七二七年）令各部院衙門，將每月所奏事件，分別已結、未結，聲明情由送交內閣，內閣按日記檔，於月終彙奏一次。雍正八年（一七三零年）特設稽查欽奉上諭事件處，專門負責稽查奉旨交部議覆之事。這一制度的實施，進一步提高了各衙門的辦事效率。

鑒於當時書吏把持文書檔案，以致影響公務。雍正七年（一七二九年）曾明令，嗣後官員遷轉，必須將所掌案卷，交接清楚，並具甘結，呈堂用印收貯。如有疏失換易等弊，一經發覺，依例治罪。

雍正皇帝對清代文書檔案制度的建設，無疑對加強皇帝的集權，鞏固封建統治起了積極作用。

乾隆在位期間，清朝的政治、經濟、文化都發展到了前所未有的高度，處於全盛時期。這一時期，國家各種典章制度健全，文書檔案制度也相應齊備和規範。而這一現象的背後，前幾朝的積弊及嚴重的文牘主義也日益突顯出來。於是乾隆帝不得不再次進行整頓，首先統一了上奏文書。清入關以來，臣工奏事，沿明舊制。公事用題本，私事用奏本。但一些顢頇的官員往往很難區分公私事務，以致在題、奏用法上也每每參差不齊。雍正帝對此也很無奈，曾反覆諭明：「嗣後舉劾屬官及錢糧兵馬命盜刑名，一應公事，照例用題本外，其慶賀表文，各官到任接印，離任交印，及奉到敕諭，頒發各直省衙門書籍，或報日期，或係謝恩，並代通省官民慶賀陳謝，或原題案件未明奉旨回奏者，皆屬公事，應用題本。至各官到任升轉加級紀錄，寬免降罰，或革職留任，或特荷賞賚謝恩，或代所屬官員請恩者，均用奏本，概不鈐印。」（《欽定大清會典事例》卷一〇四二〈通政使司〉）儘管有這些規定，但官場上題奏用法仍然十分混亂。所以到了乾隆時，便索性廢止了奏本：「乾隆十三年諭，向來各處本章，有題本、奏本之別。地方公事，則用題本。一己之事，則用奏本。題本用印，奏本不用印。其式沿自前明。蓋因其時綱紀廢弛，內閣、通政使司，籍公私之名，以便上下其手。究之同一入告。何必分別名色，著將向用奏本之處，概用題本，以示行簡之意。」（《光緒會典事例》卷一〇四二）

題本、奏本合一之後，雖然簡化了上奏文書的種類，但題本要通過通政使司和內閣去辦理，手續仍然十分繁雜，且文字冗長。這樣的文書運轉程序，仍不能適應國家施政的要求。所以康、雍以來行之有效的奏摺，在乾隆時期便被正式規定為國家政務文書之一。凡奏報兵馬、錢糧、刑名案件等例行公務用題本；凡涉及機密要事，不便露章上奏者，可寫奏摺上達。

進而，乾隆對皇帝下達的詔令文書和各官署的來往行文，也進一步完備和規範。《乾隆會典》卷二載：

「凡朝廷德音下逮，宣示百官曰制，布告天下曰詔，昭垂訓行曰誥，由明職守曰敕。中外封章上達，慶賀皇帝、皇太后曰表，皇后曰箋。陳事曰疏。……各部院及直省題疏到內閣，大學士票擬進呈。行旨，轉下六科，抄發各部院施行。以副本錄旨，送皇史宬存貯。如原疏摺出，未定處分。俟御門聽政時滿學士一人，敷奏摺本。大學士面奉諭旨，如前施行。」

嘉慶、道光時期，文書檔案制度建設方面已乏善可陳，只不過在滿漢大臣的奏摺的紙樣顏色、行款、抬寫格式及文字等枝節方面有進一步的規範，已陷入繁瑣的文牘主義窠臼。

此時的一個引人注目的現象是：隨着滿官的漢化，使用漢字奏摺逐漸增多。咸豐十一年（一八六一年）清廷規定：「嗣後京內外各衙門遇有清字奏事摺件，均用清、漢字合璧式樣。」（步翼鵬：《奏摺體例輯要·國書》）其他中央各機關同宗人府、內務府的行文，向用滿文的，也多採用滿、漢文合璧的方式。

一八四〇年鴉片戰爭以後，中國逐步淪為半封建半殖民地社會。道光、咸豐、同治、光緒、宣統時期，隨着政體及政治事務內容，乃至傳媒方式、手段的變化，文書制度也再一次面臨着強烈的衝擊。根據清政府與列強簽訂的一系列不平等條約，開始出現專門的外交文書，如照會、條約、國書、全權證書、談話記錄、外務統計、出使報告、護照，以及信函、電報等。

光緒、宣統時期，清政府內憂外患，統治地位岌岌可危。清廷為挽救即將崩潰的王朝，宣布實行新政，預備立憲，進行國家機構改革。在新政期間，開始出現近代的財務、統計文書。特別是電報的使用是一大進步。光緒五年（一八七九年）直隸總督李鴻章開始使用電報傳遞軍事消息，以後電報迅速普及，至光緒二十四年（一八九八年）清政府正式規定電報與公文有同等效用。官用的電報，皇帝下行的電報稱「電旨」，臣僚上行的電報為「電奏」，平行的電報稱「電信」。

由於「簡速易覽」的奏摺普遍使用和快速傳遞信息的電報迅速推行，題本這一傳統的曾經作為公務文書的文種，更顯得「繁複遲緩」。於是在光緒二十七年(一九〇一年)清廷下令廢除題本，改題為奏。劉坤一、張之洞在奏請廢除題本的奏摺中說：「查題本乃前明舊制，既有副本又有貼黃，兼須繕寫宋字，繁複遲緩。我朝雍正年間，諭令臣工將要事改為奏摺，簡速易覽，遠勝題本。五十年來，各省已多改奏之案。是年冬間，曾經行在部臣奏請將題本暫緩辦理。此後擬請查核詳議，永遠省除，分別改為奏、咨。」(《光緒政要》卷二七)這樣在明清兩代實行了五百來年的題本制度，便永遠被廢除了。

其時，即使是奏摺，也已失去了康雍時期的令人耳目一新的面目，而步題本的後塵，一步步淪為滯重、缺乏生機的官樣文章。到清末時，一些官員繕寫奏摺時，甚至有描畫八股之概；一些人索性要請別人捉刀。大清朝的公文就如同它的國運一樣，已經沒落了。

第二節　清代文書處理機構

清代整個國家機器是以皇帝為中心起動運轉的。而這種龐大的政治機器的運轉，須靠文書這個上傳下達的紐帶來帶動。所以，凡設有國家機關，其內必設有相應的文書處理機構。

(一) 中樞機關的文書處理機構

清代在皇帝高度集權統治下，設有內閣和軍機處，以輔助皇帝辦理政務。內閣主要任務是辦理題本和宣示皇帝下達的詔令文書。軍機處主要任務是辦理奏摺和下傳廷寄諭旨等。為完成各自的職能，都在內部設立了相應機構和官吏。在機構、官員設置上，內閣比較龐雜，而軍機處比較簡練。

內閣設有如下機構：

典籍廳：為內閣的秘書部門，內分南、北二廳。南廳辦理閣務，諸如收發文書，掌關防（內閣無印，僅有典籍廳關防，對外行文俱用此關防）以及對下級官員的考績工作；北廳主辦皇事，如內閣向皇帝陳奏事件，大典事務，用寶洗寶，收藏紅本及其他檔案。設有滿、漢典籍及滿洲學士等官員，以管理廳事。

滿本堂：又稱滿本房或滿洲堂。設有滿洲侍讀學士、侍讀、中書等官員。掌校閱題本的滿文部分。實錄庫和皇史宬的收藏事宜，並進呈實錄、增修王公世爵譜冊，以及繕寫各項滿洲文字。

漢本房：又名漢本堂。設有滿、漢侍讀學士、侍讀、中書等官員。掌收發通本，繕寫貼黃及各項應翻為滿文之文書，如上諭、碑文、冊寶、祝版等應譯滿文的，都由漢本房翻譯，所以又有翻譯房之稱。

蒙古房：亦稱蒙古堂。設有蒙古侍讀學士、侍讀、中書及貼寫中書等官員。掌翻譯蒙、回、藏等各部文字以及外國來文。凡遇有各藩部陳奏事件及表文，皆譯出具奏。凡頒各藩部誥敕、碑文、匾額及奉旨特交事件，俱由蒙古房譯出繕寫。凡外國文字，如俄國照會，即召翰林院俄羅斯館官員至房翻譯；西方各國來照，即召西洋館官員翻譯。此外，還管理蒙文實錄、聖訓。

滿票簽處：設有滿侍讀、委署侍讀、滿蒙中書及滿貼寫中書等官員。掌校閱滿文本章並撰繕滿文票簽。皇帝出巡時，發遞本報。京內外官員的奏摺，經皇帝批閱，應交在京各衙門知道或辦理，由軍機處交滿票簽處，傳知各該衙門抄回辦理。承發諭旨，記載綸音，如與漢票簽處合記《絲綸簿》、《上諭簿》等。（按：每日發往六科的本章，由滿、漢票簽處分別摘記事由，詳錄批旨，名《絲綸簿》。特降諭旨，另錄一冊，叫《上諭簿》，又稱《上諭

檔》或《上傳檔》。）

漢票簽處：設有漢侍讀、委署侍讀及中書等官員。一、掌校閱漢文本章，擬繕漢文票簽。二、記載綸音。如與滿票簽處合記《絲綸簿》、《上諭簿》以外，另將中外臣工的奏摺，奉旨允行及交部議覆者，別為一冊，叫《外紀簿》以備參考。三、撰擬御制文字，如制、詔、誥、敕及冊文、祝文、封號等。

誥敕房：康熙十年（一六七一年）設立，由漢本房兼管。專司校勘和收發誥敕。凡遇恩詔辦理誥敕，由大學士於漢侍讀、中書中派員管理，無定員，額設供事四員。凡漢票簽處撰擬之誥敕，由誥敕房審查核閱、用寶頒發。封贈誥敕，皆刊刻定本存儲，遇用時交中書科填寫，經誥敕房校閱頒發。如特命特封王貝勒，則於中書中能文者，別撰新文，進呈寫給。冊封金銀冊，也交誥敕房校閱。

稽察房：掌催辦、檢查和彙報各衙門執行上諭的情況。設滿中書一人、漢中書二三人，額設供事四人。凡交各部院議覆事件，分別已結、未結，月終則彙奏。軍機處每日發出滿漢文諭旨，均由滿票簽處移至稽察房儲存、核對，按月彙奏。稽察房設於雍正五年（一七二七年），據檔案記載：「雍正間奏摺多交部議，不以時覆，令內閣立期督責，每月之抄，部以未覆之情告，據而奏之，如摺已繕就而部覆上，則貼簽聲明，必日至票簽檢閱。」

收發紅本處：也叫紅本處或收本房。乾嘉年間成立。司員無定額，由大學士於滿、漢侍讀、中書內派專辦收發紅本事宜。

飯銀庫：又叫飯銀處，專管飯銀的收支。

副本庫：約成立於乾隆年間，嘉慶會典始有此名。雍正七年下令副本送閣後，副本日增，乃建專庫收藏。

批本處：設於大內，又稱「紅本房」或「紅本上」，掌題本之批紅及呈遞本章。

如果說內閣是清王朝表面上名正言順的國家中樞機構，那麼作為皇帝私人秘書班子的軍機處就顯得有些神秘莫測了，因為從體制上講，它始終不算正式的衙門，但卻起着舉足輕重的作用。

軍機處全稱「辦理軍機事務處」，設於禁廷隆宗門內靠北、乾清門外西側。其值廬稱「軍機堂」，內部未設機構，職官簡練。日常工作由軍機大臣主持，軍機章京辦理，所謂「樞廷義取慎密，有官而無吏」（《樞垣紀略》卷二十二）。軍機大臣無定額，俗稱「大軍機」，皇帝直接從滿、漢大學士、各部尚書、侍郎、總督中，選取親信能幹的大臣入值軍機堂。軍機章京俗稱「小軍機」，初無定員。嘉慶四年後，軍機章京分滿、漢各兩班，每班八人，共三十二人。軍機章京都是從內閣中書及各部院郎中等官員中挑選出來的，所以辦事精幹、縝密、效率高。

軍機處附設有方略館，設總裁一人，由軍機大臣兼任。方略館主要任務是每逢重大軍事事件結束以後，根據有關檔案材料，纂修方略。軍機處辦理朱批奏摺的錄副以及謄寫校錄文牘事務，也多由方略館供事擔任。軍機處還附設有內翻書房，負責「翻清譯漢」之事。

（二）直接為皇帝辦文宣諭的機構

以公文治天下，是清代政治的一大特色。要使如此龐大繁雜的公文洪流渠道暢通，也實在不是件容易的事。為此，清政府特設了專門負責溝通中央與地方，連接朝內朝外文書信息的一些機構。

在清朝轉輸溝通中央和地方公文的專門機構是通政使司。清沿明制，於順治元年（一六四四年）設立通政使司，「掌受內外章疏、臣民密封申訴之事。凡在外之題本、奏本，在京之奏本，並受而進之於朝，核其不如式及程途稽限者。凡大政大獄，咸得偕部院予議焉」（《清朝文獻通考》卷八十二）。其實，它的日常任務是：收各省題本，校閱後送內閣；將隨本之揭帖交提塘官，投送有關部、科；查有題本不合規制的，送內閣參處。有逾限期的，移交關係衙門議辦。通政使司設有通政使二人，以統領司事。設有參議、經歷、知事、筆帖式等官員，以分辦各項事務。

另一個連接內廷和外朝之間的聯絡機構是奏事處。奏事處是為皇帝收發奏摺，傳宣口諭的一個機構，實為皇帝一個宮內傳達室。奏事處有內外之分。內奏事處設於乾清宮西側，月華門之南，設有太監十八名，其中內奏事太監四名，隨侍太監二名，記檔太監四名，使令太監八名。外奏事處設於景運門內，由御前大臣兼管，設奏事官若干人。每逢皇帝到乾清宮辦理政務，外奏事官將奏摺等文書，轉交內奏事處太監，內奏事太監再呈送皇帝，由皇帝閱批。奏事處日常工作主要有：一、傳遞奏摺等文書以及國內外的貢品；二、傳宣皇帝的口傳諭旨；三、排八旗、侍衛處等在朝輪流值班名單。凡值班奏事、引見官員則由奏事處代遞膳牌，預備皇帝召見。

此外，清代還設有專門負責繕寫冊文、誥敕的謄寫班子——中書科，及負責稽察各衙門公文辦理情形的特設機構稽察欽奉上諭事件處及六科。

中書科：專司繕寫冊文、誥敕等事宜。由內閣學士一人，主管科務。設有滿、漢掌印中書、掌科中書等官員。凡寫誥敕，滿字由滿中書繕寫，漢字則由漢中書繕寫。金冊、銀冊書寫後，由工部派工匠鐫刻。京內外官員的封受的冊軸，由掌印中書專管。封典誥軸，由掌科中書專管。

稽察上諭事件處：為催辦諭旨的一個專門機構。設有管理大臣，無定額。「掌察各部各旗諭旨特交之事，而督其限；稽國史館之課程」（《光緒會典》卷三）。另外，設委署主事、行走司官、筆帖式等官員，以分別掌稽察事件和翻譯等事。

清代六科亦仿明制而設，但並非獨立而是隸屬於都察院。吏、户、禮、兵、刑、工六科，每科設掌印給事中，滿、漢各一人，負責科務。設給事中，滿、漢各一人，以辦理糾察事宜。其職掌為監察在京各衙門的弊誤。日掌事務，除掌發科抄外，還負責稽察在京衙門所辦的事件而註銷其文件。六科稽查各衙門所辦事件都有具體的分工。每月兩次，以各衙門所辦之冊送科註銷。其逾限有因者，皆令於冊內聲明。無故逾限者，由科指參，月終彙題於皇帝。

（三）各部院寺監衙門的文書處理機構

中央各部院寺監衙門都設有文秘檔案機構，大致可以分為以下五種類型：

一、司務廳或經歷司。主要掌管吏役，收外省衙門的文書及辦理其他庶務。如六部、理藩院、大理寺、都察院、宗人府等有此設置。

二、典簿廳或主簿廳。主要掌章奏文移，保管書籍，管理吏役等，相當於秘書部門。如翰林院、光祿寺、國子監都設有典籍廳。詹事府、太僕寺、鴻臚寺、欽天監等都設有主簿廳。

三、印房。武職衙門，如八旗都統衙門等，大多設有印房，掌章奏文移。

四、檔房。專門管理文書檔案的機構。如宗人府、大理寺、國子監等設有檔房。理藩院設有清檔房、漢檔房，光祿寺設有黃檔房。

五、督催所或當月處。督催所為催辦文書的機構。如吏、户、禮、兵、刑、工六部等都設此等機構，以催促各司辦理文件。當月處為掌管印信的機構，如吏、户、禮、兵、刑、工六部等都設此機構，以掌管部印並收在京衙門的文書。

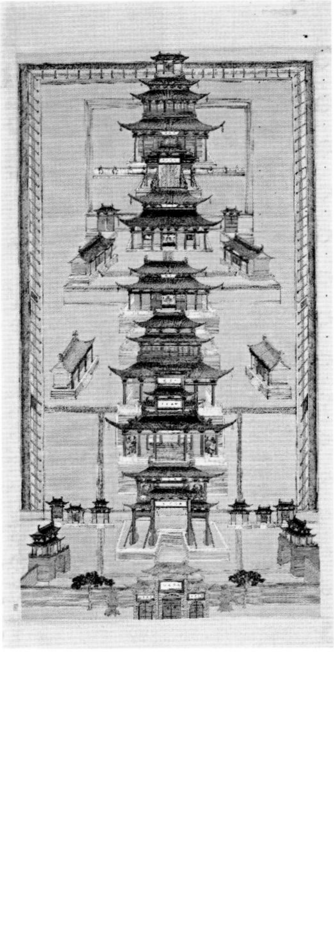

此外，為驛遞文書，兵部在京設有捷報處，掌接各省由驛馳奏皇帝的奏摺及軍機處遞發的寄信諭旨等。各督撫的奏摺，由驛站馳送北京，由捷報處接收，再遞交奏事處呈皇帝御覽。軍機處交發的廷寄諭旨，由捷報處交兵部釘封，由馳遞發具摺者執行。

各省派有駐京提塘官，也由兵部管轄。提塘官由各省督撫保送武進士或武舉咨送兵部充任。其任務有四：一、遞送各省督、撫、提、鎮等進呈皇帝的題本；二、遞送各部院衙門給各省督、撫、提、鎮的文書；三、送敕印於本官；四、各省提塘官在北京設有報房，凡諭旨，題奏等文應傳抄者，則刊印《京報》轉發各省督撫衙門。

清代省、府、廳、州、縣衙門，一般都設有吏、户、禮、兵、刑、工六房（科），設有典吏、號吏、稿書等人員，以管理文書檔案。

（四）清末官制改革後的中央和地方機關的文書處理機構

自一八四〇年鴉片戰爭以後，中國逐步淪為半封建半殖民地社會。劇烈的內憂外患不但強烈地衝擊着清政府落後遲滯的政體及腐朽的國家機器，對公務文書運作方面也產生了震盪。為適應當時的形勢，清政府於咸豐十年（一八六〇年）設立了總理各國事務衙門，以專管對外交涉事務。在該衙門之內，設有司務廳和清檔房，以辦理文書檔案工作。司務廳負責收發文件，呈遞摺件，保管、監督使用印信等。清檔房，負責編繕、校對清檔。

光緒二十六年（一九〇〇年）八月，八國聯軍侵佔北京。後迫使清政府簽訂的《辛丑條約》中規定，將總理各國事務衙門改為外務部，班列六部之首。外務部內亦設有司務廳和清檔房，其職掌與總理衙門時期相同。

清廷為變法圖強，自光緒三十二年（一九〇六年）起進行了部分官制改革。巡警部改為民政部；户部改為度支部；兵部改為陸軍部；刑部改為法部；大理寺改為大理院；工部併入商部，為農工商部；設郵傳部，以管理輪船、鐵路、電報、郵政等事宜；理藩院改為理藩部。為仿照外國君主立憲制度，於光緒三十三年（一九〇七年）在京師設立資政院「以立議院基礎」。宣統三年（一九一一年）四月，又設立責任內閣。並成立弼德院為皇帝顧問機關。在設立的國家機關中，一般都設有承政廳或司務廳、總務司、庶務司等，其名稱雖不相同，但都是負責文書檔案工作的。廳和司之下，一般還設有：一、機要科，掌理機密文電；二、秘書科，掌理文牘收發，編存文卷；三、文牘科，掌收存各類文電，立卷舊檔；四、承值科，掌理收發文件，監用印信等。

清末的官制改革中，地方機關也有很大變化。光緒三十三年（一九〇七年）清政府制訂的《各省官制通則》中規定，各省設布政、提學、提法三司，受督、撫節制。增設勸業、巡警兩道。各州縣不兼理司法，專一治理地方。各省按級分設審判廳和檢察廳，分理各級地方的民、刑案件。總督、巡撫衙門，一般由幕僚管理文牘事宜，其下設有交涉科、吏科、民政科、度支科、禮科、學科、軍政科、法科、農工商科、郵傳科等，以分科辦理各項文牘庶務。

【一・一・一】清太祖起兵伐明告天七大恨榜文

天聰四年（一六三〇年），漢文，紙質，印刷件，100cm × 75cm。

又稱「金國汗攻永平誓師安民諭」或「努爾哈赤伐明誓詞」。原係清太祖努爾哈赤天命三年（一六一八年）四月十三日，正式起兵伐明時發布的告天示民諭，從此滿洲和明朝公開決裂。該文集告、檄、諭等形式內容為一體，主要闡述其起兵伐明的七條理由，「敘我起兵之由，明我奉天之意」。但原件今已不存。此件為皇太極天聰四年再度入關時，覆述七恨之文。文體格式簡單，通篇頂格書寫，紙質粗糙，可用於宣讀和張貼。一九六四年，曾重新加軸裝裱，是現存清朝開國史上一份重要而特殊的文書。

【一・一・一輔】瀋陽攻戰圖

清入關前和明軍在遼寧之瀋陽作戰圖。

天命六年（明天啟元年，一六二一年）三月十三日，努爾哈赤統兵攻打瀋陽。時明軍以袁應泰為遼東經略，守城總兵為賀世賢。明軍雖經苦戰，終因兵力懸殊而失敗。城破五日後，努爾哈赤率兵乘勝追擊，於二十一日再取遼陽。袁應泰等殉節。遼瀋之戰，是清朝開國史上具有重大意義的戰役。自此清有了遼寧東北大片土地，不久努爾哈赤遷都遼陽，天命十年（一六二五年）再遷都瀋陽（時稱盛京），為清朝定都建國，進而入關統一全國打下了基礎。該圖選自皇太極天聰九年（一六三五年）繪圖本之《滿洲實錄》。

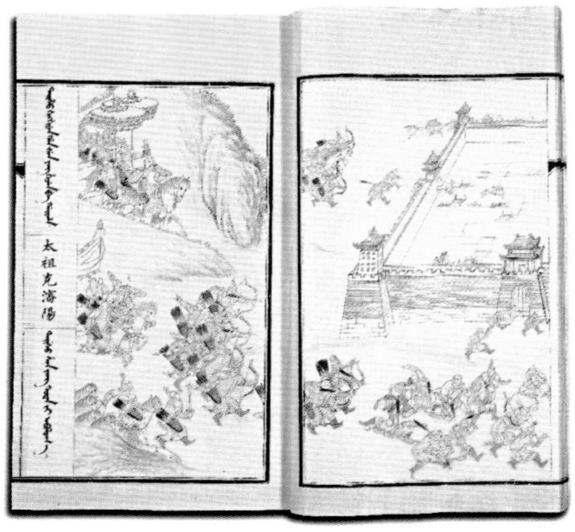

【一・一・一輔】

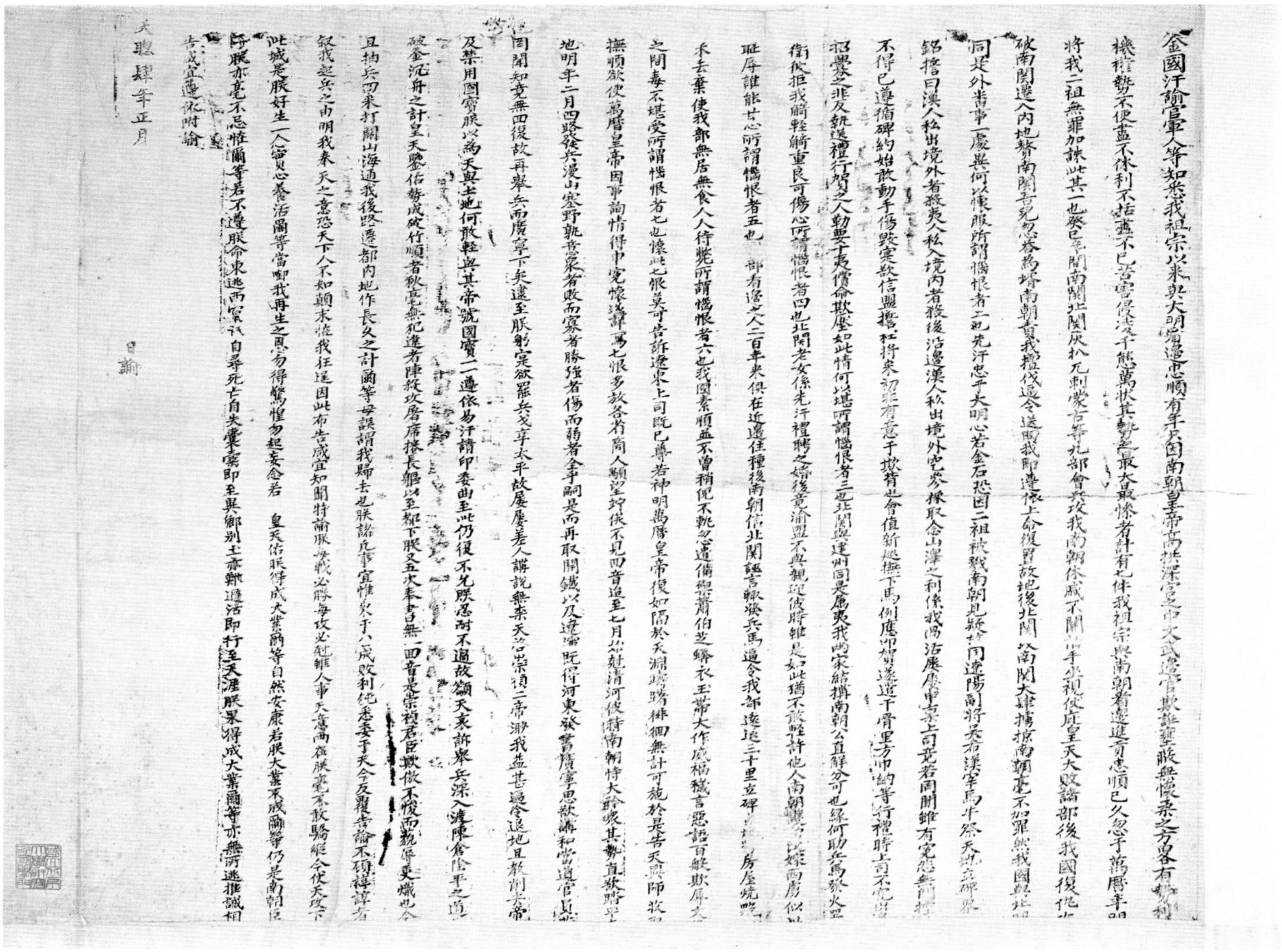
天聰肆年正月　日諭

【一・一・二】

【一·一·二】滿文木牌

滿文，木質，長32—17cm，寬4—0.5cm，厚0.5—0.3cm。

清代早期以木牌為載體書寫的滿文檔案。現存於世的滿文木牌僅二十餘枚，係英王阿濟格於崇德元年（一六三六年），率兵進入關內，在北京周圍與明軍作戰的報告。書寫不講格式，全頂頭豎寫，每面書字二至三行。

【一·一·二】

【一·一·三】户部諭

清入關前，滿漢文合璧，紙質，77cm × 64cm。

係崇德四年（明崇禎十二年，一六三九年）六月，由戶部發布的禁止種煙（丹白桂）的告民示諭。清於入關前之天聰五年（一六三一年），仿明制建立了清朝最初的國家機構，設立吏、戶、禮、兵、刑、工六部，並逐步建立了文書辦事制度，文書形式亦漸趨成熟。該示諭格式比較規範，文尾用印，刻版印刷。

【一·一·四】揭帖

順治元年（一六四四年）七月，漢文，紙質，每扣28cm × 11.5cm，四扣。

清沿明制，各省官員上報本章時，另備有「呈文揭帖」，簡稱「揭帖」，即係抄送有關衙門備案的題本之副本。內容與題本正本基本相同。清初，地方衙門呈送題本時，須備揭帖三份，一份存通政使司，一份送有關部院，一份送科。通政使司將各省題本送交內閣的當天，即將揭帖送有關衙門。雍正十二年（一七三四年）後，為防止先期洩密，改為五天後將揭帖送部、科。副本制度建立後，規定將原來交通政使司的揭帖改為副本，故此後地方衙門呈送本章時，改為備揭帖兩份。

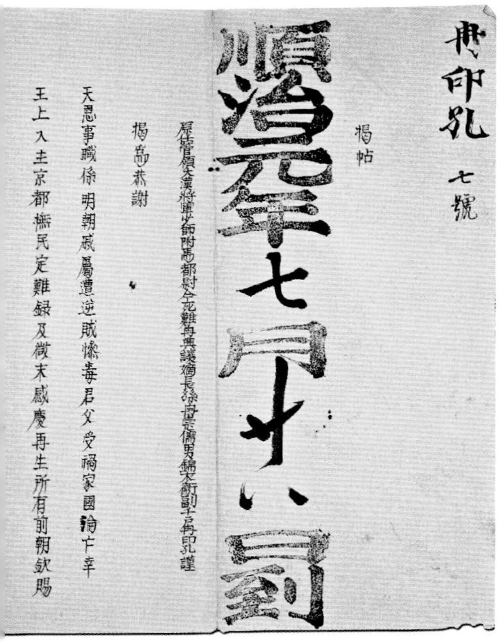

冉印孔 七號

揭帖

順治元年七月廿八日到

原任管領大漢將軍少師附馬都尉今死難冉興讓嫡長孫冉崇偶男錦衣衛副千戶冉印孔謹

揭為恭謝

天恩事竊係 明朝戚屬遭逆賊慘毒君父受禍家國淪亡幸

王上入主京都撫民定難録及微末感慶再生所有前朝欽賜

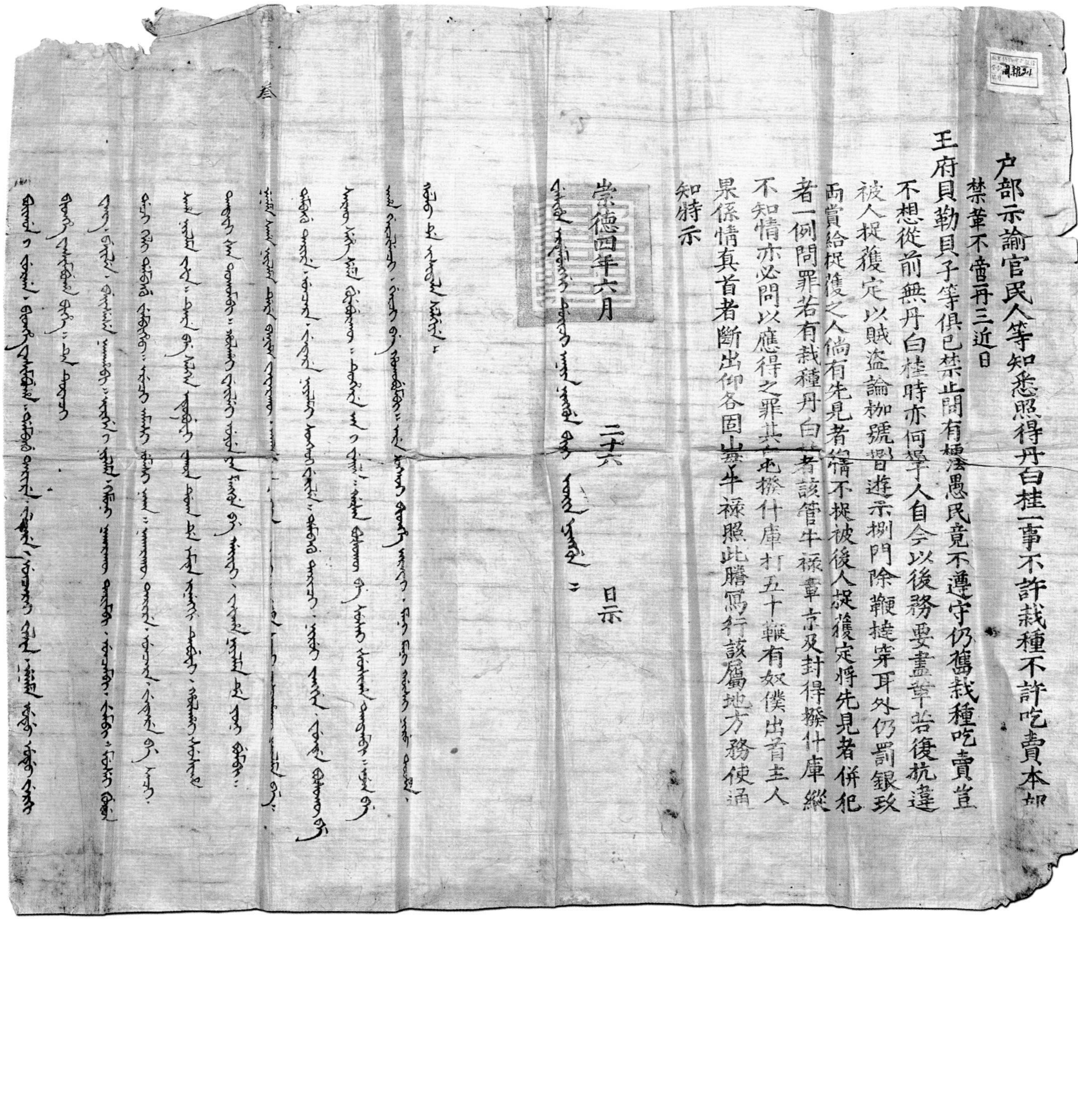

户部示諭官民人等知悉照得丹白桂一事不許栽種不許吃賣本部

禁革不啻再三近日

王府貝勒貝子等俱已禁止聞有不法愚民竟不遵守仍舊栽種吃賣豈

不想從前無丹白桂時亦何嘗不人自今以後務要盡革若復抗違

被人捉獲定以賊盜論枷號遊示捌門除鞭撻穿耳外仍罰銀玖

兩賞給捉獲之人倘有先見者徇不捉被後人捉獲定將先見者併犯

者一例問罪若有栽種丹白桂者該管牛祿章京及封得撥什庫縱

不知情亦必問以應得之罪其屯撥什庫打五十鞭有奴僕出首主人

果係情真首者斷出仰各固山牛祿照此謄寫行該屬地方務使通

知特示

崇德四年六月 二十六 日示

【一·一·三】

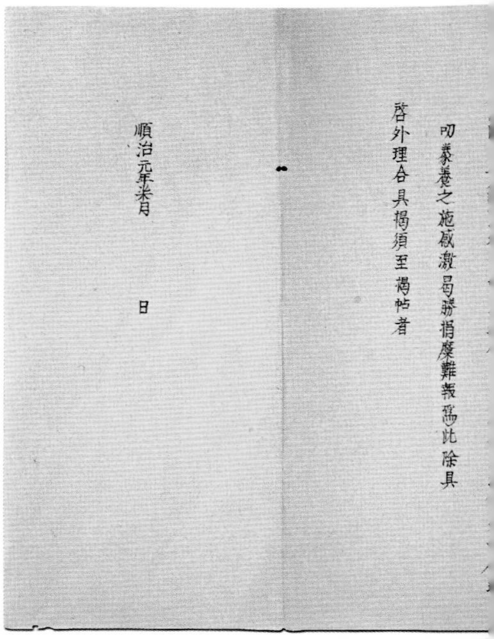

【一·一·四】

【一·一·五】前三朝題本、奏本

順治朝，滿、漢文，紙質，摺。①奏本：每扣28cm×12cm；②題本：每扣24cm×11.5cm。

係指順治、康熙、雍正三朝，京內外臣工陳奏公私事務所用之文書。題本作為上奏文書，始用於明永樂二十二年（一四二四年），清入關後一直沿用，直至光緒二十七年（一九〇一年）改題本為奏摺後廢止。奏本之出現，則遠在秦漢，「秦漢之輔，上書稱奏」。至明朝時規定，凡臣民奏事稱「奏本」，後來又規定，官員循例奏報之事及一己之私事，用奏本，本章字數計列正文之後。清初沿明舊制，上奏文書，私事用奏本，公事用題本；題本用印，奏本不准用印；除刑名錢穀外，本章內容不得超過三百字，貼黃不得超過一百字。但在實際執行中，題本多未計字數，奏本亦有用印者。至乾隆十三年（一七四八年），取消了奏本，改用題本。這裡所選分別為順治年間計字數之奏本及未計字數之題本。

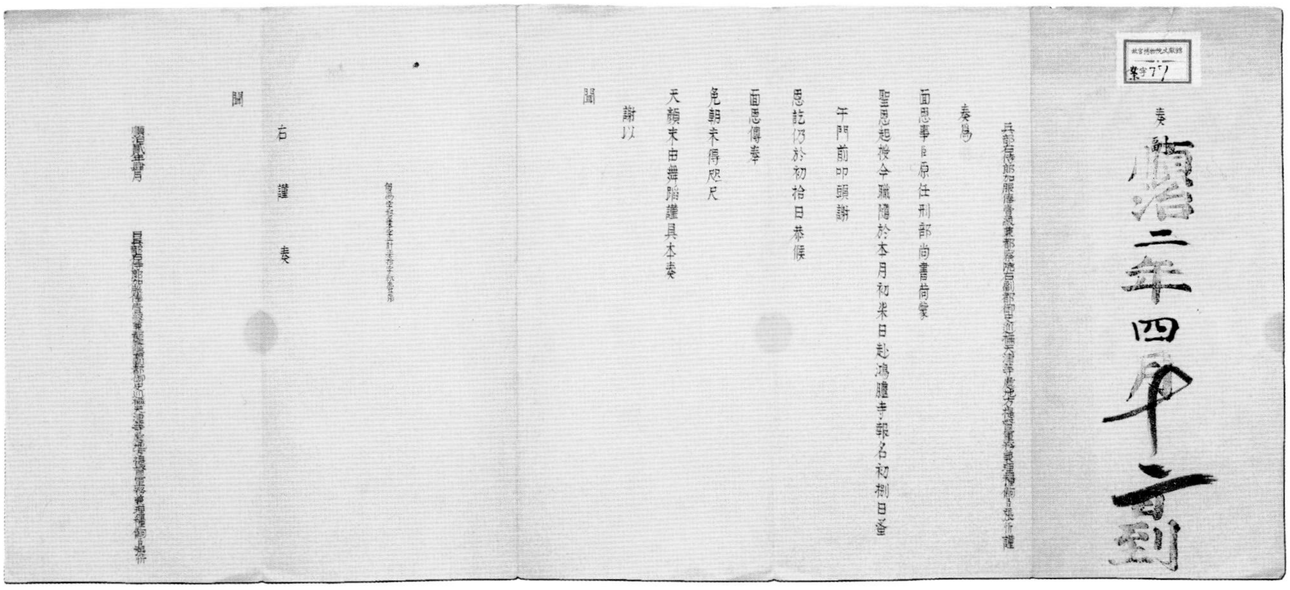

【一·一·五①】

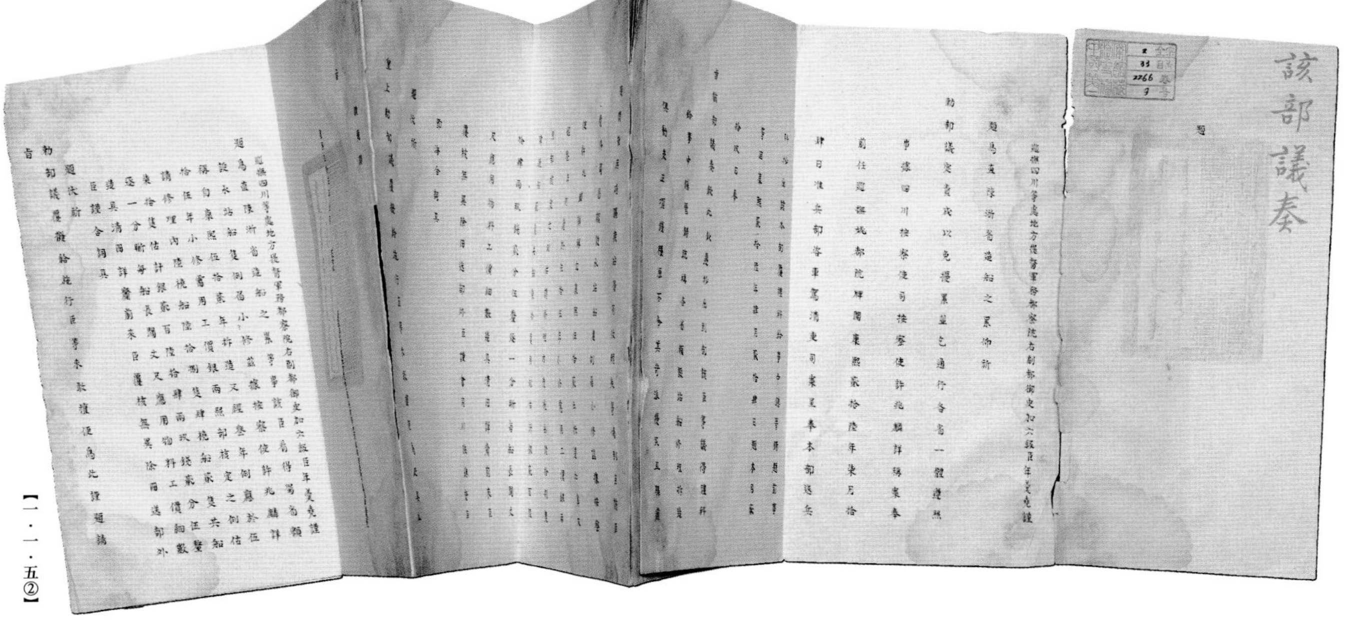

【一·一·五②】

【一・一・六】朱改票簽

乾隆朝，滿漢文合璧，每扣 22.5cm × 9cm ，二扣。

清沿明制，大臣所上本章，由通政司送達內閣後，先由票簽處侍讀根據本章內容代替皇帝擬寫處理意見，即票簽一至四簽，進呈皇帝裁定。票簽一般長二十二厘米，寬十厘米左右，左書滿文，右書漢文。凡經皇帝用朱筆批改過的票簽，即稱朱改票簽。此為乾隆皇帝朱改之票簽。

【一・一・六輔】票簽擬寫過程圖

題本、奏本 → 內閣漢本房

內閣漢本房 → 通本貼黃譯滿文 → 滿本房審校 → 中書草擬票簽（1—4簽）

內閣漢本房 →（部本）→ 中書草擬票簽（1—4簽）

中書草擬票簽（1—4簽）→ 侍讀校閱草簽 → 大學士審草簽 → 漢票簽處繕寫正簽漢文 → 滿票簽處繕寫正簽滿文 → 交內奏事處 → 呈皇帝改定 → 批本處批紅

漢票簽處繕寫正簽漢文 → 呈皇帝改定

【一・一・六輔】

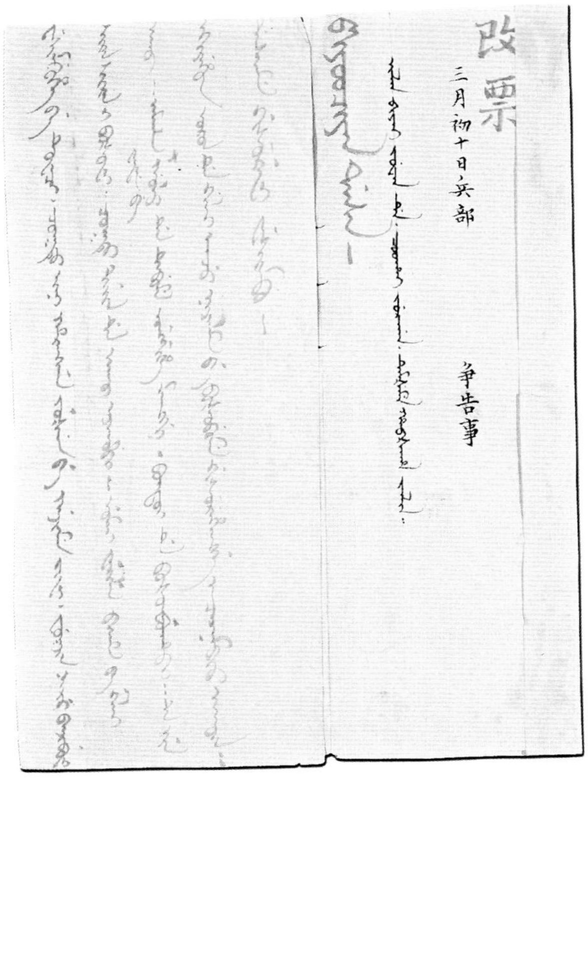

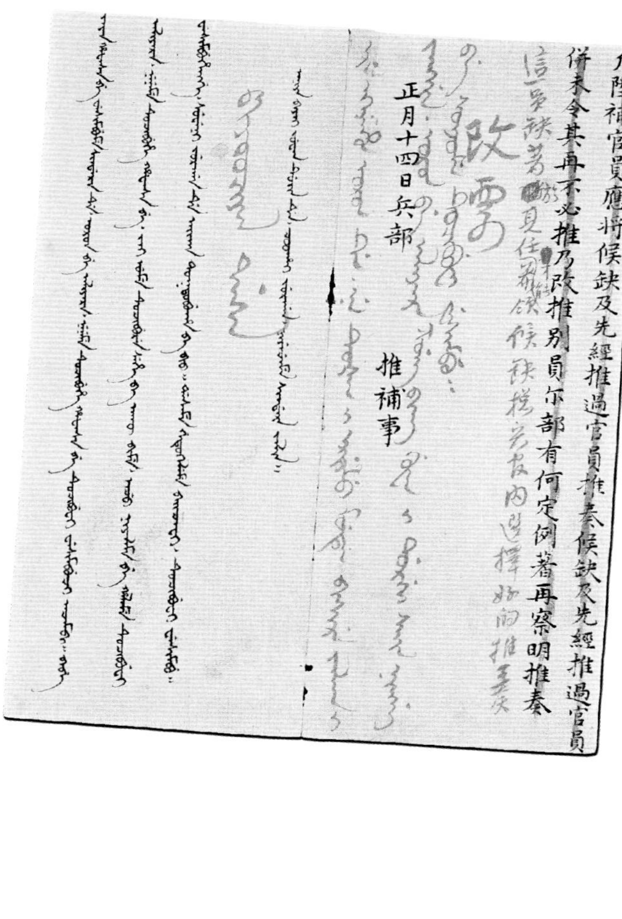

【一・一・六】

【一·一·七】題、奏副本

乾隆至光緒朝，漢文，紙質。①題副：每扣12cm×24cm或11cm×25cm；②奏副：每扣11cm×24-28cm。

即各省題奏本章的抄件。副本形式，清初即有之。作為一種固定制度，始於雍正七年（一七二九年）。清初規定，各地方官呈遞本章時，例須另備抄件三份，分別存於通政使司、有關部院和送科，謂之揭帖。建立副本制度後，將原送通政使司的一份揭帖，改為副本連同正本改送內閣。副本內容、格式均同正本，所不同者，副本首頁須書題副、奏副等字樣；正本係用紅字批發，副本則墨批存案；正本存內閣，副本收貯皇史宬。乾隆以後，改收存內閣大庫。所選分別為乾隆、光緒朝題副及奏副。

【一·一·七②】

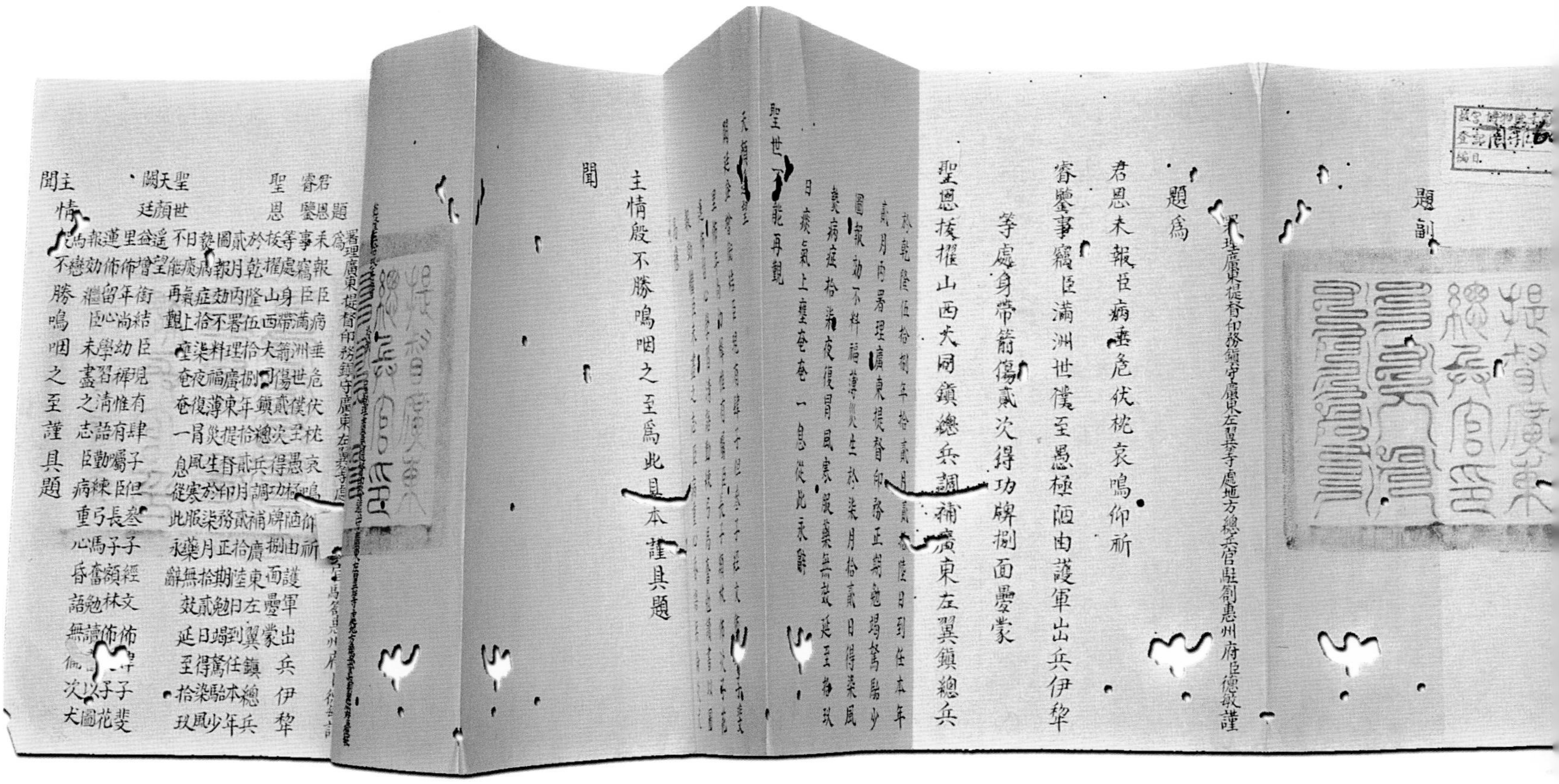
題副

題為

君恩未報臣病垂危伏枕哀鳴仰祈

睿鑒事竊臣滿洲世僕至愚極陋由護軍出兵伊犁

等處身帶箭傷貳次得功牌捌面疊蒙

聖恩拔擢山西大同鎮總兵調補廣東左翼鎮總兵

……

主情殷不勝鳴咽之至爲此具本謹具題

聞

【一·一·七①】

【一·一·八】小密摺

康熙朝，漢文，紙質，摺，每扣7.5cm × 15cm，十一扣。

清代奏摺之一種。奏摺是清代高級官員向皇帝報告政務的一種重要文書。創始於康熙朝，起初僅為特許的某些親信人員密報地方官員情況所用。凡是在其他本章裡不能奏報的事，密摺裡可以奏報；皇帝在其他諭旨裡不便具體指示的事，在密摺裡可以詳細指示。有奏報權的官員，職位並不甚高，但是這種奏報權，卻使其身份變得十分特殊，用這種方式，康熙皇帝可以嚴密掌握地方各級官員等各方面的情況。初時，密摺的規格尺寸均未劃一，大的同題本、奏本，小的僅幾厘米，多附於皇帝的請安摺內，由具奏者遣家人或專差投送。由於這種奏摺可以直達御前，既簡便又保密，至康熙後期，逐漸成為各高級官員普遍使用的一種文書。

【一·一·八輔】四川重慶鎮總兵皂保奏摺匣

清朝，木質，31cm × 17cm × 8cm。

清制，在京各衙門官員的奏摺，皆用黃匣收貯，有密奏事件，匣外加封。外省官員奏摺，皆要封固，加貼印花，外加夾板。摺匣多為木質，亦有羊皮封匣，匣內有專用墊布及黃色包布。初期，有密奏權的人很少，奏匣由清廷發給，用壞可以奏請再領。奏摺作為一種文書在高級官員中普遍使用後，奏匣不再由清廷發給。

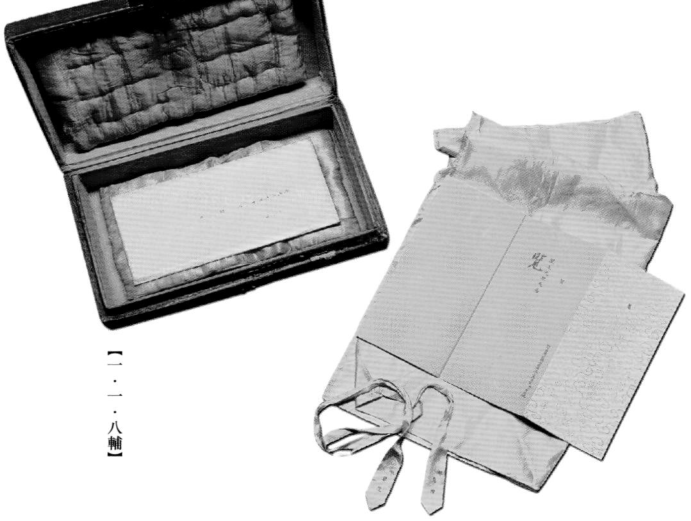

【一·一·八輔】

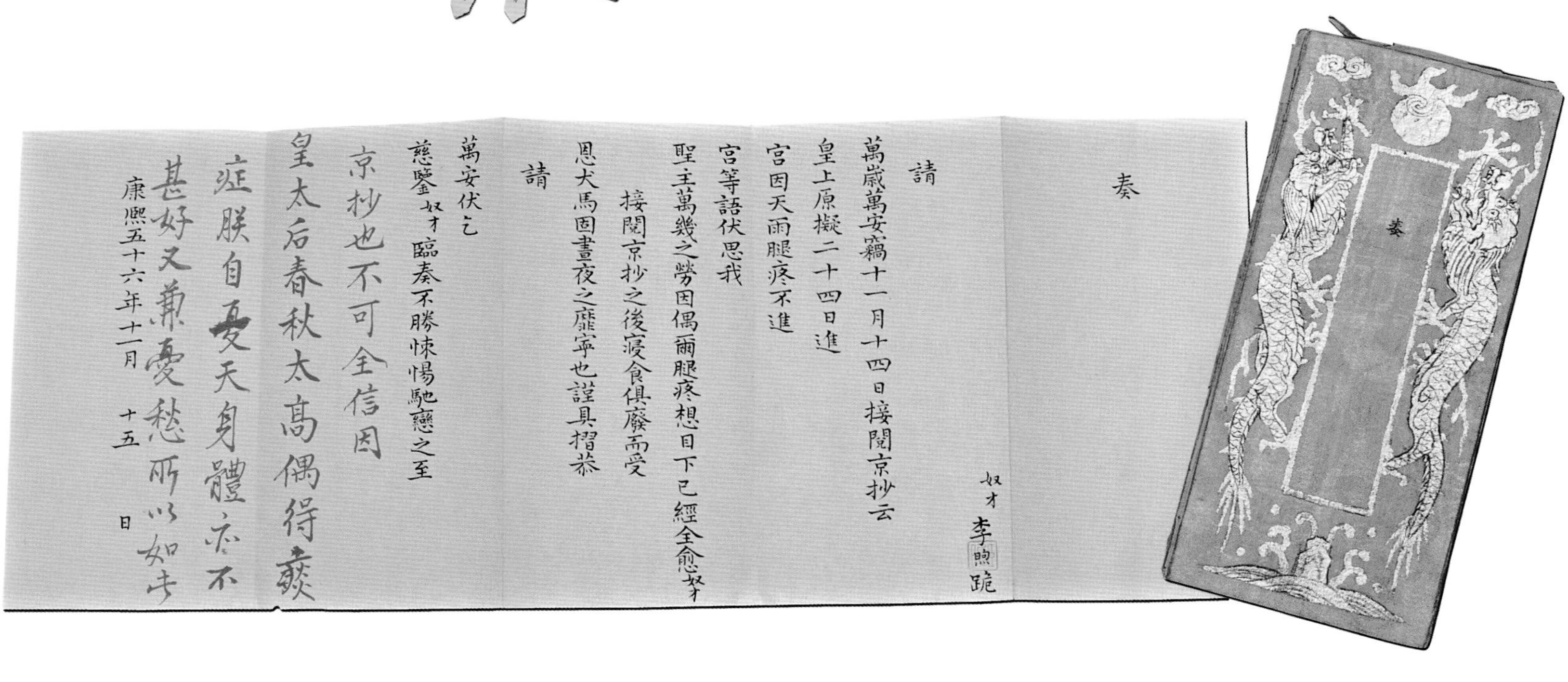

奏

奴才李煦跪

請

萬歲萬安竊十一月十四日接閱京抄云

皇上原擬二十四日進

宮因天雨腿疼不進

宮等語伏思我

聖主萬幾之勞因偶爾腿疼想目下已經全愈奴才

接閱京抄之後寢食俱廢而受

恩犬馬罔晝夜之靡寧也謹具摺恭

請

萬安伏乞

慈鑒奴才臨奏不勝悚惕馳戀之至

京抄也不可全信因

皇太后春秋太高偶得痰

症朕自夏天身體亦不

甚好又兼憂愁所以如此

康熙五十六年十一月 十五 日

【一·一·八】

【一・一・九】述旨

咸豐朝，漢文，紙質，每扣25cm × 11cm，三扣。

述旨是清朝官員擬寫皇帝旨意的一種文書形式。即對皇帝旨意所做的記述。此為咸豐九年（一八五九年）二月由內閣傳抄的一份述旨，首頁書「述旨」二字，但「旨」字在上，「述」字在下，內書旨的內容，後附一簽條，註明呈遞擬旨的日期及奉旨的時間。

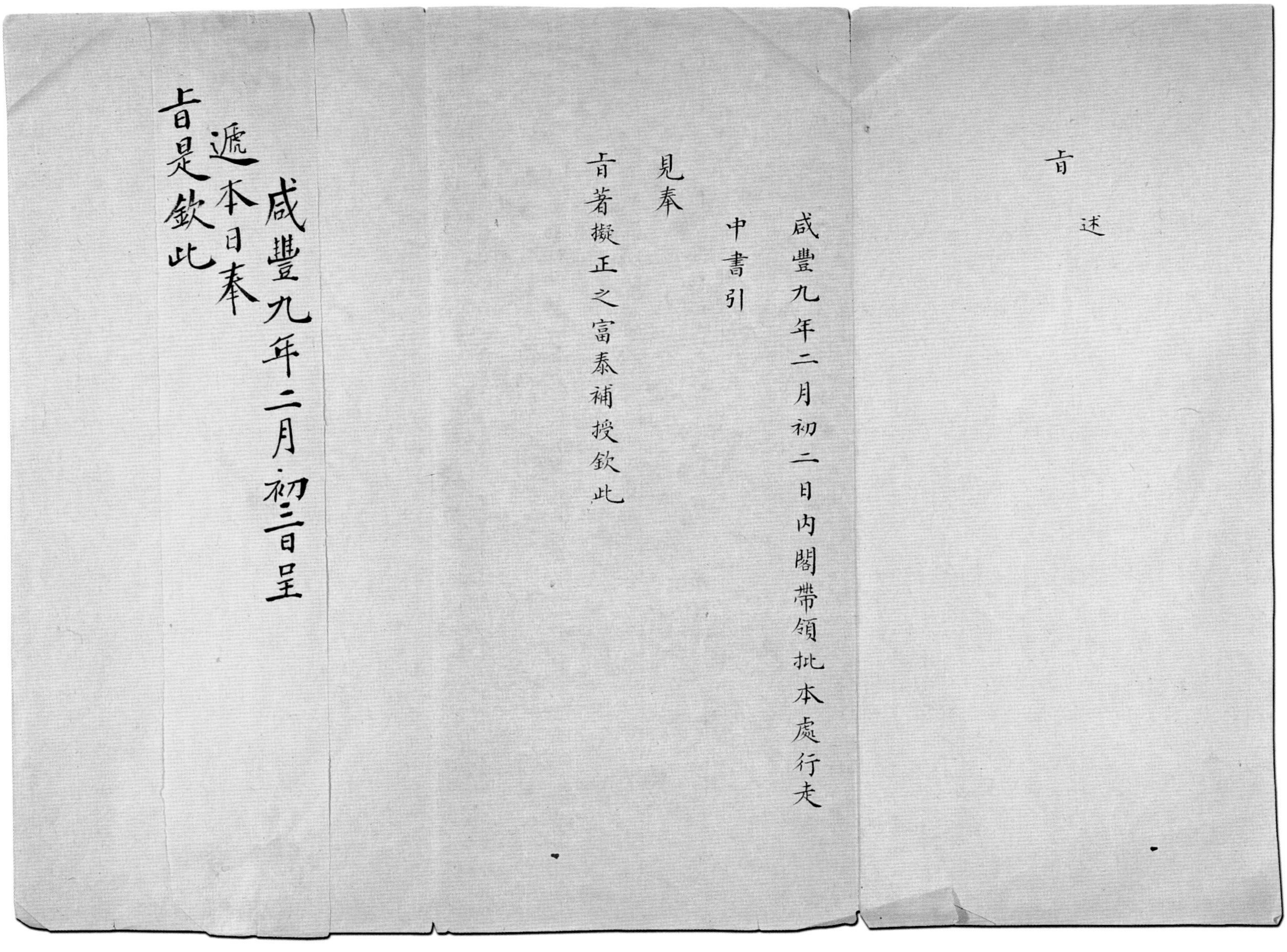

【一・一・九】

【一·一·一〇】雍親王（雍正）給年羹堯的信

康熙朝，漢文，紙質，摺，每扣16cm ×7.5cm，二十二扣。

年羹堯，清康熙時期地方大臣。其妹於康熙四十七年（一七〇八年）選為雍親王（雍正）側福晉，後晉封為貴妃。故年與雍正帝關係至深。後來因其居功自傲，雍正三年（一七二五年）以謀逆罪責令其自盡。此為雍正帝尚為親王時給年羹堯的密信。清制，親王不許與外官私交。因雍正帝與年家的特殊親戚關係，故有此信。年羹堯伏法後被抄家，此信當屬抄家收回件。信尾用印「和碩雍親王寶」，密封入套，封面書「年總督開拆」，封背騎縫用雙印。

【一·一·一一】鄭經致孔將軍書

康熙五年（一六六六年），漢文，紙質，摺，每扣12cm ×26.5cm，十一扣。滿文譯文，摺，十一扣。

鄭經，鄭成功之子。康熙元年（一六六二年），鄭成功死後，他不受清朝詔封，繼續經營台灣，並繼承了南明永曆（即永明王，俗稱桂王）皇帝所封鄭成功「延平郡王」封爵，仍然沿用「永曆」年號。此為康熙五年（永曆二十一年）鄭經覆孔將軍，拒絕接受清朝封號，要求解除台灣海禁，並要求與大陸通商的信。前半部為漢文，後半部為清方譯加的滿文。信首尾繪龍，每扣四行，每行十三字，抬格處十四字，封套正面正中書一「書」字，並書永曆年號，封套背面寫「孔將軍書」四字。規格尺寸與清初題本大小略同。隨信附有名帖一紙，12cm ×24cm，上書「嗣封世子致意」。

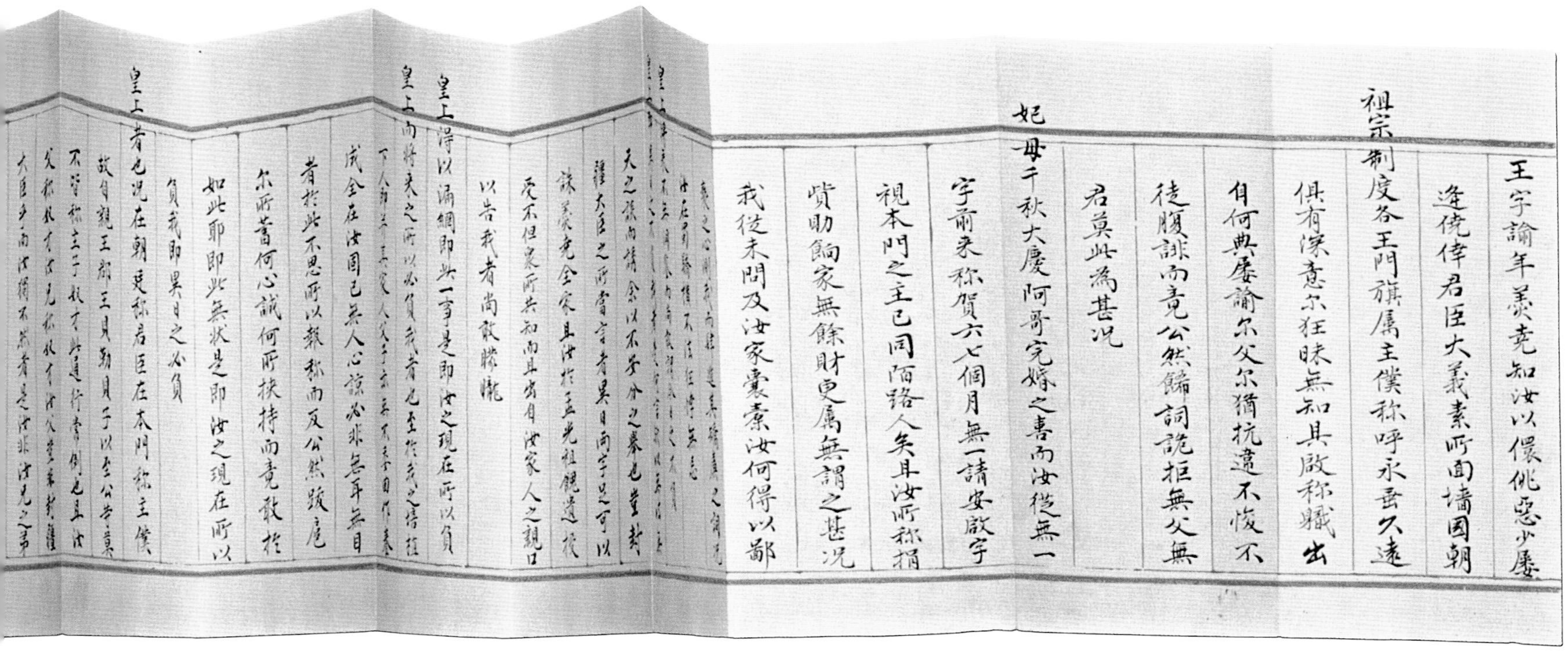

嗣封世子 致意
孔将軍書
書
嗣封世子 復書於
都督孔将軍麾下側聞
英猷傾慕日久頃荷
惠書教以不逮又遣 貴介劉馬
二君脩達委曲幸甚幸甚然竊怪
麾下之未亮不佞之心而猶從流俗
之末議也
指南極高變北盡登遼何地不可
以開也何處不可以聚兵不佞所
以横絶大海啟國東寓者誠傷士
女之仳倘干戈之日滋也是以區
區鄙懷曾見於往歲復
貴藩院之書而
貴朝猶未深察尚嚴邊界之禁遂使
之祖賦歲糜億十萬之軍糧斯非
貴朝之失策哉今
麾下計深慮遠獻為
貴朝建久安之術謀萬民之命而
貴介所傳猶述前日之套語剃髮
之高談欲以八閩王及沿海各島
二説相餌是豈真智識者之論乎
自昔
貴朝之議和者屢矣從先王以至不
佞只緣爭此二字况今東寧遠在
海外非属版圖之中東連日本南
之貴國吾所自有萬世之基已立
於不拔此自 貴介所目覩者不
佞亦何慕於爵號何貪於疆土而
為此剃髮之舉哉儻

【1·1·11】

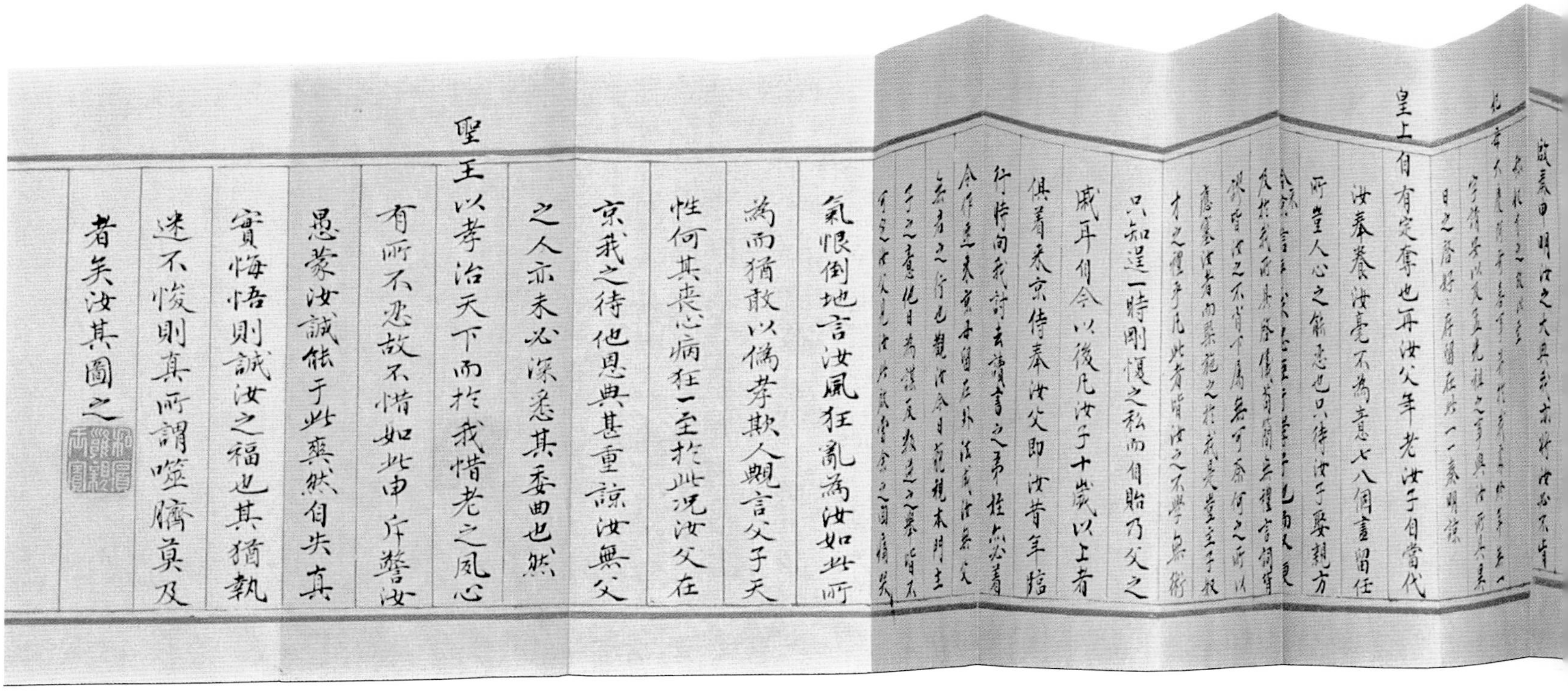

皇上自有定奪也
氣恨倒地言汝風狂亂為汝如此所
為而猶敢以僞斧欺人覥言父子天
性何其喪心病狂一至於此况汝父在
京我之待他恩典甚重諒汝無父
之人亦未必深悉其委曲也然
聖王以孝治天下而於我惜老之夙心
有所不忍故不惜如此申斥警汝
愚蒙汝誠能于此爽然自失真
實悔悟則誠汝之福也其猶執
迷不悛則真所謂噬臍莫及
者矣汝其圖之

【1·1·10】

【一·一·一二】電報密碼本

清末，漢文，紙質，簿冊，17.5cm × 13cm。

光緒初年開始在官文書中使用。為便於各督撫要員等掌握使用這一新的文書形式，且宜於保密，特頒發各種電報密碼本，此即趙爾巽任督撫時用的幾種密碼本。

【一·一·一三】電報局信封

清光緒朝，19.5cm × 9.5cm。

光緒六年（一八八〇年），電報初通天津，不久，北京、上海等地也陸續設立了電報局。此即為外務部電報局信封。

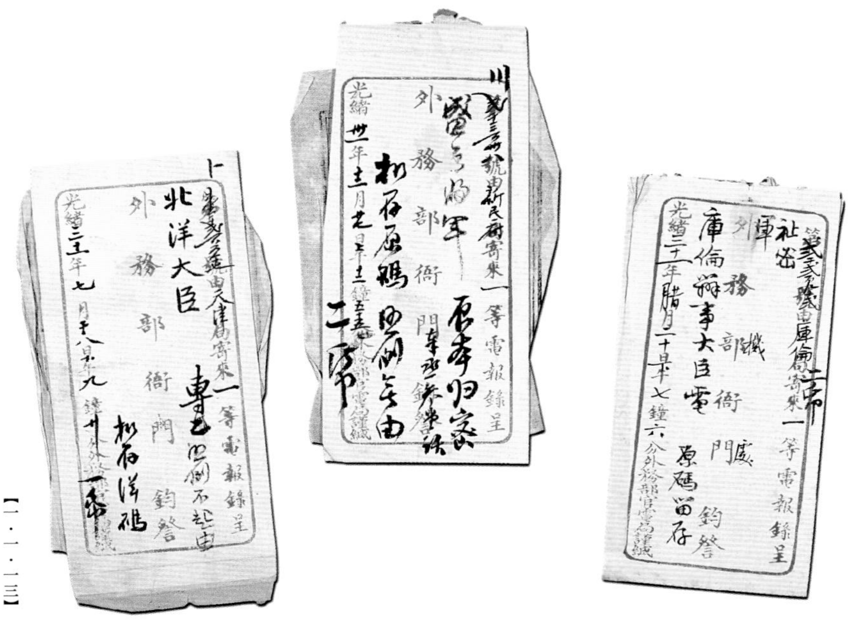

【一·一·一三】

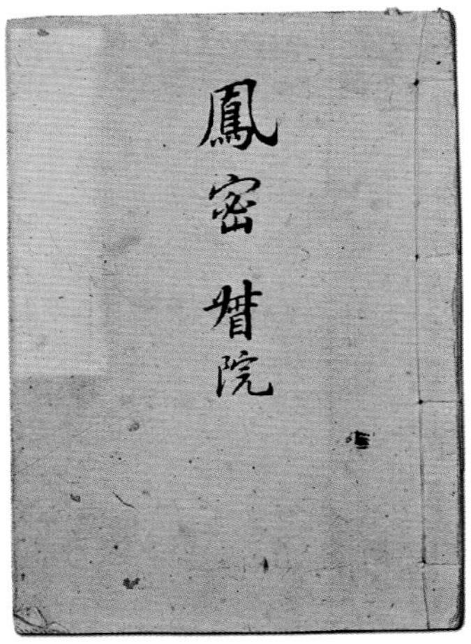

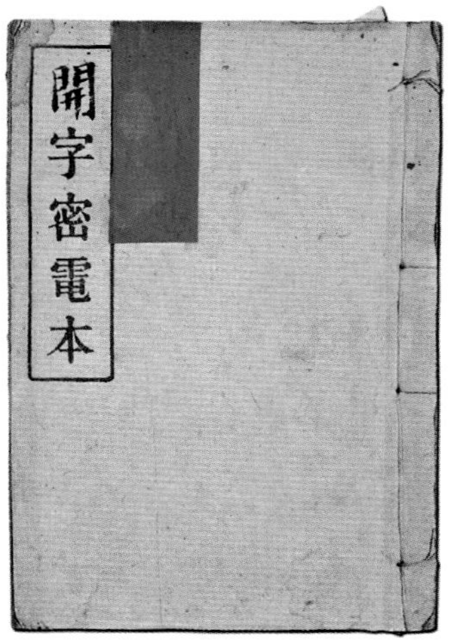

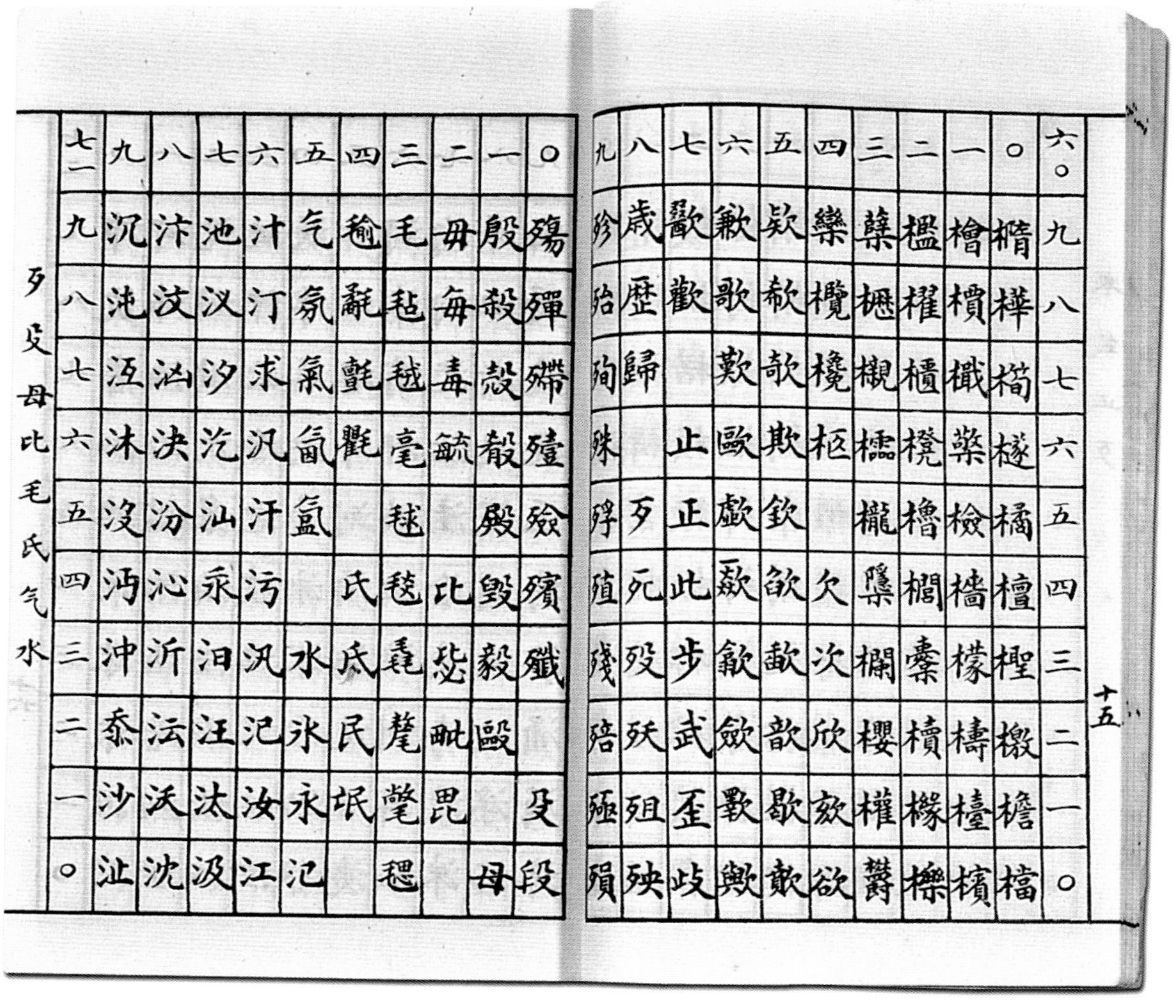

歹 殳 毋 比 毛 氏 气 水

七一	九	八	七	六	五	四	三	二	一	〇
九	沉	汴	池	汁	气	毹	毛	毋	殷	殤
八	沌	汶	汉	汀	氛	毿	毡	每	殺	殫
七	沍	汹	汐	求	氣	氈	毧	毒	殼	殢
六	沐	决	汔	汎	氳	氍	毫	毓	殽	殪
五	沒	汾	汕	汗	氤		毬		殿	殮
四	沔	沁	汞	污		氏	毯	比	毀	殯
三	沖	沂	汩	汛	水	氐	毳	毖	毅	殲
二	沗	沄	汪	汜	氷	民	氂	毗	毆	
一	沙	沃	汰	汝	永	氓	氅	毘		殳
〇	沚	沈	汲	江	氾		毸		母	段

九	八	七	六	五	四	三	二	一	〇	六〇
殄	歲	歠	歈	欸	欒	櫱	檻	檜	橢	九
殆	歷	歡	歌	欷	欖	櫪	櫂	檟	樺	八
殉	歸		歎	欹	欃	櫬	櫃	樴	樀	七
殊		止	歐	欺	柩	櫺	櫈	檠	檖	六
殍	歹	正	歔	欽		櫳	櫓	檢	橘	五
殖	死	此	歘	欿	欠	櫽	櫚	檣	檀	四
殘	歿	步	歙	歃	次	欄	櫜	檬	檉	三
殕	殀	武	歛	歆	欣	櫻	櫝	檮	檄	二
殛	殂	歪	歞	歇	欬	權	櫞	檯	檐	一
殞	殃	歧	歟	歉	欲	欝	櫟	檳	檔	〇

十五

【一·一·一二】

【一・一・一四】李鴻章電奏譯稿

光緒朝，漢文，紙質，摺，每扣19.5cm×9cm，二扣；23cm×13.1cm，一扣。

光緒六年（一八八〇年），電報開通以後，各督撫大臣給皇帝的重要奏報，陸續改用電報，稱「電奏」。是清末新的文書形式之一。電奏多由電報局轉軍機處奏達皇帝。此為軍機處抄錄的李鴻章的兩件電奏譯稿。

【一・一・一四輔】李鴻章朝服像

李鴻章（一八二三—一九〇一年），清末安徽合肥人，字少荃，道光朝進士，散館授編修，後纍官至直隸總督兼北洋通商大臣達二十餘年，掌外交、軍事、經濟大權。他是中國近代洋務派首領之一，先後開設江南製造總局、輪船招商局、開平礦務局、天津電報局及上海織布局等企業。也是近代中國對外一系列屈辱條約的主要簽訂人之一。經其手先後簽訂了《中法新約》、中日《馬關條約》、《中俄密約》及《辛丑條約》等喪權辱國的條約。其一生向清廷上達各種奏章約二萬餘件。有《李文忠公文集》。

【一・一・一四輔】

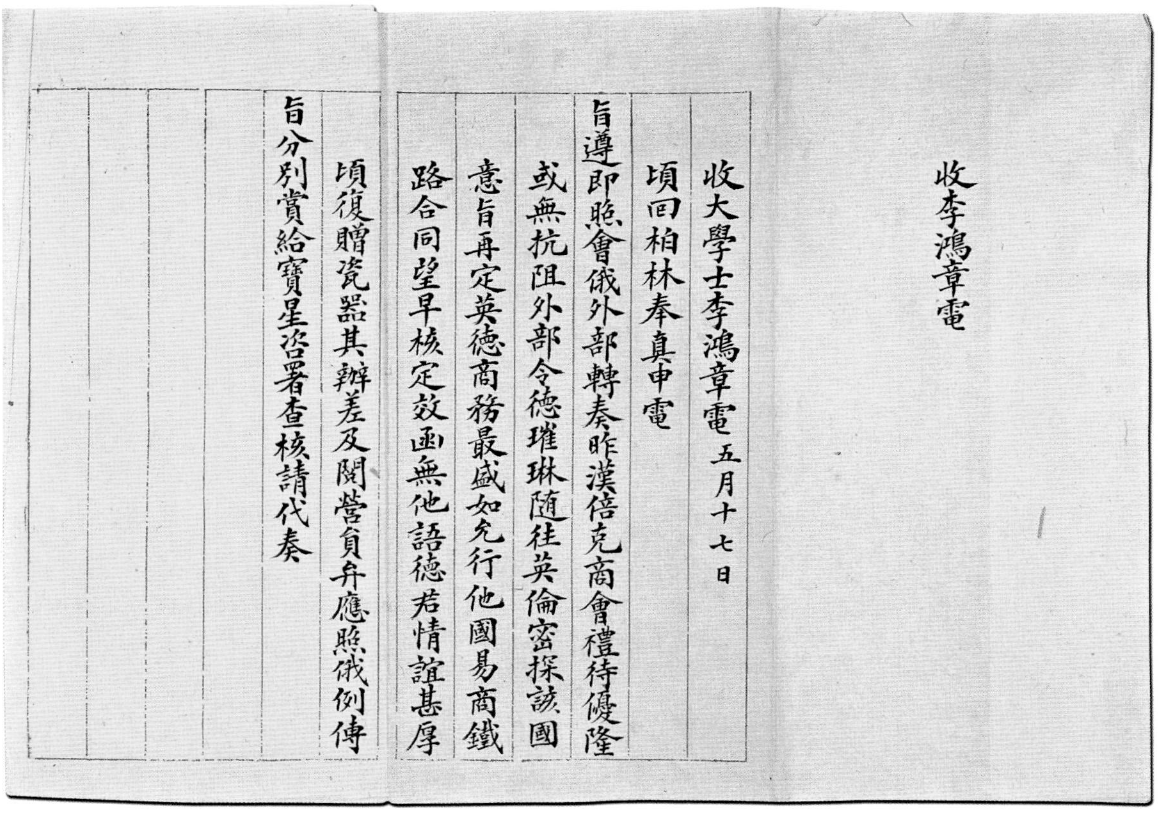

收李鴻章電

收大學士李鴻章電 五月十七日
頃回柏林奉真申電
旨遵即照會俄外部轉奏昨漢倍克商會禮待優隆
或無抗阻外部令德璀琳隨往英倫密探該國
意旨再定英德商務最盛如允行他國易商鐵
路合同望早核定效函無他語德君情誼甚厚
頃復贈瓷器其辦差及閱營員弁應照俄例傳
旨分別賞給寶星咨署查核請代奏

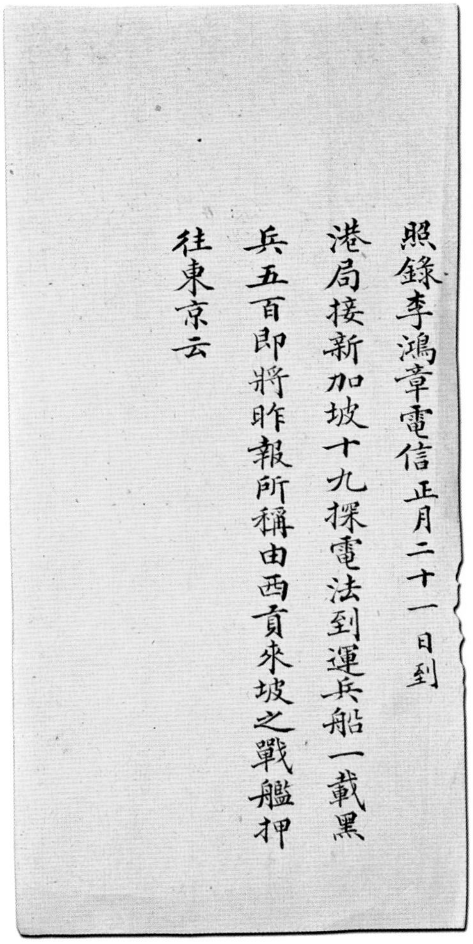

照錄李鴻章電信 正月二十一日到
港局接新加坡十九探電法到運兵船一載黑
兵五百即將昨報所稱由西貢來坡之戰艦押
往東京云

【一・一・一四】

【一·一·一五】題本事由單

光緒二十九年（一九〇三年），每扣16cm，三扣。

隨題本進呈，用以說明所上題本簡要內容及事情簡明原因的摺單。此係光緒二十九年（一九〇三年）題本事由單。按規定，光緒二十七年（一九〇一年）已取消題本，除賀本外，一應本章，均改為奏摺。故此單是清後期文書之特例。

【一·一·一六】回投、回照、回票、回條

清後期，漢文，紙質，8cm×13.5cm，11cm×13cm，13.5cm×24cm，9cm×26cm不等。

均係清後期各機構之間在辦理往來文書時，收文機構給發文機構的收條。紅、藍、黑各色均有，書寫格式雷同，大小規格各異。

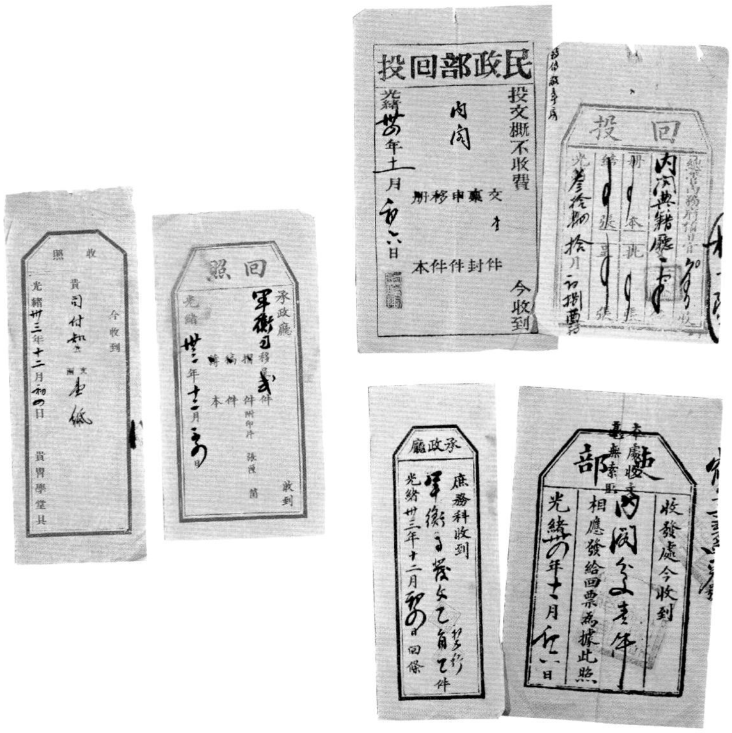

【一·一·一六】

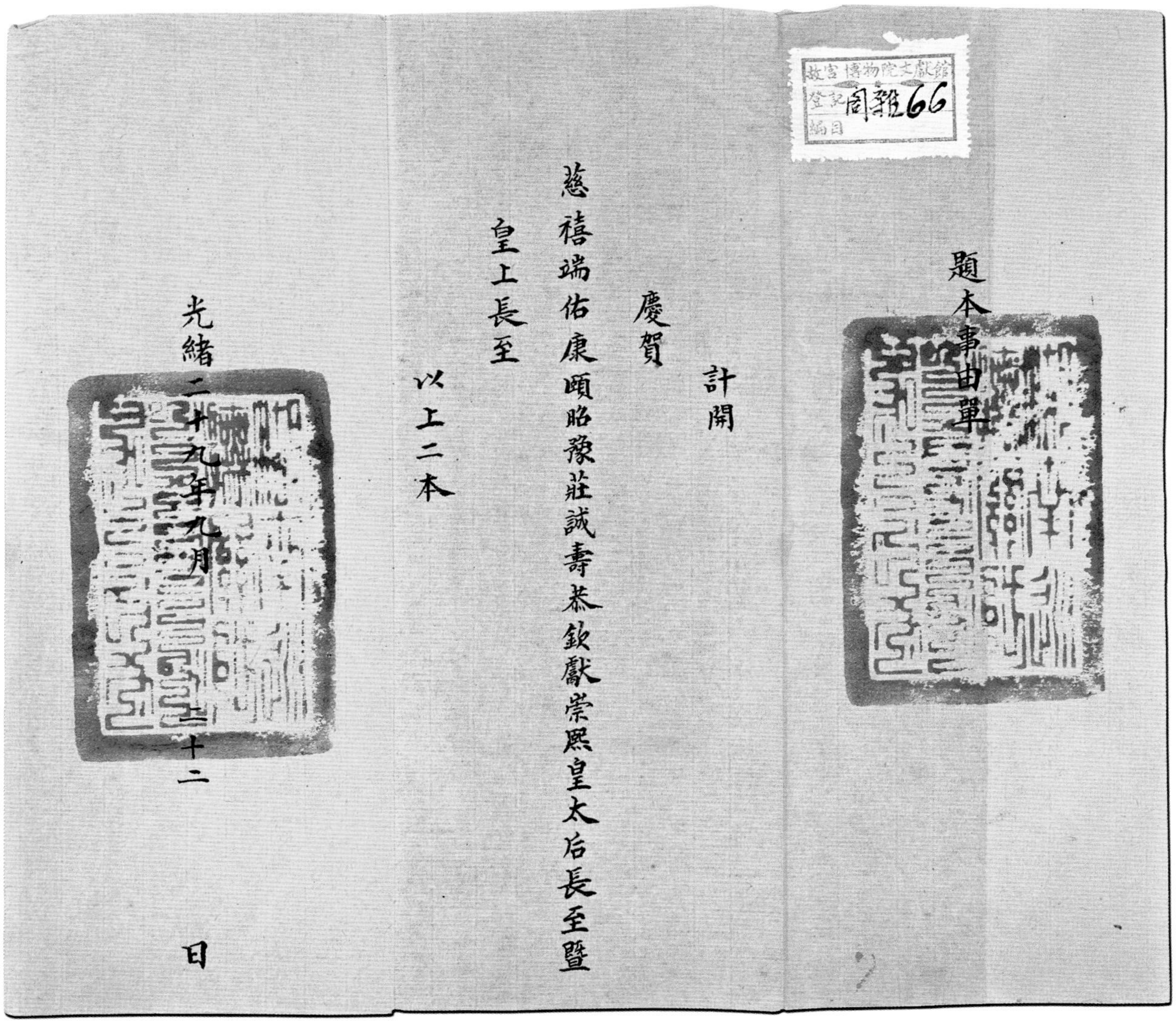

【一·一·一五】

【一·一·一七】手摺、清摺、察核

清後期，漢文，紙質，摺，每扣21cm ×9.5cm 及24cm ×10.5cm 等。

清朝末年，隨着官制政治體制的改革，文書形式亦不斷變化，出現了各種形式的便摺。這些摺件，多在平行機構和官員之間互相使用。此係光緒二十九年（一九〇三年）以後的幾種摺件，有手摺、清摺、察核等多種。

【一·一·一七】

【一·一·一八】改題為奏之上諭、摺件

光緒二十七年（一九〇一年），漢文，紙質。①上諭：32.5cm×30cm；②摺件：每扣9.5cm×21cm。

光緒二十七年（一九〇一年）八月，清政府依李鴻章、張之洞等大臣奏議，整頓庶政，改題本為奏摺，規定「嗣後除賀本照常恭進外，所有缺分題本及向來專係具題之本，均著改題為奏，其餘各項本章，即一律刪除」。所選即為光緒二十七年八月十五日改題為奏之上諭及官員改題本後之奏摺。

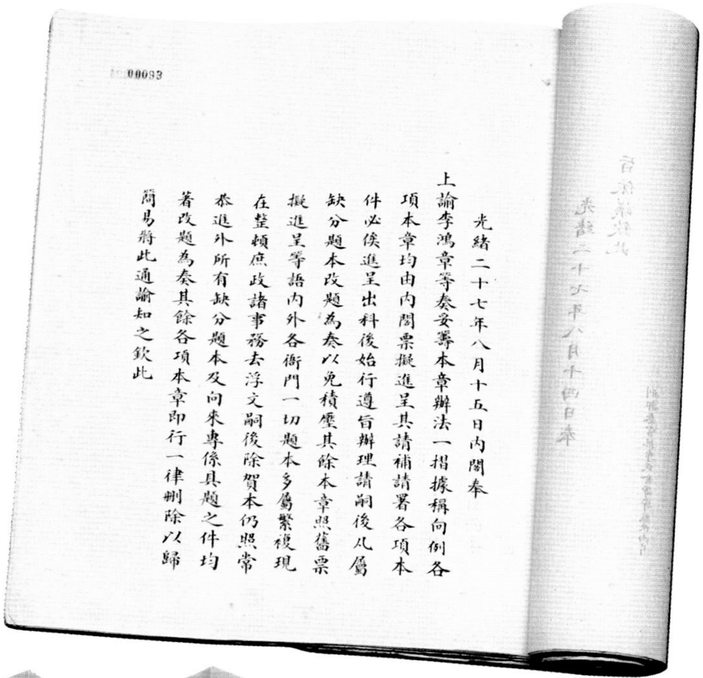

光緒二十七年八月十五日內閣奉
上諭李鴻章等奏妥籌本章辦法一摺據稱向例各
項本章均由內閣票擬進呈其請補請署各項本
件必俟進呈出科後始行遵旨辦理請嗣後凡屬
缺分題本改題為奏以免積壓其餘本章照舊票
擬進呈等語內外各衙門一切題本多屬繁複現
在釐頓庶政諸事務去浮文嗣後除賀本仍照常
恭進外所有缺分題本及向來專係具題之件均
著改題為奏其餘各項本章即行一律刪除以歸
簡易將此通諭知之欽此

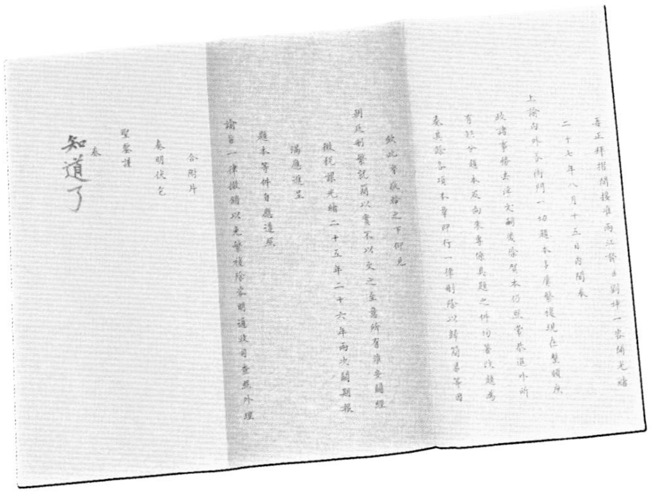

【一·一·一八①】

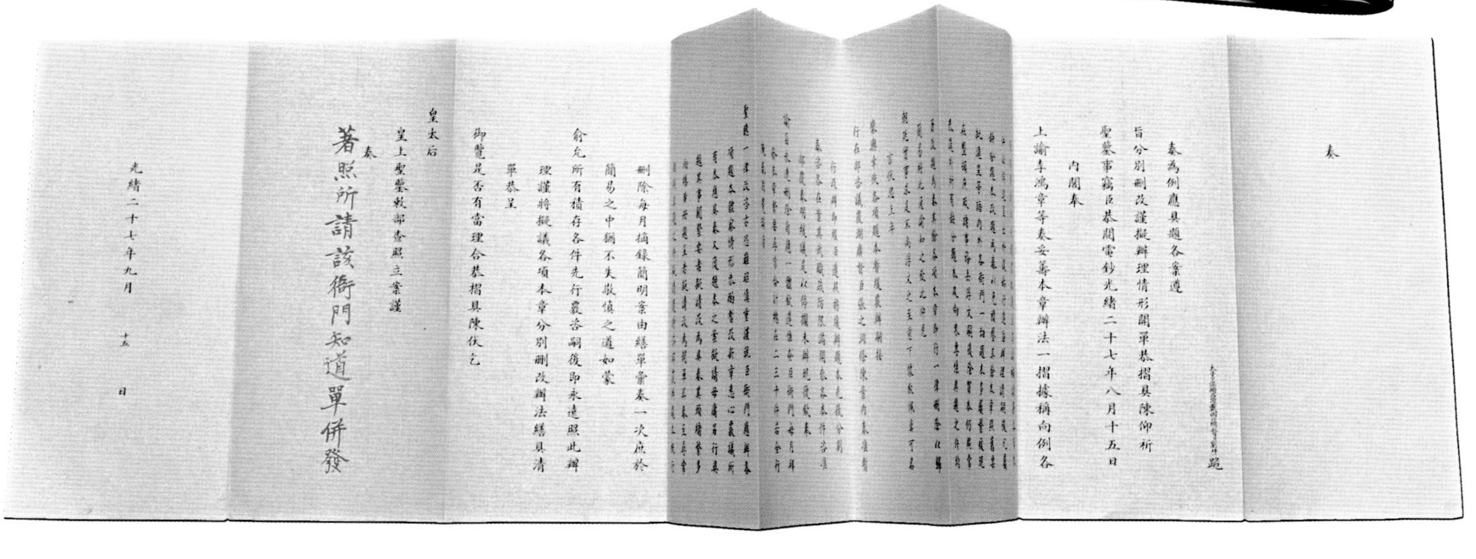

【一·一·一八②】

【一·一·一九】西班牙國王甘恭賀宣統登極的國書

宣統元年（一九〇九年）。書：紙質，35.2cm × 48cm；封：12.5cm × 18.5cm；譯摺：每扣 27cm × 11.5cm。

清末，和各國間交往增多，遇大的國事活動，互相致以國書。此為中國歷史上最後一個皇帝登極時，西班牙國王呈發的祝賀國書。

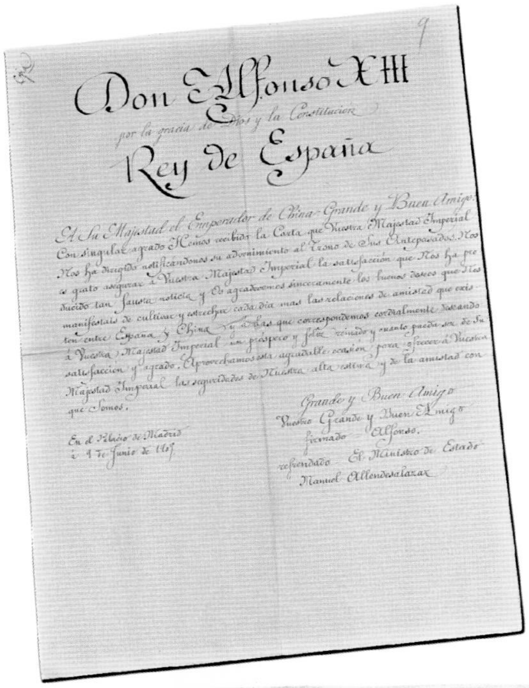
Don Alfonso XIII
por la gracia de Dios y la Constitución
Rey de España

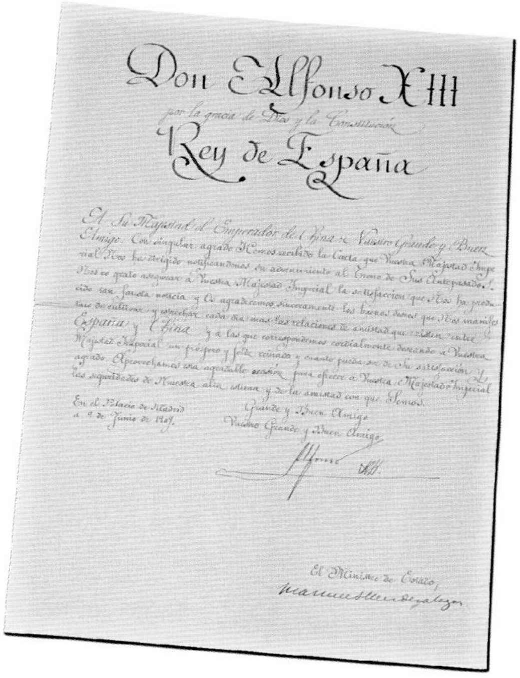
Don Alfonso XIII
por la gracia de Dios y la Constitución
Rey de España

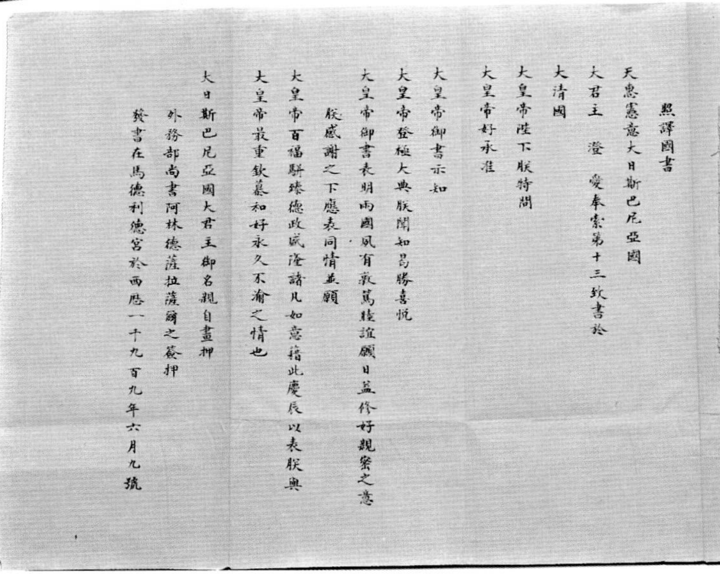
照譯國書

天惠憲意大日斯巴尼亞國
大君主 澄 慶奉宗第十三致書於
大清國
大皇帝陛下朕特聞
大皇帝好承准
大皇帝御書示知
大皇帝登極大典朕聞知易勝喜悅
大皇帝御書表明兩國夙有敦篤睦誼顧日益修好親密之意
朕感謝之下應表同情並願
大皇帝百福駢臻德政咸隆諸凡如意藉此慶辰以表朕與
大皇帝最重欽慕和好永久不渝之情也
大日斯巴尼亞國大君主御名親自畫押
外務部尚書阿林德薩拉薩爾之簽押
發書在馬德利德宮於西歷一千九百九年六月九號

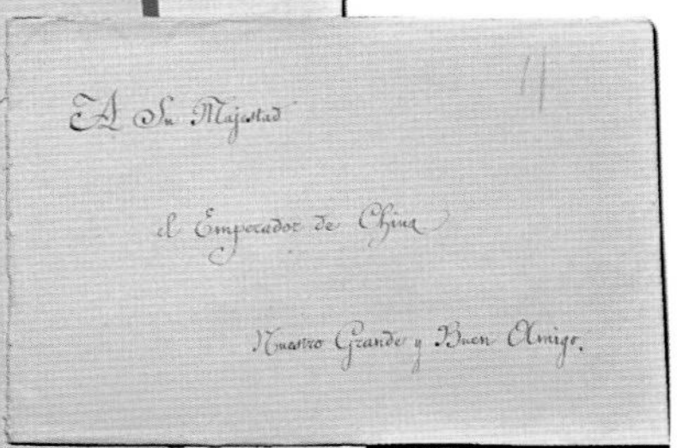
A Su Majestad
el Emperador de China
Nuestro Grande y Buen Amigo.

【一·一·一九】

【一・一・二〇】拉藏汗奏表

康熙五十四年（一七一五年），蒙文，紙質，193cm × 90cm。

拉藏汗（?—一七一七年），康熙時期西藏地方首領。蒙古和碩特部人，固始汗之孫。清初，清廷對西藏實行政教分立，宗教以達賴為領袖，政務由固始汗代行，政教首領均可以向清帝呈遞奏表。奏表的送達方式，多由特遣之專使經青海、蒙古抵京，送理藩院轉內閣翻譯呈遞御覽。康熙三十六年（一六九七年），拉藏汗繼汗位後，詔封其為「翊教恭順汗」。為立六世達賴喇嘛事，與第巴桑結嘉措發生軍事衝突，康熙五十六年（一七一七年），桑結嘉措屬下引策旺阿拉布坦准噶爾兵入藏，拉藏汗兵敗被殺。此為他於康熙五十四年（一七一五年）派專使火洛奇致康熙帝的奏書，文中表達聽了清廷對達賴轉世靈童的認定聖旨、收到康熙帝賞給他的宮廷錦緞後的欣喜和對康熙帝的熱烈頌揚，視清帝為「普濟天下」、催開黃教這朵蓮花的「唯一太陽」，表示願「終生跪禱永向你」；同時，他還希望清政府「特派遣一領眾賢臣」駐藏。

【一·一·二〇輔】職貢服飾圖

乾隆朝。職貢意即納貢。乾隆十六年（一七五一年），清高宗弘曆命沿邊各省督撫，將他們所管轄區域內各少數民族，以及接壤的有貢納關係的外國民族的衣冠服飾，繪成圖像，送交軍機處，再由宮廷畫院監生門慶安等繪製，最後由大學士傅恒等於乾隆二十六年（一七六一年）編輯成書，名為《皇清職貢圖》，計九卷，共繪製各族男女服飾圖像一千一百九九幅，每圖各繪其男女之狀及其部長、屬眾衣冠的區別等，圖像後附簡要說明，以他們當時的認識介紹其民族的史略及其與清王朝的關係、生活習俗等。所選之圖即為其中的部分職貢服飾圖片。

【一·一·二〇輔】

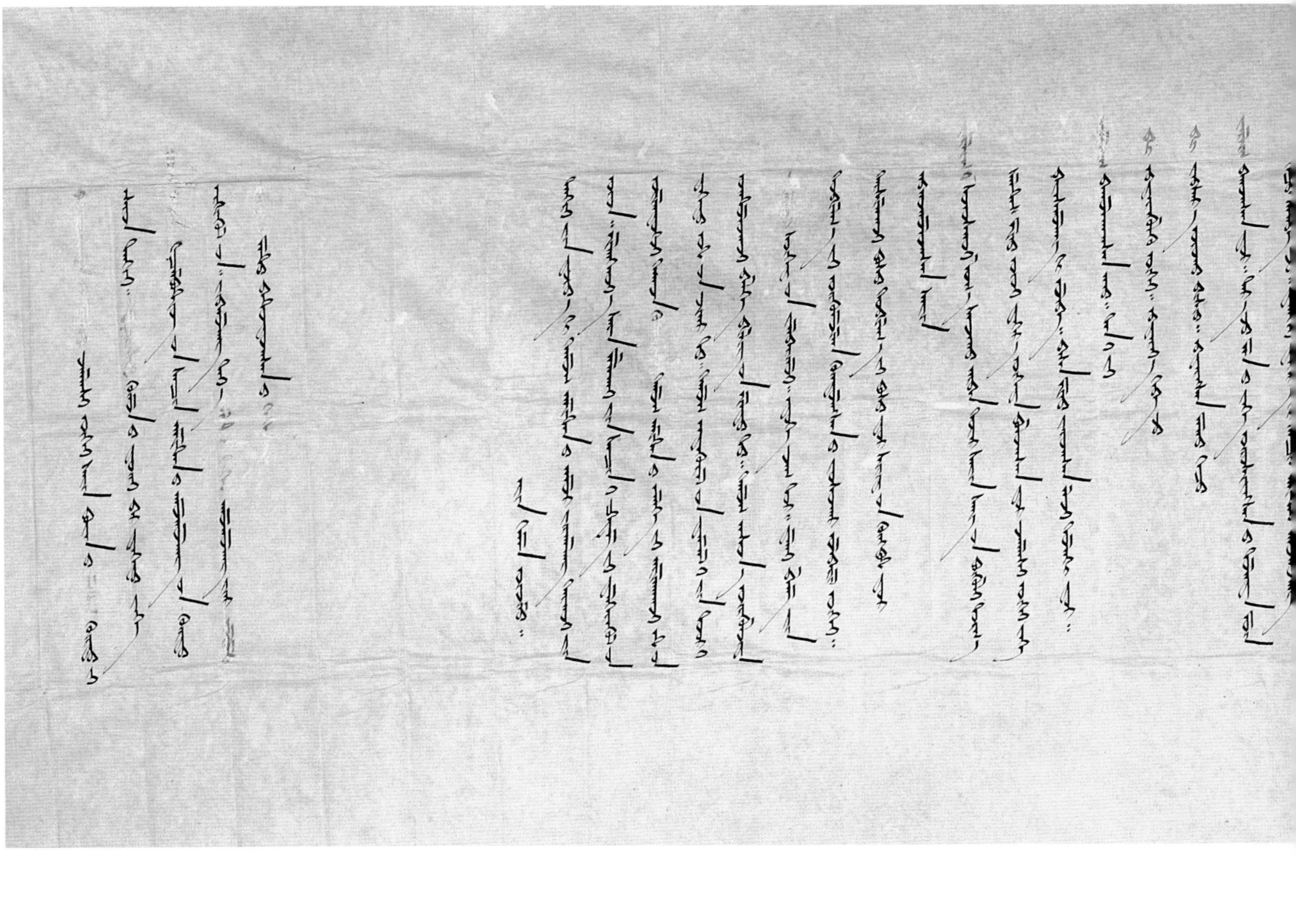

【一·一·二〇】

【一·一·二一】請寶牌

宣統三年（一九一一年）以後，滿、漢文，木質，36.5cm×10.5cm。

即請求使用皇帝印寶時所持之牌。清朝皇帝印寶，收貯清宮之交泰殿，由宮殿監正掌管。宣統三年之前，凡需用時，均由內閣先期奏請用數，派堂官恭領。宣統三年八月，武昌起義爆發，袁世凱憑藉北洋軍實力，箝制清帝，並出任內閣總理大臣。此後，所有頒布詔旨應請蓋用御寶，均需用請寶牌先期由袁世凱奏請。請寶牌形同膳牌，其文書形式，是清早期滿文木牌的遺制。但與早期木牌比，書寫格式規範，遇皇帝、皇太后等字樣處，分別抬寫一至二個字。尺寸比膳牌和滿文木牌略大，係木製薄片，上部呈花狀半圓形，塗成黑色，10.5cm×10cm；下部長方形，塗黃色，26cm×10cm，正反兩面分別用滿文、漢文書寫請寶用途及所用寶名。所選分別為一九一二年（請寶上所用年號仍為宣統紀年，係宣統四年）正月初一日、正月初十日慶賀元旦和萬壽節，請用「尊親之寶」牌。

【一·一·二一輔】袁世凱照片

袁世凱（一八五九—一九一六年），河南項城人，字慰亭，號容庵，北洋軍閥首領。早年投靠淮軍吳長慶，光緒二十一年（一八九五年）以道員銜在天津小站編練新軍，後歷任直隸按察使、山東巡撫，並繼李鴻章任直隸總督，北洋大臣，三十三年（一九〇七年）調任軍機大臣、外務部尚書。宣統三年（一九一一年）辛亥革命爆發，出任內閣總理大臣，組織責任內閣，並以武力挾革命黨議和，一面脅迫孫中山讓位，一面挾制清帝退位，竊取中華民國臨時大總統職位。一九一五年復辟帝制，自承皇帝位。一九一六年三月被迫取消帝制，三個月後，在全國人民的聲討中憂懼而死。

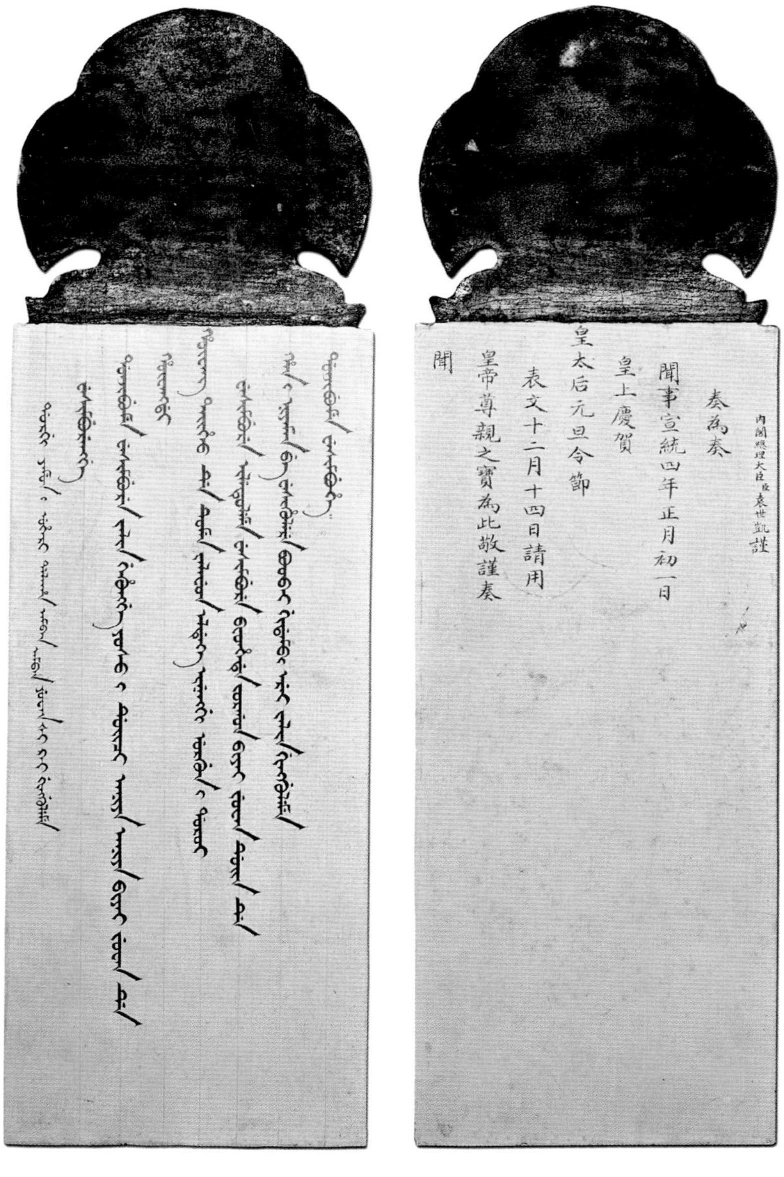

【一·一·二一】

【一・二・一】皇帝祭祀關帝祝版

光緒三十二年（一九〇六年），蒙文，紙質，片，26cm × 38cm。

清代將皇帝祭祀天地、社廟時宣讀的祝文裱於版上，稱之「祝版」。

清朝的祭祀分為大祀、中祀、群祀三等。大祀為祭圜丘、方澤、太廟、社稷等，由皇帝親臨致祭。中祀為祭日、月及歷代帝王、孔子、先農等，此祭少數由皇帝親祭，多數遣官致祭。群祀為祭先醫、龍王廟、賢良祠、昭忠祠等，皆由皇帝遣官致祭。「祝版」為木製，長寬厚度各有不同，根據祭禮的等次而定。清朝制度，凡祭祀所用祝文，均由翰林院撰擬。祭祀前二日，太常寺卿將祝版官先期裱飾的祝版送交內閣，內閣中書繕寫祝文，內閣大學士書御名。若皇帝親祭，太常寺卿則在前一日將祝版呈請皇帝審閱。

此件為祭祀關帝廟時使用的祝版，其祝文是用蒙文書寫的。

【一・二・一輔】關帝廟圖

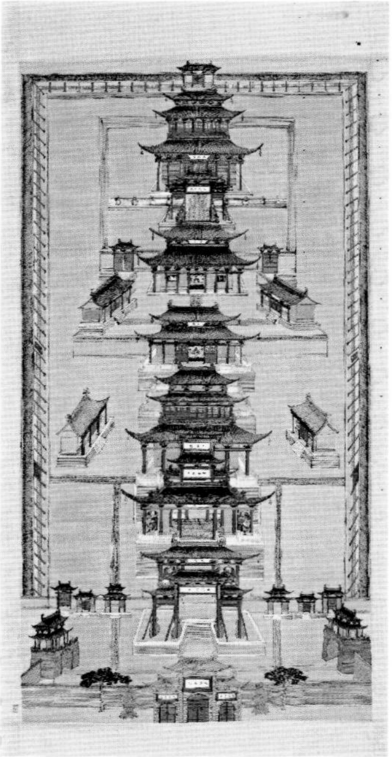

【一・二・一輔】

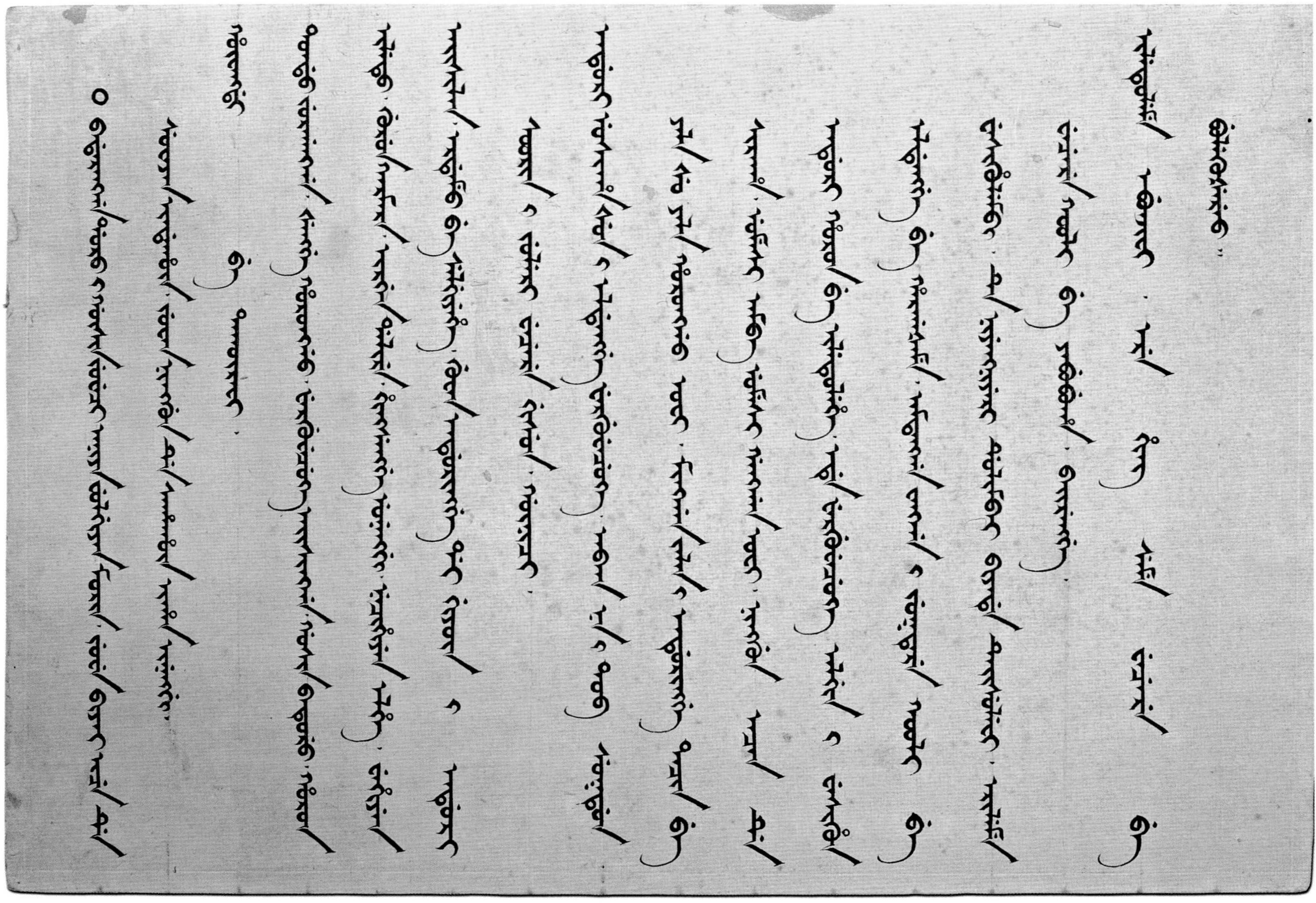

【一・二・一】

【一·二·二】內閣票簽部本式樣

光緒二十五年（一八九九年），滿文，紙質，冊，29cm × 22cm。

內閣票簽部本式樣是內閣滿票簽處擬寫票簽的格式樣書。票簽，是內閣票簽處侍讀根據大臣所進題本、部本內容，代皇帝擬寫的批語條簽。滿文票簽由滿票簽處侍讀擬寫，漢文票簽先由漢文票簽處擬草，再移滿票簽處校寫滿文。票簽書寫式樣皆有定例。

此件為內閣根據光緒元年部本、通本票簽樣本，重新修訂而成。共二十五卷。

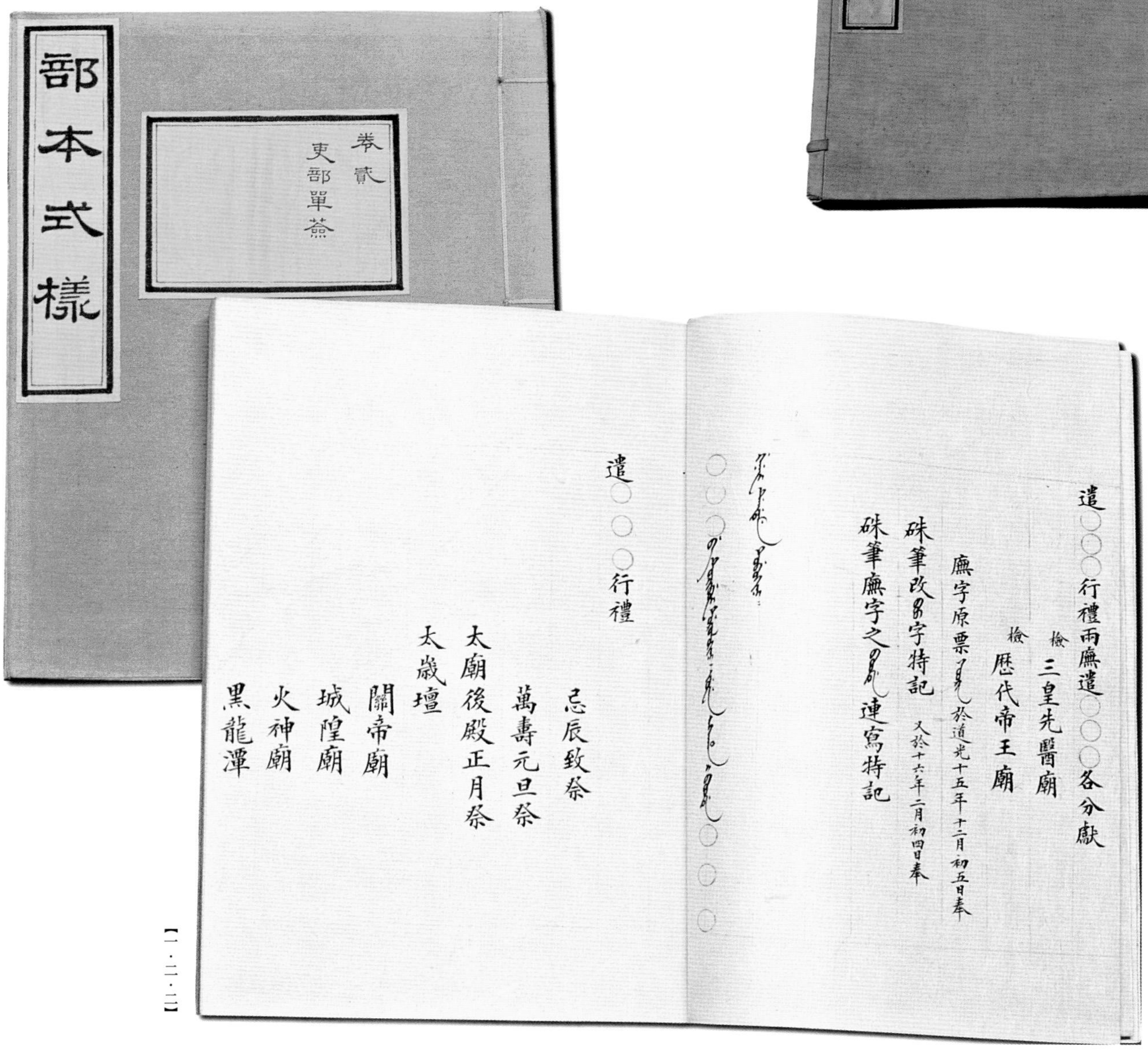

【一・二・三】紅本批字

清朝，滿漢文合璧，紙質，摺，尺寸各異。

「紅本」是經過皇帝批閱後的題本。

清代制度，凡進呈皇帝的題本，均須分別經內閣滿票簽處、漢票簽處依照題本中所題事項擬具處理辦法，並寫在票簽上與題、奏本一併進呈。待得旨允行後，再由批本處照皇帝閱定之票簽，用紅筆記錄在題本滿、漢封面上，這種題本稱為「紅本」。凡經擬過的題、奏本，即交紅本處，每日由六科給事中赴內閣領出傳抄下發，到年終繳回。收入紅本庫內保管。

此三件為乾隆、同治等朝之紅本批字。

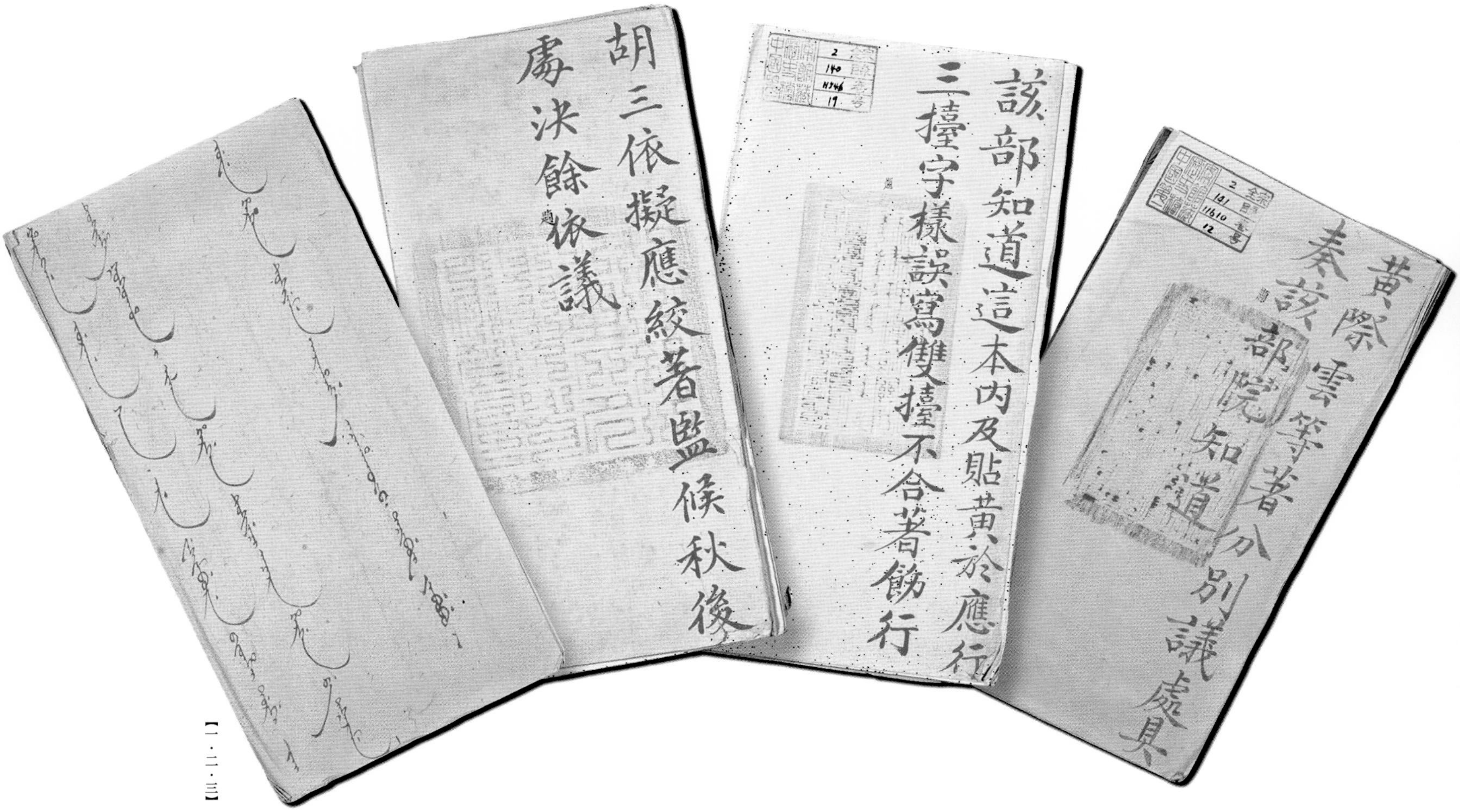

【一・二・三】

【一·二·四】內閣各機構之間來往文書

① 嘉慶七年（一八〇二年）二月十五日，漢文，紙質，摺，每扣26cm × 12cm。

此件為會典館開館辦公，催取供事官事，給典籍廳的移催。

② 嘉慶十六年（一八一一年）四月二十三日，漢文，紙質，摺，每扣24.5cm × 9.5cm。

滿本堂為催撥填寫金榜榜頭官員事，給典籍廳的付催。

③ 咸豐元年（一八五一年）九月，漢文，紙質，摺，每扣23.5cm × 11cm。

此件為實錄館查找六科史書事，給內閣的文書。

此組文書為內閣各房、館之間為催辦、交涉各種事宜的來往文書。

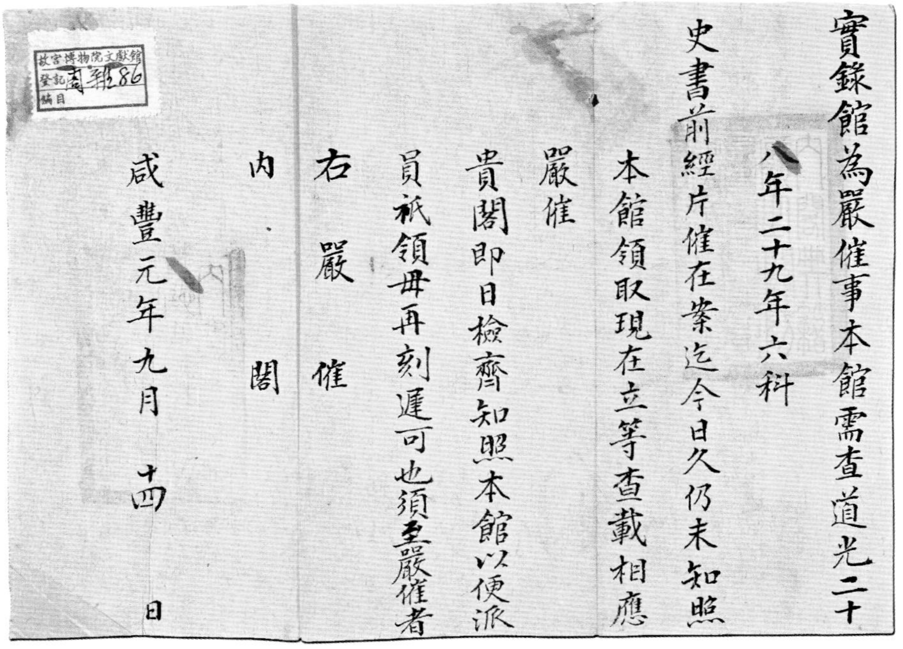

實錄館為嚴催事本館需查道光二十
八年二十九年六科
史書前經片催在案迄今日久仍未知照
本館領取現在立等查載相應
嚴催
貴閣即日檢齊知照本館以便派
員祇領毋再刻遲可也須至嚴催者
右嚴催
內閣
咸豐元年九月十四日

【一·二·四③】

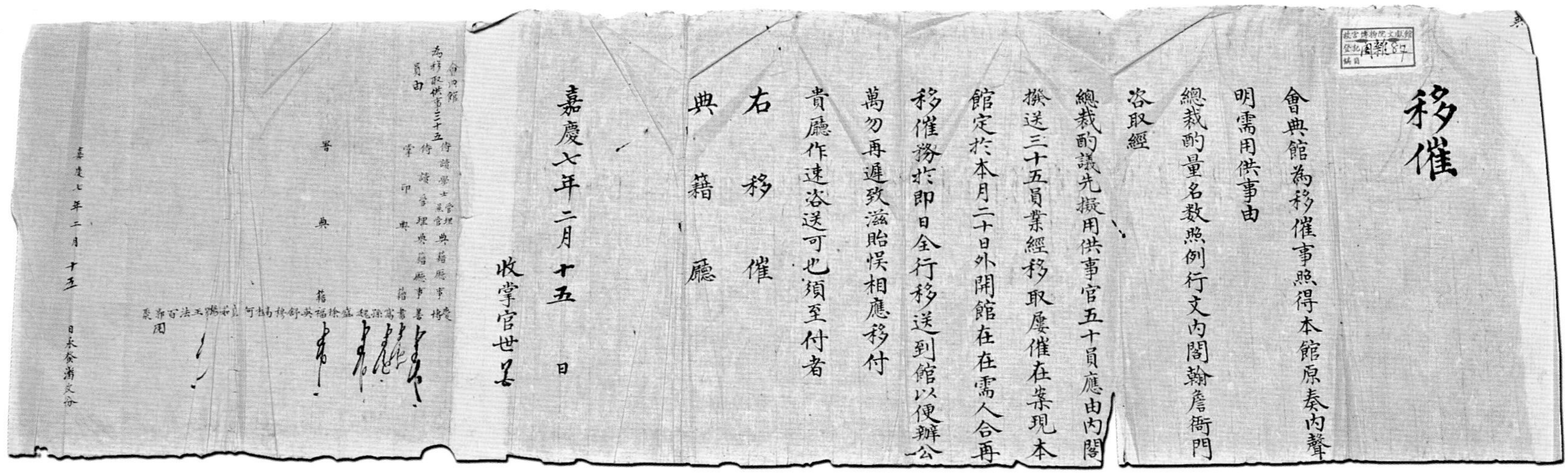

移催
會典館為移催事照得本館原奏內聲
明需用供事由
總裁酌量名數照例行文內閣翰詹衙門
咨取經
總裁酌議先擬用供事官五十員應由內閣
撥送三十五員業經移取屢催在案現本
館定於本月二十日外開館在在需人合再
移催務於即日全行移送到館以便辦公
萬勿再遲致滋貽悞相應移付
貴廳作速咨送可也須至付者
右移催
典籍廳
嘉慶七年二月十五日
收掌官世

會典館
為移取供事三十五員由
侍讀學士兼管理典籍廳事博慶
侍讀管理典籍廳事書
掌印典籍
署典籍
嘉慶七年二月十五日

【一·二·四①】

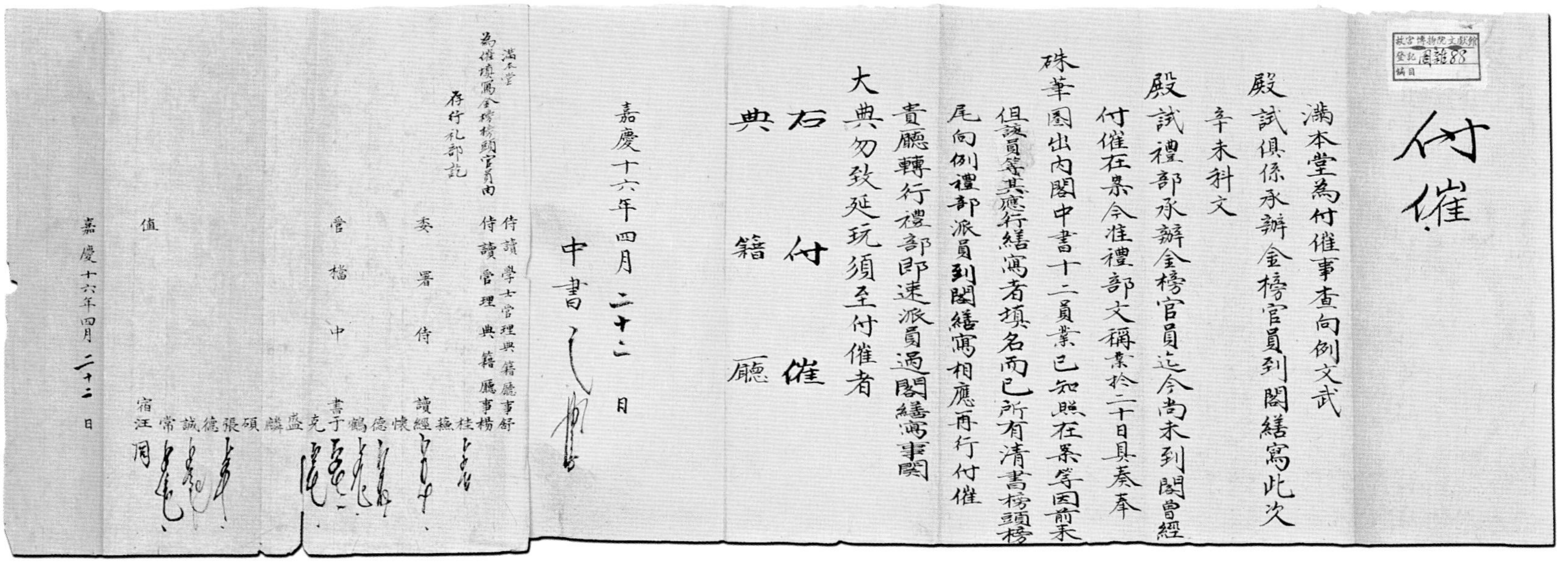

付催
滿本堂為付催事查向例文武
殿試俱係承辦金榜官員到閣繕寫此次
辛未科文
殿試禮部承辦金榜官員迄今尚未到閣曾經
付催在案今准禮部文稱業於二十日具奏奉
硃筆圈出內閣中書十二員業已知照在案等因前來
但該員等其應行繕寫者填名而已所有清書榜頭榜
尾向例禮部派員到閣繕寫相應再行付催
貴廳轉行禮部即速派員過閣繕寫事關
大典勿致延玩須至付催者
右付催
典籍廳
嘉慶十六年四月二十二日
中書

滿本堂
為催填寫金榜榜頭官員由
存行礼部訖
侍讀學士管理典籍廳事舒
侍讀管理典籍廳事楊
委署侍讀
嘗檔中書
值宿
嘉慶十六年四月二十二日

【一·二·四②】

【一·二·五】六部檔卷清釐冊

光緒二十八年（一九〇二年），漢文，面綾質，文紙質，冊，26.5cm × 17cm。

清代吏、戶、禮、兵、刑、工六部，是清朝中央國家行政機關。各部在行使職能活動中曾形成了大量的文書。這些文書都要定期整理歸檔，登記造冊，以備查考。

此件為吏部清理各司、科、房檔案的細數清冊。

【一·二·六】內閣印領

乾隆七年（一七四二年）八月，滿漢文合璧，紙質，片，41cm × 38cm。

印領是蓋有印章的領物憑證。

此件印領為內閣實錄館為編修實錄之事，向宗人府繳回黃檔底冊、原題稿等文件而出具的文書。

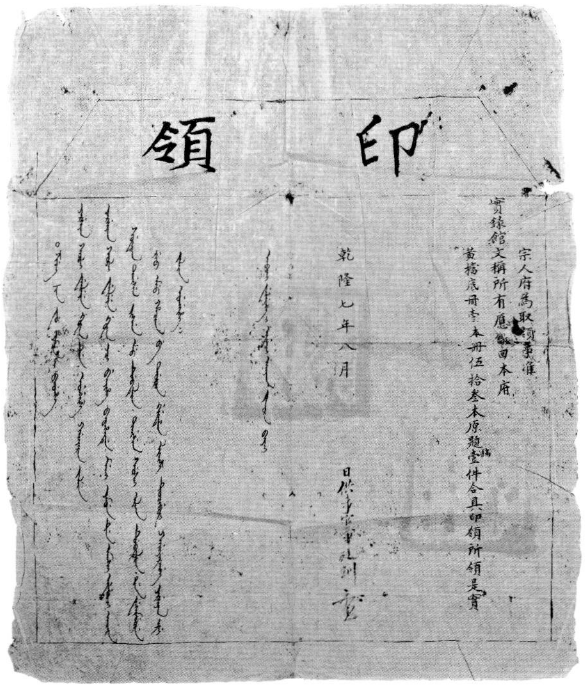

【一·二·六】

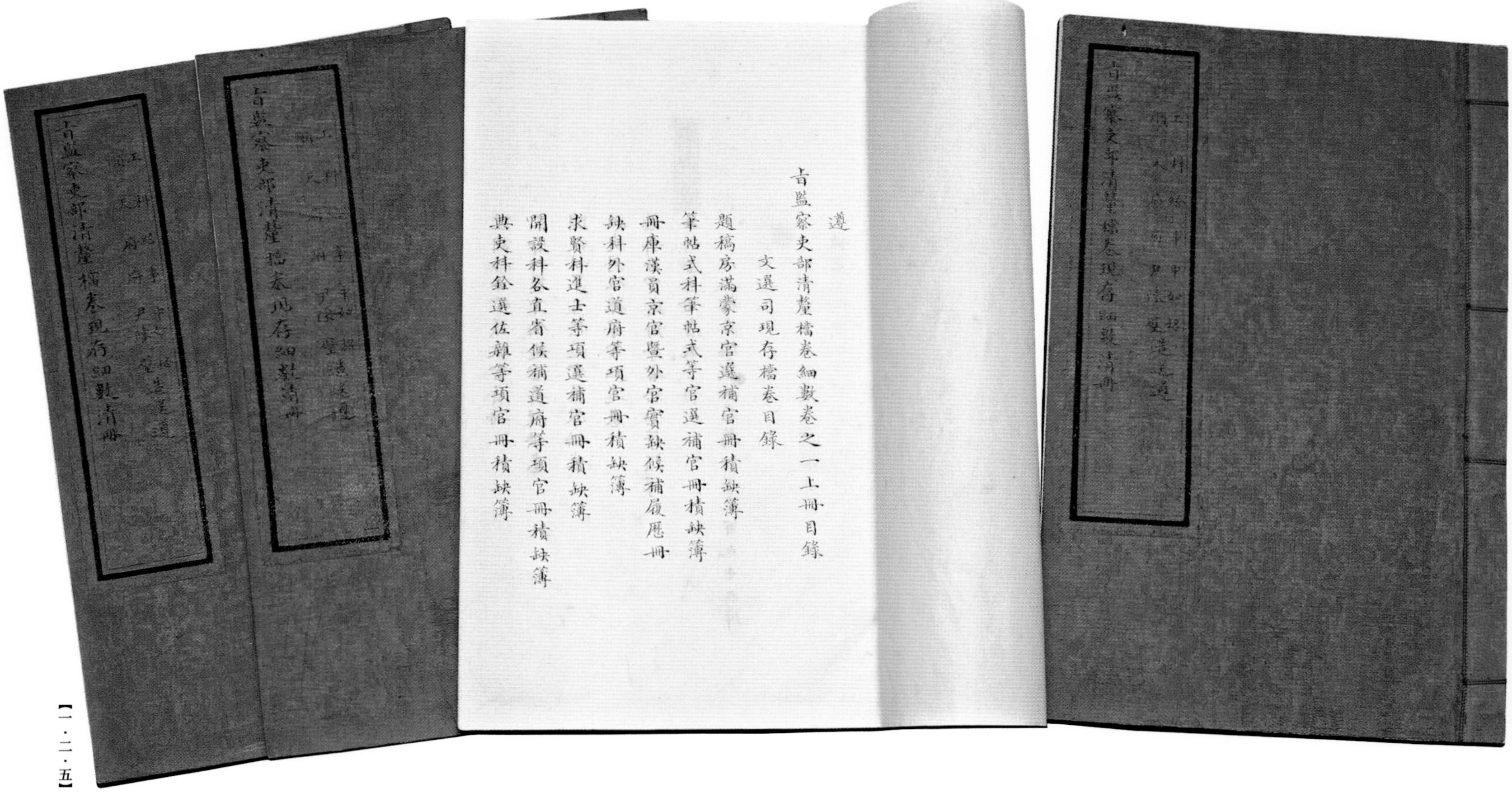

【一·二·五】

【一·二·七】膳牌

清朝，滿漢文合璧，木質，板，28cm × 3.5cm 。

「膳牌」是皇帝用膳時，請求覲見之官員呈遞的木牌。

清制，凡遇值班奏事引見之日，文武官員均應事先將自己的銜名，書寫在特製的木牌上，由奏事處官員進呈皇帝。進呈木牌的時間一般在皇帝御膳之時，因而又將其稱之為「膳牌」。膳牌的頂端有紅、綠兩種不同的顏色，用以區別官員的等級。宗室王公用紅頭牌，文職副御史以上、武職副都統以上用綠頭牌。凡皇帝出巡後回至京中，在京諸臣例應於次日呈遞膳牌，預備召見，時稱為「全牌子」。

此為奕劻等官員的膳牌。

【一·二·八】京報

光緒三十四年（一九〇八年）八月，漢文，紙質，冊，22cm × 12cm 。

《京報》是由民間經營並據「邸報」內容加以翻印的報紙。

《京報》起源於明朝末期，清朝繼承之。其內容由三部分組成：首先是朝廷政事、動態，其次是諭旨，最後是奏摺。材料來源於各省提塘在北京設的報房。《京報》的印刷包括木活字排印、泥板印、膠泥板印和鉛印幾種。因同時存在着多家報房，所以每家報房有着各自固有的名稱。如「聚興報房」、「聚恆房」、「聚昇房」、「集文報房」、「同文報房」、「合成報房」、「杜記報房」、「信義報房」、「公興報房」等。

京報的形式，一般是九厘米寬，二十二厘米長的狹長形的小冊子，用竹紙或毛太紙印刷，並用黃紙作封面，上印紅色《京報》和「某某報房」字樣。但也有其他式樣。

此件為「聚陞報房」印製的《京報》。

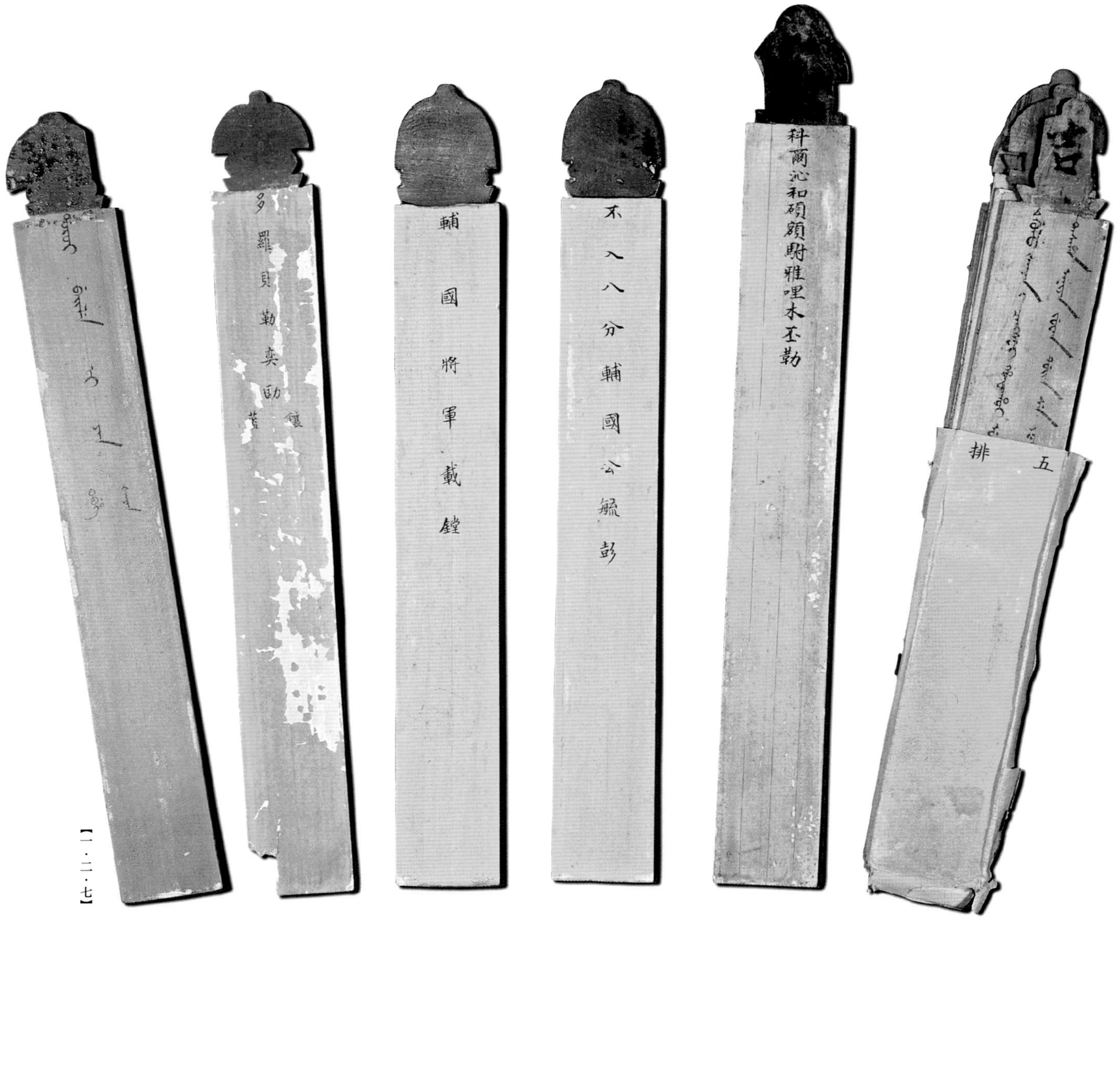

【一·二·七】

【一·二·九】官報

宣統朝，漢文，紙質，冊，尺寸各異。

官報出現於清朝末期，是政府官方公布文件的一種刊物。登載的內容包括：諭旨、奏摺、電報、諮移、法制章程等十大類。官報發行的範圍很廣，官民均可閱覽。官報的種類很多，其中有《政治官報》（宣統三年（一九一一年）改為《內閣官報》）、《商務官報》、《交通官報》等。此外各省也出版發行了本省的官報。

官報的形式，一般為長方形小冊子，用毛太紙印刷，封面黑字印官報的名稱，發行的年、月、日及編號等。

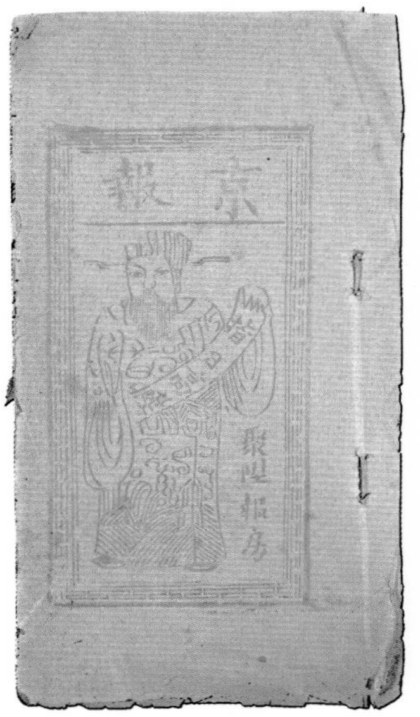

【一·二·八】

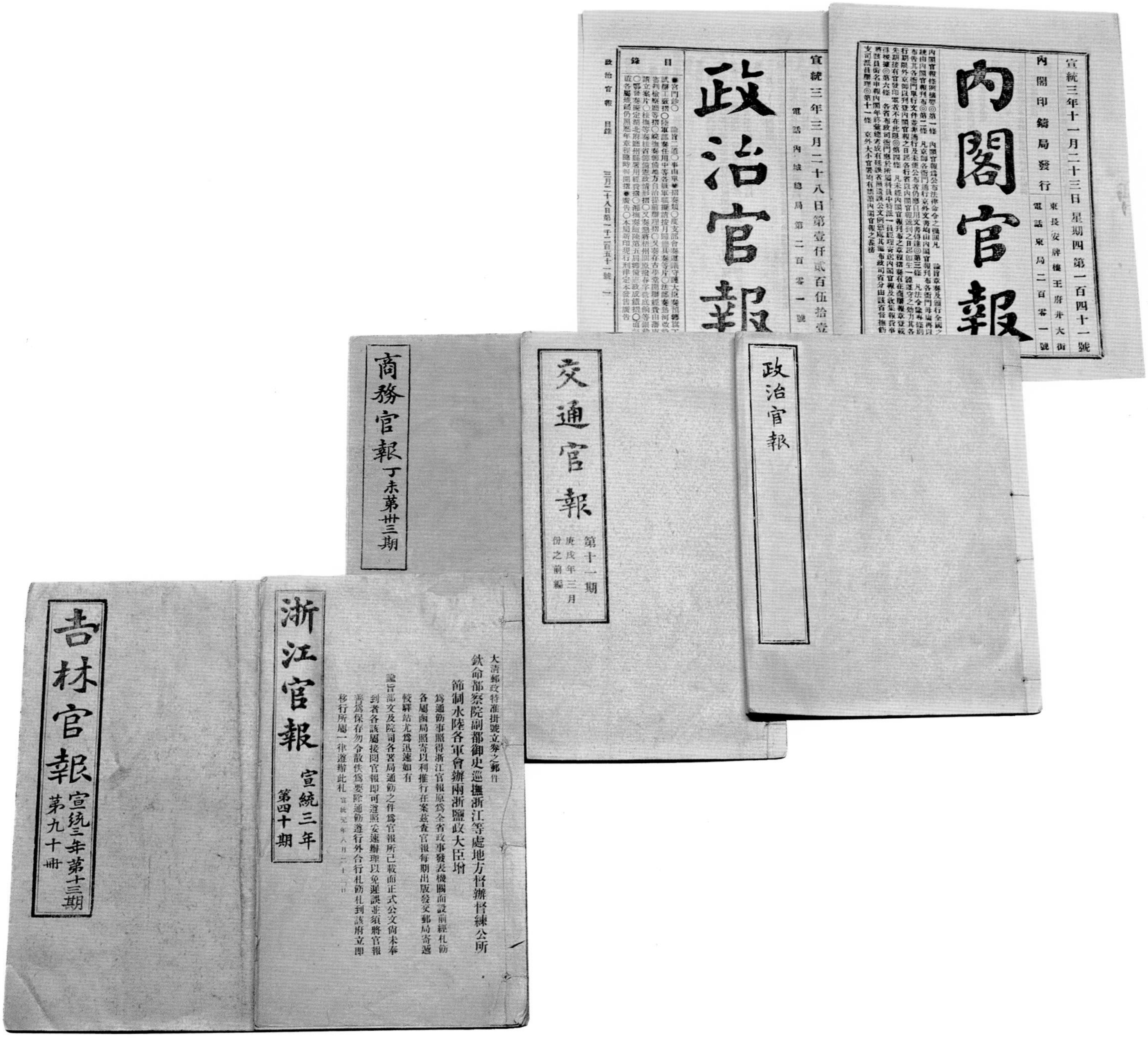

【一·二·九】

【一·二·一〇】說帖

光緒朝，漢文，紙質，摺，每扣 20.5cm × 95cm，七扣。

說帖是一種清代文書的名稱。

清代文書制度中規定，凡官員在上摺或具呈時，如因其建議或陳述之事的文字比較長者，一般於正文之外，另加附件詳細說明。這種附件稱為說帖。如內閣票擬題本，凡擬寫雙簽、三簽、四簽者皆附說帖。

此件為翰林院應變通釐定事宜之說帖。

【一·二·一一】諭帖

光緒二十八年（一九〇二年）五月四日，漢文，紙質，每扣 23cm × 45cm。

清代八旗王公向下行文也稱「諭」。

此件為檔冊房傳發某王爺之諭帖，押印，標朱，日期朱填。並附封一件。

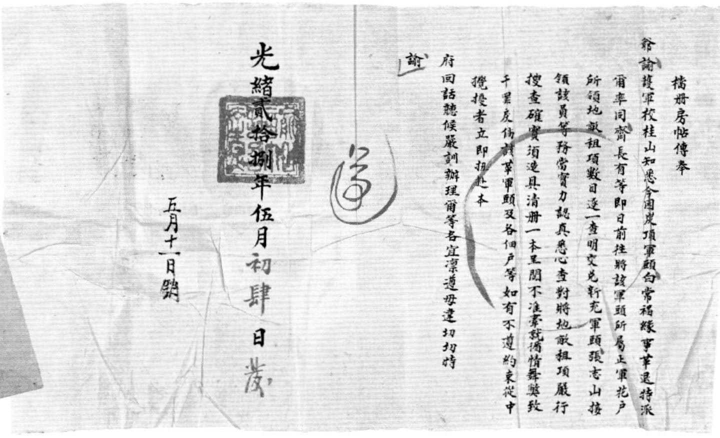

檔册房帖傳奉
爺諭護軍校桂山知悉今因該項軍頭白常福緣事革退特派
爾率同齋長有等即日前往將該軍頭所屬正軍花戶
所領地畝租項數目逐一查明交與新充軍頭張志山接
領該員等務當實力認真悉心查對將地畝租項嚴行
搜查確實須造具清册一本呈閱不准蒙蔽循情舞弊致
干罪戾倘該革軍頭及各佃戶等如有不遵約束從中
攪擾者立即扭赴本
府回話聽候嚴訓辦理爾等各宜凛遵毋違切切特
諭
光緒貳拾捌年伍月初肆日發
五月十一日號

【一·二·一一】

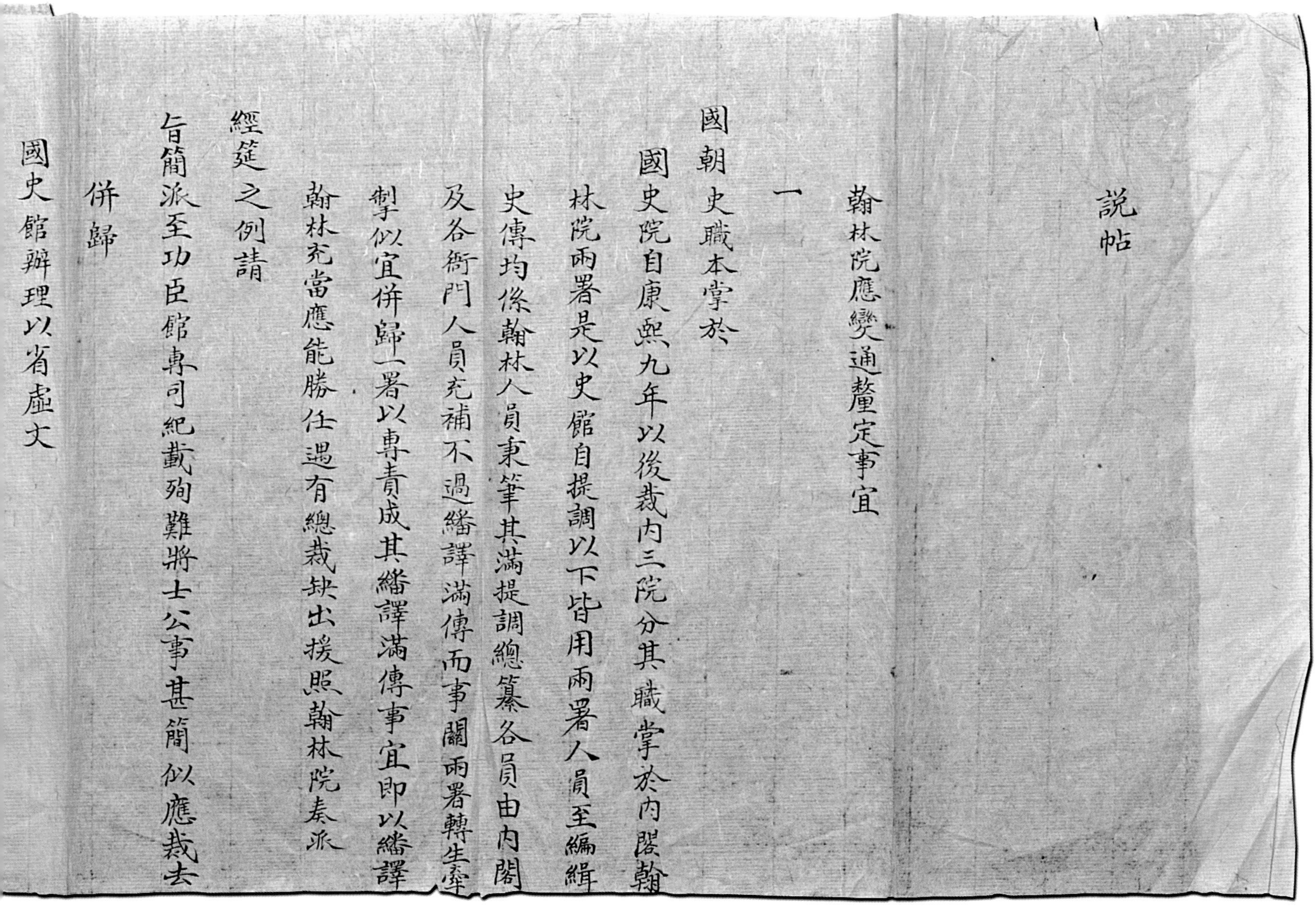

說帖
翰林院應變通釐定事宜
一
國朝史職本掌於
國史院自康熙九年以後裁內三院分其職掌於內閣翰
林院兩署是以史館自提調以下皆用兩署人員至編緝
史傳均係翰林人員秉筆其滿提調總纂各員由內閣
及各衙門人員充補不過繙譯滿傳而事關兩署轉生牽
掣似宜併歸一署以專責成其繙譯滿傳事宜即以繙譯
翰林充當應能勝任遇有總裁缺出援照翰林院奏派
經筵之例請
旨簡派至功臣館專司紀載殉難將士公事甚簡似應裁去
併歸
國史館辦理以省虛文

【一·二·一二】電報

① 光緒朝，漢文，紙質，摺，每扣 20cm × 9cm，四扣。

② 光緒朝，漢文，紙質，冊，22cm × 11.5cm。

電報是清代傳遞公文的形式之一。

電報出現於清朝末期，光緒初年開始在官文書中使用。光緒二十四年（一八九八年）以後，電報才與公文具有同等效用。各地官員向皇帝奏事時往往採取電報這種快捷而簡便的形式。各官員電奏發出後，要經過軍機處、總理衙門譯抄後，呈皇帝閱處。電報的內容主要包括內政、外交等方面，現存原宮中的電報譯稿一種為摺裝，另一種為冊裝。

摺裝一件，為南洋大臣劉坤一關於江南密購槍支事之電報譯稿。

冊裝一件，為周馥關於捕抓革命黨孫中山事的電報譯稿。

【一·二·一三】電報費收據

宣統三年（一九一一年）四月十一日，漢文，紙質，片，26cm × 14cm。

宣統年間電報已經相當普及。此兩件為電報局收發處開具的發往福州、長沙的電報費收據。

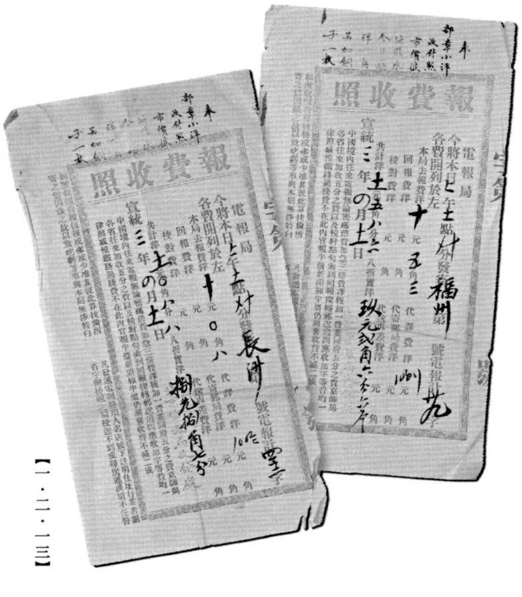

【一·二·一三】

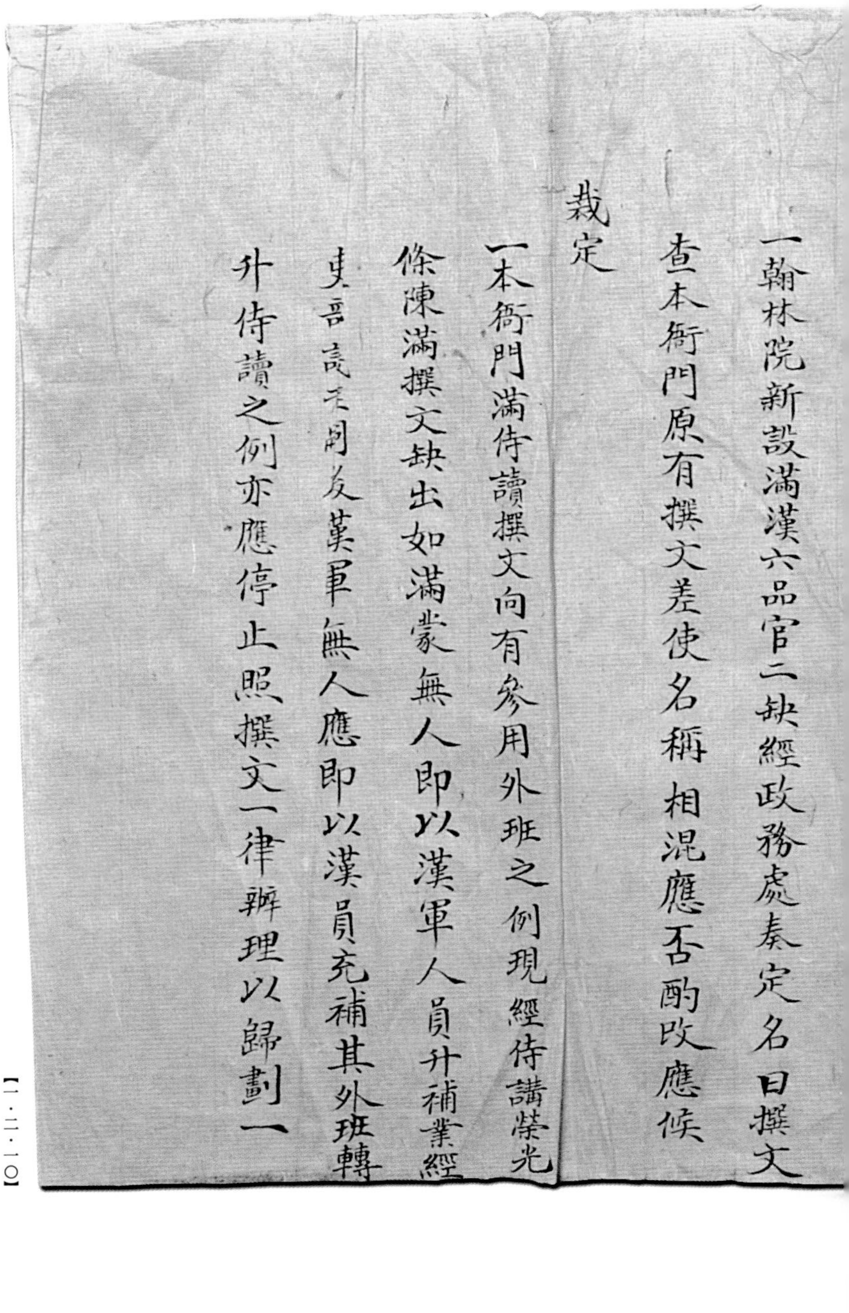
一翰林院新設滿漢六品官二缺經政務處奏定名曰撰文
查本衙門原有撰文差使名稱相混應否酌改應候
裁定
一本衙門滿侍讀撰文向有參用外班之例現經侍講榮光
條陳滿撰文缺出如滿蒙無人即以漢軍人員升補業經
吏吾意见同及漢軍無人應即以漢員充補其外班轉
升侍讀之例亦應停止照撰文一律辦理以歸劃一

【一·二·一〇】

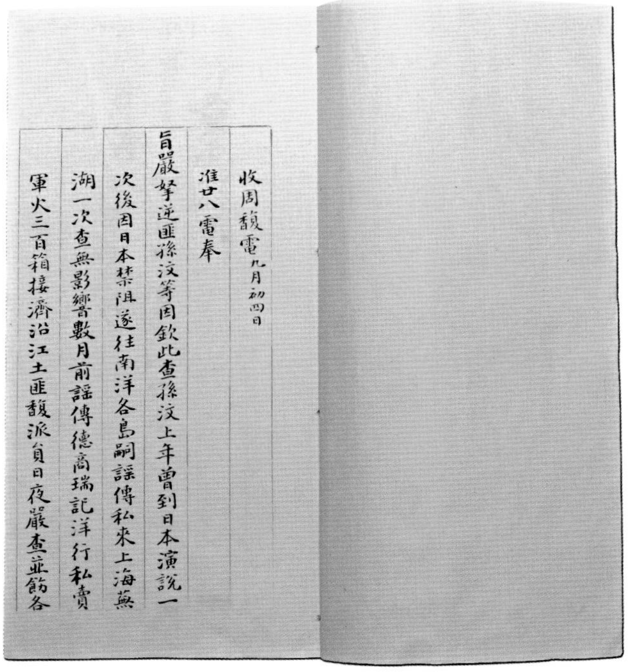
收周馥電九月初四日
准廿八電奉
旨嚴拏逆匪孫汶等因欽此查孫汶上年曾到日本演說一
次後因日本禁阻遂往南洋各島嗣謠傳私來上海蕪
湖一次查無影響數月前謠傳德商瑞記洋行私賣
軍火三百箱接濟沿江土匪馥派員日夜嚴查並飭各

【一·二·一二②】

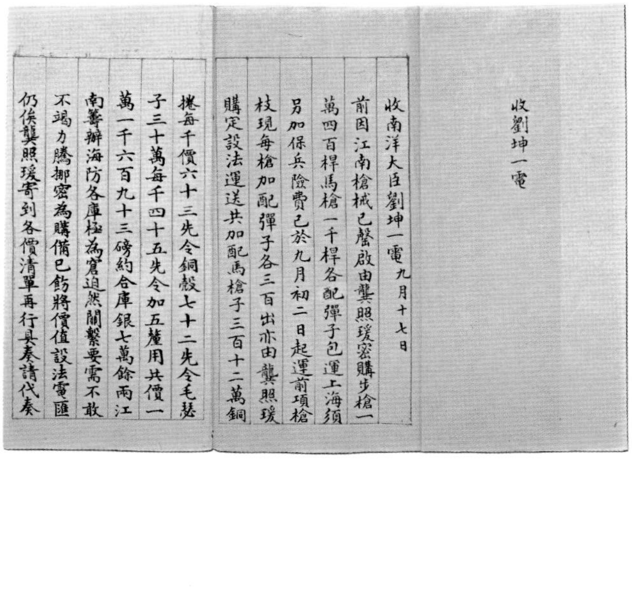
收劉坤一電

收南洋大臣劉坤一電九月十七日
前因江南槍械已罄啟由龔照瑗密購步槍一
萬四百桿馬槍一千桿各配彈子包運上海須
另加保兵險費已於九月初二日起運前項槍
枝現每槍加配彈子各三百出亦由龔照瑗
購定設法運送共加配馬槍子三百十二萬銅
捲每千價六十三先令銅殼七十二先令毛瑟
子三十萬每千四十五先令加五釐用共價一
萬一千六百九十三磅約合庫銀七萬餘兩江
南籌辦海防各庫極為窘迫然關繫要需不敢
不竭力騰挪密為購備已飭將價值設法電匯
仍俟龔照瑗寄到各價清單再行具奏請代奏

【一·二·一二①】

【一·二·一四】滇越鐵路章程

光緒二十九年（一九〇三年）九月初九日，漢文，紙質，冊，26cm × 14cm。

光緒十三年（一八八七年），中法曾訂立商務專條。其中第五條款內，提及越南之鐵路接至中國境內一事，光緒二十四年（一八九八年）經清廷允許。由雙方查勘之後，就修造鐵路及管理鐵路事宜進行磋商。光緒二十九年（一九〇三年）九月初九日，由法國署使臣呂班、清總理外務部大臣和碩慶親王共同簽訂了《滇越鐵路章程》。其中詳細地制訂了各種條例共三十四條。

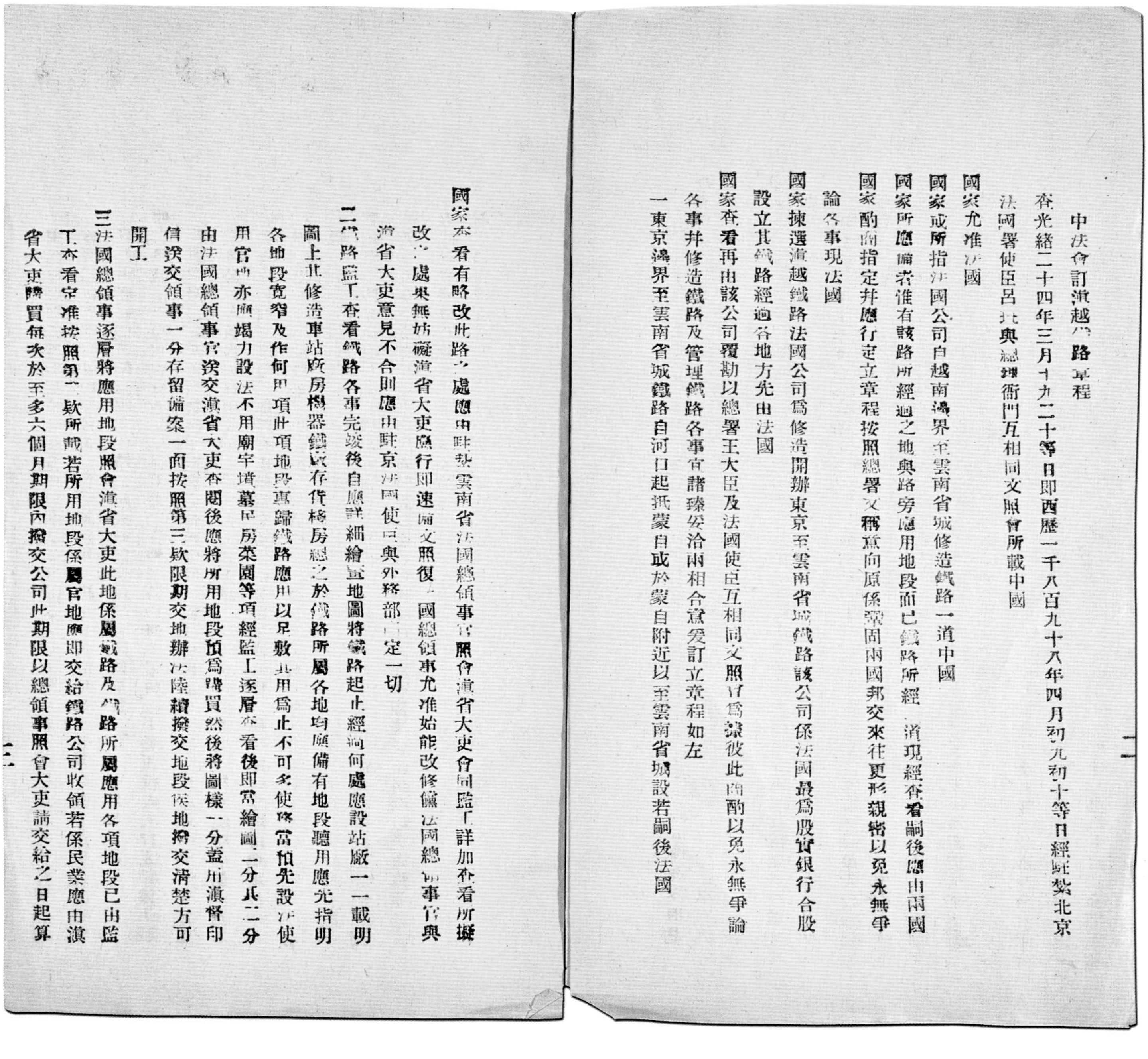

中法會訂滇越鐵路章程

査光緒二十四年三月十九二十等日即西歷一千八百九十八年四月初九初十等日經駐紮北京
法國署使臣呂班與總理衙門互相同文照會所載中國
國家允准法國
國家或所指法國公司自越南邊界至雲南省城修造鐵路一道中國
國家所應備者惟有該路所經過之地與路旁應用地段而已鐵路所經之道現經查看嗣後應由兩國
國家酌商指定并應行定立章程按照總署文稱意向原係鞏固兩國邦交來往更形親密以免永無爭
論各事現法國
國家揀選滇越鐵路法國公司爲修造開辦東京至雲南省城鐵路該公司係法國最爲殷實銀行合股
設立其鐵路經過各地方先由法國
國家查看再由該公司覆勘以總署王大臣及法國使臣互相同文照會爲據彼此商酌以免永無爭論
各事并修造鐵路及管理鐵路各事宜諸臻妥洽兩相合意爰訂立章程如左
一東京邊界至雲南省城鐵路自河口起抵蒙自或於蒙自附近以至雲南省城設若嗣後法國

一

國家查看有將改此路之處應由駐紮雲南省法國總領事官照會滇省大吏會同監工詳加查看所擬
改之處果無妨礙滇省大吏應行即速備文照復法國總領事允准始能改修儻法國總領事官與
滇省大吏意見不合則應由駐京法國使臣與外務部商定一切
二鐵路監工查看鐵路各事完竣後自應詳細繪畫地圖將鐵路起止經過何處應設站廠一一載明
圖上其修造車站廠房機器鐵廠存貨棧房總之於鐵路所屬各地均應備有地段聽用應先指明
各地段寬窄及作何用項此項地段專歸鐵路應用以足敷其用爲止不可多使將當預先設法使
用官地亦應竭力設法不用廟宇墳墓民房菜園等項經監工逐層查看後即當繪圖一分共二分
由法國總領事官送交滇省大吏查閱後應將所用地段預爲購買然後將圖樣一分蓋用滇督印
信送交領事一分存留備案一面按照第三款限期交地辦法陸續撥交地段俟地撥交清楚方可
開工
三法國總領事逐層將應用地段照會滇省大吏此地係屬鐵路及鐵路所屬應用各項地段已由監
工查看定准按照第二款所載若所用地段係屬官地應即交給鐵路公司收領若係民業應由滇
省大吏購買每次於至多六個月期限內撥交公司此期限以總領事照會大吏請交給之日起算

二

【一・二・一四輔①】中國鐵路全圖

清末，漢文，紙質，卷，98cm × 113cm。

光緒十五年（一八八九年），清政府成立了中國鐵路總公司。此為清末大臣陳璧、呈重喜進獻清廷的中國鐵路全圖。

【一・二・一四輔②】火車頭

【一・二・一四輔②】

【一・二・一四輔①】

第二章　皇帝詔令文書

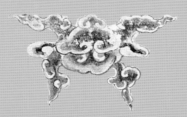

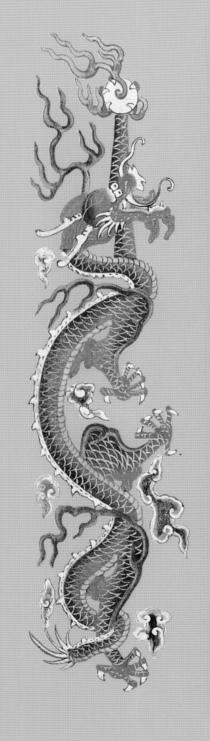

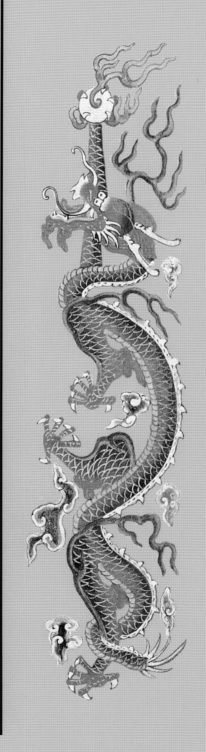

詔令文書是中國古代帝王詔告臣民、敕封官員以及處理軍國政務所頒文書的總稱。但由於歷代政治情況不同，所用詔令文書的名稱、用途和格式也屢有變化。

明、清是中國封建君主專制制度高度發展時期，也是詔令文書最為完備的時期。明代有詔、制、誥、敕、冊、書、符、令、檄，都經內閣頒發。清代詔令文書基本上沿用明制，但為了加強皇帝獨裁統治和適應民族統治需要，除制、詔、誥、敕之外，還增加了諭、旨、廷寄等文書。

清代詔令文書可分兩大類型，一是國家大典、封贈官員、敕諭外藩時所用儀制性文書，如制、詔、誥、敕等，由內閣或翰林院撰擬，由內閣承發辦理。另一類是處理日常政務的諭令文書，如上諭、廷寄等，都由軍機處撰擬和承辦。

第一節　儀制性文書

凡遇頒發制、詔、誥、敕時，由內閣漢票簽處撰文先期擬具方式，經大學士閱定進呈，待皇帝閱定後，交中書科分別繕寫滿、漢文字，滿文由滿洲中書繕寫，漢文由漢中書繕寫。詔、誥、敕諭和殿試金榜，都用黃紙墨書，稱為謄黃。用刻板印刷者，稱搨黃。詔書、誥

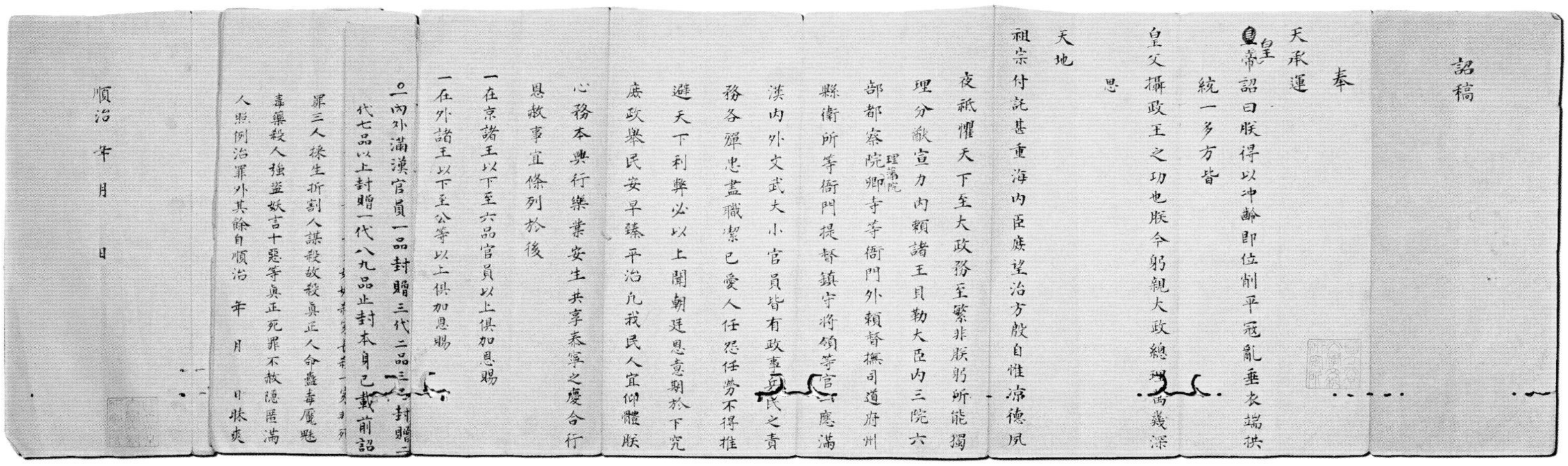
詔稿
奉
天承運
皇帝詔曰朕得以沖齡即位削平寇亂垂衣端拱
統一多方皆
皇父攝政王之功也朕今躬親大政總[illegible]幾深
思
天地
祖宗付託甚重海內臣庶望治方殷自惟涼德夙
夜祇懼天下至大政務至繁非朕躬所能獨
理分猷宣力內賴諸王貝勒大臣內三院六
部都察院理藩院卿寺等衙門外賴督撫司道府州
縣衛所等衙門提督鎮守將領等官[illegible]應滿
漢內外文武大小官員皆有政事[illegible]民之責
務各殫忠盡職潔己愛人任怨任勞不得推
避天下利弊必以上聞朝廷恩意期於下究
庶政舉民安早臻平治凡我民人宜仰體朕
心務本興行樂業安生共享泰寧之慶合行
恩赦事宜條列於後
一在京諸王以下至六品官員以上俱加恩賜
一在外諸王以下至公等以上俱加恩賜
一內外滿漢官員一品封贈三代二品三品封贈二
代七品以上封贈一代八九品止封本身已載前詔
[illegible]
罪三人採生折割人謀殺故殺真正人命蠱毒魘魅
毒藥殺人強盜妖言十惡等真正死罪不赦隱匿滿
人照例治罪外其餘自順治　年　月　日昧爽
順治　年　月　日

命經禮部刻板印刷者，又稱禮部謄黃。上皇太后尊號、徽號，須禮部敕諭，用香箋墨書；須發各部院敕諭，用黃紙朱書，傳該衙門堂官一人，至內閣承領。須各省及外藩詔敕，用黃紙墨書。凡須發詔書、敕書都要舉行隆重的儀式。如皇帝登極頒詔，要在太和殿舉行大典。是日，內閣學士把詔書陳設於太和殿東楹北案。然後大學士率學士至乾清門請皇帝之寶送至太和殿，放在中案。俟皇帝到太和殿升座，王公百官行禮畢，大學士進殿左門，把詔書放在中案。然後學士到中案在詔書上加蓋御寶。之後，大學士把詔書交給禮部尚書。由禮部刊刻謄黃，頒詔於天下。一般詔書的頒發，則由內閣制備、送至天安門樓，由宣詔官宣讀，文武百官在金水橋南跪聽行禮。然後官兵護送到禮部。凡詔書下達各省會，文武官員率所屬出郊迎接，在官署行禮，聽宣詔官宣讀詔書。然後再由督撫刊刻謄黃，再頒行其屬下。頒發蒙古詔書，由內閣兼繕蒙文，禮部刊刻謄黃，交理藩院轉行兵部驛發。頒發朝鮮、琉球等藩屬國詔書，皇帝任命正副使臣送往，或藩屬國使臣在京，報告皇帝後，令其帶回本國。

封贈王公和官員的誥命、敕命、冊文及祭祀的祝辭，由內閣或翰林院依式撰擬文字，然後交誥敕房校閱。誥敕房校對無誤後，再蓋用御寶。皇帝的御寶有二十五顆，存於交泰殿，由內閣管理。制辭、封冊鈐「制誥之寶」。詔、誥、金榜鈐「皇帝之寶」。誥命、敕命和敕書鈐「敕命之寶」。詔敕用寶之後，由六科轉給。官員領敕書，於離任後，須將敕書繳還內閣。

制書／制辭

制書是中國帝王詔令文書之一。在周代，帝王的命令叫命。秦統一六國後，改命為制，成為皇帝的專用文書，用以頒布重要的法制命令。《秦會要》卷六：「制者，王者之言，必有法制也。」兩漢及魏

晉、南北朝的制書，基本上沿用秦朝的規定。唐代的制書，分制書和慰勞制書二種。制書用於頒布國家重大制度的命令。慰勞制書用於對官僚的褒獎嘉勉。明代的制書，是皇帝對個別官員或部分官員有所宣告時使用的命令文書。

清代稱制辭而不稱制書。制辭並非一種獨立的文種。《乾隆會典》卷二載：「凡朝廷德音下逮，宣示百官曰制。」凡詔、敕、諭等一類的詔令文書，載有天子之言者，都叫「制辭」。《清律・吏律・公式門》有「制書違制」一條，註謂：「天子之言曰制，書則載其言者，如詔、敕、諭之類。」其開首都弁以「奉天承運，皇帝制曰」的話，例如誥命的制辭是「奉天承運，皇帝制曰：朕惟尚德崇功，國家之大典；輸忠盡職，臣子之常經。古聖帝明王，戡亂以武，致治以文。朕欽承往制，甄進賢能，特設文武勛階，以彰激勸。……」皇帝祭天地禮，須有制辭以誓於百官。其文曰：「某年月日某祀，惟爾群臣，其蠲乃心，齊乃志，各揚其職。敢或不共，國有常刑，欽者勿怠。」皇帝行結婚禮，亦備有制辭，其文曰：「皇帝欽奉太后懿旨，納某氏為皇后。茲當吉日令辰，備物典冊，命卿等以禮奉迎。」再如光緒甲辰殿試的金榜的制辭是：「奉天承運，皇帝制曰：光緒三十年五月二十一日，策試天下貢士譚延等二百七十三名，第一甲賜進士及第，第二甲賜進士出身，第三甲賜同進士出身，故茲誥示。」這些制辭雖然措辭不一，須行時的典禮亦各異，但都為宣示百官之用，而不下達於庶民。

詔書

中國帝王詔令文書之一。詔是詔告的意思。在周代時，君臣上下都可通用「詔」字。秦王嬴政統一六國，建立君主專制的封建國家後，自以「德兼三皇，功高五帝」，號稱皇帝，自稱曰「朕」，改命為制，令為詔，從此詔書成為皇帝布告臣民的專用文書。漢承秦制，凡皇帝即位或去世，及公布不屬重大制度的命令，都用詔書布告天下。如漢高祖十二年（公元前一九五年）三月，詔曰：「吾立為天子，帝有天下十二年於今矣……布告天下，使明知朕意云。」（《漢書》卷一）唐、宋廢止不用，元代又恢復使用。明代用詔書宣布重大政令或訓誡臣工。

清代凡大政事，須布告天下臣民使用詔書。如皇帝嗣位頒布即位詔，以宣布自己的施政綱領。太上皇傳位嗣皇帝，有傳位詔或親政詔。皇帝臨終時總結自己一生統治經驗，以遺言告誡臣工，有遺詔。國家有重大興革，也用詔書布告全國。如清光緒時的維新詔、立憲詔等。我國現存的詔書原件，以清朝的詔書為最多。詔文格式：起首以「奉天承運，皇帝詔曰」開始，接敘詔告事由，最後以「布告天下，咸使聞知」，或「布告中外，咸使聞知」結束。文尾書明下詔的年月日，並加蓋「皇帝之寶」。

頒詔是國家大事，所以要舉行隆重的典禮。如清代頒詔儀式：詔書須在天安門前宣讀，然後用儀仗導引至禮部，由該部刊刻副本，稱為謄黃，然後分送內外各衙門。各省接到謄黃本的詔書，也要舉行隆重的儀式，然後再次刊印謄黃，分發所屬衙門宣讀、張掛。

詔書用橫寬的大幅黃紙書寫。光緒《大清會典．工部》載：「詔書用硬黃箋表裏二層。文武殿試金榜制同。」詔書一般寬七十六厘米至七十八厘米，長約一百九十厘米至二米不等，一般每行二十二至二十三字。原文用朱圈斷句，有加在行中的，相當於頓號。

誥命／誥書

中國帝后詔令文書之一。誥，從上告下的意思。古代以大義諭眾叫「誥」。誥作為王命文書始於西周，如《尚書·周書》載有《大誥》、《湯誥》、《康王之誥》等篇，是周王用以告誡臣工的文書，秦廢不用。漢代偶而用之，不為常式。唐代大除授、大賞罰用制誥。宋代始以誥命任官和封贈官員，凡文武官遷改職秩、追贈大臣、貶議有罪、贈封其祖父妻室，都用誥命。元代封贈文書有宣命和敕牒，宣命用於一至五品官。敕牒用於六至九品官，均用紙繕寫。明沿宋制，封贈一品至五品官員，授以誥命。誥命為謄軸形式，分蒼、青、黃、赤、黑五色。由於官員的品級不同，誥命封贈的範圍及軸數、圖案和軸頭亦各有異。明代的誥命，文官用玉箸篆，武官用柳葉篆。明初誥命文體比較樸實，開首為「奉天誥命」四字，內寫官員本人事迹，不過百餘字。其覃恩封贈祖父母及妻室，才不過六七十字，後來由於政治腐敗，誥命文詞多浮套冗長。

清沿明制，覃恩封贈五品以上官職及世爵承襲罔替者發給誥命。誥命用五色或三色絲織成。凡封鎮國公以下、奉恩將軍以上，鎮國夫人以下、奉恩將軍恭人及鄉君以上，用龍邊誥命，錦面玉軸、牙籤黃帶。封蒙古貝子、鎮國公、輔國公、札薩克台吉、塔布囊、蒙古王公福晉誥命，及封外國王妃、世子、世孫誥命，為錦面犀軸。誥命文字由翰林院撰擬，都有固定的程式，刊板存內閣。誥命用駢體文，按品增減字句：一品，起六句，中十四句，結六句；二品，起六句，中十二句，結六句；三品，起六句，中十句，結六句；四至五品，起四句，中八句，結四句；六七品，起四句，中六句，結四句；八九品，起二句，中四句，結二句。屆封典時，由吏、兵二部題准封贈職名，由中書科按品級繕寫，由內閣頒發。

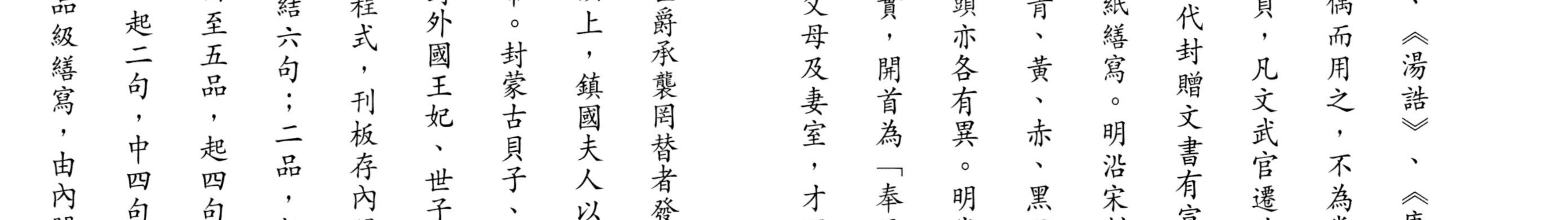

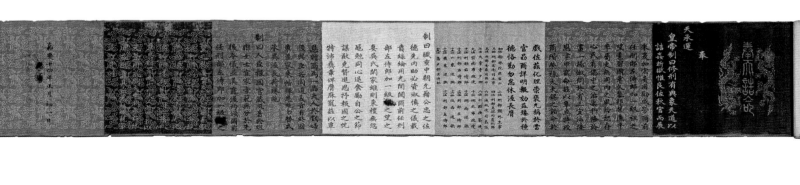

清制，凡太上皇、皇太后布告天下臣民，用誥書。光緒《大清會典》卷一載：「大政事布告臣民，垂示彝憲，則有詔、有誥。」皇帝布告天下臣民用詔書。太上皇、太皇太后、皇太后布告天下臣民用誥書，如清代的昭聖太皇太后遺誥、仁壽皇太后遺誥等。

敕

敕書，是中國帝王詔令文書之一。敕亦作「勅」，為告誡的意思，是帝王任官封爵和告誡臣僚的文書，源於西漢。《文心雕龍．詔策第十九》：「漢初定儀則，則命有四品，一曰策書，二曰制書，三曰詔書，四曰戒敕，敕戒州部，詔告百官，制施赦命，策封王侯。」它由漢代的戒書發展而來。最初皇帝訓誡新任的刺史、太守及三邊營官用戒書。後來，凡告諭京外各官也用戒書。魏晉南北朝時，基本沿用漢制，北周曾將敕書改為天敕。唐代的敕書，分為發敕、敕旨、論事敕及敕牒四種。凡官府增減官員，廢置州縣，徵發兵馬，除免官爵，授六品以上官等重要事情用發敕；凡因官僚奏請而頒發的皇帝的命令，稱「敕旨」。凡政事堂議決之事，由中書起草進呈皇帝畫敕，再由政事堂出牒公布施行，稱為「敕牒」。宋代除沿用唐制外，又增加敕一種，用以誡勵百官，曉諭軍民。元代封贈官員有宣命和敕牒兩種，封一至五品官用宣命，以白色紙繕寫。封六至九品官用敕牒，以赤色紙繕寫。明、清時代，敕的用途更為廣泛，規格形式也更為完備。明代，凡皇帝訓示中央和地方官員，或委任地方官員時用敕諭，封贈六品以下官員用敕命，敕封或告諭外藩也用敕命。敕命為卷軸式，分蒼、青、黃、赤、黑五種，用絲織物織成，葵花錦面，烏木軸頭。文官用玉箸篆，武官用柳葉篆，繪以升降龍盤繞。敕命封面為「奉天敕命」四字。敕文首寫皇帝的敕辭，次書官員的身世、履歷及封贈官爵的品級，末書年月日，蓋以「敕命之寶」。

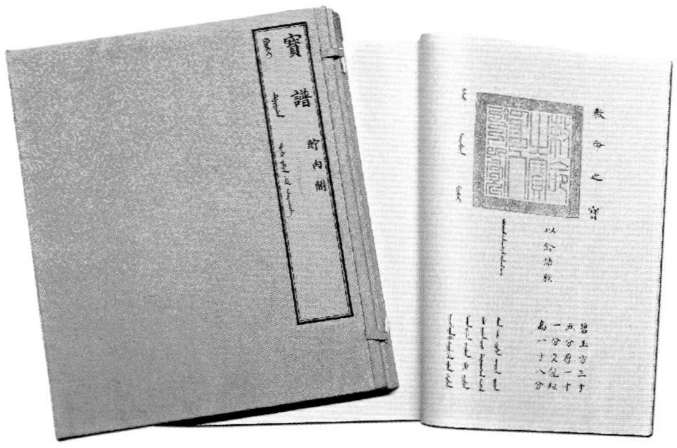

清沿明制，敕分敕命和敕諭兩種。《光緒會典》卷二載：「敕封外藩，覃恩封贈六品以下官，及世爵有襲次者曰敕命。諭告外藩，及外任官坐名敕、傳敕曰敕諭。」敕諭的用途有三：一、敕任官員。《乾隆會典》卷二載：「外任官，督、撫、學政、鹽政、織造、提督、總兵等，撰給坐名敕書；布政使、按察使、道員、運司以及副將、參遊等官，發給傳敕。」坐名敕書所列為地位較高的官員，寫明被任官員的官職、姓名，所列職權較詳，有時因人而異。本官任滿時要繳銷內閣。傳敕也稱流傳敕書，所列為地位較低的官員，敕書內只列官銜，不具被任官員的姓名，所列職權比較固定、簡明。本官任滿之後不繳銷，轉交接任者收掌，在本衙門內流傳。二、敕諭臣民。如為戡亂平寇等事，皇帝往往以敕諭的形式向某一地區臣民發布命令，較詔、誥規格稍低。舉行典禮，如皇帝上太皇太后、皇太后尊號、徽號，例須敕諭禮部詳查典禮具奏。修書各館纂修書史，例須經皇帝敕諭有關官員開館纂修。三、敕封或諭告外藩。朝貢諸國遇有國王嗣位時，清政府例須遣使敕封。外藩遣使入貢，清政府敕諭嘉獎並頒賞禮物。

敕命也稱「敕書」，凡覃恩封贈六品以下官及世爵有襲次者用敕命。敕命為卷軸形式，六品、七品二軸，八品、九品一軸。軸頭角質，葵花錦面，色分蒼、青、黃、赤、黑五種，繪以升降龍盤繞。敕面織「奉天敕命」四字，滿漢文字兼用。敕文首書皇帝制辭，以「皇帝敕諭」開頭。次書被封贈者的官階、姓名、功德、封贈的品秩、襲次等，以「故敕」或「故諭」結束。敕命文字用駢體文，六、七品：起四句，中六句，結四句；八、九品：起二句，中四句，結二句。敕命最後書明發敕年月日，並加蓋皇帝「敕命之寶」。滿漢文字合璧。

敕書亦稱「敕諭」，多用於敕封外藩，或敕諭某官、某事等。凡朝鮮、琉球、越南、蘇祿、南掌等藩屬國遇有國王嗣位請封，或藩屬各國例行朝貢，清帝進行嘉獎和恩賞，都用敕諭。敕諭程式，文首用「皇帝敕諭某某」開始，接敕諭事由。文體用駢體文。最後以「欽哉。特諭」結束。滿漢文合璧。最後書明頒發敕書年月日，並加滿漢文字合璧的御璽——「敕命之寶」。

敕書用紙有三等：一是金龍香箋表裏四層黃紙；二是畫龍箋表裏三層黃紙；三是印邊龍箋表裏二層黃紙。

冊書

中國帝王詔令文書之一，用以冊封王公后妃及祝告天地宗廟。「冊」原為「策」。策在古代用竹簡所寫，單一謂「簡」，多簡連續為策。冊書起源於周代的策命。《周禮》有「凡命諸侯及公卿、大夫，則策命之」的記載。秦廢不用。漢定策書為詔令文書之一，為教令於上，驅策諸下之意。用以任免諸侯、王、三公。策書長短不一，如命封的冊書，用長二尺或一尺，或一長一短的竹簡兩編，文字用篆書。如罷免官員的策書，則用一尺長的木簡一塊，分兩行寫，文字用隸書。策文首稱「某年某月某日皇帝使某官某廟立某為某……」。末尾用四字一句的警戒之詞。魏以後改「策」為「冊」字，多以金玉為製作材料。隋制，封拜哀誄及贈謚用冊。唐代立皇后、皇太子，封諸王均用冊書。宋代除沿用唐制外，封拜三司、三公、三省長官，亦用冊書。明代冊立皇后、太子，封王，封妃，上尊號、徽號也都用冊。清沿明制，上太皇太后、皇太后尊

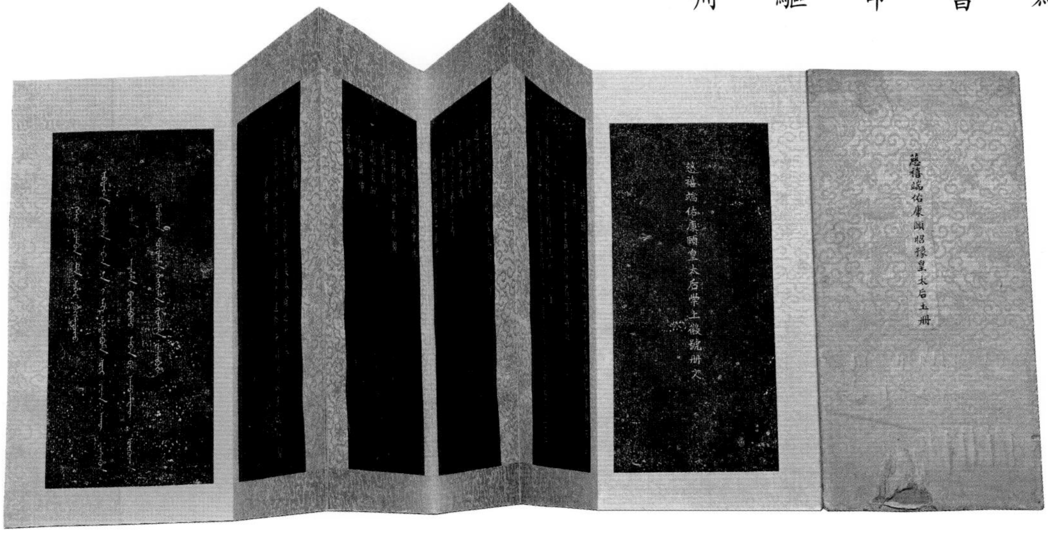

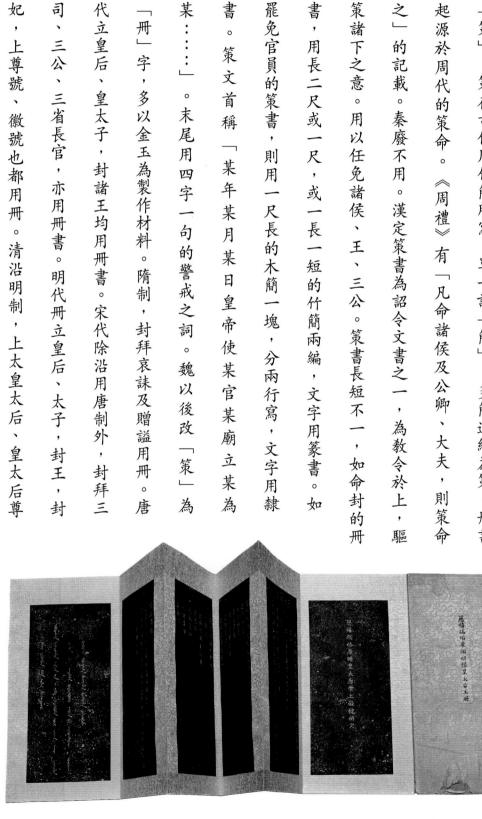

號、徽號，用玉冊。立皇后用金冊。封親王及其福晉，用鍍金銀冊；封貝勒、貝子及其夫人，封郡主、郡君、縣主、縣君，都用紙冊。封妃嬪亦用紙冊。

綜歷代的冊書，其名目和用途計有十一種：一、祝冊，郊祀祭享用；二、玉冊，上尊號、徽號用；三、立冊，立皇后、太子用；四、封冊，封諸王用；五、哀冊，遇梓宮及太子、諸王、大臣逝世用；六、贈冊，贈號、贈官用；七、謚冊，上謚、賜謚用；八、贈謚冊，贈官並賜謚用；九、祭冊，賜大臣祭用；十、賜冊，敕賜臣下用；十一、免冊，罷免大臣用。

祝文／碑文／諭祭文

祝文。凡皇帝祭天地，要書制辭以誓於百官。制辭書於龍牌。其文為首書「某年月日某祭」，次書「惟爾群臣，其蠲乃心，齊乃志，各揚其職，敢或不共，國有常制。欽哉勿怠」（光緒《大清會典》卷七十一）。祝文由翰林院撰擬後進呈御覽，依儀進行祭祀。

碑文。凡內外文武官員及藩屬各國王等死後，皇帝要加封謚號的，須由翰林院撰擬碑文，皇帝覽准後，依儀式加謚。

諭祭文。凡內外文武大臣及藩屬國王等死後，奉旨賜祭的，由翰林院撰擬諭祭文，依儀賜祭。諭祭文一般滿漢文字合璧。祭漢大臣文不翻滿文。

第二節　政務性文書

皇帝日常處理政務的諭令文書，由軍機處承辦。凡諭旨，「特降者為諭。因所奏請而降者為旨。其或因所奏請而即以宣示中外者，亦為諭」（《光緒會典》卷三）。凡明發的諭旨，由軍機大臣擬寫，呈皇帝欽定後，即抄交內閣發出。凡因奏請而降的諭旨，即同奏摺發抄。其餘奏摺，如奉朱批「覽」，或朱批「知道了」，或朱批准駁其事或朱批訓飭嘉勉之詞，根據其事，係部院應辦者，即發抄給部院衙門。若事情不涉及部院者則不發抄。凡明發的諭旨，都交內閣中書領出傳抄。凡未朱批之摺，或朱批「另有旨」、「即有旨」之摺件，旨另儲黃匣交軍機大臣，轉入請旨。皇帝授旨後，軍機大臣隨即根據皇帝的旨意，擬寫諭旨。擬好後由內監呈皇帝閱定，謂之「述旨」。若經朱筆改定者，謂之「過朱」。皇帝欽定或朱改過的諭者發下後，視情況由軍機處發出。

凡事涉及機密或需要急辦的諭旨，不便由內閣明發，則由軍機處封寄，謂之「廷寄」。軍機處將諭旨密封後，直接交兵部捷報處遞往。根據事情的緩急，或馬上飛遞，或四百里，或五百里，或六百里加急。

諭旨

諭旨，中國帝王詔令文書之一，為皇帝日常處理軍政事務所發布命令、指示的統稱。「諭」和「旨」原為兩種文書。諭告為以上告下的通稱，君臣都可以用。《左傳》載有周天子諭告諸侯之詞。《宋史·職官志》有「官吏用榜諭以告諭人民，皇帝作戒辭以諭百官」的記載。到了清代，凡皇帝下達的諭令，都冠以「上」字，從此「上諭」便成為皇帝的專用文書了。旨是意志的意思。唐代百官有事奏請，依皇帝旨意起草公文以覆奏請之人，稱

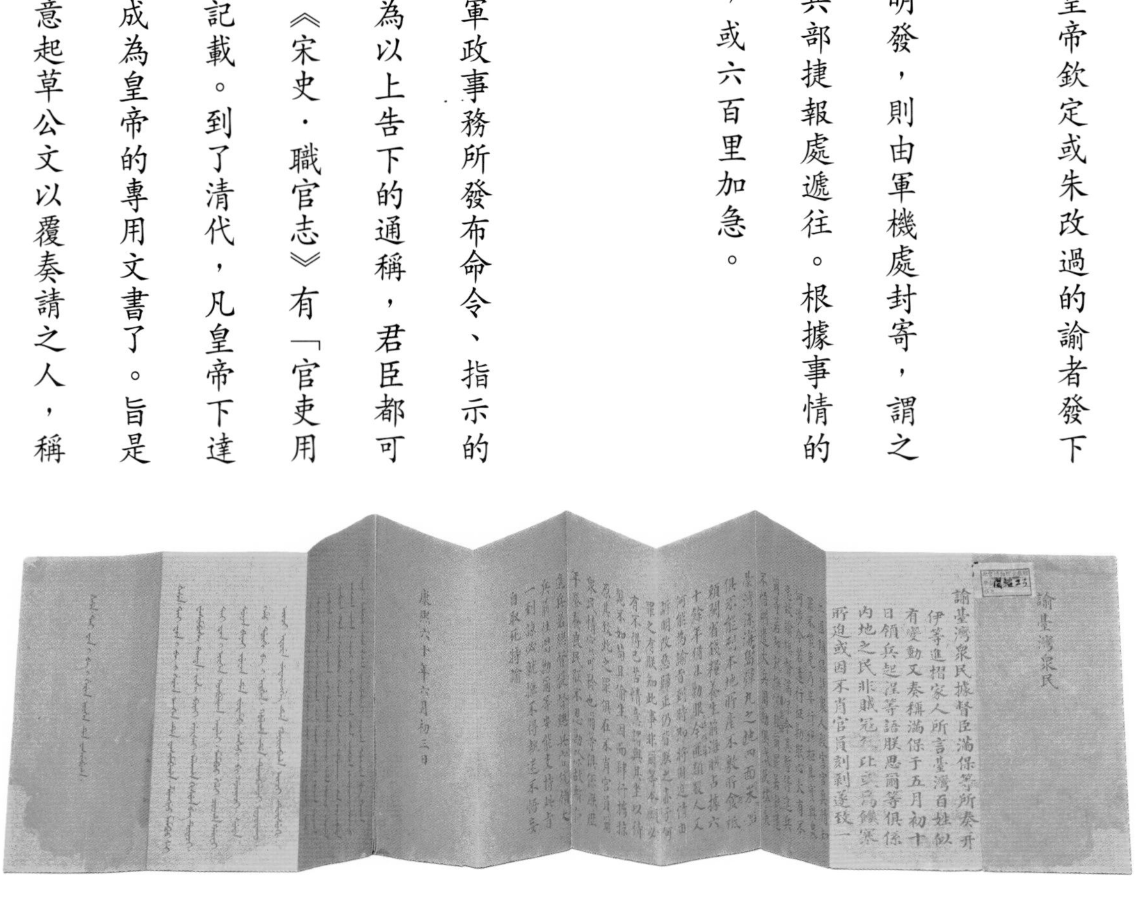

「敕旨」。宋時君相所布的命令，叫「聖旨」、「鈞旨」。太守以下所布命令叫「台旨」。以後，凡「旨」字冠以「聖」字便成為皇帝詔令的專稱了，臣下遂不敢再襲用「旨」字。抗旨即不法。

諭旨是清代皇帝處理國家政務的主要文書。它分兩個渠道發布：一是通過內閣發抄，稱明發諭旨；二是通過軍機處直接遞發，稱寄信諭旨。梁章鉅的《樞垣紀略》載：軍機處繕寫諭旨之式，「凡特降者，曰內閣奉上諭。因所奏請而降者，曰奉旨。各載其所奉之年月日於前。述旨發下後，即交內閣傳抄，謂之明發。其諭令軍機大臣行，不由內閣傳抄者，謂之寄信。外間謂之廷寄」。

諭也是諭旨的一種形式。可分兩種：一、清代凡皇帝頒發各衙門的上諭，由大學士奏呈御覽後，用朱筆謄寫於黃摺上，然後傳該衙門官員親領執行，叫朱諭；二、對於一些軍機要務，皇帝親自以朱筆書寫的諭旨，也叫朱諭。皇帝用朱筆批於臣工奏章上的諭旨，稱朱批諭旨。有時皇帝的旨意，口授某大臣傳達施行，臣僚稱「面奉諭旨」。清末用電報拍發的上諭，稱「電旨」。

諭旨的程式，由內閣明發的上諭，文首載「某年某月某日，內閣奉上諭」或「某年某月某日，奉旨」，接敘諭旨的內容。最後以「欽此」二字結束。

廷寄

中國帝王詔令文書之一，是清代皇帝授命內廷寄發的一種諭旨，或稱「寄信」、「寄信諭旨」。清初，沿明舊制，凡皇帝頒發諭旨都由內閣（前身為內三院）宣布，傳抄各衙門遞發執行。這種傳達諭旨的方式，不易保密，且比較遲緩。到康熙朝中期，皇帝下達的一些機密諭旨，不由內閣發布，直接令內廷官員傳達給督撫大臣。雍正繼位之後，由於政治鬥爭的需要，經常通過親信大臣用寄信的方式秘密傳旨。但當時的寄信還沒有固定的格式，承旨寄信的廷臣也不固定。到了雍正七年（一七二九年）設立軍機處後，廷寄被廣泛使用，成為軍機大臣專責，被作為制度固定下來。清朝規定，凡有關機要諭旨，如告誡臣工、指授方略、查核政事、責問刑罰之不當等，不便由內閣明發，而由軍機大臣用寄信的形式，直接傳達給受命的臣工，以防洩機密。廷寄的程式，由於受命者的官職不同而有所區別：凡軍機大臣行經略大將軍、欽差大臣、將軍、參贊大臣、都統、副都統、辦事領隊大臣、總督、巡撫、學政、督辦軍務大員等，用「軍機大臣字寄」字樣；凡軍機大臣行鹽政、關差、藩臬及各省提鎮等，用「軍機大臣傳諭」；其中尤為機要之件，則書「軍機大臣密寄」。

承旨寄信初由內廷官員或親王、大學士等承辦。軍機處設立以後，專門由軍機大臣掌管。寄信首頁要開列軍機大臣原官銜，具姓不具名。嘉慶二年（一七九七年）後，改為只寫「軍機大臣字寄」，不列具體官員。皇帝向軍機大臣指示機宜後，軍機大臣承旨撰擬清摺進呈，稱為「述旨」。經皇帝修改閱定後，再由軍機處密封發出。封函書「辦理軍機處封寄某處某官開拆」，或「傳諭某處某官開拆」，並根據事情的緩急，於封函註明驛遞日行里數，如三百里、四百里、五百里、六百里不等，信函封口及年月日處，都加蓋辦理軍機處印，然後交兵部捷報處遞往。廷寄諭旨遞到以後，只許受命者本人拆閱，不許別人代拆。而且受命大臣領旨以後，須將接到廷寄的時間、承旨寄信者銜名、諭旨的內容以及如何辦理的情況，一一向皇帝覆奏明白，以杜濫冒傳旨。屬於內務府系統的官員，則由總管內務府大臣署銜寄發，款式與軍機處廷寄相同。廷寄諭旨較明發上諭，不但易於保密，而且傳遞迅速，為清代皇帝傳旨施政的得力工具。

朱諭

中國帝王詔令文書之一。凡皇帝親自用朱筆書寫的諭旨，或大臣用朱筆繕寫的諭旨，都稱「朱諭」。在清代，皇帝處理政務所下達的諭旨一般都由大臣代擬。但有些機密要務，如告誡臣工，指授方略，查奸除惡等，皇帝往往親書諭旨，因用朱砂紅筆書寫，故名朱諭。朱諭不受任何程式的約束，皇帝信筆直書，密諭某臣，查辦某事，是諭旨最為尊崇的一種形式。辦事既密且速。另外凡皇帝頒發各衙門的上諭，由大學士等奏呈御覽後，用朱筆謄寫於黃摺紙上，然後傳該衙門官員親領執行，也稱朱諭。這種朱諭，以清初為多。諭文開首，直書諭某某部，接敘諭命事情。文尾以「欽此」或「特諭」結束，末書諭命的年月日期。諭摺每扣六行，每行十二至二十四字不等。現存朱諭甚多，典藏於中國第一歷史檔案館。

第三節　記錄皇帝宮廷生活的檔案

在清代，皇帝是「天子」，至高無上。作為日後皇帝繼承的候選人，清代對皇子教育設有一套十分完備的體系。皇子的教師都是翰林院中最博學的人，他們的保傅都是從青年時期起就在宮廷裡培養的一流人物。而皇帝也要經常檢查、了解皇子們的學習、生活情況。皇子們從懂事起，就訓練騎馬、射箭，使用各種火器，這是八旗遺風。在文化方面，他們都要學滿語和漢語，其內容除《四書》、《五經》外，還兼及琴棋書畫，熟悉各種禮儀典制，甚至宗教知識。後宮生活也受到大牆外面世界的影響。各種節令風俗都一如俗世。即使政務日程安排很緊，皇帝也會不失時機地安排些娛樂活動，舉行各色各樣的筵宴，喝酒聽戲，並定期去郊外行宮，或者去熱河避暑打獵，甚至下江南、謁五台，出關謁祖陵等，既行制度，也假休息。

皇帝們雖然身居紫禁城與世俗睽隔，但對他們來說「國事即家事」，他們的一言一行都具有法律繩世的作用，甚至他們的日常起居、個人性格嗜好，都強烈地影響着整個國家的社會政治生活。因此，現存大量的清朝歷代帝后生活記載檔案，對於深入研究歷代帝后生活軌迹、內心世界，乃至整個社會生活各個側面，從某種意義上說與公布於世的詔令文書具有同等價值，某些方面甚至超過前者。

【二・一・一】詔書

順治朝，漢文，紙質，摺，每扣11.5cm × 28cm，十六扣。

詔書是皇帝詔告天下臣民的文書。

清代，凡重大政事，如皇帝「登極」、「親政」、「冊立皇后」及對其加上「尊號」、「徽號」或國政有重大變革等項均須頒詔，宣告全國。詔書由內閣撰擬滿、漢兩種文字，經皇帝閱准後，用黃紙墨書，加蓋「皇帝之寶」。經過隆重的頒詔儀式後，交禮部刊印謄黃頒發。

此件為順治帝登極時詔書稿本，其中宣布了恩赦事宜十九條。

【二・一・一輔①】「皇帝之寶」

【二・一・一輔①】

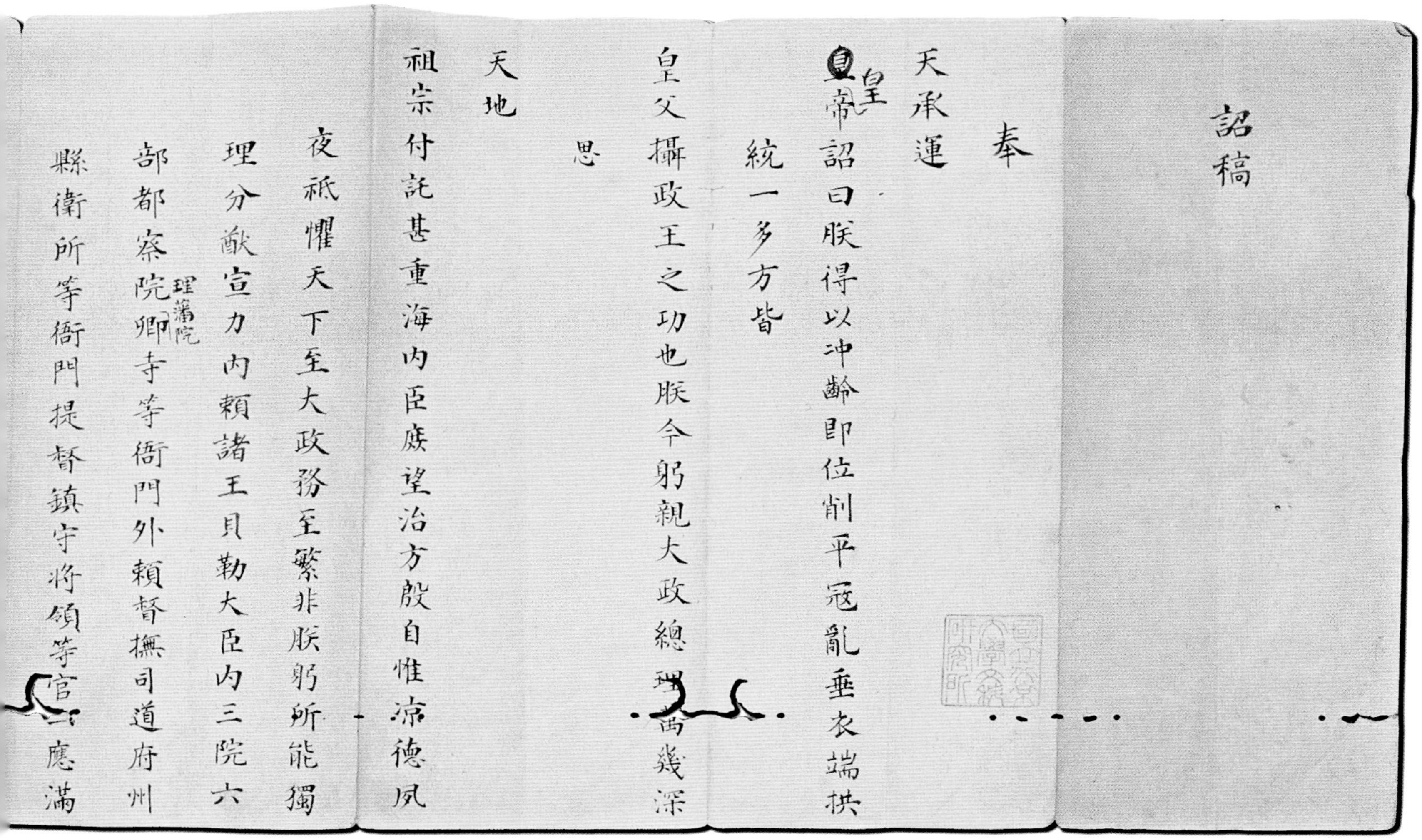
詔稿

奉
天承運
皇帝詔曰朕得以沖齡即位削平寇亂垂衣端拱
統一多方皆
皇父攝政王之功也朕今躬親大政總理萬幾深
思
天地
祖宗付託甚重海內臣庶望治方殷自惟涼德夙
夜祇懼天下至大政務至繁非朕躬所能獨
理分猷宣力內賴諸王貝勒大臣內三院六
部都察院理藩院卿寺等衙門外賴督撫司道府州
縣衛所等衙門提督鎮守將領等官一應滿

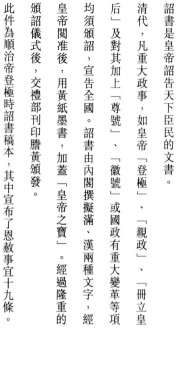

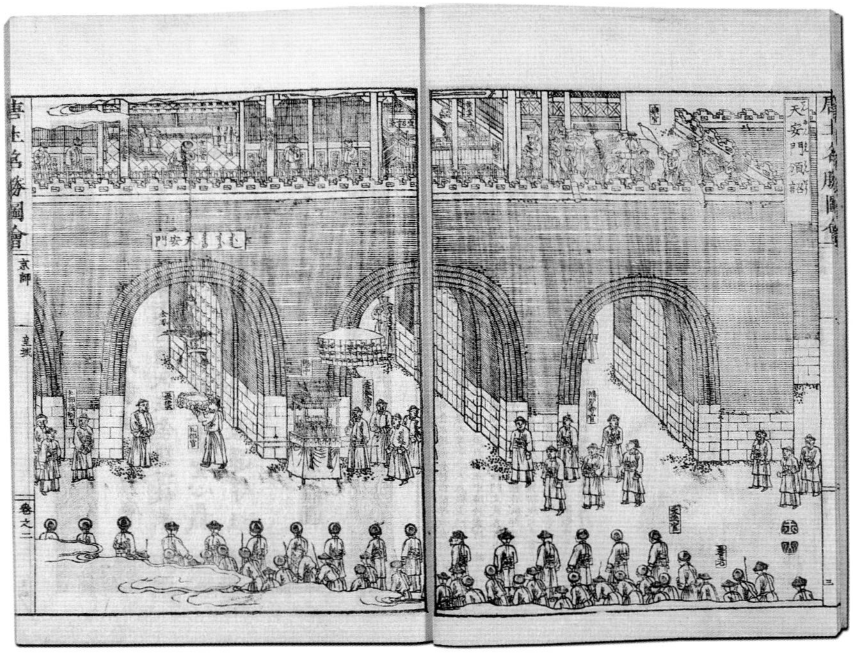

【二·一·一輔②】

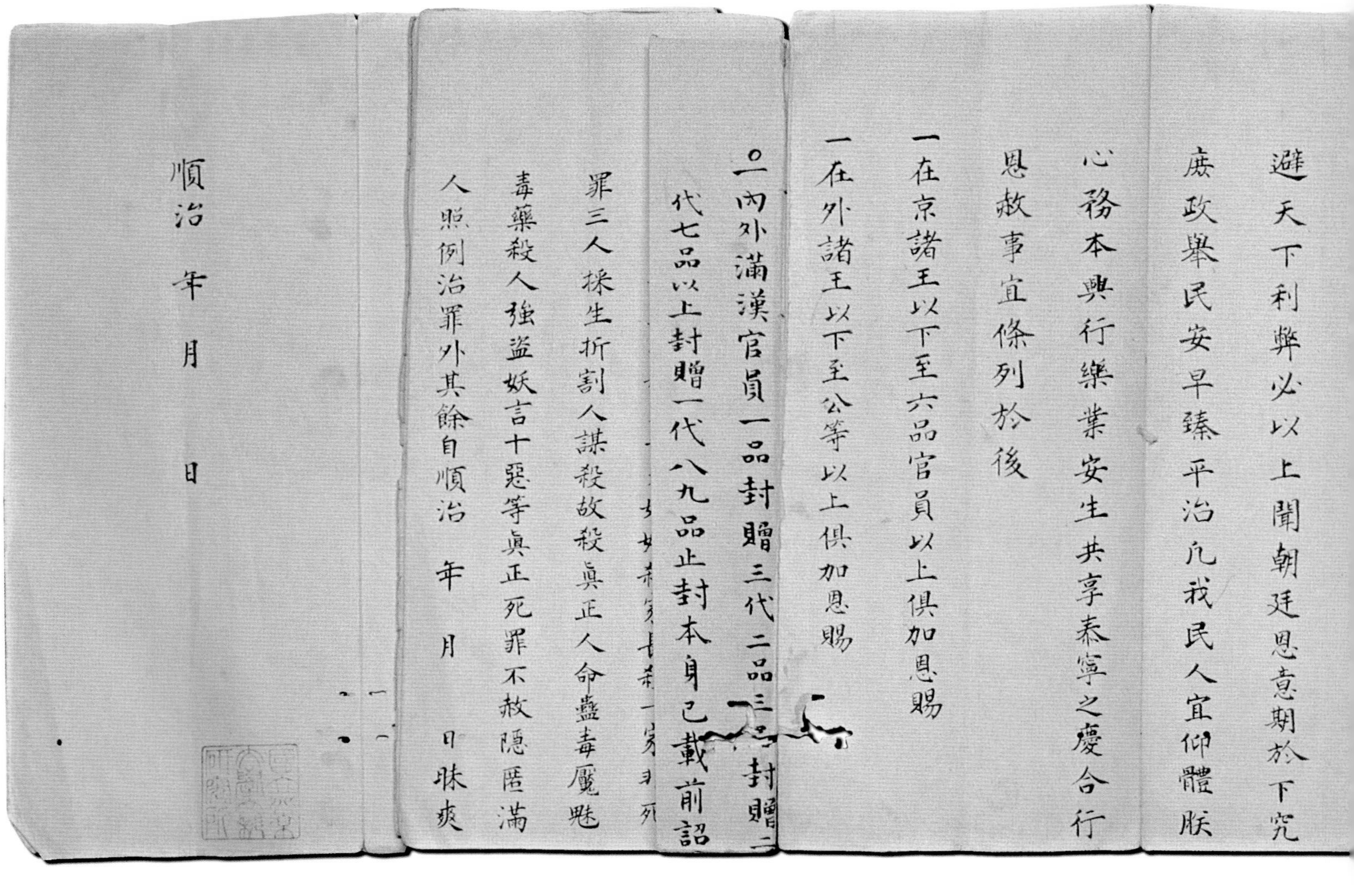

避天下利弊必以上聞朝廷恩意期於下究
庶政舉民安早臻平治凢我民人宜仰體朕
心務本興行樂業安生共享泰寧之慶合行
恩赦事宜條列於後
一在京諸王以下至六品官員以上俱加恩賜
一在外諸王以下至公等以上俱加恩賜
一内外滿漢官員一品封贈三代二品三品封贈二
代七品以上封贈一代八九品止封本身已載前詔
罪三人採生折割人謀殺故殺真正人命蠱毒魘魅
毒藥殺人強盜妖言十惡等真正死罪不赦隱匿滿
人照例治罪外其餘自順治　年　月　日昧爽
順治　年　月　日

【二·一·二】

【二·一·二】遺詔

康熙六十一年（一七二二年）十一月十三日，滿漢文合璧，紙質，卷，75cm × 230cm。

「遺詔」是皇帝臨終前所起草的詔書，死後向全國宣布遺詔。內容包括教誡臣工，決定皇位繼承人及喪事安排等事宜。

此件為康熙皇帝的遺詔。

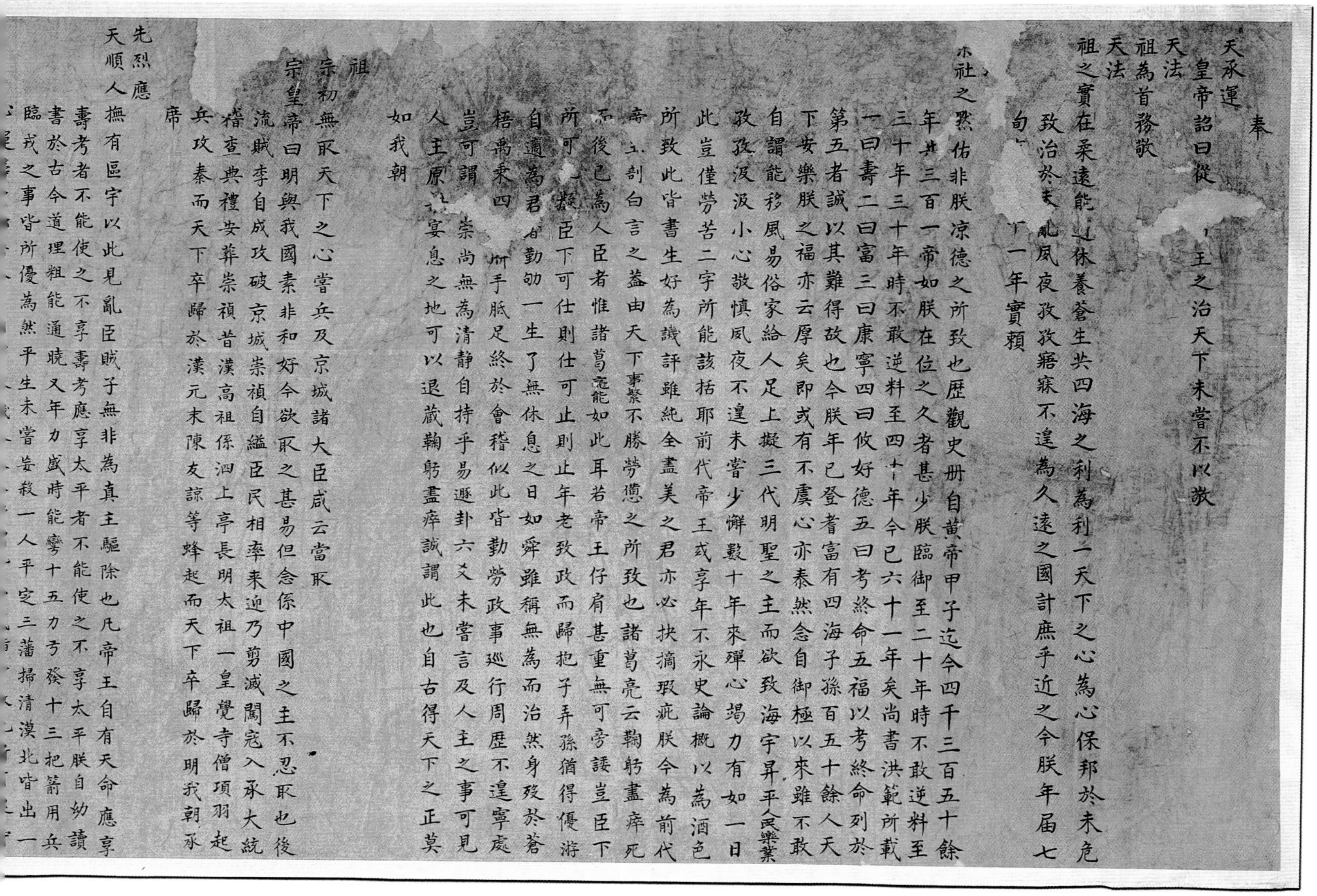

奉
天承運
皇帝詔曰從[illegible]王之治天下未嘗不以敬
天法
祖為首務敬
天法
祖之實在柔遠能邇休養蒼生共四海之利為利一天下之心為心保邦於未危
致治於未亂夙夜孜孜寤寐不遑為久遠之國計庶乎近之今朕年屆七
旬[illegible]一年實賴
[illegible]社之默佑非朕涼德之所致也歷觀史冊自黃帝甲子迄今四千三百五十餘
年共三百一帝如朕在位之久者甚少朕臨御至二十年時不敢逆料至
三十年三十年時不敢逆料至四十年今已六十一年矣尚書洪範所載
一曰壽二曰富三曰康寧四曰攸好德五曰考終命五福以考終命列於
第五者誠以其難得故也今朕年已登耆富有四海子孫百五十餘人天
下安樂朕之福亦云厚矣即或有不虞心亦泰然念自御極以來雖不敢
自謂能移風易俗家給人足上擬三代明聖之主而欲致海宇昇平人民樂業
孜孜汲汲小心敬慎夙夜不遑未嘗少懈數十年來殫心竭力有如一日
此豈僅勞苦二字所能該括耶前代帝王或享年不永史論概以為酒色
所致此皆書生好為譏評雖純全盡美之君亦必抉摘瑕疵朕今為前代
帝王剖白言之蓋由天下事繁不勝勞憊之所致也諸葛亮云鞠躬盡瘁死
而後已為人臣者惟諸葛亮能如此耳若帝王仔肩甚重無可旁諉豈臣下
所可[illegible]擬臣下可仕則仕可止則止年老致政而歸抱子弄孫猶得優游
自適為君者勤劬一生了無休息之日如舜雖稱無為而治然身歿於蒼
梧禹乘四載胼手胝足終於會稽似此皆勤勞政事巡行周歷不遑寧處
豈可謂崇尚無為清靜自持乎易遯卦六爻未嘗言及人主之事可見
人主原無宴息之地可以退藏鞠躬盡瘁誠謂此也自古得天下之正莫
如我朝
祖
宗初無取天下之心嘗兵及京城諸大臣咸云當取
宗皇帝曰明與我國素非和好今欲取之甚易但念係中國之主不忍取也後
流賊李自成攻破京城崇禎自縊臣民相率來迎乃剪滅闖寇入承大統
稽查典禮安葬崇禎昔漢高祖係泗上亭長明太祖一皇覺寺僧項羽起
兵攻秦而天下卒歸於漢元末陳友諒等蜂起而天下卒歸於明我朝承
席
先烈應
天順人撫有區宇以此見亂臣賊子無非為真主驅除也凡帝王自有天命應享
壽考者不能使之不享壽考應享太平者不能使之不享太平朕自幼讀
書於古今道理粗能通曉又年力盛時能彎十五力弓發十三把箭用兵
臨戎之事皆所優為然平生未嘗妄殺一人平定三藩掃清漠北皆出一

【二・一・二輔】康熙皇帝朝服像

【二・一・二輔】

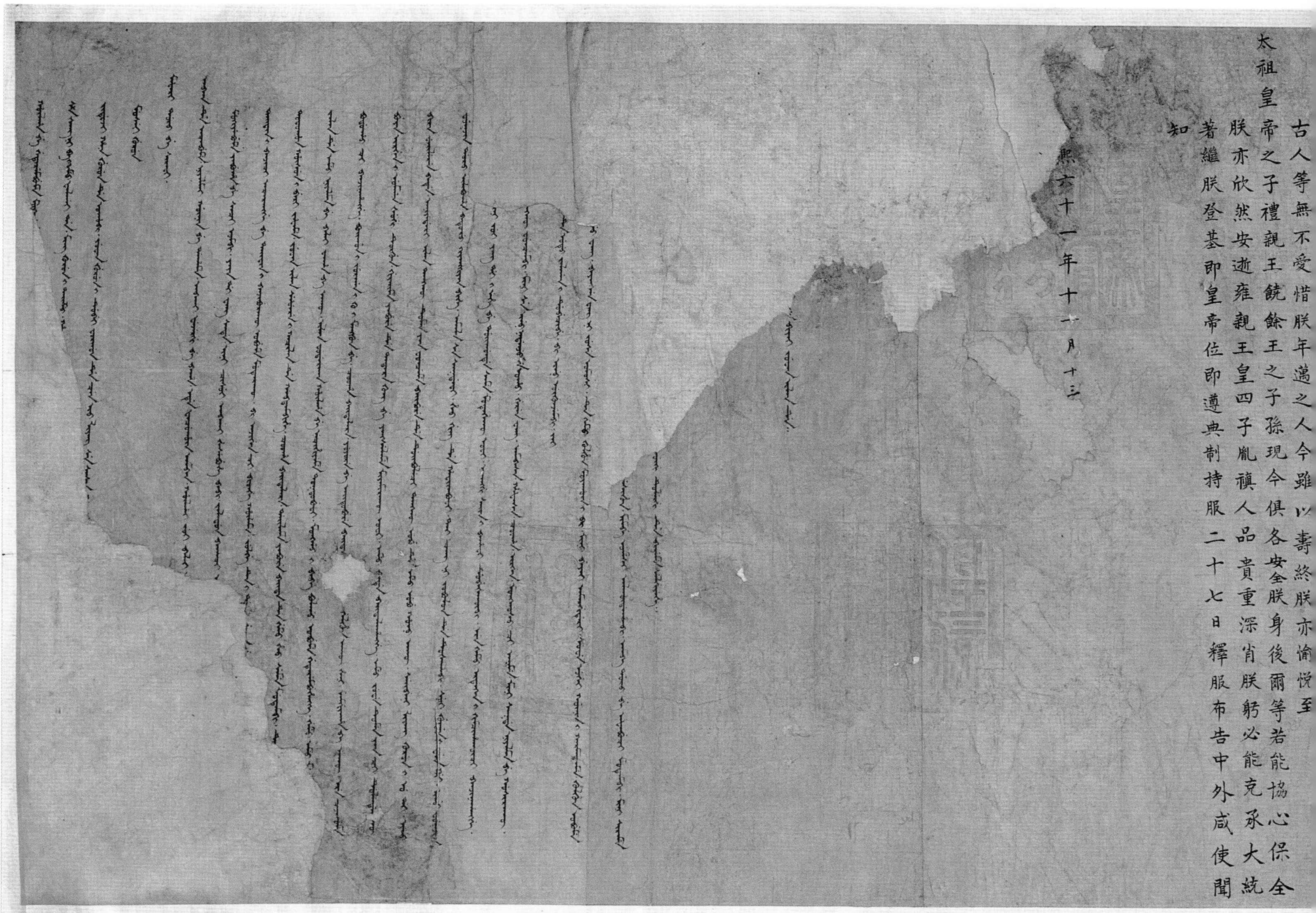

古人等無不愛惜朕年邁之人今雖以壽終朕亦愉悅至
太祖
皇帝之子禮親王饒餘王之子孫現今俱各安全朕身後爾等若能協心保全
朕亦欣然安逝雍親王皇四子胤禛人品貴重深肖朕躬必能克承大統
著繼朕登基即皇帝位即遵典制持服二十七日釋服布告中外咸使聞
知

熙六十一年十一月十三

【二・一・二】

【二・一・三】敕書

康熙二十五年（一六八六年）七月二十七日，滿漢文合璧，紙質，摺，每扣26cm × 12cm ，十二扣。

敕書是皇帝詔令文書之一。

清代，皇帝用以任命官員、敕諭臣民、敕封或諭告外藩等。敕書由內閣撰擬，待皇帝閱准後，謄寫、用寶頒發。敕稿存於內閣。

此件為康熙皇帝給荷蘭國王的敕諭底稿。其中對荷蘭國王遣使來華入貢事，特予獎勵，並開列賞賜禮品清單。

【二・一・三輔】「敕命之寶」印譜

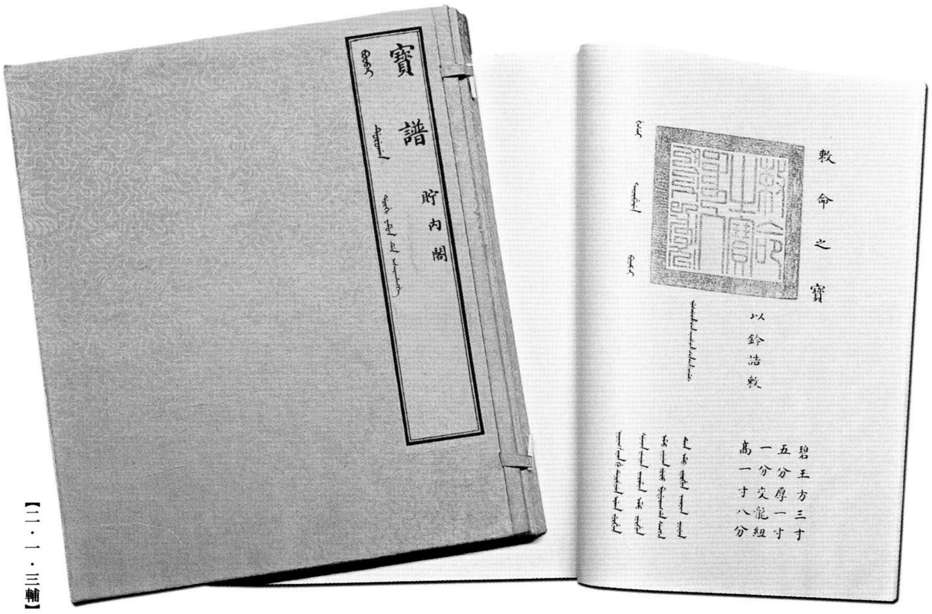
寶譜
貯內閣
敕命之寶
以鈐誥敕
碧玉方三寸五分厚一寸一分交龍紐高一寸八分
【二・一・三輔】

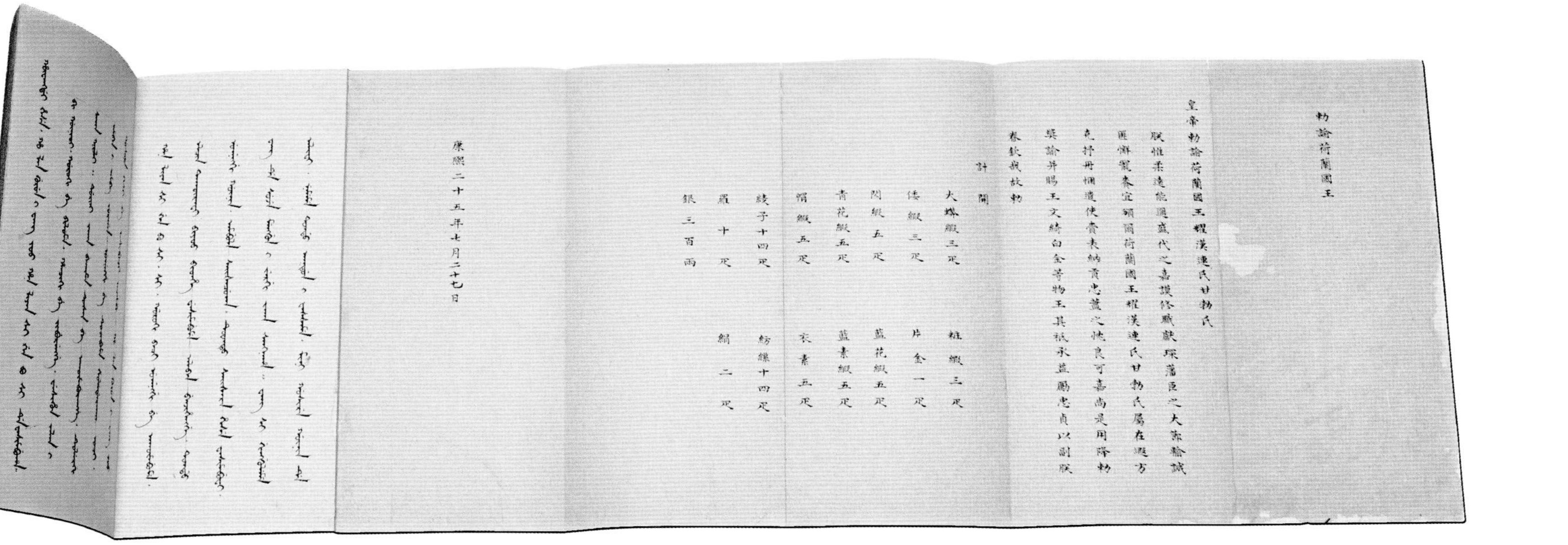
勅諭荷蘭國王
皇帝勅諭荷蘭國王耀漢連氏甘勃氏
朕惟柔遠能邇盛代之嘉謨修職獻琛藩臣之大節輸誠
匪懈寵賚宜頒爾荷蘭國王耀漢連氏甘勃氏屬在遐方
克抒丹悃遣使賫表納貢忠藎之忱良可嘉尚是用降勅
獎諭并賜王文綺白金等物王其祗承益勵忠貞以副朕
眷欽哉故勅
計開
大蟒緞三疋　粧緞三疋
倭緞三疋　片金一疋
閃緞五疋　藍花緞五疋
青花緞五疋　藍素緞五疋
帽緞五疋　衣素五疋
綾子十四疋　紡絲十四疋
羅十疋　綢二疋
銀三百兩
康熙二十五年七月二十七日

【二・一・三】

【二・一・四】乾隆帝給班禪額爾德尼敕諭

乾隆四十二年（一七七七年）二月，滿蒙藏文合璧，紙質，片，93cm × 162cm。

清朝統治者極為重視與國內各民族之間的團結。順治九年（一六五二年），西藏宗教首領五世達賴應邀入京朝覲，受到順治皇帝很高的禮遇。第二年賜金冊金印，正式賜予「西天大善自在佛所領天下釋教普通瓦赤喇怛喇達賴喇嘛」的封號。康熙五十二年（一七一三年），康熙皇帝又賜予西藏另一位宗教首領五世班禪金冊金印，賜予「班禪額爾德尼」的封號。清政府還規定，後嗣達賴和班禪皆須經過中央政權冊封的制度。

乾隆四十二年聖母皇太后病逝，乾隆帝為報答皇太后多年教養之恩，特派官員、喇嘛到黃教、佛教的發祥地西藏，以皇太后名義做熬茶、佈施等善事。

此件為乾隆皇帝要求西藏各大小寺廟認真接待派遣官員，並為聖母皇太后求佛、唸經事，頒給額爾德尼的敕諭。

【二・一・四輔】乾隆帝像

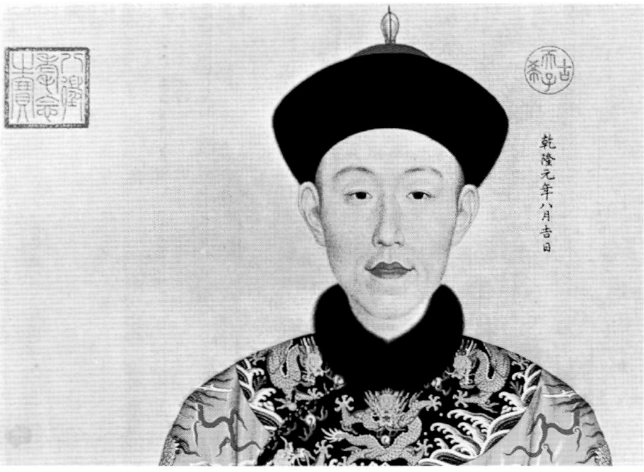

【二・一・四輔】

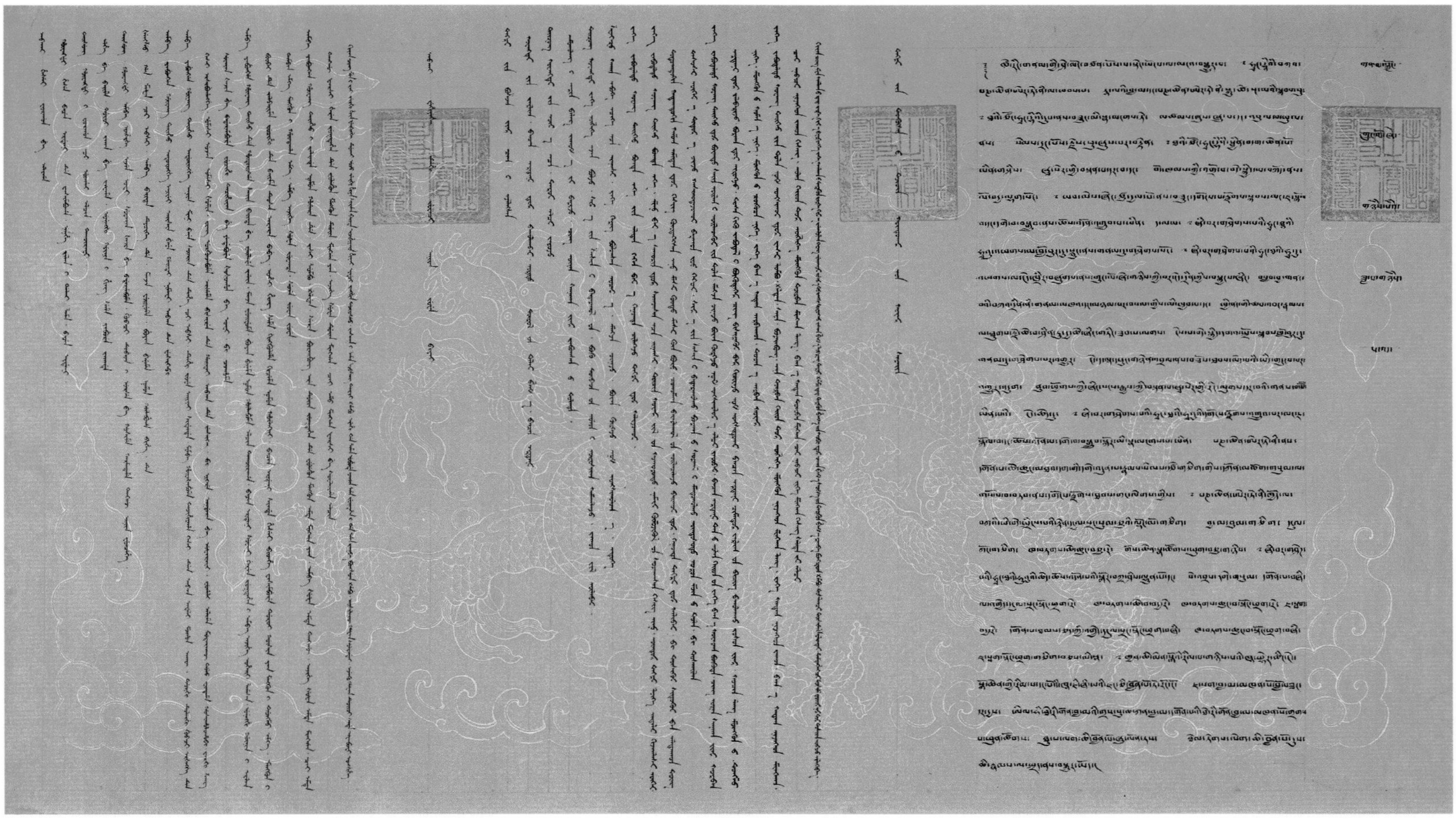

【二・一・四】

【二・一・五】趙爾巽坐名敕

光緒三十四年（一九〇八年）十二月，滿漢文合璧，紙質，片，55cm × 172cm。

清朝頒發給官員的任命敕諭有二種：一為「坐名敕」，二為「傳敕」。「坐名敕」為授外任之總督、巡撫、學政、鹽政、織造、提督、總兵官以及臨時派遣的軍事將領等六品以上官員的任命書。敕中書寫有官員姓名（又叫坐名），故稱「坐名敕」。「傳敕」為授布政使、按察使、道員、運司及副將、參遊等官的任命書。敕中不記官員姓名。

此件為光緒皇帝任命都察院都御史趙爾巽為四川總督職之敕諭。

【二・一・五輔】趙爾巽書札

光緒朝，漢文，紙質，摺，每扣19.5cm × 11.5cm，四扣。

趙爾巽（一八四四—一九二七年），漢軍正藍旗人。字公鑲，號次珊，又號無補。同治進士，授翰林院編修。歷任安徽、陝西各省按察使，甘肅、新疆、山西布政使。光緒二十八年（一九〇二年）護理山西巡撫，次年調任湖南巡撫。光緒三十年（一九〇四年）署戶部尚書。次年出任盛京將軍。光緒三十三年（一九〇七年）改充湖廣總督。不久調任四川總督。宣統三年（一九一一年）改任東三省總督。武昌起義後，在奉天（今遼寧）以「保安會」代替總督衙門，任會長。一九一二年民國成立，任奉天都督，旋即辭職，退居青島。一九一四年三月，袁世凱政府設立清史館，命其為總裁，主編《清史稿》。一九一七年張勳復辟，被提名為樞密院顧問。一九二五年段祺瑞執政期間，任善後會議議長、臨時參議院議長。後在北京病死。

此件為趙爾巽任職期間覆山西候補府方和甫的信札。

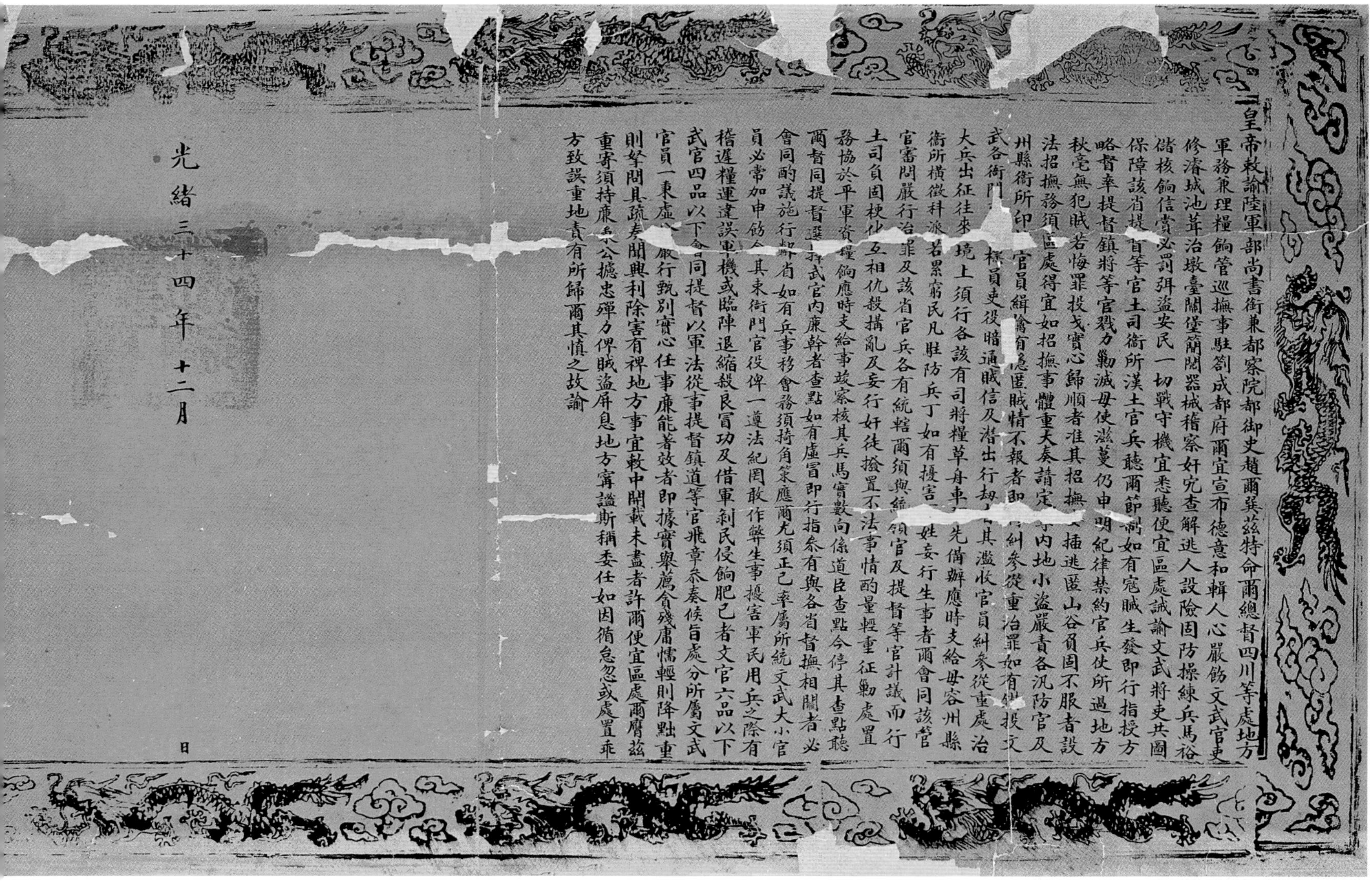
皇帝敕諭陸軍部尚書銜兼都察院都御史趙爾巽茲特命爾總督四川等處地方
軍務兼理糧餉管巡撫事駐劄成都府爾宜宣布德意和輯人心嚴飭文武官吏
修濬城池葺治墩臺關堡簡閱器械稽察奸宄查解逃人設險固防操練兵馬裕
儲核餉信賞必罰弭盜安民一切戰守機宜悉聽便宜區處誠諭文武將吏共圖
保障該省提[illegible]督等官土司衛所漢土官兵聽爾節制如有寇賊生發即行指授方
略督率提督鎮將等官戮力勦滅毋使滋蔓仍申明紀律禁約官兵使所過地方
秋毫無犯賊若悔罪投戈實心歸順者准其招撫[illegible]插逃匿山谷負固不服者設
法招撫務須區處得宜如招撫事體重大奏請定[illegible]內地小盜嚴責各汛防官及
州縣衛所印[illegible]官員緝擒有隱匿賊情不報者即[illegible]糾參從重治罪如有[illegible]投文
武各衙門[illegible]標員吏役暗通賊信及潛出行刼[illegible]其濫收官員糾參從重處治
大兵出征往來[illegible]境上須行各該有司將糧草舟車[illegible]先備辦應時支給毋容州縣
衛所橫徵科派若累窮民凡駐防兵丁如有擾害[illegible]姓妄行生事者爾會同該管
官審問嚴行治[illegible]罪及該省官兵各有統轄爾須與統[illegible]領官及提督等官計議而行
土司負固梗化互相仇殺搆亂及妄行奸徒撥置不法事情酌量輕重征勦處置
務協於平軍資糧餉應時支給事竣察核其兵馬實數向係道臣查點今停其查點聽
爾督同提督選[illegible]將武官內廉幹者查點如有虛冒即行指參有與各省督撫相關者必
會同酌議施行鄰省如有兵事移會務須犄角策應爾尤須正己率屬所統文武大小官
員必常加申飭令[illegible]其衙門官役俾一遵法紀罔敢作弊生事擾害軍民用兵之際有
稽遲糧運違誤軍機或臨陣退縮殺良冒功及借軍剝民侵餉肥己者文官六品以下
武官四品以下會同提督以軍法從事提督鎮道等官飛章參奏候旨處分所屬文武
官員一秉虛[illegible]嚴行甄別實心任事廉能著效者即據實舉薦貪殘庸懦輕則降黜重
則拏問具疏參聞興利除害有裨地方事宜敕中開載未盡者許爾便宜區處爾膺茲
重寄須持廉秉公攄忠殫力俾賊盜屏息地方寧謐斯稱委任如因循怠忽或處置乖
方致誤重地責有所歸爾其慎之故諭
光緒三十四年十二月 日

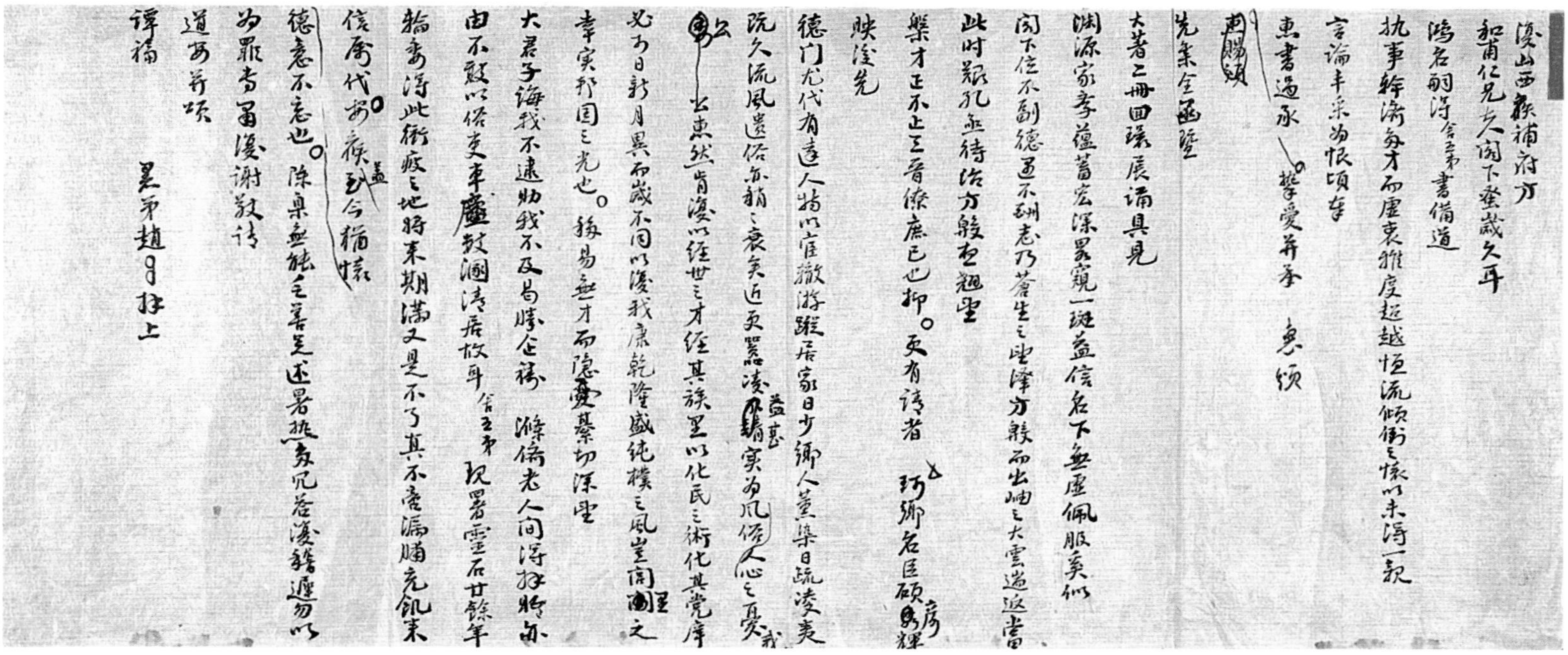

湊山西錄補府方
和甫仁兄大人閣下叄歲久耳
鴻名朗灣舍弟書備道
執事幹濟奇才而虛衷雅度超越恒流傾衛之懷以未得一親
言論手采為悵頃奉
惠書遇承 摯愛拜承 惠頒
閨賜頌
先集全函璧
大著二冊回環展誦具見
淵源家學蘊蓄宏深曩窺一斑益信名下無虛佩服莫似
閣下位不副德道不酬志乃蒼生之望澤方殷而出岫之大雲遂返當
此時艱孔亟待治方殷豈翹望
槃才正不止三晉徐庶已也抑。更有請者 以 玠鄉名臣碩房輝
映淦先
德門尤代有達人特以宦轍游蹤居家日少鄉人薰染日疏淩夷
既久流風遺俗亦稍稍衰矣近更嚣淩益甚實為風俗人心之憂我
身公出惠然肯濬以經世之才經其族里以化民之術化其黨庠
必有日新月異而歲不同以淺我康乾隆盛純樸之風豈里閭之
幸實邦國之光也。 稔易無才而隱憂纂切深望
大君子誨我不逮助我不及曷勝企禱 滌綺老人向澤拜將今
由不殺以俗吏率盧鼓涵清居故耳 舍弟 現署靈石廿餘年
輪奔淂此衝疲之地將來期滿又是不了其不虞漏脯充飢末
信局代爲蓋致令稱慊
德意不忘也。 陳臬無能之善足述暑熱身冗苍淺韉遲勿以
為罪者留後謝敬請
道安并頌
譯福
愚弟趙[illegible]拜上

【二·一·五輔】

【二·一·五】

【二・一・六】祖之望夫人誥命

嘉慶十四年（一八〇九年）正月初一日，滿漢文合璧，綾質，卷，32cm × 450cm。

誥命為皇帝封贈官員文書之一。

清制，凡覃恩封贈五品以上之官員及世爵承襲罔替者，皆授以誥命。

此件為嘉慶帝授前刑部左侍郎祖之望為榮祿大夫，封其妻、繼妻為一品夫人之誥命。誥命用滿、漢兩種文字書寫。誥面用蒼、青、黃、赤、黑五色的苧絲織成。

【二・一・七】誥命（局部）

先秦時期，上告下稱「誥」。宋代皇帝命庶官稱誥。明清時期，命官用誥敕。清代五品以上官員，本身受封，稱誥授，封其曾祖父母、祖父母、父母及妻，存者稱「誥封」，死者稱「誥贈」。

此為清代誥命的基本樣式。

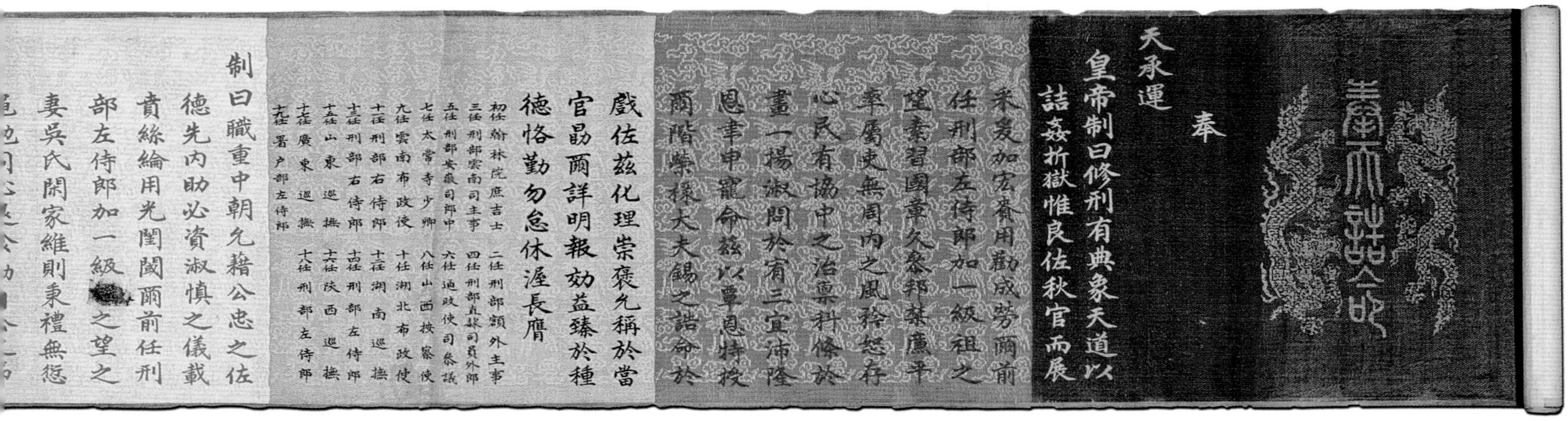

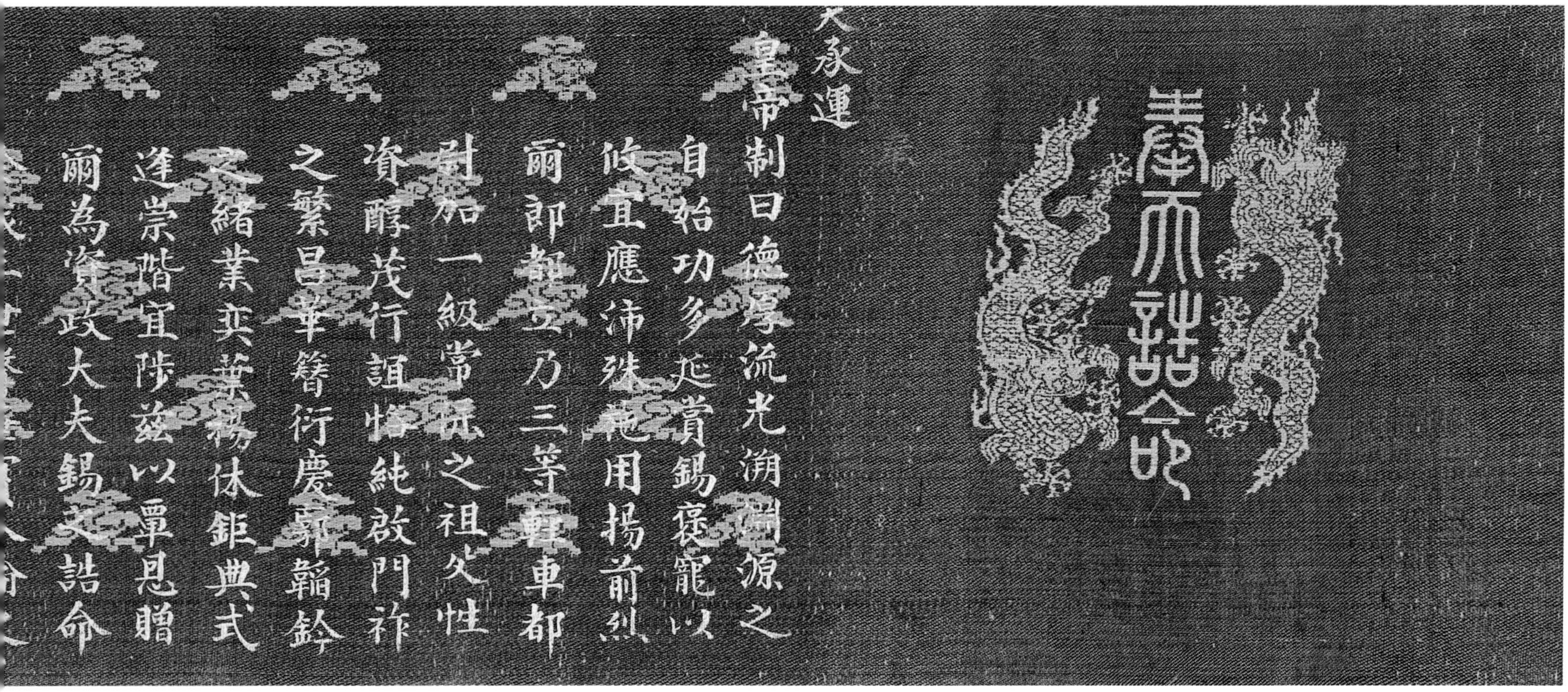

【三・一・八】告誡督撫為政之道的敕諭

乾隆四十四年（一七七九年），漢文御筆，紙質，橫榜式，印刷件，90cm × 60cm。

清帝諭旨，有制、詔、誥、敕等多種，故其形式亦有簿冊、摺單、夾片、榜式等各種式樣，至於何種形式，皆因事而定。乾隆繼位之初，推行寬大政治，十年以後，貪污之風、官員互相包庇縱容之風等不良吏風漸起，為此，乾隆皇帝曾多次下諭整飭。此榜即係乾隆二十二年直隸總督周元理，袒護劣員事發後，乾隆親書告誡外任官員，「為政要公」之榜諭。督撫可將此榜掛在辦公的地方，以時時警省。

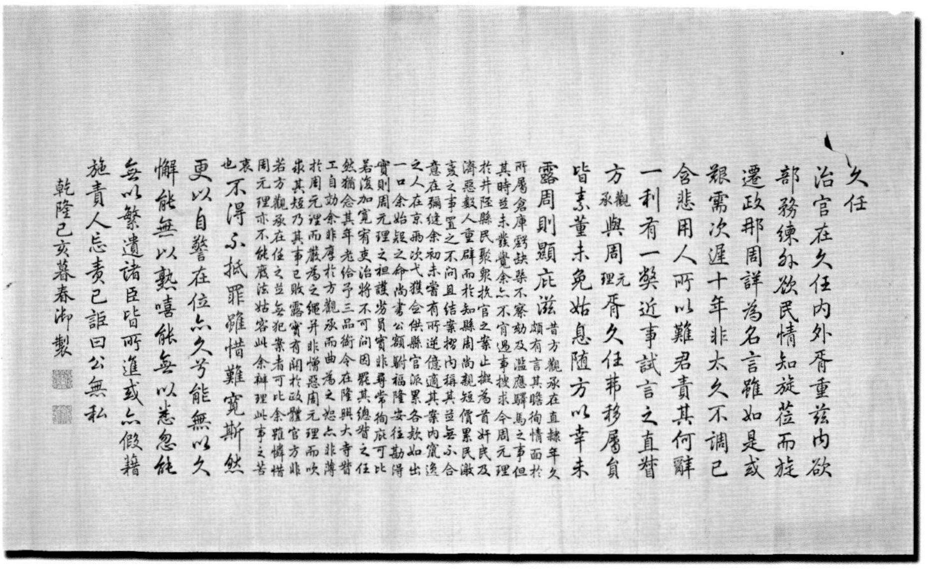
久任
治官在久任內外胥重茲內欲
部務練外欲民情知旋蒞而旋
遷政那周詳為名言雖如是或
艱需次遲十年非太久不調已
含悲用人所以難君責其何辭
一利有一弊近事試言之直督
方觀承與周元理胥久任弗移屬負
皆素董未免姑息隨方以幸未
露周則顯庇滋
不得不抵罪雖惜難寬斯然
更以自警在位亦久兮能無以久
懈能無以熟嘻能無以慈忽能
無以繁遺諸臣皆所進或亦假藉
施責人忘責己詛曰公無私
乾隆己亥暮春御製

【三・一・八】

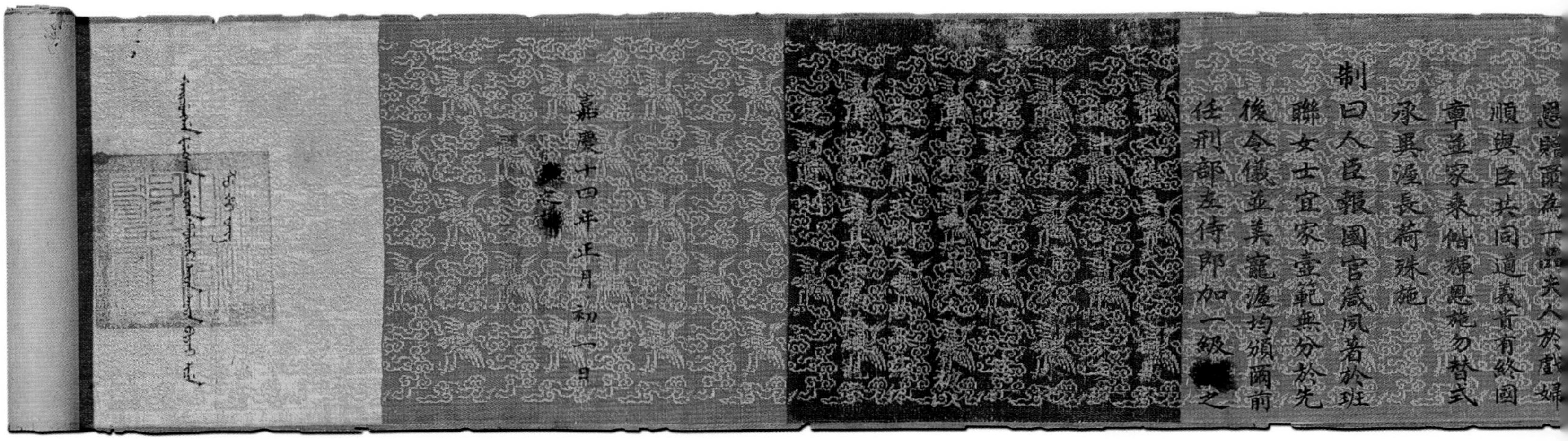
恩賜爾為一品夫人於戲婦
順與臣共同道義貴有終國
章並家乘偕輝恩施勿替式
承異渥長荷殊施
制曰人臣報國官箴夙著於班
聯女士宜家壼範無分於先
後今儀並美寵渥均頒爾前
任刑部左侍郎加一級之
嘉慶十四年正月初一日

【三・一・六】

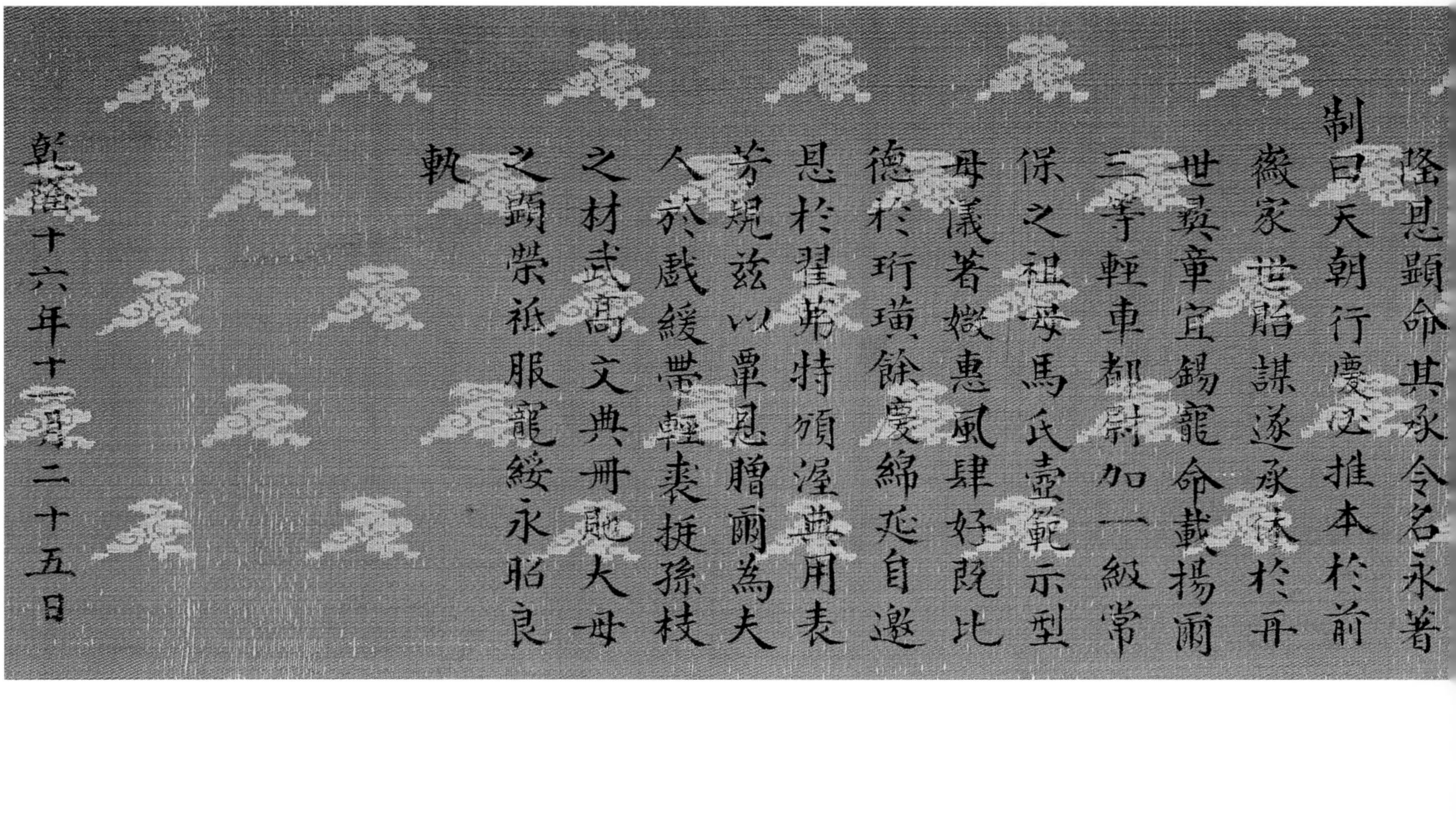
隆恩顯命其承令名永著
制曰天朝行慶必推本於前
徽家世貽謀遂承休於再
世爰章宜錫龍命載揚爾
三等輕車都尉加一級常
保之祖母馬氏壼範示型
母儀著懿惠風肆好既比
德於珩璜餘慶綿延自邀
恩於翟茀特頒渥典用表
芳規茲以覃恩贈爾為夫
人於戲緩帶輕裘挺孫枝
之材武高文典冊貽大母
之顯榮祗服龍綏永貽良
軌
乾隆十六年十一月二十五日

【三・一・七】

【二・一・九】慈禧玉冊

光緒二年（一八七六年）七月三日，滿漢文合璧，面底木板包綾，文紙質鑲綾邊，摺，每扣17cm × 35.5cm，十八扣。

「冊書」又稱「冊文」，是皇帝冊封王公后妃及祝告天地宗廟之專用文書。按照清朝制度，冊封對象的地位不同，冊文的質地也不同。其中上太皇太后、皇太后尊號、徽號用「玉冊」；封皇后、親王及其福晉等用「金冊」；封郡王及其福晉等用「銀鍍金冊」；封貝勒、貝子、郡王等用「紙冊」。

此件為冊封慈禧為「端佑康頤昭豫皇太后」的玉冊底本。

【二・一・九輔①】慈禧寶文印模

滿漢文合璧，紙質，片，12.8cm × 12.8cm。

寶、印是地位和身份的憑證。凡鑄造金寶、金印，預先應按定式做出模具，呈皇帝審定後由禮部會同造辦處鑄造。

此件印模上的字為「慈禧端佑康頤昭豫莊誠壽恭欽獻皇太后之寶」。

【二・一・九輔②】皇后之寶

【二・一・九輔③】慈禧皇太后

【二・一・九輔③】

慈禧姓葉赫那拉氏，滿洲鑲黃旗人，咸豐元年（一八五一年）於大選秀女中中選，第二年進宮，被封為蘭貴人。咸豐三年（一八五三年）被晉為懿嬪，後被封為懿妃、懿貴妃。咸豐皇帝死後（咸豐十一年，即一八六一年）載淳繼位，改年號同治，被封為「聖母皇太后」，獲「慈禧」徽號。與慈安太后一起垂簾聽政，成為國家政權的實際掌握者。同治皇帝死後（同治十三年，即一八七四年）載湉（光緒皇帝）繼位，慈禧以皇太后的身份再度垂簾聽政。其間，她鎮壓了太平天國、捻軍及義和團等農民運動。對外一再實行妥協投降政策，先後與各帝國主義國家簽訂了一系列不平等條約。光緒三十四年（一九〇八年）病死於中南海儀鑾殿，時年七十四歲。葬於清東陵。謚號為「孝欽慈禧端佑康頤昭豫莊誠壽恭欽獻崇熙配天興聖顯皇后」。

【二・一・九輔④】養心殿垂簾聽政處外景

咸豐皇帝於咸豐十一年（一八六一年）七月十七日病逝後，六歲的載淳（同治帝）繼位，載垣、端華、肅順等八大臣受命為贊襄政務王大臣輔政。慈禧利用「同道堂」大印企圖干預朝政，獨攬大權，受到八大臣堅決抵制。於是她聯絡恭親王奕訢發動了北京政變，將八大臣或革職或處斬。同年十月初九日，載淳在太和殿即位，定於第二年改年號為「同治」。十一月初一日，兩宮皇太后帶領小皇帝在養心殿正式實行「垂簾聽政」。

垂簾聽政時，小皇帝面西而坐，兩宮皇太后坐在後面黃幔之內，慈安在南、慈禧在北。

【二・一・九輔④】

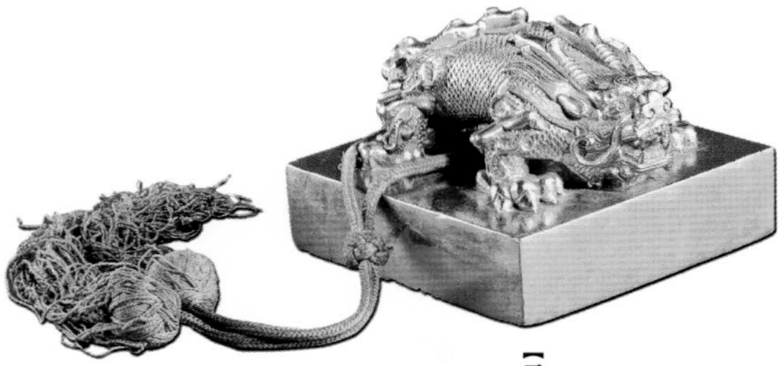

【二・一・九輔②】

【二・一・九輔①】

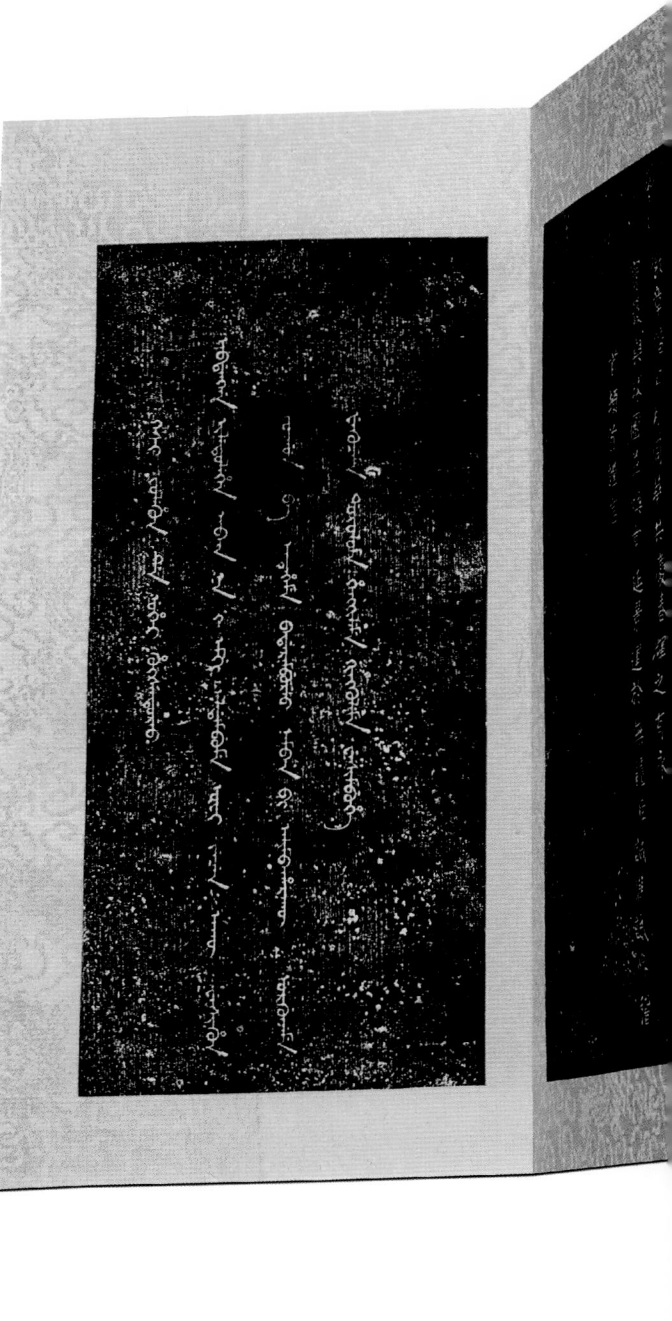

【二・一・九】

【二·一·一〇】莊妃冊文

崇德元年（一六三六年）七月初十日，滿蒙漢文合璧，面底綾質，正文紙質，冊，38cm × 21.5cm。

清朝制度規定，冊封嬪妃使用金冊，不授給印璽。後來改為銀鍍金冊。

此件為清太宗皇太極冊封博爾濟吉特氏為永福宮莊妃之冊文。

【二·一·一〇輔】孝莊皇后寶文

康熙朝，滿漢文合璧，紙質，片，12.8cm × 12.8cm。

孝莊皇后（一六一三—一六八七年），博爾濟吉特氏，蒙古科爾沁貝勒寨桑的女兒。天命十年（一六二五年）嫁給皇太極為妃。崇德元年（一六三六年）封為永福宮莊妃，皇太極死後，福臨（順治帝）繼位，被尊為皇太后。福臨親政後，上徽號為昭聖慈壽皇太后。順治帝死後，玄燁（康熙帝）繼位尊為太皇太后。一六八七年孝莊皇后病逝，終年七十五歲，謚號為「孝莊仁宣誠憲恭懿至德純徽翊天啟聖文皇后」。

此件為孝莊文皇后的玉寶寶底。

【二·一·一〇輔】

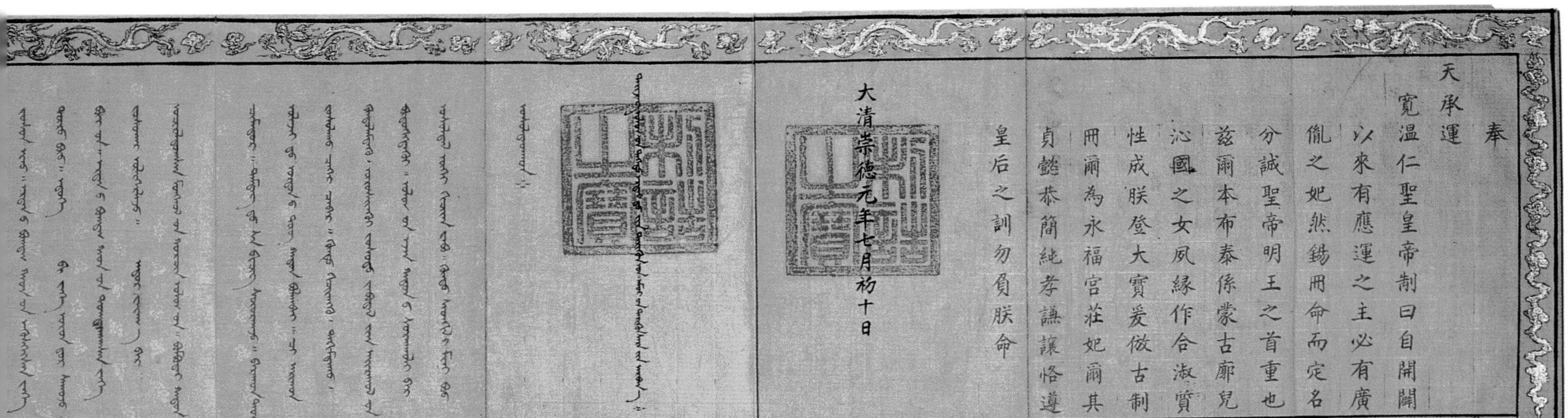
奉
天承運
寬溫仁聖皇帝制曰自開闢
以來有應運之主必有廣
備之妃然錫冊命而定名
分誠聖帝明王之首重也
茲爾本布泰係蒙古廓兒
沁國之女夙緣作合淑質
性成朕登大寶爰倣古制
冊爾為永福宮莊妃爾其
貞懿恭簡純孝謙讓恪遵
皇后之訓勿負朕命
大清崇德元年七月初十日

【二·一·一二】瑾嬪冊文

光緒十五年（一八八九年）二月二十八日，滿漢文合璧，絹質，摺，每扣26.5cm × 12cm，八扣。

此件為光緒十五年奉慈禧皇太后懿旨，冊封他他拉氏為瑾嬪的冊文。

【二·一·一二輔】瑾妃像

【二·一·一二輔】

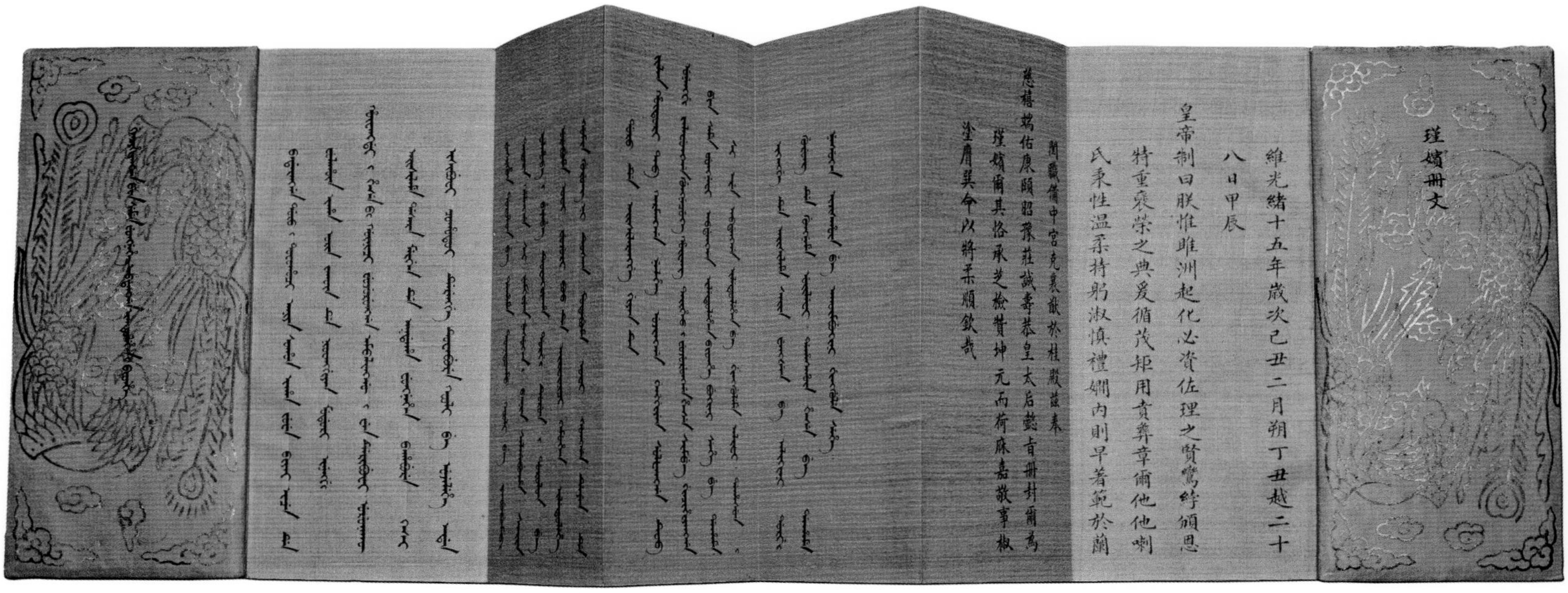

瑾嬪冊文

維光緒十五年歲次己丑二月朔丁丑越二十
八日甲辰
皇帝制曰朕惟雎洲起化必資佐理之賢鸞綍頒恩
特重褒榮之典爰循茂矩用賁彝章爾他他喇
氏秉性溫柔持躬淑慎禮嫻內則早著範於蘭
闈職備中宮克襄徽於桂殿茲奉
慈禧端佑康頤昭豫莊誠壽恭皇太后懿旨冊封爾為
瑾嬪爾其恪承芝檢贊坤元而荷麻嘉敬事椒
塗膺巽命以將柔順欽哉

【二·一·一二】

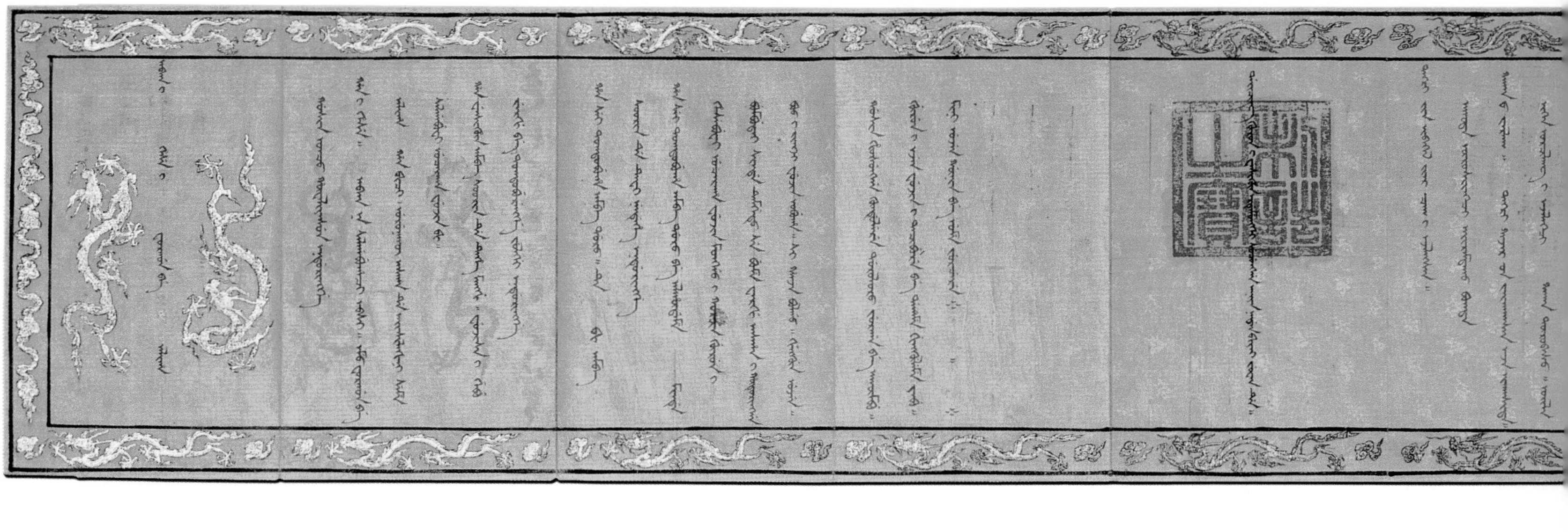

【二·一·一〇】

【二・一・一二】雍正帝為平定噶爾丹告天祭文

雍正十一年（一七三三年），滿漢文合璧，紙質，片，60cm×174cm。

明清之際，居住在西北的蒙古族漢西厄魯特蒙古部中的准噶爾部首領噶爾丹恃強自立為汗，割據一方，在沙俄策動下發動叛亂。經康、雍、乾三朝多次派兵征討，清廷終於平定了准噶爾部的叛亂。

此件為雍正帝在征討准噶爾部時的告天祭文。

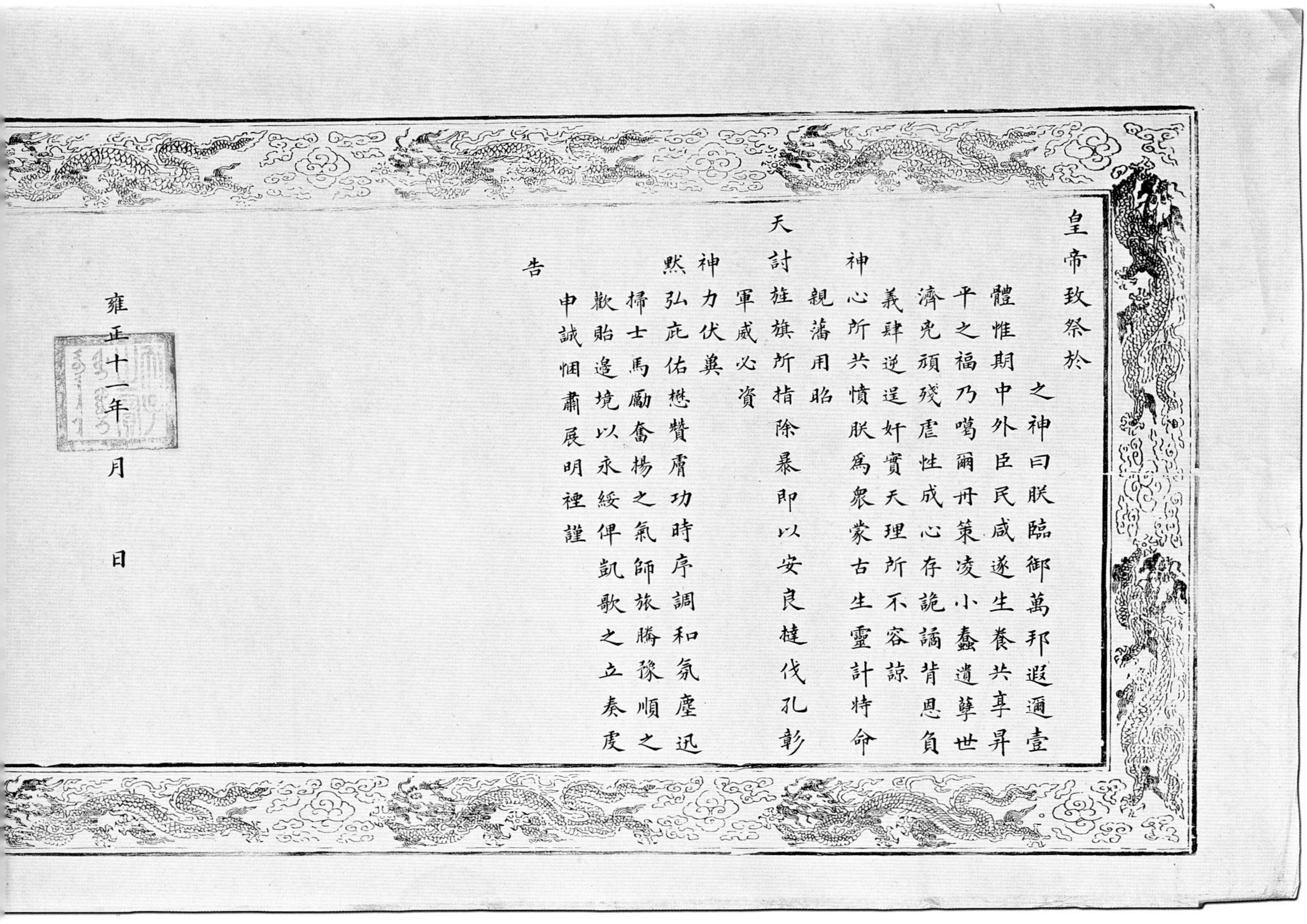

皇帝致祭於
之神曰朕臨御萬邦遐邇壹
體惟期中外臣民咸遂生養共享昇
平之福乃噶爾丹策凌小蠢遺孽世
濟兇頑殘虐性成心存詭譎背恩負
義肆逆逞奸實天理所不容諒
神心所共憤朕爲衆蒙古生靈計特命
親藩用昭
天討旌旗所指除暴即以安良撻伐孔彰
軍威必資
神力伏冀
默弘庇佑懋贊膚功時序調和氛塵迅
掃士馬勵奮揚之氣師旅騰豫順之
歡貽邊境以永綏俾凱歌之立奏虔
中誠悃肅展明禋謹
告

雍正十一年　月　日

【三・一・一二輔】額爾德尼召大戰陣圖

雍正朝，紙質，片，43cm × 59cm 。

【三・一・一二輔】

【三・一・一三】

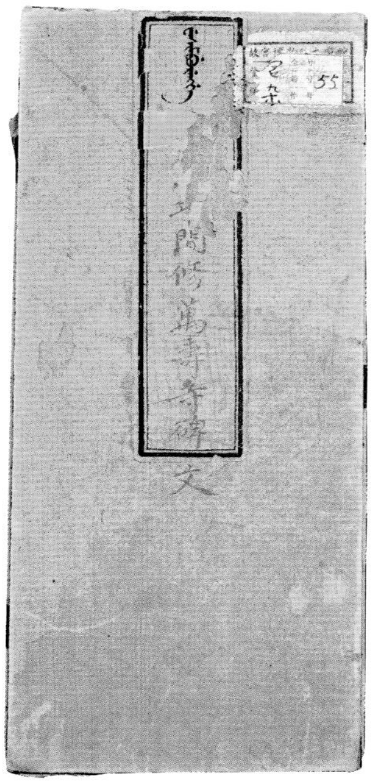

【二·一·一三】御製碑文

乾隆二十六年（一七六一年）十一月，漢文，紙質，摺，每扣20.6cm × 10.3cm，八扣。

清代，每逢大的建築工程告竣或重大事件典禮等，皇帝多親自撰寫詩文，並由工匠鐫刻在石碑之上，立於碑亭之中，以記其功傳世。

此件是乾隆帝為慶祝其母鈕祜祿氏皇太后七旬壽辰，重修萬壽寺竣工時，乾隆皇帝所作碑文底稿。書寫用紙為黃、紅雙層。

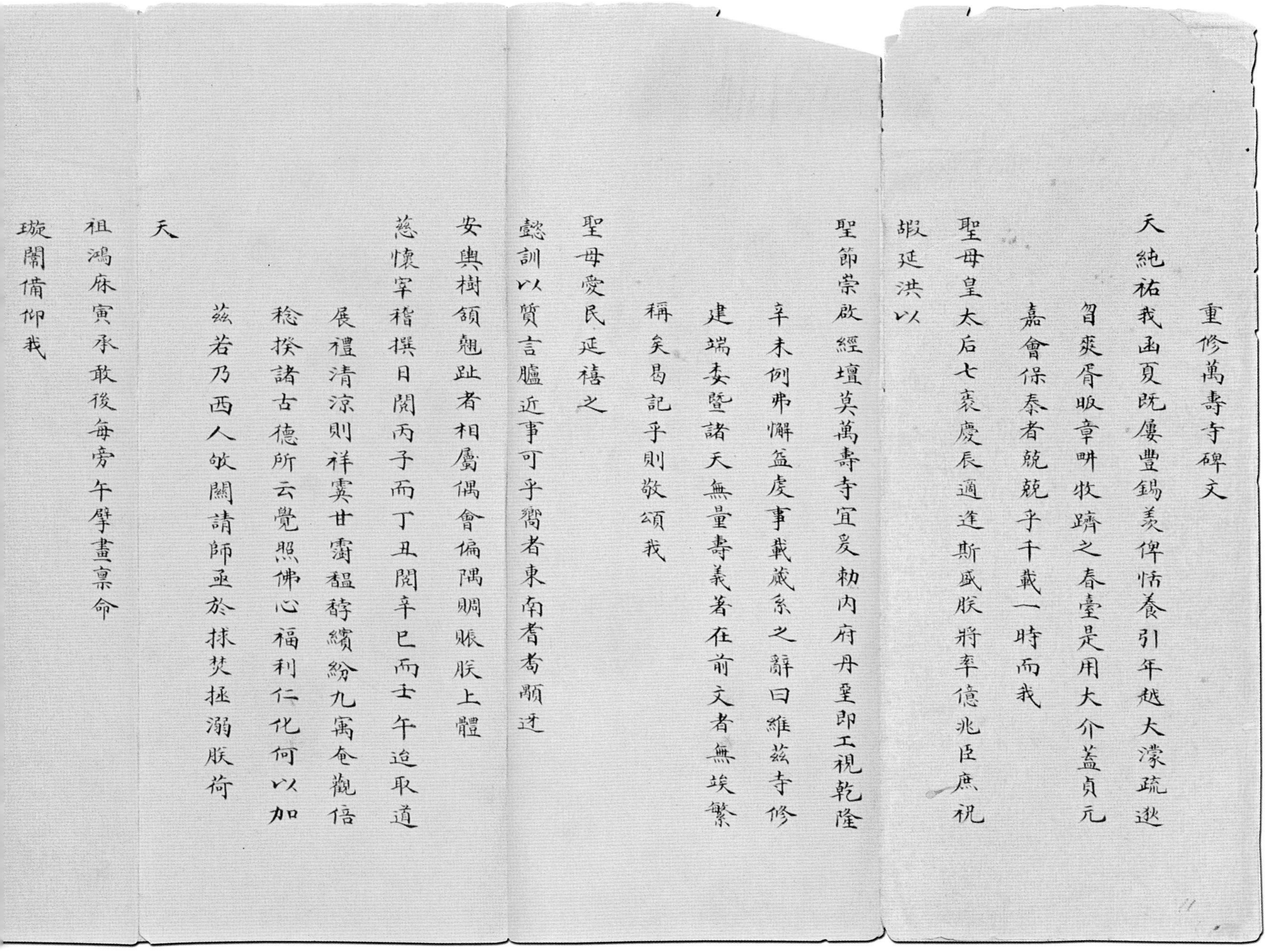

重修萬壽寺碑文
天純祐我函夏既屢豐錫羨俾恬養引年越大濛疏逖
習爽胥畋章畊牧躋之春臺是用大介蓋貞元
嘉會保泰者兢兢乎千載一時而我
聖母皇太后七袠慶辰適逢斯盛朕將率億兆臣庶祝
嘏延洪以
聖節崇啟經壇莫萬壽寺宜爰勅內府丹堊郎工視乾隆
辛未例弗懈盇虔事載蕆系之辭曰維茲寺修
建端委暨諸天無量壽義著在前文者無俟繁
稱矣曷記乎則敬頌我
聖母愛民延禧之
懿訓以質言臚近事可乎獨者東南耆耇顒迓
安輿樹頒勉趾者相屬偶會徧隅賙賑朕上體
慈懷罕稽撰日閱丙子而丁丑閱辛巳而壬午迨取道
展禮清涼則祥霙甘霔醞醇繽紛九寓奄觀倍
稔揆諸古德所云覺照佛心福利仁化何以加
茲若乃西人敂闕請師亟於抹焚拯溺朕荷
天
祖鴻庥寅承敢後每旁午擘畫稟命
璇闈備仰我

【二・一・一三輔】清御製石碑

乾隆皇帝為慶祝母親八十歲壽辰，於乾隆三十五年（一七七〇年）在北海建造了萬佛樓，同時立御製石碑一座。石碑的四面分別用漢、滿，蒙、藏文鐫刻着乾隆皇帝親筆寫的「萬佛樓落成瞻禮詩」。

【二・一・一三輔】

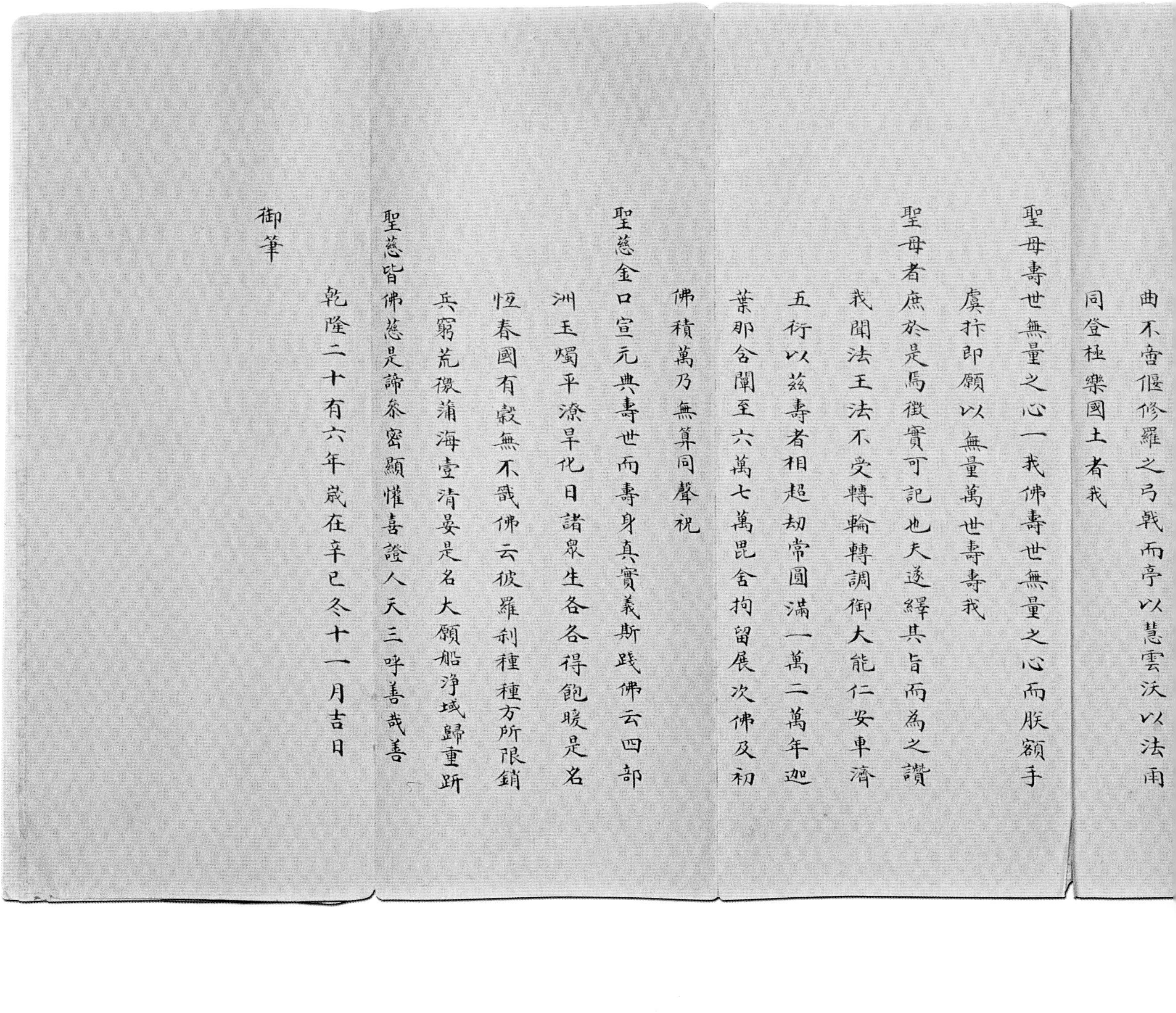

曲不啻僂修羅之弓戟而亭以慧雲沃以法雨
同登極樂國土者我
聖母壽世無量之心一我佛壽世無量之心而朕額手
虔祈即願以無量萬世壽壽我
聖母者庶於是焉徵實可記也夫遂繹其旨而為之讚
我聞法王法不受轉輪轉調御大能仁安車濟
五行以茲壽者相超刧常圓滿一萬二萬年迦
葉那含闌至六萬七萬毘舍拘留展次佛及初
佛積萬乃無算同聲祝
聖慈金口宣元典壽世而壽身真實義斯踐佛云四部
洲玉燭平潦旱化日諸衆生各各得飽暖是名
恒春國有彀無不戩佛云彼羅刹種種方所限銷
兵窮荒徼浦海壹清晏是名大願船淨域歸重跰
聖慈皆佛慈是諦參密顯懽喜證人天三呼善哉善
乾隆二十有六年歲在辛巳冬十一月吉日
御筆

【二・一・一三】

【二・二・一】朱諭

雍正朝，漢文，紙質，摺，每扣28.5cm ×11cm，五扣。

朱諭是皇帝親筆起草的命令。

朱諭內容多為機密要務，如皇帝密派某人刺探情報、防奸查私、緝拿異己、密派特務、防密保密等。還有關於官員懲處、調補、曉諭官員勤於政務、「化導」百姓等內容的，亦用朱諭。

此外，皇帝頒布各衙門的上諭，由大學士奏准後，用朱筆謄寫，傳該衙門親領執行者，也稱「朱諭」。

此件為雍正帝命督撫嚴查地方官員劣迹，以整頓吏治之朱諭。

【二・二・二】康熙親筆朱諭

康熙朝，漢文，紙質，片，22.5cm ×9cm。

此兩件為康熙帝談論曆法、易數的親筆朱諭。

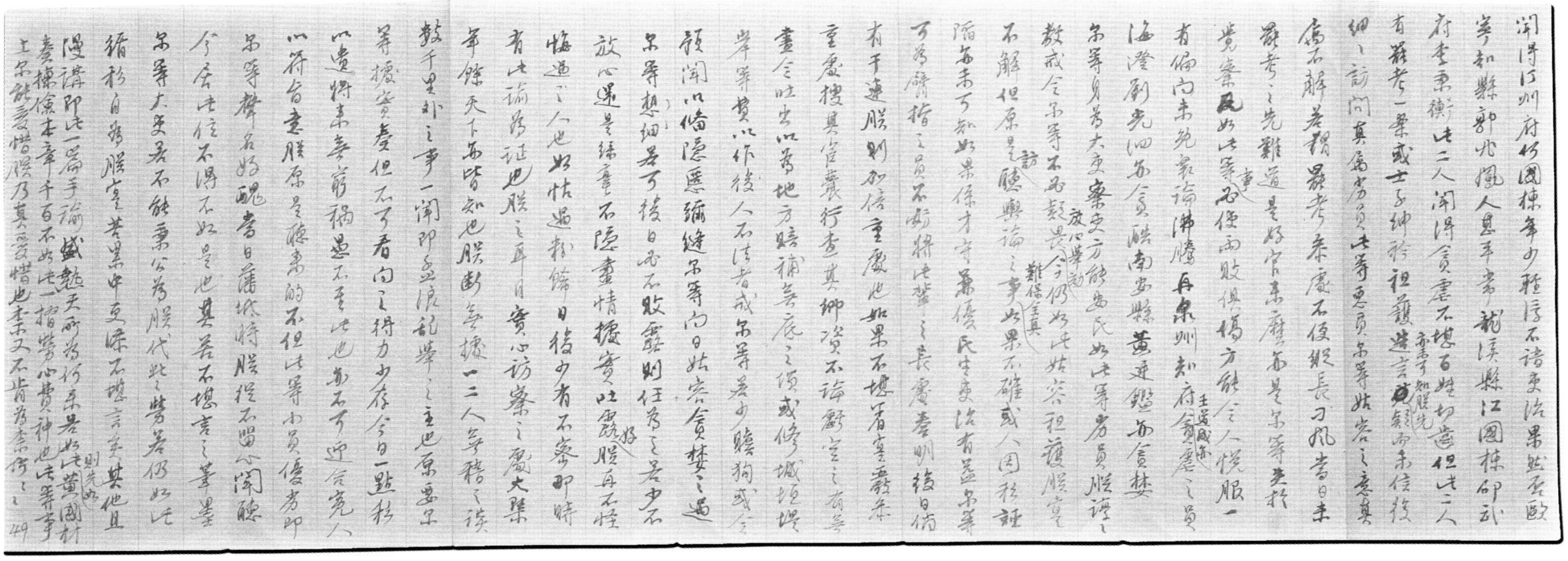

【二・二・一】

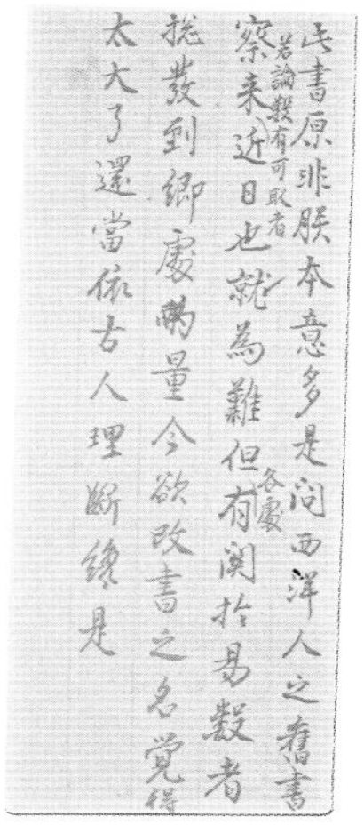
此書原非朕本意多是問西洋人之舊書
若論數有可取者
察來近日也就爲難但有關於易數者
各處
挑出到御處酌量今欲改書之名覺得
太大了還當依古人理斷纔是

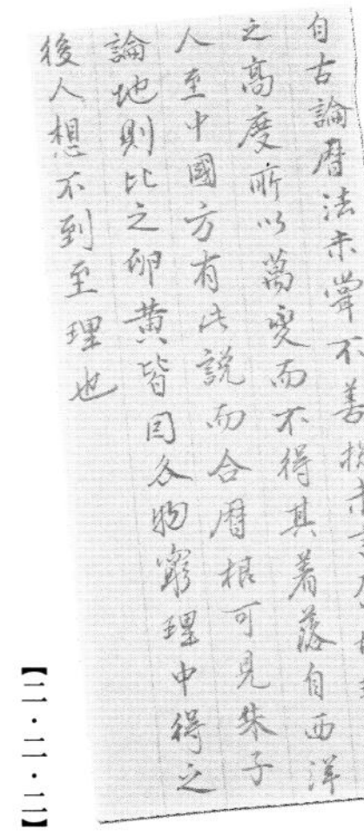
自古論曆法未嘗不善挑未言及地球北極
之高度所以萬變而不得其着落自西洋
人至中國方有此說而合曆根可見朱子
論地則比之卵黃皆因各物窮理中得之
後人想不到至理也

【二・二・二】

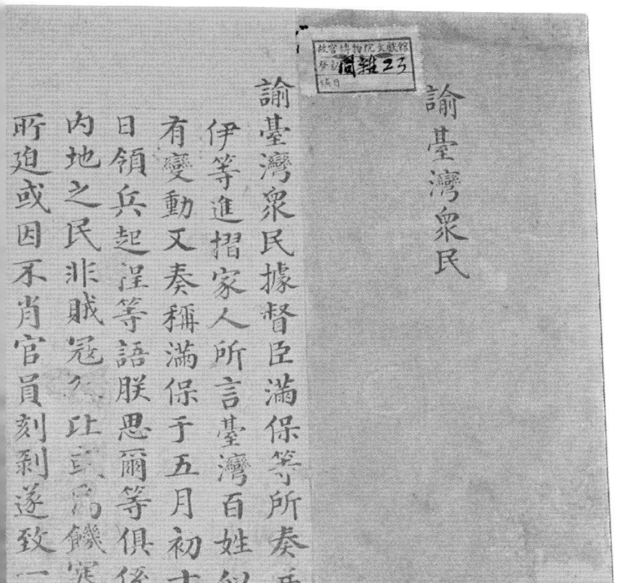
諭臺灣衆民
諭臺灣衆民據督臣滿保等所奏并
伊等進摺家人所言臺灣百姓似
有變動又奏稱滿保于五月初十
日領兵起程等語朕思爾等俱係
內地之民非賊寇之比或爲饑寒
所迫或因不肖官員刻剝遂致一

【二・二・三】康熙平定台灣之朱諭

康熙六十年（一七二一年）六月初三日，滿漢文合璧，紙質，摺，每扣26cm × 11.5cm，十六扣。

此件為康熙皇帝為台灣百姓鬧事一案下發的朱諭。諭中令總督滿保暫停用兵鎮壓，勸導百姓不要受賊寇引誘，應訴明起事原由，改惡歸正，不得執迷不悟，妄自取死，否則將派兵前往圍剿。

【二・二・三輔】平定台灣圖

清朝，片，紙質，58.5cm × 94.5cm。

此兩件為乾隆時期平定台灣林爽文之攻克大理杙戰圖和解嘉義縣戰圖。

【二・二・三輔】

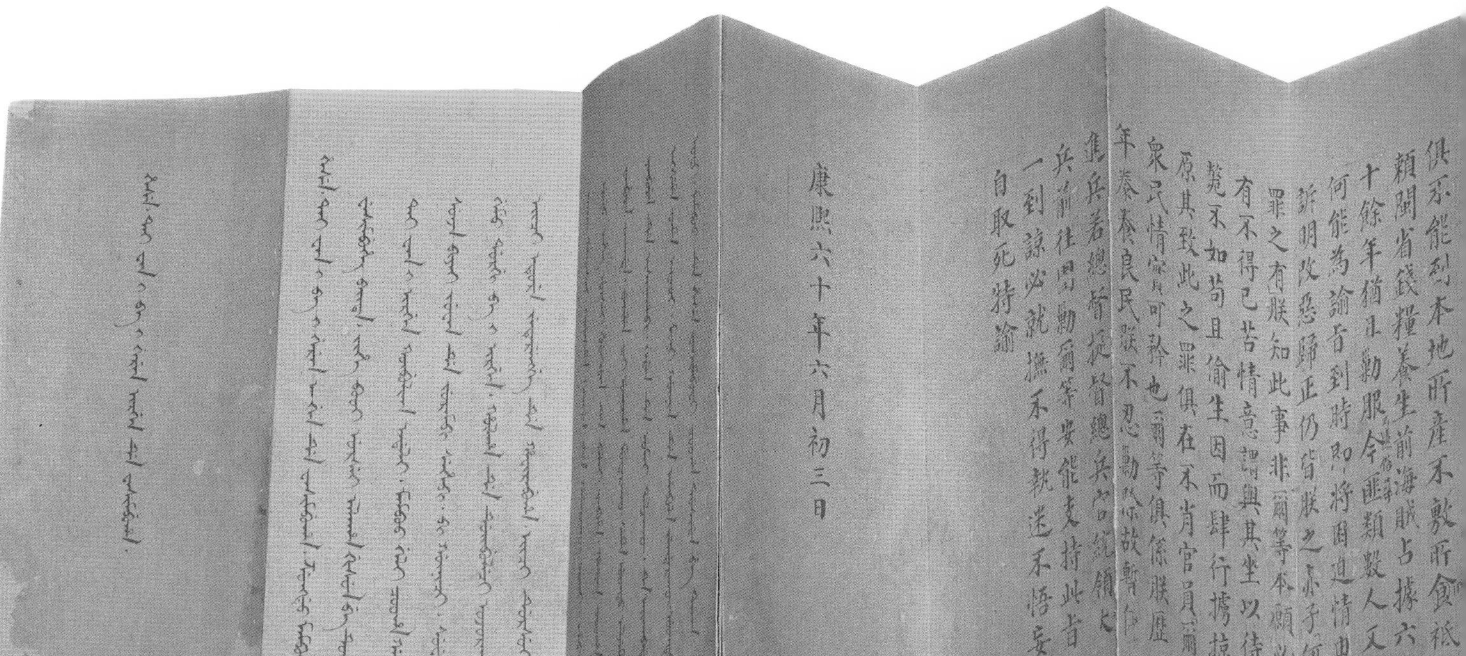

俱不能列本地所産不敷所食祇
賴閩省錢糧養生前海賊占據六
十餘年猶且勦服今匪類數人又
何能為諭旨到時即將因迫情由
訴明改惡歸正仍皆朕之赤子何
罪之有朕知此事非爾等本願必
有不得已苦情意謂與其坐以待
斃不如苟且偷生因而肆行擄掠
原其致此之罪俱在不肖官員爾
衆民情實可矜也爾等俱係朕歷
年豢養良民朕不忍勦除故暫停
進兵若總督提督總兵官統領大
兵前往問勦爾等安能支持此旨
一到諒必就撫不得執迷不悟妄
自取死特諭

康熙六十年六月初三日

【二・二・三】

【二·二·四】秘密立儲匣

道光朝，木質，外裹黃布袋，32cm × 16cm × 19cm。

秘密立儲，是清朝從雍正皇帝開始建立的一種皇位承襲制度。皇帝將親寫的立儲諭旨兩份，一份保存在寢宮，一份封藏於匣中，安放在乾清宮「正大光明」匾額之後，待其禪位或去世後，方可將此匣打開，與宮中諭旨合符生效，所以稱此匣為秘密立儲匣。清朝共有雍正、乾隆、嘉慶、道光四位皇帝使用過立儲匣。此為道光皇帝的秘密立儲匣，內貯道光立奕詝為皇太子，封奕訢為恭親王的遺詔，及交待其死後應辦事項的遺諭等，是現在清朝唯一一件完整的秘密立儲匣。

【二·二·四輔】乾清宮正大光明匾

皇宮中乾清宮皇帝寶座正中懸掛之匾。清朝皇帝共書有「正大光明」匾額四方，分別懸掛在其經常臨御或聽政的地方。乾清宮中的「正大光明」匾為清世祖順治皇帝親書，自雍正朝起，歷代秘密立儲匣就置放在該匾額後面。另有景山觀德殿的「正大光明」匾，係清聖祖康熙帝御書；圓明園中的「正大光明」匾，係清世祖雍正皇帝御書；熱河勤政殿的「正大光明」匾額，係清高宗乾隆皇帝御書。

【二·二·四輔】

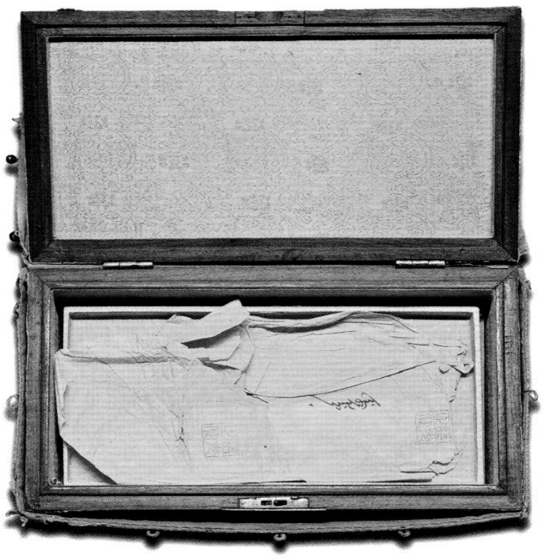

【二·二·四】

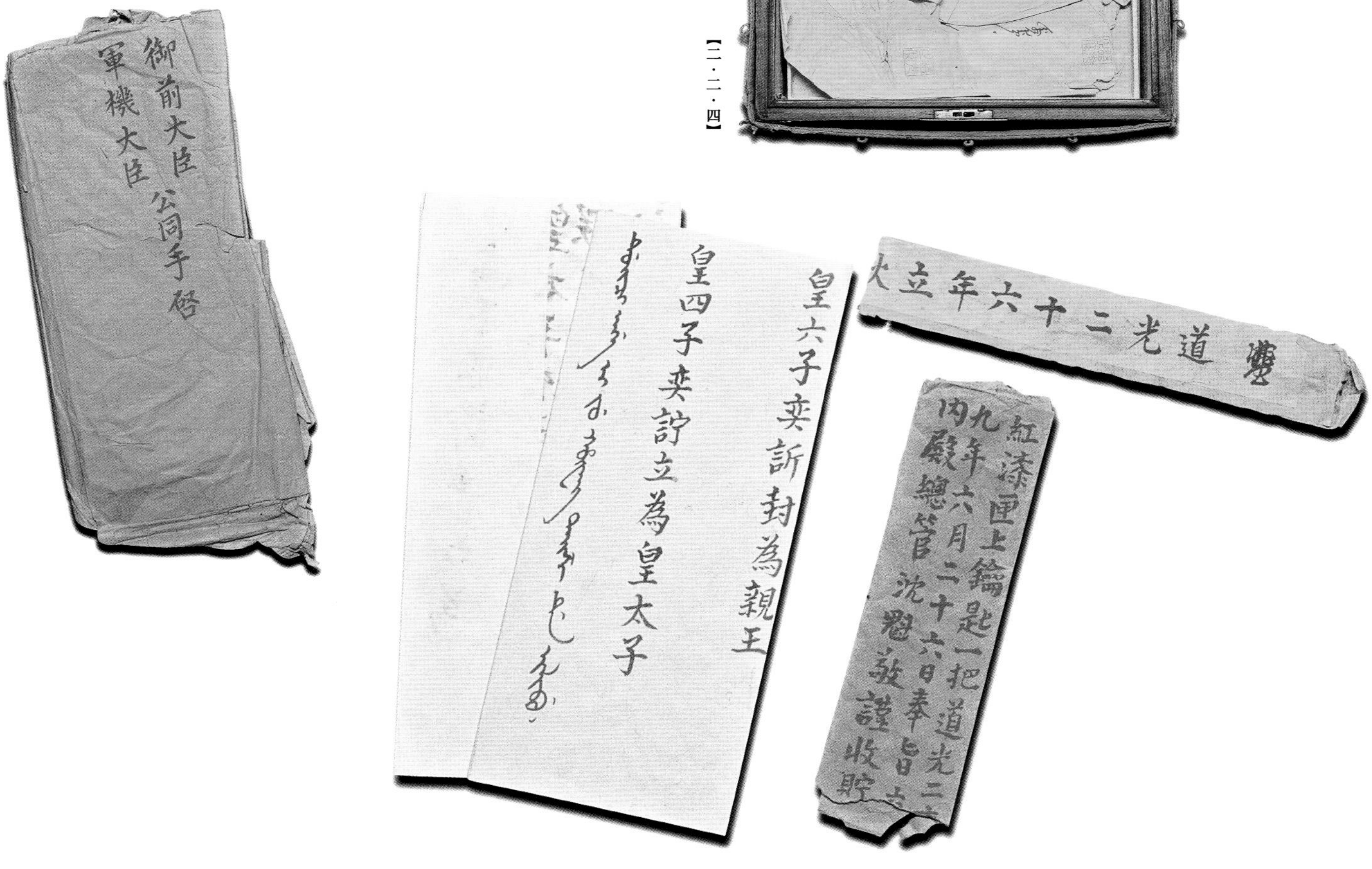

【二·二·五】嘉慶四體字上諭

嘉慶四年（一七九九年）六月初一，漢、滿、蒙、藏文合璧，白綾質，54cm × 26cm。

嘉慶皇帝為命清宮中正殿畫佛喇嘛畫白救度佛母像事，並用漢、滿、蒙、藏四種文字解釋「白救度佛母」名稱的諭旨。此種形式之諭旨，在一般政務性諭旨中很少出現，多在題寫寺廟匾額、碑文等諭旨中使用。喇嘛教為藏傳佛教，蒙藏民族一向信仰喇嘛教。清代諸帝十分崇信該宗教，中正殿即為清宮喇嘛唸經、畫佛場所。此四體字上諭，體現了清帝崇信佛教、倡導民族團結的思想。

【二·二·五輔】白度母佛像

白度母佛，密宗佛之一，為長壽之尊。

【二·二·五輔】

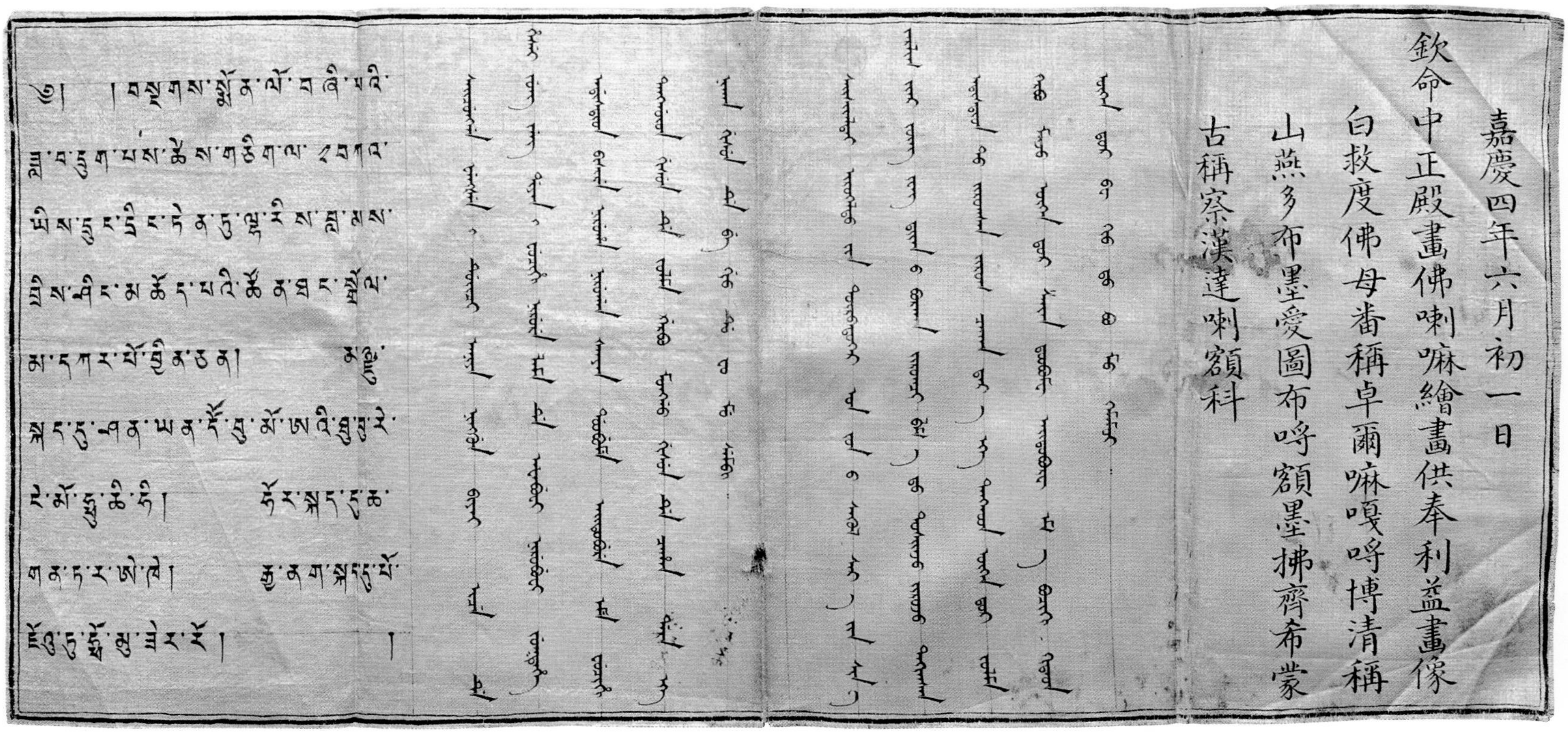

嘉慶四年六月初一日
欽命中正殿畫佛喇嘛繪畫供奉利益畫像
白救度佛母番稱卓爾嘛嘎呼博清稱
山燕多布墨愛圖布呼額墨拂齊布蒙
古稱察漢達喇額科

【二·二·五】

【二·二·六】雍正帝斥諸兄弟之上諭

雍正三年（一七二五年）三月二十三日，漢文，紙質，摺，每扣24.5cm × 11.5cm，十三扣。

康熙帝在世時曾兩次廢立太子，至晚年仍沒有選中皇位繼承人，因此，皇子之間的儲位之爭異常激烈。最為積極的是允禩、允禵、允禟和允䄉。他們結黨營私，搞陰謀詭計，甚至藐視父皇。最後倍受器重的皇四子胤禛被康熙帝立為皇位繼承人。康熙六十一年（一七二二年）十一月十三日，康熙帝駕崩，胤禛即位。諸皇子不服，製造障礙，處處刁難。雍正帝十分氣憤。遂發布諭旨，斥責他們的罪行。並宣布將允禩、允禟革去黃帶子，宗人府除名，交宗人府監禁。將允禩改名「阿其那」（漢譯：豬）；將允禟改名「塞思黑」（漢譯：狗），由西北解押至保定圈禁；將允禵由景陵移到京城景山壽皇殿囚禁。

此件即為雍正帝向大臣們歷述允禩等結黨妄行罪狀之上諭，其中有多處朱筆批改的字迹。

【二·二·七】鈐有同道堂印之上諭

咸豐十一年（一八六一年），漢文，紙質，摺，每扣12cm × 10cm。

「同道堂」印與「御賞」印是清代咸豐皇帝隨身佩帶的兩枚閑章。臨死前，他將「御賞」印賜給皇后鈕祜祿氏（慈安太后），將「同道堂」印賜給了載淳（同治皇帝），作為下發諭旨的符信。皇帝每發諭旨，文前鈐「御賞」章，文尾鈐「同道堂」章。但因載淳年幼，這枚「同道堂」印實際上落到了其生母葉赫那拉氏（慈禧）手中。辛酉政變後，慈禧和慈安兩宮太后掌握了政權，至載淳親政前，清廷發布的上諭，首尾均鈐有「御賞」和「同道堂」印。此二印已不是閑章，而成為行使皇權的符信。

此二件蓋有「御賞」和「同道堂」印的上諭。①為咸豐十一年十月十五日諭山東巡撫譚廷襄與僧格林沁會剿山東東昌、曹縣捻軍事宜。因為皇帝喪期，印為藍色。②咸豐十一年十二月初三日諭山東巡撫譚廷襄赴東昌府妥籌辦理防務事宜。

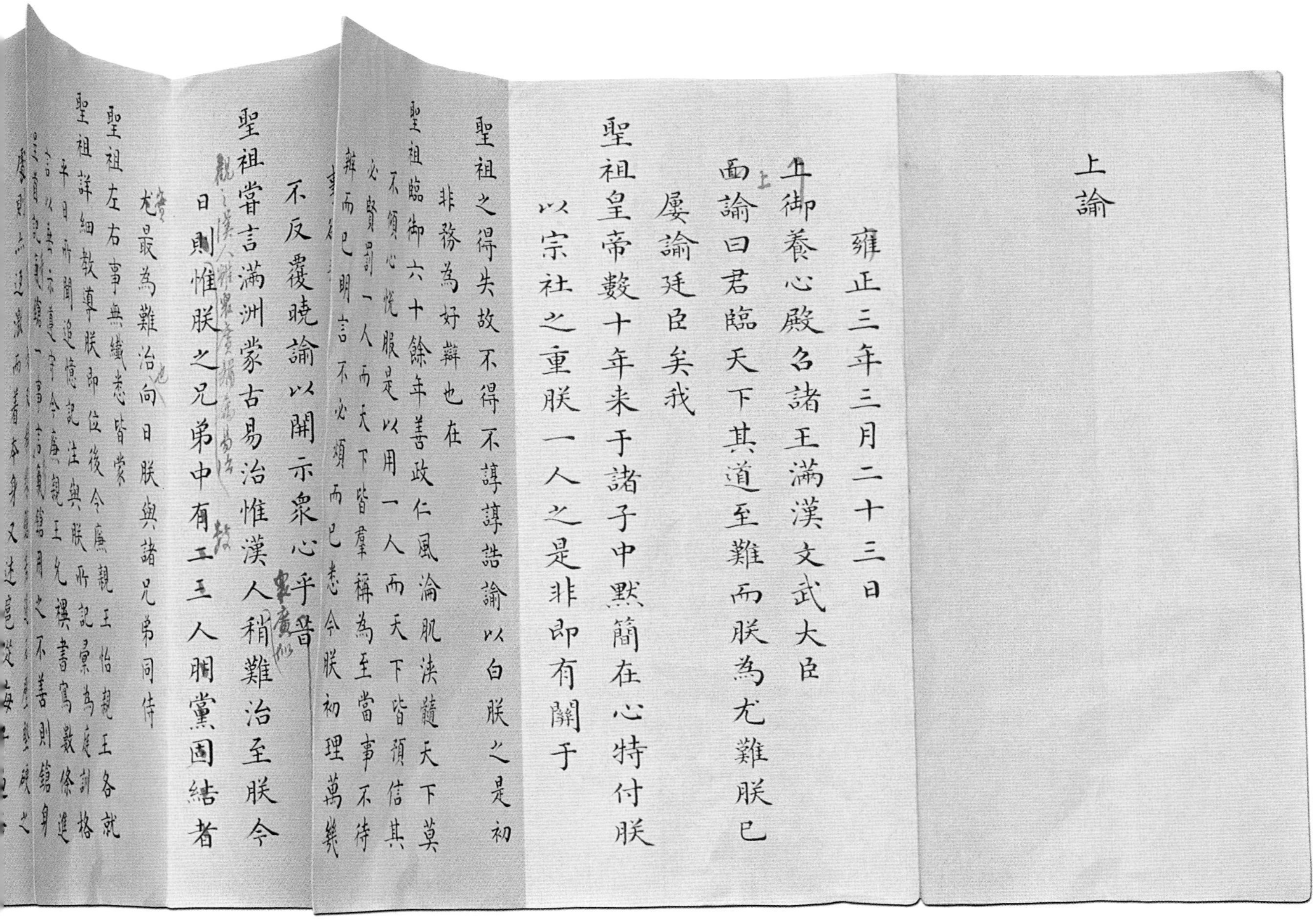
上諭

雍正三年三月二十三日

上御養心殿召諸王滿漢文武大臣

面諭曰君臨天下其道至難而朕為尤難朕已

屢諭廷臣矣我

聖祖皇帝數十年來于諸子中默簡在心特付朕

以宗社之重朕一人之是非即有關于

聖祖之得失故不得不諄諄誥諭以白朕之是初

非務為好辯也在

聖祖臨御六十餘年善政仁風淪肌浹髓天下莫

不傾心悅服是以用一人而天下皆預信其

必賢罰一人而天下皆羣稱為至當事不待

辯而已明言不必煩而已悉今朕初理萬幾

不反覆曉諭以開示衆心乎

聖祖嘗言滿洲蒙古易治惟漢人稍難治至朕今

日則惟朕之兄弟中有二三人朋黨固結者

尤最為難治向日朕與諸兄弟同侍

聖祖左右事無纖悉皆蒙

聖祖詳細教導朕即位後令廉親王怡親王各就

【二·二·七輔】同道堂印章

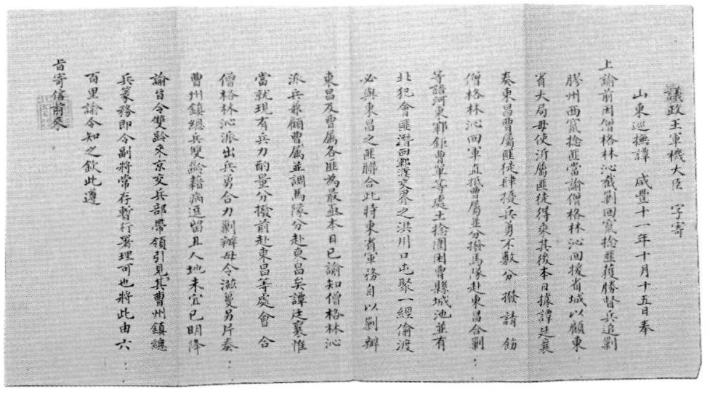

【二·二·七①】

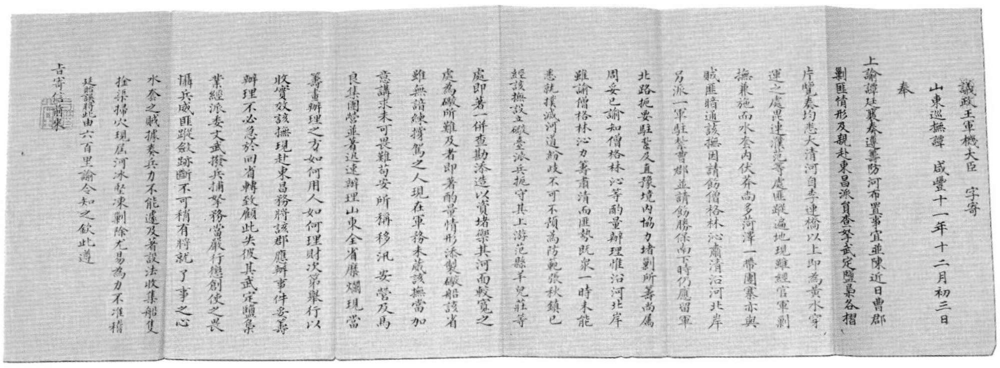

【二·二·七②】

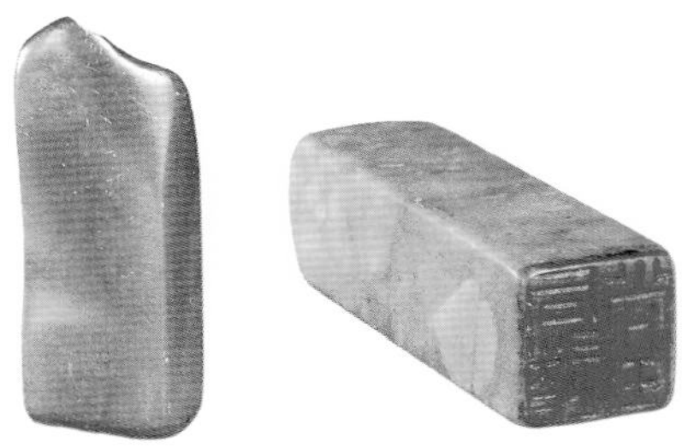

【二·二·七輔】

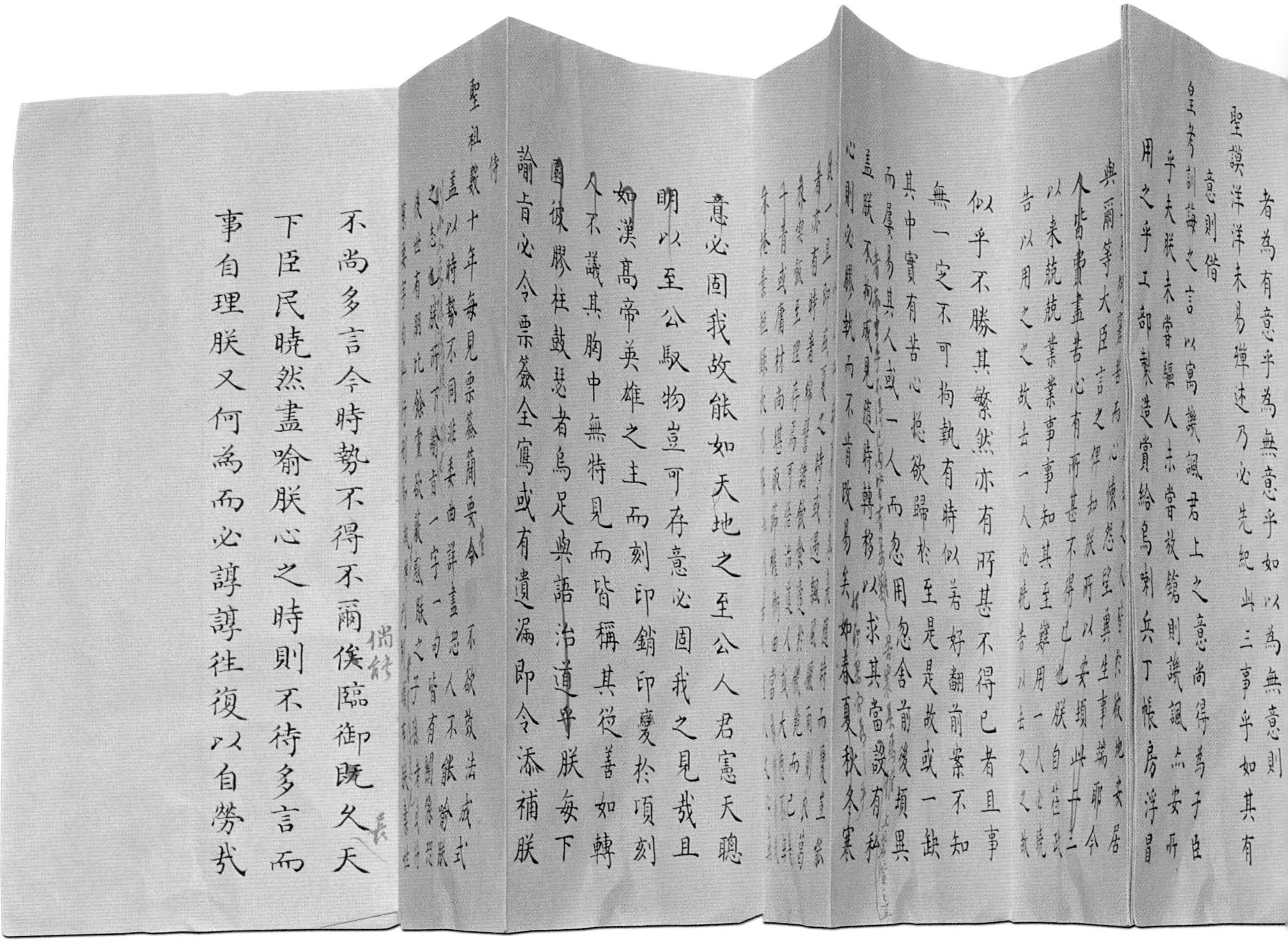

【二·二·六】

【二・二・八】廷寄

「廷寄」或稱「字寄」、「寄信諭旨」、「密寄」，是清代頒布諭旨的一種形式。

①乾隆五十八年（一七九三年）八月初六日，漢文，紙質，摺，每扣24.5cm×10.5cm，六扣。

此件為大學士和珅字寄留京辦事王大臣，為英吉利國王遣使臣馬戛爾尼來華，至熱河覲見皇帝，不行中國禮節，皇帝令遣其回國的諭旨，其中有皇帝親筆批示。

②乾隆八年（一七四三年），漢文，紙質，每扣23cm×10.5cm，六扣。

此為乾隆八年（一七四三年）三月初七日，字寄直隸省督撫，禁止擴建寺廟，防止遊手好閑之徒入寺為僧為道的諭旨。

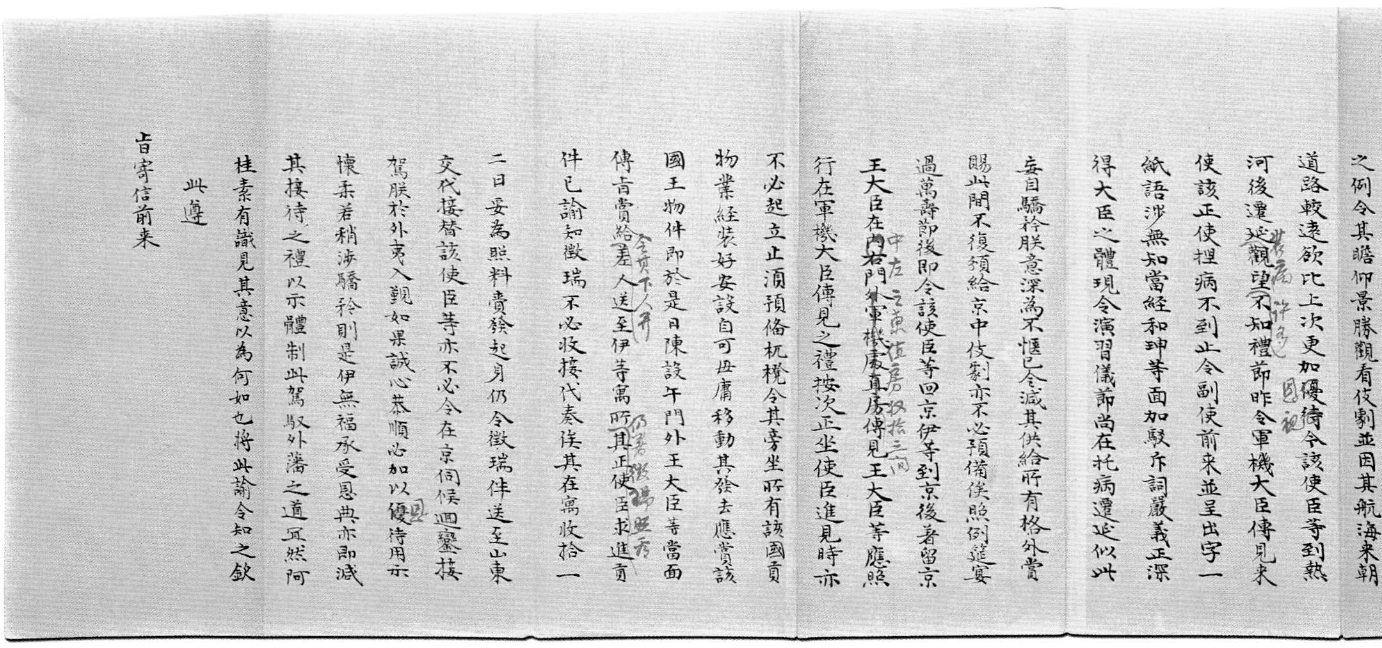

大學士伯和 字寄
留京辦事王大臣 乾隆五十八年八月初六
日奉
上諭此次嘆咭唎國使臣到京原欲照乾隆十八年
之例令其瞻仰景勝觀看伎劇並因其航海來朝
道路較遠欲比上次更加優待今該使臣等到熱
河後遷延觀望不知禮節昨令軍機大臣傳見來
使該正使揑病不到止令副使前來並呈出字一
紙語涉無知當經和珅等面加駁斥詞嚴義正深
得大臣之體現令演習儀節尚在托病遷延似此
妄自驕矜朕意深為不愜已令減其供給所有格外賞
賜此間不復頒給京中伎劇亦不必預備俟照例筵宴
過萬壽節後即令該使臣等回京伊等到京後著留京
王大臣在內右門外軍機處直房傳見王大臣等應照
行在軍機大臣傳見之禮按次正坐使臣進見時亦
不必起立止須預備杌櫈令其旁坐所有該國貢
物業經裝好安設自可毋庸移動其發去應賞該
國王物件即於是日陳設午門外王大臣等當面
傳旨賞給差人送至伊等寓所其正使臣求進貢
件已諭知徵瑞不必收接代奏俟其在寓收拾一
二日妥為照料賫發起身仍令徵瑞伴送至山東
交代接替該使臣等亦不必令在京伺候迴鑾接
駕朕於外夷入覲如果誠心恭順必加以優待用示
懷柔若稍涉驕矜則是伊無福承受恩典亦即減
其接待之禮以示體制此駕馭外藩之道冝然阿
桂素有識見其意以為何如也將此諭令知之欽
此遵
旨寄信前來

【二・二・八①】

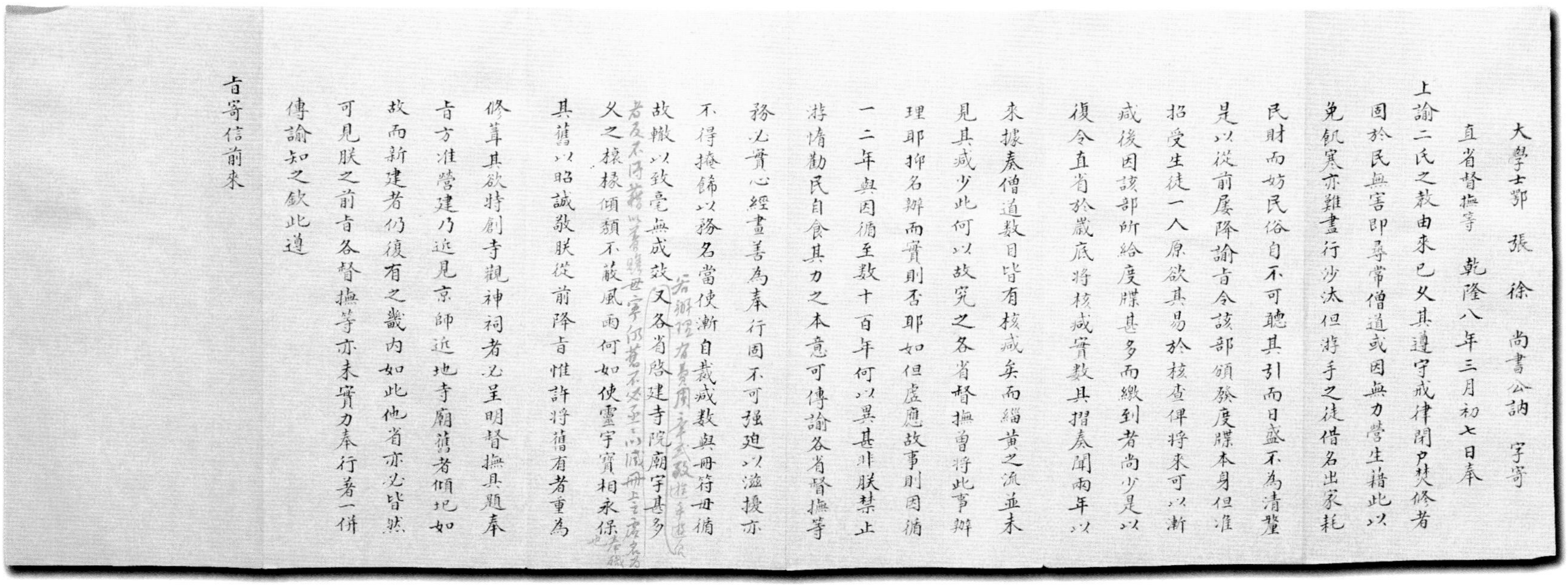

大學士鄂 張 徐 尚書公訥 字寄
直省督撫等 乾隆八年三月初七日奉
上諭二氏之教由來已久其遵守戒律閉戶焚修者
固於民無害即尋常僧道或因無力營生藉此以
免飢寒亦難盡行沙汰但游手之徒借名出家耗
民財而妨民俗自不可聽其引而日盛不為清釐
是以從前屢降諭旨令該部頒發度牒本身但准
招受生徒一人原欲其易於核查俾將來可以漸
減後因該部所給度牒甚多而繳到者尚少是以
復令直省於歲底將核減實數具摺奏聞兩年以
來據奏僧道數目皆有核減矣而緇黃之流並未
見其減少此何以故究之各省督撫曾將此事辦
理耶抑名辦而實則否耶如但虛應故事則因循
一二年與因循至數十百年何以異甚非朕禁止
游惰勸民自食其力之本意可傳諭各省督撫等
務必實心經畫善為奉行固不可強迫以滋擾亦
不得掩飾以務名當使漸自裁減數與冊符毋循
故轍以致毫無成效又各省啓建寺院廟宇甚多
久之榱桷傾頹不蔽風雨何如使靈宇實相永保
其舊以昭誠敬朕從前降旨惟許將舊有者重為
修葺其欲特創寺觀神祠者必呈明督撫具題奉
旨方准營建乃近見京師近地寺廟舊者傾圮如
故而新建者仍復有之畿內如此他省亦必皆然
可見朕之前旨各督撫等亦未實力奉行著一併
傳諭知之欽此遵
旨寄信前來

【二・二・八②】

【二・二・九】電旨

光緒二十二年（一八九六年）八月、九月，漢文，紙質，摺，每扣 19.5cm × 9cm。

電旨是用電報形式發出的諭旨。

這幾件電旨分別為諭令盛宣懷來京辦理盧漢鐵路公司事、廖壽豐辦理杭關通商場事、譚鍾麟等嚴查捕獲四川逃犯等事的上諭電稿。

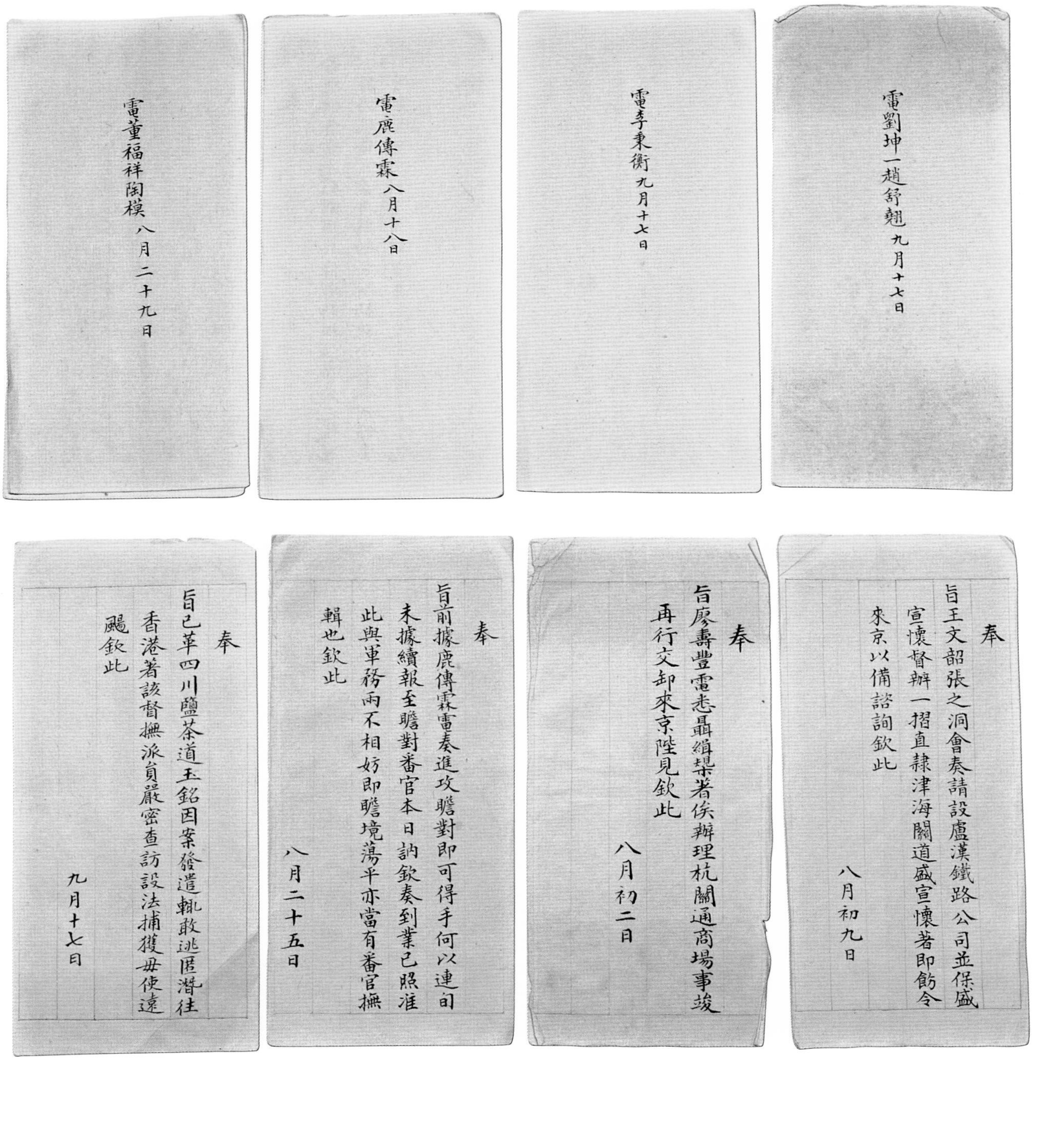
電劉坤一趙舒翹 九月十七日

電李秉衡 九月十七日

電鹿傳霖 八月十八日

電董福祥陶模 八月二十九日

奉
旨王文韶張之洞會奏請設盧漢鐵路公司並保盛
宣懷督辦一摺直隸津海關道盛宣懷著即飭令
來京以備諮詢欽此
八月初九日

奉
旨廖壽豐電悉聶緝槼著俟辦理杭關通商場事竣
再行交卸來京陛見欽此
八月初二日

奉
旨前據鹿傳霖電奏進攻瞻對即可得手何以連旬
未據續報至瞻對番官本日訥欽奏到業已照准
此與軍務兩不相妨即瞻境蕩平亦當有番官撫
輯也欽此
八月二十五日

奉
旨已革四川鹽茶道玉銘因案發遣輒敢逃匿潛往
香港著該督撫派員嚴密查訪設法捕獲毋使遠
颺欽此
九月十七日

【二・三・一】刊印千叟宴御製詩

乾隆六十一年（一七九六年）正月，漢文，紙質，片，131cm × 60cm。

千叟宴是清朝宮廷大宴之一。在清宮眾多筵宴中，千叟宴是場面最為宏大、隆重，準備最久，耗資最巨者。終清一代，共舉行過四次。每次在千人以上，最多者達到五千九百人。參加者凡六十歲以上，包括當時各省及京城現任，休致的滿蒙漢文武官員，還有護軍兵丁、拜唐阿、匠役、耆老士農及閑散人等。

【二・三・一輔】千叟宴圖

千叟宴除末次在皇極殿舉行外，其餘均在乾清宮。舉行如此隆重大宴，或因皇帝壽誕，或因大禮告成，或顯示民足國富、盛世景象。因此，在宴席中清廷的官員及遺老們紛紛作詩助興，歌頌當朝皇帝之功德。

【二・三・二】經筵御論

乾隆五十年（一七八五年），漢文，紙質，摺，每扣 26cm × 14cm。

清朝舉行經筵之時，先由講官講四書、經書。講畢再由皇帝宣示御論，即對經中某句或對講官的講稿發表評論。眾百官皆跪地聆聽。

此件為乾隆御論，其中乾隆帝就「德、禮、刑」，「理、教、學」發表了自己的觀點。

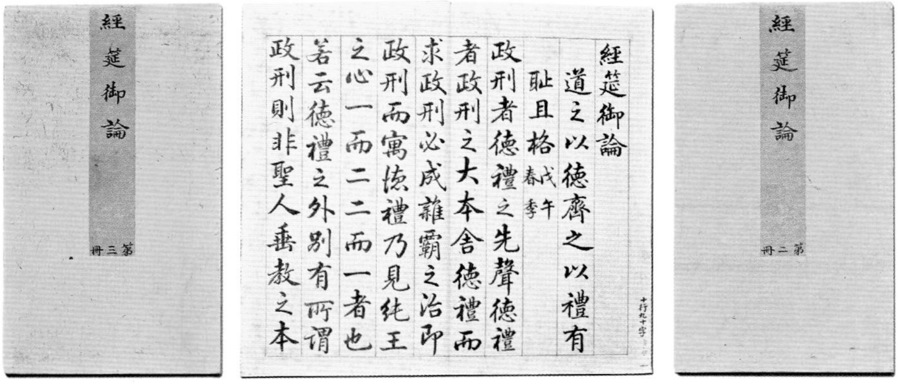
經筵御論
第二冊
經筵御論
道之以德齊之以禮有恥且格 戊午春季
政刑者德禮之先聲德禮者政刑之大本含德禮而求政刑必成雜霸之治即政刑而寓德禮乃見純王之心一而二二而一者也若云德禮之外別有所謂政刑則非聖人垂教之本
經筵御論
第三冊

【二・三・二】

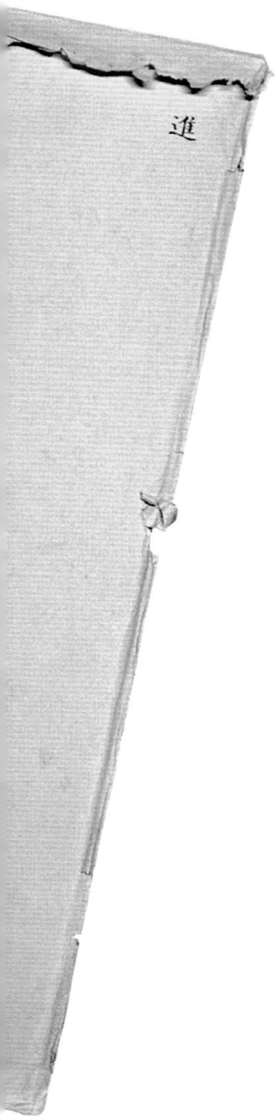
道

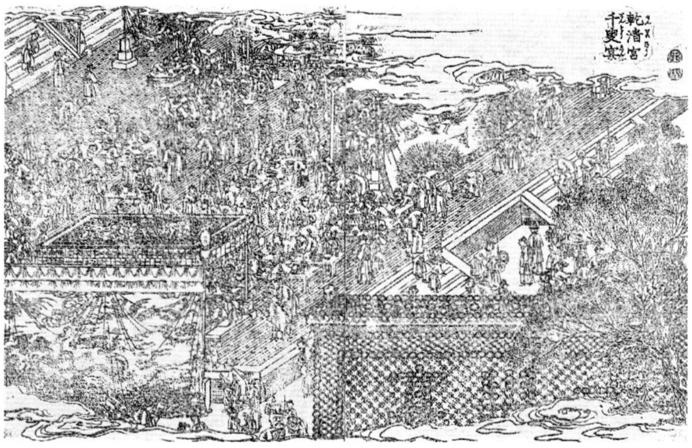

【二・三・一輔】

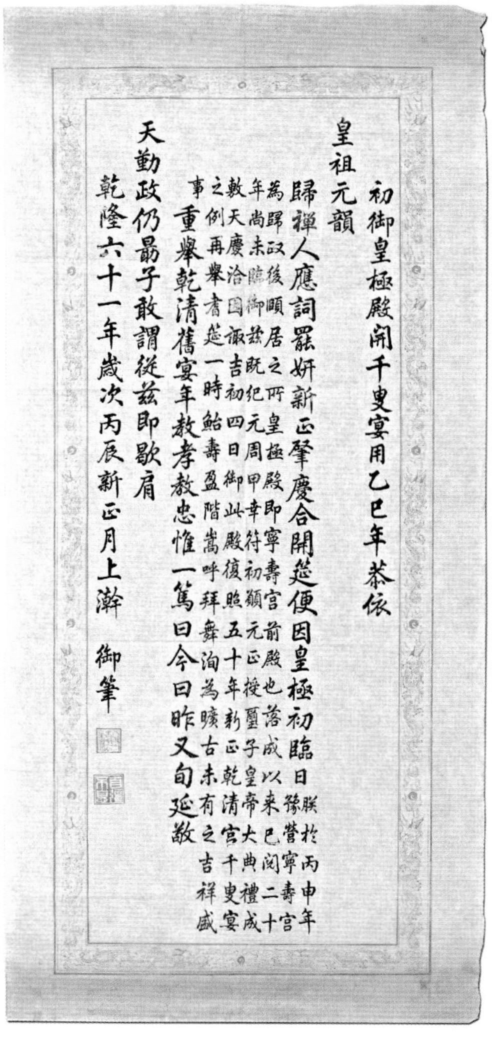
初御皇極殿開千叟宴用乙巳年恭依
皇祖元韻
重舉乾清舊宴年教孝教忠惟一篤
天勤政仍勗子敢謂從茲即歇肩
乾隆六十一年歲次丙辰新正月上澣 御筆

【二・三・一】

【二・三・三】經筵講章

乾隆三年（一七三八年）九月十四日，漢文，紙質，摺，每扣27cm × 12cm，十扣。

「經筵」是封建皇帝崇學重教的重要形式之一。歷代皇帝為研讀經史，都設御前講席，召儒臣進講。自宋時起，稱之為「經筵」。清朝也承襲了這個制度。順治九年（一六五二年）始，每年春秋二次。目的一是「味道研經」，探究經書中的微言大義；一是「以古證今，獻可替否」，亦即以史為鑒，汲取歷史上的經驗教訓。

清代在文華殿舉行經筵。首先由翰林院侍讀學士講《四書》與經書。講稿時稱講章，由講官撰擬，並提前進呈皇帝審批。

此件為翰林院唐進賢所進的御覽講章。

【二・三・三輔①】文華殿御經筵圖

【二・三・三輔②】文華殿外景

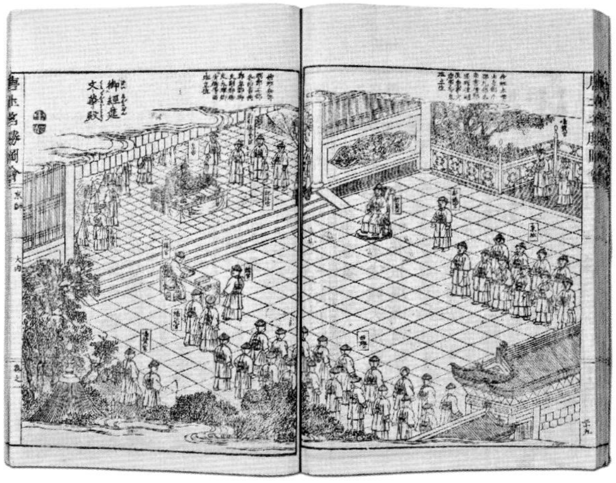

【二・三・三輔①】

【二・三・三輔②】

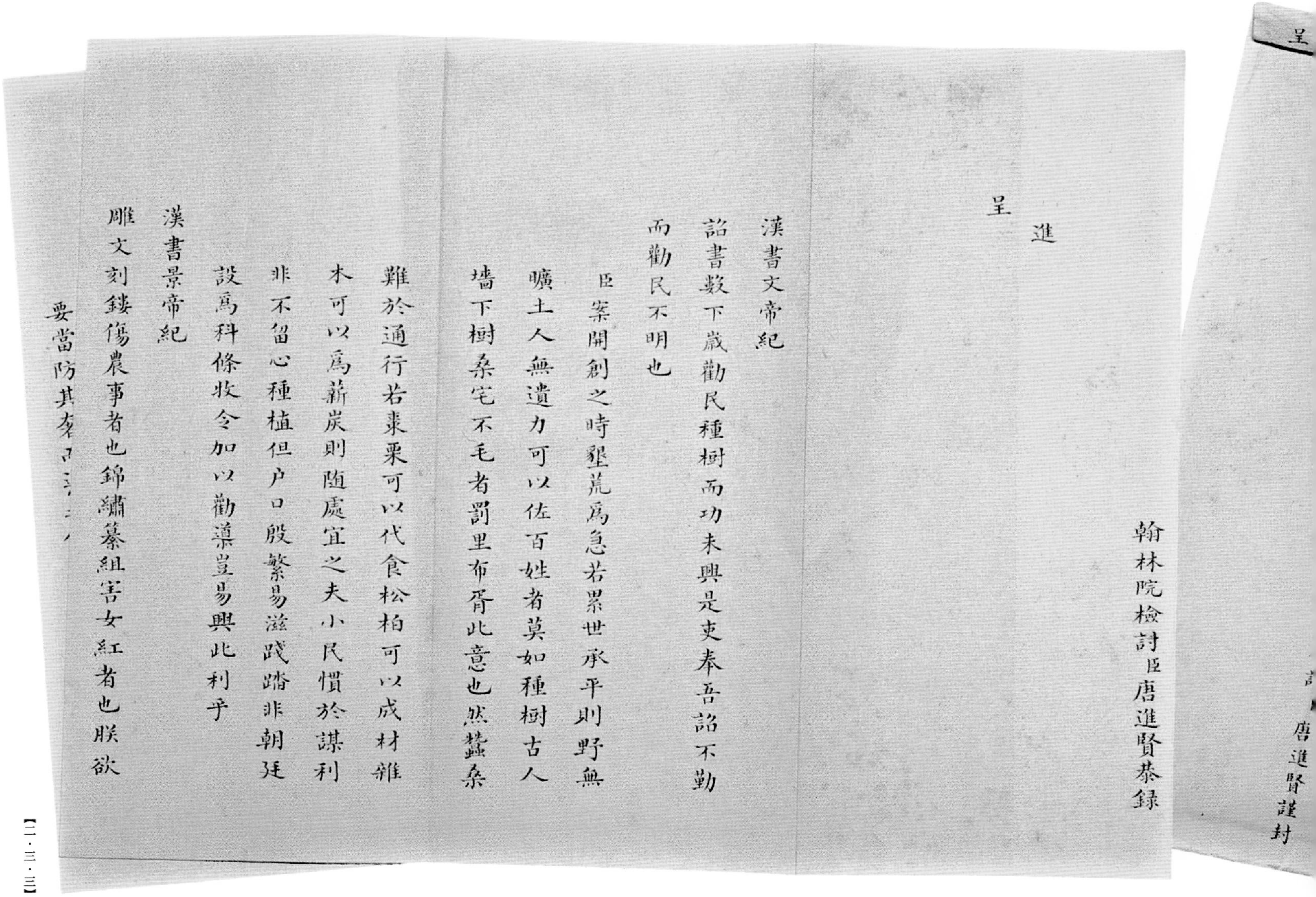

呈

講

唐進賢謹封

翰林院檢討臣唐進賢恭錄

進

呈

漢書文帝紀

詔書數下歲勸民種樹而功未興是吏奉吾詔不勤而勸民不明也

臣案開創之時墾荒爲急若累世承平則野無曠土人無遺力可以佐百姓者莫如種樹古人墻下樹桑宅不毛者罰里布胥此意也然蠶桑難於通行若棗栗可以代食松柏可以成材雜木可以爲薪炭則隨處宜之夫小民慣於謀利非不留心種植但户口殷繁易滋踐踏非朝廷設爲科條牧令加以勸導豈易興此利乎

漢書景帝紀

雕文刻鏤傷農事者也錦繡纂組害女紅者也朕欲

要當防其奢

【二・三・三】

【二·三·四】雍正帝禪機語錄

雍正朝，漢文，紙質，冊，26.5cm × 19cm。

雍正自少年時代就喜歡閱讀佛家典籍。成年之後，更精心研討，與僧侶密相往來，佛學造詣很高。繼位之後，經常在宮中與有關大臣研討佛經。自號「圓明居士」和「破塵居士」。在日理萬機之暇，還撰有佛學語錄，編選和刊刻佛事經典。

此件為《雍親王破塵居士法語合集》，分上、下二卷共三冊。收語錄「上堂」、「小參」、「示語」、「機緣」、「集云百問」、「舉古」、「偶」等七種。並對其中的某些段落進行了批註、修改。

【二·三·四輔①】佛經語錄序

雍正十一年（一七三三年）七月初一日，漢文，紙質，摺，每扣26cm × 12cm，四扣。

【二·三·四輔②】雍正佛裝圖

雍正帝姓愛新覺羅，名胤禛。二十一歲被封為貝勒，三十二歲時晉封雍親王。一七二二年康熙帝去世後繼位，改年號雍正。其在位期間創立秘密立儲辦法、整頓吏治、改土歸流、鞏固西南邊疆等。雍正帝勤於政務，大力清除康熙統治後期的各種積弊，對清代歷史發展有一定貢獻。雍正皇帝篤信佛教，佛學造詣很深，著有《御選語錄》十九卷和《揀魔辨異錄》八卷。

【二·三·四輔②】

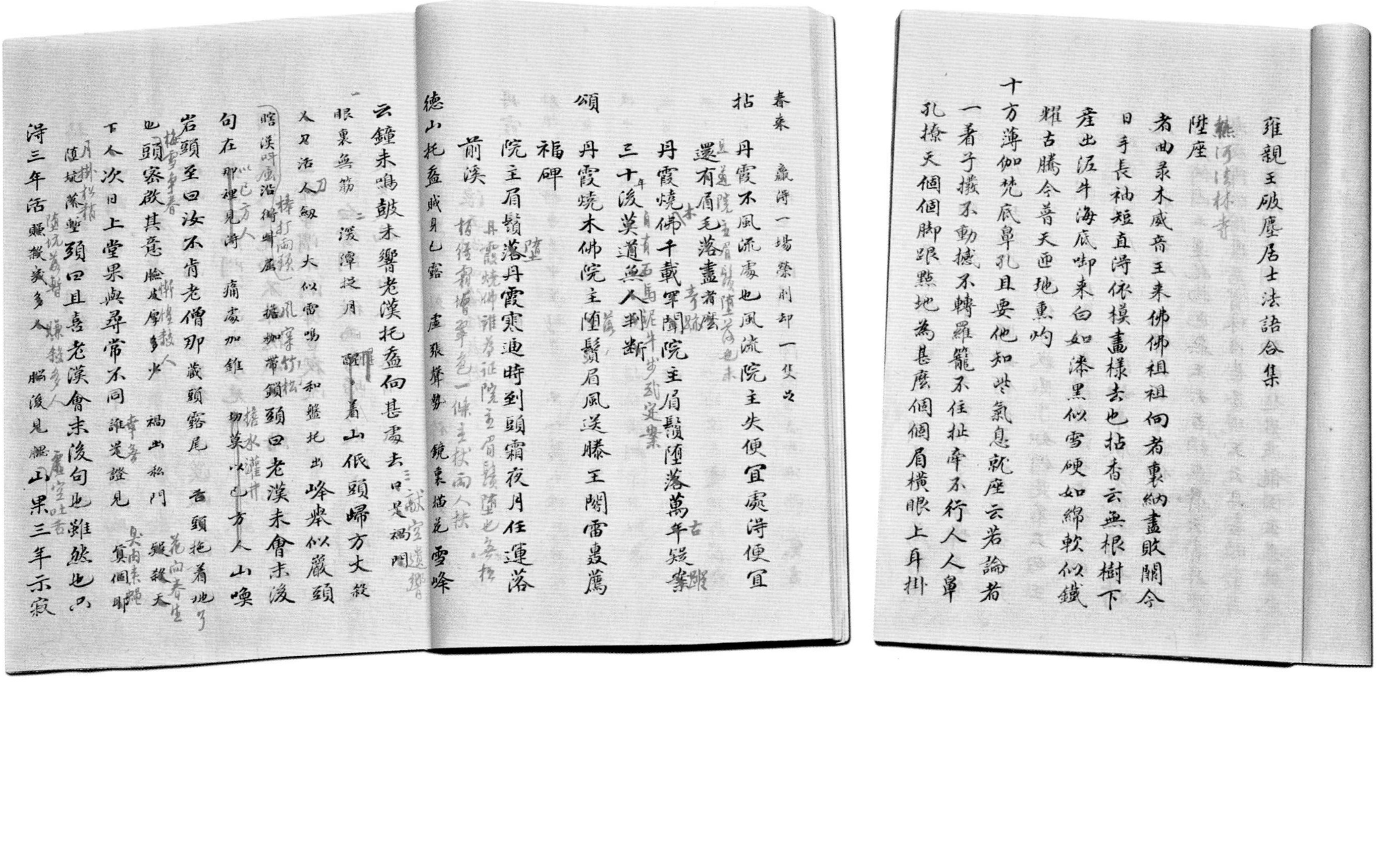

【二·三·四】

【二·三·五】元旦開筆

乾隆、嘉慶朝，漢文，紙質，片。

元旦開筆是清宮的禮儀習俗。

每逢元旦丑時（凌晨兩點），皇帝在爆竹聲中，到養心殿各處拈香，然後到養心殿東暖閣明窗處開筆寫「吉」字或「三陽啟泰，萬象更新」等字。祈求在新的一年裡，吉祥如意。清代這種習俗始於雍正年間。以後各帝均仿行之。

此幾件為乾隆六十年（一七九五年）、嘉慶元年（一七九六年），皇帝的元旦開筆字箋。

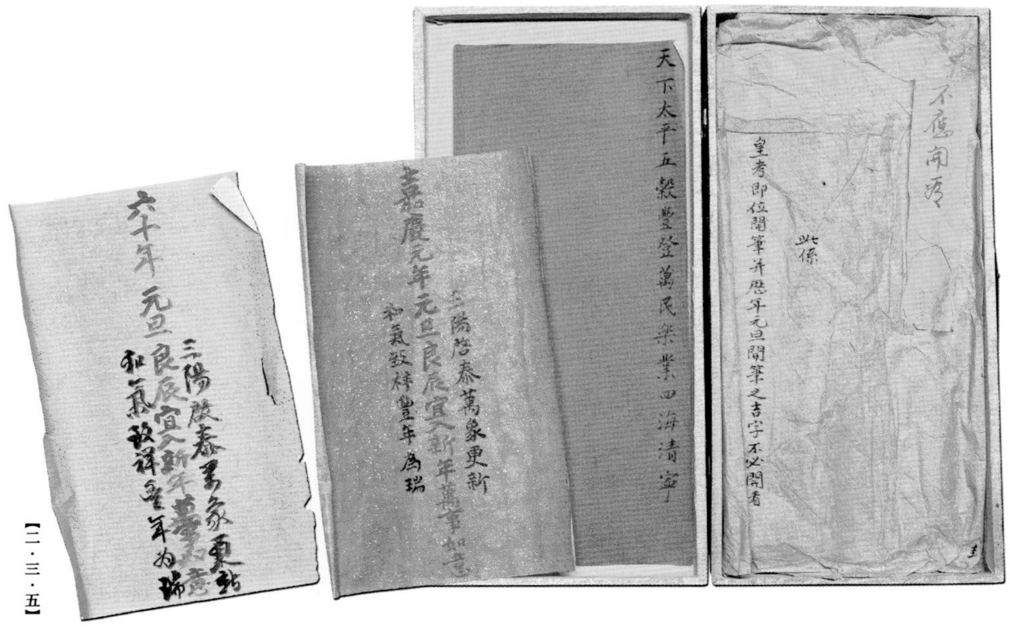

【二·三·五】

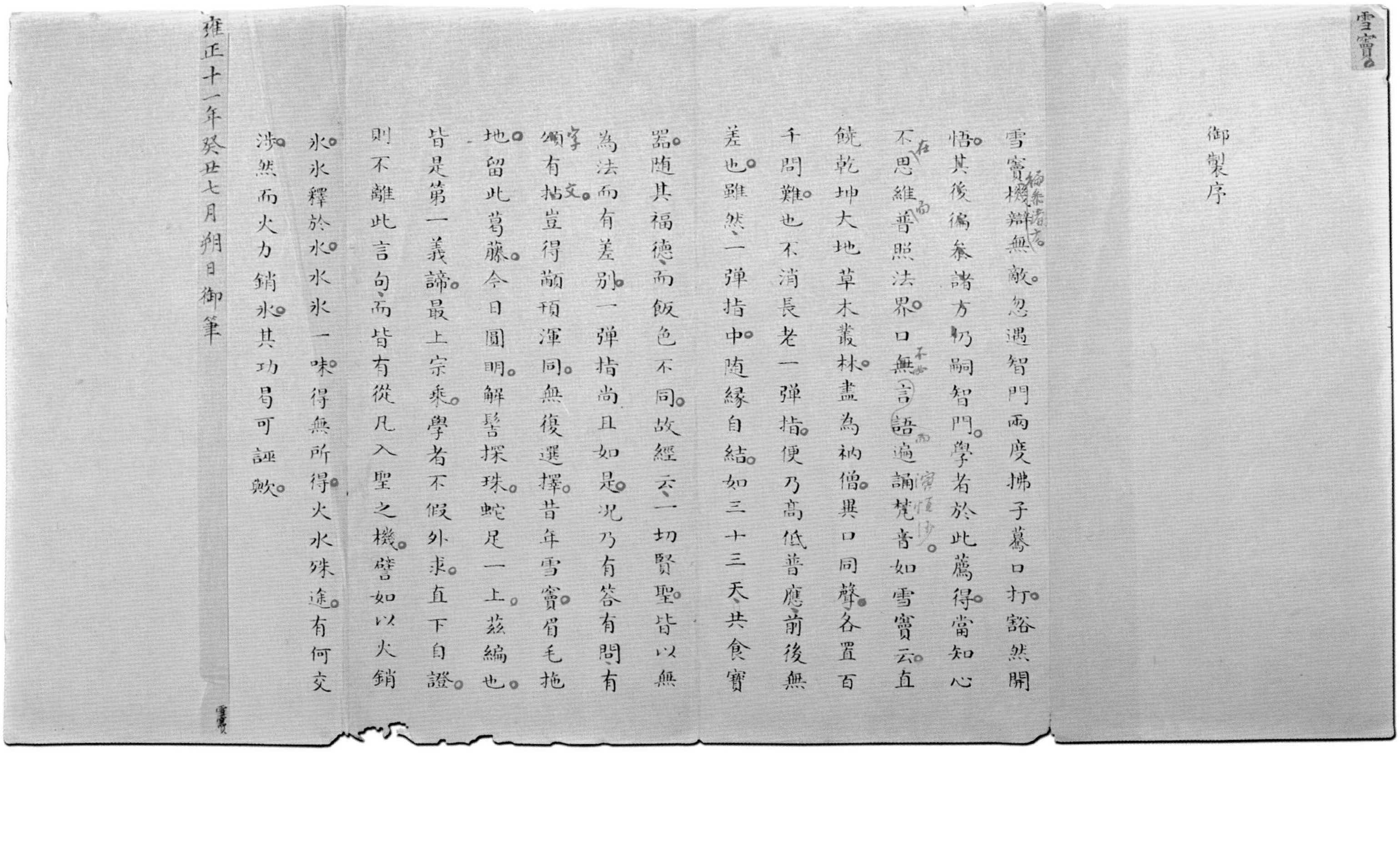
雪竇

御製序

雪竇機鋒無敵。忽遇智門兩度拂子驀口打。豁然開悟。其後徧參諸方。紹嗣智門。學者於此驀得當知心不思維。普照法界。口無言語。適誦梵音。如雪竇云。直饒乾坤大地草木叢林。盡為衲僧。異口同聲。各置百千問難。也不消長老一彈指。便乃高低普應。前後無差也。雖然。一彈指中。隨緣自結。如三十三天。共食寶器。隨其福德。而飯色不同。故經云。一切賢聖。皆以無為法而有差別。一彈指尚且如是。況乃有荅有問。有拈有頌。豈得顢頇渾同。無復選擇。昔年雪竇眉毛拖地。留此葛藤。今日圓明。解髻探珠。蛇足一上。茲編也。皆是第一義諦。最上宗乘。學者不假外求。直下自證。則不離此言句。而皆有從凡入聖之機。譬如以火銷冰。冰釋於水。水冰一味。得無所得。火水殊途。有何交涉。然而火力銷冰。其功曷可誣歟。

雍正十一年癸丑七月朔日御筆

【二·三·四輔①】

【二・三・六】康熙帝算草

康熙帝（玄燁）是一位勤奮好學的皇帝。他一生學習的知識門類相當廣泛，他除了研究中國傳統的經史文學之外，還請西洋傳教士教他學習數學、天文學、地理學、醫學等。此件為康熙帝演習數學的算草。

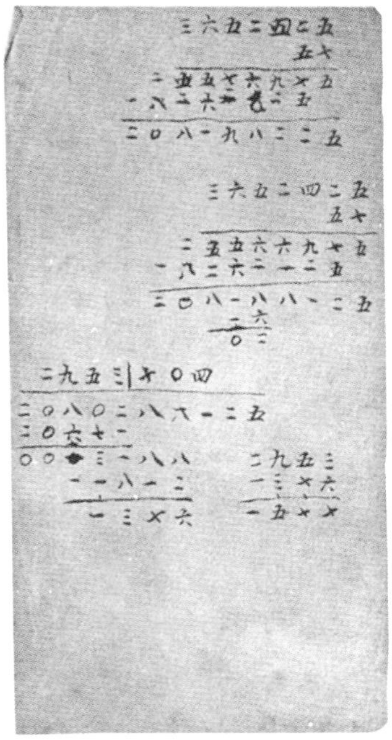

【二・三・六】

【二・三・七】十五阿哥詩稿

乾隆朝，漢文，紙質，摺，片。

此幾幅詩稿為乾隆帝第十五皇子顒琰（嘉慶帝）所作。這些詩多為其恭和父皇御製詩而作。另一些為遊覽時即興而作。詩成之後由他的教師逐段逐句地加以修改。

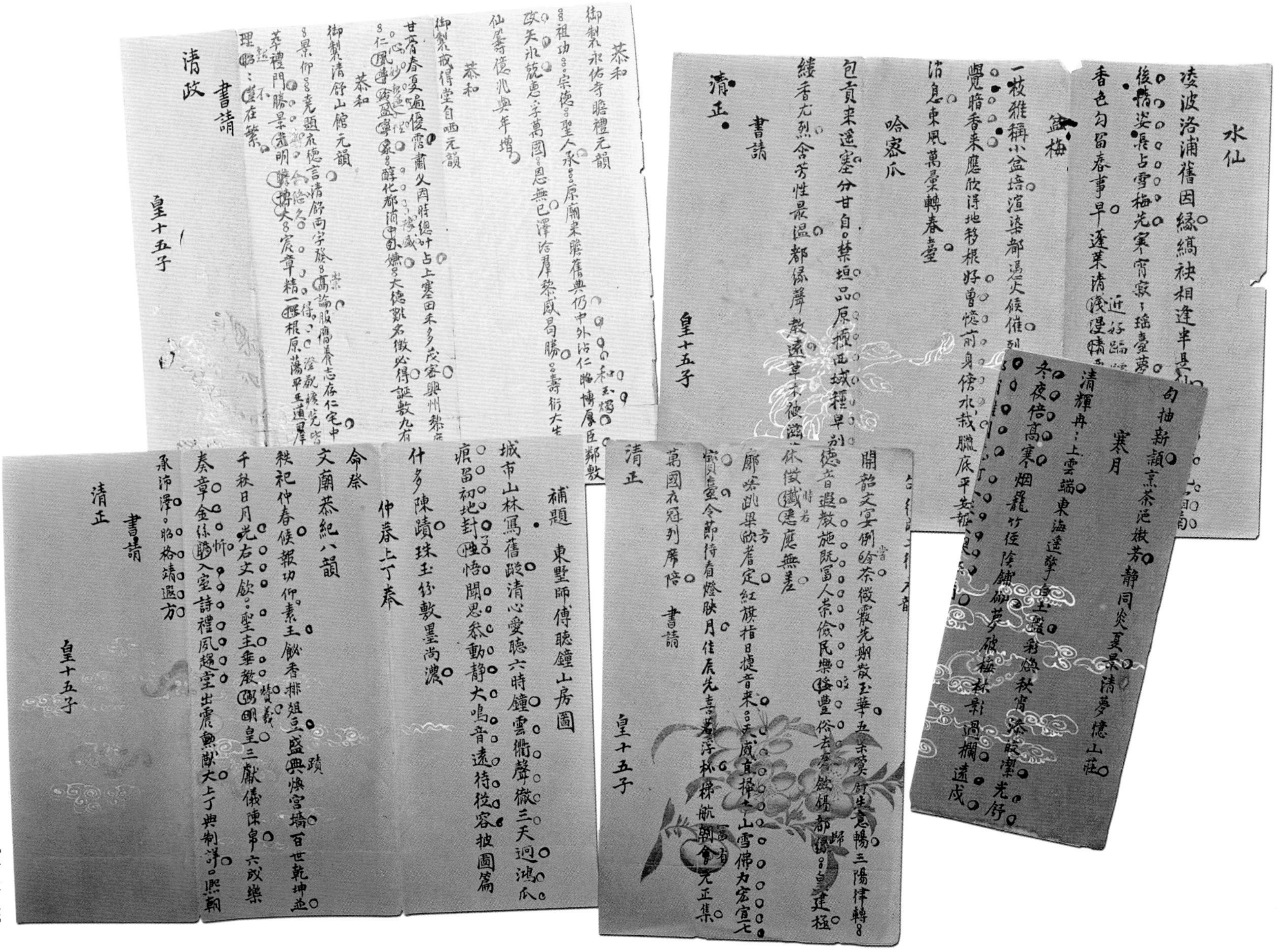

【二・三・七】

【二·三·八】顒琰（嘉慶帝）書文

乾隆朝，石鼓文，絹質，片，16.5cm × 26.5cm。

皇子從小受到精心的教育和嚴格的訓練。六歲起入上書房唸書，由皇帝選定學識淵博的翰林大學士為老師，教習《四書》、《五經》，滿、蒙、漢文字等，還派人教他們練習弓箭騎射。

此件為嘉慶帝做皇子時為父皇書寫的石鼓文字。後由宮中匠役將書文補織在有精美圖案的絲絹上，稱為「緙絲」。

【二·三·九】光緒皇帝御筆

清光緒二十一年（一八九五年）至三十三年（一九〇七年），漢文，五色彩繪紙質，簿冊，26cm × 16cm × 10cm。

係光緒帝平時抄錄清朝先世皇帝重要諭旨及詩、書、禮、易各書章節的合訂冊。

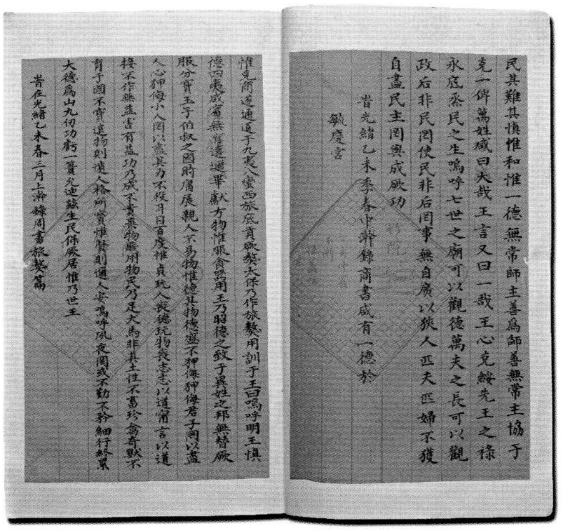

【二·三·九】

【二·三·八】

【二・三・一〇】溥儀字畫

①篆字，漢文，絹質，片，27cm × 21cm。

②畫，紙質，片，25.5cm × 20cm。

③英文，紙質，片，10cm × 16cm。

溥儀六歲開始讀書，地點在宮中毓莊宮。漢文老師有陳寶琛、陸潤庠、徐坊、朱益藩、梁鼎芬，滿文老師是伊克坦。十四歲時，開始學英文，老師是英國人莊士敦。他學習的課程包括十三經及《聖諭廣訓》、《大清開國方略》等。

此三件為溥儀習字學畫及學習英文的功課。

【二・三・一〇輔】溥儀照片

溥儀，姓愛新覺羅（一九〇六—一九六七年），是清朝最後一位皇帝。一九〇八年光緒帝死後，祇有三歲的溥儀繼承皇位，改年號「宣統」，由其父載灃監國攝政。一九一一年辛亥革命爆發，祇當了三年皇帝的溥儀被迫退位。按照優待皇室條件，民國政府每年向溥儀小朝廷發付四百萬元。一九二四年馮玉祥發動「北京政變」，溥儀被驅逐出宮，一九二五年二月移居天津。一九三一年潛往東北，在侵華日軍策劃下建立偽滿洲政權，一九三四年三月稱帝。日本投降後，一九四五年八月在逃往日本途中被蘇軍俘獲，一九五〇年八月移交中國。後曾擔任中國人民政治協商會議委員、北京文史館館員。一九六七年在北京病逝，終年六十二歲。

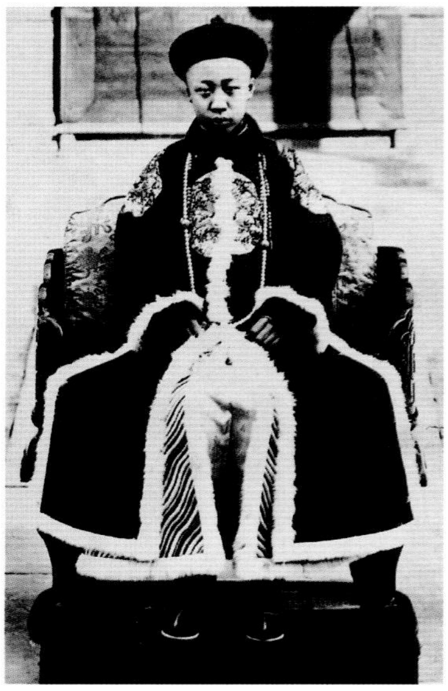

【二・三・一〇輔】

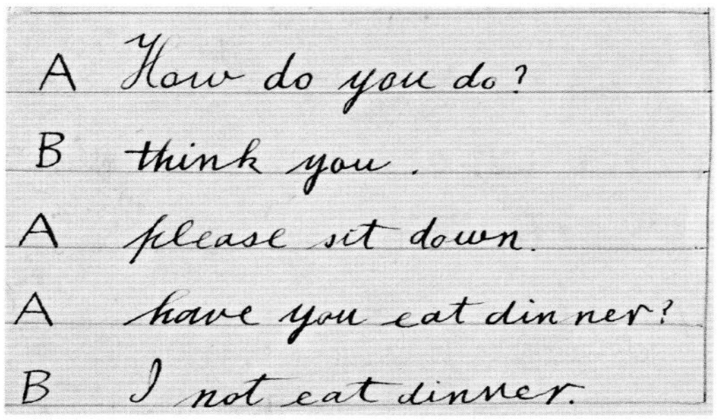
A How do you do?
B think you.
A please sit down.
A have you eat dinner?
B I not eat dinner.

【二・三・一〇③】

【二・三・一〇①】

仿李迪寫意
戊辰夏夜偶畫

【二・三・一〇②】

【二·三·一一】圍場撒圍圖

清朝，滿漢文合璧，紙質，片，55cm × 47.5cm 。

清代從入關後，便循元明舊址，在北京永定門外南苑建立了圍場，順治皇帝每年都要率大批王公貴族到南苑行圍。從順治八年（一六五一年）起，又將狩獵的範圍擴大到塞外。康熙年間，他把北狩（即到塞外行圍打獵）作為團結蒙古各部落和進行大規模軍事演習，以鞏固北疆的一項政務活動。至康熙二十年（一六八一年），在塞外正式建立了圍場。確立圍場「東北為翁牛特界，東及東南為喀喇沁界，北為克什克騰界，西北為察哈爾正藍旗界，正南迤西為豐寧縣，迤東為承德府界」，周圍方圓一千三百餘里。並在其地樹柵界、設關卡、派八旗官兵把守，正式設立了七十二處圍場。康熙二十年後，他幾乎每年五月都要離京到圍場打獵。

圍獵分「合圍」（即將隨圍官兵分成左右兩翼，舉藍旗為前哨，由遠至近包抄圍場，驅趕獵物）、「哨鹿」（即命數十名隨圍兵士頭戴鹿首，藏於叢林，吹響鹿哨將鹿誘出）兩種，其中哨鹿在滿語中稱為「木蘭」，因而圍場又稱為「木蘭圍場」。

此件為皇帝圍場合圍圖。

【二·三·一一輔】清皇子習武用小弓、撒袋

【二·三·一二】皇帝與皇子圖

此圖表現了皇帝與皇后（或皇妃）於陽光和煦的秋日，穿便裝在圓明園慎德堂觀看皇子、公主與狗嬉戲的情景。畫家在圖中描繪了帝王家庭中的天倫之樂。

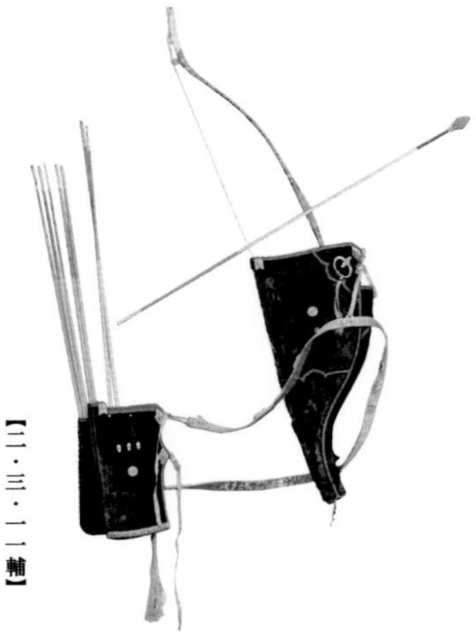

【二·三·一一輔】

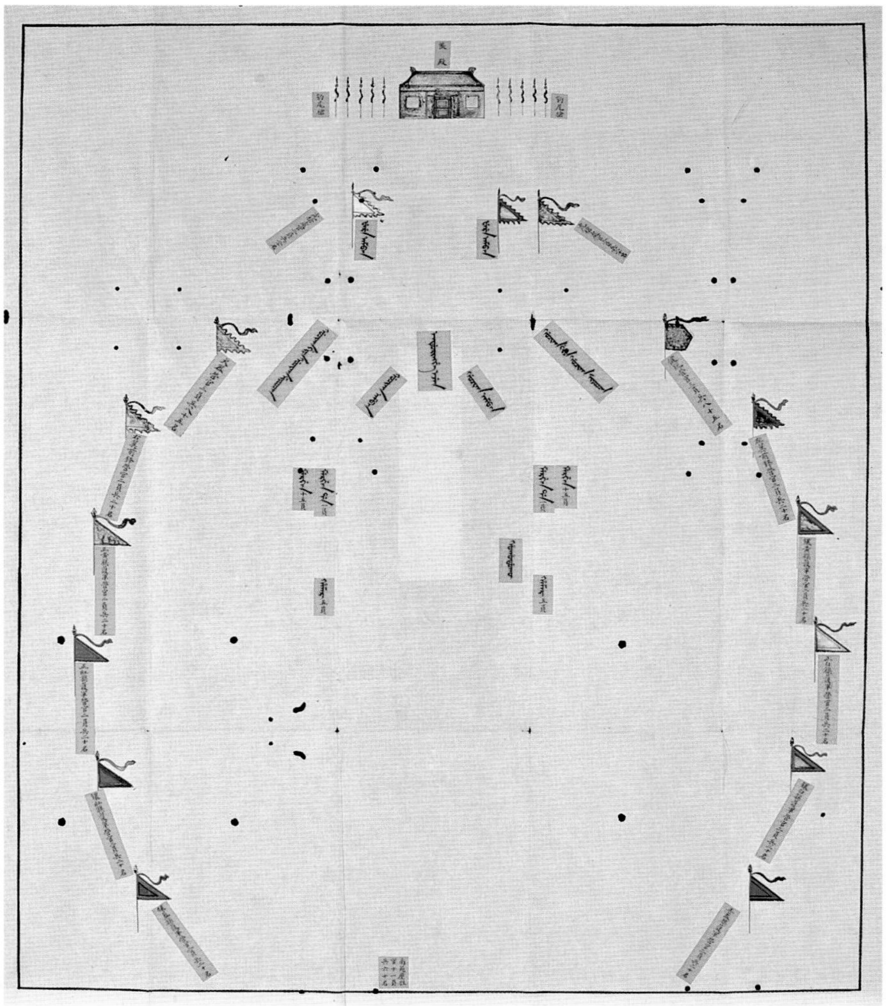

【二·三·一一】

【二·三·一二】

【二·三·一三】內起居註

①乾隆五十八年(一七九三年)正月，漢文，紙質，冊。

②乾隆五十八年(一七九三年)正月初一日至十二月二十九日，漢文，紙質，摺，每扣 23cm × 12cm，九十八扣。

「內起居註」是記註皇帝每日生活起居的冊籍。它主要記載皇帝祭祀、行禮、問安、親臨、駐蹕等項活動。內起居註有兩種：一為冊裝，每月一冊；一為摺裝，將每年之事聯抄一帙，存於宮中。

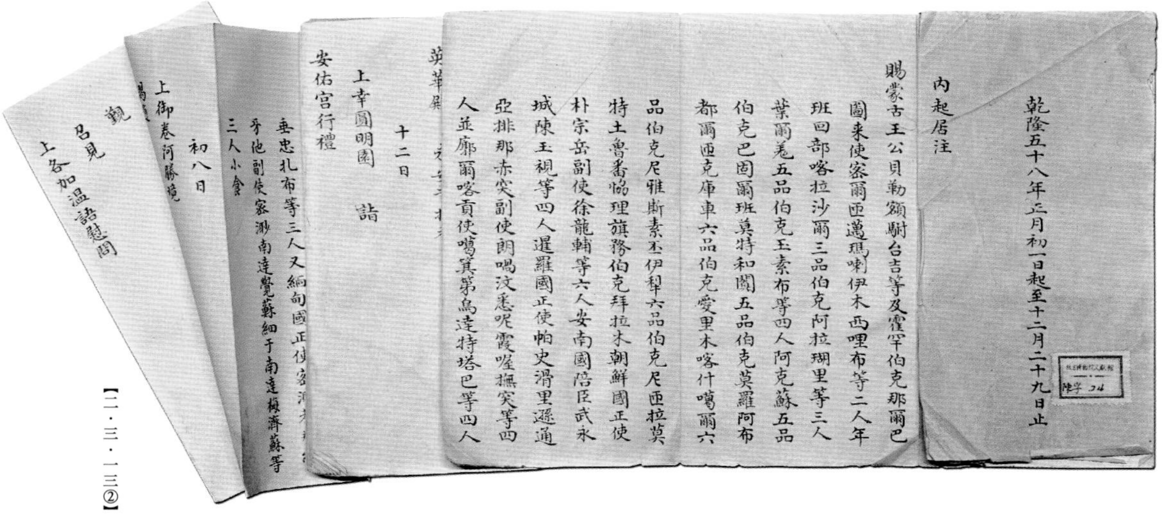

乾隆五十八年二月初一日起至十二月二十九日止

內起居注

賜蒙古王公貝勒額駙台吉等及霍罕伯克那爾巴
圖來使密爾匝邁瑪喇伊木西哩布等二人年
班回部喀拉沙爾三品伯克阿拉瑚里等三人
葉爾羌五品伯克玉素布等四人阿克蘇五品
伯克巴圖爾莫特和闐五品伯克莫羅阿布
都爾匝克庫車六品伯克愛里木喀什噶爾六
品伯克尼雅斯素丕伊犁六品伯克尼匝拉莫
特土魯番協理旗務伯克拜拉木朝鮮國正使
朴宗岳副使徐龍輔等六人安南國陪臣武永
域陳玉視等四人暹羅國正使帕史滑里遜通
亞排那赤突副使朗呵汶悉呢霞嘆撫突等四
人並廓爾喀貢使噶箕第烏達特塔巴等四人

十二日

上幸圓明園　詣

安佑宮行禮

初八日

上御卷阿勝境

召見

上各加溫諭慰問

【二·三·一三②】

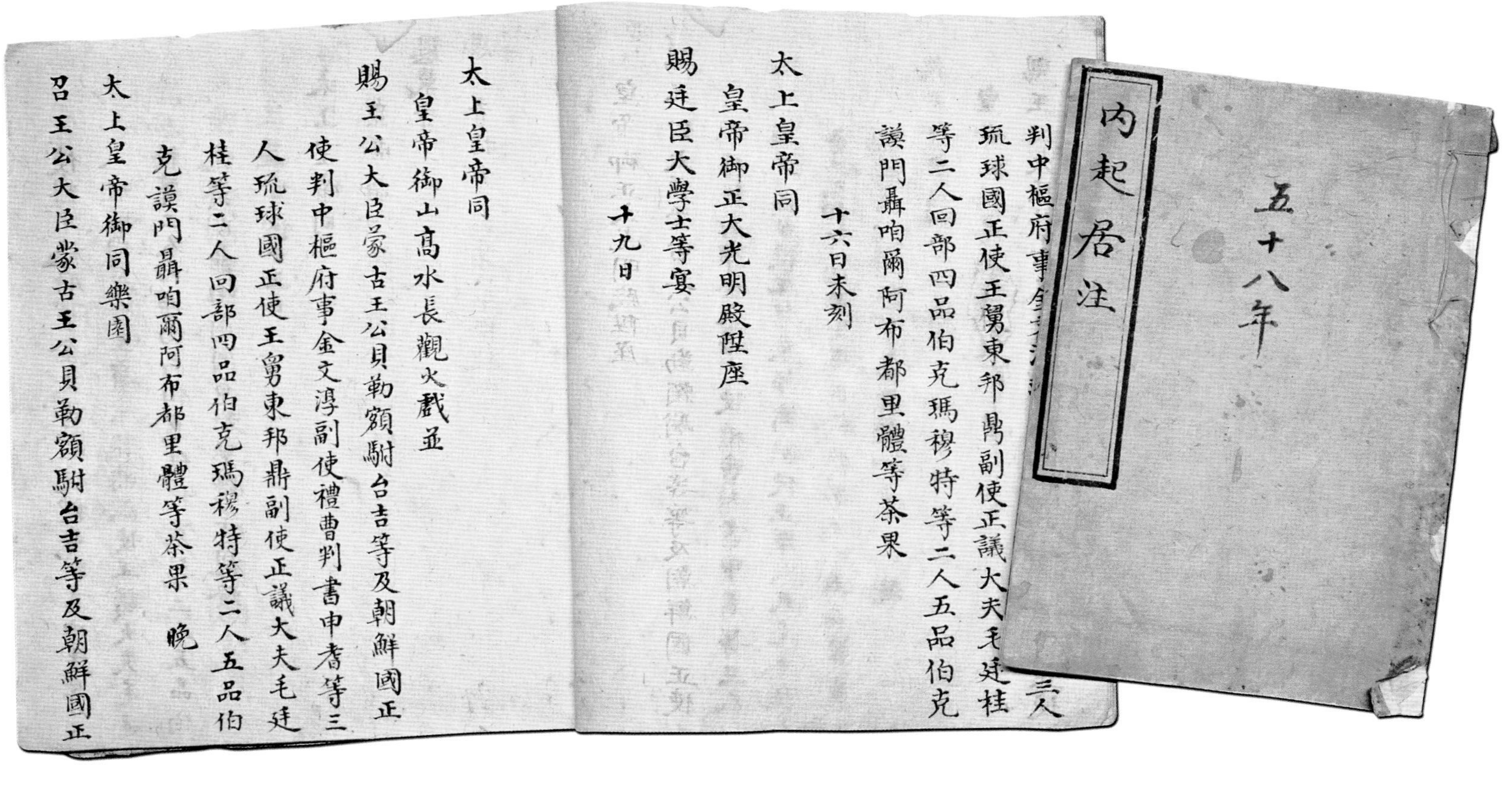

內起居注

五十八年

判中樞府事金……三人
琉球國正使王舅東邦鼎副使正議大夫毛廷桂
等二人回部四品伯克瑪穆特等二人五品伯克
謨門轟咱爾阿布都里體等茶果

十六日未刻

太上皇帝同
皇帝御正大光明殿陞座
賜廷臣大學士等宴

十九日

太上皇帝同
皇帝御山高水長觀火戲並
賜王公大臣蒙古王公貝勒額駙台吉等及朝鮮國正
使判中樞府事金文淳副使禮曹判書申耆等三
人琉球國正使王舅東邦鼎副使正議大夫毛廷
桂等二人回部四品伯克瑪穆特等二人五品伯
克謨門轟咱爾阿布都里體等茶果　晚
太上皇帝御同樂園
召王公大臣蒙古王公貝勒額駙台吉等及朝鮮國正

【二·三·一三①】

【二·三·一四】宮中進單

① 漢文，面底錦質上有金線繡「萬壽」字樣，摺絹、文紙質，摺，每扣22cm × 11cm，十扣。

② 漢文，面錦，摺絹，文紙質，摺，每扣29cm ×13cm，二十扣。

進貢是封建制度之一，下納於上謂之貢。自古以來它是屬下對君主的義務之一。進貢的種類很多，如土貢、外國貢、藩貢等。進貢時，連同記載貢品名稱的進單一同呈獻給皇帝。貢單大小無固定，用料也不固定，一般有錦、綾、絹、紙等幾種。

此為其中的兩種。

【二·三·一五】康熙萬壽慶典圖

康熙朝，紙質，摺，39cm ×41cm。

宋代以來稱皇帝生日為「萬壽節」。萬壽為祝頌福壽之敬詞。每逢此時皇帝皆舉行大朝，御正殿受文武群臣慶祝。

康熙帝姓愛新覺羅，名玄燁（一六五四—一七二二年）。八歲繼位登極，年號康熙，十四歲親政，是清朝諸皇帝中頗有作為的皇帝。其在位期間平定三藩、收復台灣、簽訂《中俄尼布楚條約》、平定准噶爾、入藏平叛等，為統一祖國、鞏固邊疆做出了巨大貢獻。此外他還注意發展農業、治理河流，使其國庫豐盈，百姓安寧，為「康乾盛世」打下了堅實的基礎。康熙六十一年（一七二二年）十一月十三日戊刻駕崩，葬於清東陵的景陵，廟號「聖祖」。

此兩件為康熙皇帝萬壽時，京城各地所設慶賀景點的盛況。

【二·三·一五】

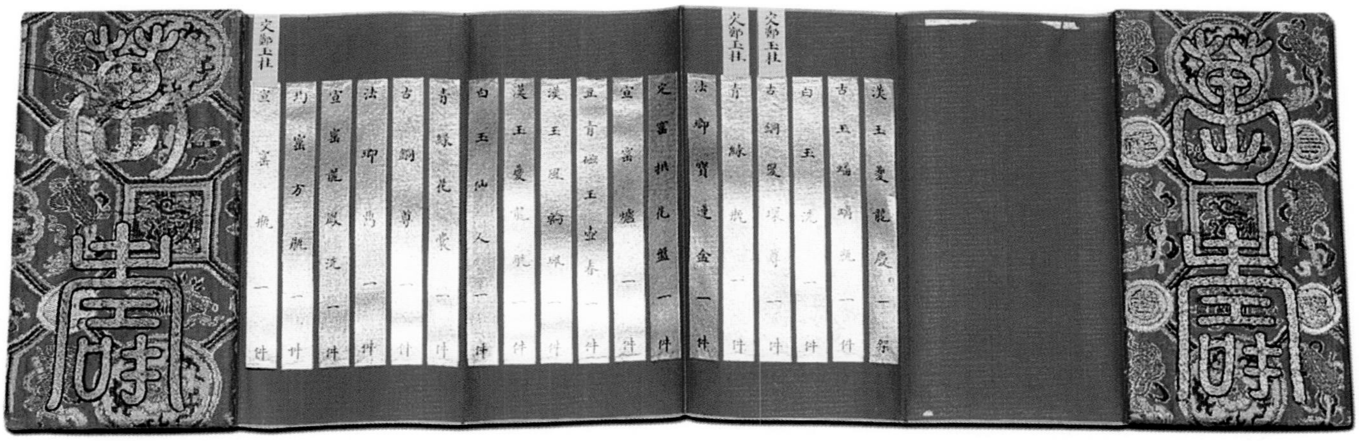

【二·三·一四①】

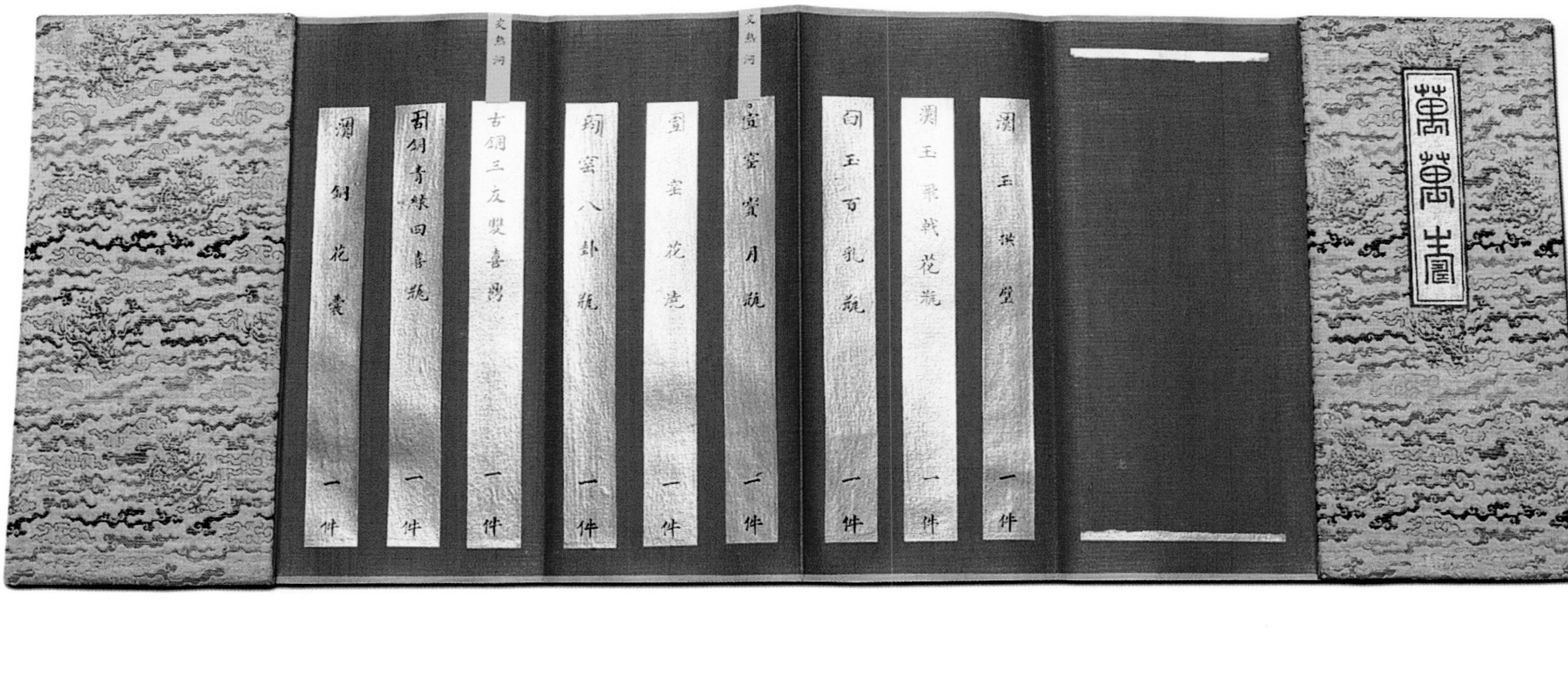

【二·三·一四②】

【二·三·一六】南巡詩冊

乾隆朝。

① 小冊，漢文，面錦質，文紙質鑲綾邊，摺，每扣23cm×14.5cm。

② 大冊，漢文，面錦質，文紙質，摺，每扣22.5cm×16cm。

清康熙皇帝一生中曾六巡浙江。至乾隆皇帝仿照其祖父之舉，亦六下江南。六次南巡，乾隆帝遊賞了江南名勝，視察河工、海塘，閱兵，看機房，祭明陵，謁孔廟。一路上所經府縣之官員們無不隆重迎送，且紛紛進詩為其歌功頌德。

此兩件分別為國子監司業諸敏、朱珙，原任河南按察使沈廷芳等恭進的南巡頌。詩是用五言、七言等體裁書寫。

【二·三·一六輔】南巡圖

此畫面反映了康熙帝南巡將至江寧(今南京)時，三山街等繁華地區家家張燈結綵，設案焚香，安搭過街天棚，準備迎駕的熱鬧場面。

【二·三·一六輔】

【二·三·一六①】

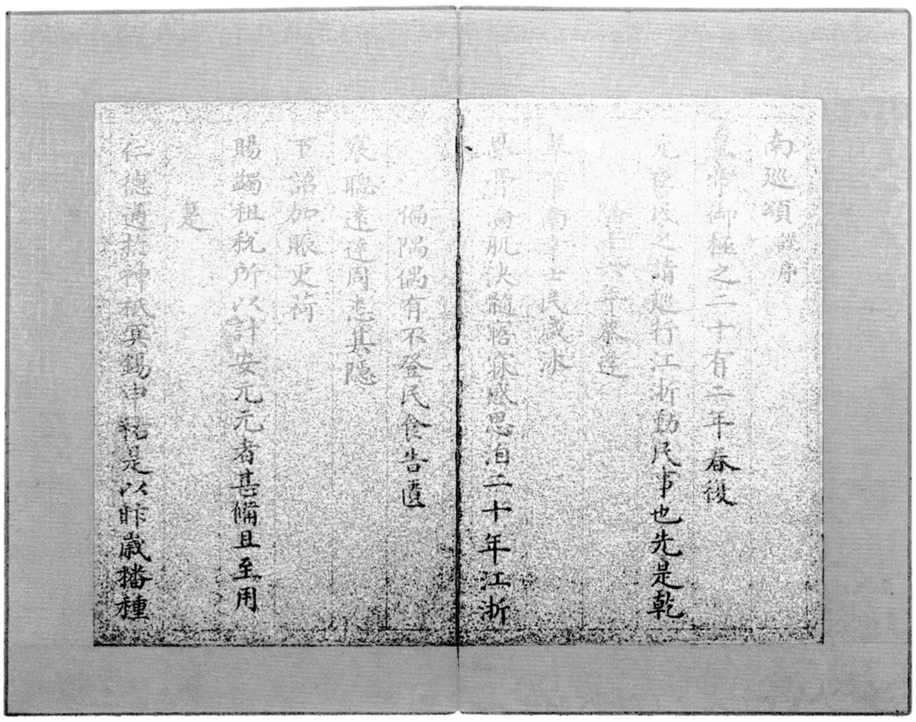

南巡頌[illegible]
皇帝御極之二十有二年春復
允[illegible]之請巡行江浙勤民事也先是乾
[illegible]年恭逢
[illegible]
[illegible]感恩洎二十年江浙
偏隅偶有不登民食告匱
宸聰遠達周悉其隱
下詔加賑又荷
賜蠲租稅所以計安元元者甚備且至用
是
仁德通於神祇[illegible]是以昨歲播種

【二·三·一六②】

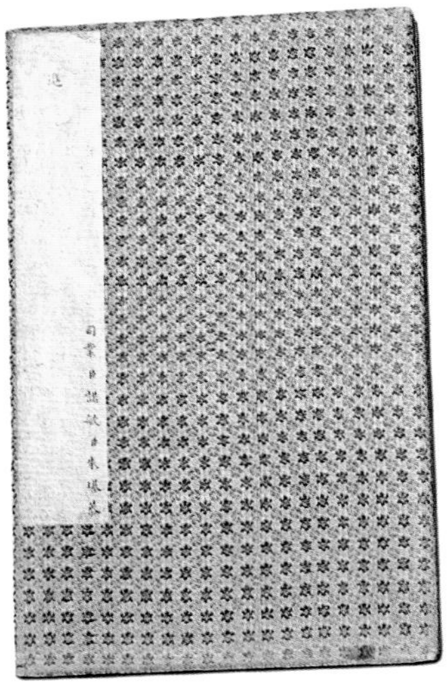

【二・三・一七】乾隆帝八字

乾隆朝，漢文，紙質，295cm × 28cm。

即根據乾隆皇帝出生年月日時所值干支，為其推卦算卜的記錄。乾隆係清朝入關後第四位皇帝，名弘曆，生於康熙五十年八月十三日(一七一一年九月二十五日)子時。據推算，其八字大吉大旺，一生福祚無疆。原檔共三件，一件係先釋說當日天象圖，後推算其一生命運，此件尺寸較大，另兩件僅推算其命運，尺寸略小。在現存清宮檔案中，尚未發現其他諸帝八字之記錄，是為特例檔案。

【二・三・一八】乾隆帝刺虎圖

清朝以騎射得天下，入關後諸帝遵守祖訓，不忘騎射，特別是早中期的皇帝，均有較好的武功。乾隆皇帝在其十二歲時，就曾隨康熙帝赴木蘭圍場圍獵射虎，繼位後每年木蘭秋狩，既是休閑娛樂，也是習武。此為宮廷畫家所繪的刺虎圖。

【二・三・一八】

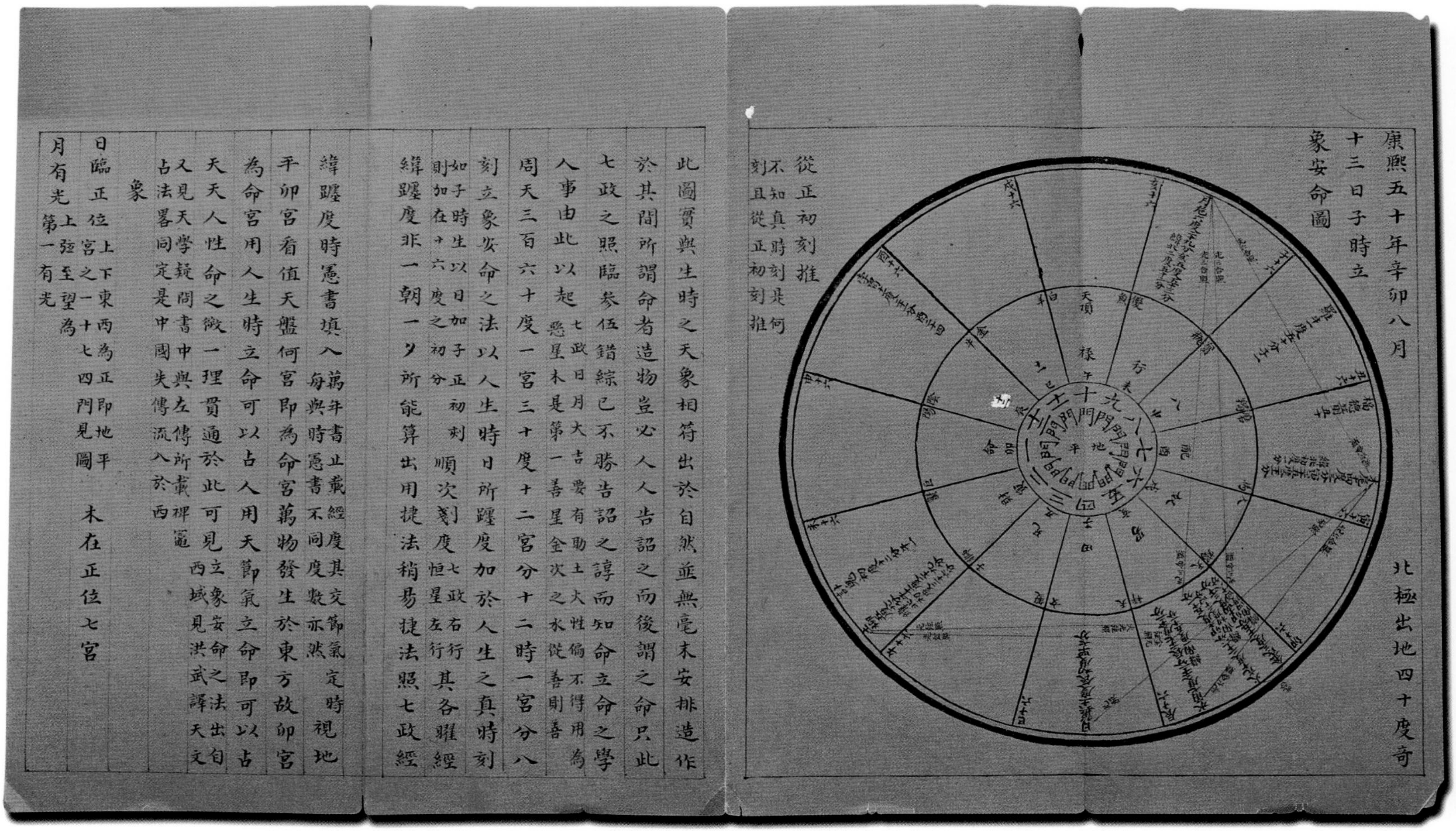

康熙五十年辛卯八月十三日子時立象安命圖

從正初刻推（不知真時刻是何刻且從正初刻推）

北極出地四十度奇

此圖實與生時之天象相符出於自然並無毫末安排造作於其間所謂命者造物豈必人人告詔之而後謂之命只此七政之照臨參伍錯綜已不勝告詔之諄而知命立命之學人事由此以起（七政日月大吉要有助土大性偏不得用為惡星木是第一善星金次之水從善則善）

周天三百六十度一宮三十度十二宮分十二時一宮分八刻立象安命之法以人生時日所躔度加於人生之真時刻（如子時生以日加子正初刻則加在十六度之初分）順次刻度（七政右行恒星左行）其各躔經緯躔度非一朝一夕所能算出用捷法稍易捷法照七政經緯躔度時憲書填入（萬年書止載經度其交節氣定時每與時憲書不同度數亦然）視地平卯宮看值天盤何宮即為命宮萬物發生於東方故卯宮為命宮用人生時立命可以占人用天節氣立命即可以占天天人性命之微一理貫通於此可見（立象安命之法出自西域見洪武譯天文又見天學疑問書中與左傳所載裨竈占法畧同定是中國失傳流入於西）

象

日臨正位（上下東西為正即地平之十七四門見圖）　木在正位七宮

月有光（上弦至望為第一有光）

【二・三・一七】

【二·三·一九】宮中日曆

光緒三十年（一九〇四年），漢文，紙質，片，20.5cm×30cm。

【二·三·二〇】脈案

光緒三十三年（一九〇七年），摺單，漢文，黃色紙質，15cm×20cm；簿冊，漢文，黃綾封，22cm ×27cm ×1cm。

脈案，即清宮御醫為帝后及皇室其他重要成員治病時辨脈、用藥的記錄，分摺單及簿冊兩種。摺單為當次的看病用藥記錄、大小不等；簿冊一般為幾個月的治病記錄。現存最多的是同治、光緒兩朝帝后妃嬪的脈案。

此為光緒帝三十四年（一九〇八年）脈案。

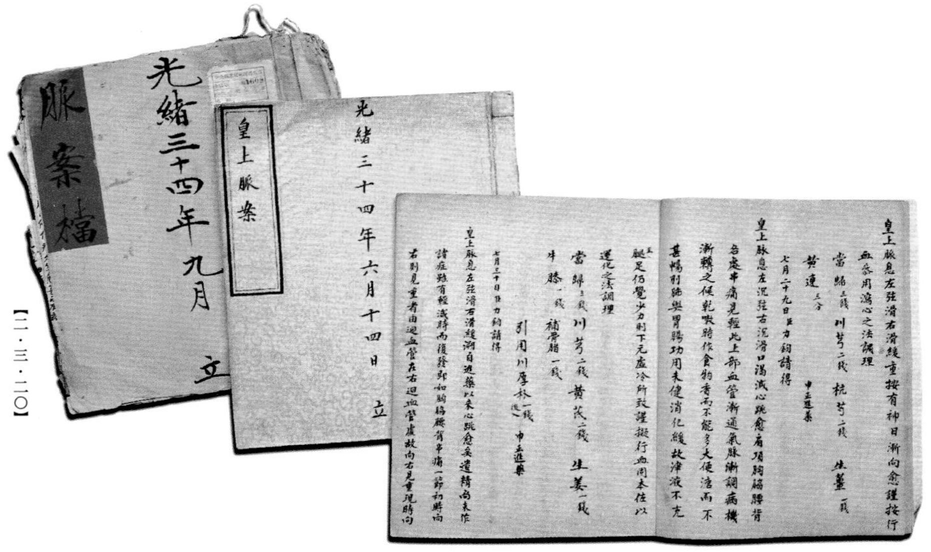

【二·三·二〇】

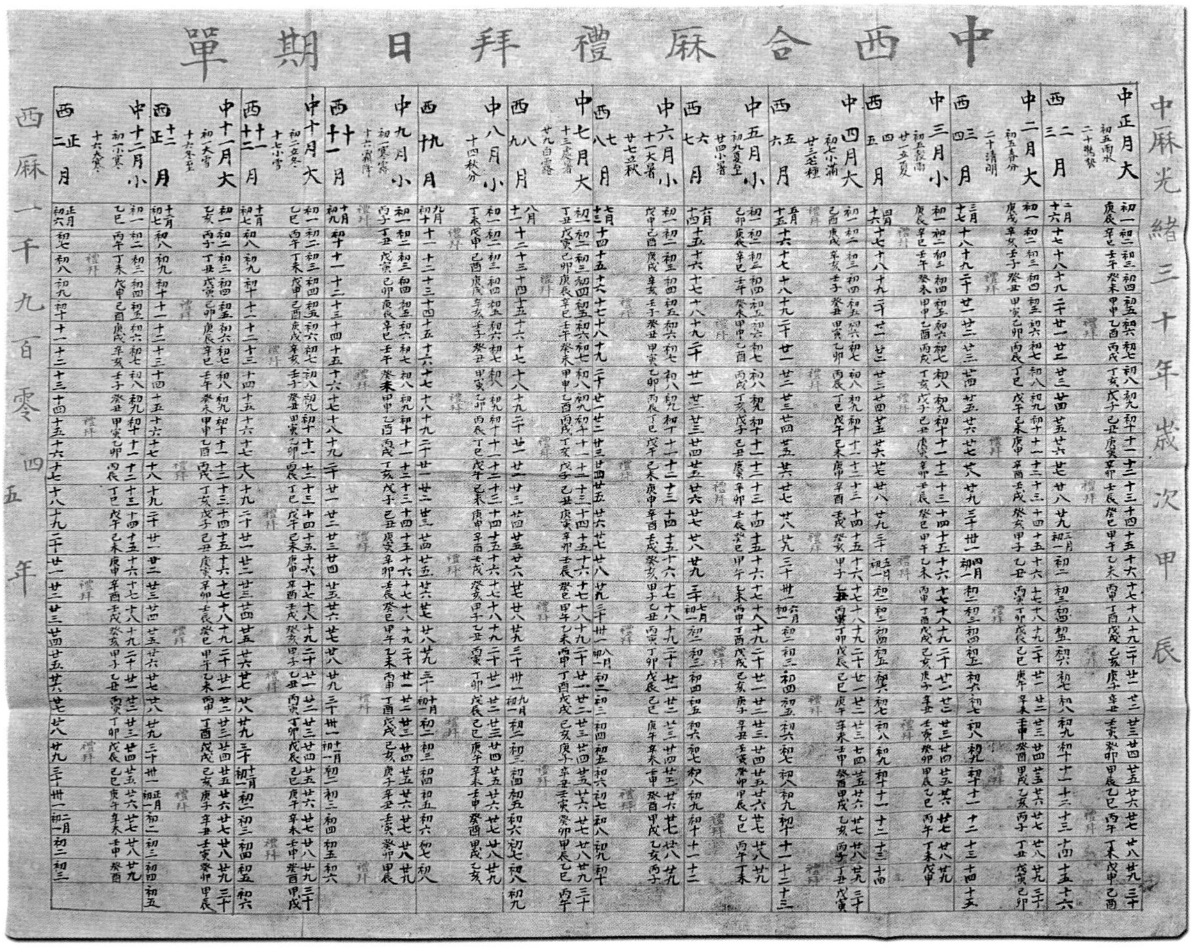

【二·三·一九】

【二・三・二一】壽皇殿供像冊

光緒朝，漢文，黃色紙質，每扣24cm × 10cm，五扣。

壽皇殿，位於北京景山內，建成於明代，重建於清乾隆十四年（一七四九年）。清代帝后靈柩運往陵寢前，棺槨停放於此。內供奉清先世諸帝后畫像。畫像冊係記錄殿內帝后畫像數及掛放順序之冊籍，黃綾繪雙龍封面，貯黃木匣內，存於清宮內務府。

【二・三・二二】皇帝法駕鹵簿圖

光緒朝。

古代帝王出行時，車駕排列，稱為「鹵簿」。清初鹵簿分大駕鹵簿、行駕儀仗、行奉儀仗三種，乾隆時改為法駕、鑾駕、騎駕三種。法駕鹵簿為祭祀時使用之鹵簿。陳列於路的有六組，第一組為車，第二組是扇，第三組是旛，第四組是旌、旗，第五組是鉞、爪、杖等，第六組為樂隊。隨皇帝走的戟、槍、矢、刀隊後，是持香爐、香盒等者，然後是仗馬、皇帝御輅、御輿，最後是護從。

此圖僅為法駕鹵簿中的一小部分。

【二・三・二二】

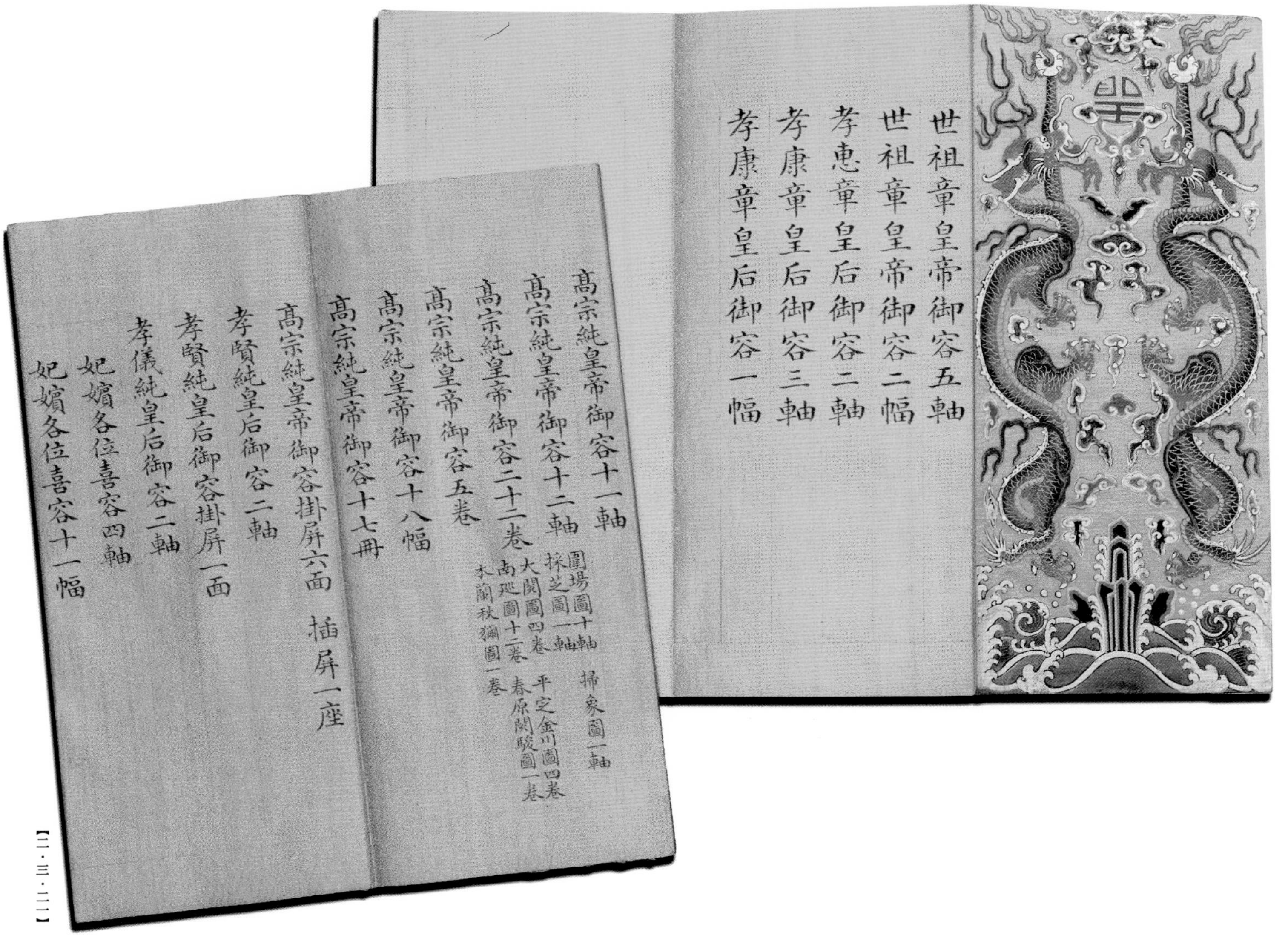

【二・三・二一】

【二·三·二三】帝后膳食檔

①膳底，乾隆五十七年（一七九二年）、五十八年（一七九三年），紙質，21cm × 34cm × 0.8cm。

②膳單，漢文，紙質，27cm × 210cm。

清朝帝后吃飯叫「用膳」、「進膳」。所以記載清代帝后每天早晚吃飯情況之檔冊即為膳食檔。分膳單、膳底兩種。膳單摺式，前期膳單，記註每日為帝后做飯所用菜蔬、配料及折合銀兩等，粘連為卷，故又稱「卷單」。同治朝起，每兩天記載粘為一張，每月用紙捻串連成冊，仍稱「卷單」，內容則同膳底。膳底為簿冊式，主要記載帝后每餐時間、地點、飯桌、碗、盤式樣，詳細菜譜，並由何人烹調及賞賜情況等，一般每月一冊。平時的記錄稱「節次照常膳底檔」，出巡時的記錄按其出巡地點不同，分別稱「江南節次照常膳底檔」、「盛京節次照常膳底檔」、「山東節次照常膳底檔」等等。膳底膳單均由御膳房記註。該檔是研究了解清帝后日常生活及研究中國飲食文化的重要資料。

【二·三·二三①】

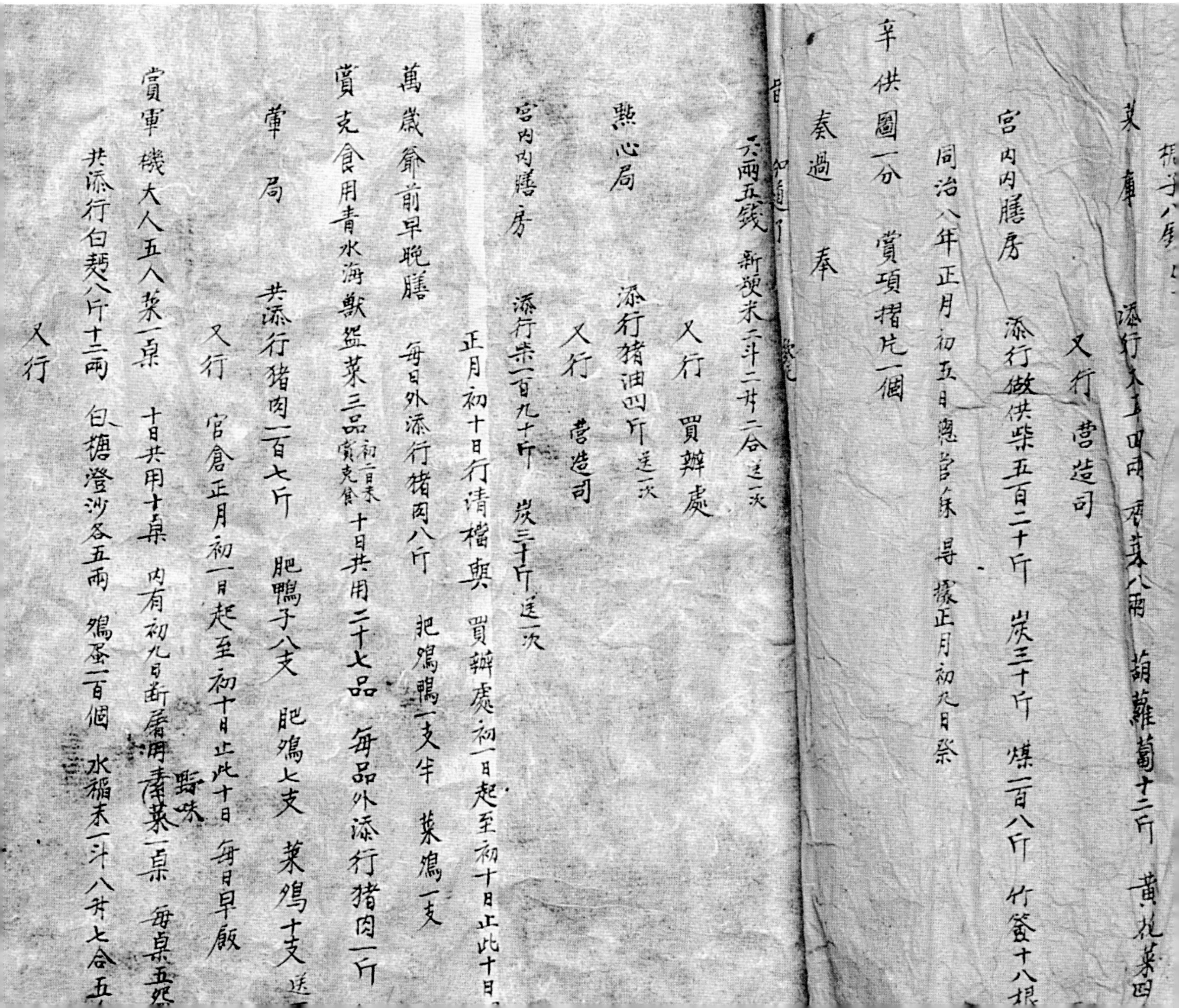

菜庫　添行大士四兩　香菜八兩　葫蘿蔔十二斤　黃花菜四

又行　營造司

宮内内膳房　添行做供柴五百二十斤　炭三十斤　煤一百八斤　竹簽十八根

同治八年正月初五日總管…據正月初九日祭

辛供圖一分　賞項摺片一個

奏過　奉

旨知道了欽此

六兩五錢　新粳米二斗二升二合　送一次

又行　買辦處

點心局　添行猪油四斤　送一次

又行　營造司

宮内内膳房　添行柴一百九十斤　炭三十斤　送一次

正月初十日行請檔輿　買辦處初一日起至初十日止此十日

萬歲爺前早晚膳　每日外添行猪肉八斤　肥鴨一隻半　菜鴨一隻

賞克食用青水海獸盌菜三品（初一日未賞克食）　十日共用二十七品　每品外添行猪肉一斤

葷局　共添行猪肉一百七斤　肥鴨子八隻　肥鴨七隻　菜鴨十隻　送

又行　官倉正月初一日起至初十日止此十日　每日早飯

賞軍機大人五人菜一桌　十日共用十桌　内有初九日斷屠用素菜一桌　野味　每桌五兩

共添行白麪八斤十二兩　白糖澄沙各五兩　鴿蛋一百個　水稻米一斗八升七合五

又行

【二・三・二三輔】清宮製糕點工具及餐具

清宮所用餐具，質地多為金、銀、銅、錫、玉等貴重質料鑄造。皇帝皇后所用金銀等具，每屆十年，欽派王大臣查驗一遍，不堪應用者，交廣儲司，由造辦處依樣打造。精細瓷具，多出自江西景德鎮官窯，其他各種餐具，部分為清宮造辦處製造，部分為民間製造，或是大臣作為貢品送入宮中的。

【二・三・二三輔】

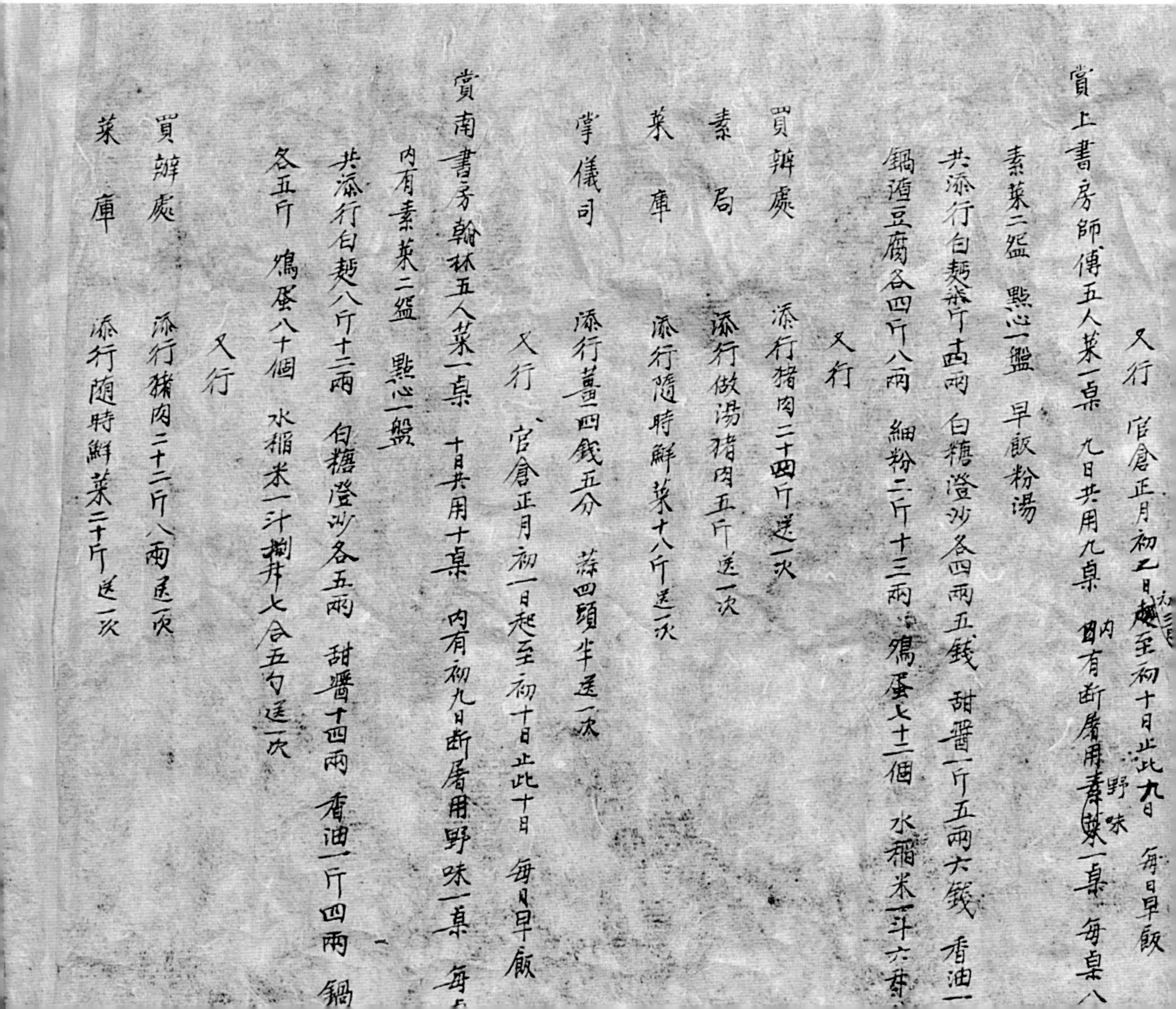

又行　官倉正月初二日起至初十日止此九日　每日早飯
賞上書房師傅五人菜一桌　九日共用九桌　內有斷屠用野味一桌　每桌八
素菜二盌　點心一盤　早飯粉湯
共添行白麪卅斤十四兩　白糖澄沙各四兩五錢　甜醬一斤五兩六錢　香油一
鍋渣豆腐各四斤八兩　細粉二斤十三兩　鴨蛋七十二個　水稻米一斗六升
又行
買辦處　添行豬肉二十四斤送一次
素局　添行做湯豬肉五斤送一次
菜庫　添行隨時鮮菜十八斤送一次
掌儀司　添行薑四錢五分　蒜四頭半送一次
又行　官倉正月初一日起至初十日止此十日　每日早飯
賞南書房翰林五人菜一桌　十日共用十桌　內有初九日斷屠用野味一桌　每桌
內有素菜二盌　點心一盤
共添行白麪八斤十二兩　白糖澄沙各五兩　甜醬十四兩　香油一斤四兩　鍋
各五斤　鴨蛋八十個　水稻米一斗捌升七合五勺送一次
又行
買辦處　添行豬肉二十二斤八兩送一次
菜庫　添行隨時鮮菜二十斤送一次

【二・三・二三②】

【二·三·二四】

【二·三·二四】清西陵圖

乾隆朝，260cm × 234cm。

西陵位於河北省易縣城西的永寧山下，總建築面積約五萬多平方米。共有帝陵四座、后陵三座、妃園寢四座，埋葬着四位皇帝、九位皇后、二十七位妃子。此外，還有親王、公主等人的園寢六座，葬有數十人。西陵又分泰陵、昌陵、慕陵和崇陵。

其中泰陵葬有雍正皇帝和他的孝敬憲皇后烏拉納喇氏、敦肅皇貴妃年氏，泰東陵葬有雍正的孝聖憲皇后鈕祜祿氏。泰西陵葬有雍正的裕妃、齊妃等五位妃子。

昌陵葬有嘉慶皇帝和他的孝淑睿皇后喜塔臘氏，昌西陵葬有嘉慶的孝和睿皇后鈕祜祿氏。昌妃陵葬有諴妃、華妃等三位妃子。

慕陵葬有道光皇帝及孝穆成皇后鈕祜祿氏，孝全成皇后鈕祜祿氏。慕東陵葬有道光的孝慎成皇后佟佳氏，孝靜成皇后博爾濟吉特氏，以及妃嬪等人。此外還有龍泉峪妃園寢葬有道光的和妃等人。

崇陵葬有光緒皇帝和他的孝定景皇后葉赫納喇氏，崇妃陵葬有光緒的瑾妃和珍妃。

此件為西陵最大的陵——泰陵圖。

【二·三·二五】西陵路程單

光緒朝，漢文，紙質，摺，每扣18cm × 8cm，六扣。

清代皇帝多次舉行祭祖活動，謁陵(或稱上陵)為其中之一。所謂「展謁之禮，歲必舉行」。

此件為謁西陵各陵寢時的路程排單。

【二·三·二五輔】西陵崇陵工程現場

【二·三·二五輔】

西陵路程單

三月初六日 梁格莊行宮

行宮起

進東口子門 十二里

泰陵 四里

泰東陵 三里

昌陵 六里

昌西陵 三里

三岔峪中伙 二里

東朝房南金殿

慕陵

東朝房南金殿

慕東陵 一里

莊順皇貴妃寶頂前

陳門莊中伙 五里

進東便門 七里

出東口子門 四里

初七日 梁格莊行宮 十二里

共六十三里

【二·三·二五】

【二・三・二六】宮中春帖子

① 春帖子冊頁底子，漢文，面底綾質，文紙質，摺，每扣21cm × 23cm。

② 春帖子詞，漢文，面底綾質，文紙質，摺，每扣17.5cm × 85.5cm。

春帖子是清宮文字祝頌性禮俗。每逢立春之前，軍機大臣、南書房翰林等內值諸臣皆可進春帖子。每人各書五絕一首，七絕二首，署名於下。屆時同至懋勤殿，將寫好的春帖子置於案上，內監負責呈進皇帝。春帖子用幾首始無定數，乾隆二十五年（一七六〇年）定以五絕二首、七絕一首為率。嘉慶亦如舊式。屆時皇帝也親書小軸，懸於養心殿東暖閣之隨安室，每歲以新易舊。清中期以後多用乾隆皇帝的詩句為春帖子詞。

第二件春帖子詞，用紙為雙層，上層為黃色，下層為紅色，顯示春天到來的喜慶氣氛。

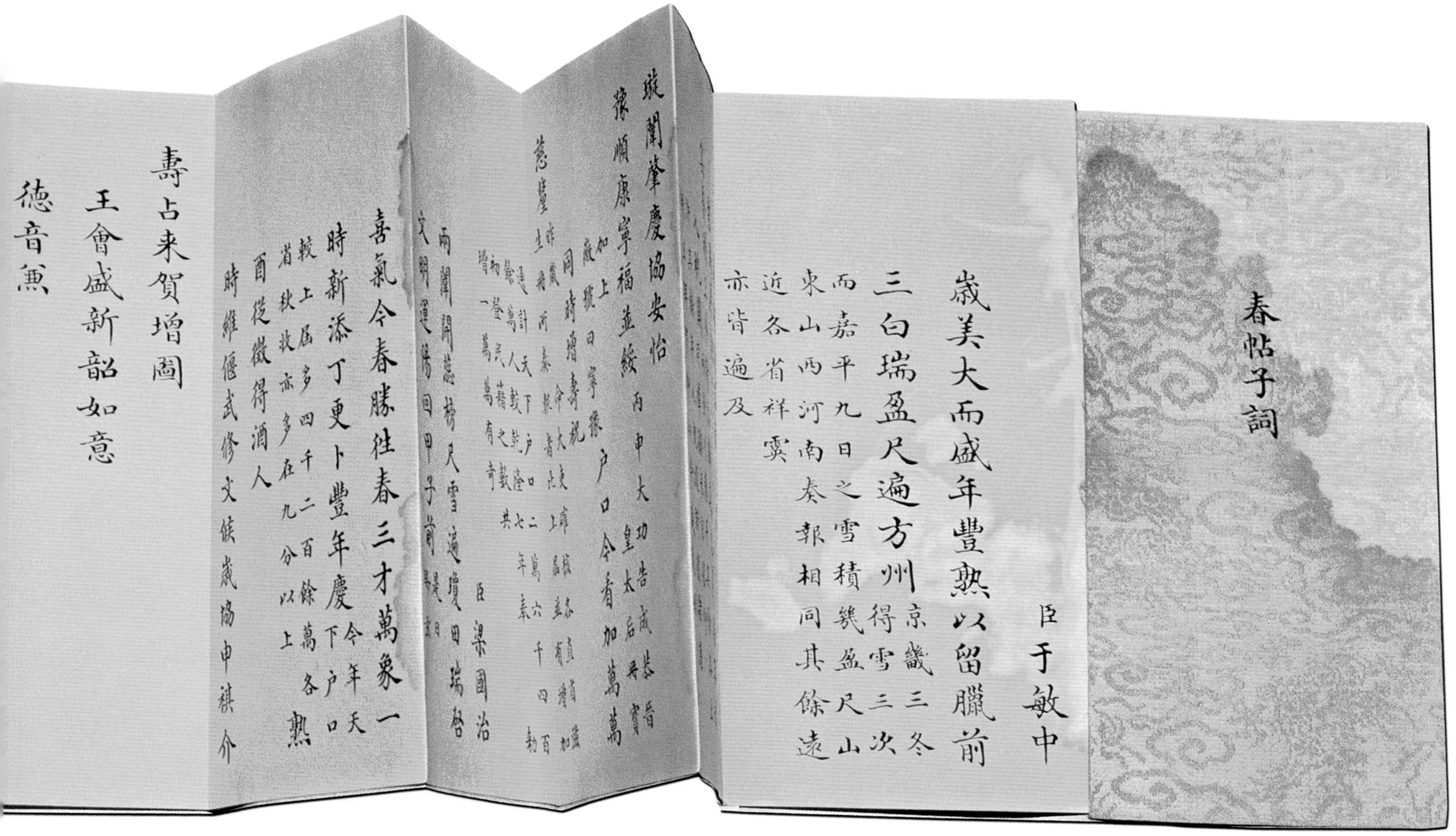

春帖子冊頁底子 上
值閏春來早年前紀決辰
勾芒昭已盛寶字煥丹宸
大盛敷和始陽中兆紐芽
東郊迎淑氣春色靄京華
年登上稔慶攸同瑞臘祥
霙又告豐恭已臨民衷敬
授順時協律播仁風
甲迎除日星回柄指寅陽中
孚德始和氣滿丹宸 歲杪
送寒出土牛進春京尹典同
脩生生不息如環轉豐茂覃
數四序周
驗條風至宵瞻斗柄東心祈
百穀遂大有遍綏豐 鳳詔
覃敷壽宇開生民嘻嘻樂春
臺志勤撫字遵王道俗正人
安雅化該
己卯春帖子三首
始一旬移花甲初週宇宙熙普
願同登仁壽世民安物阜沐春
祺 東郊京尹曉迎春西苑羣
藩典則循南極輝煌壽星現址
辰環拱慶臣民
庚辰春帖子三首

【二·三·二六①】

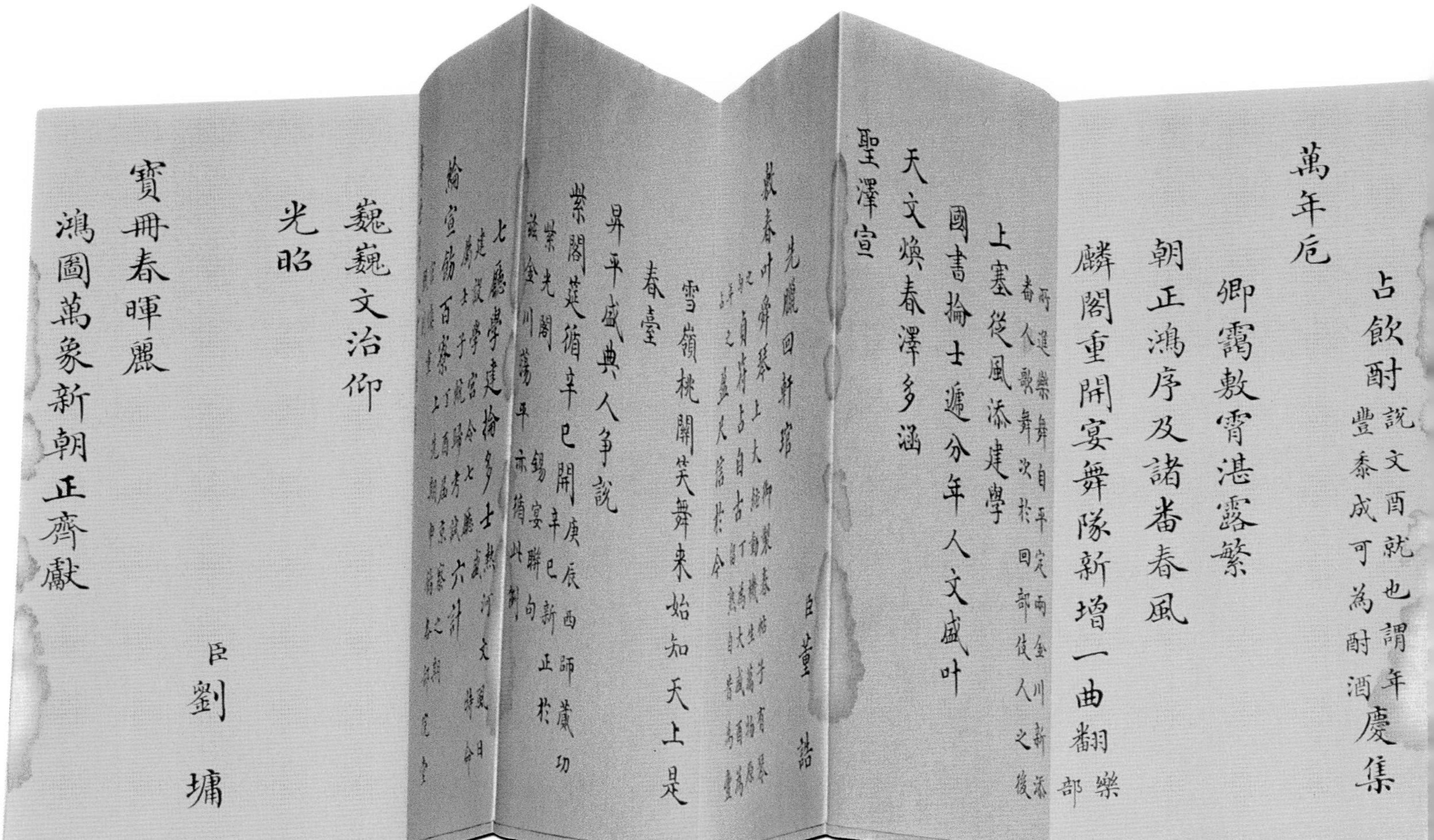
占飲酎 說文酉就也謂年豐黍成可為酎酒 慶集
萬年巵
卿靄敷霄湛露繁
朝正鴻序及諸耆春風
麟閣重開宴舞隊新增一曲翻 樂部
上塞從風添建學
國書掄士遍分年人文盛叶
天文煥春澤多涵
聖澤宣
雪嶺桃開笑舞來始知天上是
春臺
昇平盛典人爭說
巍巍文治仰
光昭
寶冊春暉麗
鴻圖萬象新朝正齊獻
臣 劉墉

【二·三·二六②】

【二・三・二七】九九消寒圖

「九九消寒圖」是清代宮中冬季時的消遣娛樂圖。冬至日，開始「數九」，各宮內掛出九九消寒圖。它們的形狀各異，一般以九個九筆劃漢字排列各種圖案，每個字雙勾成幅。從頭九第一天開始，在雙勾的空隙處寫入佛教經義及歷史典故歌訣等。每日填滿九筆劃字中的一劃，所有九個字填完，即九九結束。此時已冬去春來。

① 漢文，紙質，片，31cm ×53cm，葫蘆形，上寫有「雁南飛哉柳芽待來春」九個字。從頭九的第一天起，圍繞這九個字，以堯舜禹帝為始，直記到九九大清皇帝坐金鑾為止，正好是八十一天結束。同時，也將清朝以前的中國歷史濃縮在短短的八十一天之中。

② 漢文，24cm ×34.5cm，長方形雕刻印版。

【二・三・二七②】

【二・三・二七①】

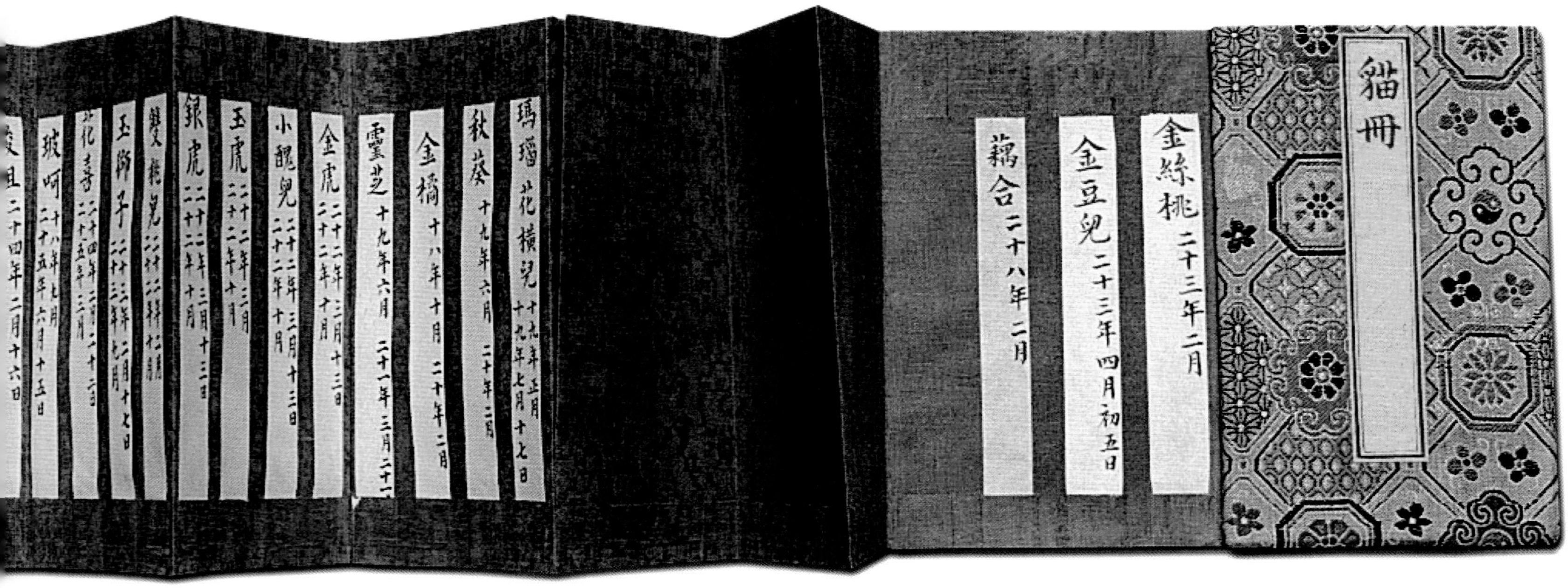

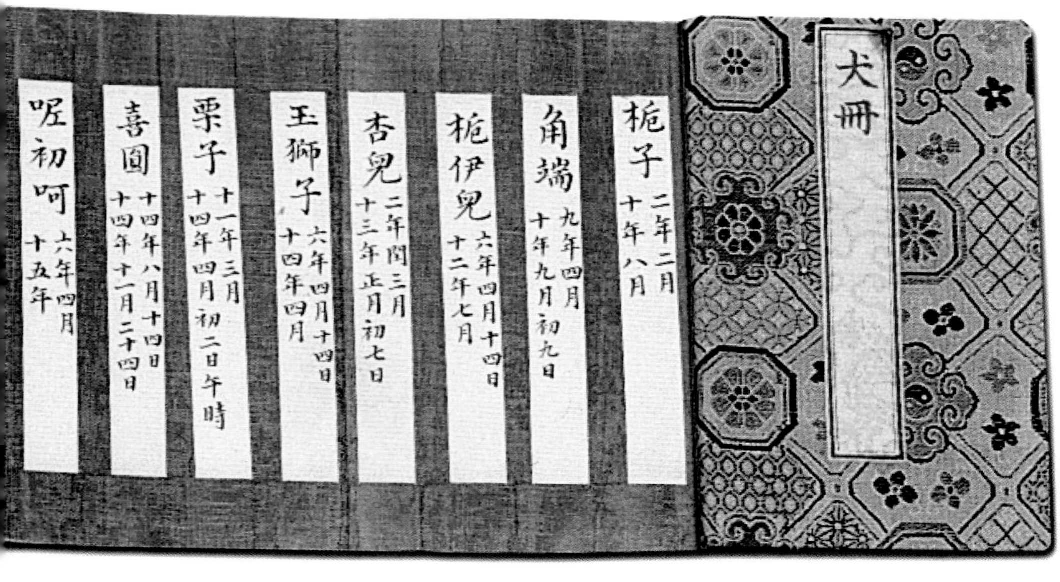

【二·三·二八】圓明園大水法圖

清乾隆年間，北京西郊圓明園中西洋樓建築群中之一景。意大利人郎世寧及法國傳教士蔣友仁負責設計，由中國工匠建造。其中「大水法」是中國園林裡面第一次出現的一種新的理水方式，成為西洋樓景區的中心。

一八六〇年圓明園被英法聯軍燒毀後，西洋樓及大水法等建築只剩下了殘垣斷壁。

【二·三·二九】宮中寵物冊

清朝，漢文，面底錦質，摺綾質，文紙質，摺，每扣4.5cm × 28cm。

明清兩代的帝后都在宮廷內餵養了不少動物以供玩賞。這些寵物不僅各有封名，宮中還為其修房建館。明代有「豹房」、「象房」等。清代設有「鹿苑」、「狗房」、「鷹房」、「貓房」等。還設置了負責記錄「養牲底簿」的筆帖式及餵養牲畜的蘇拉（雜役）。

此兩件為宮中存之《貓冊》和《犬冊》。其中記有金豆兒、秋葵、金橘等二十多個貓名及墨喜、水晶、玫瑰、杜鵑等三十多個狗名，並記有它們的生辰年月。其裝潢精美，摺冊用黃綾緞套裝。

【二·三·二九輔】清末宮中婦女與寵物

【二·三·二九輔】

【二·三·二八】

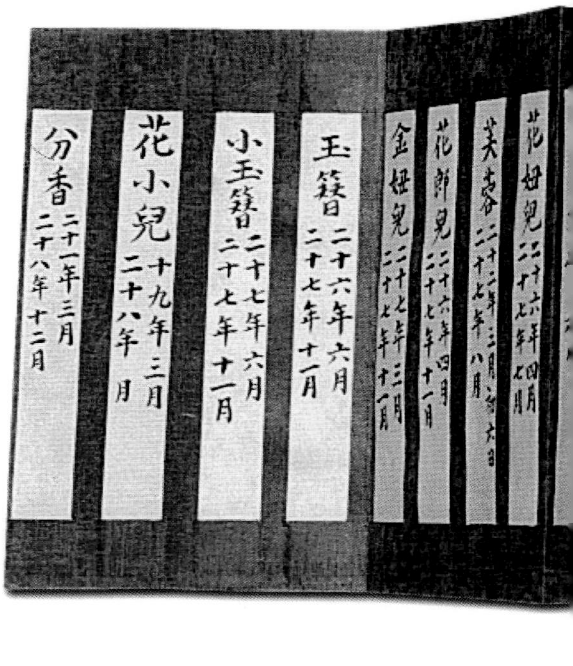

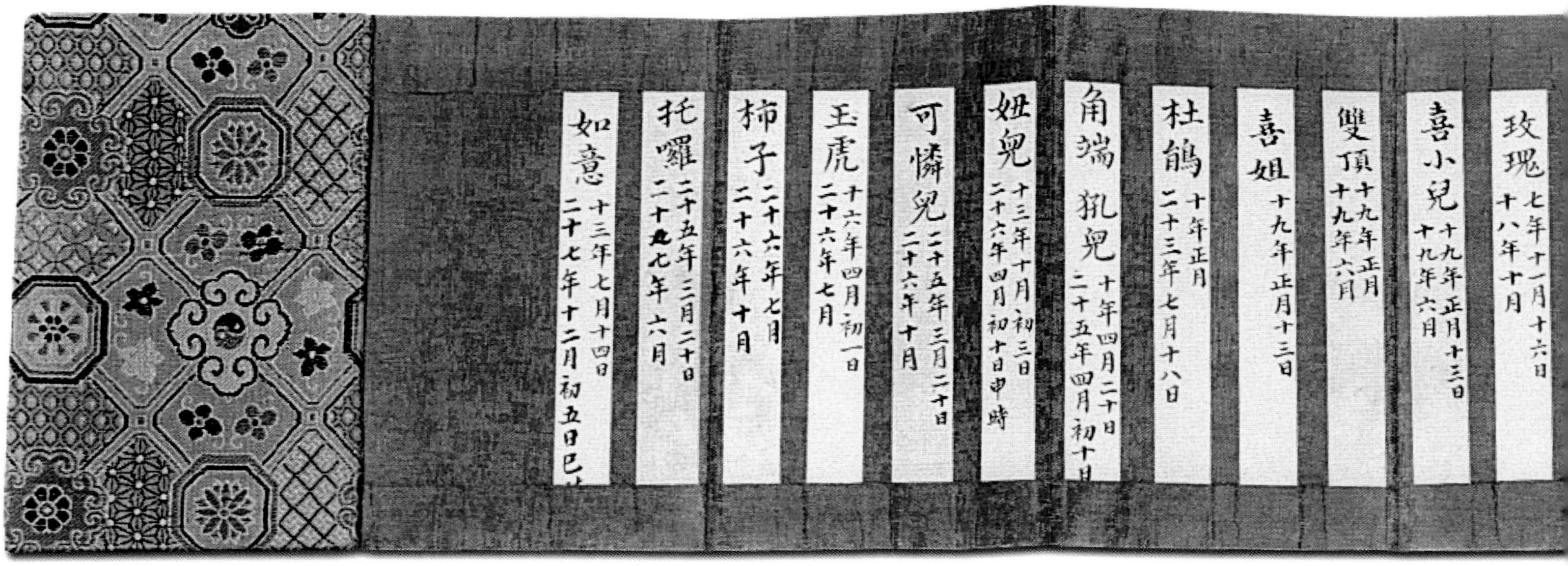

【二·三·二九】

【二·三·三〇】宮中戲曲

①戲單。清朝，漢文，面底錦質，文紙質，摺。

②戲本《十五貫》。清朝，漢文，冊裝，紙質，每扣18.5cm×27cm。

③戲劇《楊家將》曲譜（工尺譜）。清朝，漢文，冊裝，紙質，每扣14.5cm×24.5cm。

④朱筆宮中戲單。光緒朝，漢文，紙質，摺，每扣6cm×15cm，八扣。上有用朱筆寫的賞銀數目。

清朝諸皇帝大都十分愛好戲曲。康熙朝曾設南府管理禁中演戲，乾隆朝擴大了南府規模，道光朝改南府為昇平署，取歌舞昇平之意。光緒朝為滿足慈禧太后的需求，另由太監組成「普天同慶」科班，隨時應召為其演戲。此外還經常召宮外著名的戲班、演員進宮演出。昇平署的劇本、戲單及帝后賞演員的清單等，現今保存得很完整。

【二·三·三〇輔①】故宮漱芳齋內戲台

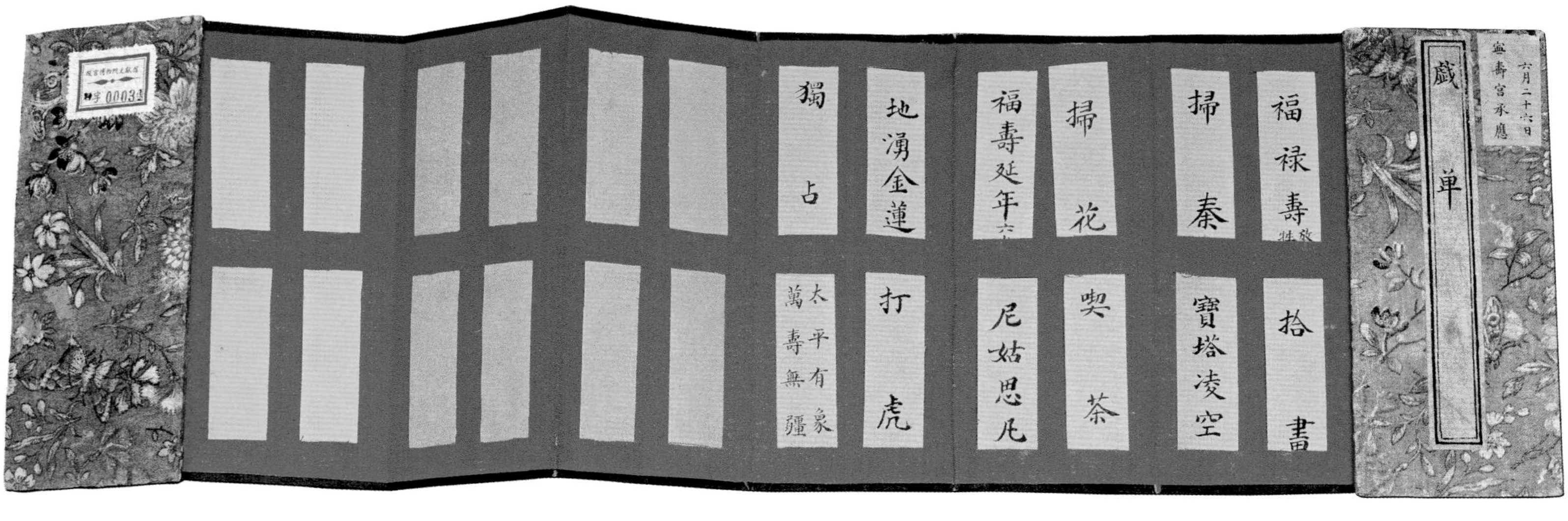

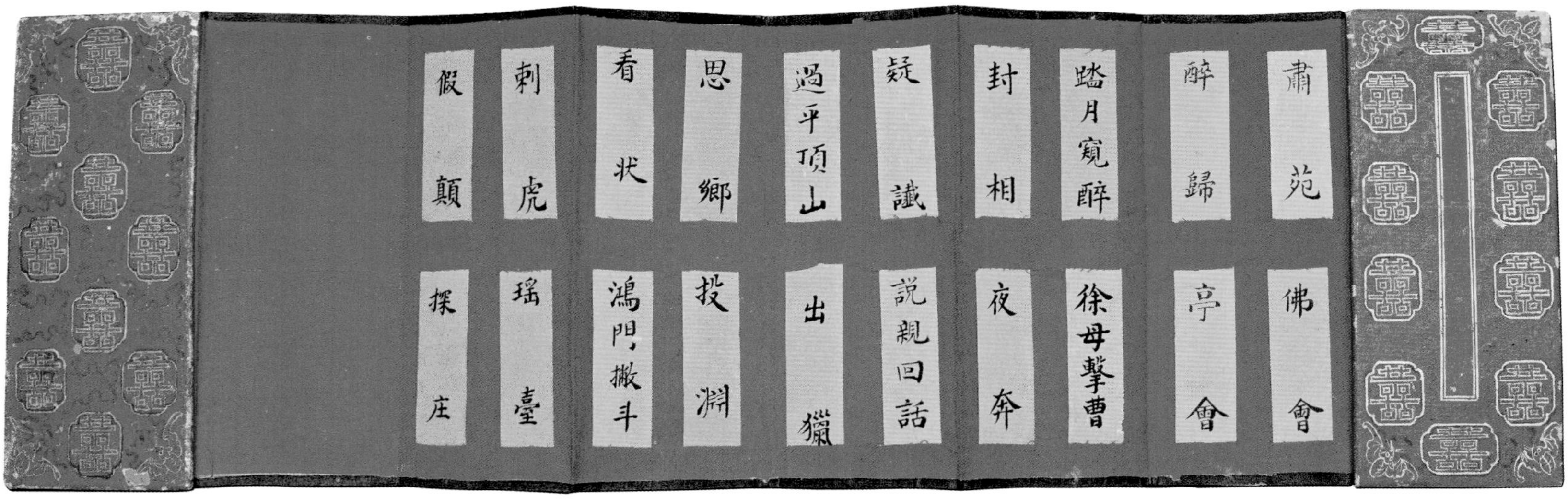

【二·三·三〇①】

【二·三·三〇輔②】清末京劇照

此照片為京劇《陽平關》。

【二·三·三〇輔②】

【二·三·三〇輔③】戲班練武

【二·三·三〇輔③】

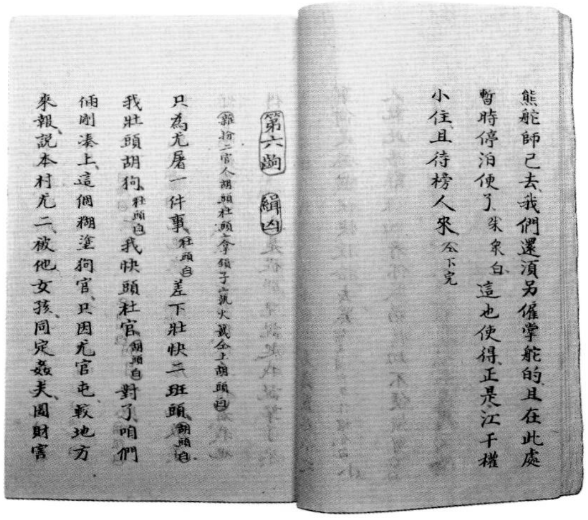

【二·三·三〇②】

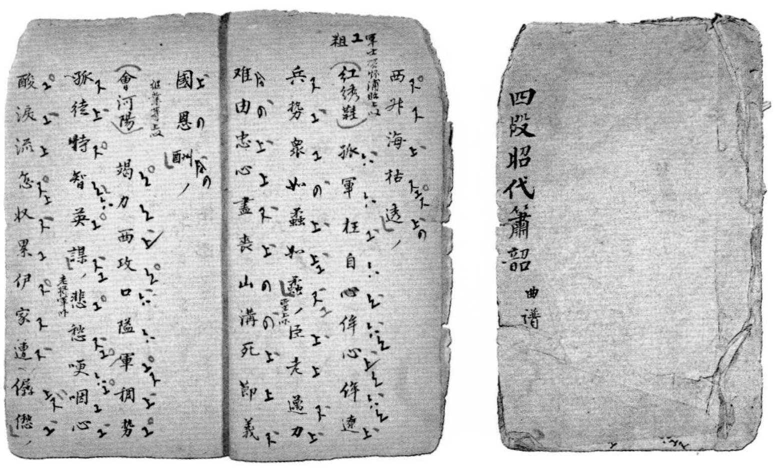

四段昭代簫韶 曲譜

【二·三·三〇③】

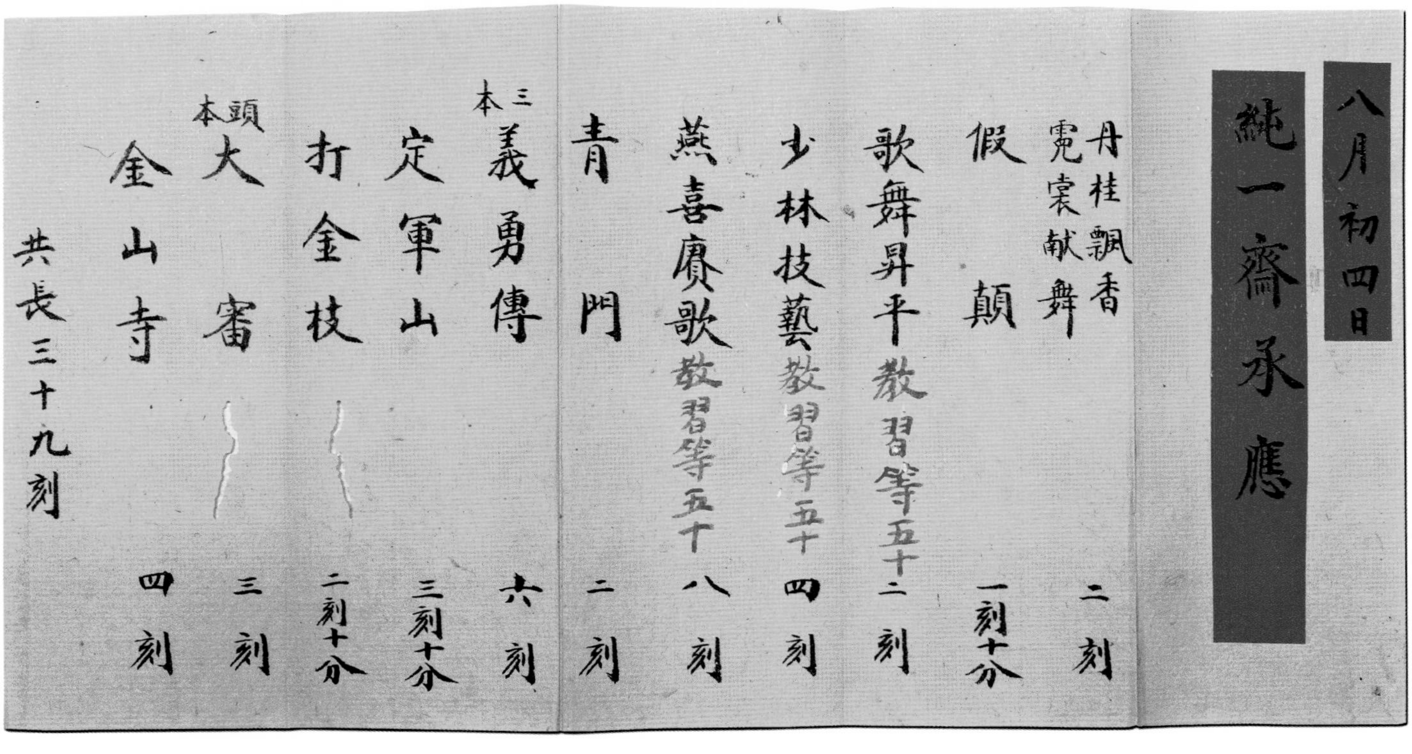

八月初四日

純一齋承應

丹桂飄香 霓裳獻舞 二刻

假顛 一刻十分

歌舞昇平敎習等五十二 刻

少林技藝敎習等五十四 刻

燕喜賡歌敎習等五十八 刻

青門 二刻

三本 義勇傳 六刻

定軍山 三刻十分

打金枝 二刻十分

頭本 大審 三刻

金山寺 四刻

共長三十九刻

【二·三·三〇④】

【二·三·三一】秀女排單

清朝，漢文，封面綾質，文紙質，摺，每扣20cm×9.5cm，十三扣。

選秀女是清朝入關後建立的特有的選擇后妃及挑選宮女的制度。選秀女有嚴格的定制。秀女一般從滿、蒙八旗中遴選，每三年舉行一次。凡年齡在十三—十六歲，身體健康、無殘疾的旗籍女子，都必須參加閱選。清宮選秀女由戶部主辦，每逢挑選秀女之年，由戶部奏准皇帝後行文到八旗各衙門，各旗將適齡備選女子彙齊登冊咨送戶部備案。被選看的秀女在皇宮的神武門外下車，按次序由太監從神武門領入，在神武門內的小廣場上齊集，再按事先排好的排單順序，進順貞門，備帝后們選看。選看的具體地點，各朝不相同，御花園、靜怡軒、體元殿等都曾為選秀女之地。第一次選中的女子稱「記名秀女」，秀女在記名期內（一般五年）不許私相聘嫁，違者上至正副都統等，下至族長，父母均要受罰。此件為秀女記名排單，分別記註了清代幾個不同時期選秀女的情況，其中包括秀女的旗族、父親姓名、秀女姓名、年齡、生辰年月時間、家庭住址等情況。

【二·三·三二】秀女記名牌

滿漢文合璧，木質，片，27cm×35cm。

【二·三·三二輔】清代戎裝女子像

【二·三·三二輔】

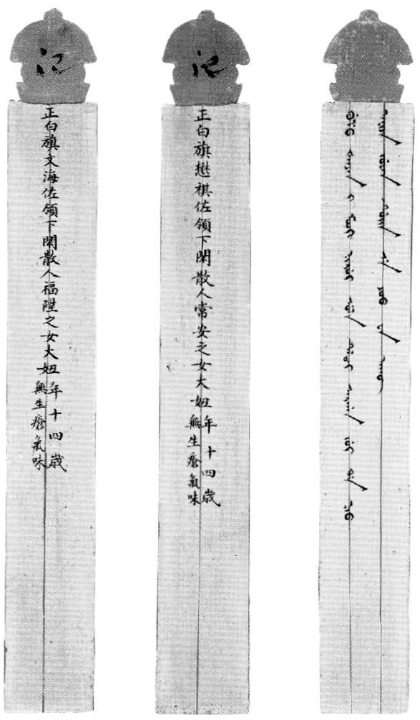

【二·三·三二】

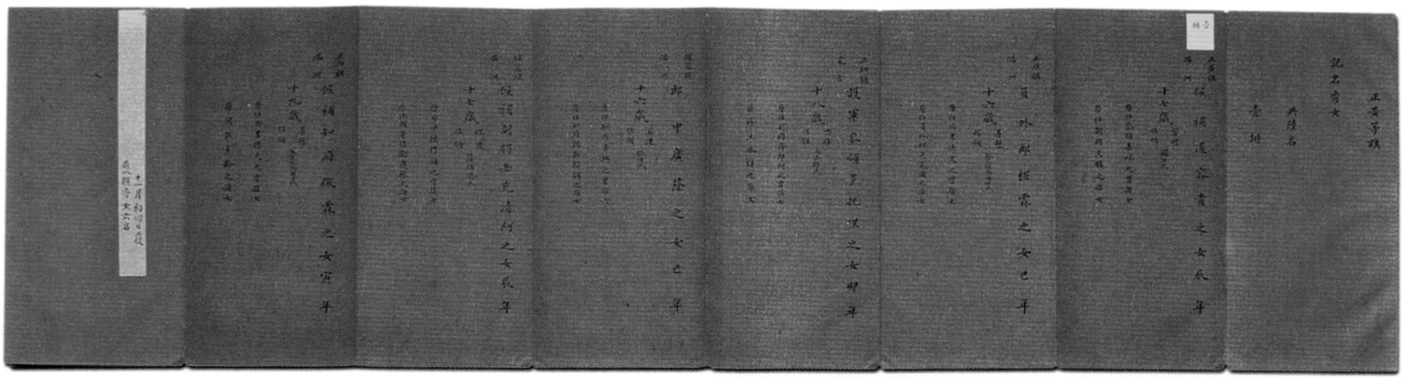
【二·三·三一】

①光緒三十四年（一九〇八年）十二月，漢文，紙質，片，20cm × 12cm 。

此件為內務府發給英華殿太監孫陞意的禁門執照。

②光緒二十七年（一九〇二年）十二月二十七日，漢文，紙質，片，19.5cm × 12.5cm 。

此件為內務府發給太監辦買什物的出入門照。

③漢文，冊裝，紙質，9cm × 14.5cm 。

此件為內殿殿上陳萬忠的門照。

「宮禁門照」或「執照」是清太監出入紫禁城門的憑證。乾隆二十三年（一七五八年）六月曾發生過瘋癲僧人持刀闖入東華門的案件；嘉慶八年（一八〇三年）閏二月二十日發生了陳德刺殺顒琰案件；嘉慶十八年（一八一三年）九月十五日又發生了天理教由太監接應從東、西華門攻入禁城案件。這些案件無疑使皇帝深感不安，因而下諭加強禁門之管理。為此各衙門均下發門照以憑稽查。如有無故混入或隨便帶人進入者，則分別議處。

所發門照上註有執照人姓名、所屬衙門、編號、年代。清末，內務府發布了新式門照，並在門照上加貼執照者像片。

門照

總管內務府為發給門照事
禁城重地理宜嚴肅所有
宮內太監及外隨侍等由本府一律發給新式
門照並粘貼本人像片以憑稽查此照
右發給 內殿殿上陳萬忠
執字第 拾玖 號
癸亥年 七月 日

【二・三・三三③】

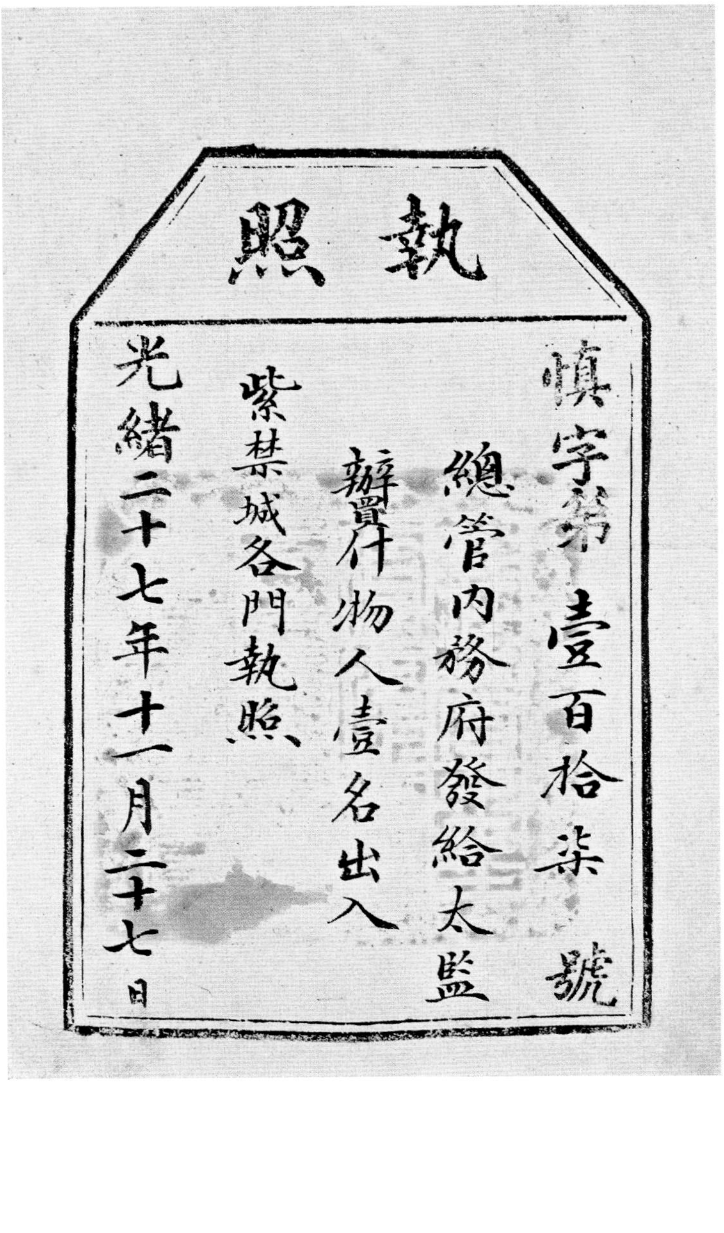
執照

慎字第 壹百拾柒 號
總管內務府發給太監
辦買什物人壹名出入
紫禁城各門執照
光緒二十七年十一月二十七日

【二・三・三三②】

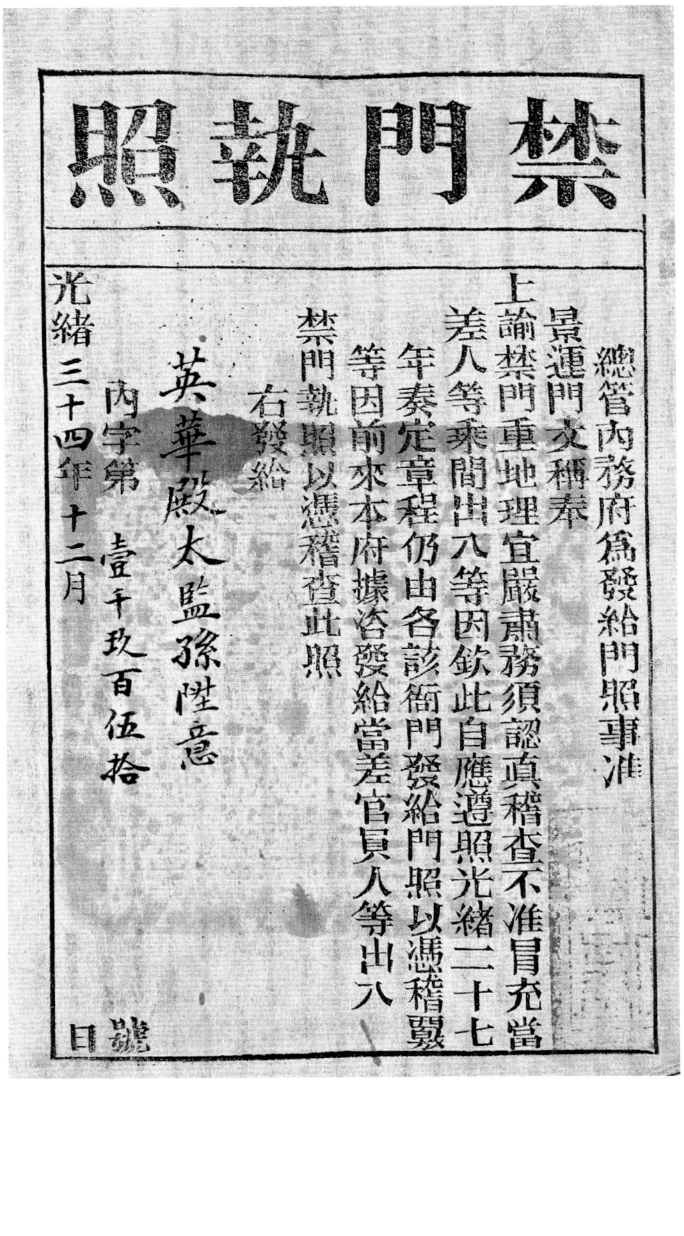
禁門執照

總管內務府為發給門照事准
景運門文稱奉
上諭禁門重地理宜嚴肅務須認真稽查不准冒充當
差人等乘間出入等因欽此自應遵照光緒二十七
年奏定章程仍由各該衙門發給門照以憑稽覈
等因前來本府據咨發給當差官員人等出入
禁門執照以憑稽查此照
右發給
英華殿太監孫陞意
內字第 壹千玖百伍拾 號
光緒三十四年十二月 日

【二・三・三三①】

【二・三・三四】宮中腰牌

清朝，滿漢文合璧，木質，牌，尺寸各異。

清宮規定，凡內閣、內務府及內廷行走各處供事之書吏、蘇拉（雜役）、皂隸、茶役、廚役、匠役、演戲人員等，需經常出入宮廷者，皆由內務府發給木製腰牌。腰牌上用火烙印着持牌者所屬衙門、姓名、年齡、相貌特徵及發牌年代、編號等。腰牌每三年更換一次，差事有變化者隨時更換，並報景運門及出入之門查核。

圖中所示分別為同治、光緒、宣統朝各衙門發放的腰牌。

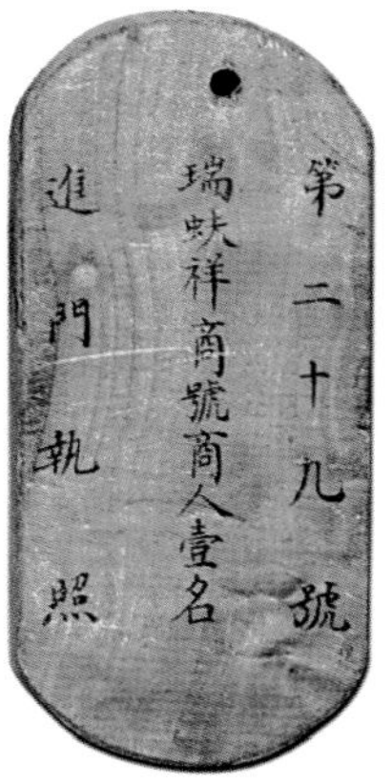

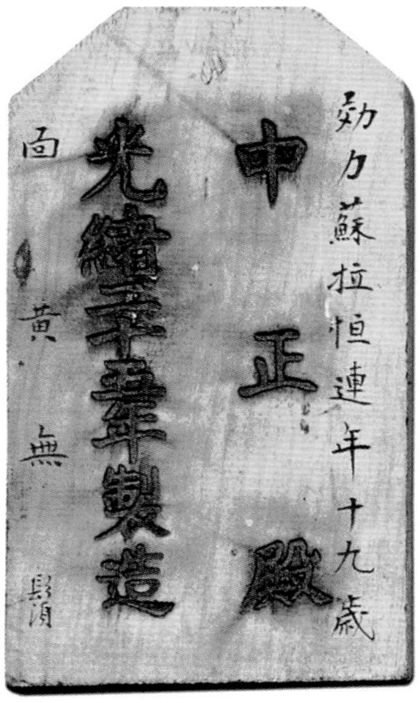

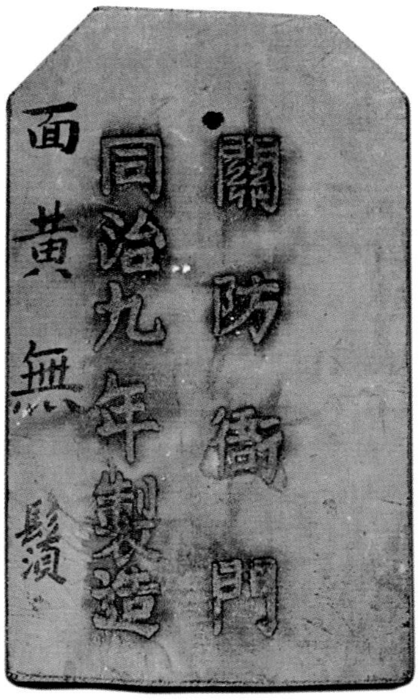

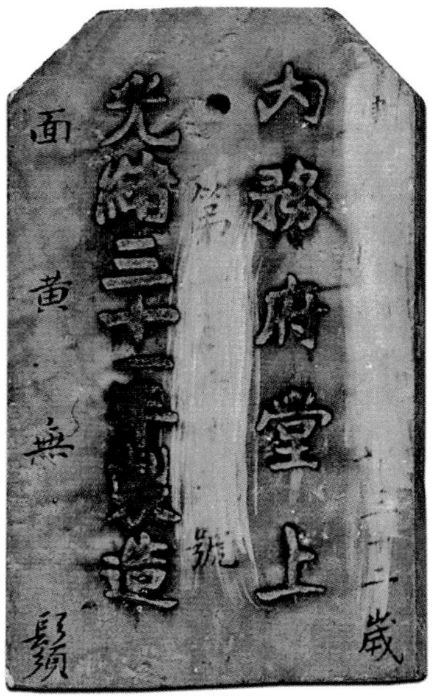

【二・三・三四】

第三章　臣工題奏文書

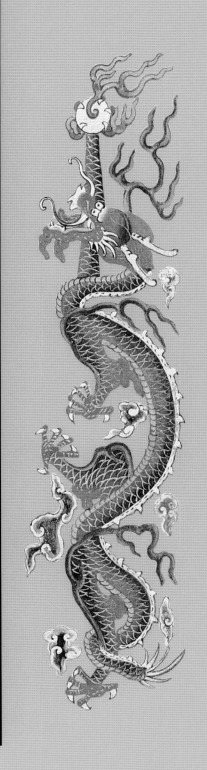

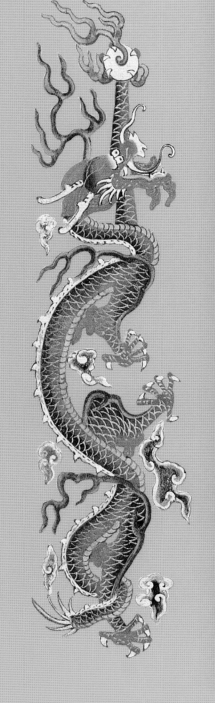

奏疏是中國古代臣僚向帝王上奏文書的統稱。「奏」是進的意思，「疏」是通的意思。凡臣下向帝王上書言事，以疏通政情的，都可叫奏疏。它包括奏、議、章、表、啟、箋、題等，都是上奏文書。上奏文書制度，始建於秦朝。《文心雕龍》載，秦以前「言事於王，皆稱上書。秦初定制，改書曰奏」。到了兩漢時期，隨着封建國家政務的日益複雜化，臣僚報告政務文書的種類，也相應增多，除了奏以外，還增加了章、表、駁議、狀等。秦漢時期，不光確立了上奏文書的種類和程式，而且還規定了文書的用印及避諱制度。凡文書中遇到帝王的名字，要予以迴避。遇皇帝字樣，要抬寫等。魏晉南北朝時期，上奏文書除沿用秦漢時期的章、奏、表、駁議外，又增加了「啟」和「箋」兩種文書。自晉以後，啟文普遍用於大臣對皇帝陳述事情，與表、奏相類似。臣僚上給皇后、太子、諸王的文書稱為箋。隋、唐、宋時期，隨着社會經濟、政治的發展和國家機關的加強，上奏文書制度也進一步發展和統一。臣僚上奏文書統稱為「表」和「狀」。大臣給皇太子文書用箋或用啟。唐、宋時期，上奏文書普遍採用一文一事的制度，並須將奏文的主要內容及日月道里，摘要寫於封皮或文書之前，時稱「引黃」，以便閱覽。上奏文書的形式，由以前的卷軸式改為摺疊式。對奏疏的程式、用詞及文字，也都有嚴格的規定。到了元朝，臣僚上奏文書有奏、啟和表章，給皇帝用奏，給皇太子用啟。表章祇用於向皇帝慶賀聖壽、元旦等慶典時使用。

明、清是中國最後兩個封建王朝，它集歷代奏疏之大成，建立了一套最完備的上奏文書制度。明朝規定，臣僚上奏文書有題、奏、啟、表、箋、講章、文狀、文冊、揭帖、制對、露布、譯等。清朝基本沿襲明朝的制度，上奏文書，主要用題、奏、表、箋。題、奏主要用於報告政務。表、箋主要用於慶賀。凡元旦、冬至、萬壽三大節

及其他慶典，中外臣工例須上表、箋慶賀。給皇帝、皇后的稱表，給皇太后的叫箋。

康熙、雍正時期，皇帝為控制臣僚，曾興起一股密奏之風。這種密摺，可不經過通政使司和內閣等衙門，徑送皇帝拆閱批示，然後再密封下發執行。這種辦事既密且速的奏摺制度，以後逐步推廣應用。到乾隆時，奏摺已成為政府的一種正式公文。乾隆十三年（一七四八年）清廷又進一步廢除了奏本，這樣臣工奏事主要用題本和奏摺。題本主要用於題報地方刑名、兵馬、錢糧等例行公務。奏摺主要用於奏報軍政要務。到了清末，鑒於題本處理程序「繁複遲緩」，於光緒二十七年（一九〇一年）改題為奏，於是臣工奏事主要用奏摺。

明、清兩代的奏疏，不但種類繁多，而且處理制度也更加完備和繁雜。皇帝獨裁統治，日理萬機，無暇躬親處理奏章，所以下設內閣、通政使司、六科等龐大的秘書機構，以協助皇帝處理日常章奏文書，於是有票擬制度和貼黃制度的產生。奏疏的程式、文字及保密制度，也較歷代為嚴格。奏疏的處理制度，越來越繁細。例如清代通本的處理，要先經過通政使司的檢查驗收，再經內閣的滿、漢票簽處的草擬票簽及翻譯、繕校，再由大學士審定後，始送批本處轉奏事處呈皇帝閱覽。皇帝閱批後再下奏事處轉批本處和內閣批紅，然後才能交六科發抄執行。這樣，一件題本的處理，要經過十幾道手續，不但效率低下，而且不易保密。這樣的奏疏制度和腐朽的封建制度一樣，已經到了壽終正寢的時候了。

清代臣工的奏疏，有題本、奏本、表文、箋文和奏摺。它們的辦理分為運轉程序和處理程序兩個系統。題本、奏本、表文、箋文，主要由內閣辦理，通政使司管接收，六科管發抄。奏摺主要由軍機處辦理，奏事處管收發。

第一節　政務文書

題本

題本是明、清時代臣工向皇帝報告政務的文書之一。題本作為上奏文書，始於明代。明初，臣民言事，只用奏本。永樂二十二年（一四二四年）規定，諸司有急切機務不能面陳的，許具題本投進。這樣題本、奏本併行，並進一步規定了題、奏的使用界限：凡京內外各衙門，一應公事用題本，凡官員私事用奏本。到了清朝，臣工奏事仍沿用公題私奏的制度。雍正、乾隆時期，皇帝曾反覆諭明題本使用的範圍：凡錢糧、刑名、兵丁、馬匹、地方民務，所關大小公事，概用題本，用印具題。此後，乾隆帝於一七四八年曾下令停止使用奏本。這樣，題本作為政府主要公文，一直通行四百七十多年。到了清末，由於「簡速易覽」的奏摺普遍使用，清政府鑒於題本「繁複遲緩」，以整頓庶政為名，於光緒二十七年（一九〇一年）決定廢止題本，改用奏摺，「以歸簡易」。

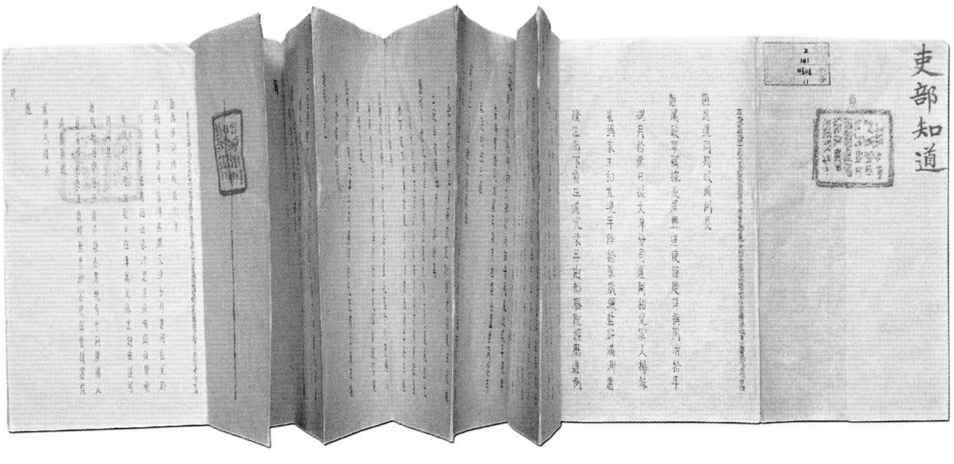

明、清兩代題本的款式基本相同：題本的外形為用紙摺疊的摺子。每幅六行，每行二十字，抬頭二字，平寫十八字。首幅上方正中寫一「題」字，是為本面。自第二幅起為正文，首書具題者官銜姓名及題報事由，接敘所報事情的緣起、情節及處理意見，文尾以「謹題請旨」或「謹題奏聞」結束。末幅正中寫具題年月日，月日下列具題者官銜姓名。封面及文尾俱加蓋官印。

題本文字要求簡明暢達。據記載，朱元璋曾嚴禁繁文。崇禎時，鑒於章奏文字冗繁，命內閣製作貼黃式樣，令進本官員自撮本中大意，不過百字，貼附於本尾，以便皇帝閱覽。從此便產生了題本的貼黃制度。

內外臣工的題本，要經過內閣票擬後，才進呈皇帝閱覽。票擬制度，產生於明英宗時。英宗即位之時，年僅九歲，大權由太后操縱。太后避專擅之名，遂把題奏本章彙送內閣，令內閣先擬出初步處理意見，寫在另一紙簽上，叫「票簽」，然後連同題奏本章一起送太后裁定。以後一直沿用這一制度，直到清末。

清代內閣的票擬，形成一套規範化的做法。到光緒元年（一八七五年），曾修成《滿票簽部本通本式樣》一書，到光緒二十五年（一八九九年）又續行修訂，作為票簽的範本。票擬有單簽，即擬具一種處理意見。如各省通本題請事件，是否核實可行，應議覆者則交各部院議奏；毋庸議覆者，則交各部院知道。部本多為議覆文件，一般擬為「依議」，或部議不妥，另擬具處理辦法。票簽還有雙簽、三簽以至四簽，凡事涉兩可之事，如各部院題請事件，有應准應駁，未敢擅便。或議功、議罪、議賞、議恤，可輕可重，處分應議應免，票擬人不敢專斷，則擬雙簽，候旨定奪。如題請事件複雜，有幾種處理方法，可分別擬具三簽或四簽，以備核定。凡擬雙簽、三簽、四簽時，都要加具說帖，申明理由。票簽經皇帝裁定後由批本處和內閣照皇帝認可的票簽文字，用朱筆照錄於本面上，此即為上文提及的批紅。

題本經過皇帝閱批以後，內閣即轉送六科，由六科發抄關係衙門施行。紅本發抄後，由六科別錄二通，分別成冊。一送內閣供史官記註的，叫「史書」；一儲本科以備編纂的，叫「錄書」（亦稱錄疏）。凡題本批紅的聖旨，內閣滿、漢票簽處的當值中書，都要逐件彙抄成冊，取「王言如絲，其出如綸」之意，名「絲綸簿」。

紅本是以六科的發抄件施行的，原本存於六科。六科於年終彙交內閣，存於紅本庫。另外，為防止檔案遺失或被人篡改，清朝自雍正時起，還建立副本制度。每件紅本都另錄一副本。如本章正本係紅字批發，副本則批墨筆存案，以備日後查對之用。由於清朝文書檔案制度的完備，使得大量的題本及其副本、史書、錄書並黃冊等附件，得以大量保存下來。清朝滅亡後，雖經改朝換代，幾經流轉損失，但現今尚存於世的題本，仍為數甚巨，僅中國第一歷史檔案館就存有清代題本二百多萬件。

題本的運轉程序

題本有「通本」和「部本」之別。凡各省將軍、總督、巡撫、提督、總兵、學政、順天府、奉天府及盛京户、禮、兵、刑、工五部上呈的題本叫通本。凡中央的吏、户、禮、兵、刑、工六部，及都察院、宗人府、太常寺、光祿寺、鴻臚寺、國子監、欽天監等衙門上呈的題本叫部本。凡部本都是滿、漢文合璧，通本除各省將軍等衙門上呈的以外，一般只有漢字。通本將其內容要點，另紙摘錄附粘於後，以便閱覽，叫「貼黃」。

部本唯刑部衙門的有貼黃。

題本運轉有如下環節：

一、各省駐京提塘官投送各省衙門的題本，送至通政使司接收。

二、通政使司經檢查後封送內閣，由漢本房接受。

三、漢本房收到通本，進行登記，並將無滿文的通本照漢文貼黃翻成滿文，送滿本房。

四、滿本房照所翻滿文貼黃稿，繕成正文，送漢票簽處接收。

五、在京各部院衙門的題本，往送內閣，由漢票簽處接收。

六、漢票簽處收到部本、通本，由侍讀校閱漢文，漢中書擬寫漢文草簽，送滿票簽處。

七、滿票簽處侍讀等詳校通本、部本的滿文，滿中書擬寫滿文草簽，呈大學士總校票擬草簽。

八、大學士校定票簽以後，發交滿、漢票簽處繕寫的滿漢合璧的正簽（簽背尾書繕者姓名）。

九、滿漢文合璧的正簽寫好以後，夾入本題本內，儲於黃綾匣內，由滿票簽中書送批本處。

十、批本處收到題本，進行登記，於次日黎明送內奏事處接收。

十一、內奏事處收到題本，經記檔太監登記，由奏事太監進呈皇帝閱覽。

每年封印日期（十二月至正月間，封印一個月，起止日由欽天監定）及遇某種事件或節日，皇帝不閱本，不能進本。

十二、皇帝閱覽題本並核定票簽，發下內奏事處。皇帝或照原簽所擬，或於原簽內朱筆改定，或飭改簽。內閣可上單簽，也可以雙簽、三簽、四簽送上，經皇帝裁定發下。

十三、奏事處將皇帝批下的本簽，即送批本處。

十四、批本處接到發下的本簽，由翰林中書照核定滿文簽，在題本滿文部分面頁上批寫滿字，並由典籍廳漢學士照核定的漢文簽，在漢文部分面頁上批寫漢字，批寫滿漢字都用紅筆，因此又稱「紅本」。送交收發紅本處接收，轉發六科。遇有國喪，如皇帝逝世，所有本章，百日內用藍筆批定。皇后逝世，二十七日內用藍筆批寫。

部本進呈後，遇有票擬不合皇帝意旨，或須商定者，將題本摺一角，謂之「摺本」。俟皇帝在乾清門「御門聽政」時，各衙門奏事畢，大學士將摺本逐件請旨。大學士承旨後，另繕票簽，進呈核定，叫「進摺本」。

十五、通本、部本批紅後，即送收發紅本處。每日六科派值日給事中一人，赴內閣紅本處領出紅本抄發。

十六、六科領出本章，分正抄、外抄，抄發各衙門辦理，原領本章各存本科，年終仍由六科繳還內閣，由紅本處知會典籍廳，貯入紅本庫。

十七、各部接到科抄題本，需要行知各省的，即將議覆原本和所奉諭旨，抄錄咨行督撫等衙門查照辦理。

奏本

明、清時代臣僚向皇帝上奏的文書之一。明初規定，凡臣民言事於皇帝都用奏本。經明永樂二十二年（一四二四年）改革後題本、奏本併行，凡公事用題本，官員私事用奏本。清沿明制，凡屬官員到任、升轉、加級、記錄、寬免、降罰，或降革留任，或特荷賚謝恩，或代所屬官員謝恩等事，概用奏本。鑒於明朝本章的冗長，清朝又規定題奏文字不得超過三百字。但這個規定並未能實行，而且題、奏的使用，十分混亂。現存的千餘件奏本中，既有報告官員私事的，也有大量奏報軍情、田賦及兵馬錢糧事務的。所以到了乾隆十三年（一七四八年）便下令廢除了奏本，但實際又廢而不止，之後，仍有不少官員使用奏本。現存於中國第一歷史檔案館的乾隆、嘉慶、道光、咸豐等朝的一批奏本，便是證明。

奏本的程式，據明《萬曆會典》卷七十六載：「奏本每幅六行，一行二十四格，抬頭二字，手寫二十二字。頭行衙門官銜，或生儒吏典軍民灶匠籍貫姓名。疏密俱作一行書寫，不限字數。右謹奏聞四字，右字平行，謹字、奏字各隔二字，聞字過幅第一行抬頭。計紙字在右謹奏聞前一行，與謹字平行差小。年月下疏密同前。若有連名，挨次俱照六行書寫。」清代奏本的程式和明朝的基本相同。奏本封面正上方寫一「奏」字。奏文首寫具奏者官銜姓名並所奏事由，接敘全案事由，最後以「謹具奏聞」或「右謹奏聞」結束。奏文之後用大寫數字寫明全文的字數和紙張數，以防被人篡改。奏本的文字，雖要求用仿宋的細體字，但清初的奏本，以楷書居多，且滿、漢文合璧。奏本要求用政論和敘事文體，文字須簡練、準確、通順。奏本一般還附有貼黃，以便皇帝閱覽。另外，清代奏本也有副本。

明代的奏本使用範圍較廣，不僅文武大臣可以用奏本，而且生儒吏典軍民灶匠等一般民人，凡有所進言陳情，都可具奏上疏皇帝。清朝鑒於明朝百官軍民章奏過繁，漫無限制，造成交章彈劾，廷議誤國的現象，規定奏本的使用範圍，祇限於各部院衙門的堂官及各地的督、撫、提、鎮等高級官員。其他下級官員及軍民人等，俱不准入奏，違者懲處。

清代的奏本尚有千餘件，存於中國第一歷史檔案館。其中主要為順治、康熙、雍正、乾隆各朝的奏本。嘉慶、道光、咸豐各朝的奏本，為數較少。這些奏本的內容，除官員升遷調補及謝恩、慶賀外，多為文武官員奏報軍情政務，條陳征戰策略，奏銷兵馬錢糧及密報貪官民隱等事務，它反映了清初的政治、軍事、經濟及社會情況，是研究清史的珍貴史料。

奏本的處理程序和題本相同。在清代，凡官員的奏本，先送通政使司點驗後，再由內閣票擬。大學士擬具處理意見後，書於小紙簽上，稱為「票簽」，然後呈皇帝裁定。批本處和內閣照皇帝裁定的票簽文字，用朱筆照錄於奏本封面上，然後送六科發抄施行。

奏摺

清朝高級官員向皇帝報告政務的文書之一。奏是進的意思。在中國古代凡人們言情於上，都可稱「奏」。《書經・舜典》有「敷奏以言」的記載，可見奏並非專指人臣上書帝王。秦初改書為奏。從此，奏才成為臣僚上書皇帝的專用文書。漢代以來以迄明朝，上奏文書有不同的稱謂，如奏議、奏疏、奏章等，但「奏摺」這一文書的出現，卻始於清朝。

清代奏摺制度，創始於康熙時期。當時清朝已基本上統一全國，需要進一步加強君主集權專制制度，以便有效地統治全國。皇帝為了了解政情，查劾官吏，除了通過例行的題奏渠道外，還往往命一些親信奴才，用密摺報告一些官場隱私和民間動態。這種密摺，不拘形式大小，字數長短，以反映真實情況為準，並要求具摺官員必須親自書寫，不得假手書吏。奏摺繕好後，即密封往送宮中，由皇帝親自拆閱。並規定所奏內容及皇帝的批示，不許別人知道。這種密摺制度，既避免了題奏的繁瑣處理程序，又不假手通政使和大學士等官員之手，辦事既保密又迅速。所以，到雍正時，進一步擴大了奏摺的使用範圍。當時規定，除了督、撫、提、鎮等高級官員可用奏摺外，其他科、道官員，甚至同知也可密摺奏事。乾隆時停止使用奏本，奏摺隨後成為政府的一種正式公文。臣工奏事，除錢糧、刑名、兵丁、馬匹等例行公事用題本外，其他軍政要務都用奏摺。到了清末，清廷為提高施政效率，對文書制度進一步改革，於光緒二十七年（一九〇一年）改題為奏。當時規定，凡臣工向用題本具報之事，一律改用摺奏。這樣奏摺作為臣工上奏文書，一直通行了二百多年。

奏摺成為政府正式公文後，清廷對奏摺的使用範圍作了嚴格的規定，凡文官，京官自三、四品京堂以上和翰詹科道官員，地方官按察使以上，或負有特殊使命的欽差官員，如學政、海關監督、織造等官，武官須總兵以上官員，才可使用奏摺。

奏摺的程式，摺件為紙質摺疊形式，一般摺長二十三厘米，寬十厘米。每扣六行，每行二十字，平寫十八字。摺面正中書一「奏」字，不加蓋任何官印。奏文開首寫具摺者官銜姓名及奏報事由。接敘所奏事情的主要情節及處理意見。文尾總括全案事由，請皇帝裁斷。最後以「謹奏」二字結束。文後寫具奏年月日。奏摺繕後，如另有事上報，可另附片。片的程式比較簡單，首尾不用列寫官員姓名和具片時間。片文以「再」字起頭，直書其事。結尾以「附片具奏」結束。片一般附於正摺之後上奏。

奏摺文字要求簡練、準確、通順，最忌「晦、澀、亂、復」。要使皇帝閱摺時，一目了然，心無疑惑，不必再閱。繕摺中，凡遇帝、后及其祖宗的地方，一律抬寫，抬一格，或二、三格不等。

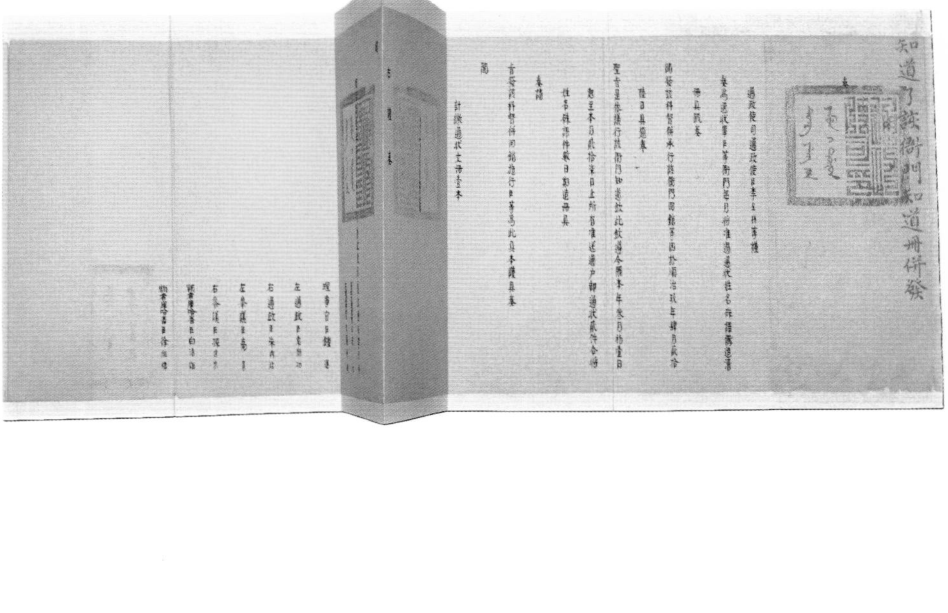

奏摺的處理和運轉

奏摺主要由軍機處承辦。它的最大特點是可直接封達御前，由皇帝親筆批閱。批閱過的諭摺，即封寄具摺官員執行，辦事既速且密。它有一套和題本不同的處理辦法：

一、在京各衙的奏摺，直接送至紫禁城內景運門九卿房外的奏事處。每天上午約五點鐘，乾清門開啟，外奏事官持摺入內奏事處，交奏事太監接收。

二、各省督、撫等官員的奏摺，由驛送至兵部捷報處接收。捷報處將摺即送至內奏事處接收。各省遣專差送來的奏摺，由外奏事官接收轉遞內奏事處。

三、內奏事處接摺後，由記檔太監登記，交奏事太監進呈皇帝閱覽。皇帝批閱後，即發下內奏事處。

四、內奏事處即將發下的朱批奏摺送交軍機處。軍機章京將朱批奏摺分送各軍機大臣閱看，謂之「接摺」。

五、凡發下的奏摺已批示有具體辦法的，即依旨辦理，稱為「早事」。凡朱批「另有旨」、「即有旨」及未奉朱批摺件，軍機大臣須持摺入內當面請旨定奪，謂「見面」。除「見面摺」外，還有以書面請旨者，稱「奏片」。

六、軍機大臣和章京，每日值班於隆宗門內，備皇帝隨時召對。軍機大臣「承旨」後，即面授軍機章京記錄，按照規定程式，擬寫諭旨。若有先期預擬諭旨，繕好後，封存於匣，以備屆期呈遞，稱「伏地扣」。

章京將諭旨繕好後交達拉密（章京領班）復核，再呈軍機大臣審閱。交在京各部院的，用「交片」發出。

七、諭旨經軍機大臣核閱無誤，送內奏事處。

八、內奏事太監接到擬寫的諭旨，隨即呈皇帝閱定，叫做「述旨」。

九、皇帝將已閱定的諭旨發下內奏事處。諭旨有經朱筆改定的，叫「過朱」。

十、內奏事處即將發下的諭旨，再發下軍機處，叫做「事下」。

值日章京將當日所接奏摺、所奉諭旨、所呈片單，詳細分別登入簿冊。朱批登記全文。諭旨及摺片，摘敘事由。有應發內閣傳抄者，註明「交」字；應發兵部驛遞者，註明馬遞及里數。這種按日登記的諭摺，叫「隨手檔」。

十一、諭旨摺件明發的，抄交內閣發下。寄信諭旨由軍機處封發，交兵部驛遞。凡朱批摺係專差呈遞者由奏事處封固，發原遞奏摺的差弁收領帶回。

在京各衙門的奏摺，除留中不發，或交由軍機處發下。其餘各摺，由內奏事處發下，外奏事官傳旨給領。

十二、凡朱批過的奏摺發下時，軍機處都抄錄一份備查，叫「錄副奏摺」。普通事件，由方略館供事抄錄。若是機密諭摺，由章京自抄。各摺抄畢，章京執正副二本，互相讀校。當即於錄副摺面註明某人所奏某事及月日、交與不交字樣，叫做「開面」。錄副奏摺按日排列，每半月打包存檔，謂之「月摺包」。

十三、經朱批的奏摺，發下京內外各衙執行後，須定期繳宮內。

啟本

明代臣民向皇太子和諸王言事用啟本。清沿明制，順治初年，多爾袞以皇叔父攝政，王大臣言事於皇叔父用啟本。順治三年（一六四六年）四月，多爾袞諭內院說：「嗣後諸王、大臣，差遣在外，凡有啟本，具本御前。予處啟本，著永遠停止。」（王先謙：順治朝《東華錄》卷六）康熙平定三藩時期，各省用兵文武官員，上領兵各親王、貝勒的公文，也多用啟本。

第二節　慶賀文書

表文／箋文

「表」為表明之意。到了漢朝，臣下向皇帝陳情進言用表文。自東漢以後，

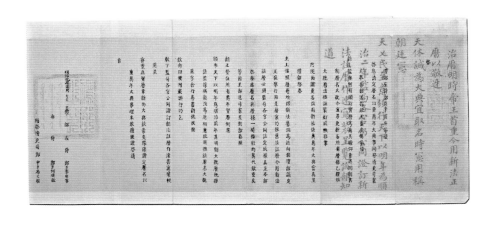

凡議諫、勸請、陳乞、進獻、推薦、慶賀、慰安、訟理、彈劾等都用表文。如諸葛亮的《出師表》、李密的《陳情表》等。自唐宋以後，表文只用於陳謝、慶賀、進獻方面的事情。六朝時，凡國家有大慶典，臣下進文祝賀，稱賀表。文尚駢體。元代時，每遇皇帝生日、元旦，五品以上官員才能進表恭賀，稱表章。明代慶賀文書，除表文以外，又增加箋文一種。凡元旦、萬壽、冬至等節日，內外臣工須具表、箋以慶賀。上賀皇帝、皇太后用表；上賀皇后用箋。清沿明制，凡三大節，中外臣工例具表、箋向帝后祝賀。另外，凡實錄、聖訓、會典等重要書籍修成後，總裁官照例具表進呈。

清代表文的程式，順治元年（一六四四年）曾規定，凡表並用小字楷書，表文前上面，粘黃帖一方，如印大，帖下用印。黃帖書《進賀萬壽表文》，或《進賀元旦表文》，或《進賀冬至表文》，末書年月日，用印。束封上用黃帖，上書如前，黃帖下用印，印下書某官臣某上進謹封，於上進謹封字上用印。副本用手本，小字楷書，後年月日用印。黃綾裱褙袱匣。箋文繕書印封，與表相同。

表文的程式，賀表以「某官某某等，誠歡誠忭，稽首頓首上賀」語句開始。繼用「伏以……，恭惟皇帝陛下……」等套語，分擬文句，末以「臣等無任瞻天仰聖，歡忭之至，謹奉表稱賀以聞」語句結束。文式由內閣撰擬，大學士奏定，頒發京內外遵行。表、箋文字都是用四六字的駢體文，歌功頌德，華而不實。

箋文始用於東漢，稱為「箋奏」或「箋記」。魏晉時期上皇后、太子、諸王多用箋文。唐、宋時期，僅臣僚上皇太子的文書用箋。明代三大節時，臣僚上賀皇后、太子用箋。清代雍正以後，不設太子，箋專為慶賀皇后三大節的文書。乾隆六十年（一七九六年）為革除縟節繁文，上諭停止箋賀皇后的制度。

賀箋的程式與賀表基本相同。進書的表文以「某官某某等奉
敕纂修某書告成，謹奉表上進者」語句開始，繼用
「伏……臣等誠歡誠忭，稽首頓首上言……欽惟皇
帝陛下……」等套語行文，末以「臣等無任瞻天仰
聖，踴躍歡忭之至。謹奉表恭進以聞」語句結束。

每件表、箋均正、副二份。正件卷而不摺，副件摺而不卷，共為一函。三大節慶賀時，表、箋進呈陳畢表案，行禮畢送內閣收存，皇帝並不閱看。

關於藩屬表章處理，也由內閣承辦。清朝對於蒙古、察哈爾、青海、西藏稱為藩部。對於四鄰諸國，如朝鮮、琉球、蘇祿、安南、暹羅、緬甸、南掌等國稱為藩屬。各藩部的表章与內地臣僚的題奏處理相同，只是多了一道翻譯的手續。內閣蒙古房管各藩部文書翻譯之事。凡蒙文、托忒文、回文、唐古特文的本章，都由蒙古堂譯出，票擬進呈。

各藩屬國逢朝貢期，照例進呈表文和方物，表文先由禮部接收，在該部大堂舉行進表儀式。進表儀式後，禮部將表文送內閣。內閣接到表文後，另譯繕滿文一份与原表文合璧，併擬具票簽一併進呈御覽。皇帝閱定後，由批本處按照皇帝覽准的票簽文字，用紅筆寫於表文面上，然後由內閣轉送六科，六科再抄發禮部辦理。原表文存於內閣典籍廳。

詩文

在清代，每逢盛典，臣工每每著詩撰文上呈皇帝，以示慶賀。雖無定制，但並不少見。

【三・一・一】內閣辦理題本運轉程序示意圖

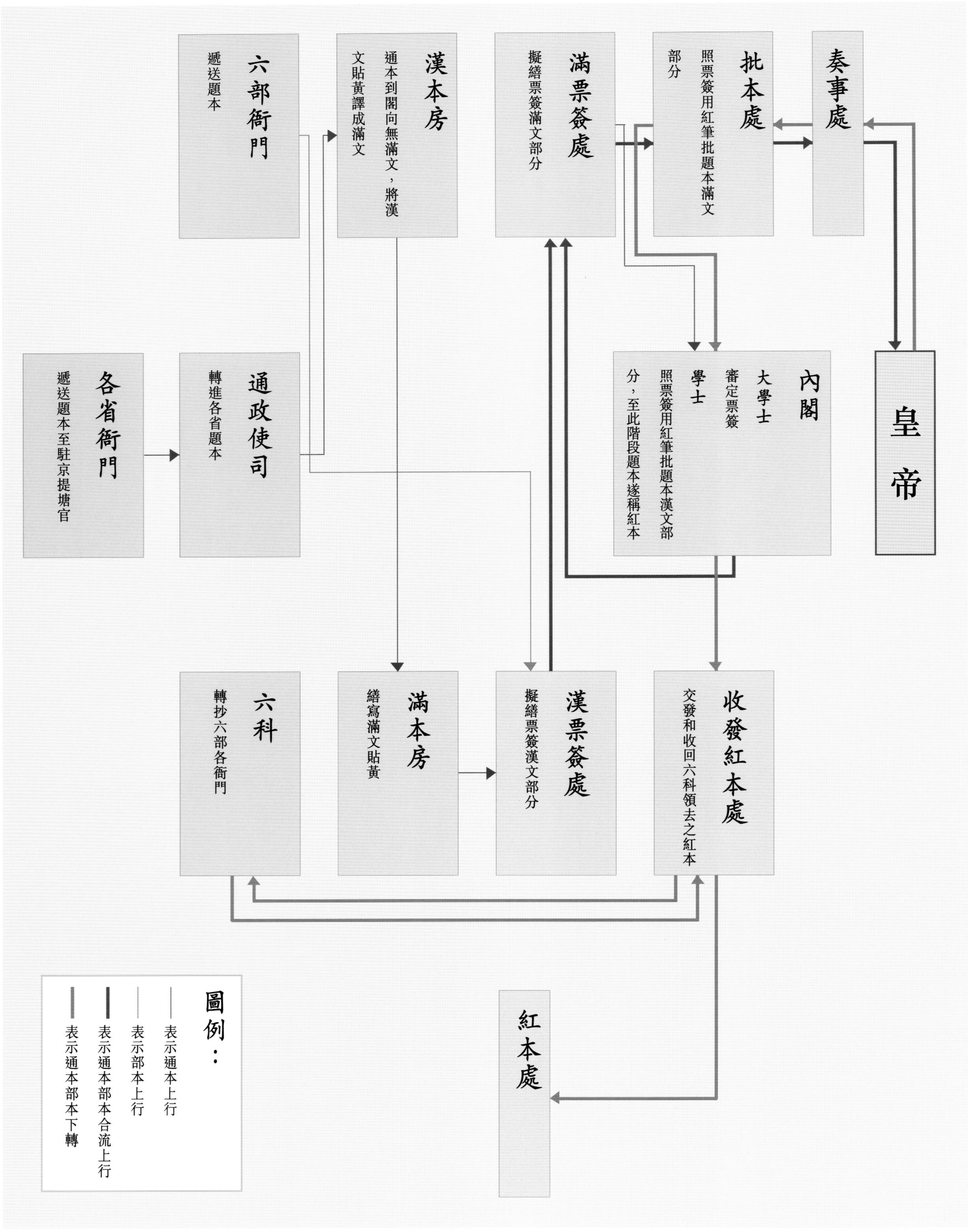
六部衙門
遞送題本
漢本房
通本到閣向無滿文，將漢文貼黃譯成滿文
滿票簽處
擬繕票簽滿文部分
批本處
照票簽用紅筆批題本滿文部分
奏事處
各省衙門
遞送題本至駐京提塘官
通政使司
轉進各省題本
內閣
大學士
審定票簽
學士
照票簽用紅筆批題本漢文部分，至此階段題本遂稱紅本
皇帝
六科
轉抄六部各衙門
滿本房
繕寫滿文貼黃
漢票簽處
擬繕票簽漢文部分
收發紅本處
交發和收回六科領去之紅本
紅本處
圖例：
表示通本上行
表示部本上行
表示通本部本合流上行
表示通本部本下轉

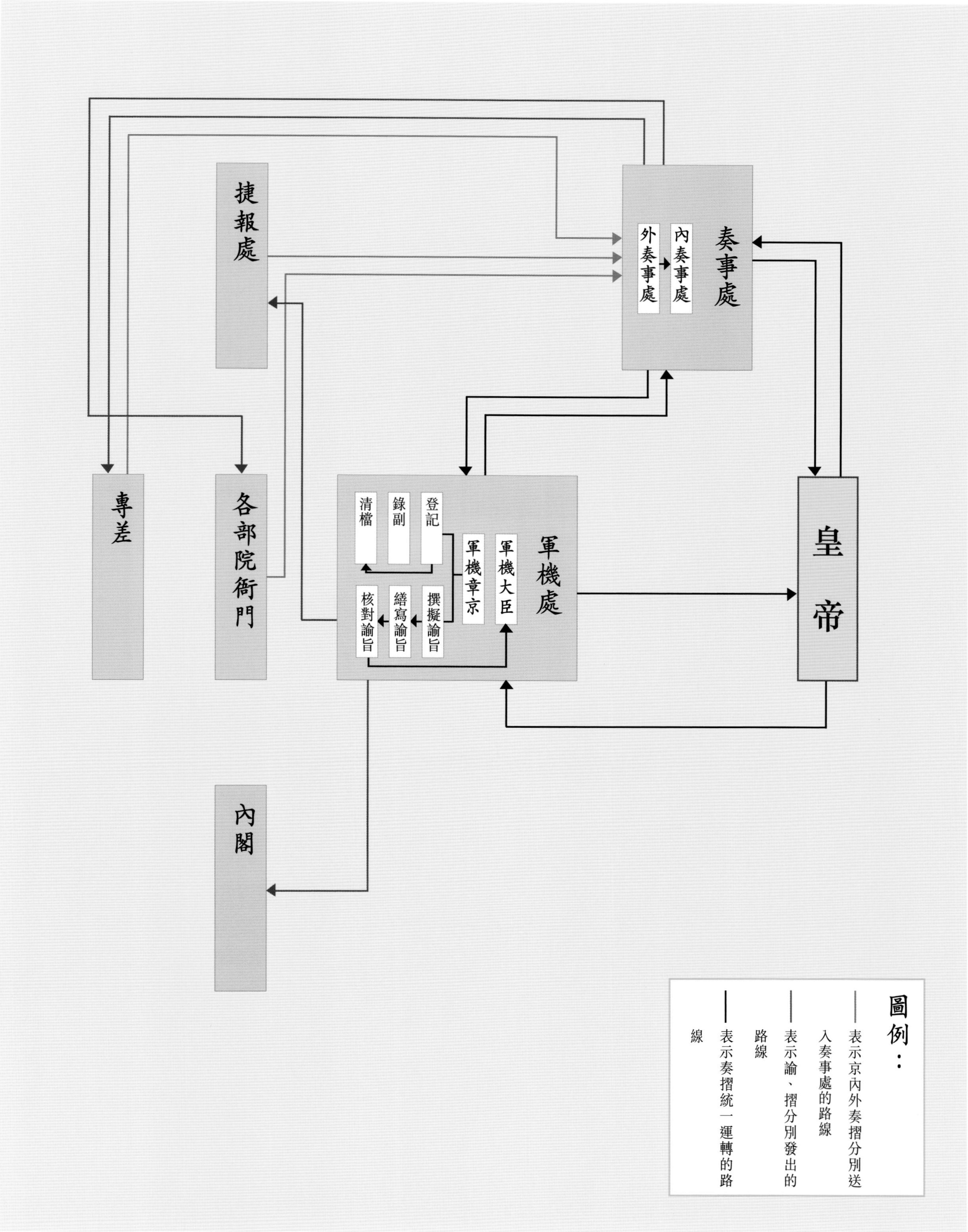
捷報處
奏事處
外奏事處
內奏事處
專差
各部院衙門
軍機處
清檔
錄副
登記
軍機章京
軍機大臣
撰擬諭旨
繕寫諭旨
核對諭旨
皇帝
內閣
圖例：
表示京內外奏摺分別送入奏事處的路線
表示諭、摺分別發出的路線
表示奏摺統一運轉的路線

【三・一・三】題本

乾隆五十七年（一七九二年）正月二十八日，滿漢文合璧，紙質，摺，每扣24cm ×12cm，十八扣。

題本是明清時期高級官員向皇帝報告政務的文書形式之一。清朝規定，總督、巡撫、將軍、都統及各部院尚書、侍郎及少數負有言責的科道官才可具題奏言。

此件為江寧巡撫長麟為報江寧等府州屬漕糧開幫日期事上奏的題本。

【三・一・四】部本

順治二年（一六四五年）四月十一日，漢文，紙質，摺，每扣28cm ×11.5cm，十二扣。

此件為掌管欽天監監正湯若望奏報天、日變化情況的題本。湯若望是德國傳教士，他在明末崇禎時期就效力於朝廷。清定都北京後，順治二年被正式任命為欽天監監正。曾因修曆有功被特賜號「通弘法師」。

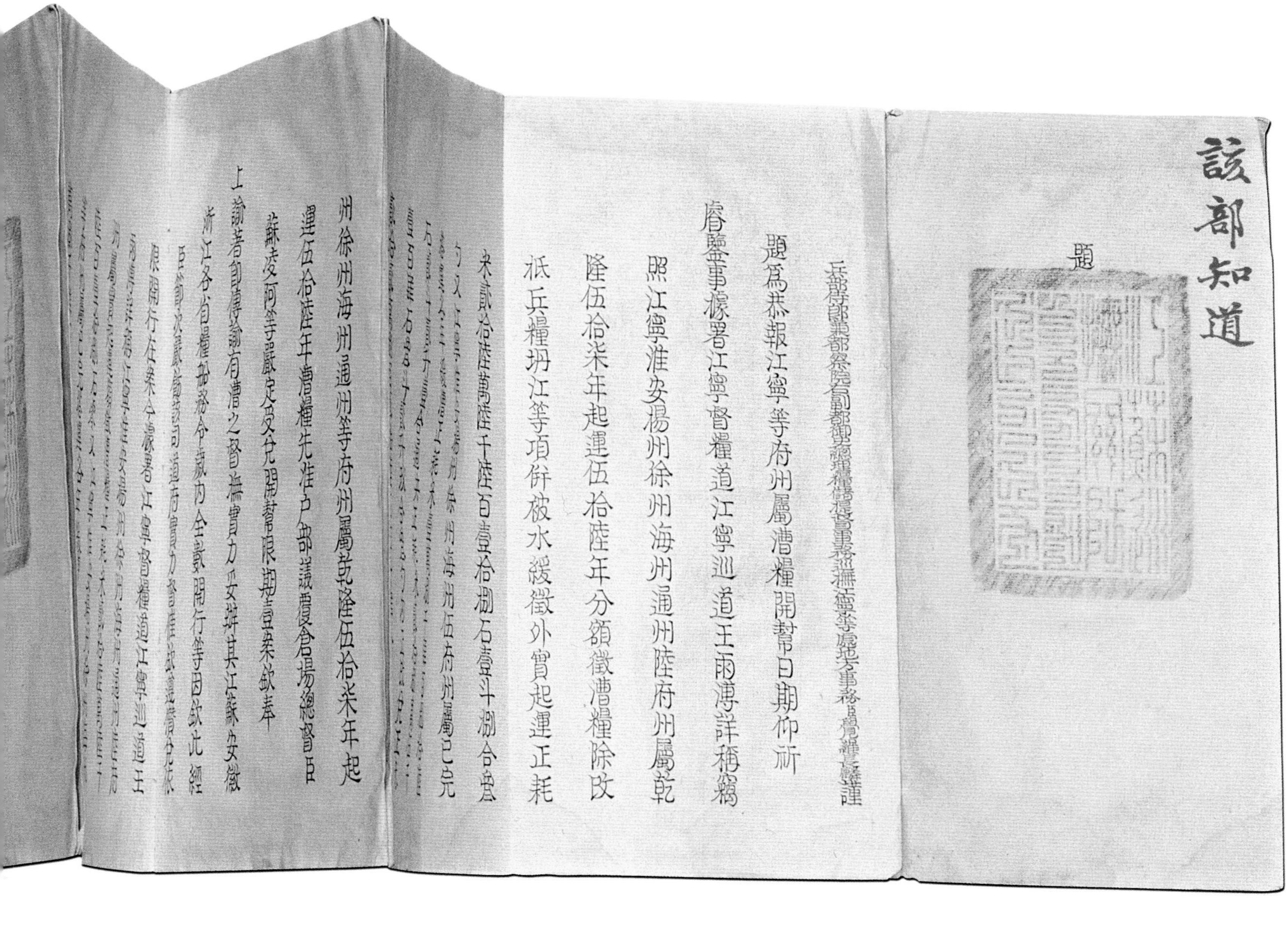
該部知道

題

題為恭報江寧等府州屬漕糧開幫日期仰祈
睿鑒事據署江寧督糧道江寧巡道王雨溥詳稱竊
照江寧淮安揚州徐州海州通州陸府州屬乾
隆伍拾柒年起運伍拾陸年分額徵漕糧除改
祇兵糧坍江等項併被水緩徵外實起運正耗

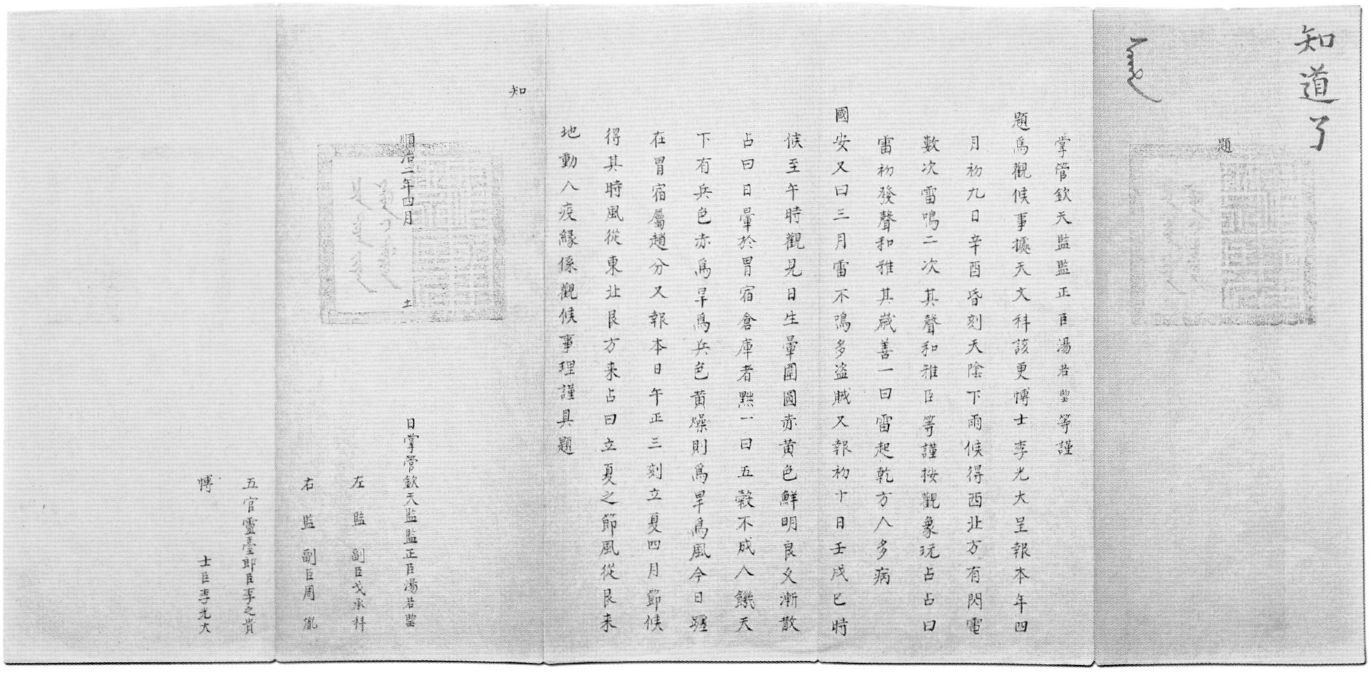

知道了

題

掌管欽天監監正臣湯若望等謹

題爲觀候事據天文科該更博士李光大呈報本年四月初九日辛酉昏刻天陰下雨候得西北方有閃電數次雷鳴二次其聲和雅臣等謹按觀象玩占占曰雷初發聲和雅其歲善一曰雷起乾方人多病

國安又曰三月雷不鳴多盜賊又報初十日壬戌巳時候至午時觀見日生暈圍圓赤黃色鮮明良久漸散占曰日暈於胃宿倉庫者點一曰五穀不成人饑天下有兵色赤爲旱爲兵色黃燥則爲旱爲風今日躔在胃宿屬趙分又報本日午正三刻立夏四月節候得其時風從東北艮方來占曰立夏之節風從艮來地動人疫緣係觀候事理謹具題

知

順治二年四月　日掌管欽天監監正臣湯若望

左　監　副臣戈承科

右　監　副臣周胤

五官靈臺郎臣李之貴

博　士臣李光大

【三·一·四】

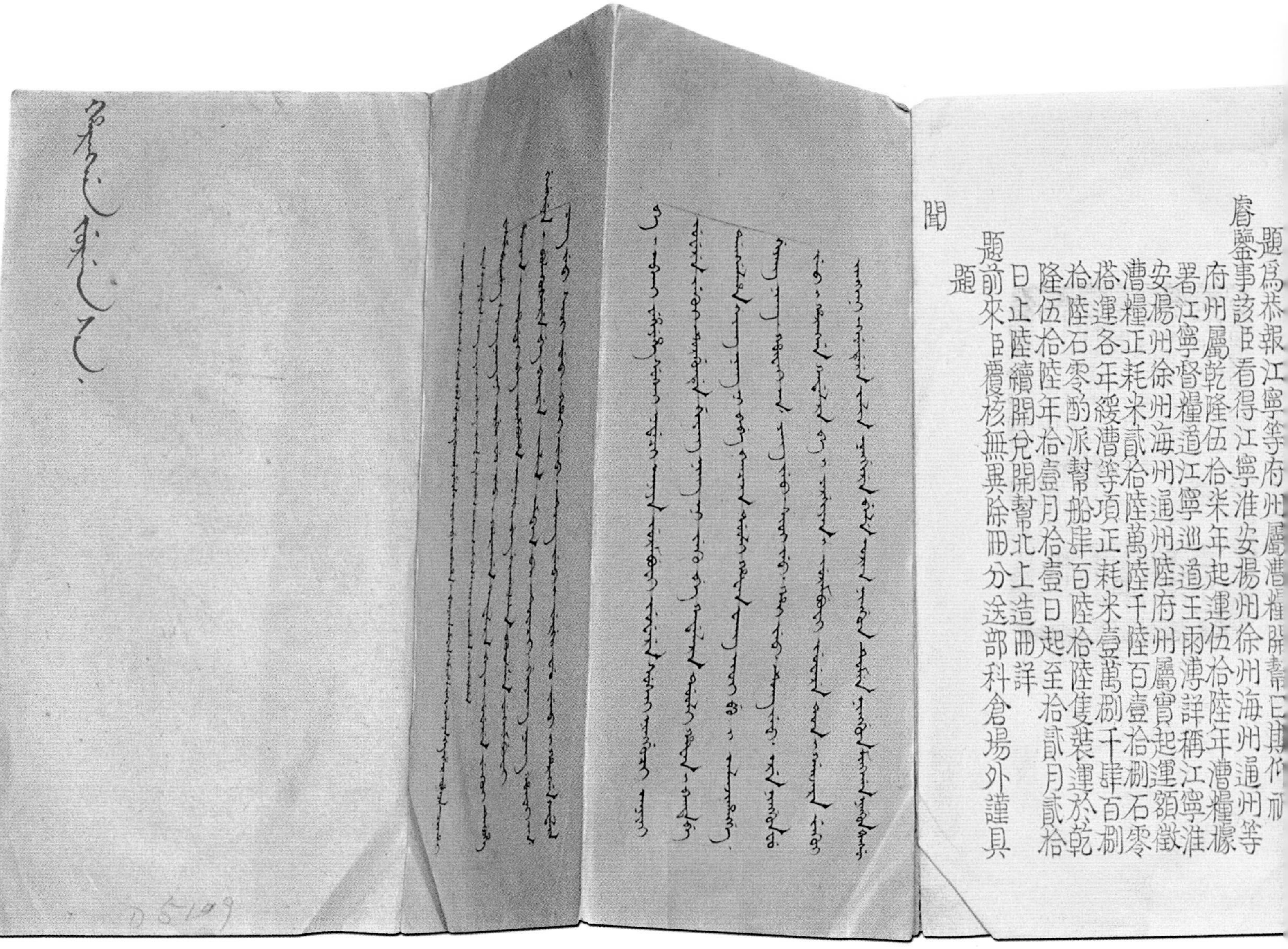

題爲恭報江寧等府州屬漕糧開幫日期仰祈

睿鑒事該臣看得江寧淮安揚州徐州海州通州等府州屬乾隆伍拾柒年起運伍拾陸年漕糧據署江寧督糧道江寧巡道王雨溥詳稱江寧淮安揚州徐州海州通州陸府州屬實起運額徵漕糧正耗米貳拾陸萬陸千陸百壹拾捌石零搭運各年緩漕等項正耗米壹萬捌千肆百捌拾陸石零酌派幫船肆百陸拾陸隻裝運於乾隆伍拾陸年拾壹月拾壹日起至拾貳月貳拾日止陸續開兌開幫北上造冊詳

題前來臣覆核無異除冊分送部科倉場外謹具

題

聞

D5199

【三·一·三】

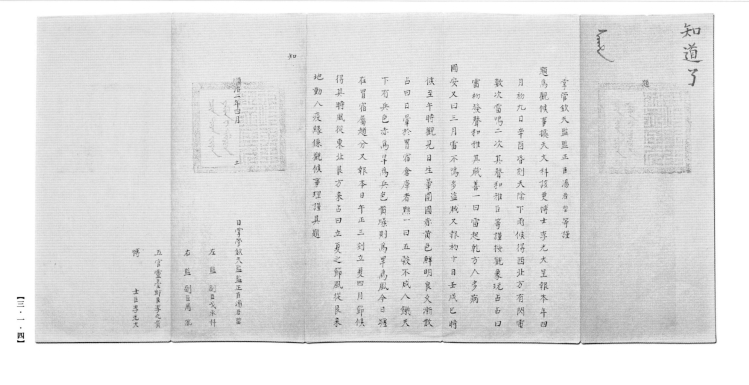

【三・一・五】通本

同治十年(一八七一年)十一月二十四日，滿漢文合璧，紙質，摺，每扣23cm × 12cm，十六扣。

此件是直隸總督李鴻章奏為長蘆天津分公司官員補缺事宜的題本。

【三・一・五輔】通政使司印鑒

順治朝，滿漢文合璧。

清代通政使司是掌收各省題本的機關。

此件為通政使司印章的放大樣。

【三・一・六】紅本

乾隆三年(一七三九年)十二月十四日，滿漢文合璧，紙質，每扣12cm × 24.5cm。

此件是吏部尚書張廷玉奏為急選員外郎等官員事的題本。

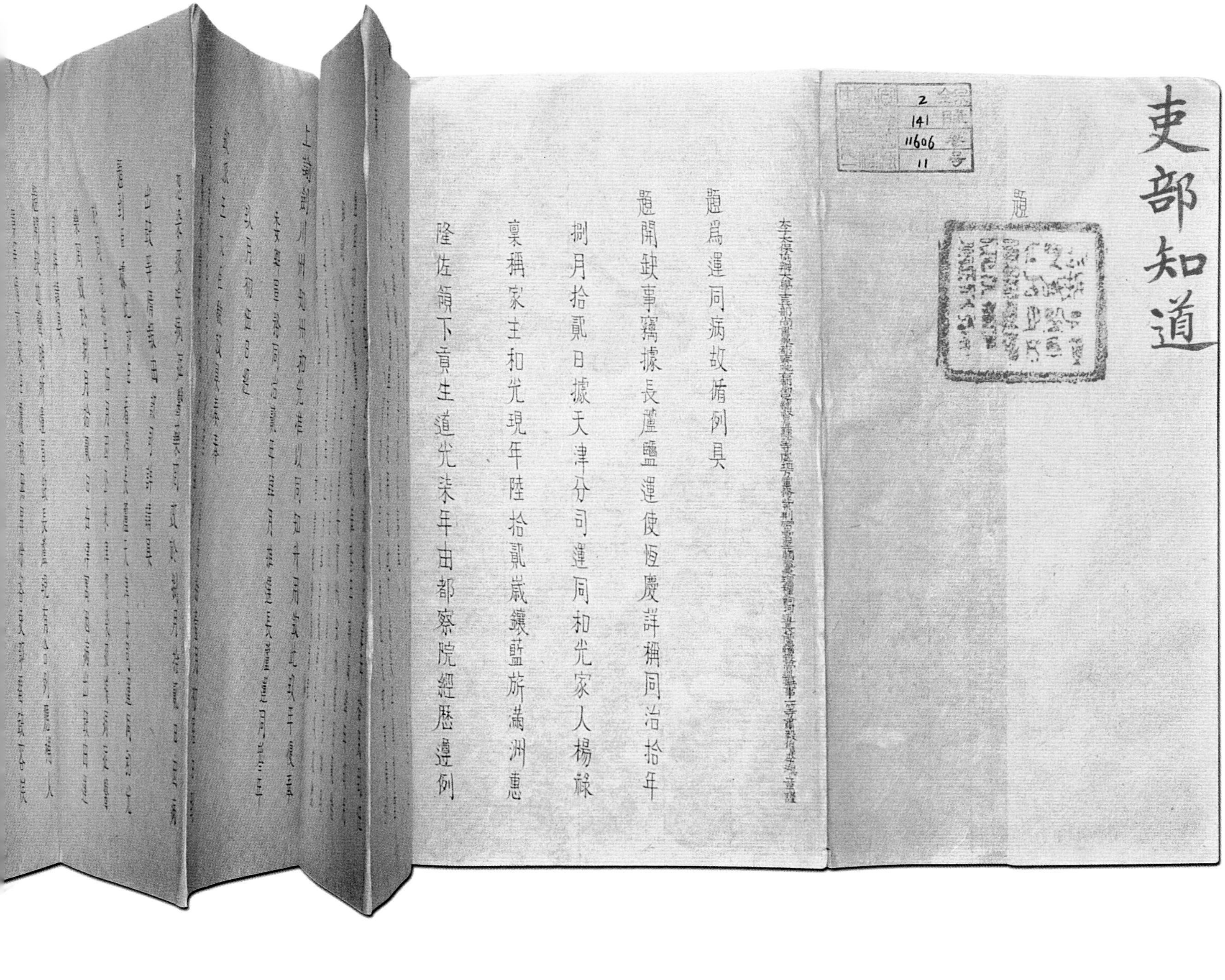
吏部知道
題
題爲運同病故循例具
題開缺事竊據長蘆鹽運使恆慶詳稱同治拾年
捌月拾貳日據天津分司運同和光家人楊祿
稟稱家主和光現年陸拾貳歲鑲藍旂滿洲惠
隆佐領下貢生道光柒年由都察院經歷遵例

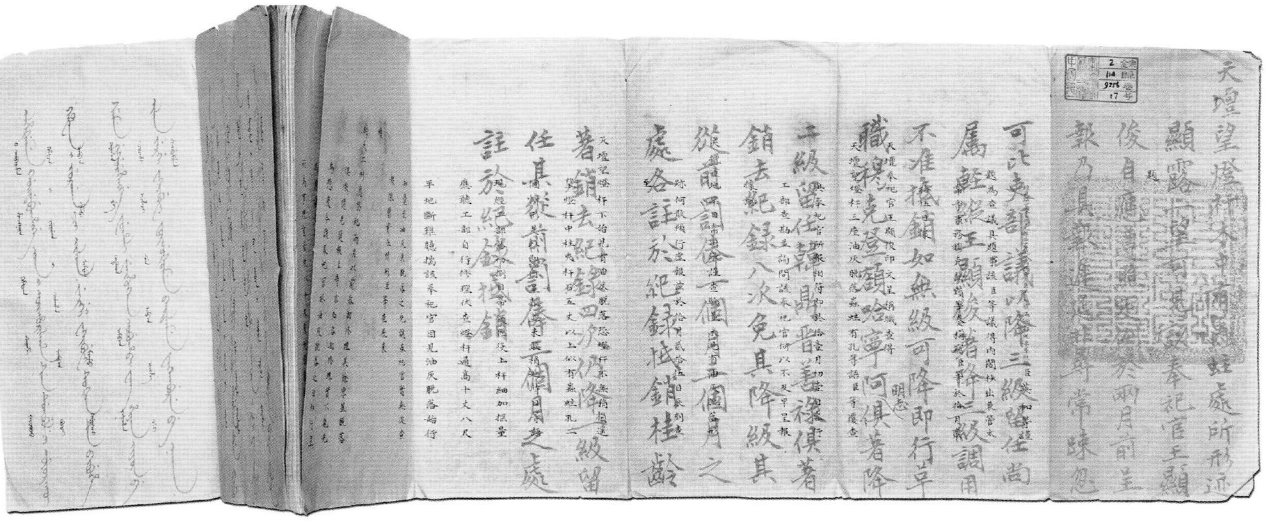

【三·一·六】

【三·一·五輔】

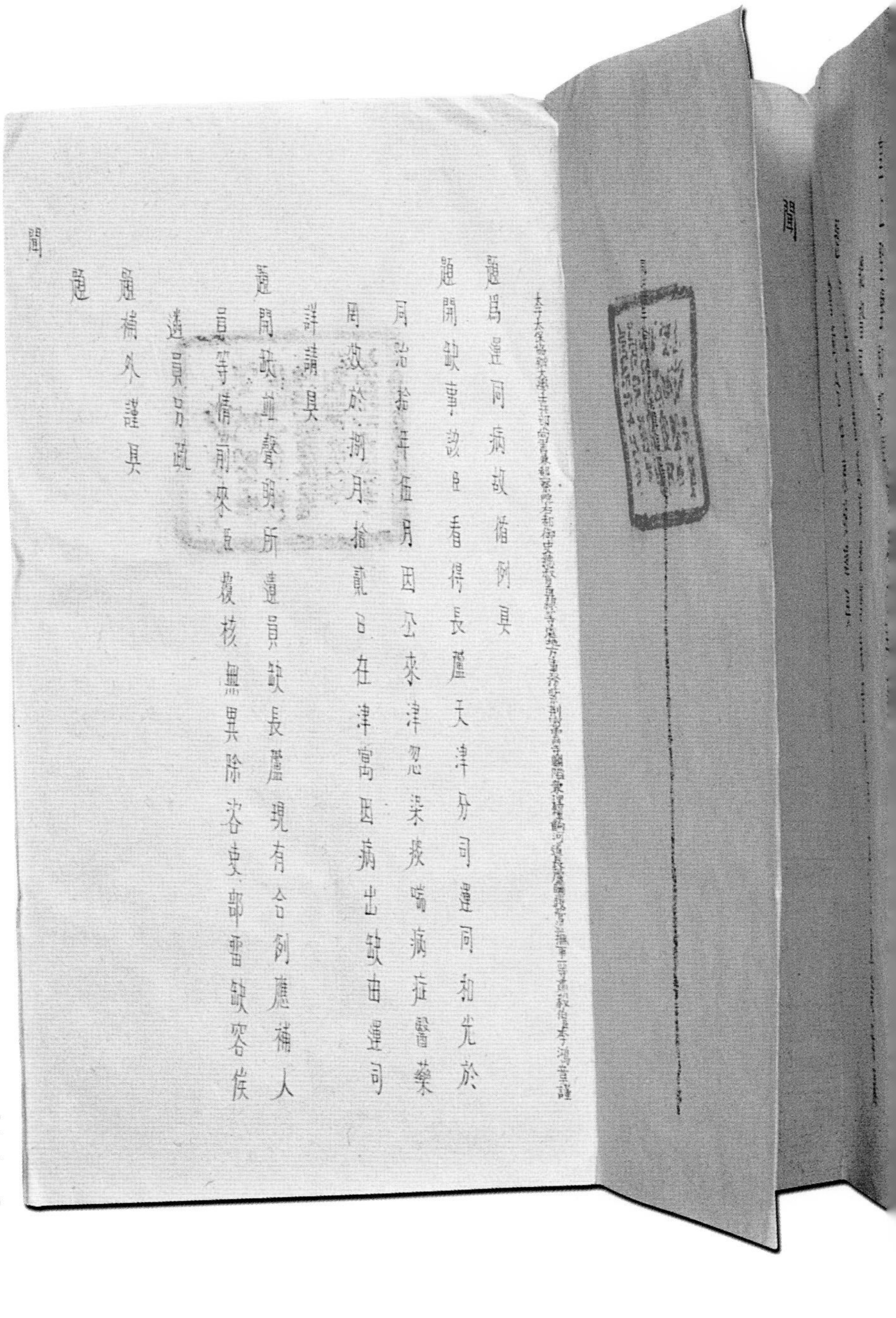

【三·一·五】

【三・一・七】揭帖

順治十一年（一六五四年）四月二十八日，漢文，紙質，摺，每扣26cm×11.5cm，十扣。

揭帖是清代官員上奏題本之副本。

清制，官員每上奏題本，例應隨本送進副本三份，分別送通政使司核查及六科和關係衙門。副本款式與題本相同，只是把封面的「題」字改為「揭」字。將文中「具題」字樣均改為「具揭」二字。正文首書「××謹揭為××事」，尾書「須至揭帖者××」。

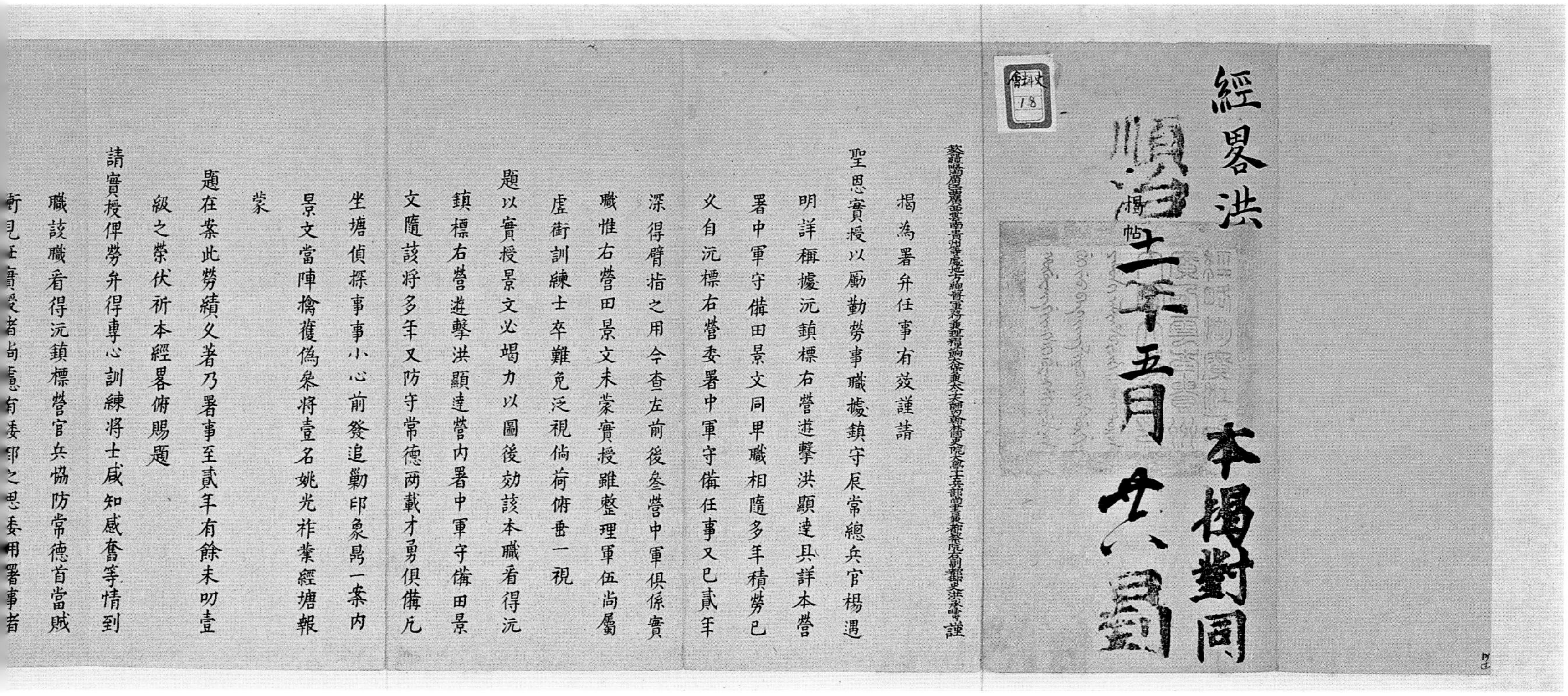

經畧洪
本揭對同
揭帖
順治十一年五月廿六日

欽差經略湖廣江西廣西雲南貴州等處地方總督軍務兼理糧餉太保兼太子太師內翰林國史院大學士兵部尚書兼都察院右副都御史洪承疇謹
揭為署弁任事有效謹請
聖恩實授以勵勤勞事職據鎮守辰常總兵官楊遇
明詳稱據沅鎮標右營遊擊洪顯達具詳本營
署中軍守備田景文同卑職相隨多年積勞已
久自沅標右營委署中軍守備任事又已貳年
深得臂指之用今查左前後叁營中軍俱係實
職惟右營田景文未蒙實授雖整理軍伍尚屬
虛銜訓練士卒難免泛視偷荷俯晉一視
題以實授景文必竭力以圖後效該本職看得沅
鎮標右營遊擊洪顯達營內署中軍守備田景
文隨該將多年又防守常德兩載才勇俱備凡
坐塘偵探事事小心前發追勦印象鼻一案內
景文當陣擒獲偽叅將壹名姚光祚業經塘報
蒙
題在案此勞績久著乃署事至貳年有餘未叨壹
級之榮伏祈本經畧俯賜題
請實授俾勞弁得專心訓練將士咸知感奮等情到
職該職看得沅鎮標營官兵協防常德首當賊
衝見任實授者尚慮有委署之思委用署事者

【三・一・八】貼黃

乾隆朝，漢文，紙質，片，每扣24.5cm×11.5cm。

貼黃是古代文書處理的一種制度。

清代各省督撫衙門之通本，皆須摘錄題本要點於黃紙上，約百餘字，附粘在題本之末，以便皇帝御覽。

此件為刑部尚書劉統勳為安慶巡撫報民人門毆殺死人禽題本的貼黃。

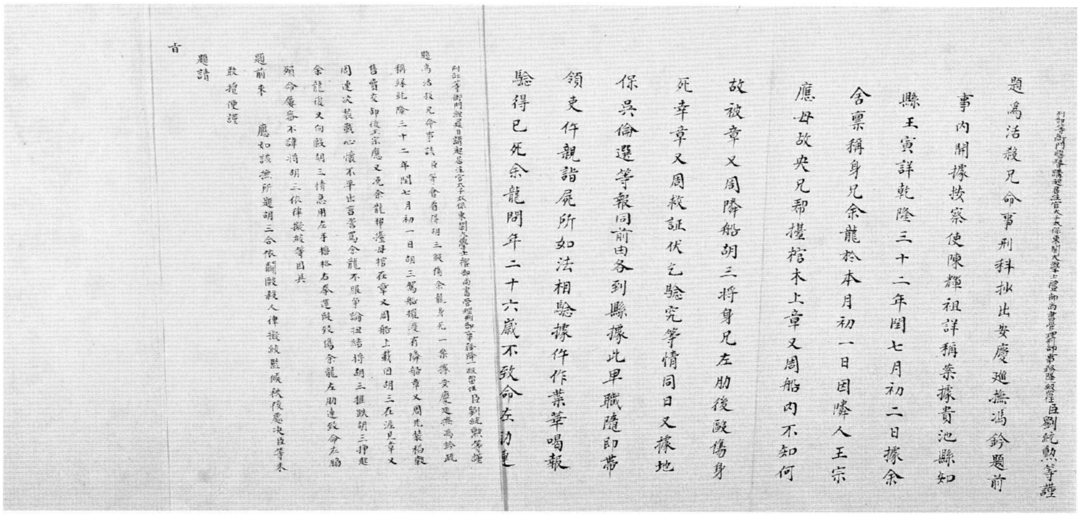

刑部等衙門經筵講官太子太保東閣大學士禮部尚書管理刑部事務降一級留任臣劉統勳等謹
題為活殺兄命事刑科抄出安慶巡撫馮鈐題前
事內開據按察使陳輝祖詳稱桒據貴池縣知
縣王寅詳乾隆三十二年閏七月初二日據余
含稟稱身兄余龍於本月初一日因隣人王宗
應母故央兄帮擡棺木上章又周船內不知何
故被章又周隣船胡三將身兄左肋後毆傷身
死幸章又周救証伏乞驗究等情同日又據地
保吳倫選等報同前由各到縣據此卑職隨即帶
領吏仵親詣屍所如法相驗據仵作葉華喝報
驗得已死余龍問年二十六歲不致命左肋連

刑部等衙門經筵日講起居注官太子太保東閣大學士禮部尚書管理刑部事務降一級留任臣劉統勳等謹
題為活殺兄命事該臣等會看得胡三毆傷余龍身死一案據安慶巡撫馮鈐疏
稱緣乾隆三十二年閏七月初一日胡三駕船擺渡有隣船章又周先裝稻穀
售賣交卸後王宗應又浼余龍帮擡母棺在章又周船上載回胡三在涯見章又
周連次裝載心懷不平出言詈罵余龍不服爭論扭結將胡三推跌胡三掙起
余龍復又向毆胡三情急用左手搪格右拳還毆致傷余龍左肋連致命左脇
殞命屢審不諱將胡三依律擬絞等因具
題前來 應如該撫所題胡三合依鬬毆殺人律擬絞監候秋後處決臣等未
敢擅便謹
題請
旨

【三・一・八】

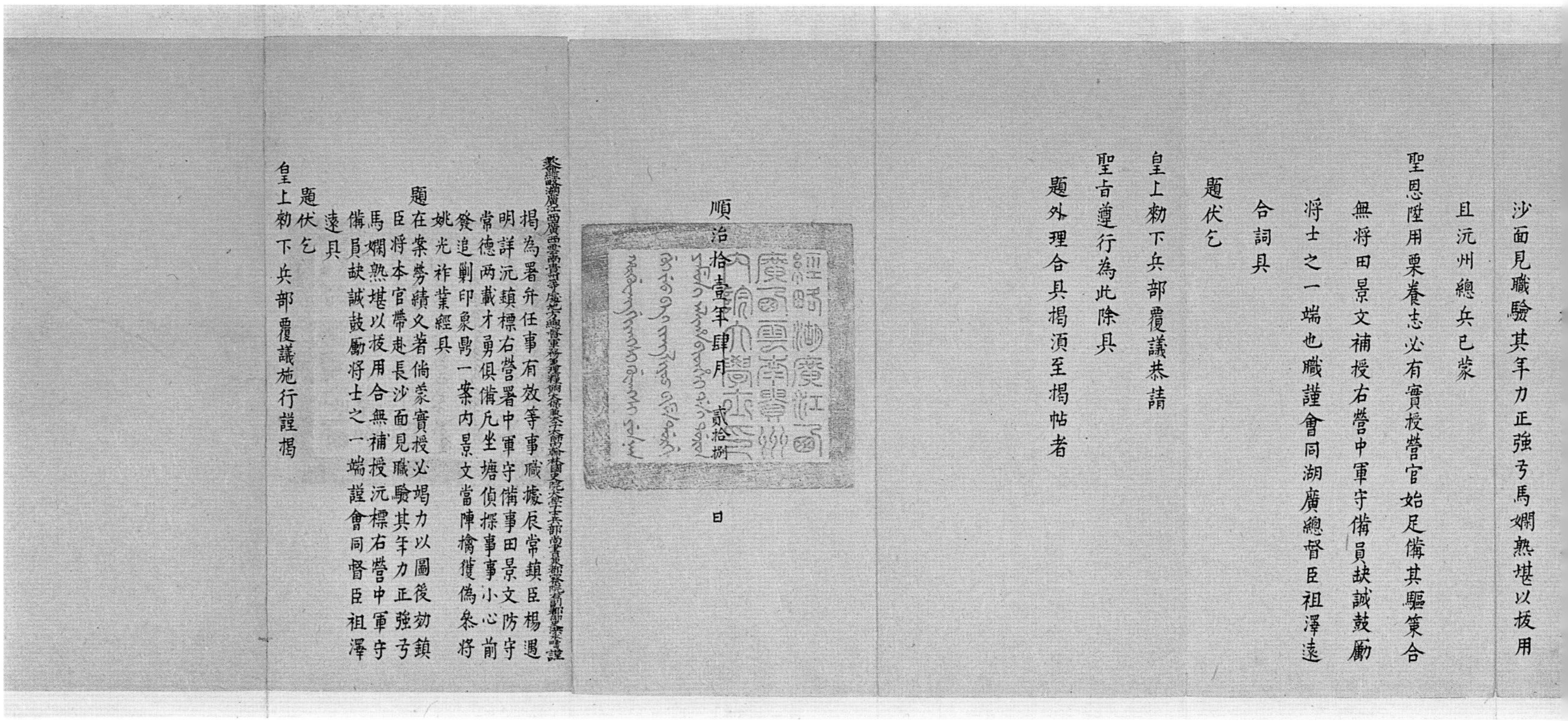

沙面見職驗其年力正強弓馬嫻熟堪以拔用
且沅州總兵已蒙
聖恩陞用栗養志必有實授營官始足備其驅策合
無將田景文補授右營中軍守備員缺誠鼓勵
將士之一端也職謹會同湖廣總督臣祖澤遠
合詞具
題伏乞
皇上勑下兵部覆議恭請
聖旨遵行為此除具
題外理合具揭須至揭帖者

順治拾壹年肆月 貳拾捌 日

經略湖廣江西廣西雲南貴州等處地方總督軍務兼理糧餉太保兼太子太師內翰林國史院大學士兵部尚書兼都察院右副都御史洪承疇謹
揭為署弁任事有效等事職據辰常鎮臣楊遇
明詳沅鎮標右營署中軍守備事田景文防守
常德兩載才勇俱備凡坐塘偵探事事小心前
發追剿印象鼻一案內景文當陣擒獲偽參將
姚光祚業經具
題在案勞績久著倘蒙實授必竭力以圖後効鎮
臣將本官帶赴長沙面見職驗其年力正強弓
馬嫻熟堪以拔用合無補授沅標右營中軍守
備員缺誠鼓勵將士之一端謹會同督臣祖澤
遠具
題伏乞
皇上勑下兵部覆議施行謹揭

【三・一・七】

【三·一·九】賀題

同治六年（一八六七年）二月二十九日，滿漢文合璧，首尾綾質，正文紙質（雙層），摺，每扣23cm × 10.5cm，十七扣。

賀題是清代各省督撫用題本的形式上呈帝后的文書。

清代，凡帝后誕辰及元旦、冬至三大節，內外各官員均依例向帝后表示慶賀。在慶賀時，各省督撫用題本，其餘官員用表、箋，並各具正副本二份。賀題的款式與題本相同，但在文字上有嚴格規定。

此件為兩江總督曾國藩為慶賀同治皇帝誕辰的賀題。

【三・一・九輔】曾國藩像

曾國藩（一八一一—一八七二年），湖南湘鄉人。原名子城，字伯涵，號滌生。道光進士。曾任四川鄉試正考官、翰林院侍講學士、內閣學士、侍郎等職。一八五二年在家守孝，次年奉命幫辦團練，後擴編為湘軍。一八五四年後開始領兵進攻太平軍。一八六〇年被授予兩江總督、欽差大臣銜，次年又奉命統轄蘇、皖、贛、浙四省軍務。一八六八年八月，調任直隸總督。一八七〇年六月因在天津發生的反洋教鬥爭中殺害無辜，受到社會輿論譴責。九月，調任兩江總督。一八七二年三月病死南京。

【三・一・九輔】

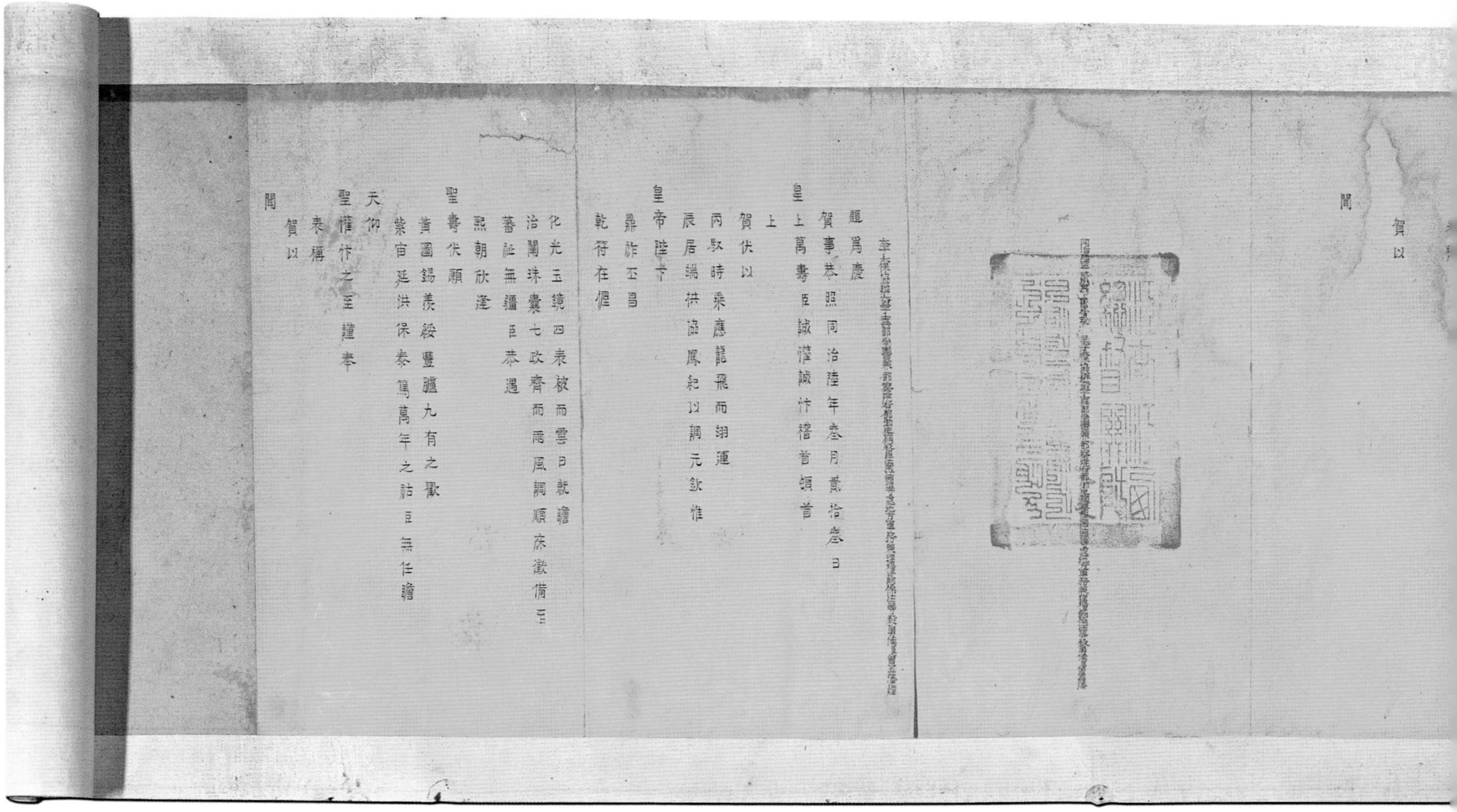

【三・一・九】

【三·一·一〇】題副

光緒二十九年（一九〇三年）九月初四日，漢文，首尾綾質，正文紙質（雙層），摺，每扣25cm × 11.5cm，十二扣。

題副是題本的副本。

此件為鎮守福州將軍宗室崇善為慶賀慈禧皇太后誕辰而呈上的賀題副本。

【三·一·一一】錄疏

順治元年（一六四四年），漢文，紙質，冊，17cm ×25.5cm。

「錄疏」是清代題本文書的彙抄檔冊。

題本經皇帝閣批以後，內閣即轉送六科（吏、戶、禮、兵、刑、工）發抄施行。六科每日要派員赴內閣領取題本，傳抄於各衙門。同時別抄錄兩份，分別成冊。一份送內閣供史官記註的叫「史書」；一份存科以備編纂的叫「錄疏」。

此件檔冊分別錄有鴻臚寺卿堵士鳳、順天府大興縣知縣吳聞詩等人的題本。

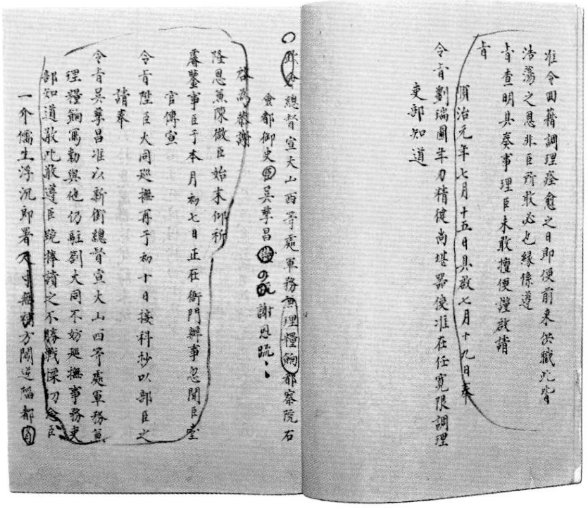

【三·一·一一】

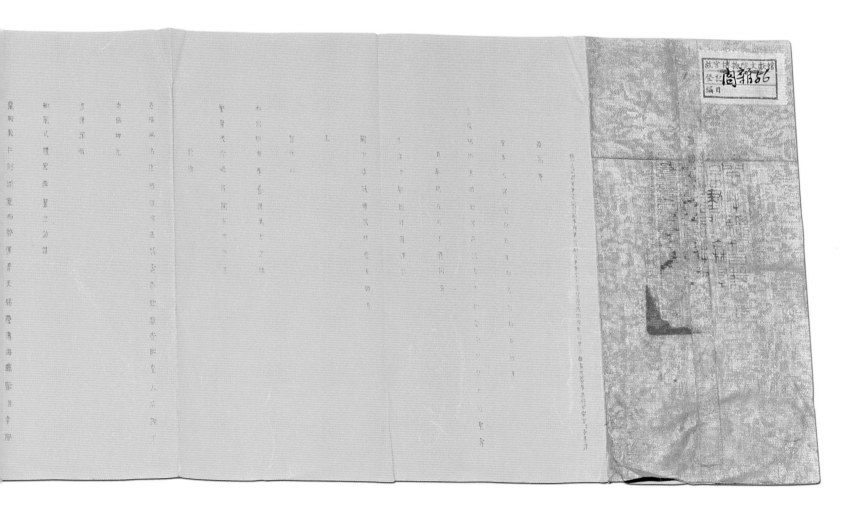

【三・一・一二】六科史書

清，滿漢文合璧，紙質，簿冊，38cm × 25cm × 4.5cm。

六科係指吏、戶、禮、兵、刑、工六科，清初為獨立機關，雍正元年（一七二三年）始，隸都察院。六科除負監察之責外，還專管題本、奏本文書的發抄和繕寫史書、錄書(疏)的工作。即，內閣將題本批紅後，發交六科，六科分別抄傳有關衙門實施後，另抄錄兩份，分別為冊，一為史書，一為錄書(疏)，送內閣供史官記註者叫史書，由於依六科分編，故合稱「六科史書」。順治、康熙、雍正三朝，一般每月抄訂一冊，乾隆朝每月分訂兩冊。所抄內容，通本照錄貼黃（清初亦有照抄全文者），部本無貼黃，摘錄主要內容。嘉慶以後，每月一冊，所錄極為簡略，僅記題本事由和批紅文字。同治朝後，簿冊規格亦變小，僅33cm ×23cm ×0.5cm。現存史書，起於順治，止於光緒。順治六年至九年間（一六四九—一六五二年），又稱其為「六曹章奏」。所選為乾隆及道光朝史書。

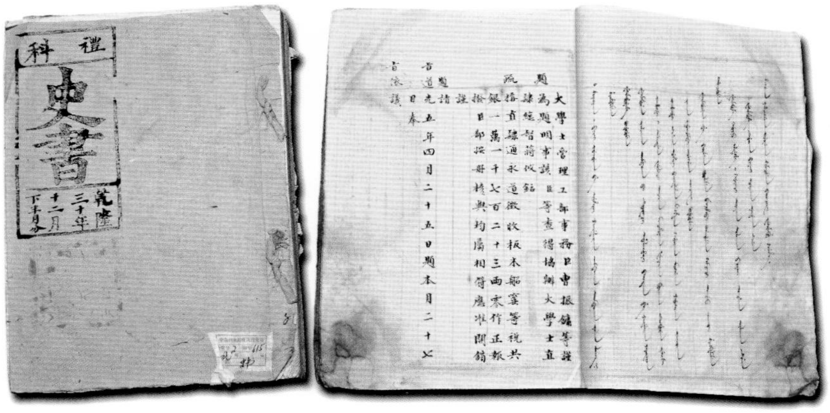

【三・一・一二】

【三・一・一〇】

【三・一・一三】奏本

順治十一年（一六五四年）四月初三日，滿漢文合璧，摺裝，紙質，每扣11.5cm × 26cm，十四扣。

奏本是明清時期官員上奏皇帝的文書之一。明制，官員上書於皇帝，凡公事用題本，用印；凡私事用奏本，不用印。清朝仍沿用公題私奏制度。規定，奏本的使用範圍包括各部院堂官及地方總督、巡撫等高級官員。又規定，奏本文字不得超過三百字，奏本正文之後，須用大寫數字註明全文的字數和用紙張數。奏本一般為滿漢文合璧，附有貼黃。

此件為通政使司李呈祥等遵旨將所有准送戶部之通狀姓名、朱語、件數、日期等備造清冊事的奏本。

【三・一・一四】奏副

乾隆二十九年（一七六四年）十二月，漢文，紙質，摺，每扣26cm × 12cm。

奏副是奏本的副本。

此件為工部尚書阿桂等奏為工部學習進士松齡補漢檔房主事之事的奏本副本。

知道了該衙門知道冊併發

奏

通政使司通政使臣李呈祥等謹

奏為通狀事臣等衙門每月將准過通狀姓名硃語備造清

冊具疏奏

聞發該科督併承行該衙門回銷等因於順治玖年肆月貳拾

陸日具題奉

聖旨是依議行該衙門知道欽此欽遵今照本年叁月初壹日

起至本月貳拾柒日止所有准送過戶部通狀貳件合將

姓名硃語件數日期造冊具

奏請

旨發該科督併回銷施行臣等為此具本謹具奏

聞

計繳通狀文冊壹本

右謹奏

理事官臣鍾 退

左通政臣[illegible]

右通政臣朱[illegible]

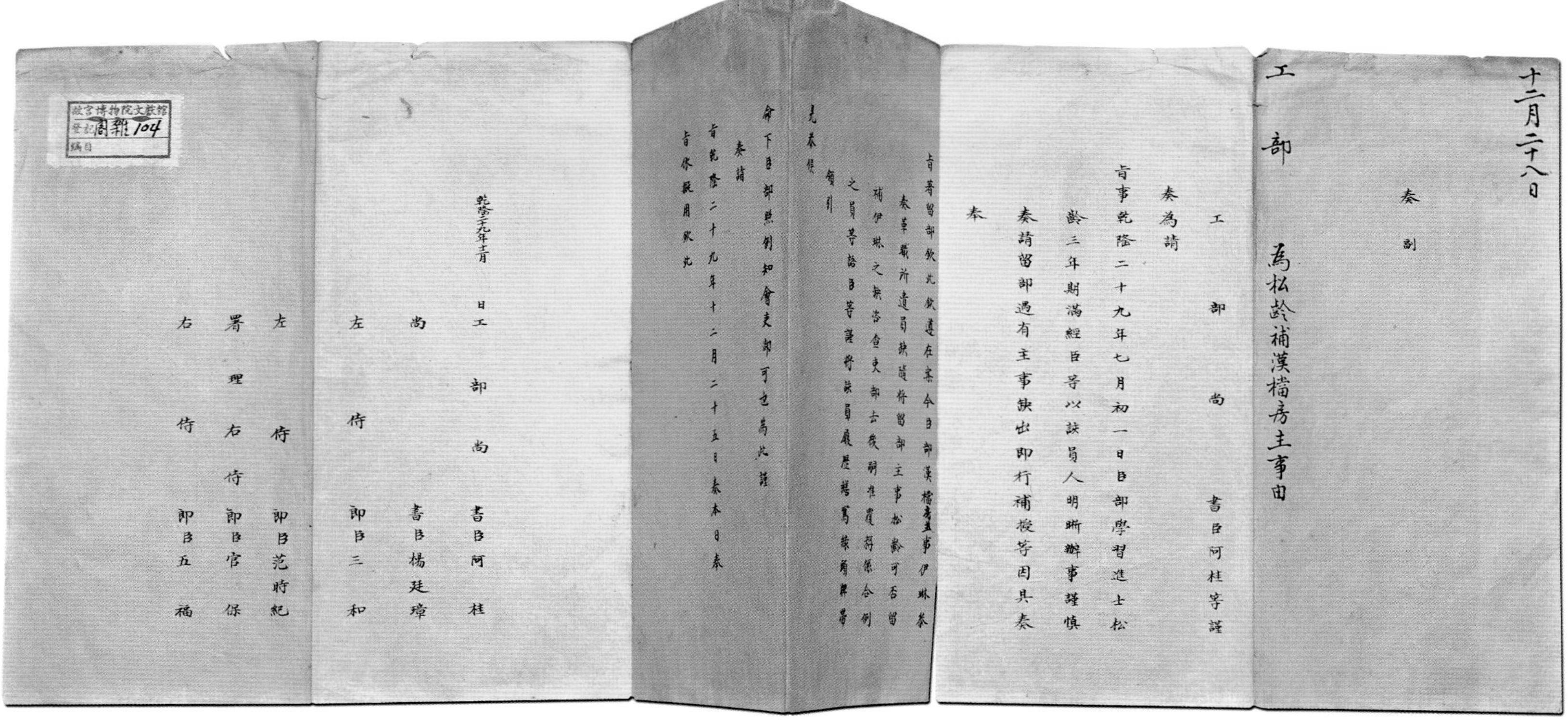

十二月二十八日

工部

奏副

為松齡補漢檔房主事由

工部尚書臣阿桂等謹

奏為請

旨事乾隆二十九年七月初一日臣部學習進士松

齡三年期滿經臣等以該員人明晰辦事謹慎

奏請留部遇有主事缺出即行補授等因具奏

奉

旨著留部欽此欽遵在案今臣部漢檔房主事伊琳叅

奏革職所遺員缺臣等將留部主事松齡可否留

補伊琳之缺咨查吏部去後嗣准覆稱係合例

之員等語臣等謹將該員履歷繕寫緑頭牌帶

領引

見恭候

命下臣部照例知會吏部可也為此謹

奏請

旨乾隆二十九年十二月二十五日奏本日奉

旨依擬用欽此

乾隆二十九年十二月　日工部尚書臣阿桂

尚書臣楊廷璋

左侍郎臣三和

左侍郎臣范時紀

署理右侍郎臣官保

右侍郎臣五福

【三·一·一四】

【三·一·一三】

【三・一・一五】朱批奏摺

乾隆二十四年（一七五九年）二月初八日，漢文，紙質，摺，每扣10.5cm × 22cm，十二扣。

奏摺是清代高級官員向皇帝報告政務的文書之一。奏摺由皇帝拆閱後，將批答之詞用朱筆寫於摺內，故稱「朱批奏摺」。經朱批的奏摺，由奏事處交軍機處下發，或徑交原遞摺官員的家人帶回。具摺官員照皇帝朱批旨意辦理之後，須定期將朱批摺件繳回宮中。

清代奏摺除正摺外，還實行夾片制度。凡有須同時具奏之事，則另用奏片書寫。一般情況下，一件正摺可附夾三件奏片。官員上奏之夾「片」，前無摺面，不書官員銜名與事由，僅從「再」字起首，以「奏」字結束。

此件為陝甘總督吳達善、甘肅巡撫明德為平定大小和卓木的奏摺。清初，維吾爾族的反動貴族大和卓木和小和卓木發動叛亂，一七五八年乾隆帝派兵進行鎮壓。第二年，大、小和卓木兵敗西逃，不久被殺。在此奏摺文尾，有經皇帝朱筆御批「覽奏俱悉」之字樣。

【三・一・一六】恭錄朱批檔冊

光緒朝，漢文，冊裝，紙質，18cm × 29cm。

京內外各官的奏摺，經皇帝朱筆批示後，先由內奏事處按省份分開，逐件進行登記，然後再由奏事處交軍機處封發，或徑交原遞摺官吏領回施行。

此幾冊分別抄錄了包括山西巡撫、河北巡撫及廣東總督等上奏的內容、時間及奉朱批時間和朱批內容等情況。

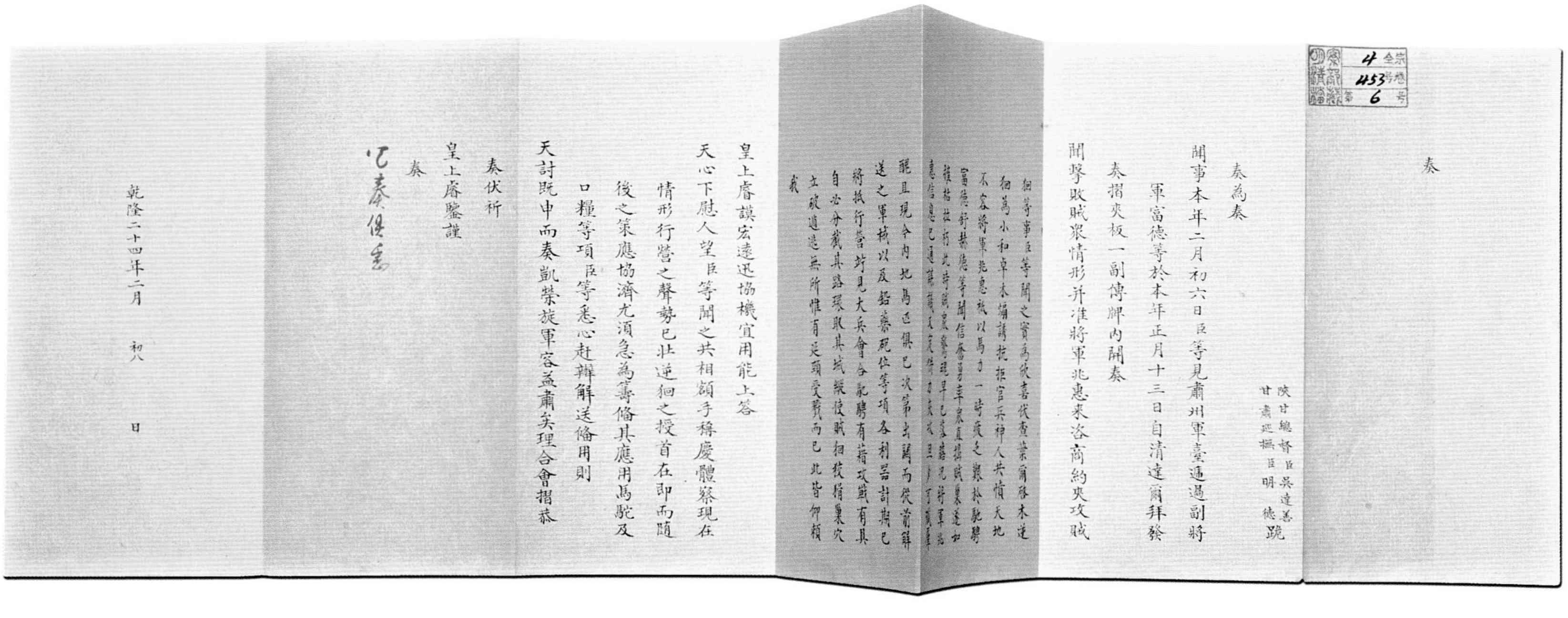
奏

陝甘總督臣吳達善
甘肅巡撫臣明德 跪

奏為奏
聞事本年二月初六日臣等見肅州軍臺遞過副將
軍富德等於本年正月十三日自清達爾拜發
奏摺夾板一副傳牌內開奏
聞擊敗賊衆情形并准將軍兆惠來咨商約夾攻賊
狗等事臣等聞之實為欣喜伏查葉爾羌木逆
狗為小和卓木竭誘抗拒官兵神人共憤天地
不容將軍兆惠祗以馬力一時疲乏艱於馳騁
富德舒赫德等聞信奮勇[illegible]
[illegible]
[illegible]
聰且現今內地馬匹俱已次第出關而從前解
送之軍械以及鉛藥砲位等項各利器計期已
將抵行營即見大兵會合馳騁有藉攻戰有具
自必分截其路環取其城縱使賊狗狡猾巢穴
土破遁逃無所惟有延頸受戮而已此皆仰賴
我
皇上睿謨宏遠迅協機宜用能上答
天心下慰人望臣等聞之共相額手稱慶體察現在
情形行營之聲勢已壯逆狗之授首在即而隨
後之策應協濟尤須急為籌備其應用馬駝及
口糧等項臣等悉心趕辦解送備用則
天討既申而奏凱旋軍容益肅矣理合會摺恭
奏伏祈
皇上睿鑒謹
奏

覽奏俱悉

乾隆二十四年二月 初八 日

【三・一・一七】朱批摺底

雍正六年（一七二八年）十一月十八日，漢文，紙質，摺，每扣28cm × 12cm，十四扣。

此件為抄錄河東總督田文鏡為濟寧賊匪傷官刦庫一事的朱批奏摺底稿。

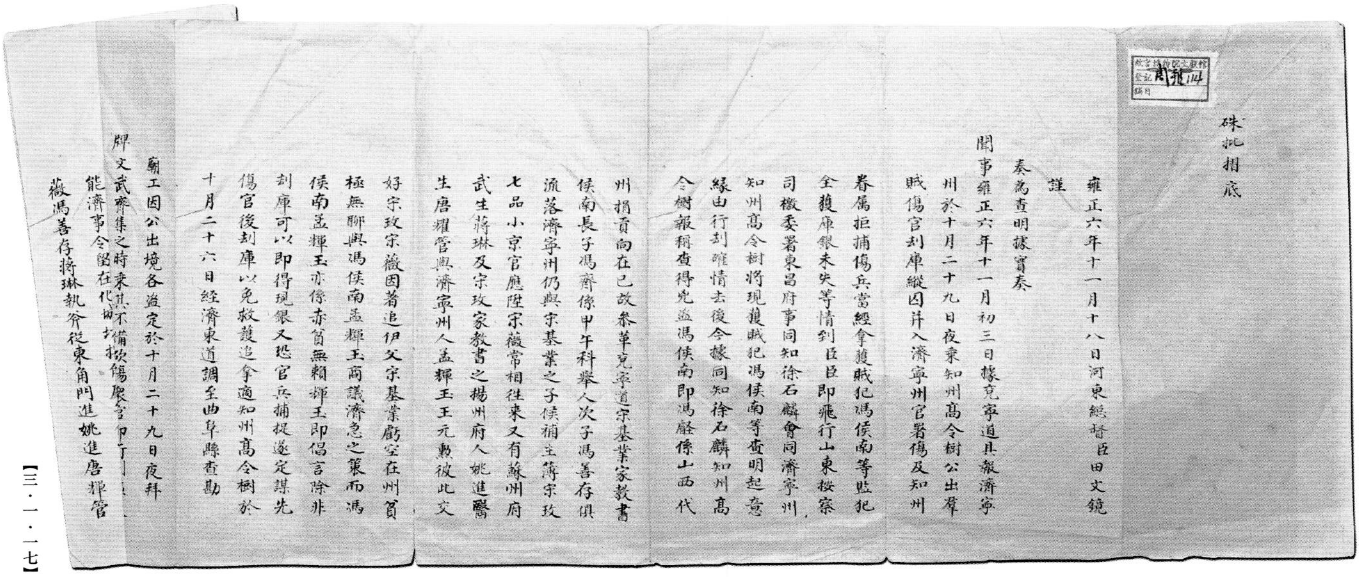
硃批摺底
雍正六年十一月十八日河東總督臣田文鏡
謹
奏為查明據實奏
聞事雍正六年十一月初三日據兗寧道具報濟寧
州於十月二十九日夜東知州高令樹公出聲
賊傷官刦庫縱囚并入濟寧州官署傷及知州
眷屬拒捕傷兵當經拿獲賊犯馮侯南等監犯
全獲庫銀未失等情到臣臣即飛行山東按察
司檄委署東昌府事同知徐石麟會同濟寧州
知州高令樹將現獲賊犯馮侯南等查明起意
緣由行刦確情去後今據同知徐石麟知州高
令樹報稱查得兇盜馮侯南即馮蹊係山西代
州捐貢向在已故叅革兗寧道宗基業家教書
侯南長子馮齊係甲午科舉人次子馮善存俱
流落濟寧州仍與宗基業之子候補主簿宗玫
七品小京官應陞宗薇常相往來又有蘇州府
武生蔣琳及宗玫家教書之揚州府人姚進醫
生唐耀管與濟寧州人孟輝玉王元勳彼此交
好宗玫宗薇因著追伊父宗基業虧空在州貧
極無聊與馮侯南孟輝玉商議濟急之策而馮
侯南孟輝玉亦係赤貧無賴輝玉即倡言除非
刦庫可以即得現銀又恐官兵捕捉遂定謀先
傷官後刦庫以免救護追拿適知州高令樹於
十月二十六日經濟東道調至曲阜縣查勘
廟工因公出境各盜定於十月二十九日夜拜
牌文武齊集之時乘其不備[illegible]
能濟事令留在[illegible]
薇馮善存蔣琳執斧從東角門進姚進唐耀管

【三・一・一七】

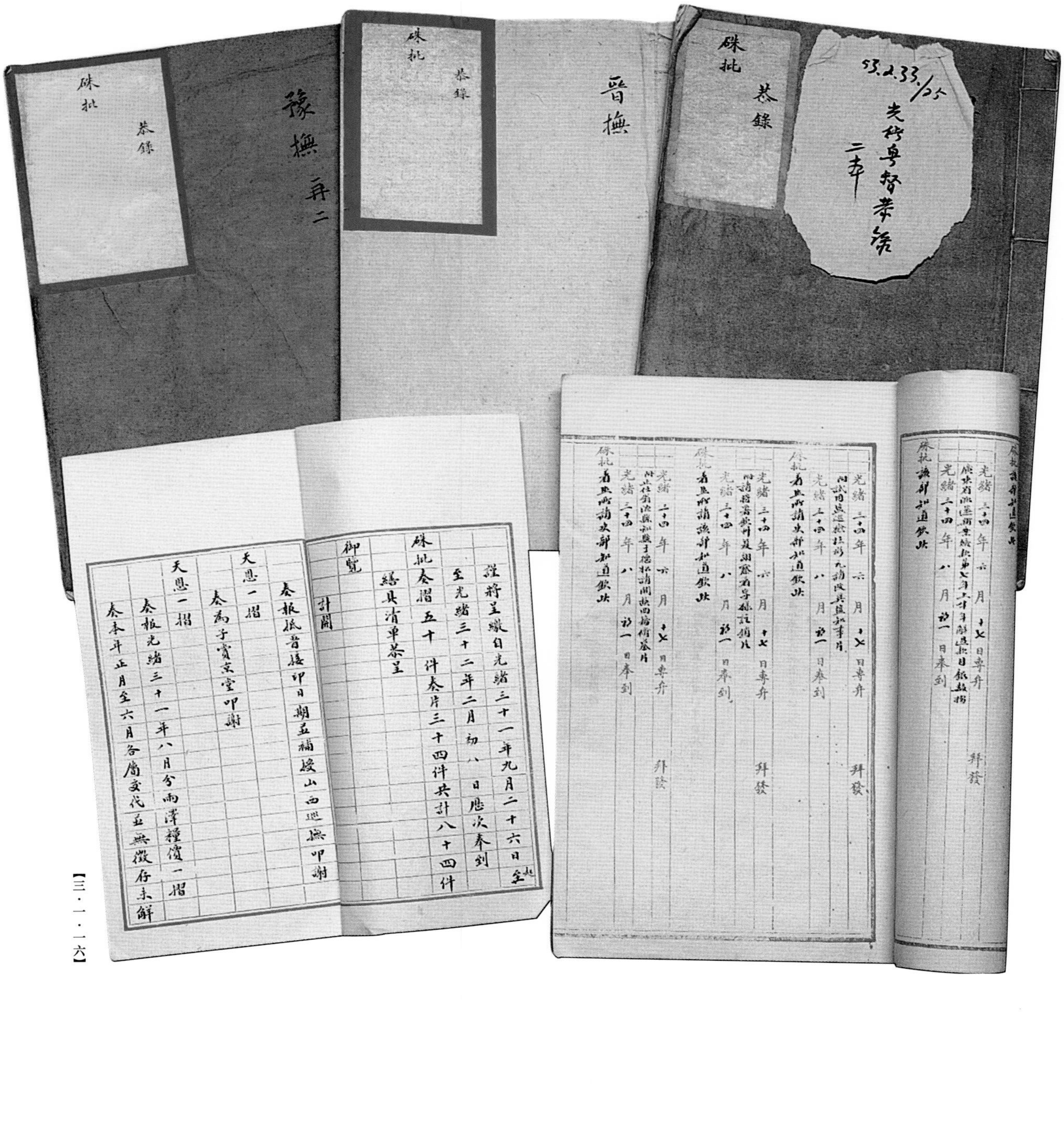

【三・一・一六】

【三・一・一八】副摺

道光二十二年（一八四二年）六月，漢文，紙質，摺，每扣26cm×11cm，九扣。

此件為工部穆彰阿等奏請欽派大臣查估五城柵欄工程事，移咨典籍廳的副摺。

【三・一・一九】請安摺

光緒十一年（一八八五年）五月二十一日，滿漢文合璧，面底綾質，文紙質，摺，每扣9.5cm×21cm，十二扣。

請安摺是清代官員奏事時向皇帝問安的文書。官員每次向皇帝奏事，每封奏摺內另具一請安摺。請安摺除首尾用黃綾做護面外，如遇節慶綵服期間，則用黃、紅雙層紙摺書寫，表示吉慶之意。

此件為豐紳鍾等人祝賀光緒皇帝誕辰的請安摺。

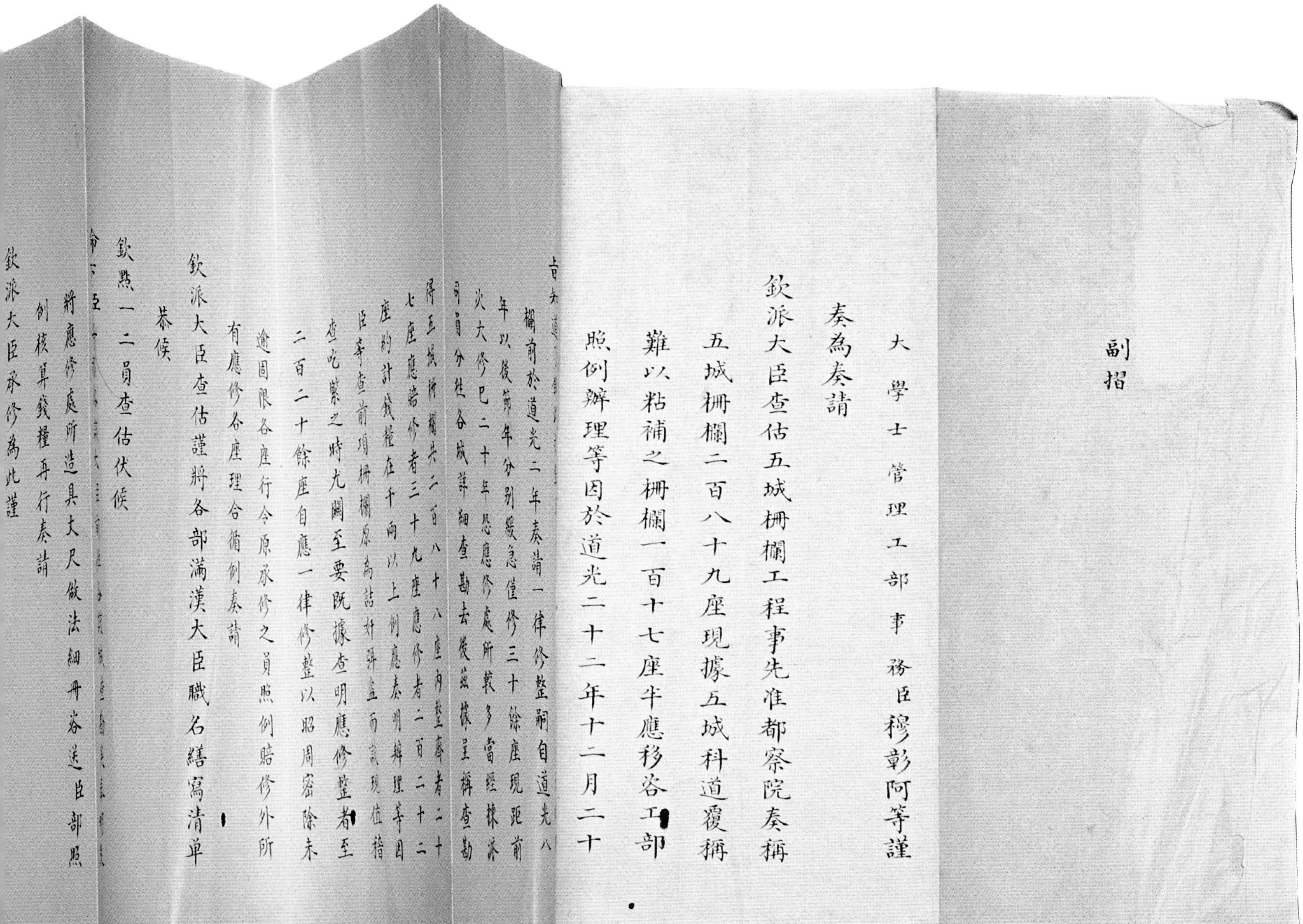
副摺

大學士管理工部事務臣穆彰阿等謹

奏為奏請

欽派大臣查估五城柵欄工程事先准都察院奏稱

五城柵欄二百八十九座現據五城科道覆稱

難以粘補之柵欄一百十七座半應移咨工部

照例辦理等因於道光二十二年十二月二十

旨知道[illegible]

柵前於道光二年奏請一律修整嗣自道光八

年以後節年分別緩急僅修三十餘座現距前

次大修已二十年恐應修處所較多當經札派

司員分赴各城詳細查勘去後茲據呈稱查勘

得五城柵欄共二百八十八座內整齊者二十

七座應賠修者三十九座應修者二百二十二

座約計錢糧在千兩以上例應奏明辦理等因

臣等查前項柵欄原為詰奸弭盜而設現值稽

查吃緊之時尤關至要既據查明應修整者至

二百二十餘座自應一律修整以昭周密除未

逾固限各座行令原承修之員照例賠修外所

有應修各座理合循例奏請

欽派大臣查估謹將各部滿漢大臣職名繕寫清單

恭候

欽點一二員查估伏候

命下臣[illegible]

將應修處所造具丈尺做法細冊咨送臣部照

例核算錢糧再行奏請

欽派大臣承修為此謹

奏

奴才豐紳鍾濬姚田謹跪

叩祝

皇上萬壽聖節之喜

光緒十一年五月　二十一　日

【三·一·一九】

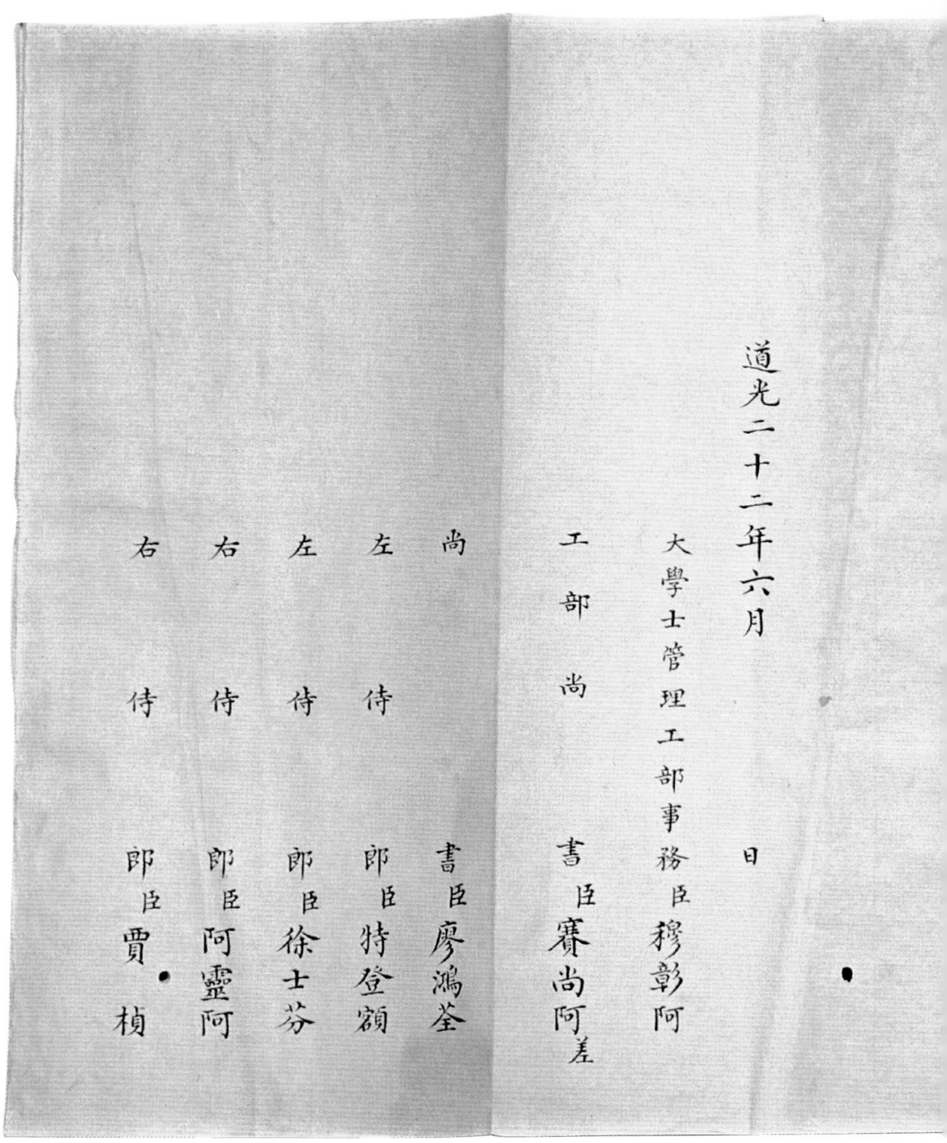

道光二十二年六月　　日

大學士管理工部事務臣穆彰阿

工部尚書臣賽尚阿差

尚書臣廖鴻荃

左侍郎臣特登額

左侍郎臣徐士芬

右侍郎臣阿靈阿

右侍郎臣賈楨

【三·一·一八】

【三・一・二〇】內務府奏案

乾隆五十八年（一七九三年）七月十六日，滿漢文合璧，紙質，摺，每扣25cm × 12cm，十六扣。

「奏案」是內務府總管大臣向皇帝奏報宮廷財政收支、賞賜、宮內事務、陵寢及其他建築、慶典、祭祀、婚嫁等事所存奏摺的底稿。底稿存於內務府廣儲司，並由管事逐件包裝粘封，在包面上註明摺件的朝年、事由與編號。

此件為總管內務府大臣和碩怡親王永琅等為慶賀皇帝八十三歲壽辰時，備辦萬壽吉祥道場事的奏案。

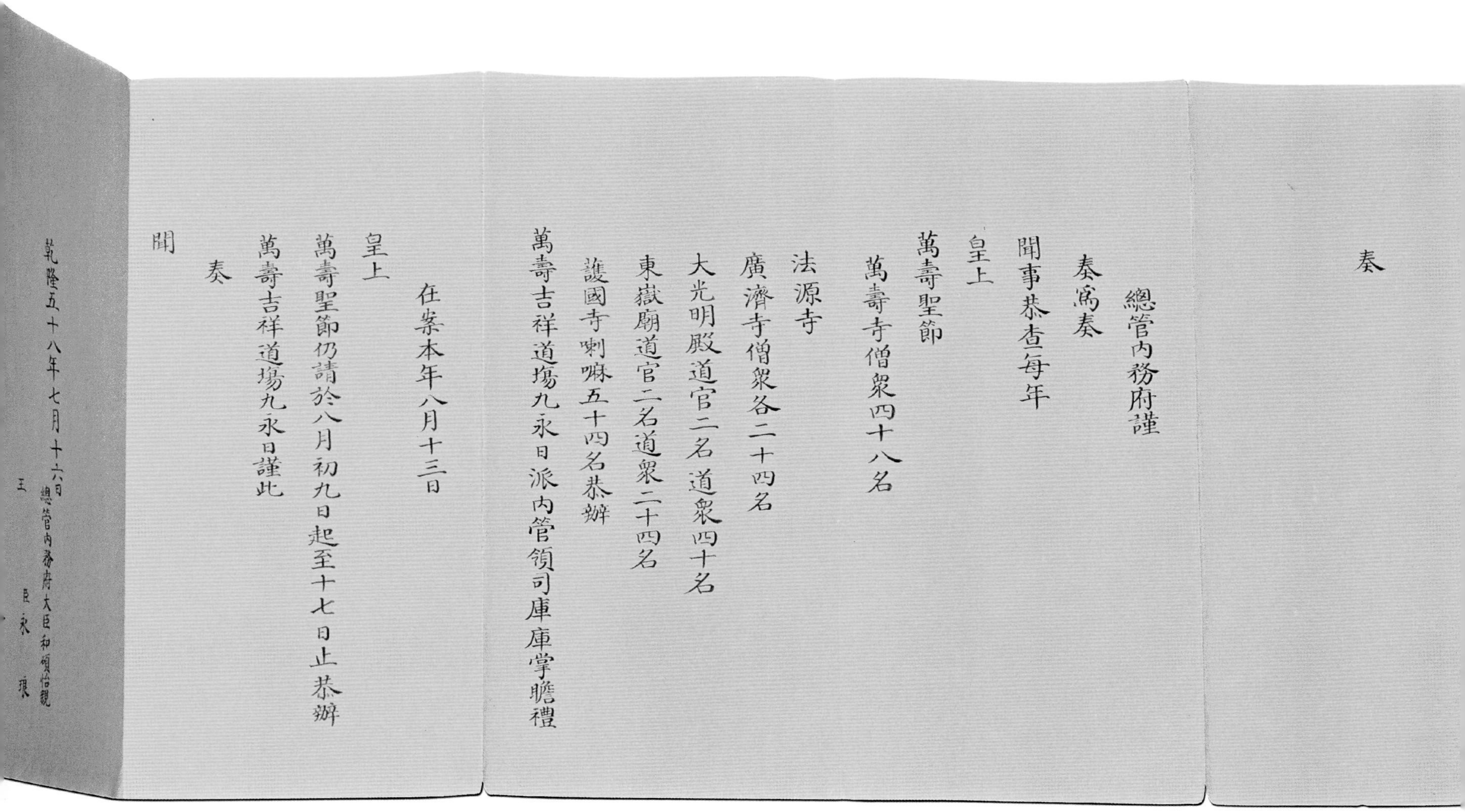

奏

總管內務府謹

奏爲奏

聞事恭查每年

皇上

萬壽聖節

萬壽寺僧衆四十八名

法源寺

廣濟寺僧衆各二十四名

大光明殿道官二名道衆四十名

東嶽廟道官二名道衆二十四名

護國寺喇嘛五十四名恭辦

萬壽吉祥道場九永日派內管領司庫庫掌聽禮

在案本年八月十三日

皇上

萬壽聖節仍請於八月初九日起至十七日止恭辦

萬壽吉祥道場九永日謹此

奏

聞

乾隆五十八年七月十六日

總管內務府大臣和碩怡親王 臣永琅

【三・一・二一】軍機處奏片

清朝，漢文，紙質，片，24cm × 17.5cm。

奏片為清代軍機處向皇帝奏事的專用文書。軍機處在日常政治活動中須隨時向皇帝請示報告，都採用這一簡便的文書形式。奏片之式與奏摺略同。惟無摺面，不具銜名，用「臣等謹奏」起首直陳其事；片尾以「謹奏」二字結束。

此件為軍機處奏報遵旨查《歐陽修集》中有誤之事。

【三・一・二一輔】軍機處外景

【三・一・二一輔】

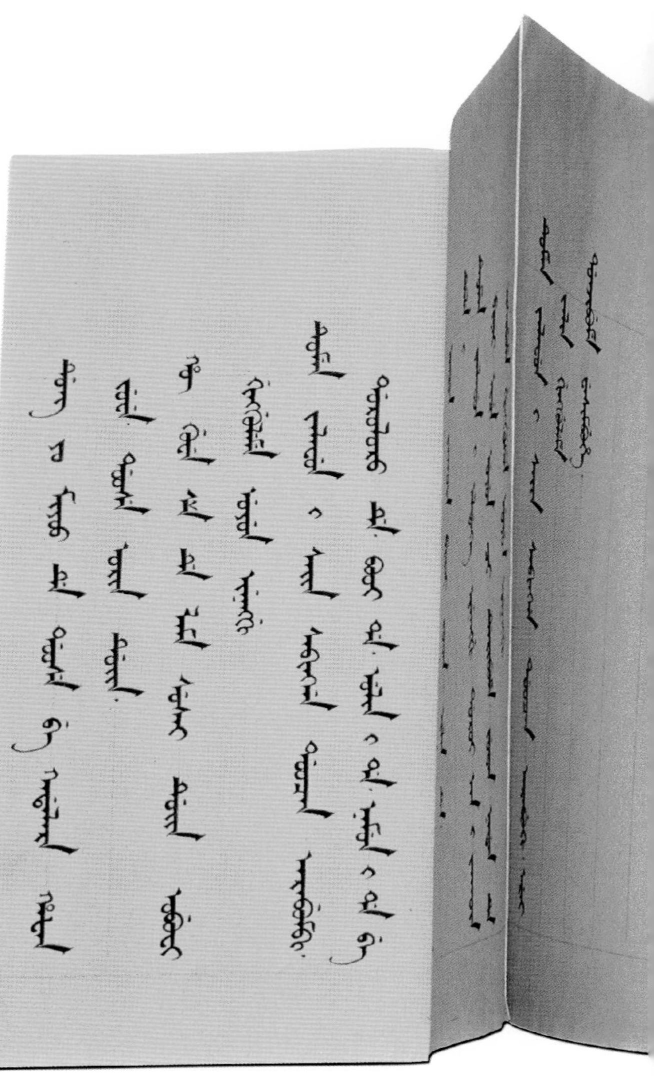

【三・一・二〇】

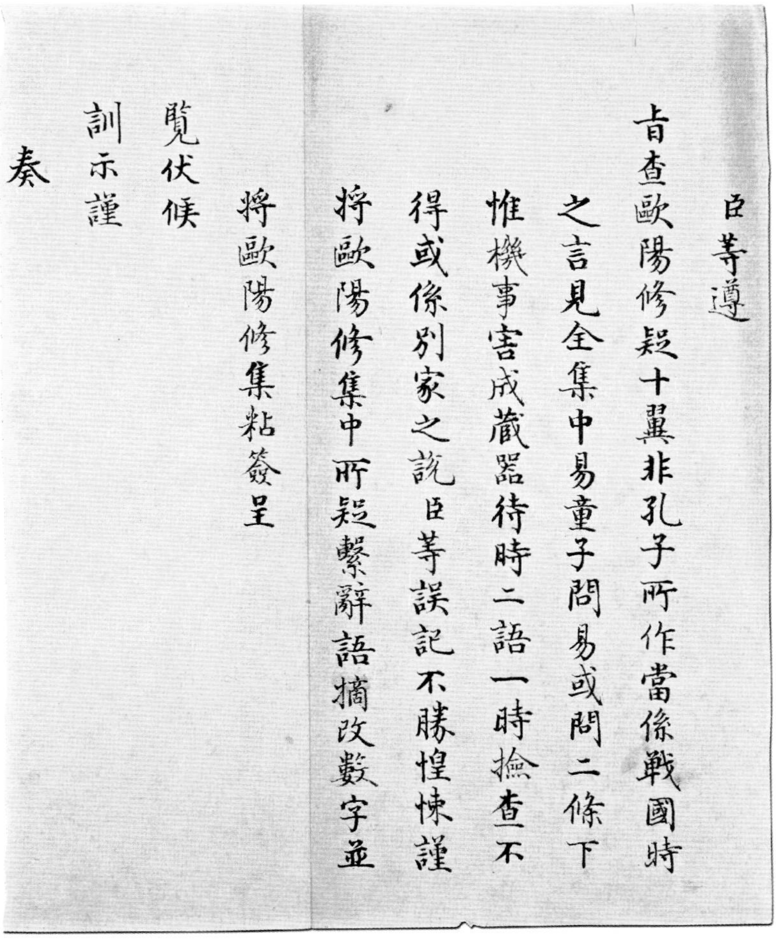

臣等遵
旨查歐陽修疑十翼非孔子所作當係戰國時
之言見全集中易童子問易或問二條下
惟機事害成藏器待時二語一時撿查不
得或係別家之說臣等誤記不勝惶悚謹
將歐陽修集中所疑繫辭語摘改數字並
將歐陽修集粘簽呈
覽伏候
訓示謹
奏

【三・一・二一】

【三・一・二二】官員履歷引見摺

雍正朝，漢文，紙質，摺，每扣12cm ×26.5cm，六扣。

履歷引見摺是清廷考驗月選官時向皇帝具奏官員履歷之文書。清沿明制，於順治初年實行月選制度。按規定，凡除班、升班在每年的雙月開選稱為「雙月大選」。凡補班在每年單月開選，稱為「單月急選」。月官掣簽以後，皇帝還要派九卿詹事科道對掣中官員進行考驗，並令各官繕寫履歷。月官官員經驗看以後，由吏部會同驗考大臣具摺請旨，附呈各官履歷。然後帶領引見，從而形成了履歷引見摺。履歷引見摺分為引見摺和官員履歷兩部分。引見摺由吏部主稿，官員履歷各官親自書寫。

此件為簽掣河南汝寧府遂平縣知縣程文駱的履歷引見摺。

【三・一・二二輔①】官員履歷單

道光三十年（一八五〇年）七月二十八日，漢文，紙質，摺，每扣20.5cm ×9.5cm，六扣。

原存於宮中，是吏部或兵部向皇帝報告考察官員時，由官員自書的履歷。

此件為崇厚的履歷單。

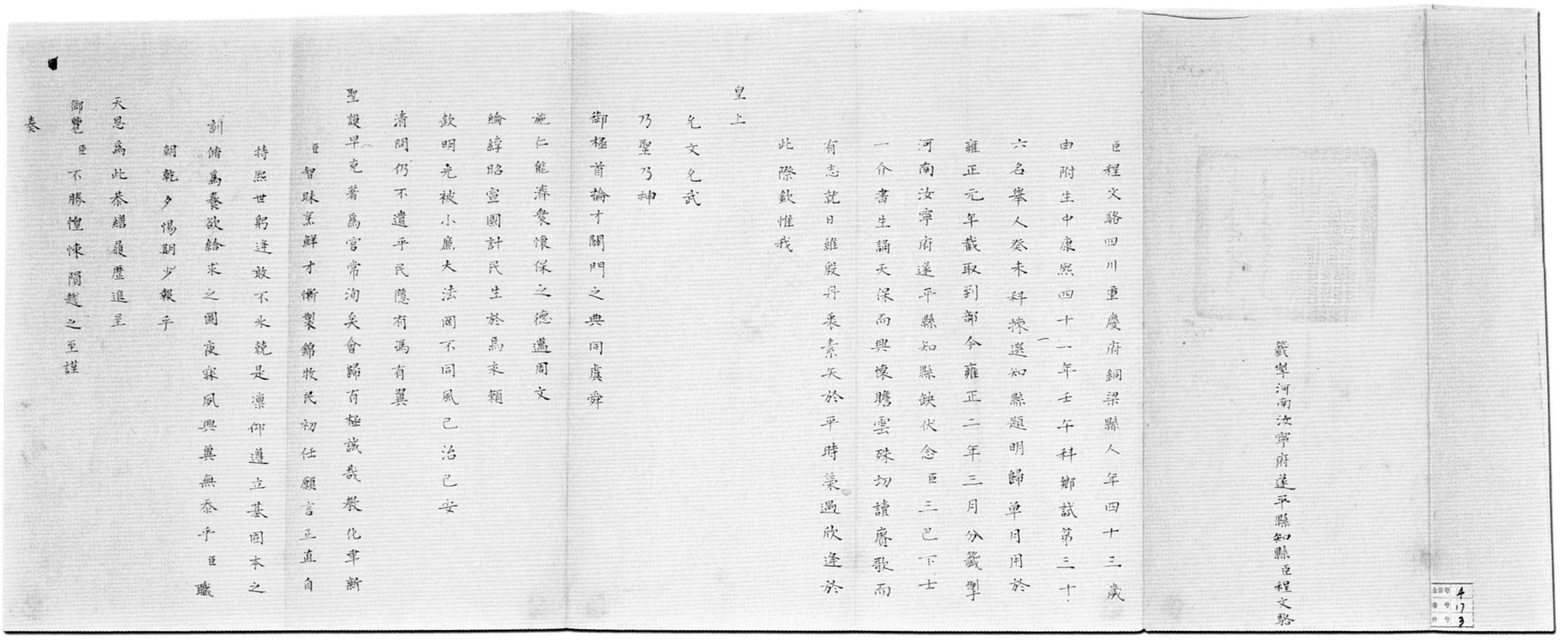

全宗号 4 卷号 17 件号 3

籤掣河南汝寧府遂平縣知縣臣程文駱

臣程文駱四川重慶府銅梁縣人年四十三歲由附生中康熙四十一年壬午科鄉試第三十六名舉人癸未科揀選知縣題明歸單月用於雍正元年截取到部今雍正二年三月分籤掣河南汝寧府遂平縣知縣缺伏念臣三巳下士一介書生誦天保而興懷聽雲殊切讀賡歌而有志就日維殷丹衷素矢於平時葵藿遇欣逢於此際欽惟我
皇上
允文允武
乃聖乃神
御極首掄才闢門之典同虞舜
施仁能濟衆懷保之德邁周文
綸綍昭宣國計民生於焉永賴
欽明光被小廉大法罔不同風已治已安
清問仍不遺乎民隱有為有翼
聖謨早克著爲官常洵矣會歸有極誠哉教化聿新
臣智昧烹鮮才慚製錦牧民初任願言正直自持熙世躬逢敢不冰兢是凜仰遵立基固本之
訓備萬養欲給求之圖夜寐夙興冀無忝乎臣職
朝乾夕惕期少報乎
天恩為此恭繕履歷進呈
御覽臣不勝惶悚隕越之至謹
奏

【三・一・二二】

【三・一・二二輔②】官員履歷片

嘉慶九年（一八〇四年），漢文，紙質，片，25cm × 11.5cm。

原存於宮中，為軍機處在辦理官員記升補活動中，備皇帝審閱的高中級官員的履歷檔案。

此件為趙文楷的履歷片。

【三・一・二二輔③】官員引見排單

清朝，漢文，紙質，摺，每扣17.5cm × 8cm，四扣。

此件為軍機處、吏部等衙門向皇帝引見官員所排的名單。內記官員的升遷調補情況。

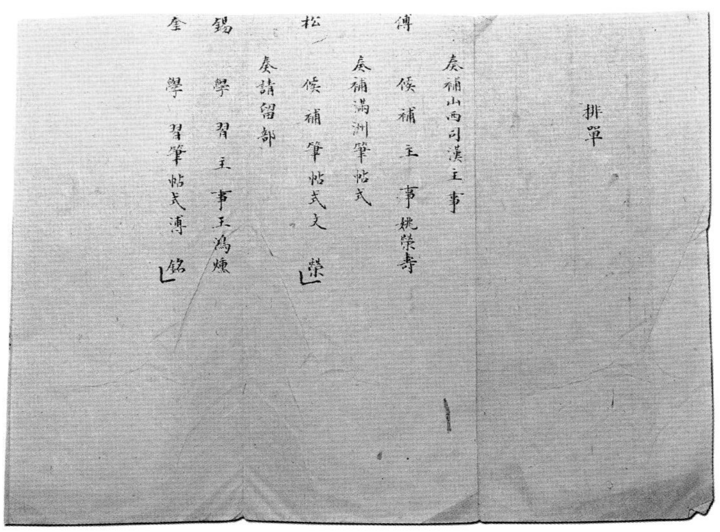

排單
奏補山西司漢主事
傅 候補主事姚榮壽
奏補滿洲筆帖式
松 候補筆帖式文榮
奏請留部
錫 學習主事王鴻煉
全 學習筆帖式溥銘

【三・一・二二輔③】

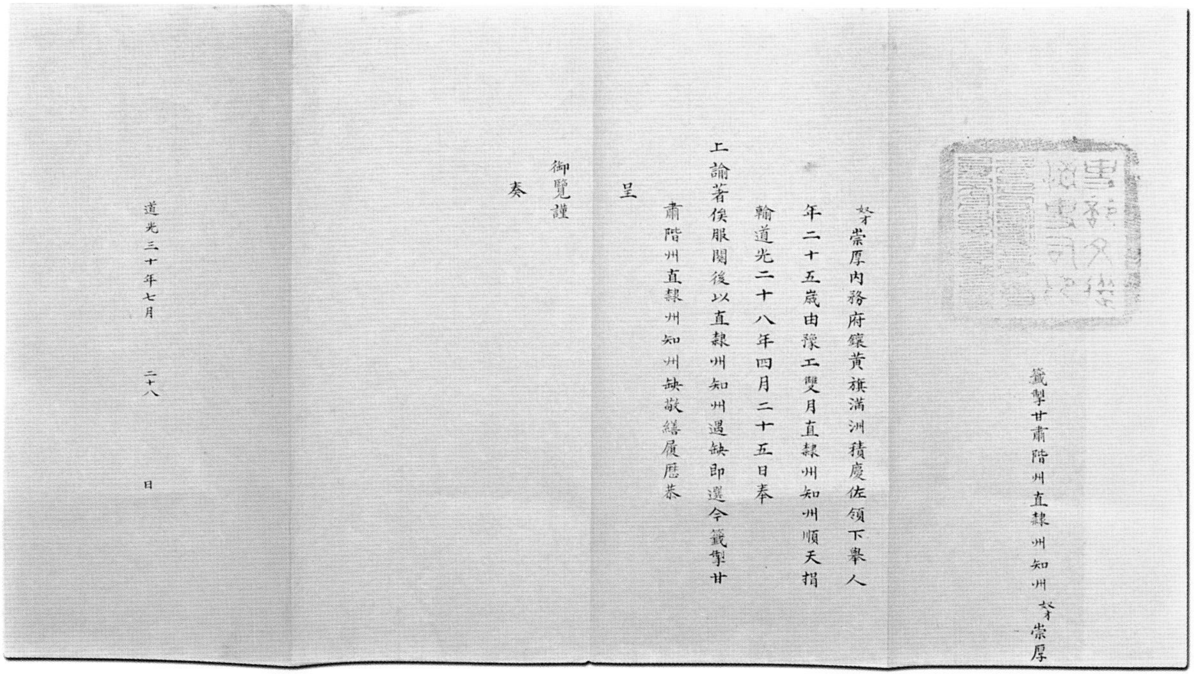

籤掣甘肅階州直隸州知州崇厚
崇厚內務府鑲黃旗滿洲積慶佐領下舉人
年二十五歲由祿工受月直隸州知州順天捐
輸道光二十八年四月二十五日奉
上諭著俟服闋後以直隸州知州遇缺即選今籤掣甘
肅階州直隸州知州缺敬繕履歷恭
呈
御覽謹
奏
道光三十年七月 二十八 日

【三・一・二二輔①】

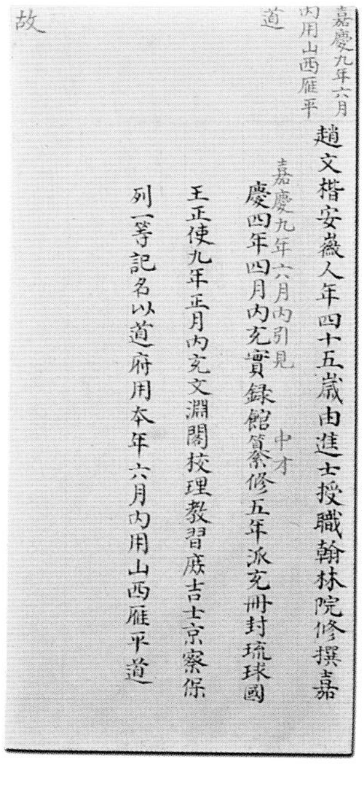

嘉慶九年六月
內用山西雁平道
趙文楷安徽人年四十五歲由進士授職翰林院修撰嘉
慶四年四月內充實錄館纂修五年派充冊封琉球國
王正使九年正月內充文淵閣校理教習庶吉士京察保
列一等記名以道府用本年六月內用山西雁平道
嘉慶九年六月內引見 中才
故

【三・一・二二輔②】

【三・一・二三】繳回朱筆引見摺

乾隆二十六年（一七六一年）六月，漢文，紙質，摺，每扣26cm × 12cm。

皇帝在呈進的引見摺上，將對某官員的評價用朱筆批於該官員名下，如擬有「中平」、「伶俐人」、「明白人」、「此人糊塗」等。按繳回朱筆制度，由吏部或兵部官員在領摺執行之後，定期將朱筆引見摺繳回宮中。

此件為繳回的佟世虎、曹瑜等人的引見摺。

【三・一・二四】朱簽

光緒十五年（一八八九年）正月，漢文，紙質，摺，每扣17cm × 8cm。

清各部、院衙門將請補的官員姓名具摺呈上。皇帝閱覽後，將認定的升補官員姓名親自用朱筆指點於摺單上，稱「朱簽」。

此三件為經皇帝朱點的李文田、榮惠、岳琪補授詹事府、太常寺等職的朱簽。

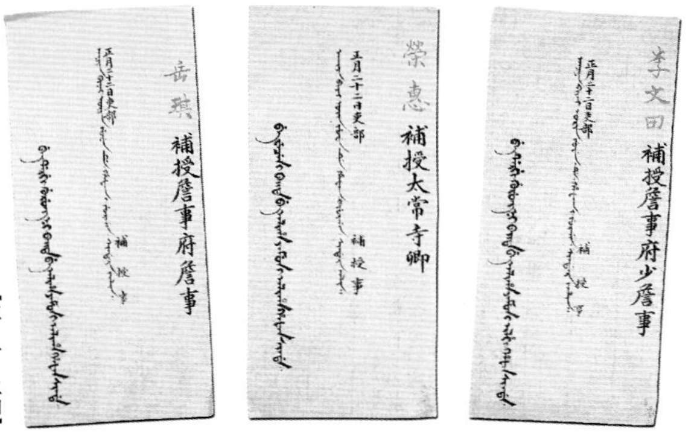

【三・一・二四】

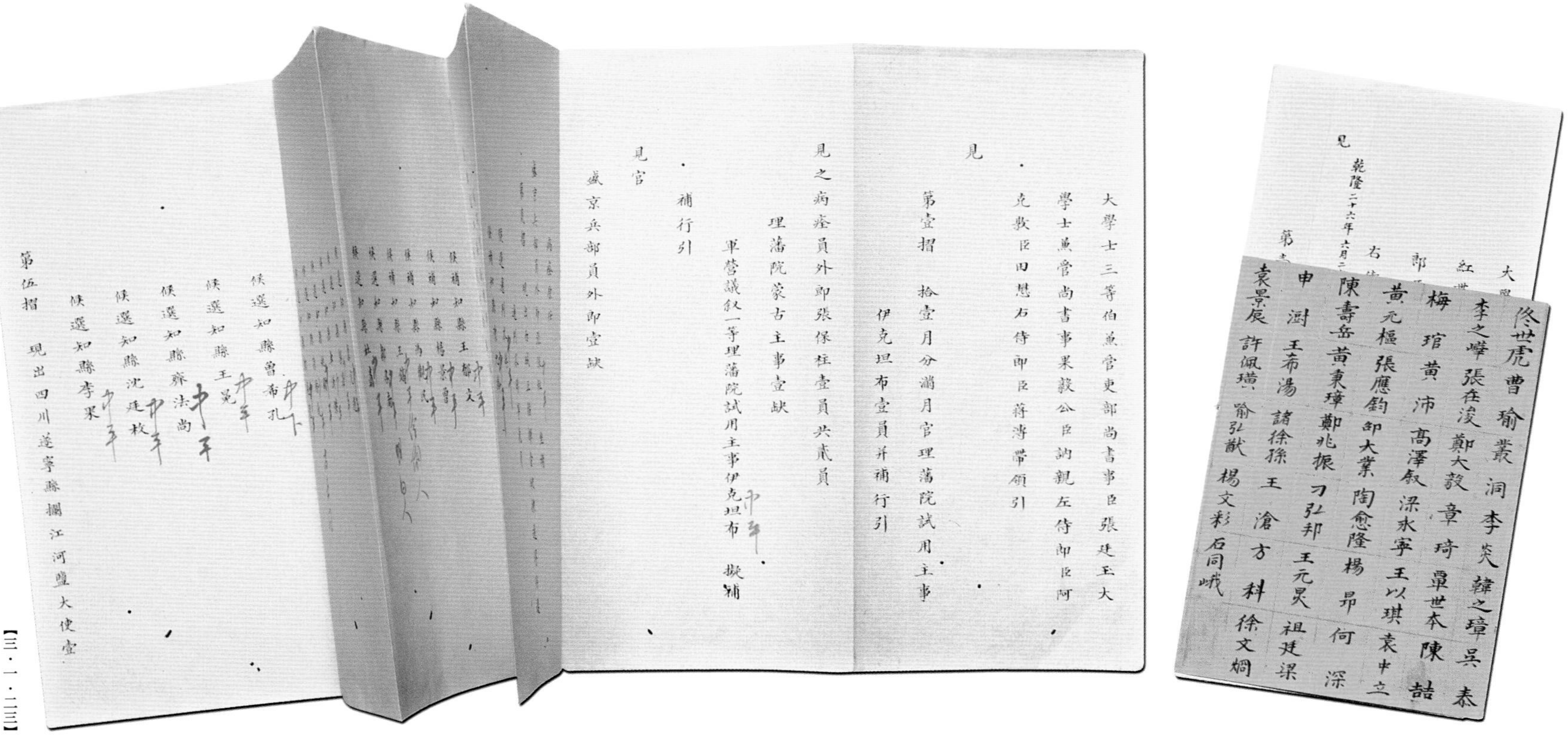

【三・一・二三】

【三・一・二五】奏冊（黃冊）

雍正五、六年（一七二七、一七二八年），漢文，面底綾質，文紙質，冊，23cm × 13cm。

奏冊實為黃冊。是京內外各衙署隨題本進呈的附件，因以黃紙或黃綾為冊面，故稱之為「黃冊」。黃冊始用於明，沿於清。黃冊內容較多，大凡部院事例，直省丁糧，吏部處分，科道糾彈；小凡晴陰風雨，勘合火牌，壇廟祀期，僧道牒照，無不冊報。經御覽後交出存內閣。

此外清代規定，進呈御覽的黃冊，應同時別具青冊，分送部科察核，即是黃冊的副本。因以瓷青紙為冊面，故稱之為「青冊」。

此兩本奏冊為雍正五年（一七二七年）十一月二十八日和雍正六年（一七二八年）十二月二十五日山東布政使岳濬為山東布政司庫收過庫存耗用及動支見存數目情況的黃冊。封面雍正皇帝批有：「所奏甚屬可嘉」之字樣。

【三・一・二六】啟本

順治元年（一六四四年）七月初二日，漢文，紙質，摺，每扣24.5cm × 11cm，十二扣。

「啟本」為清代文書的一種。

清前期王大臣言事於皇叔及諸王多用「啟本」。

此件為禮部侍郎李明睿為制定清朝新曆法事給攝政王多爾袞的啟本。

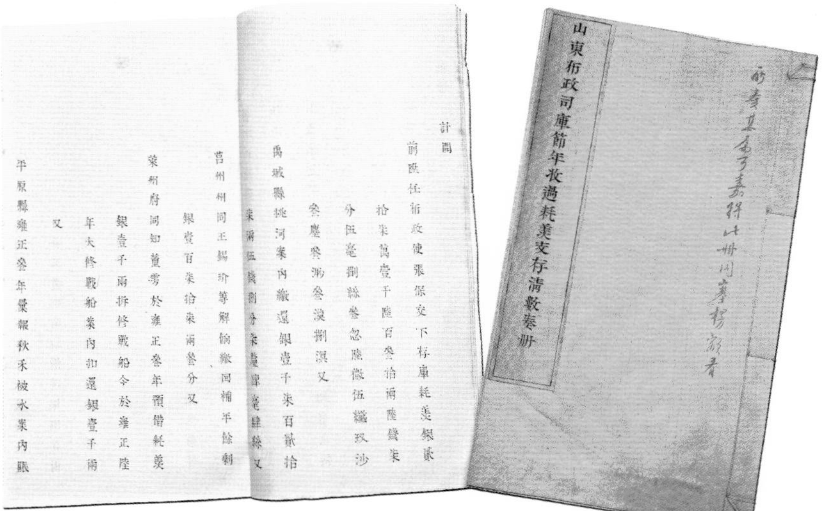

【三・一・二五】

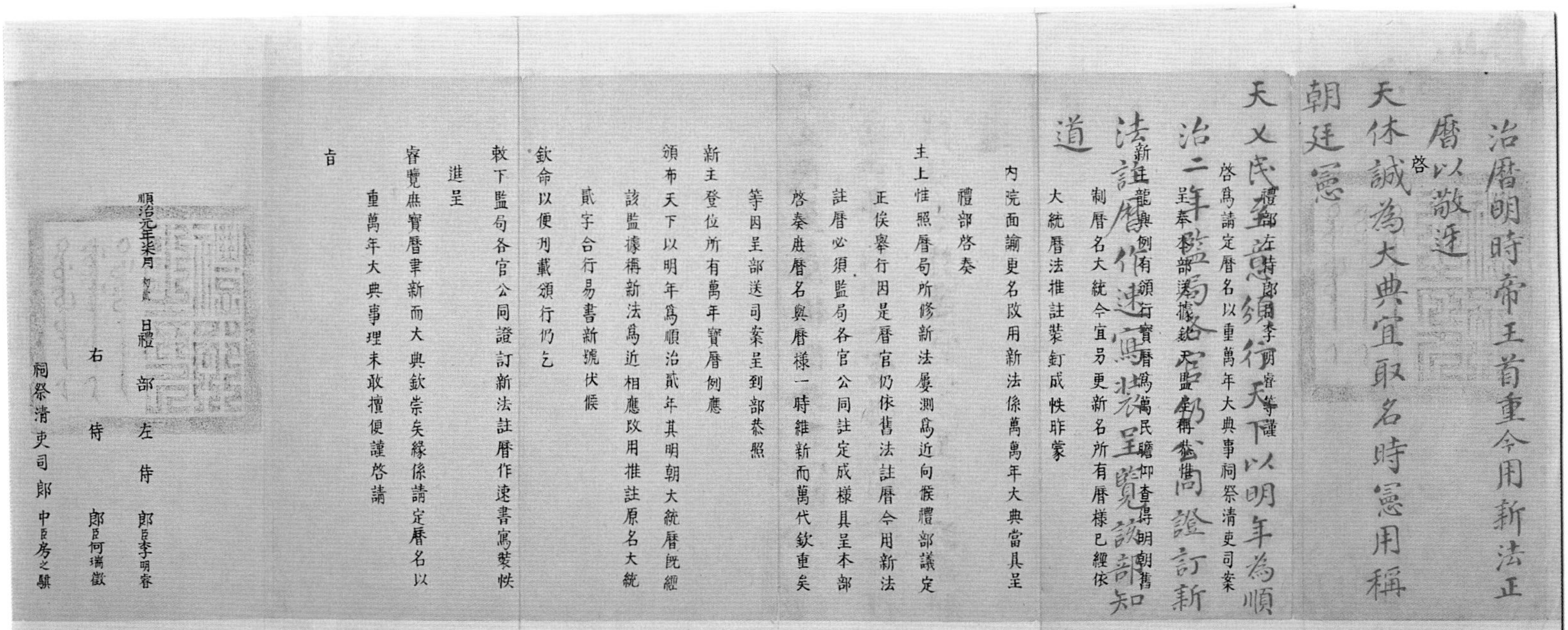
治曆明時帝王首重今用新法正
曆以敬迓
天休誠為大典宜取名時憲用稱
朝廷憲
天又民益意須行天下以明年為順
治二年監局各省問證訂新
法註曆作速寫裝呈覽該部知
道

禮部左侍郎臣李明睿等謹
啓為請定曆名以重萬年大典事祠祭清吏司案
呈奉本部送據欽天監呈稱
新主龍興例有頒行寶曆為萬民聽仰查得明朝舊
制曆名大統今宜另更新名所有曆樣已經依
大統曆法推註裝釘成帙非蒙
內院面諭更名啟用新法係萬萬年大典當具呈
禮部啓奏
主上惟照曆局所修新法屢測爲近向候禮部議定
正俟舉行因是曆官仍依舊法註曆今用新法
註曆必須監局各官公同註定成樣具呈本部
啓奏庶曆名與曆樣一時維新而萬代欽重矣
等因呈部送司案呈到部恭照
新主登位所有萬年寶曆例應
頒布天下以明年為順治貳年其明朝大統曆既經
該監據稱新法爲近相應啟用推註原名大統
貳字合行易書新號伏候
欽命以便刊載頒行仍乞
敕下監局各官公同證訂新法註曆作速書寫裝帙
進呈
睿覽庶寶曆聿新而大典欽崇矣緣係請定曆名以
重萬年大典事理未敢擅便謹啓請
旨
順治元年柒月初貳日禮部左侍郎臣李明睿
右侍郎臣何瑞徵
祠祭清吏司郎中臣房之騏

【三・一・二六】

【三・二・一】賀表（正表）

滿漢文合璧，紙質，卷，28cm × 115cm。

清代每逢元旦、冬至、萬壽三大節，文武百官紛紛向皇帝、皇太后進書祝賀。其中進呈皇帝的稱之「賀表」。賀表由內閣撰擬定式，分發給中央與地方各級官員，必須在慶典之前依式錄進，故賀表之文皆雷同。待慶典之後，賀表送內閣收藏。上賀表時，錄正賀、賀副兩份。正賀為卷，賀副為摺，二者同時裝在一個黃色綾質封套之中，封套下方註明進表人的官銜、姓名並蓋有官印。

此件為福建海壇管轄閩安等處總兵官孫大剛等進賀的聖壽表文。表文之首及封套上方有黃綾一塊，稱「引黃」，上寫「進賀聖壽表文」字樣，壓黃綾下端蓋有進賀表人滿漢文合璧之官印。正文用小字楷書，表文中遇「皇帝陛下」字樣，則另用黃綾條書寫粘附。

【三・二・二】賀表（表副）

滿漢文合璧，面底綾質，文紙質，摺，28cm × 120cm。

表副為正表之副本。

此件為福建海壇管轄閩安等處總兵官孫大剛等進賀聖誕賀表之副本。表副除裝潢為摺狀外，其他均與正表相同。

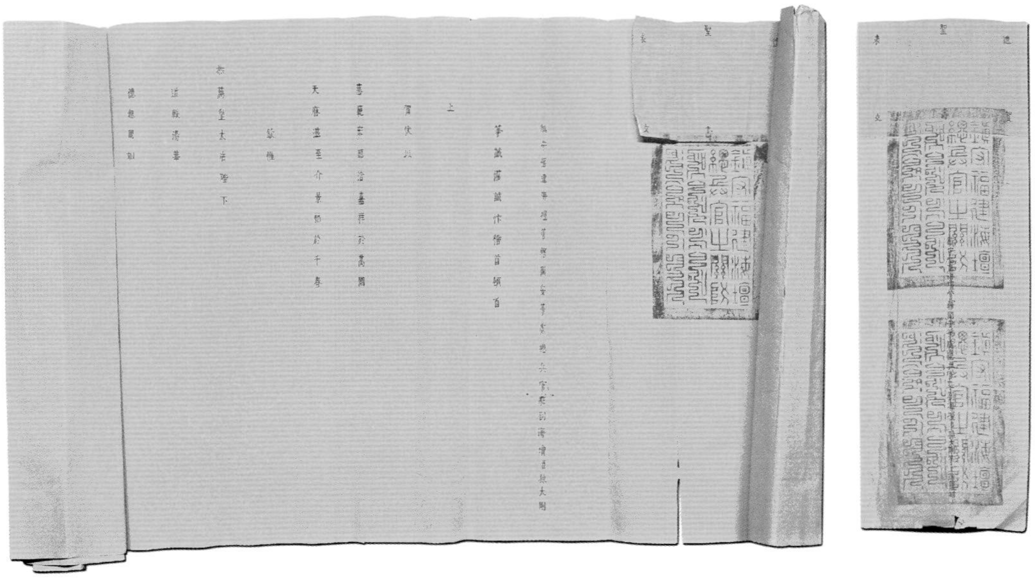

【三・二・一】

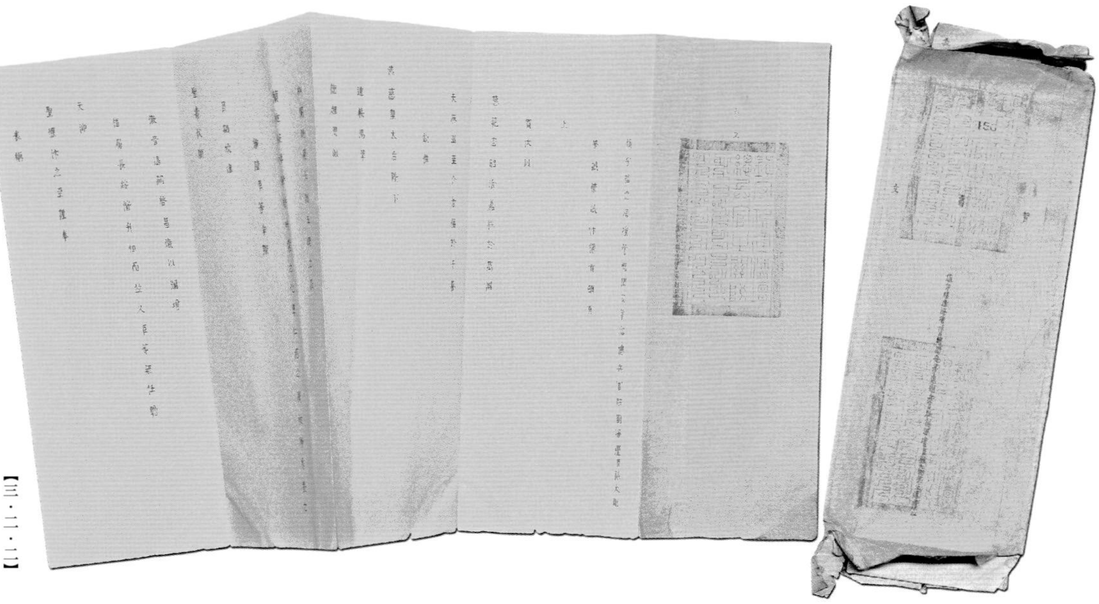

【三・二・二】

【三・二・三】光緒帝上慈禧太后賀表

光緒二十年（一八九四年）十月初十日，正表，滿漢合璧，卷裝，紙質，每扣31.5cm × 122cm。副表，滿漢合璧，摺裝，紙質，每扣14.5cm ×31cm。

每當皇太后誕辰之時，不僅文武百官向太后進呈慶賀文書，皇帝也向皇太后具表慶賀。光緒二十年七月，正逢慈禧皇太后六十歲壽辰，時光緒皇帝進賀表致賀。

此賀表做工極為精緻，裝潢講究。外用錦匣盒具包裝，內盛正、副賀表二份。賀表卷裝放於精美托賀之上。副本為摺裝，首尾面為錦質，上寫有「萬壽無疆」字樣，置於托架下面。正、副表上均蓋有「皇帝尊親之寶」字樣。

【三・二・三輔】萬壽舞詞合譜

光緒朝，滿漢文合璧，冊裝，紙質，17.5cm ×29.5cm。

清代，每逢帝后壽誕之日，都要舉行隆重的祝壽慶典活動。屆時要舉行大朝會，皇帝御正殿受文武群臣的朝賀。慶典中配以歌舞助興，歌舞詞均為歌功頌德之意。

此件為乾隆皇帝為母親慶祝八十壽辰的舞詞合譜。

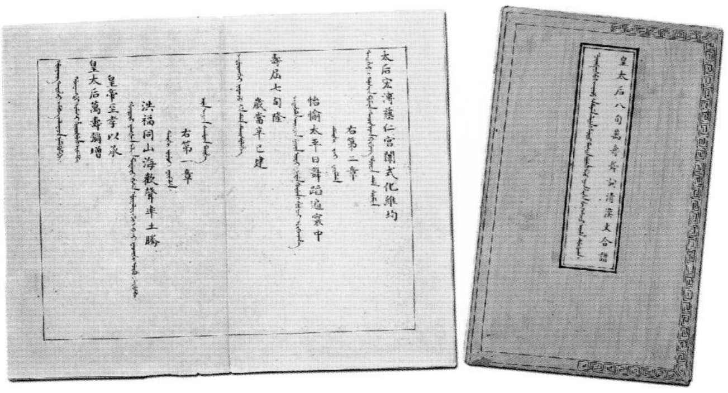

【三・二・三輔】

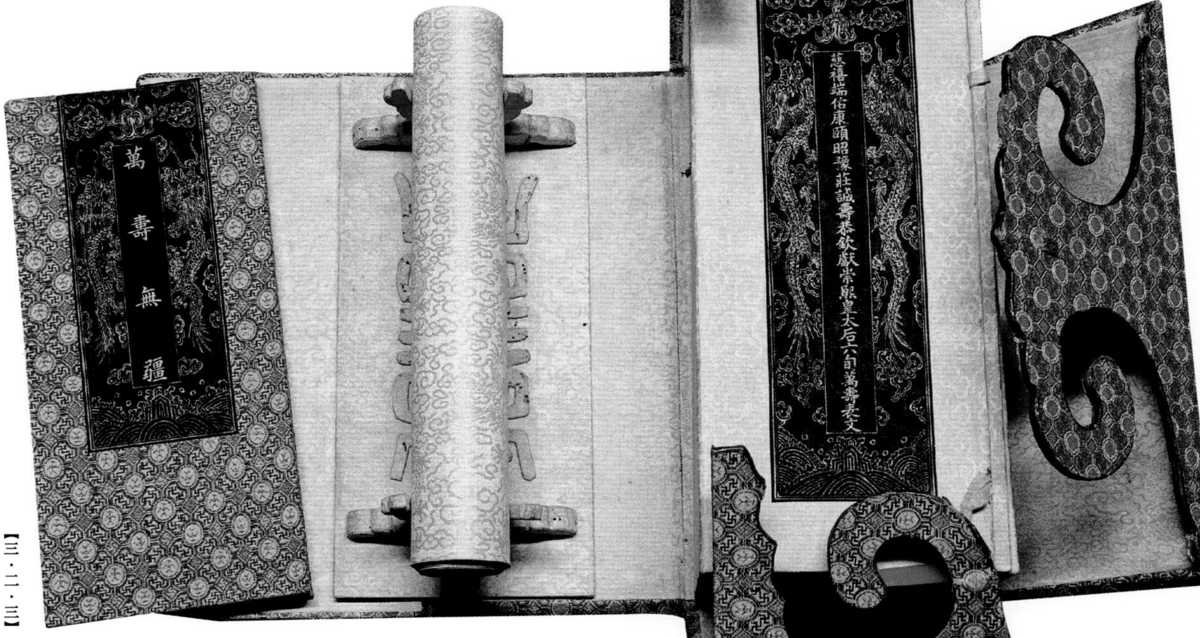

【三・二・三】

【三・二・四】賀箋（正箋）

乾隆十八年（一七五三年）二月初十日，漢文，紙質，卷，29cm × 120cm。

清代每逢元旦、冬至、萬壽三大節，文武百官向皇后進呈的祝賀文書稱為「賀箋」。乾隆六十年（一七九五年）諭令，廢止向皇后進箋。

賀箋的格式與賀表相同，典禮之後送內閣收存。上賀箋時，錄正箋，副箋兩份。正箋為卷裝，副箋為摺裝。進呈時二者裝在一個黃色綾質封套之中，封套正面並排附有燙金龍兩條。封套上方從右至左註有「進賀令節箋文」字樣，並蓋有進賀人滿漢合璧官印。封套下方正中註明進賀人的官銜、姓名。

此件為鎮守廣州將軍曹瑞等為慶賀節令的賀箋。箋文之首上方貼有黃綾一塊，稱「引黃」，上寫「進賀令節箋文」字樣，壓黃綾下端蓋有進賀人滿漢合璧之官印。正文用小字楷書，箋文中遇「皇后殿下」字樣，另用紅綾書寫粘附。

【三・二・五】賀箋（箋副）

乾隆十八年（一七五三年）二月初十日，漢文，面底綾質，文紙質，摺，每扣12.5cm × 19.5cm，十二扣。

箋副為正箋之副本。

此件為鎮守廣州將軍曹瑞等為慶賀節令的賀箋副本。箋副除裝潢為摺裝形式之外，其他均與正箋相同。

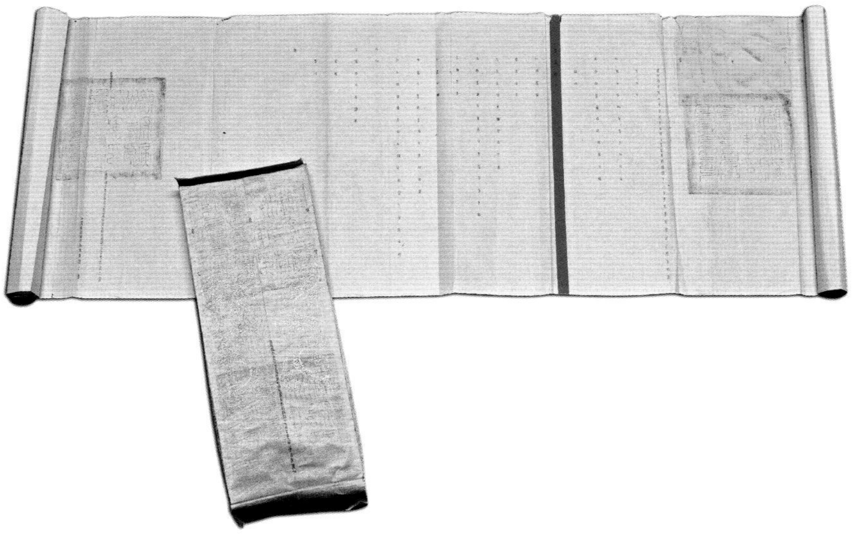

【三・二・四】

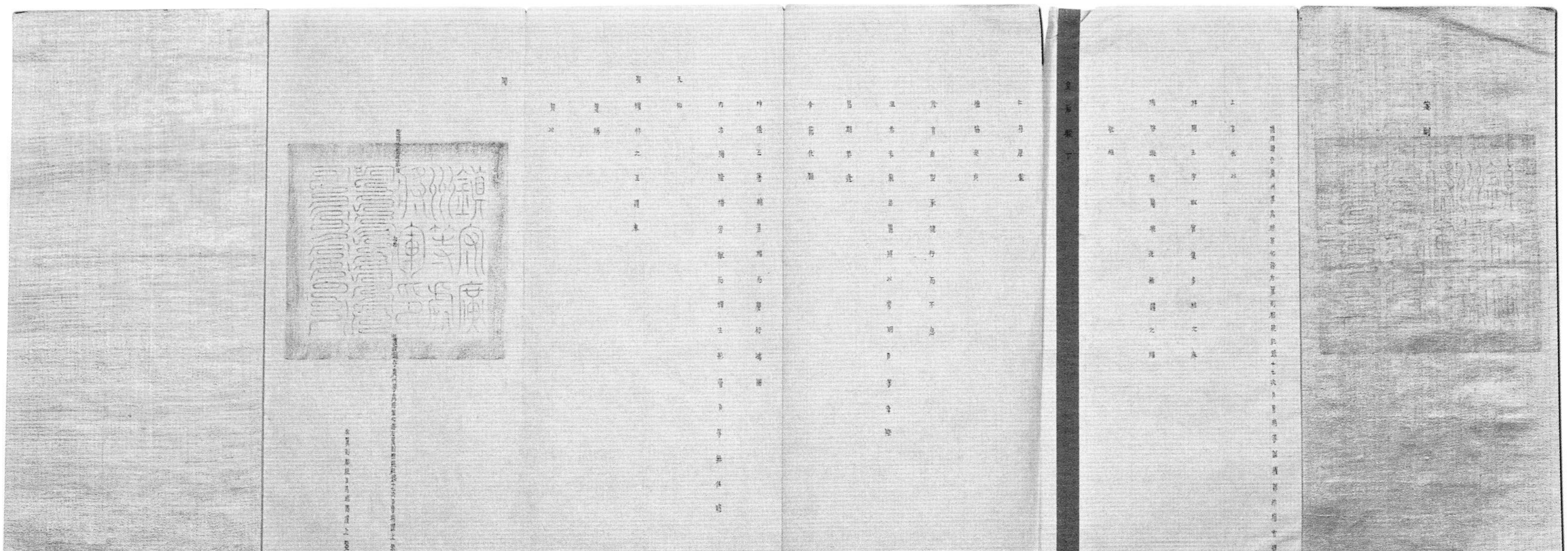

【三・二・五】

【三·二·六】官員慶賀詩冊

乾隆朝，漢文，面錦質，文紙質，冊，20cm × 12cm。

清代，每逢慶典之時，官員們除進表、箋慶賀外，還要作詩撰文，為皇帝歌功頌德。

此件為大臣朱珪為慶賀乾隆皇帝八十歲壽辰而進獻的詩冊，其中共載詩九篇。

【三·二·七】翰林頌詩

乾隆朝，漢文，紙質，尺寸各異。

清代翰林院為編纂文史，宣講經典，撰擬各種御用文書之機構。

清帝對翰林院特別重視，常親至翰林院與王大臣、官員等舉行宴會。席間，皇帝與王大臣等賦詩紀盛，之後，翰林院官員將詩賦整理成冊進呈皇帝。

此件為重修翰林院落成時，皇帝親臨慶賀，大臣們為其進獻的詩篇。

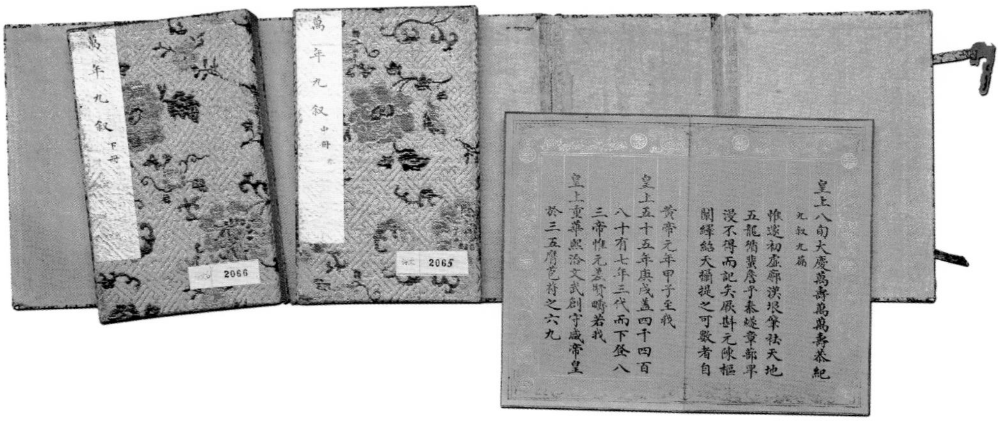

【三·二·六】

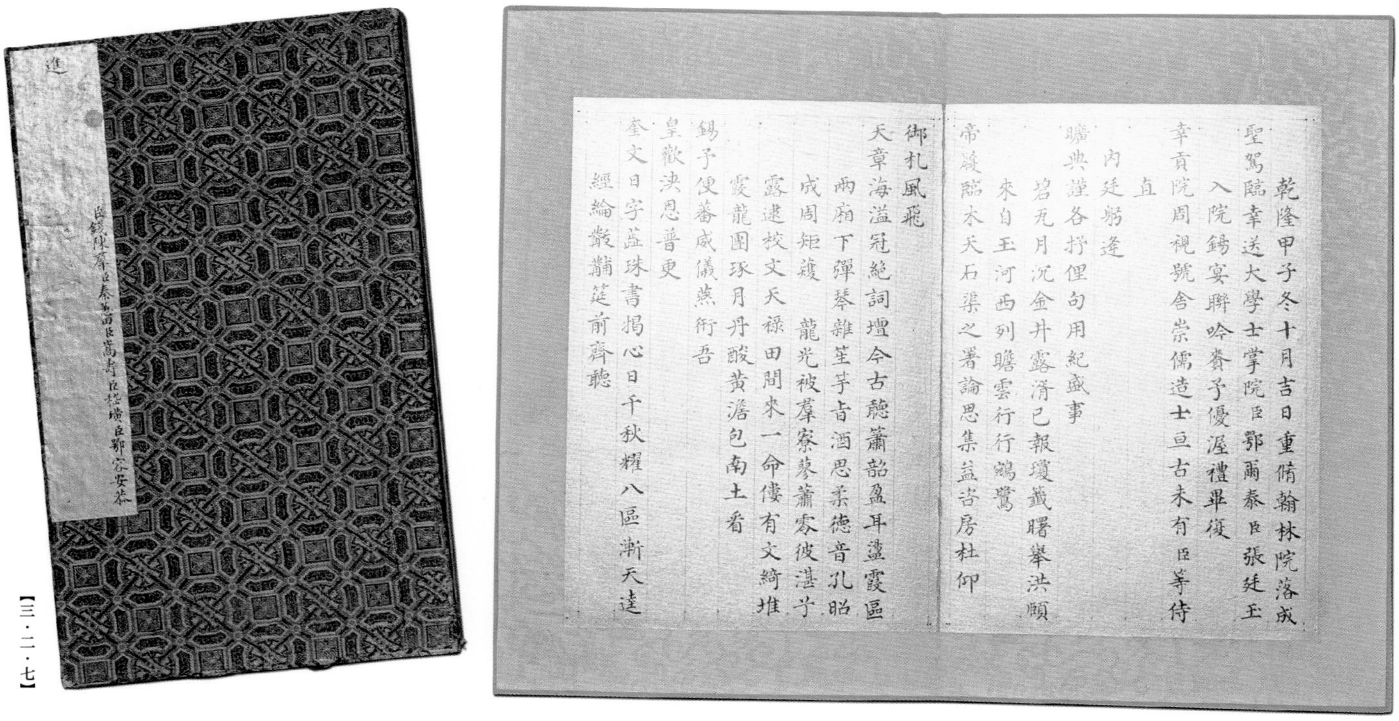

【三·二·七】

第四章　中央和地方官署往來文書

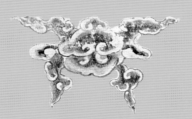

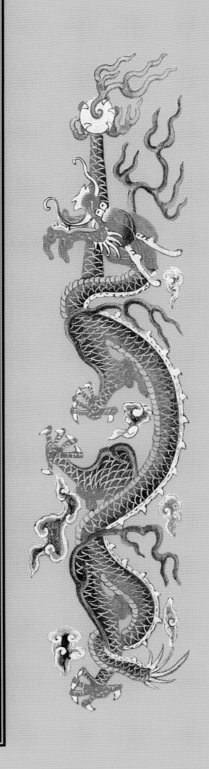

中國官署往來文書，歷史悠久，名稱繁多。戰國以前的各種公文，統稱為「書」。秦漢以後，由於政務日益繁雜，文書的名稱也越來越多。公文名稱有源於文件載體的，如檄、牒、箚、帖等。檄原是較長的木簡，牒原是小的竹簡，箚為薄小的木簡，帖原為帛製的文書標籤，以後逐漸演變為文書的名稱。文件名稱也有由憑證物得名的，如符、牌。符為左右各半合以為證的憑證物，如戰國時國家調動軍隊的虎符。牌，是唐、宋時使臣出差使用驛遞馬匹和其他供應物資的一種憑證物，以後演變為符文和牌文。還有更多的文件是用行為動詞命名的，如「指揮」、「移」、「關」、「刺」、「咨」、「照會」、「狀」、「申」、「呈」、「詳」、「驗」、「稟」等。清代積歷代官署文書之大成，故官署往來文書形式名目繁多，堪稱歷史之最。

文書代表一個官署的地位和權力。封建統治者很重視官署間行文的體制和程式。所以清朝嚴格規定了各官署行文的制度。《光緒會典．禮部》載：「凡官文書，上行、下行、平行，各別其制。」根據封建等級，各官署行文，分上行、下行、平行三種。

第一節　上行文

呈文

呈，進也。文以上進謂之呈文。宋有呈狀，為「呈」用於公文名稱的開始。元代用「呈」，明代仍用「呈狀」，均為上行文書。清朝規定六部行文都察院；各省織造、各關監督行文户部；提督、總兵行文兵部；道府以下行文

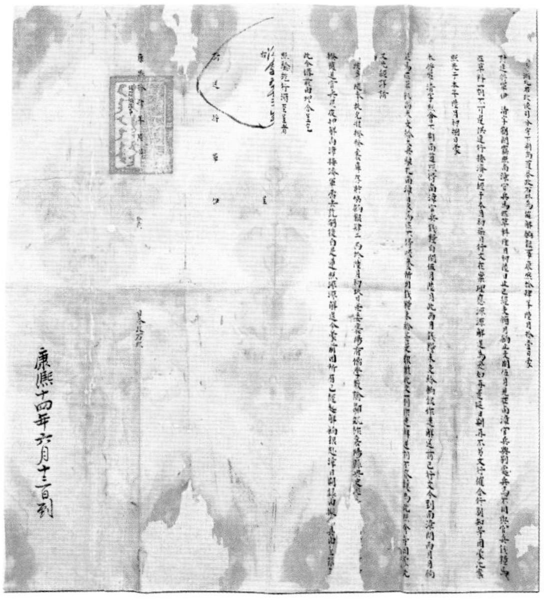

六部；道行文學政；布政使、按察使行文軍機處；都司、守備行文非隸屬關係的副將；千總行文非隸屬關係的都司、守備；都用呈文。清末，咨議局行督撫；府、廳、州、縣議事會或參事會行文府廳州縣官或監督官府；城鎮鄉議事會、城鎮董事會及鄉董，行文該管地方官，也用呈文。另外中央部院衙門各司向堂官言事，或下屬對上級報告事件，也多用呈文。

呈文的程式：文件以「某某官署為呈送事」開始。接着以「案查」二字引敘呈報的事由或請示的問題。最後以「為此備文具呈，伏乞照呈施行。須至呈者」結束。文尾書寫具呈年月日，並加蓋官署印信。

咨呈

咨呈仍為上行文書之一。對地位略高而無隸屬關係的衙門或官員行文時多用咨呈。它較咨略高，較呈稍卑，介乎咨、呈二者之間。清朝規定，在京各部院行文宗人府，太常寺、太僕寺、光祿寺、鴻臚寺、國子監、欽天監、太醫院、寶泉寶源局、各倉監督、布政使、按察使、城守尉、各關監督、各省織造行文六部，布政使護巡撫篆行文六部，各省學政行文禮部，各提督、總兵行文兵部，各省布政使行文順天府，各督撫、將軍行文軍機處，和經略副將行總兵，守備行非隸屬關係參將、游擊，游擊行非隸屬關係的副將，總兵行文總督，司道運司行文提督，府廳州縣行文總兵，都用咨呈。

咨呈的程式：行文首以「某某官署為咨呈事」開始。接着以「案准」二字引敘來文的主要內容，然後呈明辦理或請示或答覆的意見。最後以「須至咨者」結束。文尾寫「右咨呈某某官署」並書明具文年月日，加蓋官印。

申文

申，陳也，陳説事理向上級表達叫申。「申」作為公文名稱始於宋代。當時叫「申狀」。元、明因之。清改稱「申文」，為國家機關上行文書之一。凡道府以下行文六部，府廳州縣行文步軍統領衙門，直隸布政使司以下行文順天府尹；司道行督撫，府廳行司道，州縣行府、廳，雜職行州縣；府、廳、州、縣行學政，州縣行提督，副將、參將、游擊、都司、守備、千總行巡撫，都用申文。此外，提督、副都統行經略用申呈。

申文的程式：文首用「某某官署為申送事」總括語開始。接着以「案奉」二字引敘來文的旨意。然後申達辦理或請示或答覆的意見，最後以「須至申者」結束全文。文尾寫「右申呈某某官署」，書明具申年月日，並加蓋官印。

詳文

詳者，細也，審也。詳文就是詳言其事，陳報於上級，以待批答之意。清黃六鴻《福惠全書》卷五説：「夫詳文者，詳言其事而申於上台者也。貴在源委清楚，詞意明切，而陳以可否之義仰候憲裁。」它是清代上行文書之一。武官凡副將以下行文提督，參將以下行文總兵；文官凡州、縣上行府廳，府廳上行司道，司道上行督撫，都用詳文。

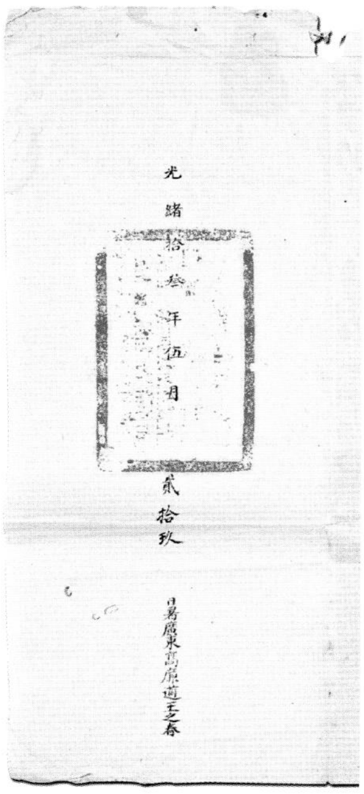
光緒拾叁年伍月貳拾玖日
署廣東高廉道王之春

詳文都帶有詳冊，即副本。詳文、詳冊，合成一套，申報上憲，上憲在詳文上批示，發回申報衙門。詳冊留在上級衙門存案。

詳文的程式：文首有「某某官署為詳請事」總領語。行文以「案查」或「案奉」二字引敘來文內容或某事緣由，然後詳述辦理的情況或請示的問題，最後以「照詳施行，須至申者」結束全文。文尾寫「右申某某官署」並書明具詳年月日，加蓋官署印信。日下寫申報人官銜、姓名。

驗文

驗文是清代地方官府使用的一種上行文書。大量用於報送有關文件，申解賦稅錢糧、押解犯人等。驗文與詳文用途和程式基本相同。不同的是詳文要帶詳冊，要上級批示，驗文不帶書冊，不要求上級對文件批示，只作備案用。

稟文

稟是報告、陳述的意思。清朝下對上，卑幼對尊長白事多用稟文。如地方機關，下級官吏向上級官吏報告請示事情時，在詳文內有不便言之處，或不必見之詳文的，都用稟陳述。在京各衙門下級官吏對上級官吏言事時，也有用稟的。另外，私人向官署陳述事件，也用稟，叫「稟帖」。

稟文多是私信，文字結構比較靈活，行文關係也不受規定的公文運轉程序限制。每逢年過節，下級官員對上級官員都要寫信祝賀問候。新官上任向上級官員稟報。下級官員要摸清上級官員的意圖，也往往用稟文以試探。上送稟文，須要附上作者的名帖（即現代的名片），寫上官銜、姓名，稱「銜名手本」，紙用紅色，以表示對上級的尊敬。有所請示的稟文，用白紙書寫，具稟者或委派親信人員須守候批示。上憲在紅稟批示後，即發還具稟人。白稟存於上憲卷宗。

明、清時代，私人向官署陳告事件也可用稟，稱為「稟帖」，也稱「稟狀」。清代衙署內部書吏、衙役向長官請示或報告事情時，也使用稟帖。稟帖一般是單張紙片，高約三十厘米，寬約二十厘米。

紅白稟為摺疊式，一般高約二十四厘米，寬約九厘米。白稟都粘有特製的摺面和摺底，用黑色暗花紙，摺面正中偏上方粘一紅色小方籤，楷書一個「稟」字。白稟通常每扣五行，每行字數不限，楷書。稟文的程式：稟文開始先寫明「某某官署（或某某官員）謹稟某某官署（或某某官員）」，接着以「敬稟者」三字引敘稟報的事由或請示的問題，最後以「肅此具稟」結束全文。文尾書「卑職某某謹稟」，及具稟年月日，並加蓋官署或官員印信。

第二節　下行文

諭

以上告下謂之諭，諭使用範圍較廣。皇帝告臣民的文書有上諭、諭旨等形式。清代各部院長官對下屬有所曉諭或指示，用「堂諭」。地方各府、廳、州、縣對於屬吏有所訓示，用「諭帖」。

諭的程式：首用「諭某某知悉」或「為遵諭事」開始，接敘所諭內容，文尾用「特諭」或「此諭」結束。文尾書明下諭的年月日。

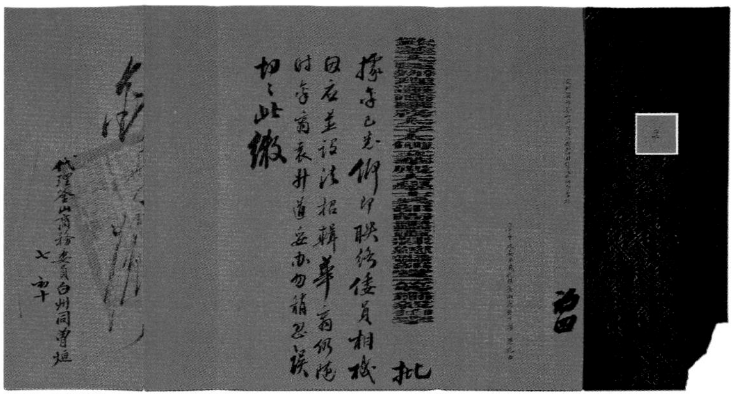

牌文／牌票／牌檄

牌文是清朝下行文書之一。凡各部院行文五城司坊官及大興、宛平二縣，六部行道府以下各衙門，步軍統領衙門行文府、廳、州、縣，順天府尹行直隸布政使司以下，督撫行司、道，司、道行府、廳，府、廳行州、縣，州、縣行雜職，提督行副將以下，總兵行參將以下，副將行所轄游擊以下，參將行所轄都司以下，參將、游擊行千總、把總，都司行所轄千總以下，都司、守備行把總，學政行道、府、廳、州、縣以下，經略行總兵以下，都用牌文。

另外，巡撫行文守備、千總用牌票，織造行文府、廳、州、縣用牌檄（《光緒會典》卷三十《禮部》）。

牌文的程式：文首以「某某官署為牌行事」開始，接着用「據」或「查得」引敘事由緣起，然後牌曉事件，最後以「須至牌者」結束。末書具牌年月日，並加蓋官印。

箚／箚付

箚同札，為古時寫字用的小木片。

箚作為文書名稱，始於宋代。凡中省書指揮事和諸路帥司指揮所部，都用箚子。元、明改稱箚付。清沿用箚和箚付，仍作為下行文書。清朝規定，凡六部、都察院行文順天府、奉天府，六部行文太常寺、太僕寺、光祿寺、鴻臚寺、國子監、欽天監、太醫院、寶泉寶源局、各倉監督，布政使、按察使、城守尉、各關監督、各省織造，均用箚文。

都察院行文六科，禮部行文各省學政，兵部行文各提督總兵，順天府尹行文各省布政使，軍機處行文布政使、按察使，經略行文提督、副都統，都用箚文。

凡提督行府、廳、州、縣，巡撫行副將、參將、游擊、都司用箚付。

箚文的程式：文首以「某某衙門（或某某官員）為箚飭事（或給箚事）」開始，接着以「照得」或「某某案呈」引敘箚飭的內容。最後以「特箚」或「須至箚者」結束，文尾書明具箚年月日，並加蓋官印。

第三節　平行文

咨文

「咨」是商量、咨詢的意思。咨作為公文名稱，始於宋代，以後歷代沿用，為中央平行衙署的來往文書之一。清朝行文體制規定：宗人府行文各部院，六部、理藩院、都察院、內務府、各旗都統、步軍統領衙門互相行文，通政使司、大理寺行文各部院，各部院行文總督、巡撫、都統、將軍等，吏、禮二部行文衍聖公，禮部行文外裔各國，軍機處行文督撫、將軍，總督、巡撫與提督，巡撫與總兵，司道與總兵，來往行文都用咨文。

咨文的程式：文首以「某某衙署為咨行事」開始，接着以「案奉」二字引敘事由，然後敘述所咨事情。最後以「須至咨者」結束。末書「右咨某某官署」及具咨年月日，加蓋官印。

移會

「移」作為公文名稱，自三國始。唐代規定，諸司自相質向，其制有三，叫「關」、「刺」、「移」。宋沿用之。移文多用於不相隸屬平行機關的來往文書。清朝規定，通政司、大理寺行文，除對各部院用咨外，餘皆用移會。六科各道、內庭各館、內閣典籍廳、稽察房、中書科等處，與各部、院、寺、監行文，均用移會。地方機關，如直隸州與非所屬之知縣，知縣與府首領州同、州判，州同、州判與儒學，來往文書，也用移會。

移會的程式：文首用「某某官署為移會事」開始，接敘事由的緣起，然後説明移會事項，最後以「須至移者」結束。末書「右移會某某官署」，具移年月日，並加官署印信。

照會

照會作為公文名稱，始於明代。照會有會同照閱之意，大都是不相隸屬的文武各衙門之間行文時使用。明代凡五軍都督府行文六部用照會。清朝規定：總兵行文非所轄的副將，副將行文非所轄的都司、守備，參將、游擊行文非所轄的守備，都司、守備行文非所轄的千總，總督於總兵，提督於司、道、運司，總兵於府、廳、州、縣，副將於各州、縣，駐防副都統行文非所屬之副將，經略行文將軍、督撫，均用照會。知府行文直隸州知州，用墨筆照會。清末府、廳、州、縣長官行文議事會或參事會，司、道行文自治機關也用照會。

照會的程式：文首以「某某官署為照會事」開始，接着用「案照」二字引敘事由緣起，然後敘明所照事由，最後以「須至照會者」結束，末書「右照會某某官署」，具照年月日，並加蓋官印。

關文

關文是古代官府間互相質詢時所用的一種文書。《文心雕龍．書記》中說：「百官詢事，則有關、刺、解、牒。」《唐百官志》中云：「諸司相質，其制有三：一曰關，二曰刺，三曰移。」宋、明沿用之。清朝關文的用途進一步擴大，凡府、廳、州、縣行佐貳、佐雜，府、廳、州、縣與兩司首領互相行文，都用關文。另外，副將與非所轄之游擊，府、廳與參將、游擊，府、廳、州、縣與都司，司、道、運司、府、廳與副將，司道、運司、州、縣與參將、游擊，司、道、運司與都司，都用平關。

關文的程式：文首用「某某官署為關查事」開始，接敘事由緣起，

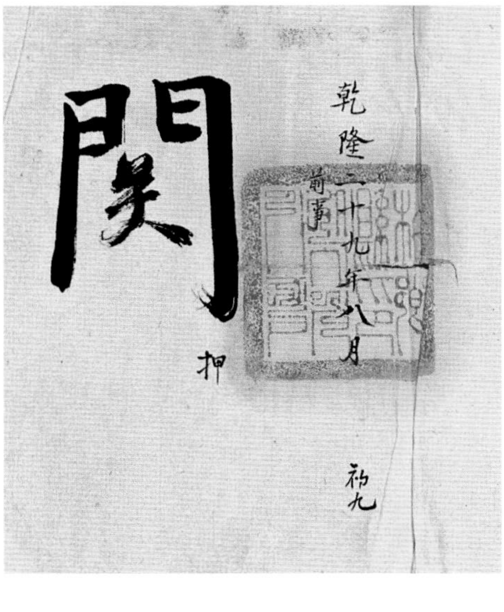

然後敘明關查的事項。文尾寫「右關某某官署」，具關年月日，並加蓋官印。

牒呈

牒作為公文名稱，始於秦漢。宋時有敕牒、公牒。清代有牒呈，據《清會典》載，凡府佐貳行知府，州、縣佐貳行州、縣，兩司首領行知府，儒學行州、縣，府、州行提督，廳縣行副將，都用牒呈。

牒呈為平行文書之一，行文中凡用牒的地方，均加一「呈」字，以表示對受文官署的尊敬。

牒文的程式：文首以「某某官署為咨會事」開始，接敘事由緣起，然後敘明牒知的事情。最後以「須至牒者」結束。文尾書明「有牒某某官署」，具牒年月日，並加蓋官署印信。

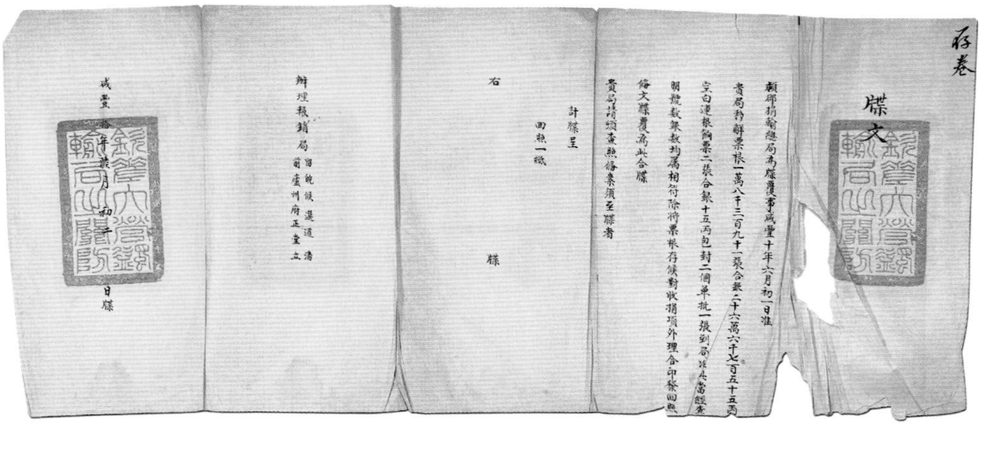

交片

交片是清朝獨有的一種平行文書。《清會典》載，軍機處與各部、院、寺、監行文用交片。其內容多是軍機大臣傳達皇帝的諭旨，交有關衙門辦理執行。

片文一般一百字左右。片文程式簡潔明確，文首直書「某年某月某日交某官署。本日，軍機大臣面諭旨」，接敘諭旨的內容，最後以「此交」結束。

中央機關的文書處理，一般有以下幾個環節：

一、收文。中央各部院寺監等機關，都設有司務廳或當月處等收發傳達機構。在收到各機關來文後，都要「呈堂書到，記其號以分於司」（《光緒會典》卷六《吏部》）。

二、辦稿。各司先擬具覆文稿件，呈堂簽畫，謂之「呈堂稿」。

三、繕校。堂官簽定文稿後，即依行文格式由書吏或供事繕寫文件，繕好後，再經仔細校對無誤。

四、用印。各衙門司處用印，均設號簿登記，依式用印。

五、發文。發文時應填明發文時間，由主政簽押後發出。受文機關收到來文後，應具「回頭」（即回條），以便磨對。

六、督促。由督察機構催辦，按限期辦結。

各地方機關的文書處理，一般也有收文、辦稿、繕校、用印、發文等程序。但各地做法不盡一致。如《撫吳公牘》記載江蘇巡撫衙門文書運轉程序分為：一、發房。即將每日收進文書發各房。二、送稿。三、判發。四、送簽。五、發行。

【四・一・一】呈

呈在清代為下級官員向上級官員呈報公務的一種上行文書。多用於請示具體公務方面。篇幅、頁、行、字數不拘，落款於具文時間處齊年蓋月押具文者官印關防。其格式通常起首處為「×××（呈）為××事」，結尾為「……須至呈者，右呈×××」。

① 康熙十四年（一六七五年）六月十二日，漢文，紙質，54cm × 47cm。

此呈為平定「三藩之亂」時期湖廣湖北荊南道參政石琳為呈報解餉赴漳給討逆將軍伊××的呈。

② 光緒二十九年（一九〇三年）七月，漢文，紙質，摺，每扣24cm × 10cm。

此為北城兵馬司呈報遞解賽金花一干給刑部的呈。請京師設五城兵馬司分中、南、西、北五城，分轄京師五城十坊各司分設指揮、副指揮、吏目等職，專司防緝逃盜、稽察奸宄等等。

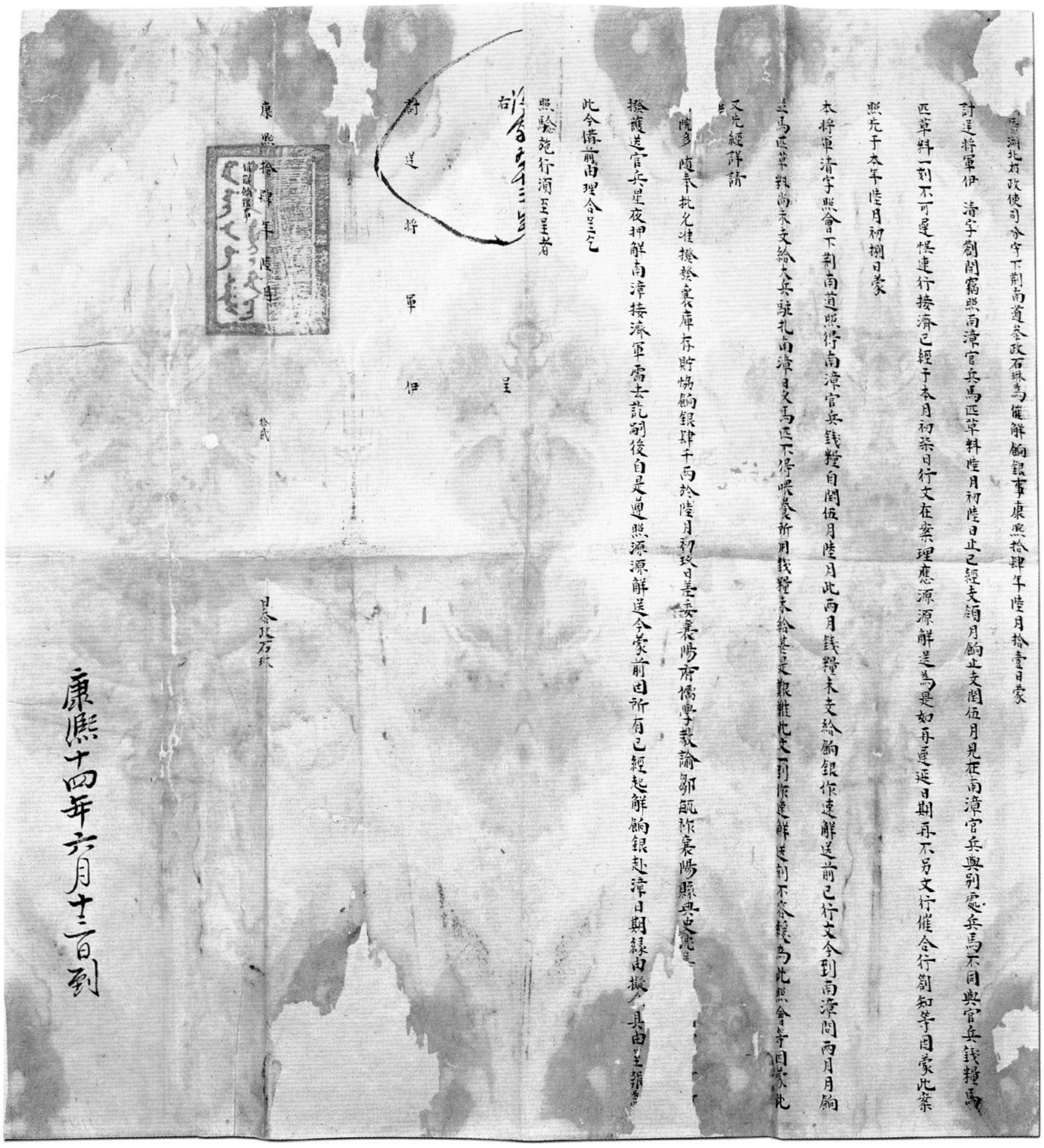

【四・一・一①】

【四・一・二】副呈

宣統三年（一九一一年），漢文，紙質，摺，每扣24cm×10cm。

下級官員遞呈時為上級批覆方便，隨呈附有副呈，只具銜名及事由，後留空白，上級可於副呈上直接批覆簽押，發回。

此件為三品官員白曾烜隨呈上給二品奉天度支使齊××的副呈，上有齊××的批覆及其印戳。

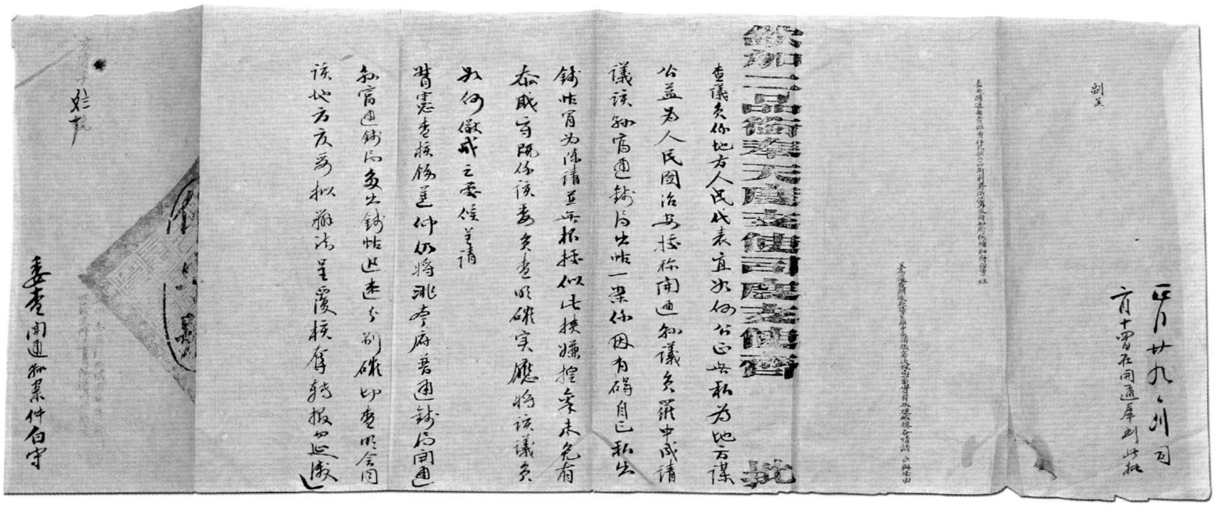

【四・一・二】

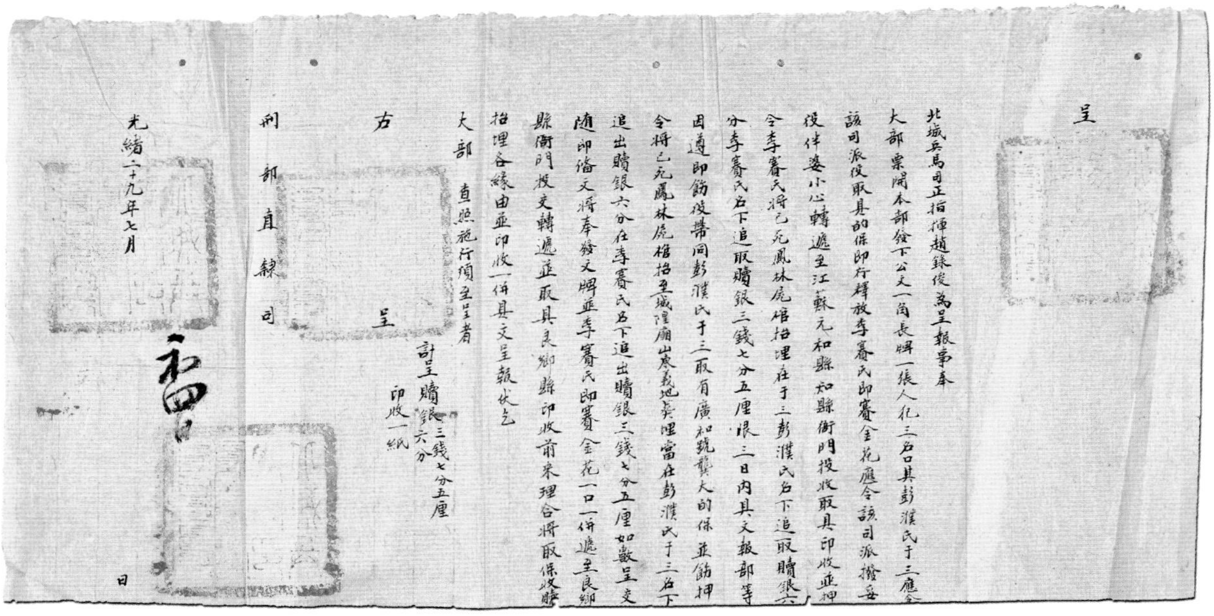

【四・一・一②】

【四・一・三】咨呈

康熙十五年(一六七六年)十月二十日，漢文，紙質，63cm × 48cm。

下級向直屬上級呈報的同時，向有關的非直屬上級通報，則用咨呈。其格式與咨相同，起首通常為「×××咨呈為××事」，結尾為「……須至咨呈者，右咨呈×××」。文尾押印。

本文為平定「三藩之亂」時，陝西隴右道李即龍為稟報叛兵投誠一事，給揚威將軍阿密達的咨呈。押印。

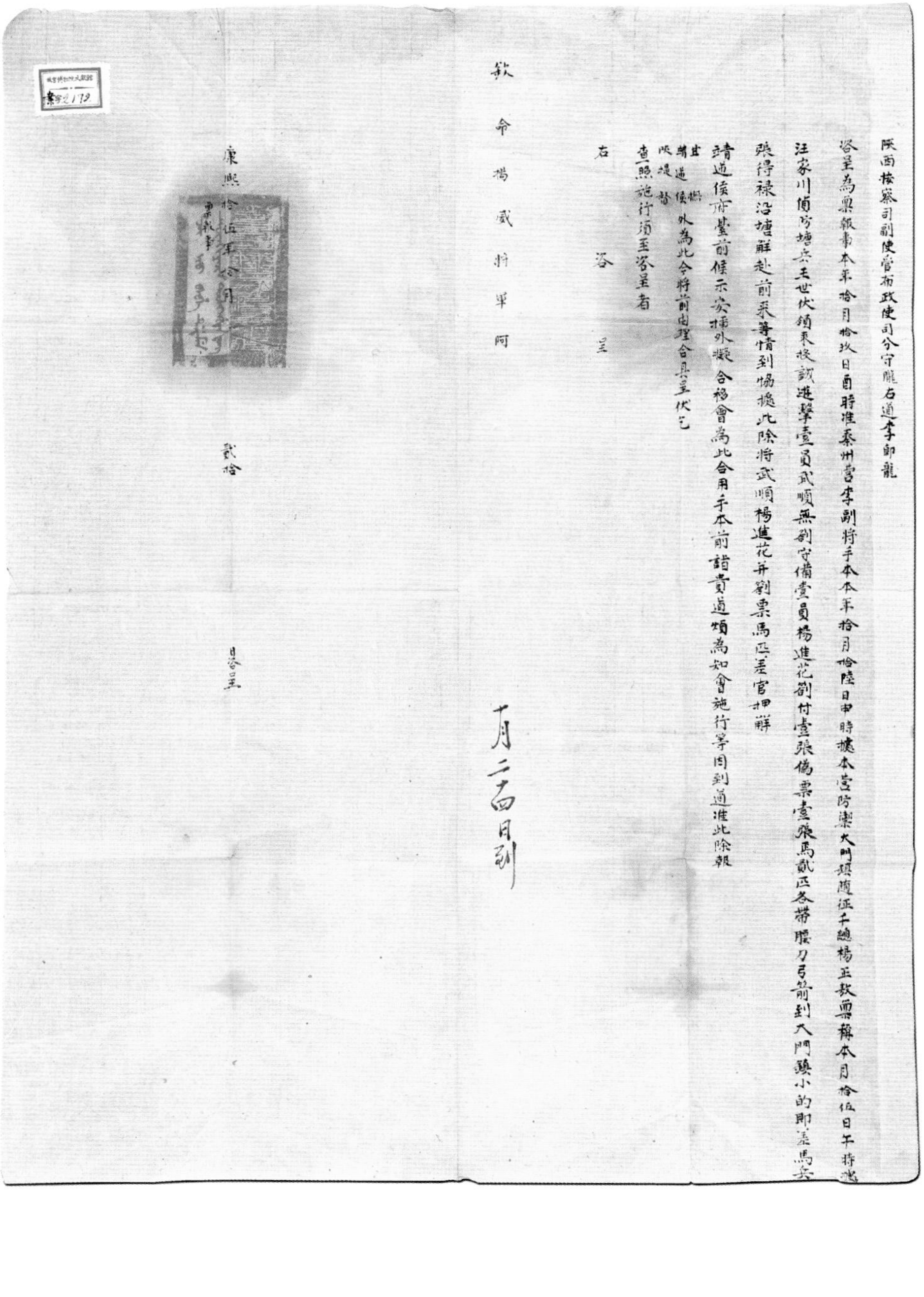
陝西按察司副使管布政使司分守隴右道李即龍
咨呈為稟報事本年拾月拾玖日酉時准秦州營李副將手本本年拾月拾陸日申時據本營防禦大門鎮遊擊千總楊正款票稱本月拾伍日午時巡
汪家川偵防塘兵王世伏領來投誠遊擊壹員武順無劄守備壹員楊進花劄付壹張偽票壹張馬貳匹各帶腰刀弓箭到大門鎮小的即差馬兵
張得祿沿塘解赴前來等情到協據此除將武順楊進花并劄票馬匹差官押解
請道候府臺前候示安插外擬合移會為此合用手本前詣貴道煩為知會施行等因到道准此除報
甘撫
肅提
陝督
外為此合將前由理合具呈伏乞
查照施行須至咨呈者
右　咨　呈
欽命揚威將軍阿
康熙拾伍年拾月　貳拾　日　咨呈
十月二十日到

【四・一・三】

【四・一・四】申文

同治三年(一八六四年)三月，漢文，紙質，摺，每扣24cm × 10.5cm。

上行文書，始於宋之申狀，元明因之，清代改稱「申文」。凡州縣雜職上行州縣，州縣上府廳，府廳上司道，司道上督撫，以及府廳州縣行文學政，州縣官行文提督，武職副將參將游擊都司守備等向巡撫行文，皆用申文。一般為已奉札移，就事申覆。其格式，起首通常為「×××為申覆事」，結尾為「須至申者，右申×××」。篇幅、頁、行、字數不拘。行文不抬頭。具文時間處，通常只署年、月，而不填日期，齊年處押官印關防。封面書「申」或「申文」，通常也押印。

此為山東歷城縣知縣為前署濟南知縣任內報銷案一事，給濟南知府的申文及其信封。

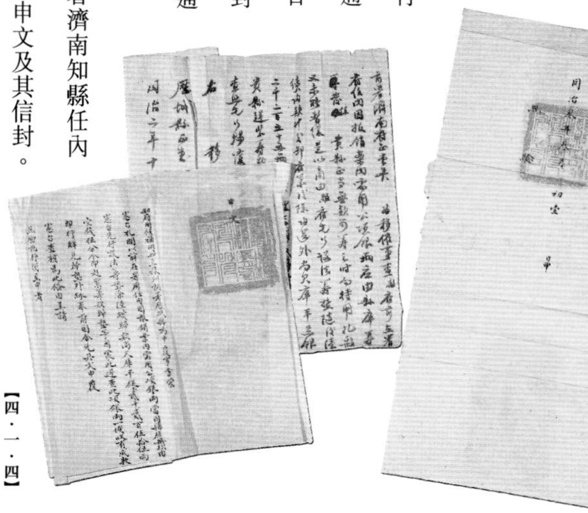

【四・一・四】

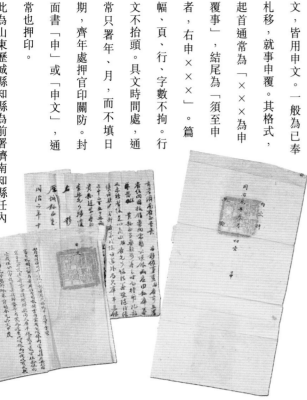

【四·一·五】申呈

光緒三十四年（一九〇八年）七月三日，漢文，紙質，摺，每扣19.5cm × 8cm。

此為江海關稅務司好博遜給署理總稅務司副總稅務裴××關於輪船機械安置一事，接奉札文後的申覆。行文中有單抬。

【四·一·六】詳文

光緒十三年（一八八七年）五月二十九日，漢文，紙質，摺，每扣31cm × 12.5cm。

上行公務文書。為詳言其事而申於上憲以俟批覆之意。清沿明制，以詳文作為下級官員向上級官員請示公務時所使用的正式上行文書。詳文只能申報給直接上級並要求上級有所批示，不得越級上達。一般篇幅、行、字數不拘，行文不必抬頭，起首為「×××為請詳事」，結尾為「須至簡詳者，右申×××」。封面及年月日處押印。

此為廣東高廉道王之春為請獎敘剿捕盜匪出力人員，呈報給兩廣總督的詳文。

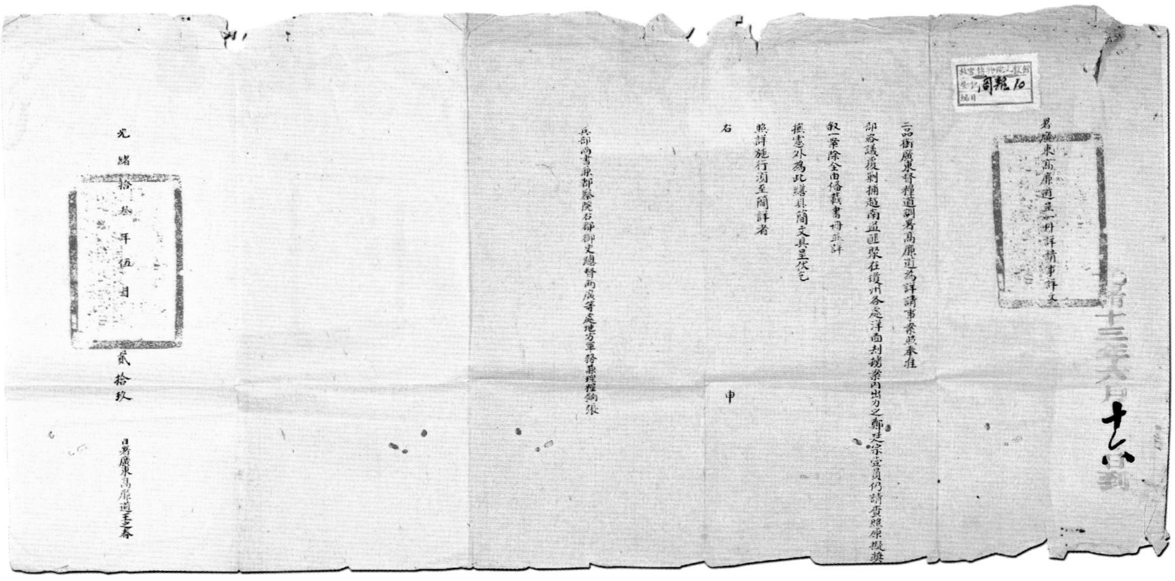

光緒拾叁年伍月貳拾玖日

署廣東高廉道王之春

【四·一·六】

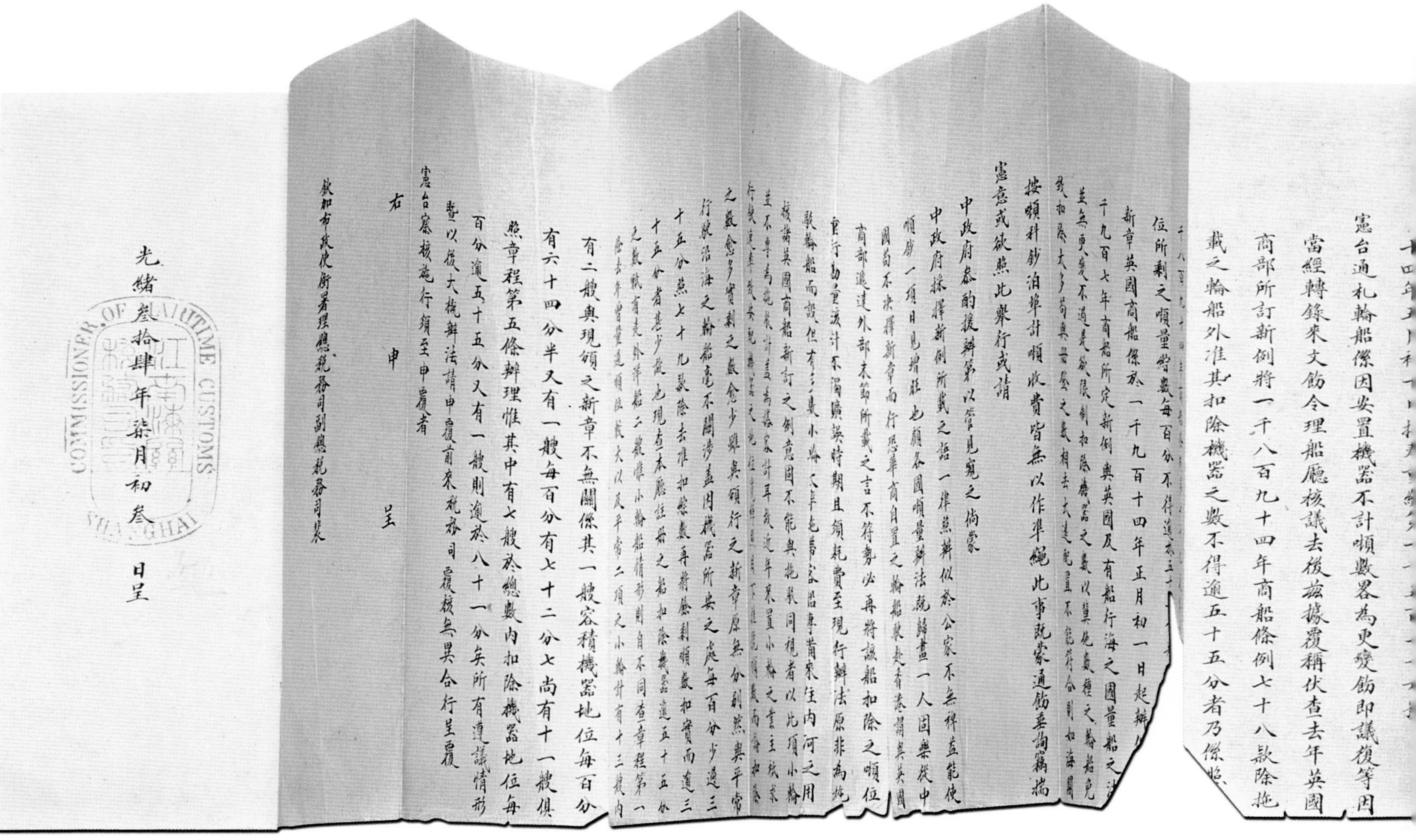

憲台通札輪船係因安置機器不計噸數畧為更變飭即議覆等因

當經轉錄來文飭令理船廳核議去後茲據覆稱伏查去年英國

商部所訂新例將一千八百九十四年商船條例七十八款除拖

載之輪船外准其扣除機器之數不得逾五十五分者乃係照

位所剩之噸量皆數每百分不得逾於五十

新章英國商船係於一千九百十四年正月初一日起辦

按噸科鈔泊鈔計噸收費皆無以作準繩此事既蒙通飭妥籌

憲意或欲照此舉行或請

中政府酌的核辦第以管見窺之倘蒙

中政府採擇新例所載之語一律照辦似於公家不無裨益能使

有二艘與現頒之新章不無關係其一艘容積機器地位每百分

有六十四分半又有一艘每百分有七十二分七尚有十一艘俱

照章程第五條辦理惟其中有七艘於總數內扣除機器地位每

百分適五十五分又有一艘則適於八十一分矣所有遵議情形

暨以徵大概辦法請申覆前來稅務司覆核無異合行呈覆

憲台察核施行須至申覆者

右　申　呈

欽加布政使銜署理總稅務司副總稅務司裴

光緒叁拾肆年柒月初叁日呈

COMMISSIONER OF MARITIME CUSTOMS SHANGHAI

【四·一·五】

【四・一・七】照詳

康熙十五年（一六七六年）十一月，漢文，紙質，冊，每扣26cm × 18.5cm 。

詳文往往又有詳冊的形式，備載事件全由。

此件為「平定三藩」時期，奮威將軍標下游擊李國鑒與鞏昌府西和縣知縣馮翼鼎會銜給揚威將軍阿密達的照詳。行文有雙抬，署年月，不具日。封面年月處押印。起首為「×××呈為××事」，結尾為「須至呈者，右具冊×××」。頁間有騎縫章。這是給揚威將軍的抄詳，封面有揚威將軍的批覆文字。並粘附謄抄偽朱票一件。

【四・一・八】印稟

光緒十一年（一八八五年），漢文，紙質，摺，每扣25cm × 9.5cm 。

此為奏調廣東山西候補知府楊玉書為解運台灣軍火一事給上司的稟。屬公文稟，年、月（一般不署日）處押官印。文頁接處有騎縫印。

【四・一・九】紅稟

光緒十四年（一八八八年）十月十日，漢文，紙質，摺，每扣25cm × 9.5cm 。

通常官員上稟有紅白稟之制。白稟詳報事件，紅稟只書官銜及事由，交上後上憲可於紅稟上直接批示，發回。

此件為代理朝鮮釜山商務候選州同白曾炬給李鴻章的謝恩紅稟，上有李的批語。

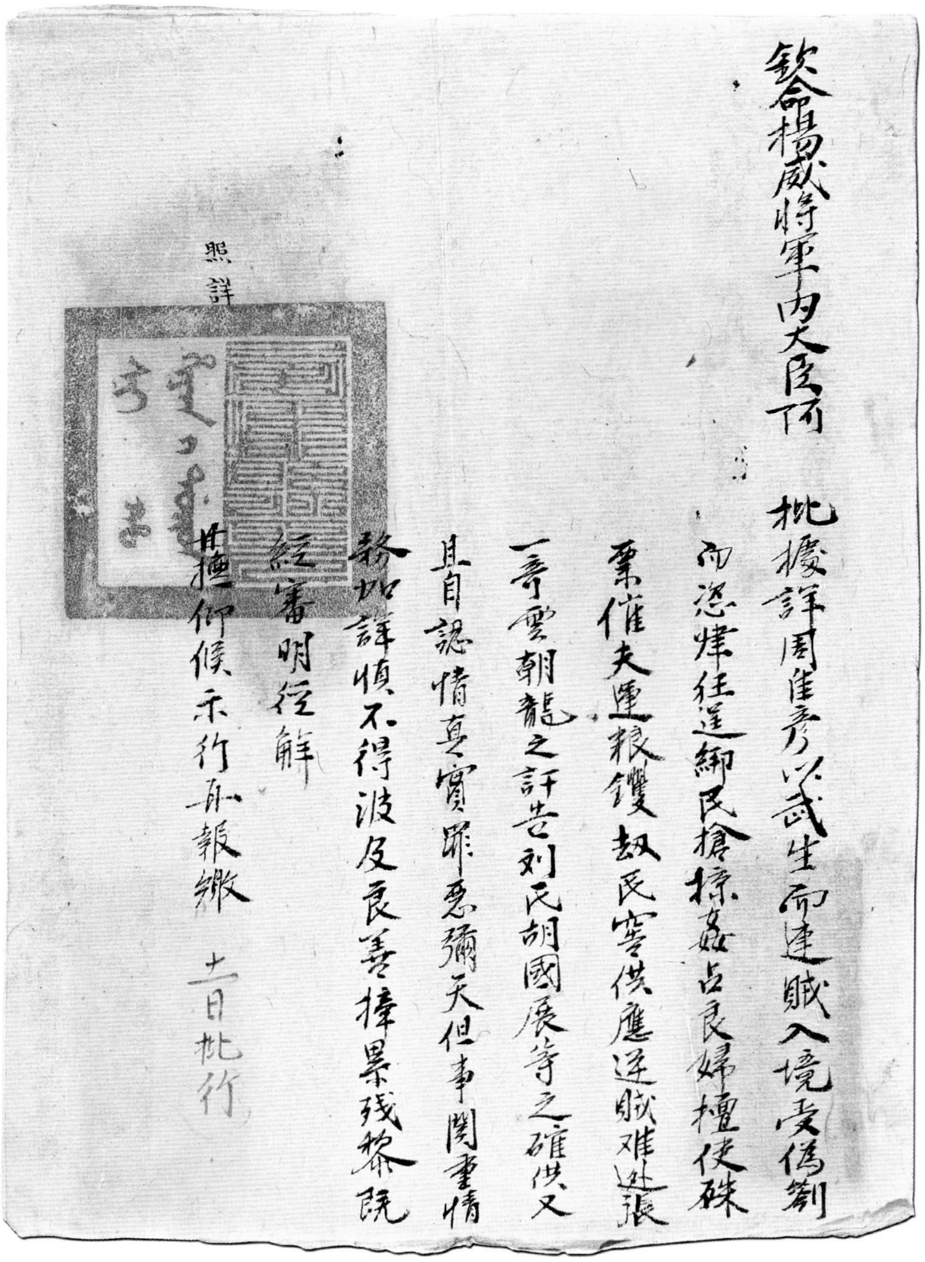
欽命揚威將軍內大臣阿
批據詳周進秀以武生而逆賊入境受偽劄
而恣肆往逆綁民搶掠姦占良婦擅使硃
票催夫運糧饟殺民害供應逆賊難逃張
一奇雲朝龍之訐告劉氏胡國展等之確供又
且自認情真實罪惡彌天但事關重情
務加詳慎不得波及良善株累殘黎既
經審明位解
撫仰候示行再報繳　十一日批行
照詳

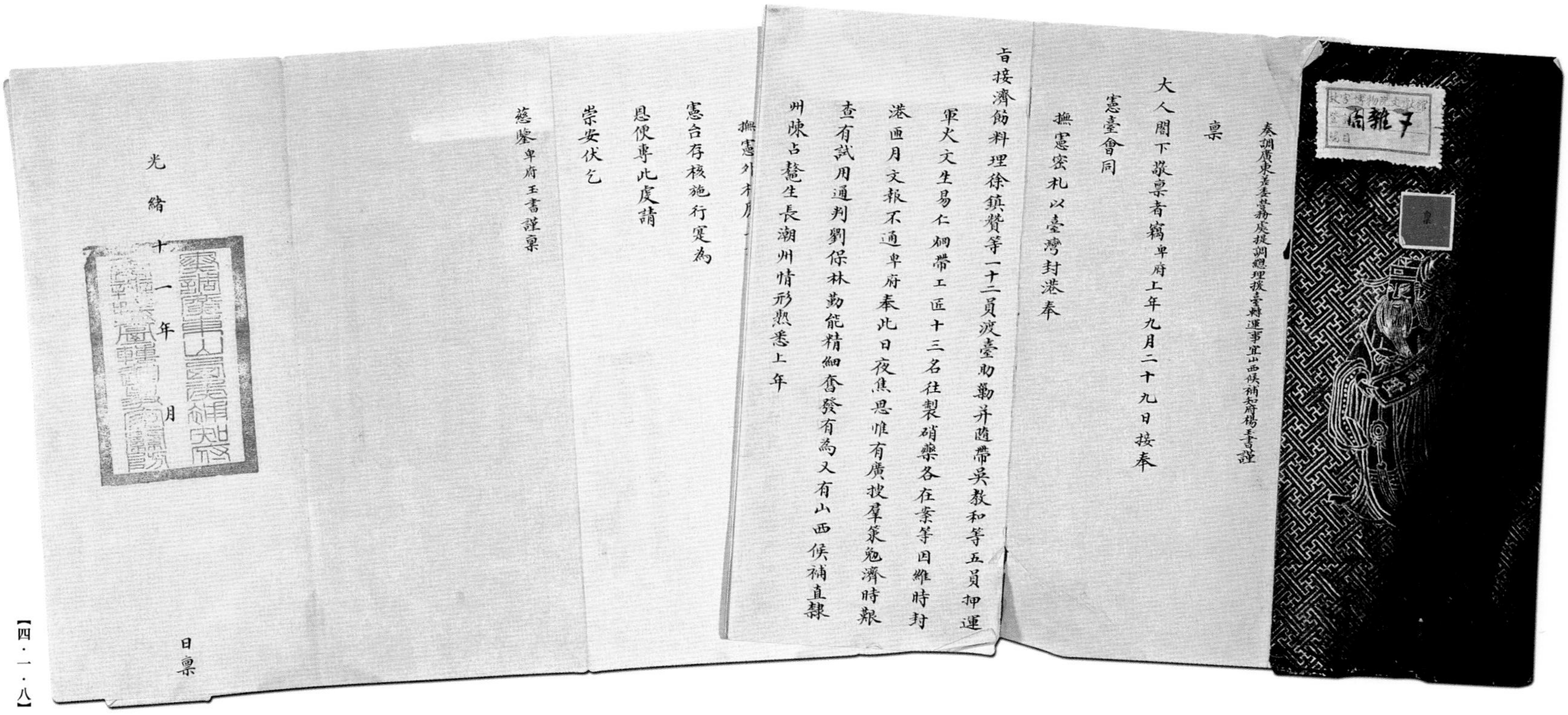

奏調廣東差委營務處提調總理援臺轉運事宜山西候補知府楊王書謹

稟

大人閣下敬稟者竊卑府上年九月二十九日接奉

憲臺會同

撫憲密札以臺灣封港奉

旨接濟飭料理徐鎮贊等一十二員渡臺助勦并隨帶吳教和等五員押運

軍火文生易仁炯帶工匠十三名往製硝藥各在案等因維時封

港匝月文報不通卑府奉此日夜焦思惟有廣搜羣策勉濟時艱

查有試用通判劉保林勤能精細奮發有為又有山西候補直隸

州陳占鼇生長潮州情形熟悉上年

撫憲外札府……

憲台存核施行寔為

恩便專此虔請

崇安伏乞

慈鑒卑府王書謹稟

光緒十一年　月　日稟

【四·一·八】

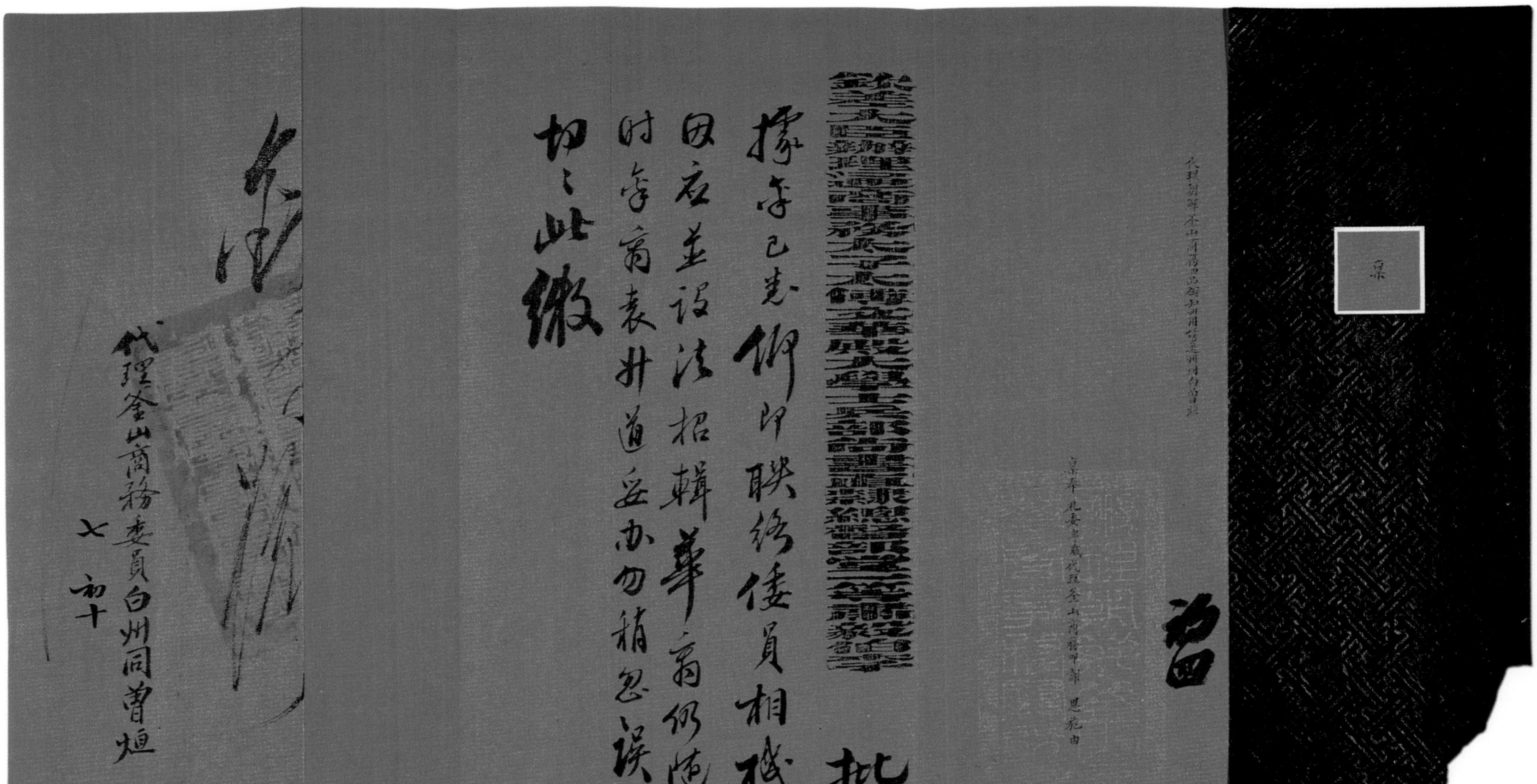

稟

批

據稟已悉仰即聯絡倭員相機

因應並設法招輯華商俾隨

時與商董并道妥辦勿稍忽誤

切切此繳

代理釜山商務委員白州同曾熀

七　初十

留

【四·一·九】

【四·一·一〇】稟札

光緒十七年（一八九一年）七月二十日，漢文，紙質，摺，每扣 22.8cm × 9.5cm 。

稟，又稱稟帖，上行文書。最初為官員間的私人信件文書，為下級官員向上級官員寫信祝賀或疏通情節時所用，有一定程式套語，其運轉程序也較靈活簡便，後成為公開的上行文書，但並不見於會典記載。

此件為某王府看府李連陞給某王爺的謝恩稟，屬私人信稟。通常官稟要押官印，故稱「印稟」。而私稟則只簽字畫押，無印。

【四·一·一一】稟狀

光緒二十二年（一八九六年）二月，漢文，紙質，摺，木刻墨印，版框，22cm × 12cm ，每扣六面，每行二十格。

上行文書，凡上訴及申辯狀俱稱「稟狀」，也稱「訴狀」。稟狀有一定的格式，一般由稍知律例和文書程式的書手等專業人員代寫。

此為安徽績溪縣的專用稟狀，內容為汪姓爭奪地產打官司。官衙立案時往往將同一案的稟狀與有關圖結粘連一起，故此稟狀附有圖結。

【四·一·一二】稟摺

時間不詳，漢文，紙質，摺，每扣 22cm × 9.5cm 。

此為道員王萬震將舊藏詩抄給與上司出版一事的稟摺。

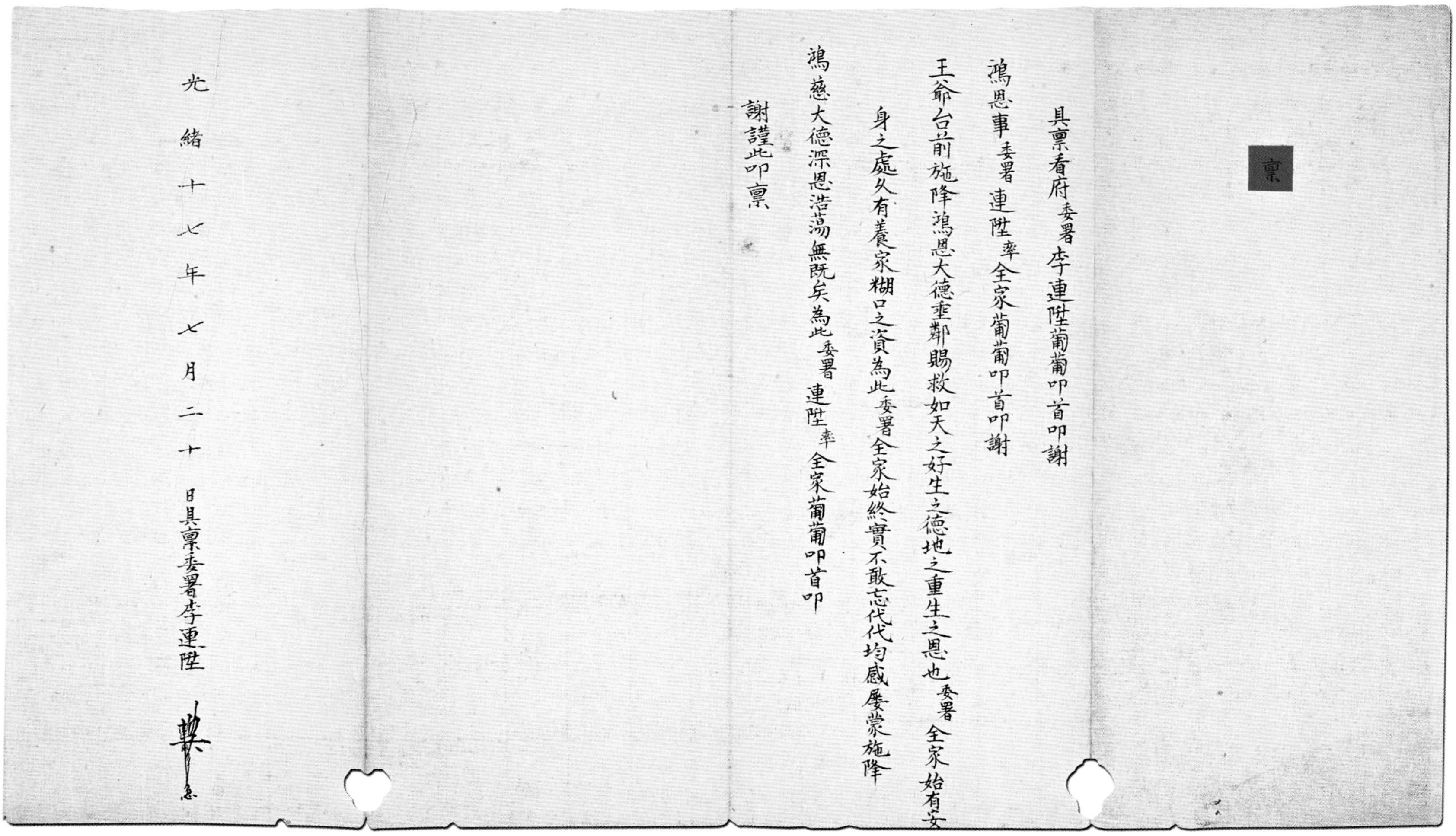

稟

具稟看府委署李連陞匍匐叩首叩謝

鴻恩事委署連陞率全家匍匐叩首叩謝

王爺台前施降鴻恩大德垂鄰賜救如天之好生之德地之重生之恩也委署全家始有安

身之處久有養家糊口之資為此委署全家始終實不敢忘代代均感屢蒙施降

鴻慈大德深恩浩蕩無既矣為此委署連陞率全家匍匐叩首叩

謝謹此叩稟

光緒十七年七月二十日具稟委署李連陞

【四·一·一〇】

【四·一·一一】

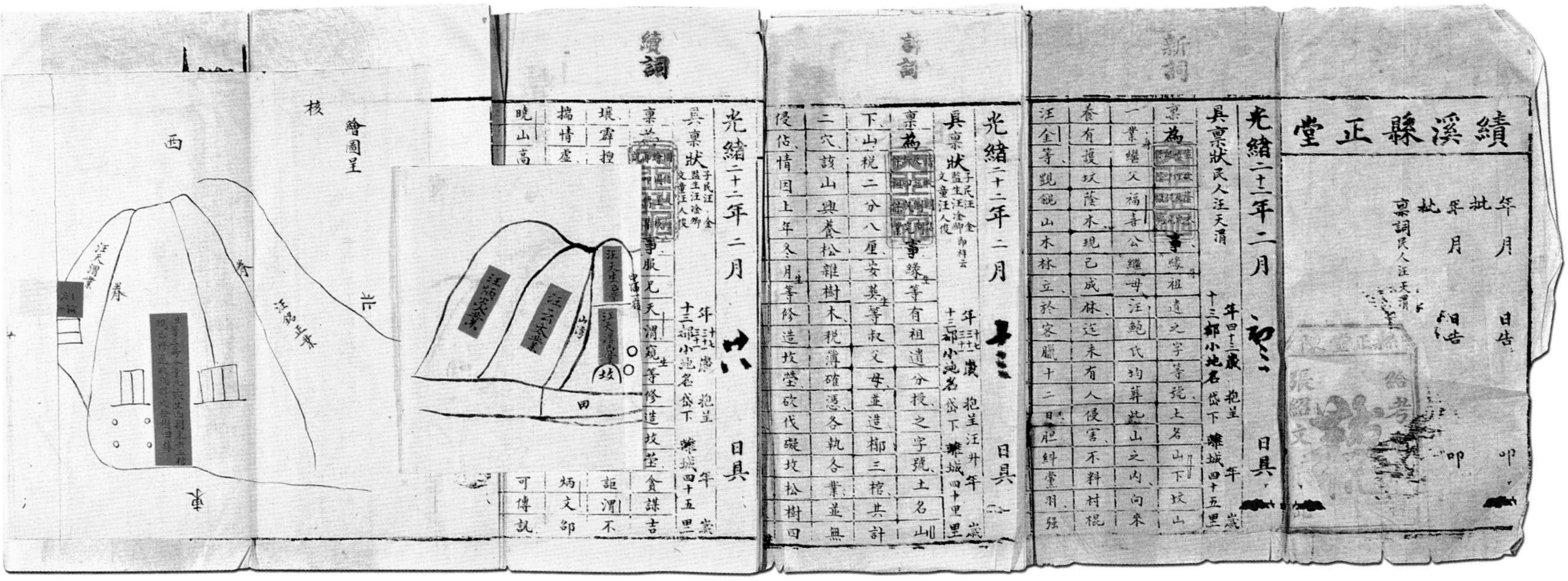

【四·一·一二】

稟 摺

職道王萬震謹呈

敬稟者昨奉藩司傳
諭覓閱朱眉君詩稿此間一時不得印本謹將職道舊藏抄本一卷
先呈
憲覽容覓得全集再行呈上再職道前與藩司述及美國柔使照
會兩江請以江南局刻書籍交換美國新譯各書以便分送各
學堂俾得觀摩之助兩江准照咨復并分行寧蘇上海等處
書局照辦竊湖北官書局刊印各書不下百種可否仰懇
憲台援案照會美使以鄂局書籍交換美國新譯各書分餉各學
堂以資肄習事同一律當可照行將來東西各國新譯各書亦
可照案互換似亦中外交輸智識之一大關鍵也愚昧之見是
否有當伏乞
察核鈞裁祇叩
崇安伏祈
慈鑒職道萬震謹稟

【四・一・一三】稟報

康熙十四年（一六七五年）六月初二日，漢文，紙質，摺，每扣27cm ×9.7cm。

官稟的一種，首「×××為稟報事」，尾「……為此具稟，須至稟報者」。此為均房參將曹進林報告敵情動向的稟報。首尾押官印。

【四・一・一四】稟帖

康熙朝，漢文，紙質，18cm ×18cm。

此為「三藩之亂」時期清軍某將軍（王爺）手下被密派前往叛軍招安所發回的稟帖。

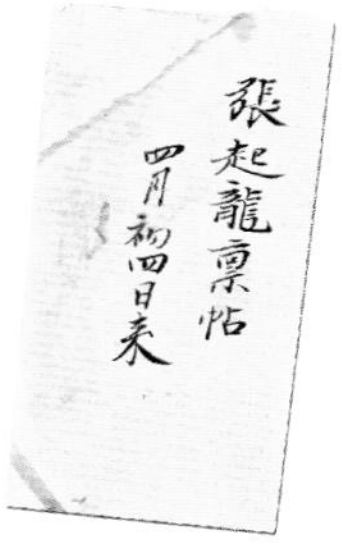
張起龍稟帖
四月初四日來

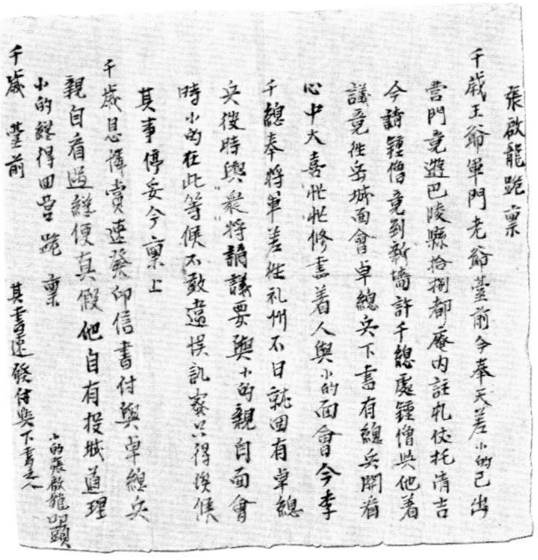
張啟龍跪稟
千歲王爺軍門老爺臺前今奉天差小的已出
营門竟遊巴陵縣拾捌都庵内註扎依托清吉
今請鍾僧竟到新墻許千總處鍾僧與他着
議竟往岳城面會卓總兵下書有總兵聞着
心中大喜忙忙修書着人與小的面會今李
千總奉將軍差往礼州不日就回有卓總
兵後時與衆將請議要與小的親自面會
時小的在此等候不敢違悮訊察只得從候
其事傳安今稟上
千歲思準賞速發印信書付與卓總兵
親自看過纔便真假他自有投城道理
小的經得回音 跪 稟
千歲 臺前
其書速發付與下書之人 小的張啟龍叩頭

【四・一・一四】

【四・一・一五】塘報

康熙十四年（一六七五年）六月初五日，漢文，紙質，摺，每扣27cm ×9.7cm。

提塘快報，清初多用於軍事戰爭等特殊時期，此為「平定三藩」時期湖廣襄陽總兵劉成龍為戰時急情而上的塘報。首尾押印。

【四・一・一六】節略

時間不詳，漢文，紙質，摺，每扣21cm ×10cm。

上行文，一般隨摺冊而上，就其中某一具體細節簡略表述。篇幅、字數不拘。起首為「××謹將×××情形縷陳憲鑒」，結尾為「……謹具節略，統希垂鑒」。不具時間，不押印。

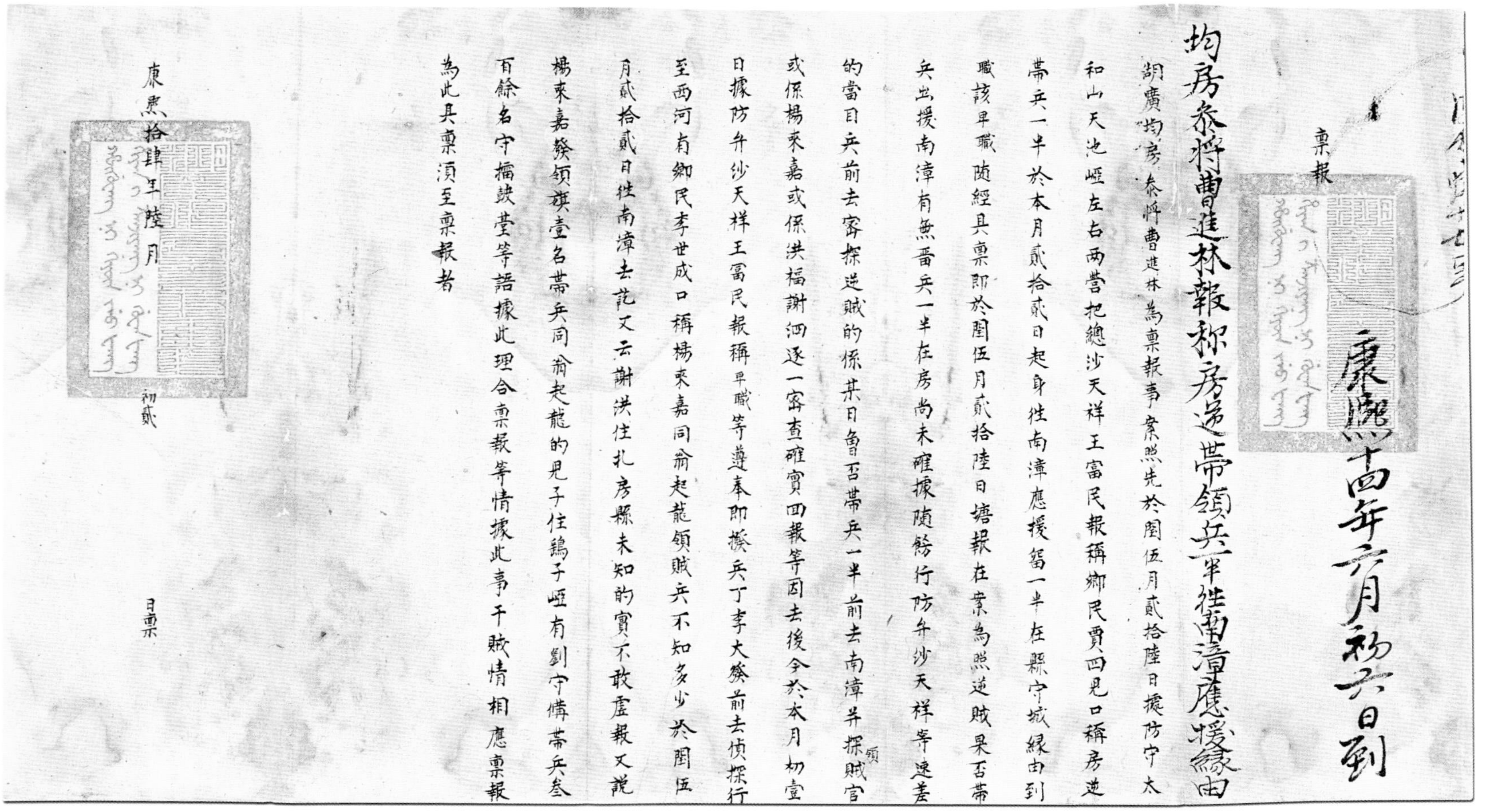
康熙十四年六月初六日到
稟報
均房參將曹進林報稱房逆帶領兵一半往南漳應援緣由
湖廣均房參將曹進林為稟報事案照先於閏伍月貳拾陸日據防守太
和山天池埡左右兩營把總沙天祥王富民報稱鄉民賈四兒口稱房逆
帶兵一半於本月貳拾貳日起身往南漳應援留一半在縣守城緣由到
職該卑職隨經具稟即於閏伍月貳拾陸日塘報在案為照逆賊果否帶
兵出援南漳有無留兵一半在房尚未確據隨飭行防守沙天祥等速差
的當目兵前去密探逆賊的係某日曾否帶兵一半前去南漳并探賊官領
或係楊來嘉或係洪福謝泗逐一密查確實回報等因去後今於本月初貳
日據防守沙天祥王富民報稱卑職等遵奉即撥兵丁李大發前去偵探行
至西河有鄉民李世成口稱楊來嘉同俞起龍領賊兵不知多少於閏伍
月貳拾貳日往南漳去訖又云謝洪住扎房縣未知的實不敢虛報又說
楊來嘉發領旗壹名帶兵同俞起龍的兒子住鷄子埡有劉守備帶兵叁
百餘名守擂鼓臺等語據此理合稟報等情據此事干賊情相應稟報
為此具稟須至稟報者
康熙拾肆年陸月 初貳 日稟

【四・一・一三】

塘報

急塘報緣由

康熙十四年六月初六日到

鎮守湖廣襄陽等處地方總兵官都督僉事劉成龍為緊急塘報事本年陸月初伍日未時據騾子寨塘兵同寨頭劉啟聖報稱探得楊賊已至水田坪散糧等情據此查水田坪離南漳止有貳拾里之遥除嚴飭將弁整頓兵馬以備迎敵外為此理合飛報須至塘報者

右　具

塘　報

康熙拾肆年陸月　初伍　日

【四·一·一五】

王雪丞觀察　草　[illegible]

節略

候補鹽知事陳銓謹呈

謹將卑職前署電茂場缺虧累情形縷陳
憲鑒查此缺進款僅有場官飯食一款奉提
撥補潮橋缺餉外又撥差役飯食每包僅
得四分有奇而用款則十廠司友脩火緝
私勇口糧書差辛工公款捐攤乾脩程儀
丁課各款以及提款每年統計共需八千
[illegible]
旺每鹽一包以五六斗成包周年可銷至
五六十萬包故有優缺之名近年西步鹽
滯銷船戶居奇加至十餘斗二十餘斗成
包周年僅銷至十餘萬二十萬包左右已
成累缺卑職蒞任三日即遇水災十廠基
全潰因知庫款奇絀不敢領帑興修衹得
捐廉借貸墊修曾經稟報在案是因公受
累並無捏飾且自光緒二十八年冬至二
十九年秋霪雨為災配銷寥寥卑職在任
十四箇月僅配鹽六萬有奇交卸截算公
[illegible]六千餘金同省川資需出借
貸故到省清解交代業已百孔千瘡尚欠
解隆井任提款一百餘金電茂任提款一
千三百餘金實非有貲藏匿不解緣署累
缺復疊遇災受累困苦萬難無力措解也
方思乞恩調劑乃值
上憲清釐庫款勒限四箇月清解不解即
予詳參委缺輪委到班奉行加委卑職迭
奉嚴催儘力籌措現已典賣拼擋並用重
息借貸湊解銀一千兩業經稟報上充尚
欠五百餘兩尚未籌措就緒一俟就緒立
[illegible]
[illegible]
委則風聲所播籌措較易為力敢布腹心
籲懇
恩施抑更有請者卑職家運顛連兄弟並皆
凋謝僅存一弟又抱病不能自謀糊口一
家三十餘口嗷嗷待哺均歸一人擔荷在粵
省米珠薪桂自交卸至今賦閒半載典貸
均窮合家困處凍餒堪虞伏乞
憲台俯念東里之寒
賜予培植或先
[illegible]
[illegible]

上呈如蒙
賜閱吩示即當呈進謹具節略統希
垂鑒

【四·一·一六】

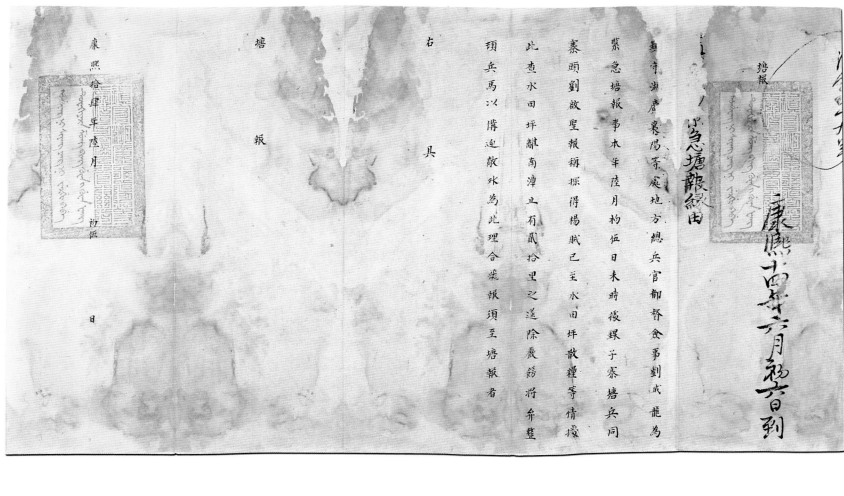

【四·一·一七】說帖

光緒朝(一八七五—一九〇八年),漢文,紙質,摺,每扣21.5cm×9.5cm。

上行文,下級給上級關於某事的分析報告。起首為「竊為××事」,結尾為「×××謹呈」。不押印,不具時間,一般隨呈文一起而上,類似節略。

此為署理直隸津海關道盛宣懷給中堂大人李鴻章的關於中法戰爭形勢分析的説帖。

盛宣懷(一八四四—一九一六年),近代買辦官僚,字杏蓀,號愚齋,江蘇武進人,秀才出身,一八七〇年(同治九年)入李鴻章幕。一八七三年任輪船招商局會辦。一八八〇年(光緒六年)辦電報局,一八九三年(光緒十九年)又籌辦華盛紡織總廠,利用官督商辦為官商合辦形式,壟斷洋務企業。一九〇〇年(光緒二十六年)參與英美策劃的「東南互保」運動,一九〇二(光緒二十八年)年任工部侍郎。一九一〇年(宣統二年)任郵傳部尚書,武昌起義爆發,逃亡日本。

【四·一·一八】甘結

光緒二十九年(一九〇三年)六月八日,漢文,紙質,24.5cm×9.6cm。

民間甘結一般畫押或按手印。起首與結尾句與印結同。

此為賽金花為手下妓女自殺一案所具的甘結,並按有指印。賽金花(生卒年不詳),清末蘇州名妓。本名傅彩雲,光緒年間清朝駐外使臣洪鈞以重金贖為妾,攜之出國,先後去英、德、奧、俄諸國,得以結識各國上層人物,並傳與德國將軍瓦德西相善。洪鈞任滿回國後病死,她回京重操舊業。八國聯軍入京時,傳與聯軍德帥瓦德西往來甚密,並勸其勿濫及無辜。世有《彩雲曲》、《孽海花》記其事。

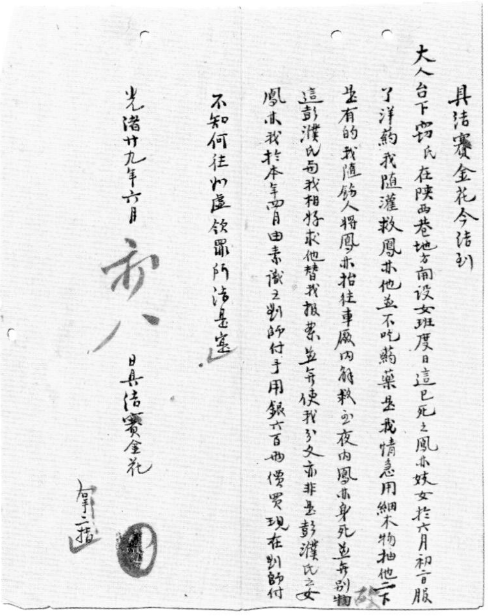
具結賽金花今結到
大人台下竊氏在陝西巷地方開設女班度日這已死之鳳林妓女於六月初三日服
了洋葯我隨灌救鳳林他並不吃葯藥並我情急用細木物抽他二下
並有的我隨飭人將鳳林抬往車廠內解救至夜內鳳林身死並無別物
這彭濮氏而我相好求他替我報案並無使我分文亦非並彭濮氏之女
鳳林我於本年四月由素識之劉師付手用銀六百兩價買現在劉師付
不知何往如虛甘罪所結是實
光緒廿九年六月 初八 日具結賽金花

【四·一·一八】

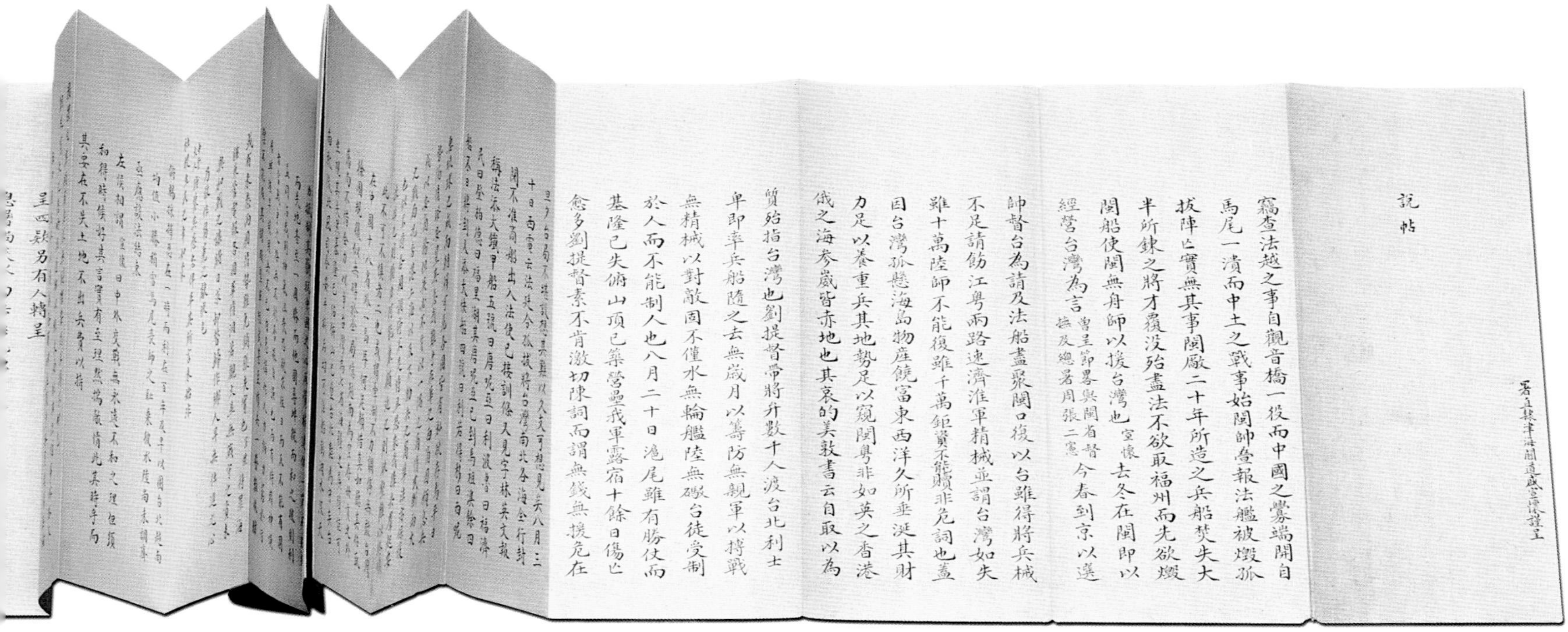
說帖
署直隸津海關道盛宣懷謹呈
竊查法越之事自觀音橋一役而中國之釁端開自
馬尾一潰而中土之戰事始開閩師叠報法艦被燬孤
拔陣亡實無其事閩廠二十年所造之兵船焚失大
半所錬之將才覆沒殆盡法不欲取福州而先欲燬
閩船使閩無舟師以援台灣也宣懷去冬在閩即以
經營台灣為言曾呈節畧與閩省督撫及總署周張二憲今春到京以選
帥督台為請及法船盡聚閩口後以台雖得將兵械
不足請飭江粵兩路速濟淮軍精械並謂台灣如失
雖十萬陸師不能復雖千萬鉅資不能贖非危詞也蓋
因台灣孤懸海島物產饒富東西洋久所垂涎其財
力足以養重兵其地勢足以窺閩粵非如英之香港
俄之海參崴皆赤地也其衷的美敦書云自取以為
質殆指台灣也劉提督帶將弁數十人渡台北利士
卑即率兵船隨之去無歲月以籌防無艦軍以將戰
無精械以對敵固不僅水無輪艦陸無礮台徒受制
於人而不能制人也八月二十日滬尾雖有勝仗而
基隆已失俯山頂已築營壘我軍露宿十餘日傷亡
愈多劉提督素不肯激切陳詞而謂無餉無援危在

【四・一・一九】印結

康熙十四年（一六七五年）五月，漢文，紙質，56.5cm × 49cm。

官員所具押有官印的甘結叫「印結」。起首為「×××為甘結事」，結尾為「×××甘結是實」。具年月，無日。押官印。

此為長武營參將游擊許靖國所具的印結。

【四・一・二〇】審結

宣統元年（一九〇九年），漢文及藏文，紙質，53cm×17cm。

此為藏區頭人向當地官府所具的審結，正面為藏文，背面為漢譯文。押有墨色印章及指印。

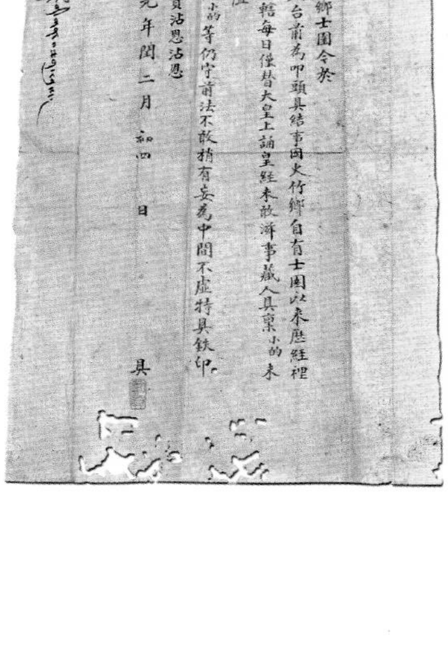

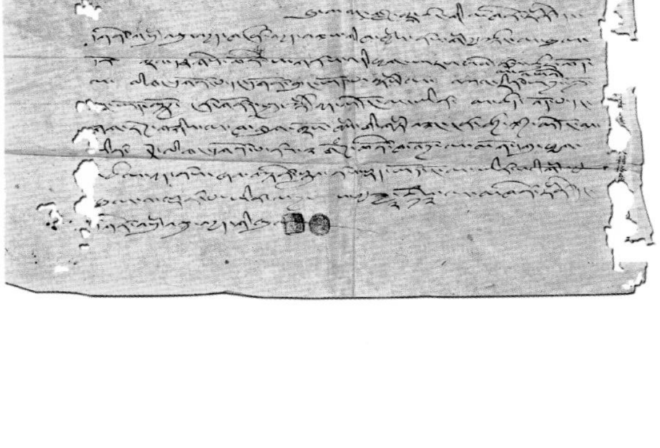

【四・一・二〇】

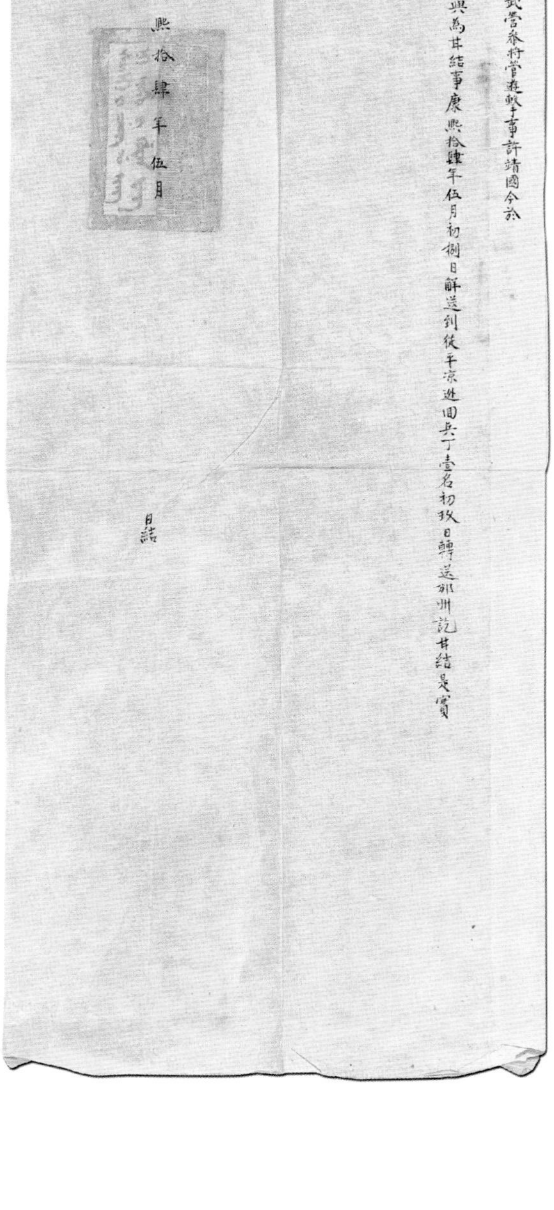
長武營參將管遊擊事許靖國今於
與為甘結事康熙拾肆年伍月初捌日解送到從平涼逃回兵丁壹名初玖日轉送鄜州訖甘結是實
康熙拾肆年伍月　日結

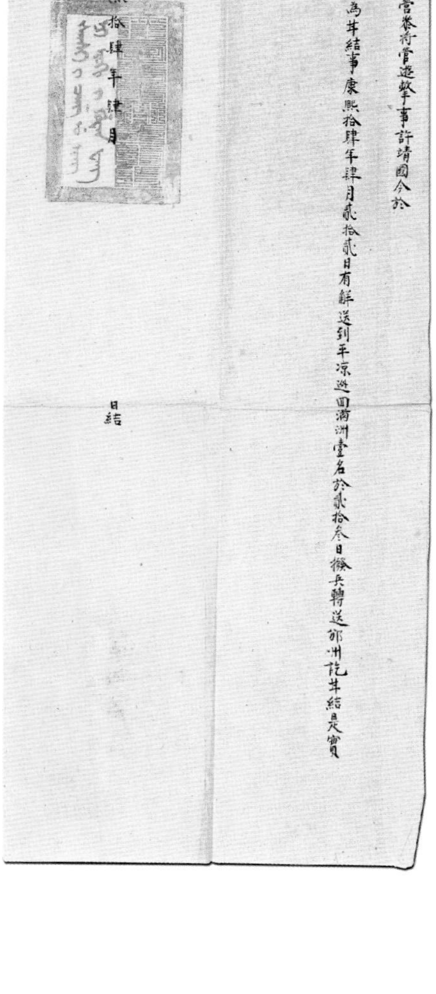
長武營參將管遊擊事許靖國今於
與為甘結事康熙拾肆年肆月貳拾貳日有解送到平涼逃回滿洲壹名於貳拾叁日撥兵轉送鄜州訖甘結是實
康熙拾肆年肆月　日結

【四・一・一九】

【四・一・一七】

【四·一·二】訴狀

康熙十六年（一六七七年）二月，漢文，紙質，55cm × 40cm。

民間百姓上訴的狀紙，是稟狀的一種，一般為原告之狀，具年月而無日，簽名畫押，不押印。

此為康熙「平定三藩」時期，湖北監利縣民上給某王爺（將軍）請其約束部下勿再擾民踐苗之稟狀。

【四·二·一】杜兇告示

乾隆六十年（一七二一年）十二月十九日，漢文，紙質，108cm × 62cm。

告示，下行文。通常用於公開曉諭社會百姓。篇幅、行、字數不拘，開首「×××示，照得（案據）……」，結尾「……，特示」。一般要標朱，日期填朱，押官印，並批朱「行」或「遵」字。

此為祁門縣縣令所下的懸賞勒石杜兇告示。

【四·二·二】安民告諭

康熙十六年（一六七七年）四月初二日，漢文，紙質，80cm × 88cm。

此為「平定三藩」時期，安遠靖寇大將軍多羅的安民告示。

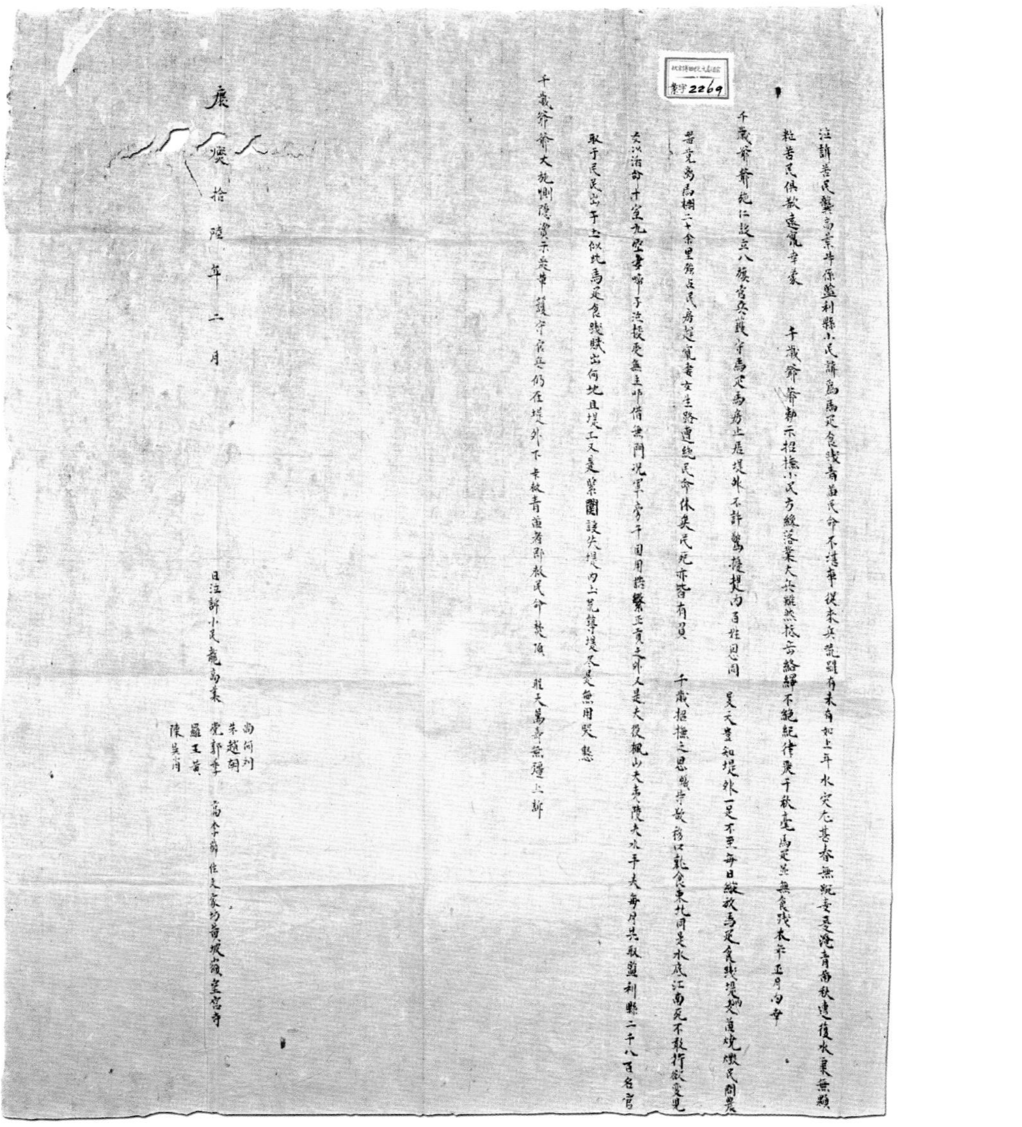
康熙拾陸年二月

【四·一·二】

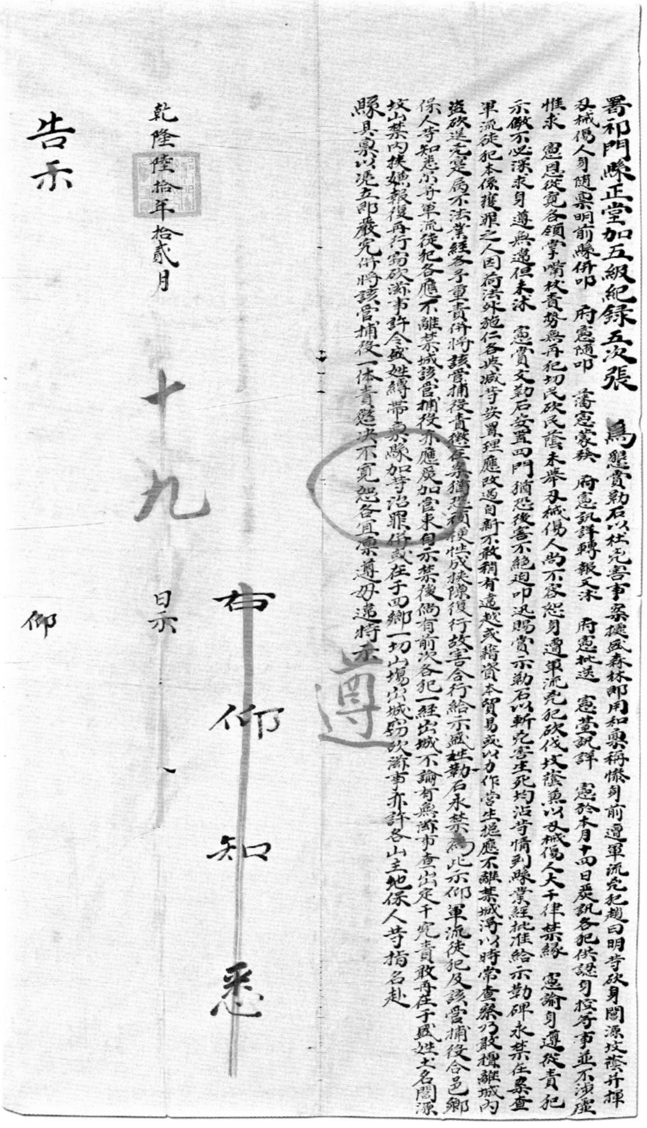
署祁門縣正堂加五級紀錄五次張

右仰知悉

遵

乾隆陸拾年拾貳月 十九 日

告示

【四·二·一】

【四・二・三】諭帖

康熙十六年（一六七七年）十一月二十一日，漢文，紙質，摺，每扣19.5cm × 11.3cm。

下行文，為上級給下級的諭令，一般起首為「×××諭××××為×××事」，結尾為「……，特諭」。

此為安遠靖寇大將軍多羅給岳州總兵萬正色的諭帖。無押印，無標朱，疑為抄件。

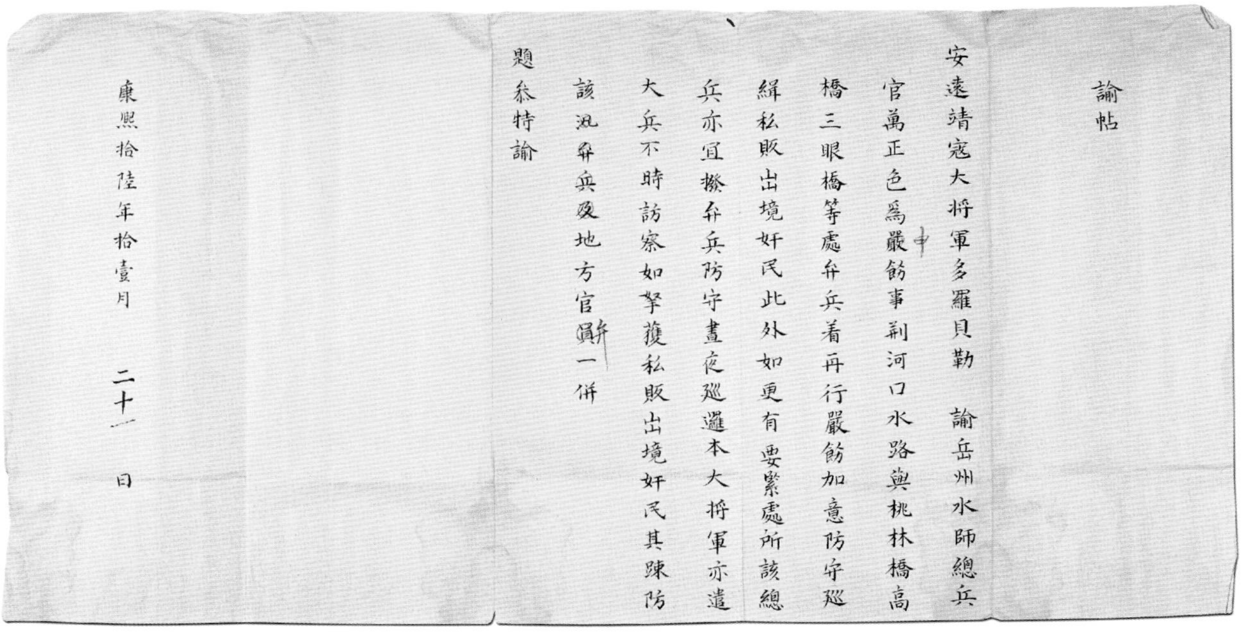

諭帖

安遠靖寇大將軍多羅貝勒　諭岳州水師總兵
官萬正色爲嚴飭事荊河口水路與桃林橋高
橋三眼橋等處汛兵着再行嚴飭加意防守巡
緝私販出境奸民此外如更有要緊處所該總
兵亦宜撥汛兵防守晝夜巡邏本大將軍亦遣
大兵不時訪察如拏獲私販出境奸民其疎防
該汛弁兵及地方官職一併
題叅特諭

康熙拾陸年拾壹月　二十一　日

【四・二・三】

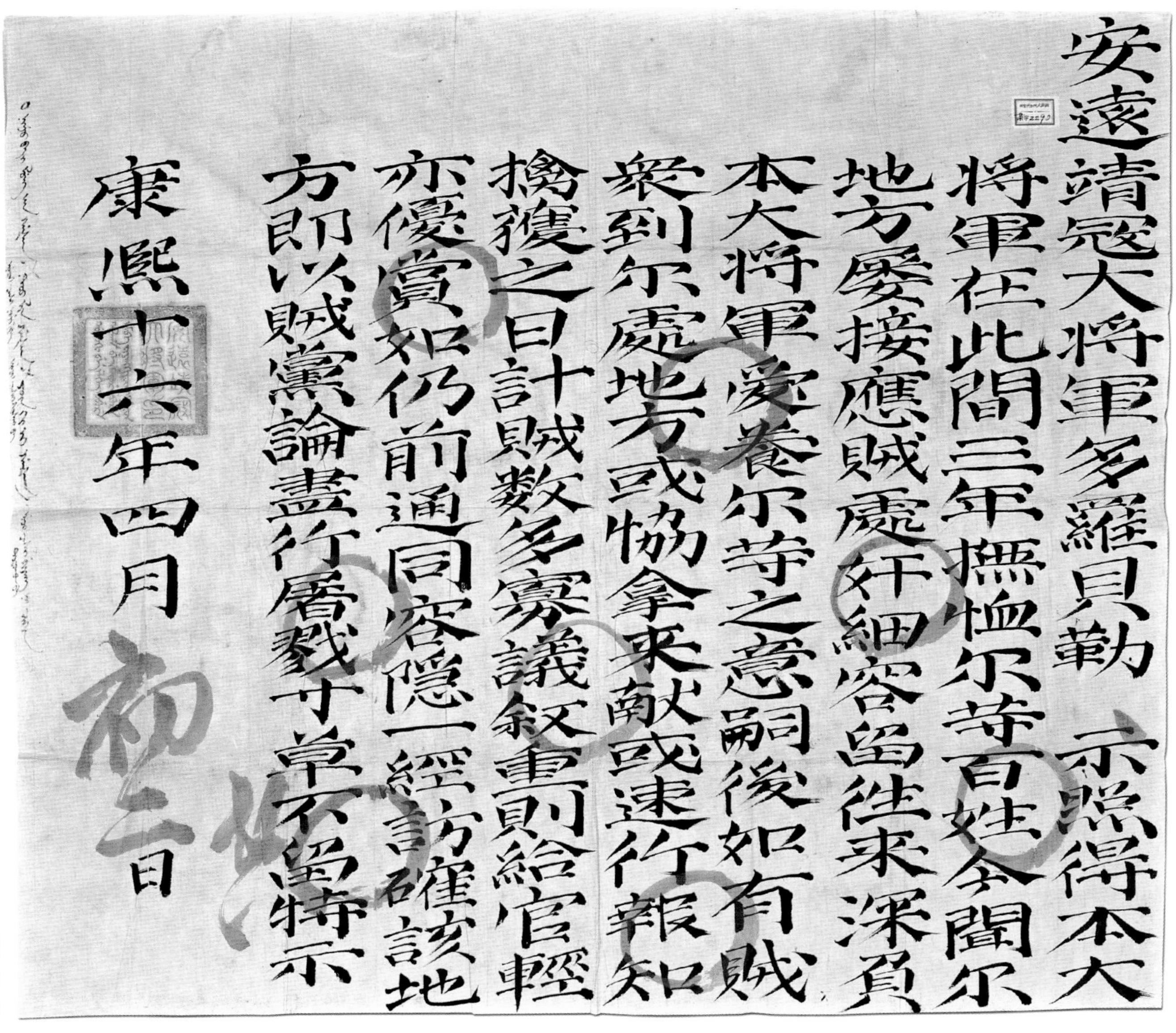

安遠靖寇大將軍多羅貝勒　示照得本大
將軍在此間三年撫恤爾等百姓今聞爾
地方屢接應賊處奸細容留往來深負
本大將軍愛養爾等之意嗣後如有賊
眾到爾處地方或協拏來獻或速行報知
擒獲之日計賊數多寡議叙重則給官輕
亦優賞如仍前通同容隱一經訪確該地
方即以賊黨論盡行屠戮寸草不留特示

康熙十六年四月　初二日

【四・二・二】

【四·二·四】堂諭

同治十年（一八七一年）六月，漢文，紙質，摺，每扣25.3cm × 11cm。

下行文，一般為本機構的主管衙署下達給內部各衙署的諭令通知。如內務府堂、內閣大堂等。文字簡練，不具日期（只署年月），有簽押而不用印。

此為內閣堂官所下的堂諭。

【四·二·五】堂交

清朝，漢文，紙質，摺，每扣20cm × 10cm。

下行文，主要出現在內務府文件中，內務府堂下達到各處所交辦各項具體的事項。篇幅文字簡短，只具月日，不署年，只簽押，不用印。開首為「堂交×××」，結尾為「……此交」。

此件為內務府堂發掌儀司的堂交。

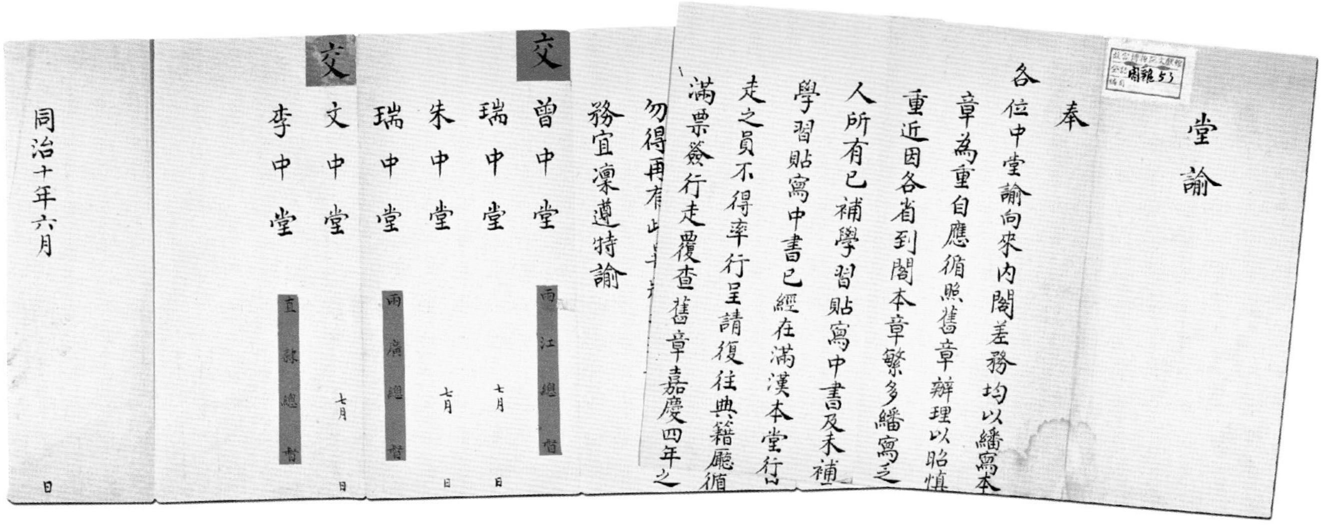

堂諭

奉

各位中堂諭向來內閣差務均以繙寫本章為重自應循照舊章辦理以昭慎重近因各省到閣本章繁多繙寫之人所有已補學習貼寫中書及未補學習貼寫中書已經在滿漢本堂行走之員不得率行呈請復往典籍廳循滿票簽行走覆查舊章嘉慶四年之

勿得再有此[illegible]

務宜凜遵特諭

文

曾中堂 兩江總督 七月 日

瑞中堂 七月 日

朱中堂 七月 日

交

瑞中堂 兩廣總督 日

文中堂 七月 日

李中堂 直隸總督 日

同治十年六月 日

【四·二·四】

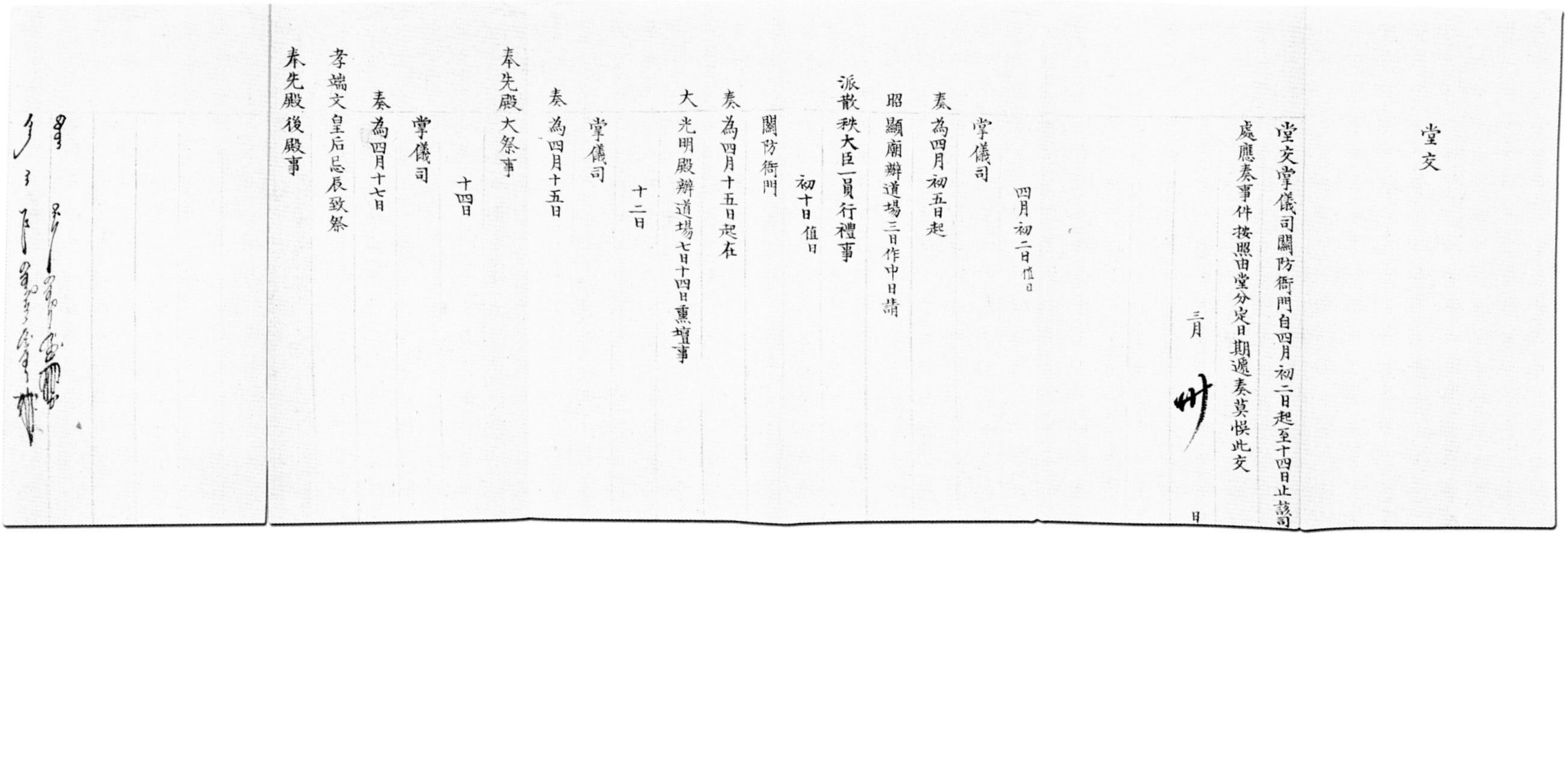

堂交

堂交掌儀司關防衙門自四月初二日起至十四日止該司處應奏事件按照由堂分定日期遞奏莫悞此交

三月 卅 日

四月初二日值日

掌儀司

奏為四月初五日起

昭顯廟辦道場三日作中日請

派散秩大臣一員行禮事

初十日值日

關防衙門

奏為四月十五日起在

大光明殿辦道場七日十四日熏壇事

十二

掌儀司

奏為四月十五日

奉先殿大祭事

十四

掌儀司

奏為四月十七日

孝端文皇后忌辰致祭

奉先殿後殿事

【四・二・六】憲牌

乾隆六十年（一七九五年）四月九日，漢文，紙質，版框，46cm × 44cm。

地方官衙上憲給下屬文書。一般府行州，州行縣，提督行副將以下，副將行游擊以下，總兵行參將以下，均用牌文。起首為「×××為×××事」，結尾為「……須牌，右牌仰××××」。

此為直隸正定府為獲鹿縣一命案擬辦方案，接到直隸總督牌文後下給獲鹿縣的牌文。標朱，押印。

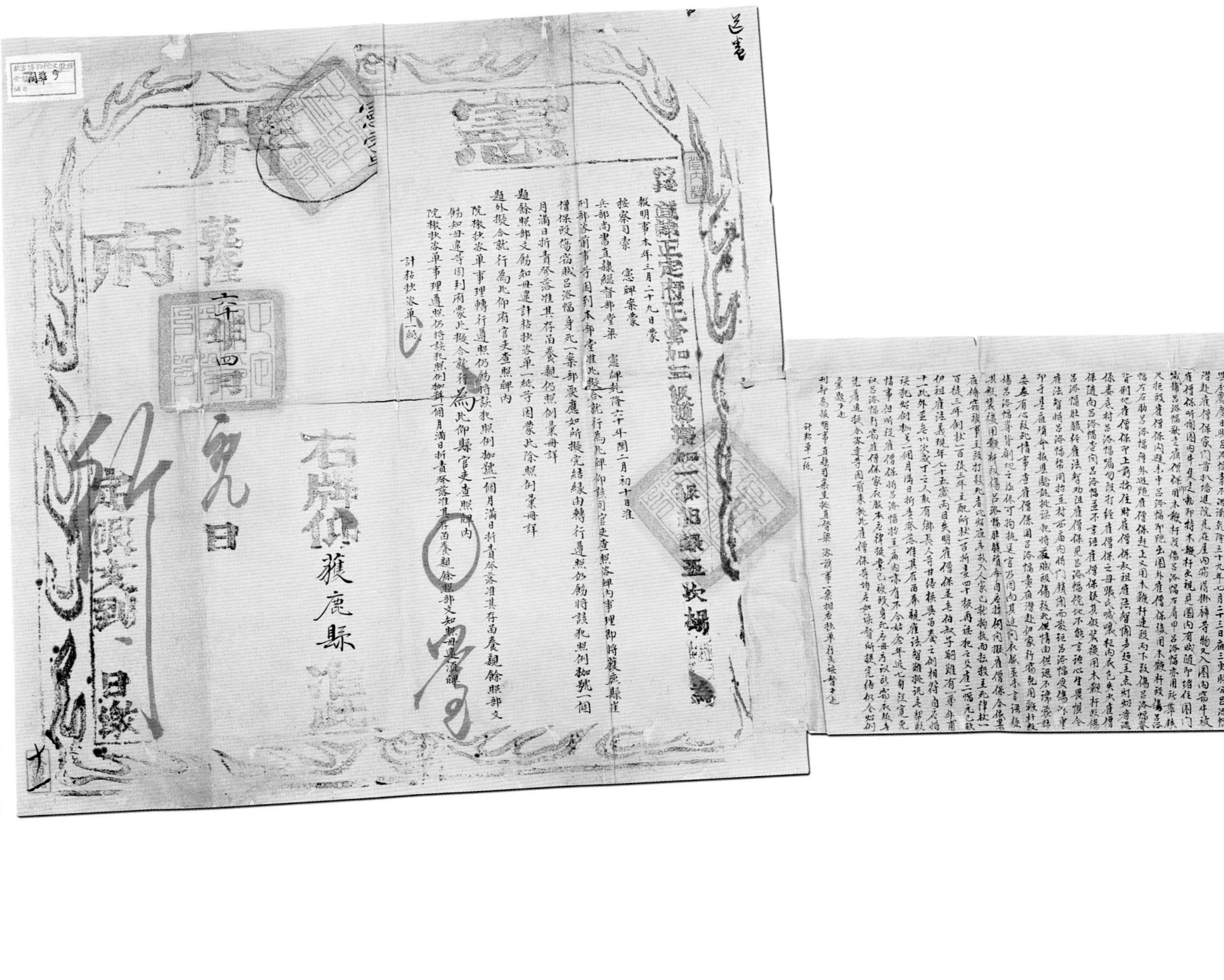

【四・二・七】功牌

同治七年（一八六八年）十一月，漢文，紙質，墨刻印，版框，75cm ×46cm 。

此為神機營發給甲永順在防出力，獎給七品頂戴的功牌。

【四・二・八】旌表節婦牌文

光緒九年（一八八三年），漢文，黃色紙質，正文刻印，其他為手書，48cm ×19cm 。

中國封建社會，提倡婦女三從四德，為夫守貞守節。清制，節婦自三十歲以前守節至五十歲，或未及五十而身故，守節已達十年者，官府准予旌表，允立貞節牌坊，事迹入地方志。其報批程序是，先由地方官上報，督撫及學政會同具題奏請，並取具冊結，送禮部核議題准後，予以旌表，並給建坊銀三十兩。此為旌表安徽省徽州休寧縣程溶之妻王氏之牌文。

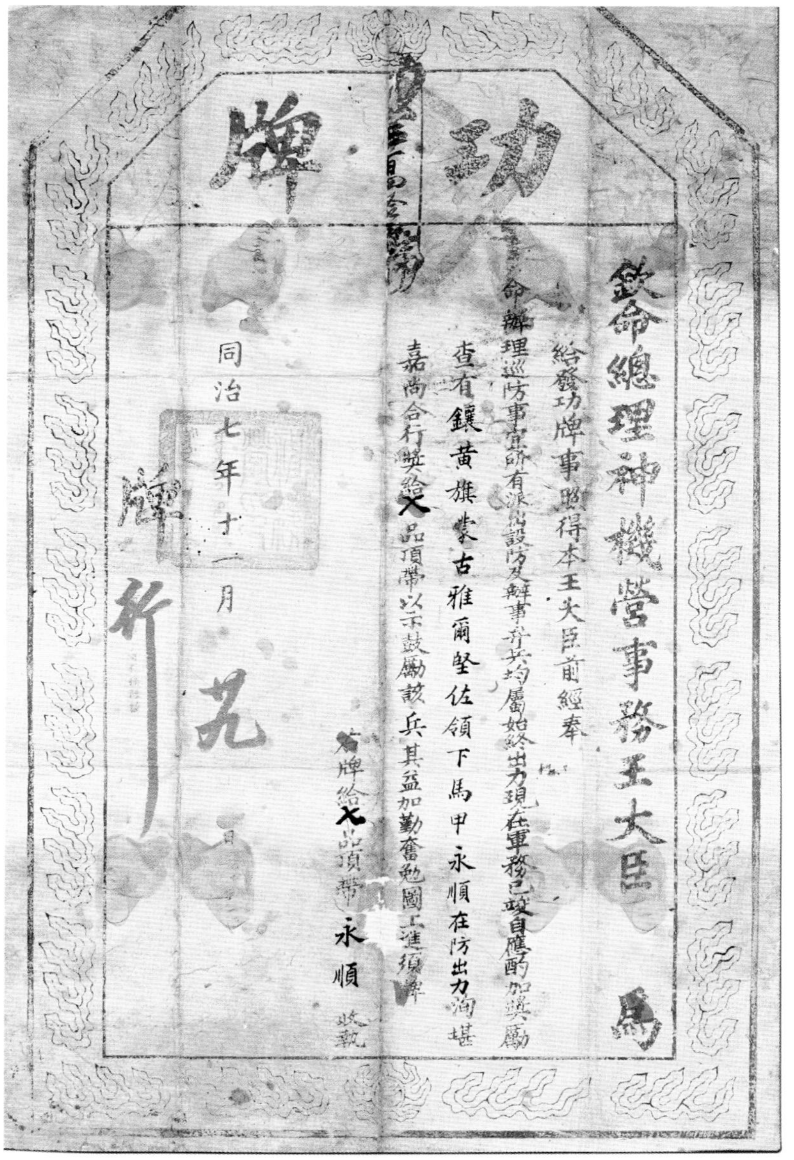
功牌
欽命總理神機營事務王大臣 為
給發功牌事照得本王大臣前經奏
命辦理巡防事宜所有派出設防各事務兵均屬始終出力現在事務已竣自應酌加獎勵
查有鑲黃旗蒙古雅爾堅佐領下馬甲永順在防出力洵堪
嘉尚合行發給七品頂帶以示鼓勵該兵其益加勤奮勉圖上進須牌
右牌給七品頂帶永順 收執
同治七年十一月 日

【四・二・七】

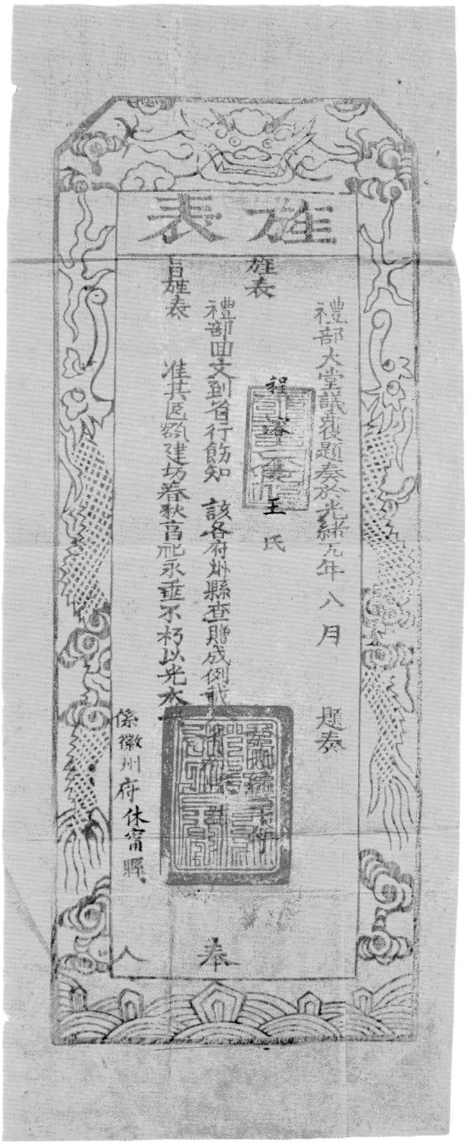
旌表
禮部大堂議覆題奏光緒九年八月 題奏
旌表
禮部咨文到省行飭知 該府州縣查照成例
程溶之妻王氏
准其匾額建坊春秋百祀永垂不朽以光
係徽州府休寧縣人

【四・二・八】

【四·二·九】捐官執照

光緒三十二年（一九〇六年）三月二十四日，漢文，紙質，版框，52cm ×37cm。

此為兵部發給貴州興義縣人劉先瀛捐銀一百五十兩給與把總職銜的執照。墨刻印，標朱，押印。

【四·二·一〇】繳部存查

咸豐九年（一八五九年）二月二十七日，漢文，紙質，版框，45.5cm ×22cm。

此為福建布政使司為舉人林齊韶籌餉捐輸請為內閣中書雙月選用，奏報中央，收到部覆前，給與林的憑證，待部照到後，此照要收回。藍墨刻印，標朱，押印。

【四·二·一一】戶部捐監執照

光緒二十五年（一八九九年），漢文，紙質，版框，40cm×37cm。

此為戶部頒給順天府大興監生應治沅捐銀得經歷銜的執照。

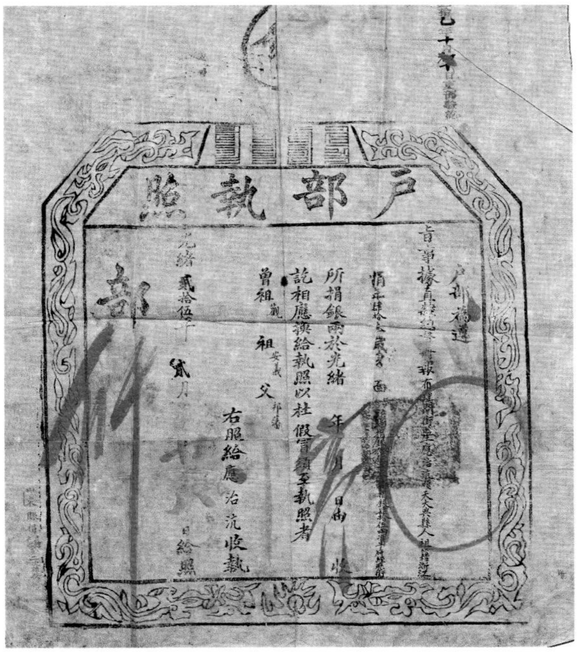
戶部執照

【四·二·一一】

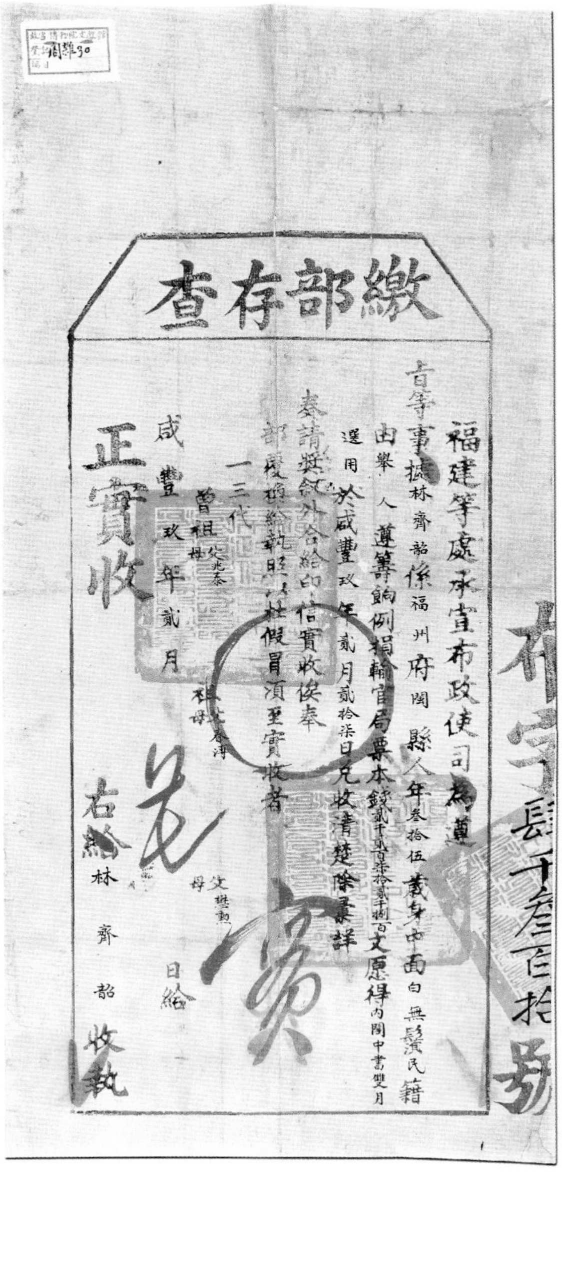
繳部存查

福建等處承宣布政使司為遵

咸豐玖年貳月

正實收

【四·二·一〇】

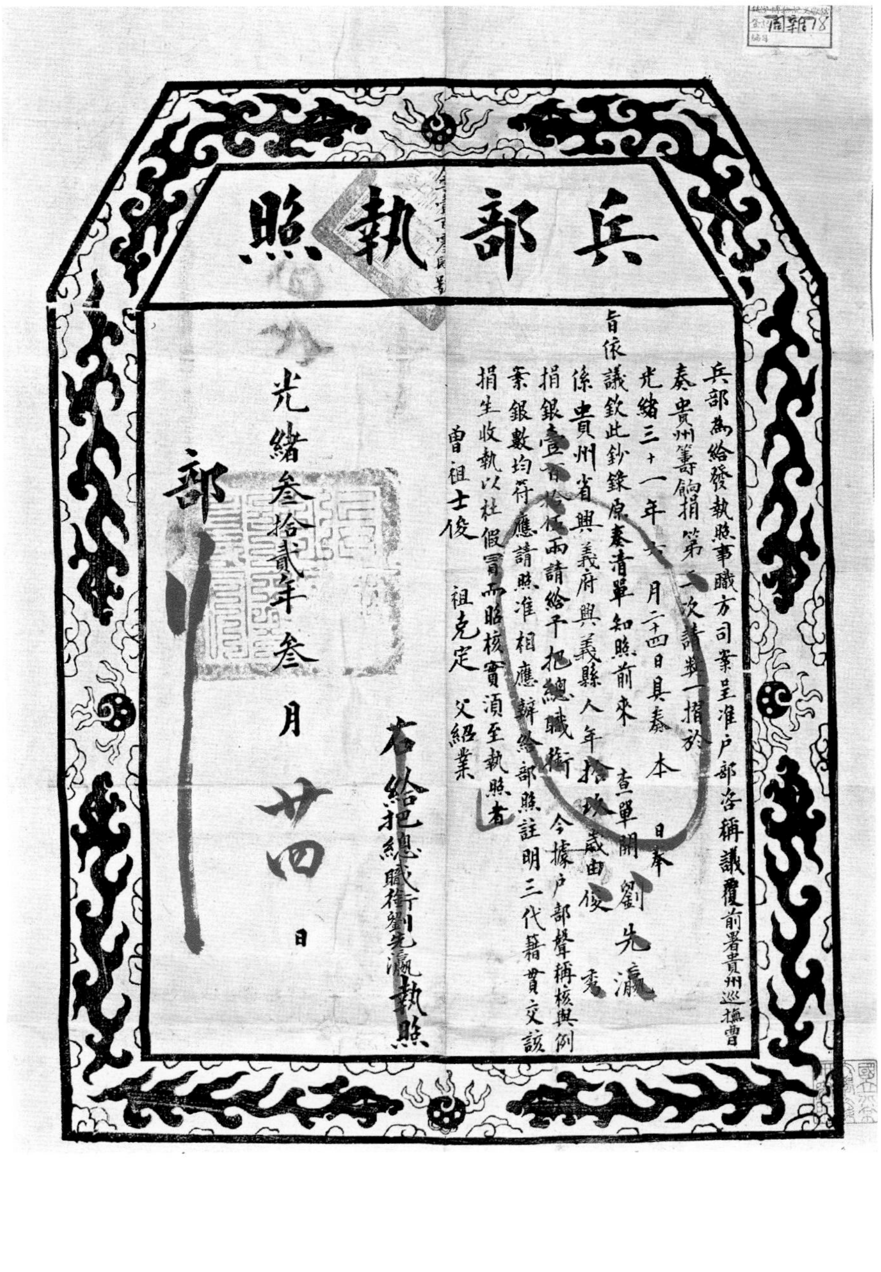
兵部執照

兵部為給發執照事職方司案呈准戶部咨稱議覆前署貴州巡撫曹

奏貴州籌餉捐第二次請獎第一指於

光緒三十一年十月二十四日具奏本日奉

旨依議欽此鈔錄原奏清單知照前來查單開劉先瀛

係貴州省興義府興義縣人年拾玖歲由俊秀

捐銀壹百伍拾兩請給予把總職銜 今據戶部聲稱核與例

案銀數均符應請照准相應辦給部照註明三代籍貫交該

捐生收執以杜假冒而昭核實須至執照者

曾祖士俊 祖克定 父紹業

右給把總職銜劉先瀛執照

光緒叁拾貳年叁月廿四日

部

【四·二·九】

【四・二・一二】奉天三聯式捐監實收

光緒三十二年（一九〇六年），漢文，紙質，版框。

清末奉天總督趙爾巽刊刻印發的三聯式捐監實收憑照。正實收：33cm × 28cm，存查：33cm × 12cm，副實收：33cm × 21cm。

【四・二・一三】印照

光緒二十六年（一九〇〇年）三月，漢文，紙質，木刻墨印，版框，28cm × 20cm。

此為新任知縣丁起鵬親赴鴻臚寺投遞履歷，並被帶領引見謝恩後，鴻臚寺發給的印照。押印，有年月，無日。

鴻臚寺

為發給執照事查定例外任陞遷補放文武官員向應於前期赴本寺投遞履歷聽候派員帶領謝
恩遲誤不到者指名題參今據分發直隸補用知縣丁起鵬親身投到履歷本寺已於三月二十日帶領該員謝
恩訖並無假冒頂替禮節失儀為此發給印照是實

光緒二十六年三月　日

右給知縣丁起鵬收執

庚字第叁百式拾叉號

【四・二・一三】

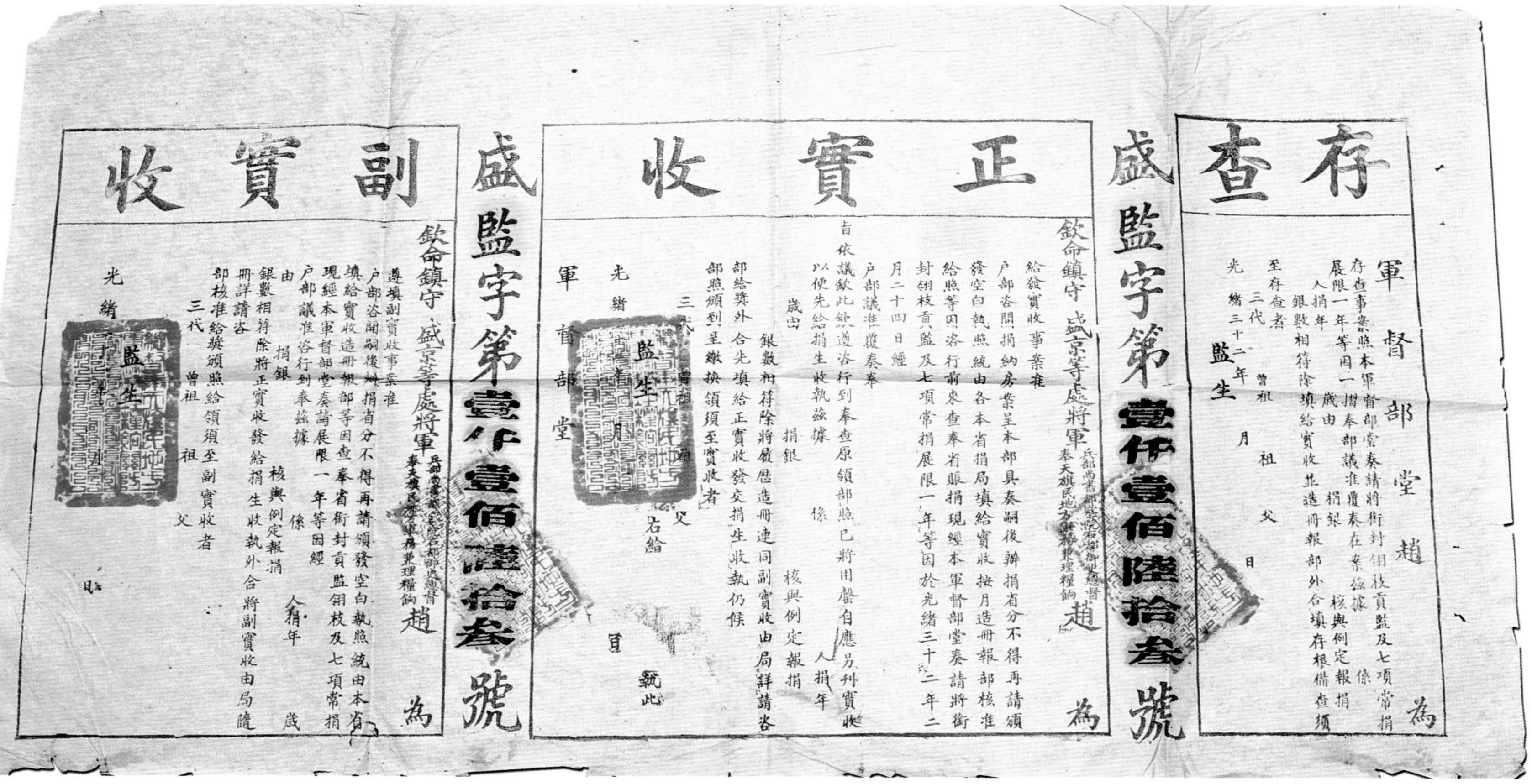

存查

盛監字第壹仟壹佰陸拾叁號

軍督部堂趙　為

存查事案照本軍督部堂奏請將銜封翎枝貢監及七項常捐展限一年等因一摺奉部議准覆奏在案茲據

人捐年歲由捐銀係核與例定報捐銀數相符除填給實收並造冊報部外合填存根備查須至存查者

三代　曾祖　祖　父

光緒三十二年　月　日

監生

正實收

欽命鎮守盛京等處將軍兵部尚書都察院右都御史總督奉天旗民地方軍務兼理糧餉趙　為

給發實收事案准
戶部咨開捐納房案呈本部具奏嗣後辦捐省分不得再請頒發空白執照統由各本省捐局填給實收按月造冊報部核准給照等因咨行前來查奉省賑捐現經本軍督部堂奏請將銜封翎枝貢監及七項常捐展限一年等因於光緒三十二年二月二十四日經
戶部議准覆奏奉
旨依議欽此欽遵咨行到奉查原領部照已將用罄自應另刊實收以便先給捐生收執茲據

人捐年歲由捐銀係核與例定報捐銀數相符除將履歷造冊連同副實收由局詳請咨
部給獎外合先填給正實收發交捐生收執仍候
部照頒到呈繳換領須至實收者

三代　曾祖　祖　父

右給監生　准此

光緒　年　月　日

軍督部堂

副實收

盛監字第壹仟壹佰陸拾叁號

欽命鎮守盛京等處將軍兵部尚書都察院右都御史總督奉天旗民地方軍務兼理糧餉趙　為

遵填副實收事案准
戶部咨開嗣後辦捐省分不得再請頒發空白執照統由本省填給實收造冊報部等因查奉省銜封貢監翎枝及七項常捐現經本軍督部堂奏請展限一年等因經
戶部議准咨行到奉茲據

人捐年歲由捐銀係核與例定報捐銀數相符除將正實收發給捐生收執外合將副實收由局隨冊詳請咨
部核准給獎頒照給領須至副實收者

三代　曾祖　祖　父

光緒　年　月　日

監生

【四・二・一四】 箚付

康熙四十九年（一七一〇年），漢文，紙質，72cm×46cm。

清前期下行文書一種。功能與牌照相同，有標朱，押印。

此件為湖廣容美等處軍民宣慰使田××任命為參將的憑箚。

【四・二・一五】 箚

宣統二年（一九一〇年）十二月二十一日，漢文，紙質，摺，每扣26.5cm×10.5cm。

多出現在地方上級給下級的下行文書中，凡接受箚文之衙門，回文均用咨呈。起首「箚××知悉，案查……」，尾「……切切此箚」。封面「箚」字點朱，文中標朱，文末年月日處押官印。

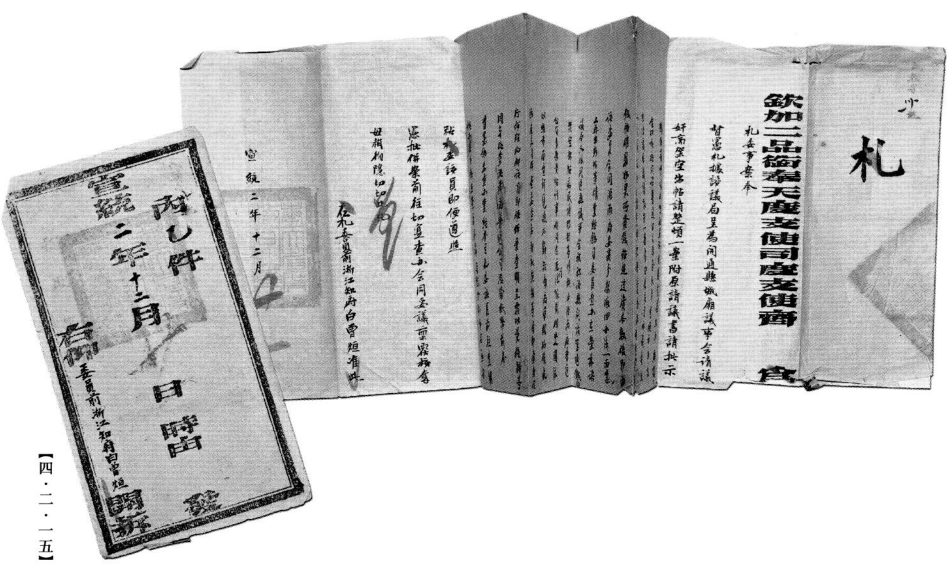

【四・二・一五】

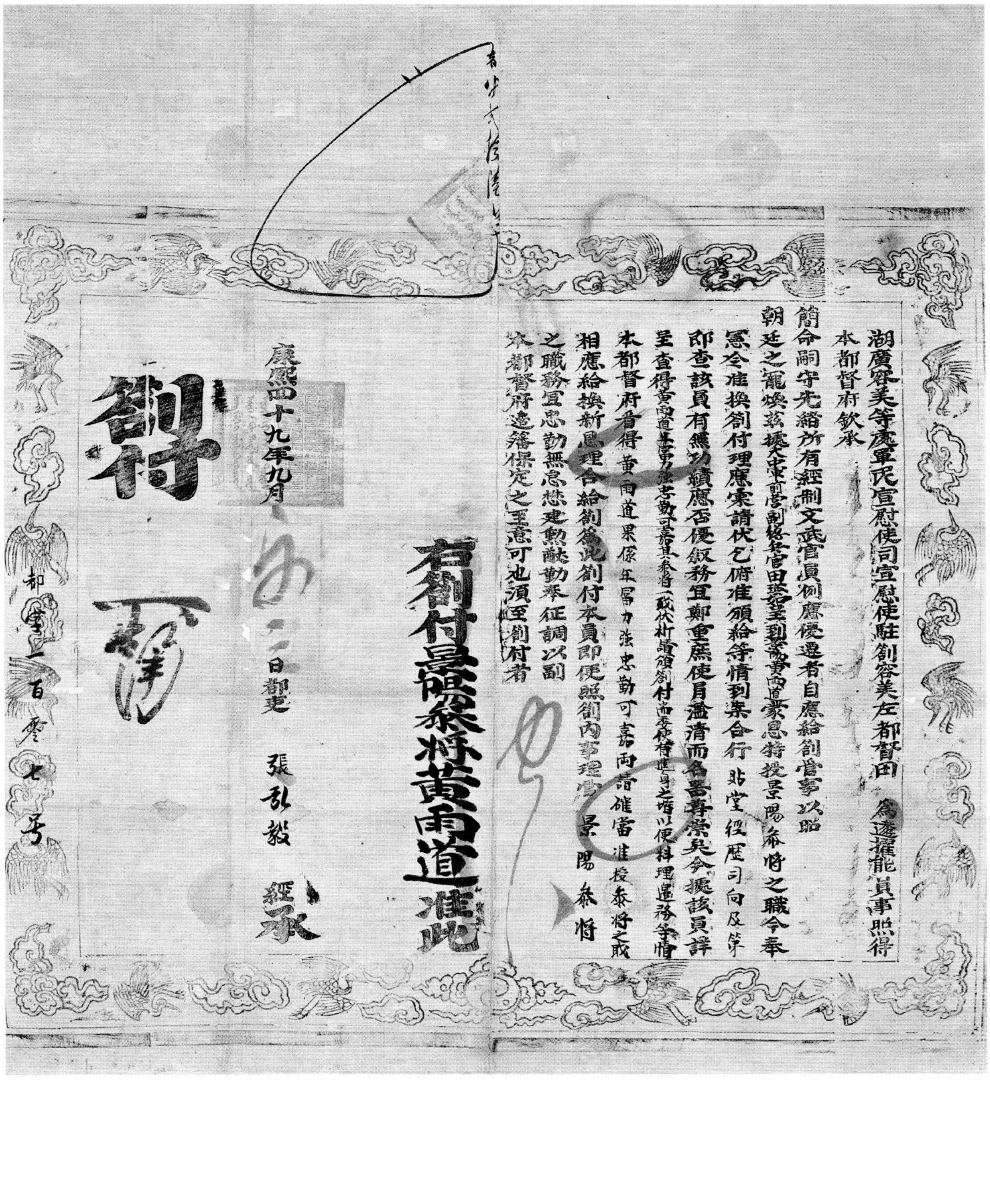
湖廣容美等處軍民宣慰使司宣慰使駐劄容美左都督田　為遴擢能員事照得

本都督府欽承

右箚付署理參將黃雨道　准此

康熙四十九年九月　二日　都吏　張弘毅　經承

箚付

【四・二・一四】

【四·二·一六】手劄

康熙年間，漢文，紙質，摺，每扣28.3cm × 11cm。

此為平定「三藩之亂」時期撫遠大將軍圖海給同僚的私人信劄。劄上不具姓名，附有紅色名帖一張。

圖海，馬佳氏，滿洲正黃旗人，初任筆帖式加員外郎銜。順治二年（一六四五年）改授國史院侍讀，因受世祖賞識，授秘書院學士等職。後因犯法被革職。康熙初，剿李自成餘部李來亨等有功，職任屢遷，康熙十五年（一六七六年）以大學士職授「撫遠大將軍」，前往平「三藩之亂」。

【四·二·一七】簽文

光緒年間，漢文，紙質，摺，每扣26.5cm × 11cm。

清末下行文，一般用於上級給直屬下級的命令。起首為「××簽」，結尾「……速速此簽」。只具月日不署年，標朱。

此件為兩廣總督簽催南海縣民人收領狀一事的簽文。

【四·二·一八】傳票

光緒二十五年（一八九九年）三月三十日，漢文，紙質，墨刻印，版框，37cm × 34.5cm。

下行票文。此為某縣傳喚民人為呈控誘賭騙財一案的原告、被告到堂發下的傳票。要刻印藍框字，標朱，日期填朱，朱批「速」、「行」字。

【四·二·一九】限票

光緒三十一年（一九〇五年）十一月，滿漢文合璧，紙質，版框，66cm × 45cm。

此為兵部發給新任江南蘇松右營遊擊許國祥限期赴任的限票。滿漢合璧，標朱，押印。

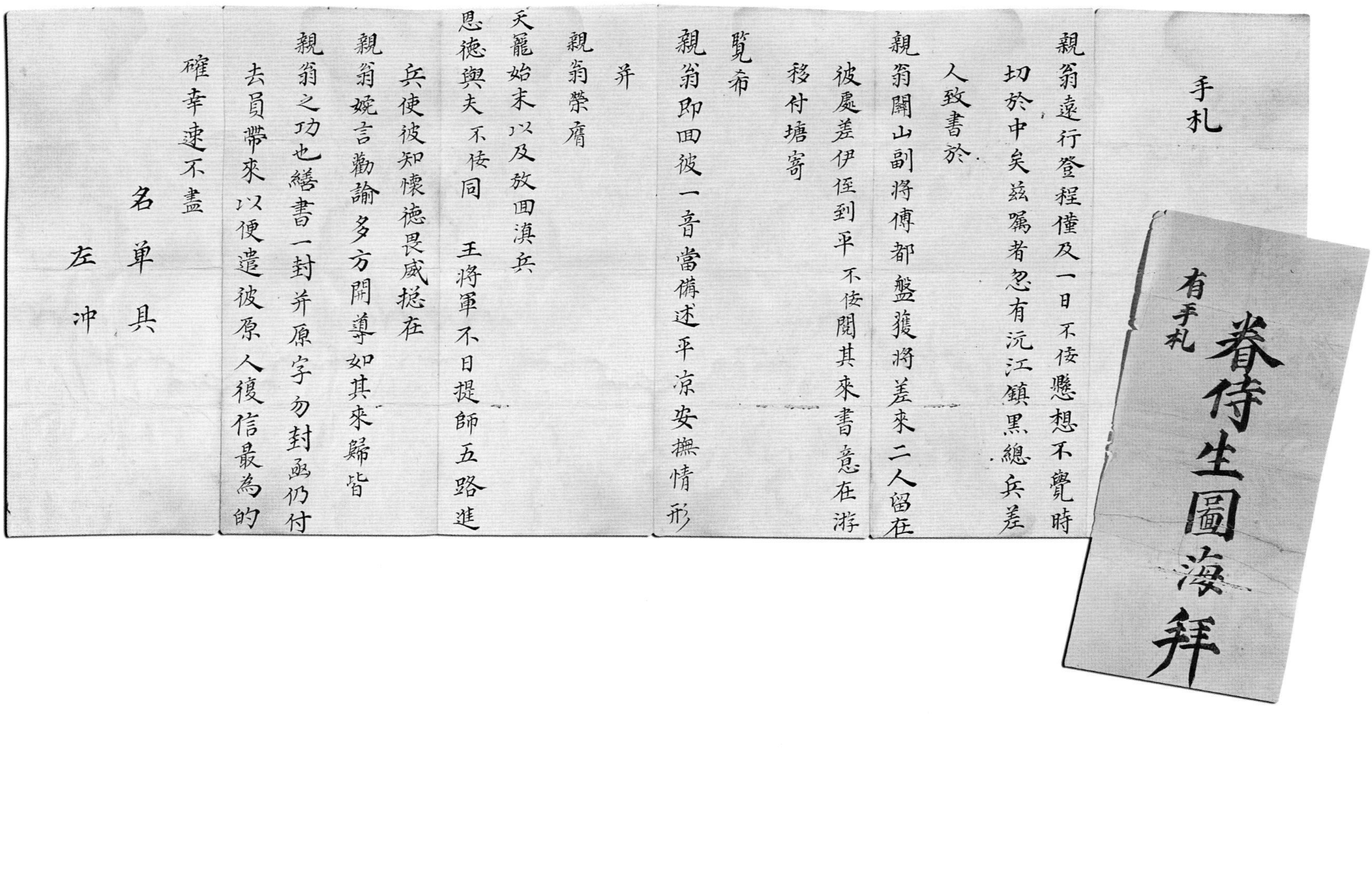

眷侍生圖海拜
有手札
手札
親翁遠行登程僅及一日不佞懸想不覺時
切於中矣茲囑者忽有沅江鎮黑總兵差
人致書於
親翁閫山副將傅都盤獲將差來二人留在
彼處差伊侄到平不佞閱其來書意在游
移付塘寄
覽希
親翁即回彼一音當備述平凉安撫情形
并
親翁榮膺
天寵始末以及放回滇兵
恩德與夫不佞同　王將軍不日提師五路進
兵使彼知懷德畏威撼在
親翁婉言勸諭多方開導如其來歸皆
親翁之功也繕書一封并原字力封函仍付
去員帶來以便遣彼原人複信最為的
確幸速不盡
名單具
左冲

【四·二·一六】

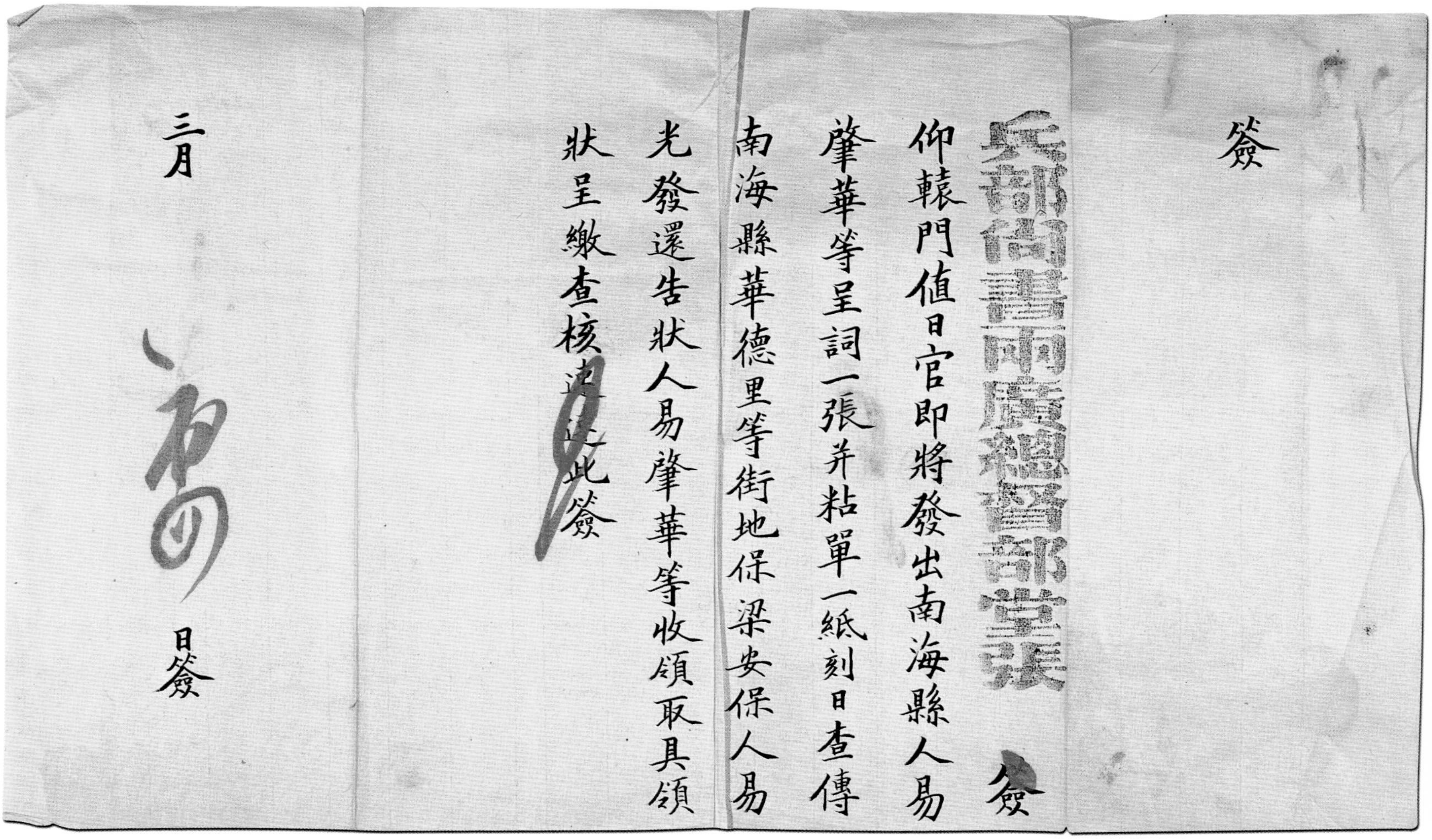
簽

兵部尚書兩廣總督部堂張

仰轅門值日官即將發出南海縣人易

肇華等呈詞一張并粘單一紙刻日查傳

南海縣華德里等街地保梁安保人易

光發還告狀人易肇華等收領取具領

狀呈繳查核速違此簽

簽

三月　日簽

【四·二·一七】

限票

兵部為奏補官員事照得江南蘇松右營遊擊員缺

本部將許國祥具奏奉

旨在案相應給票本官定限　年　月　日到任

不許遲延到日即將此票申繳總督查無違限即

於票上註明日期每季終彙繳本部如逾限壹月以

上查照定例奏參不貸須至票者

光緒叁拾壹年拾壹月拾伍日給

【四·二·一九】

傳票

為□傳事仰役前往該處協同鄉保即將旗人邱景芳

呈控誘賭騙財假冒贈人等情之被告李五廷等並

傳赴

縣以憑訊究該去役毋得擾延干咎切速須票

計差傳

被告李五廷　妓女劉美人　劉巧雲

應訊義壽堂

原告邱景芳

光緒二十五年三月　日差捕役付士俊

縣限　式　日銷

【四·二·一八】

【四・三・一】咨

宣統二年（一九一〇年）十月十日，漢文，紙質，摺，每扣27cm × 12cm。

咨為清代官方平行文書，為平級官衙之間相互行文時所作。起首一般為「×××為咨行事」，結尾為「須至咨者，右咨×××」，於月日處押印。

此件為欽差大臣徐世昌、袁世凱咨請武衛左軍總統姜桂題調兵赴大同鎮壓革命黨之咨文。

【四・三・二】密咨

康熙十三年（一六七四年）七月十五日，漢文，紙質，摺，每扣29.2cm × 11.8cm。

此件為「平定三藩」時期，鎮海將軍王國光為海防剿撫事給揚威將軍阿密達的咨文。

【四・三・三】咨冊

光緒八年（一八八二年）十一月二十二日，漢文，紙質，冊。

清代平級官署間詳報某事多用咨冊。起首為「×××為造具細冊咨送核銷事」，結尾為「……須至冊者，右咨×××」，首尾押官印。

此為黑龍江將軍給盛京工部的有關通省修建營房等工程工料價銀做法的咨冊，頁間押騎縫章。

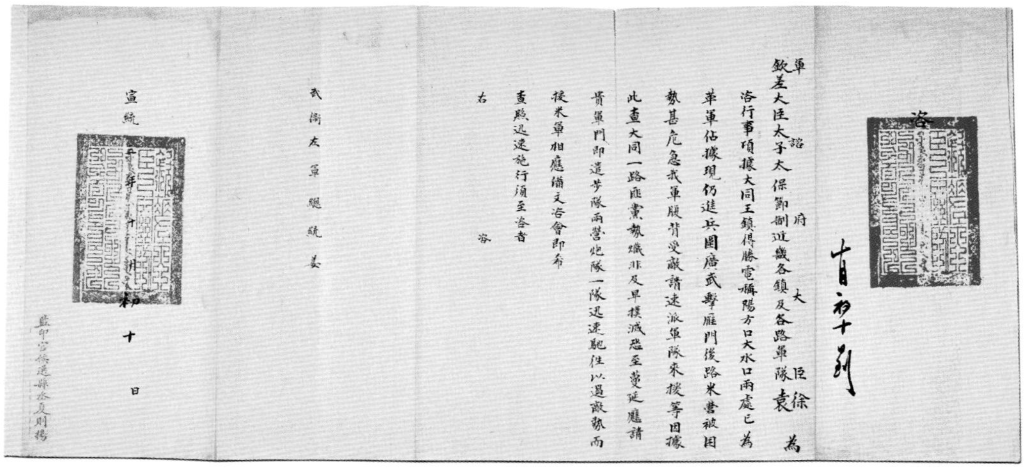
軍諮府
欽差大臣太子太保節制近畿各鎮及各路軍隊大臣徐 袁 為
咨行事頃據大同王鎮得勝電稱陽方口大水口兩處已為
革軍佔據現仍進兵圍廣武轟雁門後路米書被困
勢甚危急我軍腹背受敵請速派軍隊來援等因據
此查大同一路匪黨熾非及早撲滅恐至蔓延應請
貴軍門即遣步隊兩營炮隊一隊迅速馳往以遏敵勢而
援米軍相應備文咨會即希
查照迅速施行須至咨者
右 咨
武衛左軍總統姜
宣統 年 月 初十 日

【四・三・一】

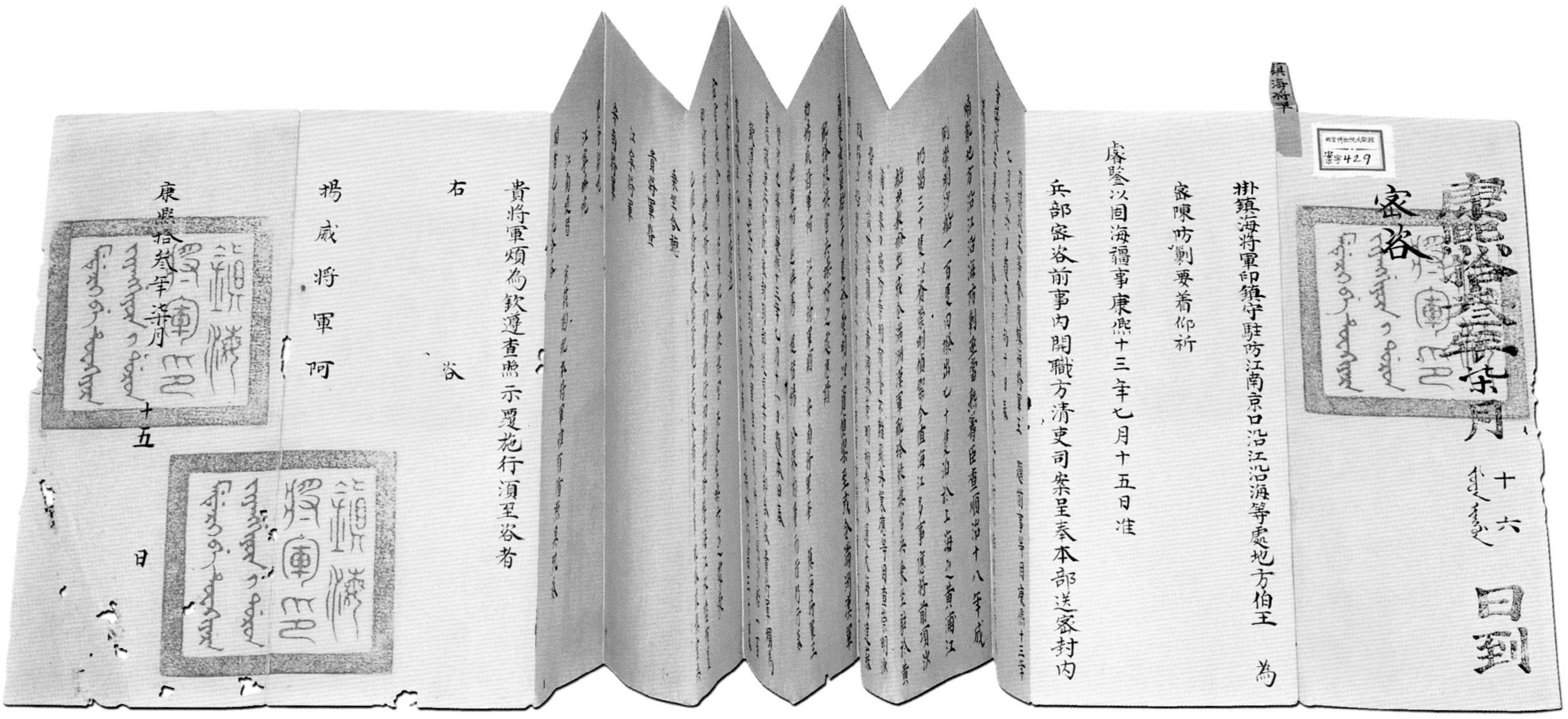
密咨
掛鎮海將軍印鎮守駐防江南京口沿江沿海等處地方伯王 為
咨陳防剿要着仰祈
睿鑒以固海疆事康熙十三年七月十五日准
兵部咨咨前事內閣職方清吏司案呈奉本部送密封內
……
貴將軍煩為欽遵查照示覆施行須至咨者
右 咨
揚威將軍阿
康熙拾叁年柒月 十五 日

【四・三・二】

【四・三・四】移會

光緒二十五年（一八九九年）十二月二十六日，漢文，紙質，摺，每扣26cm × 10.5cm。

移會，清代在京衙門之間的平行文書之一。篇幅、格式不拘。起首為「×××為×××事」，結尾為「……須至移者，右移×××」。行文有抬、空，具年月日，押官印。

此件為直隸總督裕祿為證明調任之員白曾烜在北洋並無經手未完事件給吏科的移文。

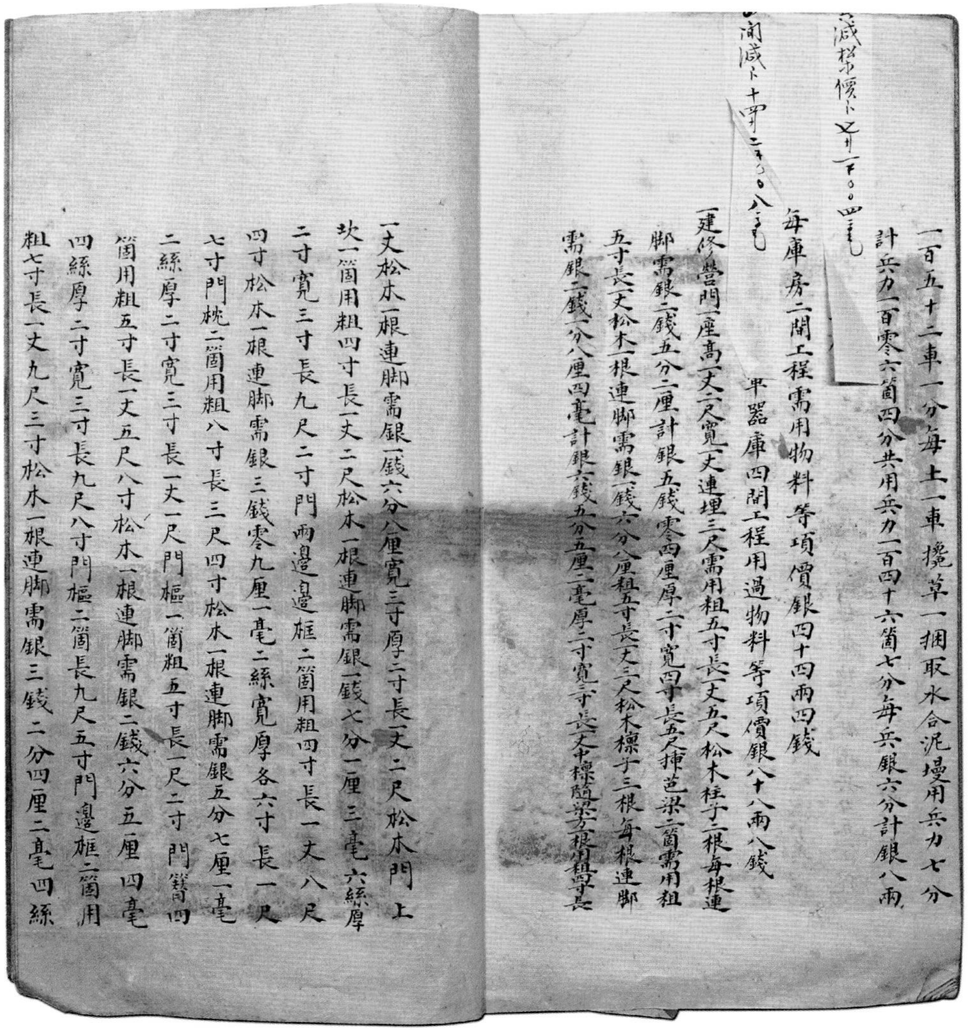

一百五十二車一分每土一車攙草一捆取水合泥邊用兵力七分
計兵力一百零六箇四分共用兵力一百四十六箇七分每兵銀六分計銀八兩
每庫房二間工程需用物料等項價銀四十四兩四錢
甲器庫四間工程用過物料等項價銀八十八兩八錢
建修營門一座高一丈二尺寬一丈連埋三尺需用粗五寸長一丈五尺松木柱子二根每根連
腳需銀二錢五分二厘計銀五錢零四厘厚二寸寬四寸長五尺揷芭梁二箇需用粗
五寸長一丈松木一根連腳需銀一錢六分八厘粗五寸長一丈三尺松木檁子三根每根連腳
需銀二錢一分八厘四毫計銀六錢五分五厘二毫厚二寸寬三寸長一丈中檁隨梁二根用粗四寸長
一丈松木一根連腳需銀一錢六分八厘寬三寸厚二寸長一丈二尺松木門上
坎一箇用粗四寸長一丈二尺松木一根連腳需銀一錢七分一厘三毫六絲厚
二寸寬三寸長九尺二寸門兩邊邊框二箇用粗四寸長一丈八尺
四寸松木一根連腳需銀三錢零九厘一毫二絲寬厚各六寸長一尺
七寸門枕二箇用粗八寸長三尺四寸松木一根連腳需銀五分七厘一毫
二絲厚二寸寬三寸長一丈一尺門檻一箇粗五寸長一尺二寸門簪四
箇用粗五寸長一丈五尺八寸松木一根連腳需銀二錢六分五厘四毫
四絲厚二寸寬三寸長九尺八寸門樞二箇長九尺五寸門邊框二箇用
粗七寸長一丈九尺三寸松木一根連腳需銀三錢二分四厘二毫四絲

【四・三・三】

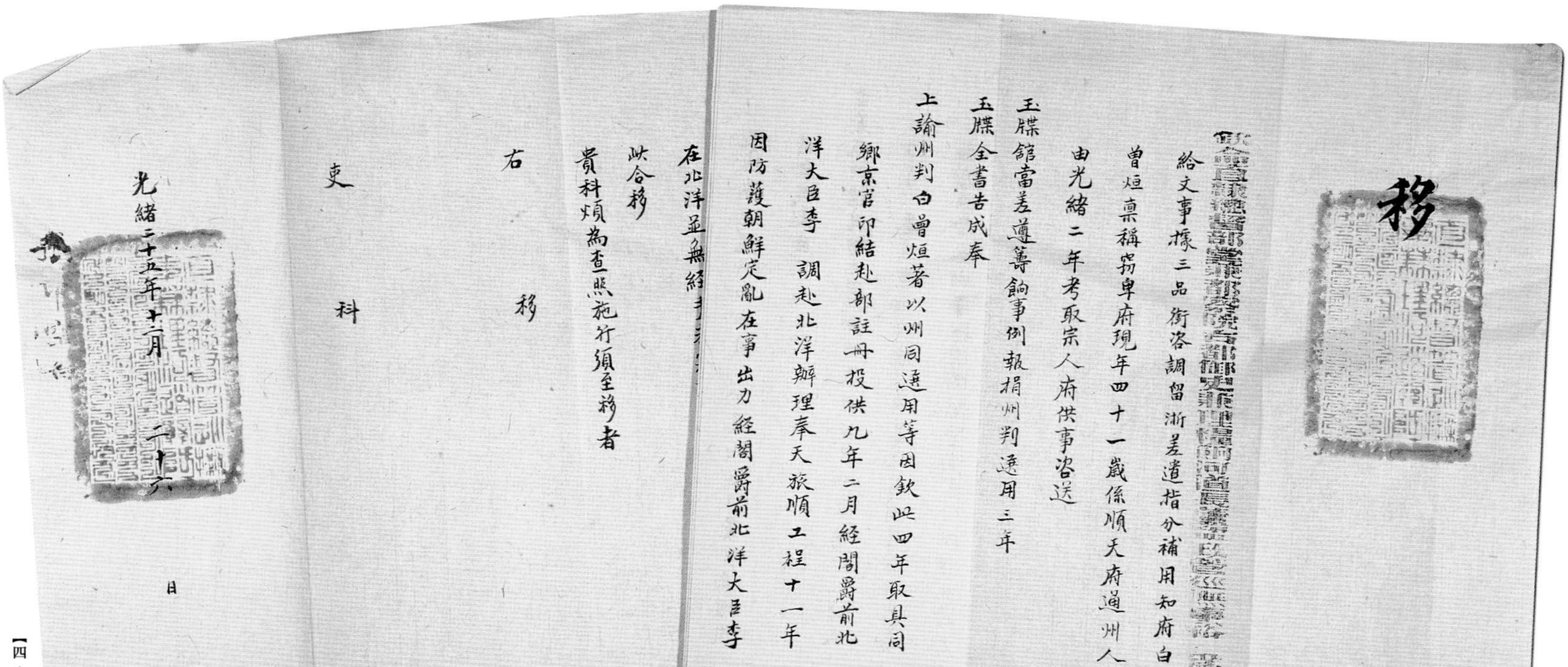

給文事據三品銜咨調留浙差遣指分補用知府白
曾烜稟稱竊卑府現年四十一歲係順天府通州人
由光緒二年考取宗人府供事咨送
玉牒館當差遵籌餉事例報捐州判遇用三年
玉牒全書告成奉
上諭州判白曾烜著以州同遇用等因欽此四年取具同
鄉京官印結赴部註冊投供九年二月經閣爵前北
洋大臣李 調赴北洋辦理奉天旅順工程十一年
因防護朝鮮定亂在事出力經閣爵前北洋大臣李
在北洋並無經……
咨合移
貴科煩為查照施行須至移者
右 移
吏 科
光緒二十五年十二月二十六日

【四・三・四】

【四・三・五】移付

嘉慶二十二年（一八一七年）四月初五日，漢文，紙質，摺，每扣24.5cm ×10cm。

同一系統內平行衙門之間的往來文書用移付。起首為「×××為移付事」，結尾為「須至移付者，右移付×××」。篇幅形式與移會同，但只有簽押而不用印。

此件為內閣漢本堂為移取本堂中書為殿試填榜、彌封、受卷、收掌等官一事給典籍廳的移付。

【四・三・六】移咨

咸豐三年（一八五三年）九月，漢文，紙質，摺，每扣24cm×9cm。相當於咨文的副本，散發有關機構。此為兵部為本年癸丑科會試事，知會內閣典籍廳的移會。由於所咨發的單位太多，故木刻印發，首尾押印，填年月，無日。

內閣典籍廳為內閣秘書機構，專司收掌關防，收發辦理文稿，考核內閣官員等。

【四・三・七】知照

宣統二年（一九一〇年）九月十二日，漢文，紙質，摺，每扣20cm ×12cm。

不同系統官衙之間的平行文，起首句為「×××為知照事」，結尾「須至知照者，右知照×××」。具年月日，押官印。

此件為吏部為驗放內閣中書一員給內閣的知照。

【四・三・八】知會

道光二十六年（一八四六年）二月，滿漢文合璧，紙質，摺，每扣23.8cm ×10.8cm。

平行文，此為內閣請用「敕命之寶」給交泰殿的知會，滿漢合璧，署年月不具日，不用印。附內閣學士奕毓名簽一道，並附寶單。

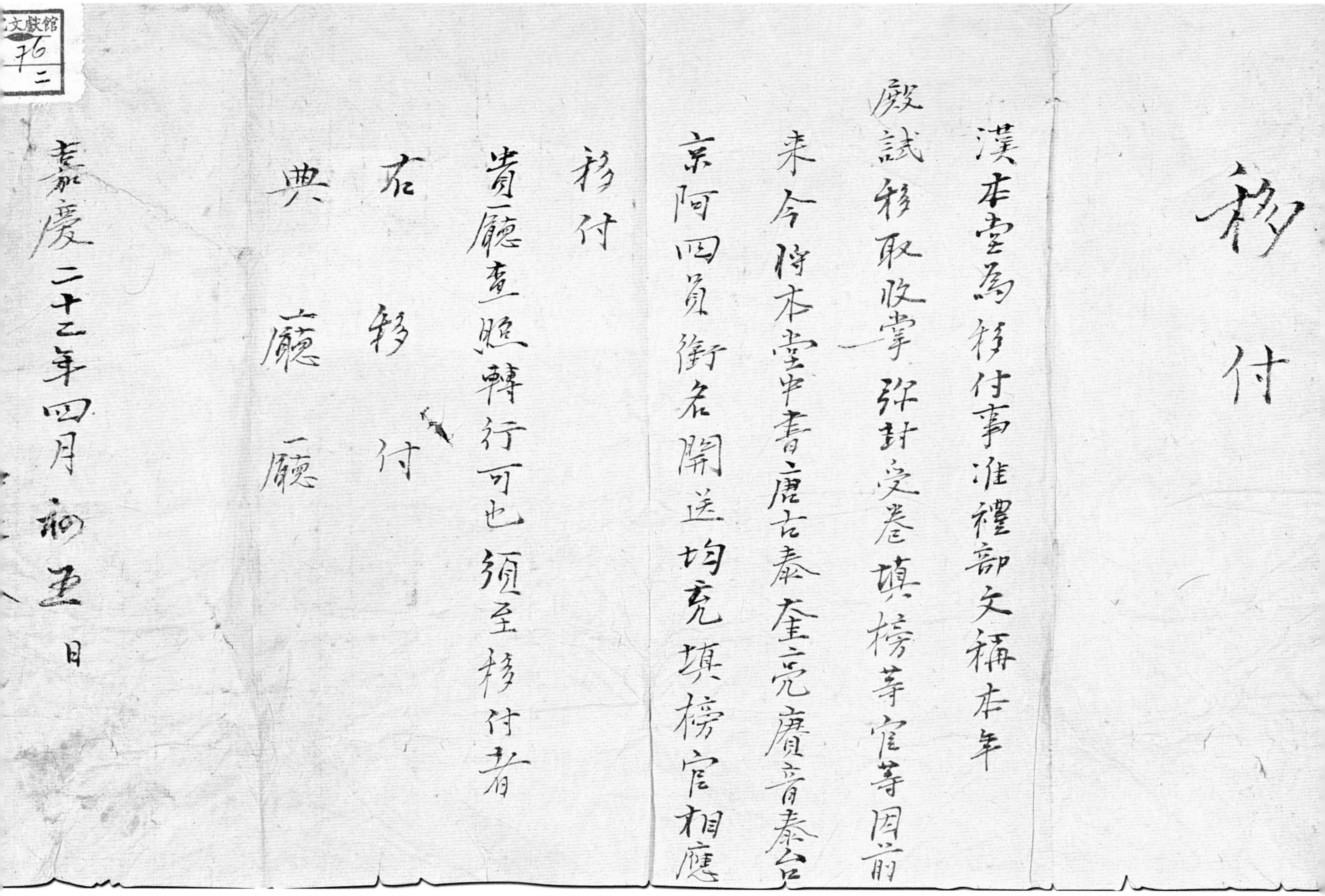
移付
漢本堂為移付事准禮部文稱本年
殿試移取收掌彌封受卷填榜等官等因前
來今將本堂中書唐古泰奎亮賡音泰台
京阿四員銜名開送均充填榜官相應
移付
貴廳查照轉行可也須至移付者
右移付
典籍廳
嘉慶二十二年四月初五日

【四・三・五】

移咨

兵部為移咨事武選司案呈查定例滿洲蒙古漢軍漢人武舉會試下第原挑在雙好者列為一等單好者列為二等毋庸復行揀選其未經挑入好字者赴部報名兵部將領侍衛內大臣滿漢大學士八旗都統等職名開列奏請恭候欽點會同兵部堂官考試馬步箭分別營衛等第又定例揀選武舉等第於武進士傳臚後奏請簡派大臣會同兵部揀選各等語今咸豐三年癸丑科會試下第未經揀選之武舉例應揀選除出示曉諭各武舉赴部呈請揀選外相應知照貴處將應行開列職名造送清漢冊於九月二十五日以前咨送過部以便奏請欽點會同本部考試可也須至移咨者

右移咨

內閣典籍廳

咸豐叁年玖月　日

主政振

【四·三·六】

知照

吏部為知照事所有截取保送外用內閣漢軍中書德祿一員本部於宣統二年九月初十日帶領經欽派王大臣驗放堪以照例用十日覆奏奉旨依議欽此相應知照可也須至知照者

右知照

內閣

宣統貳年玖月拾貳日

監印官司務李鍾瑞

筆帖式岳

【四·三·七】

知會

內閣學士奎毓

道光二十六年二月二十四日已刻收掌中書福謙為請用敕命之寶事

右知會

交泰殿

寶單

所有帕克巴拉呼圖克圖

敕書一道用

敕命之寶三顆

【四·三·八】

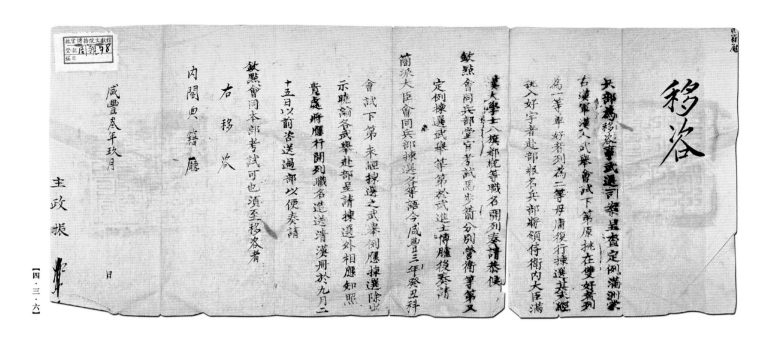

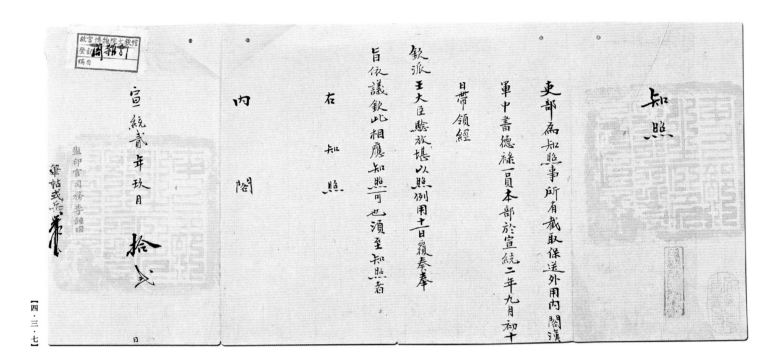

【四・三・九】關文

乾隆二十九年（一七六四年）八月初九日，漢文，紙質，52cm × 47cm。

平行文書，始於唐代。清知府行文下屬佐貳，州縣行文下屬佐貳，兩司道行文廳、府、州、縣，均用「關文」。武職衙門副將於非所轄之游擊用平關；文武衙門之間也多用平關。起首為「×××為××事」，結尾為「須至關者，右關×××」。年月日俱署，押官印。

此件為直隸柏鄉縣為回覆民人拐賣案給獲鹿縣的關文。

【四・三・一〇】照會

光緒二十九年（一九〇三年）十月一日，漢文，紙質，摺，每扣27cm × 14cm。

平行文是不同系統間平級官員之間的來往文書，如六部行文各省布按用照會，篇幅、行、字數不拘，年月日俱署，首尾俱用印。起首為「×××為照會事，照得……」，結尾為「須至照會者，右照會×××」。

此件為兩廣都轉鹽運使司信××聘請孝廉沈澤棠來署襄辦鹽務時給沈的照會。

【四・三・一一】牒文

咸豐十年（一八六〇年）六月初二日，漢文，紙質，摺，每扣25.5cm × 12cm。

一般等級大致平等機構之間的平行文書。下行稱「故牒」；上行稱「牒呈」。起首為「×××為牒覆事」，結尾為「須至牒者，右牒×××」。年月日俱署，封、尾押官印。

此件為潁郡捐輸總局給潁郡辦理報銷局的回牒。

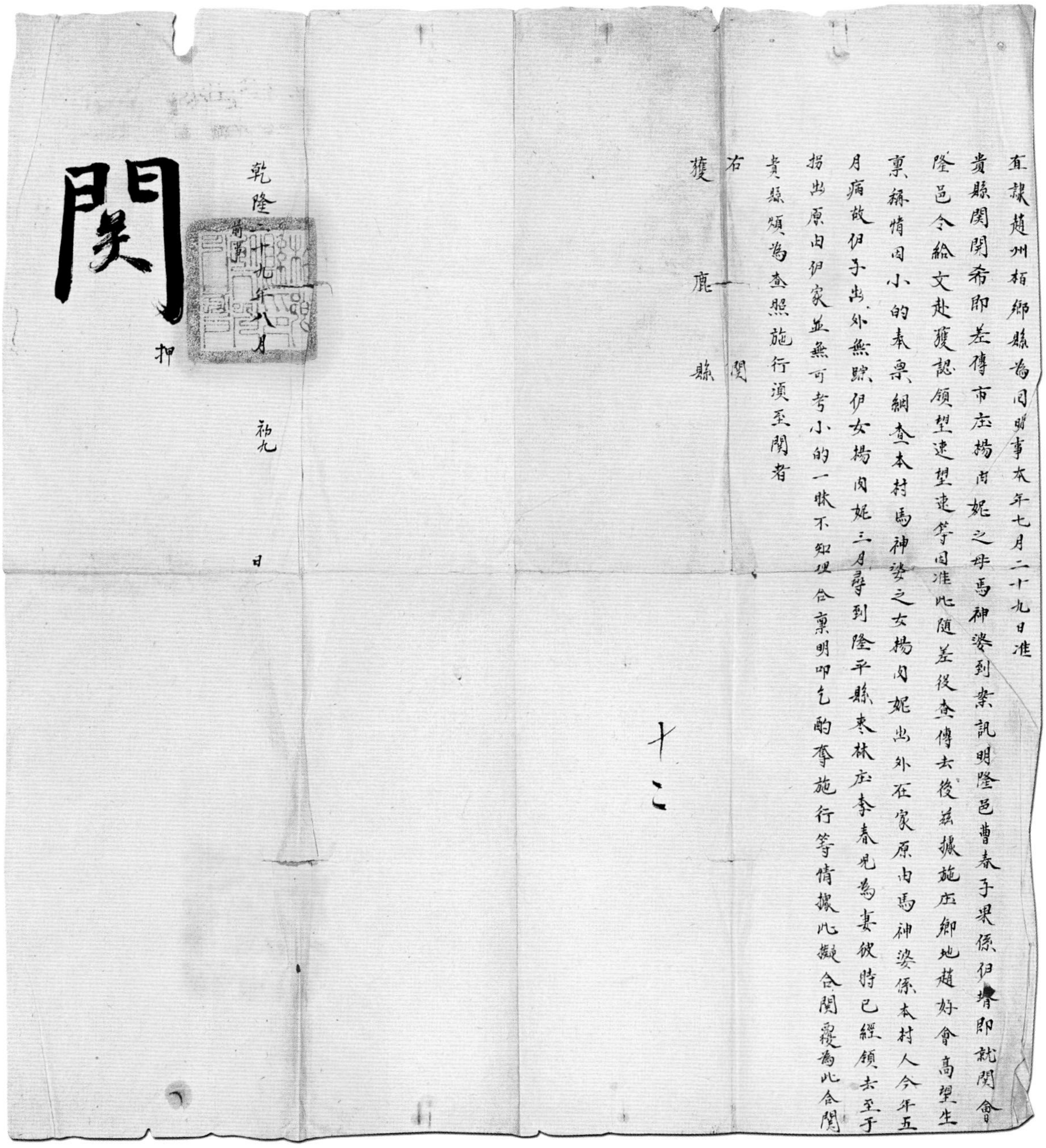

直隸趙州柏鄉縣為回明事本年七月二十九日准
貴縣關開希即差傳市庄楊肉妮之母馬神婆到案訊明隆邑曹春子果係伊壻即就關會
隆邑令給文赴獲認領望速望速等因准此隨差役查傳去後茲據施庄鄉地趙好會高望生
稟稱情因小的奉票綑查本村馬神婆之女楊肉妮出外在家原由馬神婆係本村人今年五
月病故伊子出外無蹤伊女楊肉妮三月尋到隆平縣東林庄李春兒為妻彼時已經領去至于
拐出原由伊家並無可考小的一味不知理合稟明叩乞酌奪施行等情據此擬合關覆為此合關
貴縣煩為查照施行須至關者
右　關
獲鹿縣
乾隆二十九年八月初九日
閱
押
十二

【四・三・九】

【四・三・一二】牒文稿

光緒二十年（一八九四年）十二月，漢文，紙質，摺，每扣22.5cm×10.5cm。

此件為直隸州給開封府為民間兒殺案一事的覆牒。具年月無日，無印。

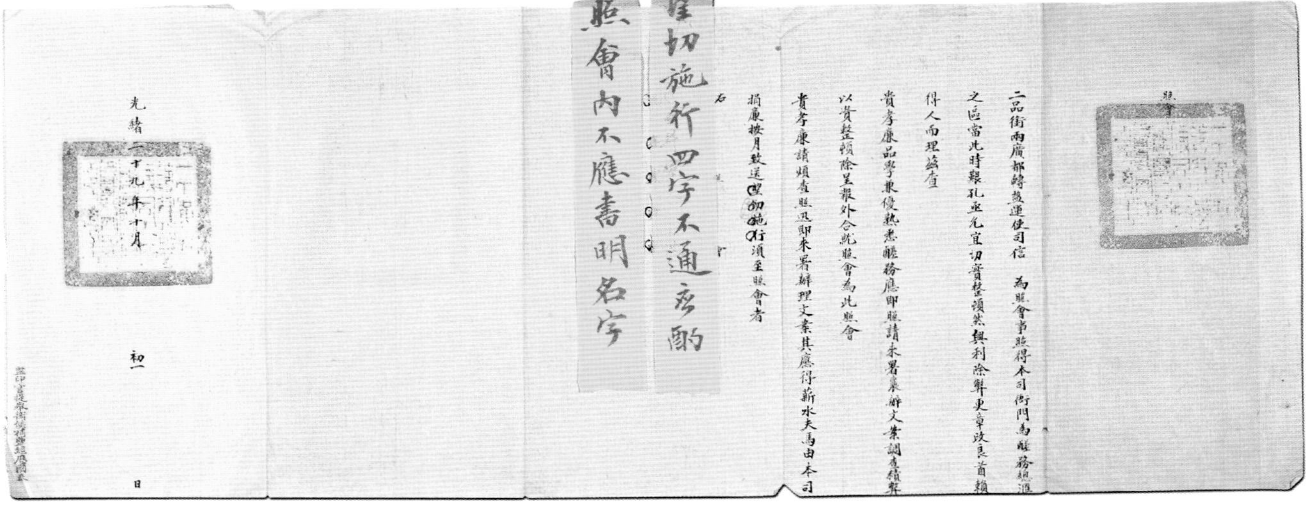

【四・三・一〇】

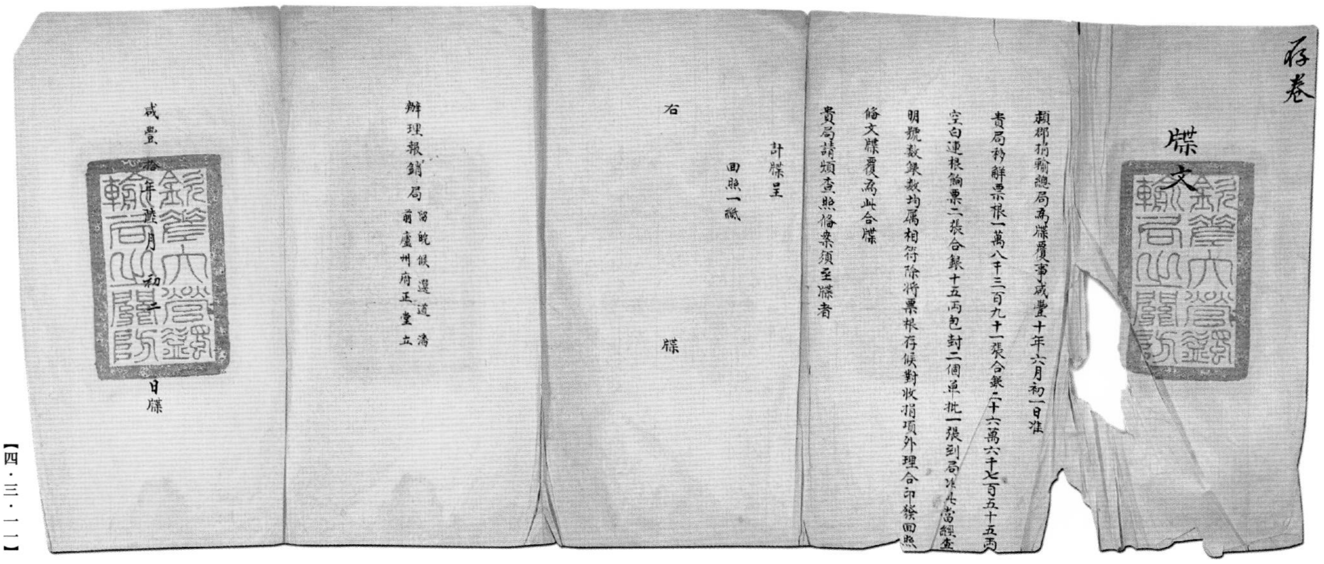

【四・三・一一】

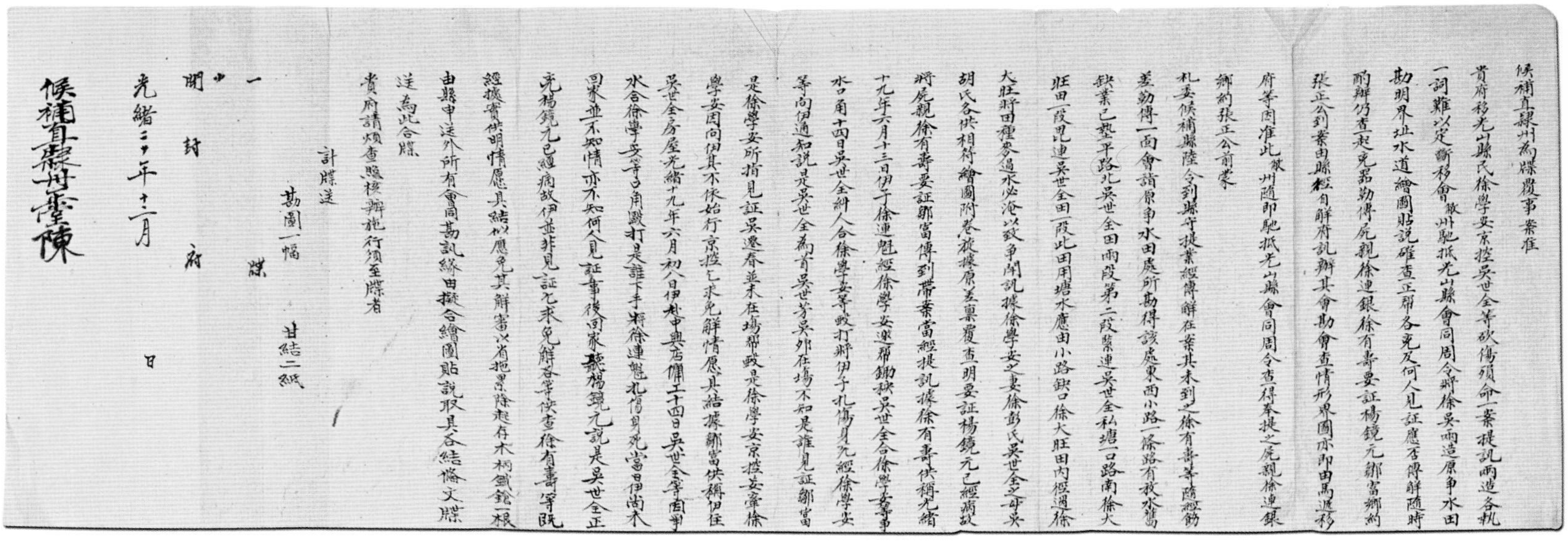

【四・三・一二】

【四·三·一三】片

光緒朝，漢文，紙質，每扣21cm × 10cm。

清代京中各衙門內部行文多用片行或片覆，不拘上行還是下行，起首為「×××為片行（覆）事」，結尾為「……須至片者，右片行（覆）×××」。

此為清末內務府為打掃宮內景運門給景運門檔房的片覆底稿。

【四·三·一四】傳付

時間不詳，漢文，紙質，摺，每扣24cm × 10.4cm。

同一機構內部各衙署之間傳閱的平行文用傳付。起首為「×××為傳付事」，結尾為「須至傳付者，右傳付×××」，後列傳付各處機構名，已閱者填「知」字。無印。

此件為內閣文移處通知各處交報功課之文件。

【四·三·一五】手本

順治十八年（一六六一年）七月六日，漢文，紙質，摺，每扣27cm × 12cm。

清初平行文書一種。通常用於不同系統的平級衙署之間的往來文書。起首為「×××為××事」，結尾為「……，須至手本者」，年月日俱全，首尾押印，頁間有騎縫章。通常每半扣六行，每行二十二—二十五字，行文有抬頭。

此件為禮部祠祭清吏司為請擬祭文給內院典籍廳的手本。

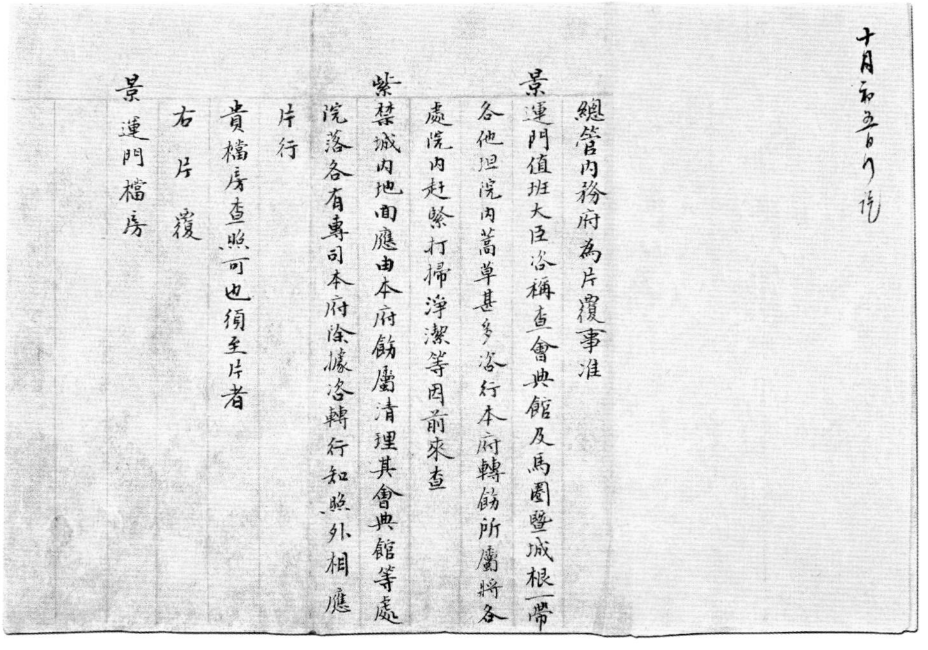
十月初五日行
總管內務府為片覆事准
景運門值班大臣咨稱查會典館及馬圈暨城根一帶
各他坦院內蒿草甚多咨行本府轉飭所屬將各
處院內趕緊打掃淨潔等因前來查
紫禁城內地面應由本府飭屬清理其會典館等處
院落各有專司本府除據咨轉行知照外相應
片行
貴檔房查照可也須至片者
右片覆
景運門檔房

【四·三·一三】

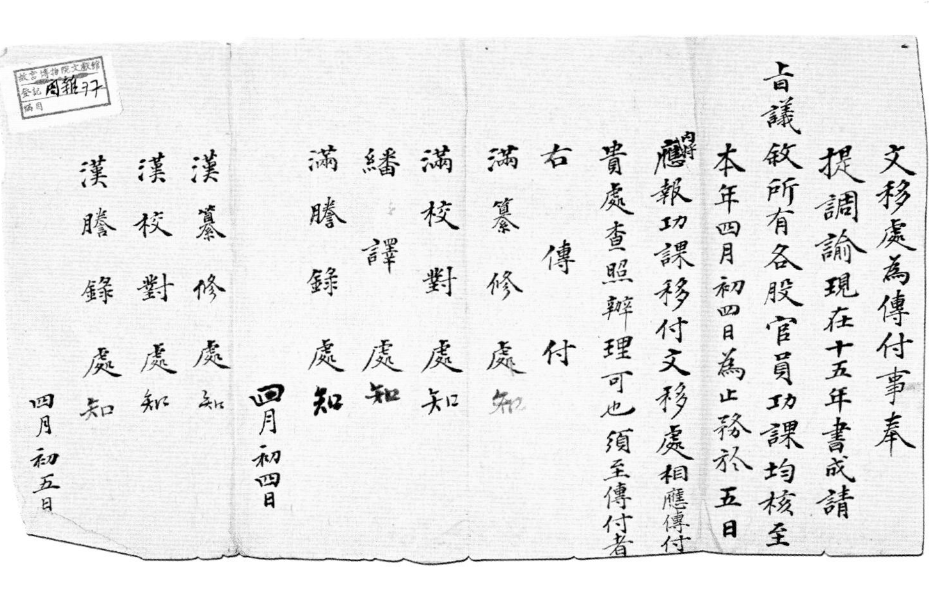
文移處為傳付事奉
提調諭現在十五年書成請
旨議敘所有各股官員功課均核至
本年四月初四日為止務於五日
內將報功課移付文移處相應傳付
貴處查照辦理可也須至傳付者
右傳付
滿纂修處知
滿校對處知
繙譯處知
滿謄錄處知
四月初四日
漢纂修處知
漢校對處知
漢謄錄處知
四月初五日

【四·三·一四】

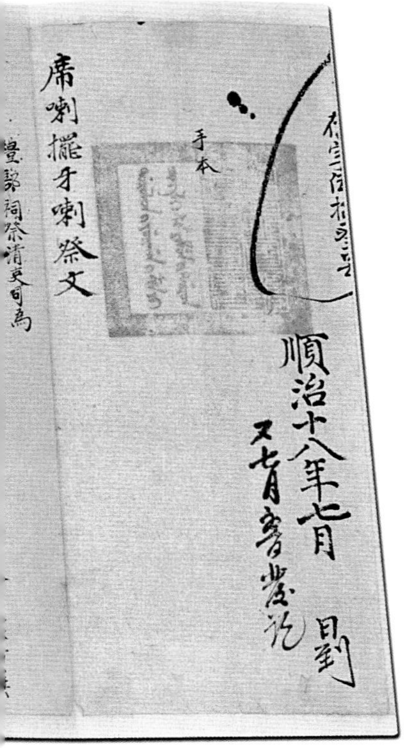
手本
禮部祠祭清吏司為
順治十八年七月　日到

【四・三・一六】領狀

順治十三年（一六五六年）正月十九日，漢文，紙質，57cm×52cm。

官員領物的憑證文書。起首為「×××今於與領狀事」或「×××為領取××事」，結尾為「……，所領是實」。年月日俱署，具簽押，押印的又稱「印領」。後又發展為刻印的專用領狀。

此件為內翰林弘文院侍講學士沙澄代領敕書的領狀。

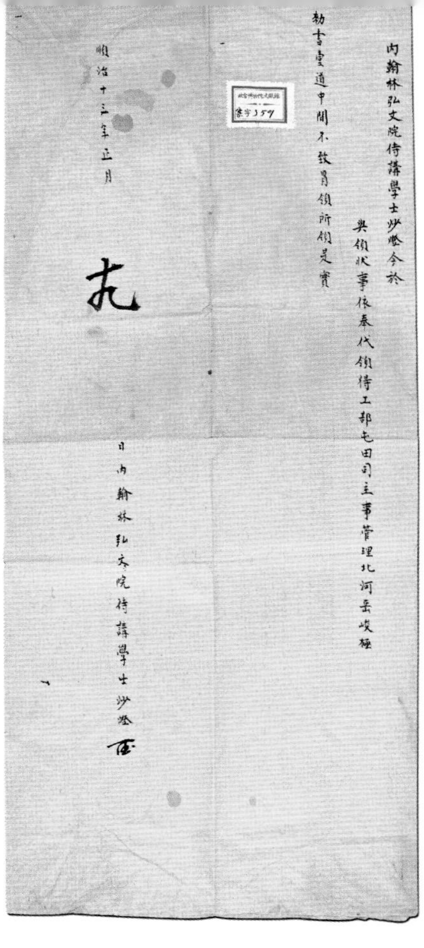
內翰林弘文院侍講學士沙澄今於
與領狀事依奉代領侍工部屯田司主事管理北河兵峻極
勑書壹道中間不致冒領所領是實
順治十三年正月 十九 日內翰林弘文院侍講學士沙澄

【四・三・一六】

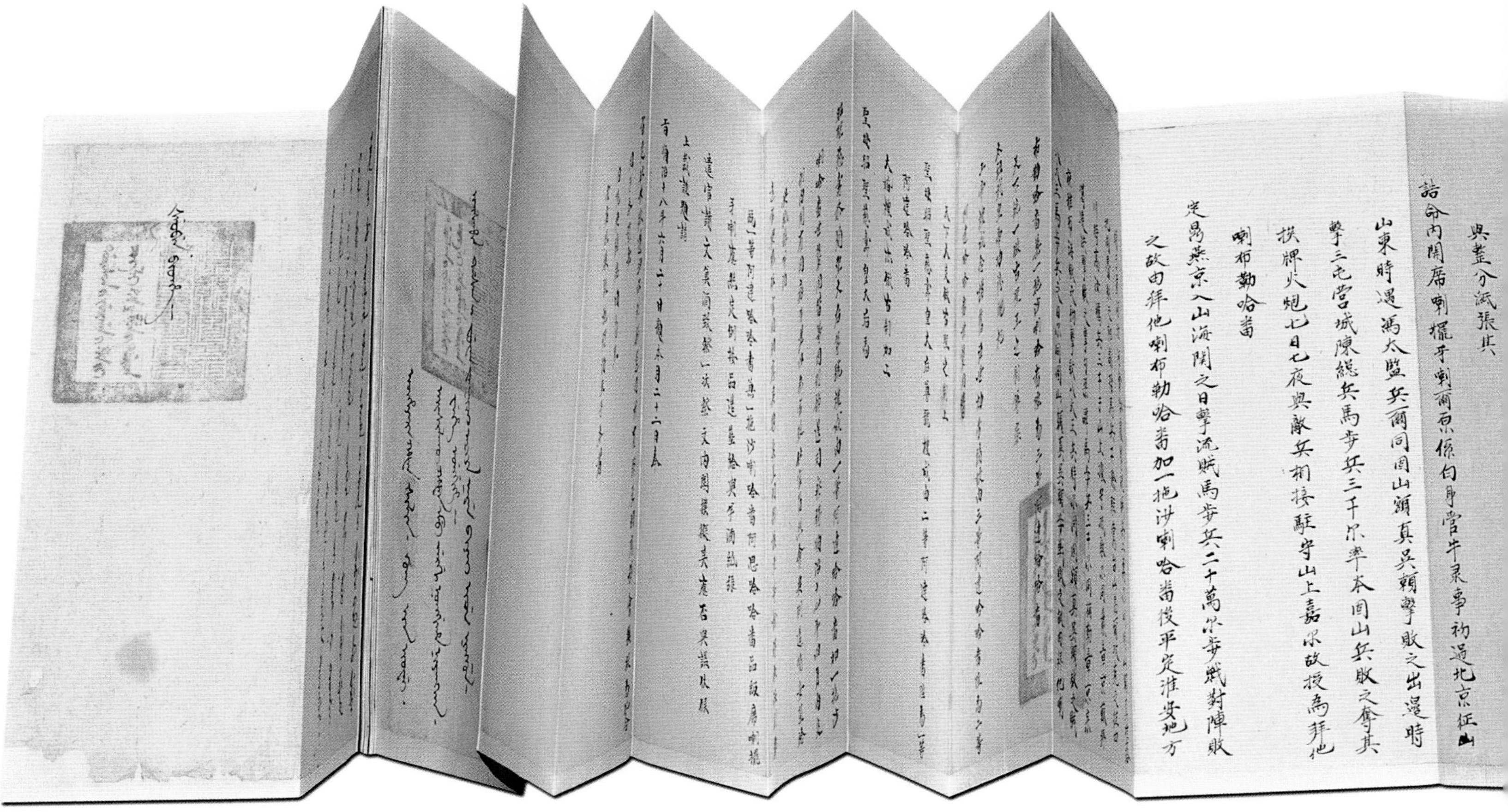

【四・三・一五】

【四·三·一七】領

光緒二十六年（一九〇〇年），漢文，紙質，摺，每扣22cm×11cm。

此件為內務府為領取值班火藥所開具的領狀。只具年，無月日，標朱。

【四·三·一八】驗領

清朝，漢文，紙質，木印墨線框，版框，21cm×18cm。

此為度支部制用司記錄發放銀兩驗印憑照。標朱，畫押。

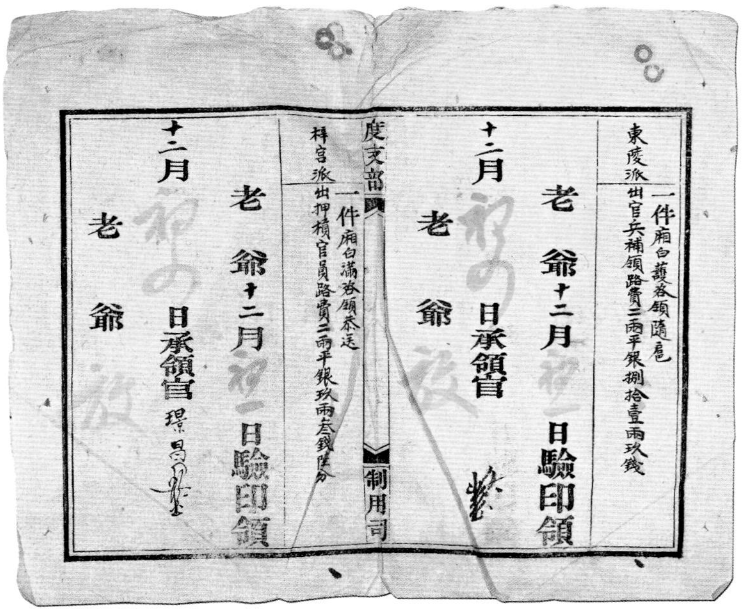

東陵派

一件廂白護吝領隨扈出官兵補領路費二兩平銀捌拾壹兩玖錢

老爺十二月　日驗印領

十二月　老爺　日承領官

度支部　制用司

祥宮派

一件廂白滿吝領恭送出押槓官員路費二兩平銀玖兩叁錢陸分

老爺十二月　日驗印領

十二月　老爺　日承領官

【四·三·一八】

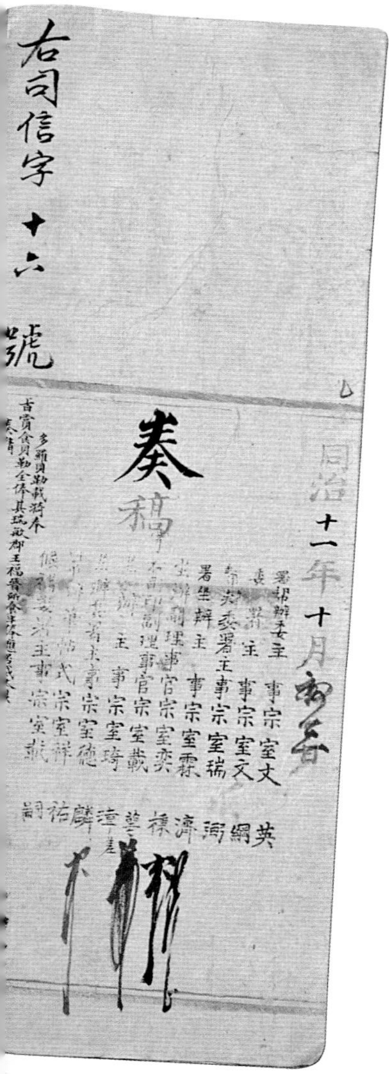

右司信字十六號

奏稿

同治十一年十月

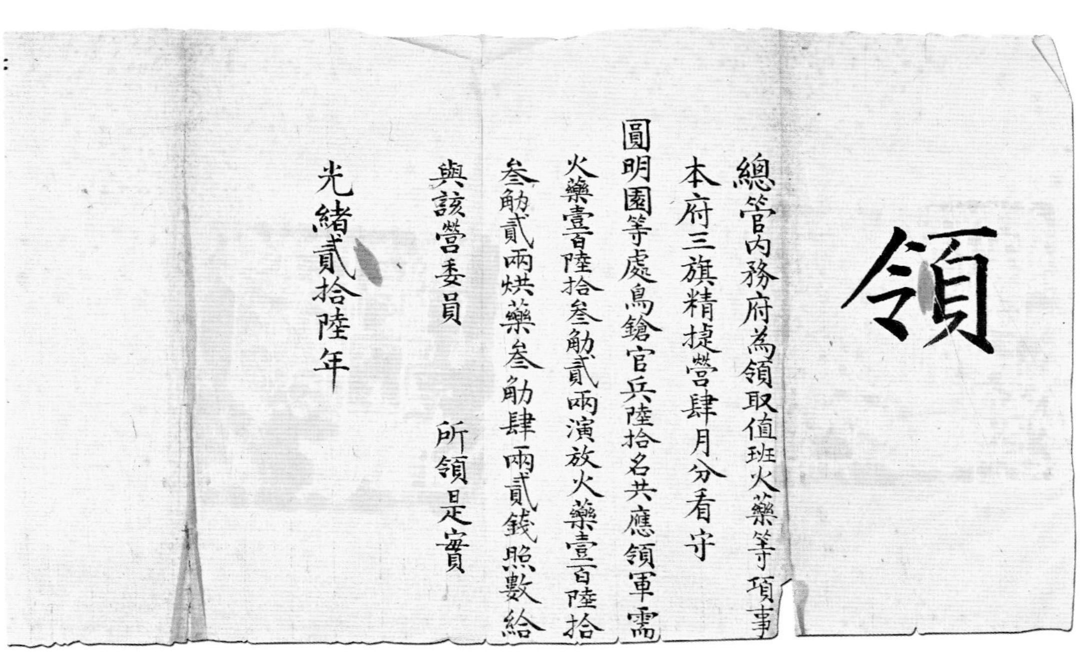

領

總管內務府為領取值班火藥等項事

本府三旗精捷營肆月分看守

圓明園等處鳥鎗官兵陸拾名共應領軍需

火藥壹百陸拾叁觔貳兩演放火藥壹百陸拾

叁觔貳兩烘藥叁觔肆兩貳錢照數給

與該營委員　所領是實

光緒貳拾陸年

【四·三·一七】

【四・三・一九】宗人府的各種存抄稿文

同治至光緒年間。

清中後期形成的一種專門文書形式稱「稿文」，主要用於同一機構內部各部門之間的來往文移，或文書處理抄副存檔等方面。一般有固定的刻印稿箋，各衙門的稿箋皆為紅色刻印，內中項目內容相同，尺寸在30cm ×11cm 間，但不同時期不同機構略有出入。一般時間只填年月，不填日，押印。

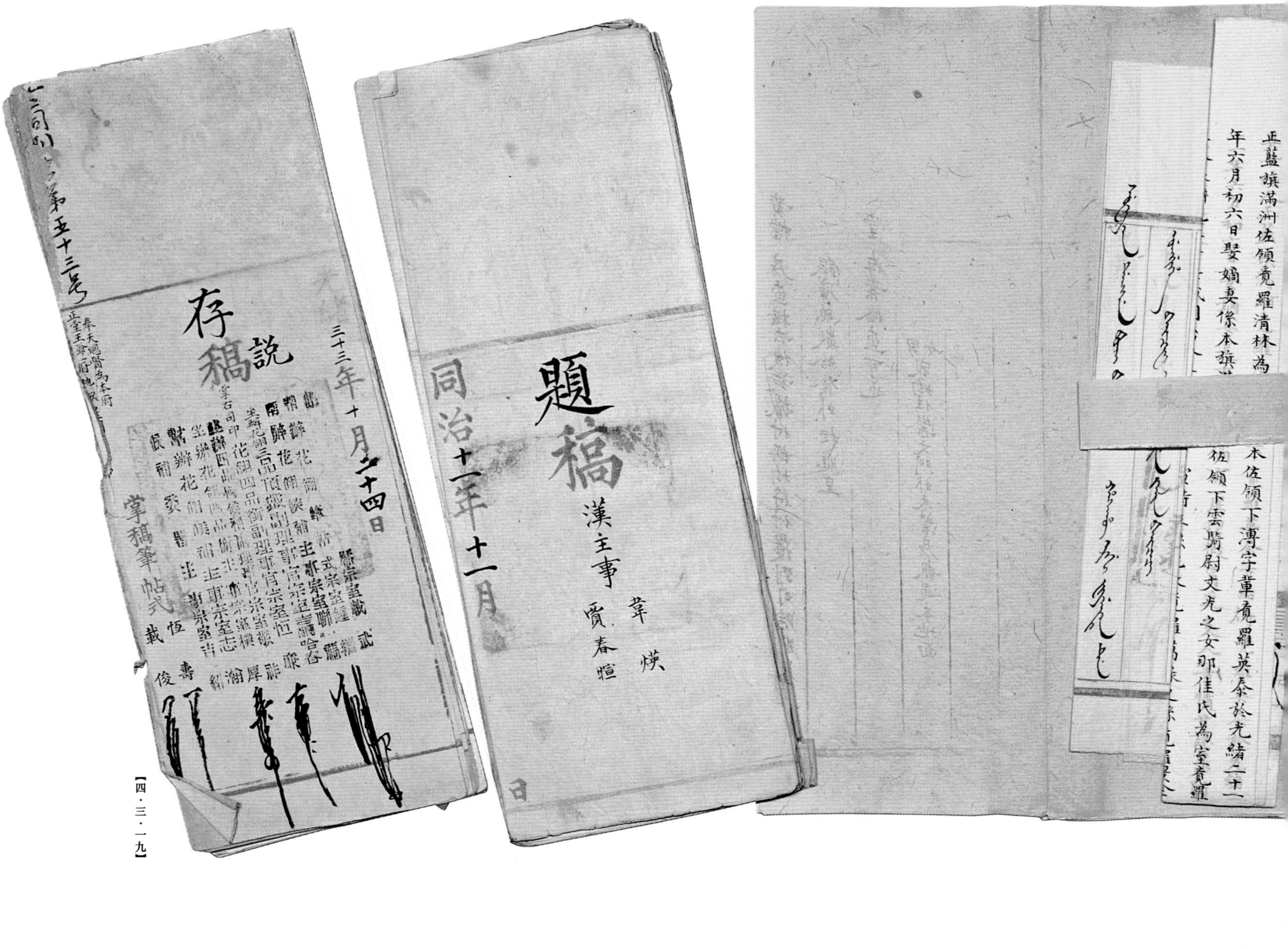

第五章　清代專門文書

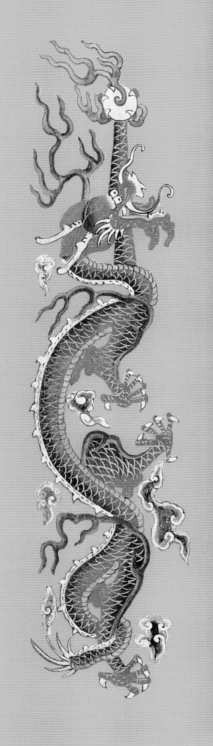

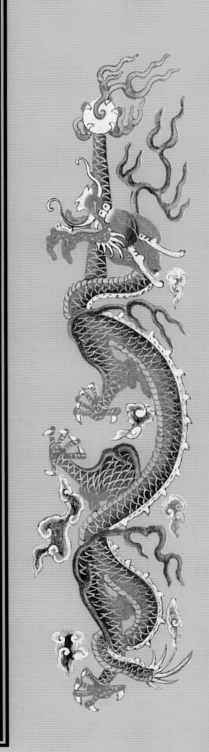

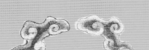

在龐大的清代文書體系中，除了大量等級森嚴的各級行政文書外，還存在着大量的專用文書。這些文書，無論是由官方規定，還是民間約定俗成，都有一個共同的特點——適用或流行於某一專門的領域。這些文書，門類龐雜，數量浩繁；從官方到民間，涉及清代政治、經濟、文化及社會生活的各個方面。從其內容上分，大約可分為科舉考試、賦役財經和外交等幾個方面。

第一節　科舉考試文書

科舉考試是中國封建社會國家選才授官的一個重要途徑。在清代，一個「正途」上來的官員，從童生到殿試金榜題名，要經歷童試、鄉試、會試和殿試四級科考，各級考試基本分文武兩科。

首先，蒙童入學前，無論年齡大小，皆稱「童生」。童生入學考試稱童試，三年兩考，由縣試、府試、院試逐級而升，凡院試正式錄取者，便有了「生員」的身份，又稱「秀才」。

科舉考試的第二個台階是鄉試。三年一科，逢子、午、卯、酉年稱「正科」，遇慶典（如皇帝登極等）加科，稱為恩科。鄉試一般在八月，故又稱「秋闈」。鄉試一般考三場，首場考四書及試貼詩；二場考經文；三場考策問。試題、試文皆有寫作格式。試卷寬四寸，長一尺，紅線橫直格，每頁十二行，每行二十五字。首場、二場每篇限七百字，三場答策必三百字。試卷要句讀，書法不得潦草。試卷收上來後，彌封鈐印，送謄錄官朱筆謄錄，於是有「朱卷」之稱。發榜後，中試朱卷送禮部磨勘。鄉試發榜於九月，日支多用寅、辰，而寅屬虎，辰屬龍，故稱「龍虎榜」。發榜後，又有登科錄、試錄和同年錄之制。

登科錄亦名「題名錄」，即將本科鄉試考官等及中式舉人姓名、年齡、籍貫、名次、三場試題，開列成冊，一送御覽，一送各衙門。

試錄亦稱「闈墨」，由主考選取考生優秀試卷刊行，正主考作前序，副主考作後序，以供士子學習之範例。

同年錄有兩種，一為某科鄉試同年錄，或以同省同榜為限；另一種為某科同齒錄，以本科舉人為限，按年齡大小為序。

鄉試之後更進一步的是會試，即集中舉人會考之意，三年一科，於丑、未、辰、戌年於京師貢院舉行。會試在春季舉行，共三場，會考官由中央簡派，皇帝欽定。一般前十名的名次由考官擬出，皇帝欽定。舉人會試中式稱貢士，第一名稱會元。

科考最高規格的考試為殿試。清代自順治三年（一六四六年）開始舉行殿試。殿試時間，清初在五月舉行，乾隆二十六年（一七六一年）後，定為四月廿一日舉行，廿五日傳臚。殿試地點，清初在天安門外，順治十五年（一六五八年）改在太和殿丹墀考試。乾隆五十四年（一七八九年）以後，都在保和殿進行。殿試策題由皇帝親命。殿試前一日，讀卷官（即考官，因殿試為皇帝親考，故考試官員祇能稱讀卷官）在文華殿密擬策問題目，呈皇帝閱定後，讀卷官員同赴內閣，派監視御史臨場監視。內閣中書用黃紙端書試題，當夜在內閣大堂傳匠刊刻印刷。印刷時護軍統領帶領護軍校等，封閉內外門，進行嚴密稽查。直到第二天早晨，印刷完畢，才解除戒嚴。四月二十一日殿試時皇帝親臨保和殿，舉行隆重的殿試禮。然後散發制策題，貢士按簽入座對策考試。

殿試卷卷面書寫姓名，內頁第一扣寫明年齡及履歷三代。策文起首用「臣對臣聞」字樣，策文結尾用「臣末學新進，罔識忌諱，干冒宸嚴，不勝戰慄隕越之至。臣謹對」等語。明清時策文多用四六駢體的文體。

各貢士的試卷經讀卷官閱定以後，於四月二十四日將前十名的試卷進呈皇帝。殿試卷上貢士的姓名、履歷始終彌封，直到皇帝閱定名次後，才拆彌封。當天，讀卷官引前十名進見皇帝。其他十名以外的試卷，讀卷官隨即到內閣拆彌封，照閱卷時所排定的名次，於卷面書寫幾甲幾名，據以填寫金榜。

四月二十五日，皇帝到太和殿宣布進士登第的名次，舉行隆重的傳臚典禮。傳臚儀式上宣布的金榜，分大小二種。其式，開首以「奉天承運，皇帝制曰」領起，接敘「某年某月某日策試天下貢，第一甲賜進士及第，第二甲賜進士出身，第三甲賜同進士出身。」然後書寫各甲的名次、姓名及籍貫。小金榜用以呈皇帝閱覽及宣布名次。大金榜蓋上「皇帝之寶」，於傳臚後，掛於東長安街三天，武科金榜掛於西長安街三天，令應試者前往觀看。三日後金榜收貯於內閣。中國第一歷史檔案館所存大量金榜即由此而來。

一甲第一名，又稱「狀元」，第二名稱「榜眼」，第三名稱「探花」，當即發布上諭授職為翰林院修撰和編修。其餘二甲、三甲各進士，還要復試以朝考，按朝考成績，結合殿試的名次，分別授以翰林院庶吉士、主事、中書、知縣等職。

每屆殿試後，內閣還要編製金榜題名錄，進呈御覽後，交禮部刊刻，與會試題名錄一併題交內閣收存。此外，還要鐫刻進士題名碑，立於國子監大成殿外。

為了從新科進士中挑選庶吉士，特於殿試傳臚後三日，在保和殿舉行朝考，考選列前者稱「入選」或

「館選」。朝考畢即授官職，前列者授庶吉士，次列者分別用為主事、中書、知縣三項。

清代還設有特科，如博學鴻詞科、經濟特科、孝廉方正、經學、召試，及專門適用於八旗子弟的翻譯科等。

清沿明制，在直省設府、州、縣學，在京城設國學。以攬儲天下科舉之材。國學亦稱「大學」、「國子監」，是全國最高學府，設有管理監事大臣一人、祭酒二人、司業三人，「掌國學之政令，凡貢生、監生及舉人之入監者，皆教焉」（《光緒會典》卷七十六）。下設四廳、六堂等機構。六堂肄業生在監學習，以三十六個月為限，期滿後以成績優劣咨部或拾官，或回本籍。

清代地方府、州、縣衛儒學皆沿明制各學設教官，府稱「教授」，州稱「學政」，縣稱「教諭」。未入學前學生稱「童生」、正式入學後稱「生員」。

中國書院始於唐宋，以講學、考課為主，兼及教書、祠、祀。雍正十一年（一七三三年）令各省省城設立書院，各賜銀千兩為之營建。題生給膏火銀，堂管書院之院長，多由地方官特聘，書院學生稱「清生」，多則百餘人，少則十餘人。

社學每鄉置一區，選擇品學兼優者為社師任教，官府免其差徭，量給廩餼。凡本鄉及鄰近子弟十二歲以上者皆可入學。

義學，初僅京師五城各立一所，後各省、府、州、縣亦多設立，主要招收窮苦人家的子弟，或當地少數民族子弟。

在清代為了方便八旗子弟入學，還專門設有旗學、宗學、覺羅學。

旗學即八旗官學，由各佐領選「聰秀者」年齡在二十歲以下，十歲以上者，先「用送都統驗看，交國子監考錄」，合格者入本旗官學。康熙時，還專設影山官學、咸安宮官學等，隸內務府、專收內務府之八旗子弟。此外京師以外各地八旗駐防地，也設有八旗之學。

宗學、覺羅學為滿洲皇族子弟之學，由宗人府管理。順治十年（一六五三年），令八旗各廟宗學，凡未封宗室子弟，年齡在十歲以上者皆入學。雍正七年（一七二九年），因覺羅人多，宗學難於接納，又令各旗自設覺羅學。

自鴉片戰爭後，清政府鑒於外交、軍事上的教訓，急需培養各種軍事、外交專業人才。故從同治元年（一八六二年）准總理各國事務衙門之請設立同文館始，又相繼開設上海廣方言館、福州船政學堂等。

光緒二十四年（一八九八年），曾採納康有為建議，下令各省將大小書院，改為學堂。光緒二十九年（一九〇三年），張之洞等制定的《奏定學堂章程》終於在全國得到推行，從而揭開了中國近代教育史的新一頁。

第二節　賦役財經文書

清代的財政，是封建統治階級憑藉國家政權的力量，在參與社會物質財富的分配和再分配過程中，與社會其他階級、階層所發生的一種經濟關係。清政府先後設立户部（度支部）、會考府、財政處、稅務處、督辦、鹽政處、大清銀行、工部、商部（農工商部）、陵寢工部御門等專門機構，控制着整個國家的財政、金融、商業、貿易、工業、交通、農業等經濟命脈。而在地方上，通過督撫、藩臬、道台等各級地方政府機構對各種經濟活動加以微觀調控。

農業是清朝經濟的基礎，賦役稅收是清朝財政的主要來源。順治十四年（一六五七年）頒行《賦役全書》，立魚鱗冊（又名「丈量冊」），詳載上中下則，同時立黃冊歲記户口登耗。徵收賦稅時，為防止官吏私派，清廷又向納稅户頒發「易知由單」（即載有田賦徵糧標準、數目的通知單），「截票」（亦稱「串票」，或「二聯印單」），其中開列地丁錢糧的實數，分為十限，月完一分，完成則截之）。各省徵收賦稅後，一部分存留，一部分「走運」（協濟鄰省，或交中央）。每年冬季，各省總督巡撫須預先估算第二年應俸餉銀兩，造清冊咨報户部。清冊又稱「青冊」，可視為黃冊副本。

清政府對農業的重視，甚至反映在各地方官通常要按時向皇帝報告地方的收成與氣候。於是便形成了「雨雪糧價」奏報制度。

在民間，地主與傭農間也於租稅交納諸方面，形成了定型的文書。

除賦役正項外，鹽課、關稅、捐納也是政府聚斂財產的重要手段之一。加之各種名目繁多的雜稅，舉不勝舉。

清政府流通的貨幣主要是制錢和銀元，但咸豐時，由於國家經費緊張，曾發行鈔票。清末大清銀行成立後，也發行了股票、彩劵等。而此前，社會上的主要金融機構是當舖、錢莊，尤其當舖，既有民間的，也有官方的，甚至皇家的。

雖然清朝一貫奉行「重農抑商」政策，但以買賣為其主要特色的經濟活動在清朝一直很興盛。尤其耐人尋味的是，皇家往往直接參與這種活動，並成為其活動過程中最大的買方或賣方，於是就出現了一個奇特的社會角色——皇商。在鹽鐵專賣的形勢下，那些重要的鹽、銅等方

面的商人，都是要得到清廷內務府的批准，才能成為官、商兼於一身的「紅頂商人」。在民間，一般經濟活動中最主要的文書是契約，一般分為「紅契」，或「白契」。紅契是經過官府認證，蓋有官衙紅印的契約；白契則是沒有官府，只有民間買賣雙方及中間證人畫押。契約的形式，各有不同，所涉領域也十分廣泛，如田地、房屋、甚至人口的買賣等。此外還存在着大量借條、憑單等形式的文書。

第三節　外交文書

直到一八四〇年鴉片戰爭前，清朝政府毫無近代意義上的外交可言。在統治者的眼中，「外交」不過是臣藩納貢的代名詞。他們認為清朝是「天朝」，而其他各國不過是「天朝」的「藩屬」。如《光緒會典》卷三十九載：「有朝鮮、琉球、越南、南掌、暹羅、蘇祿、緬甸七國。」這些國家雖各有王，但受清朝掣牽，常例朝貢，奉表稱臣。甚至，朝鮮、安南，琉球朝貢所上表章，皆直接用漢字。此種表章，體式一如內陸，所用印章，也多為清政府所頒。

十六世紀初，西洋各國次第東來，為通商之利，不得不與中國政府發生關係。而清政府絕對以「天朝」自居，其時翻譯各國所交文書，一律視為屬國朝貢之事，所發之文，均用敕諭。乾隆五十八年（一七九三年），英使馬嘎爾尼來京，欲與中國擴大通商及建立外交關係，而清政府都並不以為然，這種居高臨下的姿態，一直維持到鴉片戰爭的前夜。

一八四〇年鴉片戰爭爆發。隨着一系列的戰爭、不平等條約的簽訂，割地賠款等嚴酷現實的出現，在對外交涉日益增多的情況下，一八六一年一月十三日，一個新的外交機構——「總理各國事務衙門」

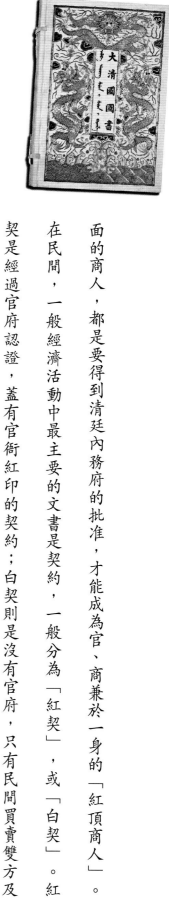

開始在北京東堂子胡同舊鐵錢局公所正式掛牌開張了。該機構「掌各國盟約，昭布朝廷信德，凡水陸出入之賦，舟車至市之制，書幣聘饗之宜，中外疆域之限，文譯傳達之事，民教交涉之端」（《光緒會典》卷九十九）。天朝君臣對此衙門在心理上的接受是很勉強的，始終視之為一個臨時性機構。一九〇一年九月七日，列強強迫清政府簽訂《辛丑條約》，提出「將總理各國事務衙門按照諸國酌定，改為外務部，班列六部之上」（《辛丑條約》十二條）。於是外務部正式出現。

自古以來，中國與外國互派使臣之事不乏先例，或辦交涉、或觀察、甚或禮節交聘，但都不具常駐性質。以國家關係互派常駐使節，則開始於一八五八年中英《天津條約》。該條約第二款規定：「大清皇帝、大英君主意存睦好不絕，約定照各大邦和好常規，亦可任意交派秉政大員，分駐大清，大英兩國京師。」但清朝對公使駐京，總認為有傷「天朝尊嚴」，所以一拖再拖。直至一八六〇年，在英法武力逼迫下，簽訂了中法《北京條約》後，才被迫接受各國公使常駐北京。而中國派外常駐使節，則於光緒二年（一八七六年）才出現。

清代外交文書，不僅限於漢語，還涉及到東西方各語種。而就其內容與功能上分，大致可分為交聘往來、戰爭條約、商業貿易和文化交往等幾部分。

交聘往來的文書，多是國家之間的禮節性文書，如國書、照會、賀文和賀電等。

戰爭條約方面的文書，主要是歷次中外戰爭的有關文件及不平等條約，及外國幫助清政府鎮壓太平天國、義和團起義等有關文件。此外還有有關外國傳教士在華進行文化侵略、引起教案方面紛爭的文書。

清代工商貿易文書，包括外國人在華經商和交易活動中產生的文書。

清代文化交流文書，包括外國人在中國遊歷、中外留學生生活及私人往來文書等。

【五・一・一】清代科舉考試系統簡表

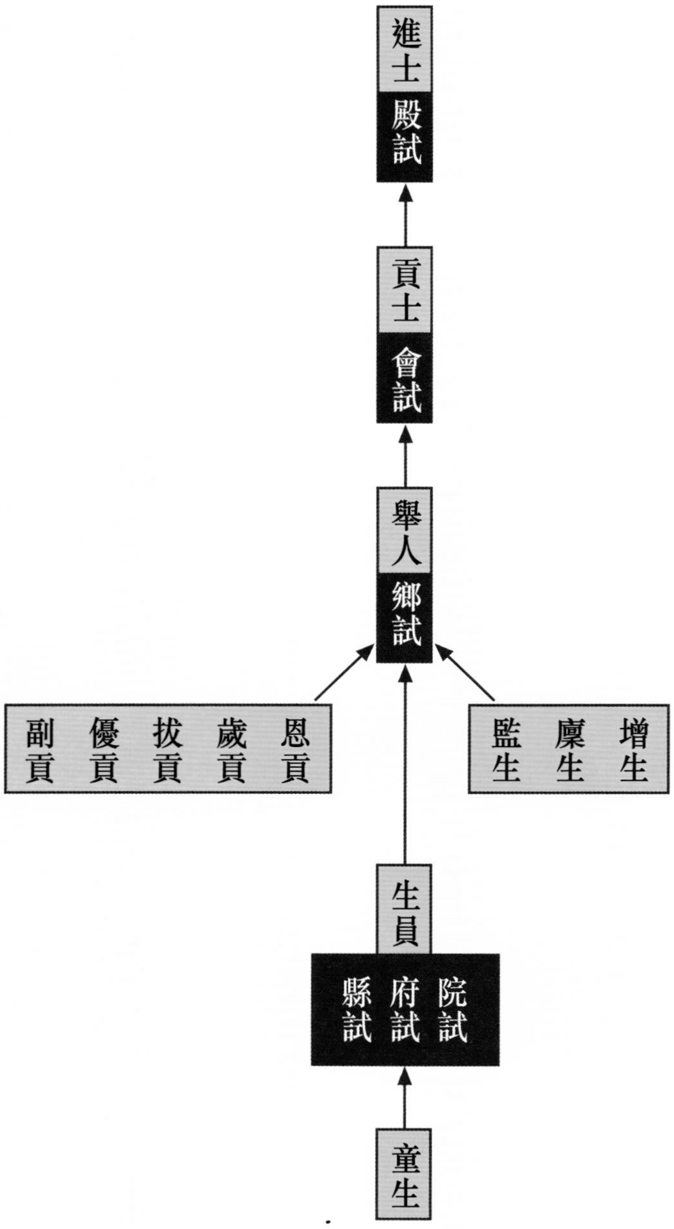

【五・一・二】童生縣試考卷

光緒朝，漢文，紙質，29cm × 12.5cm。

清代童試有縣、府、院試之分，縣試為最基本者。試卷由禮房備辦。卷十數頁，正文為界紅線直格，另附空白草稿紙數頁。童試正場為四書二篇，五言八韻試帖詩一首。光緒二十八年（一九〇二年）後變通科舉，廢八股文、試帖詩，童生科考，仍先試經古。此試卷只有解經和論古，當是光緒二十八年以後的試卷。試卷於背後右上角彌封糊名，卷用浮簽書名，交卷時由考生自行揭去，面上有坐堂號。

此為沈邱縣童生李葆仁的童試卷。

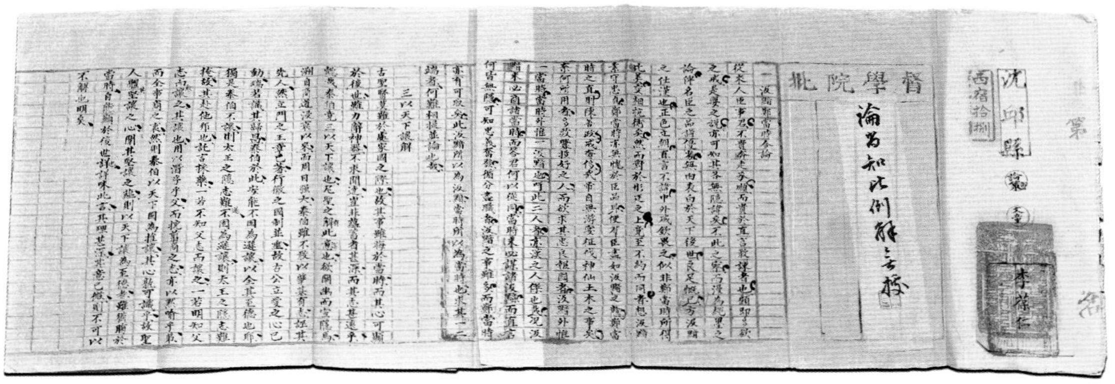

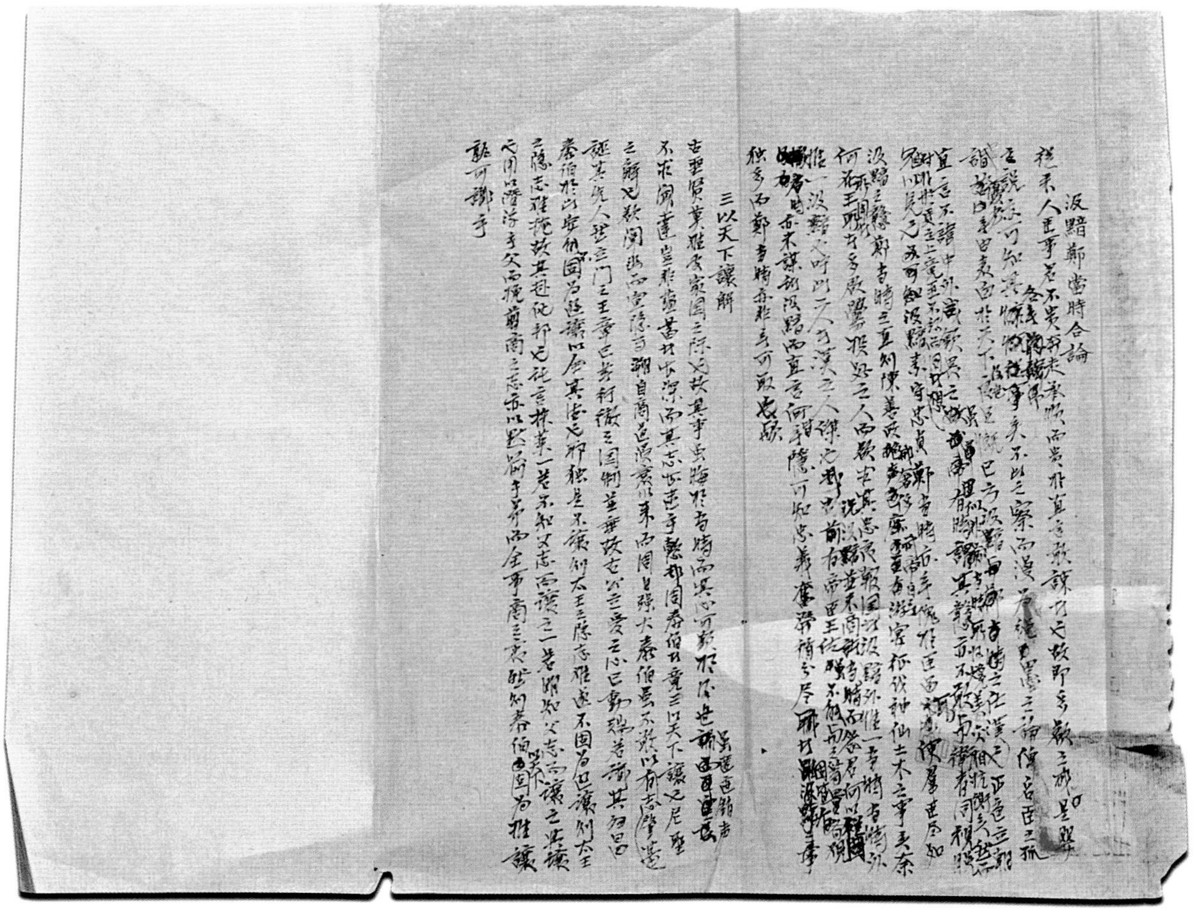

【五・一・二】

【五・一・三】鄉試卷

康熙十七年（一六七八年），漢文，紙質，37.5cm×11.5cm。

此為鄉試墨卷，為士子入場考試之原始卷，因試文用墨寫，故稱「墨卷」。一般分為一、二、三場，試卷面正中書第幾場（後改用墨戳），下書應試者親書學籍姓名，中蓋官印，下有朱戳（座號千字文編號），取上名次後，以於中墨書「第××名」。第一扣至十一扣為草稿空白，首頁朱印「草稿起」，第十一扣尾朱印「草稿至此以便彌封」。第十二扣背貼「彌封官關防」。第十三—十四扣為試卷，每扣六行，每行二十五格，楷書，有騎縫章。

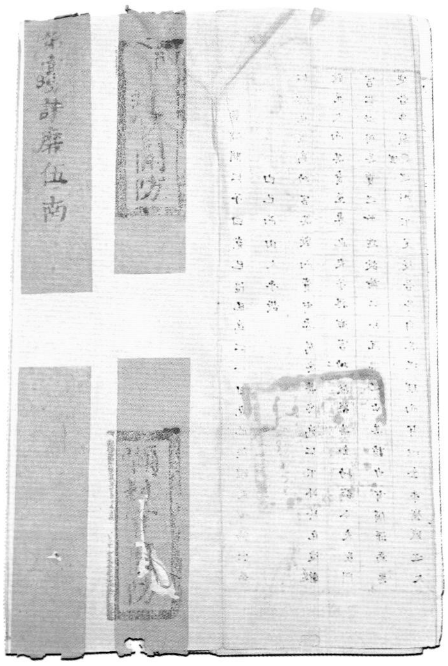

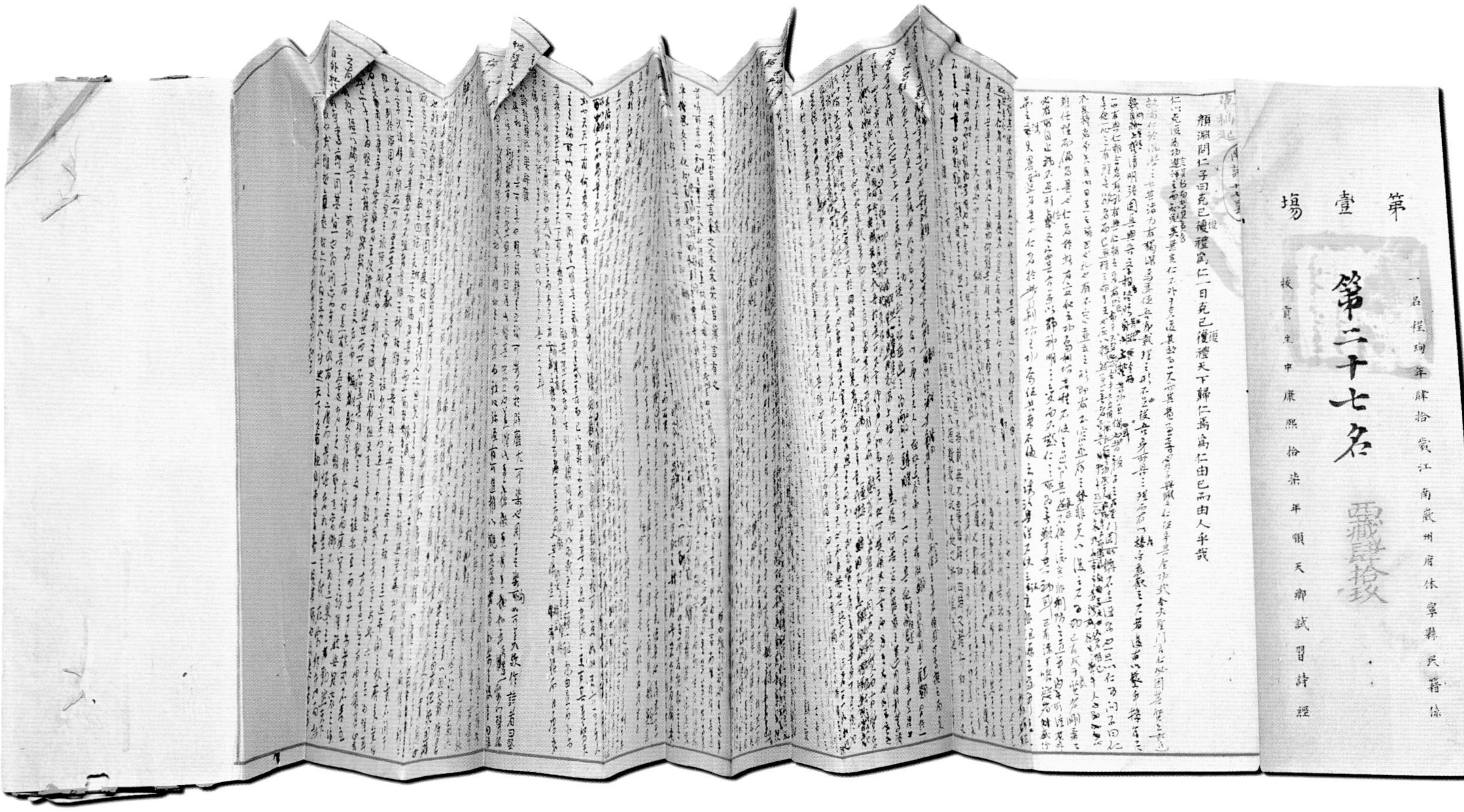

【五・一・四】鄉試闈墨

康熙三十二年（一六九三年），漢文，紙質，冊，版框，19cm×13cm，每頁九行，白口，無魚尾，版芯刻「江南鄉試墨卷」，中刻「癸酉科」。

鄉試榜後，刊其中式之卷送入，稱為「闈墨」。又因以謄錄用朱所寫為考官寓目過的卷，故又稱「朱卷」。

此為康熙三十二年癸酉科江南鄉試闈墨。藍絲裱皮，線裝，內木刻墨印，首題目、同考官，及中式舉人名，後為中式文章，每篇首題目下有作者名及薦卷官之名。

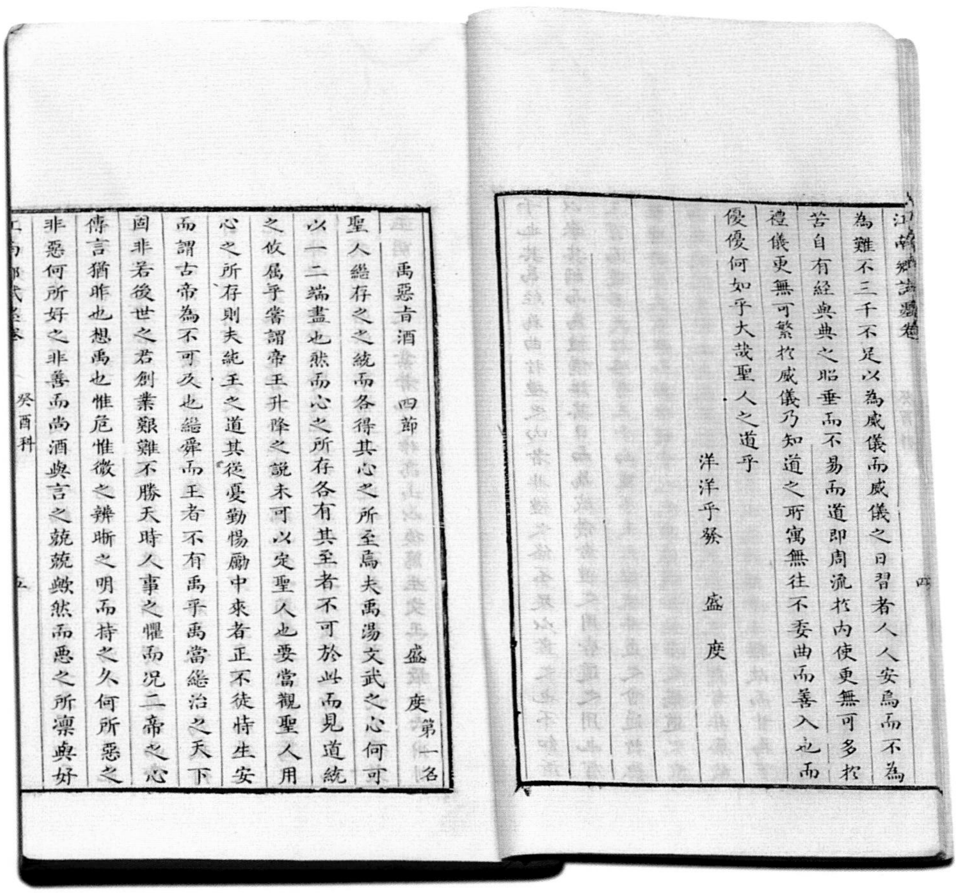

【五·一·五】考官履歷

雍正、乾隆朝，滿漢文合璧，紙質，每扣25.5cm×11.5cm或22cm×9cm。

清代科舉，自鄉試至殿試，皆有欽點考官之制。鄉試各省考官，一般由中央侍郎、閣學、翰詹科道及編修檢討中欽命簡放，會試主考通常由內閣大學士充任，閱卷等官則由翰林、六科給事中、吏、禮、兵部官等出任。殿試讀卷官用大學士、部院大臣。

此為雍正、乾隆朝考官的履歷及任命諭旨。

【五·一·六】批回

光緒二十九年（一九〇三年），漢文，紙質，56.5cm×35cm。

在清代，各省鄉試錄依例要報送京師。此為貴州布政使通過駐京提塘前赴通政司告投本年癸卯科鄉試錄，發給駐京提塘的批回。手繪墨框，標朱，押印。

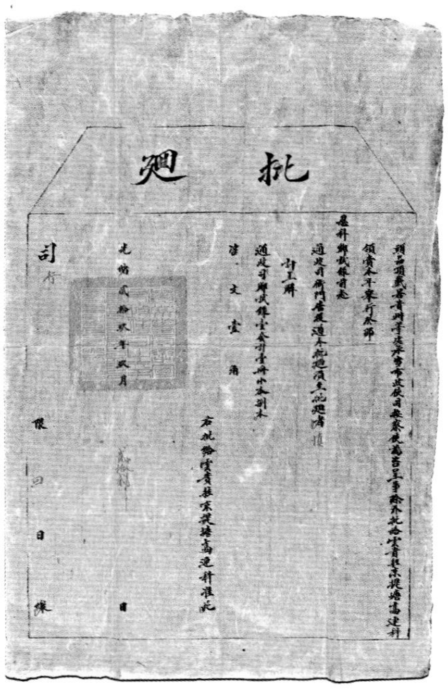
批回

【五·一·六】

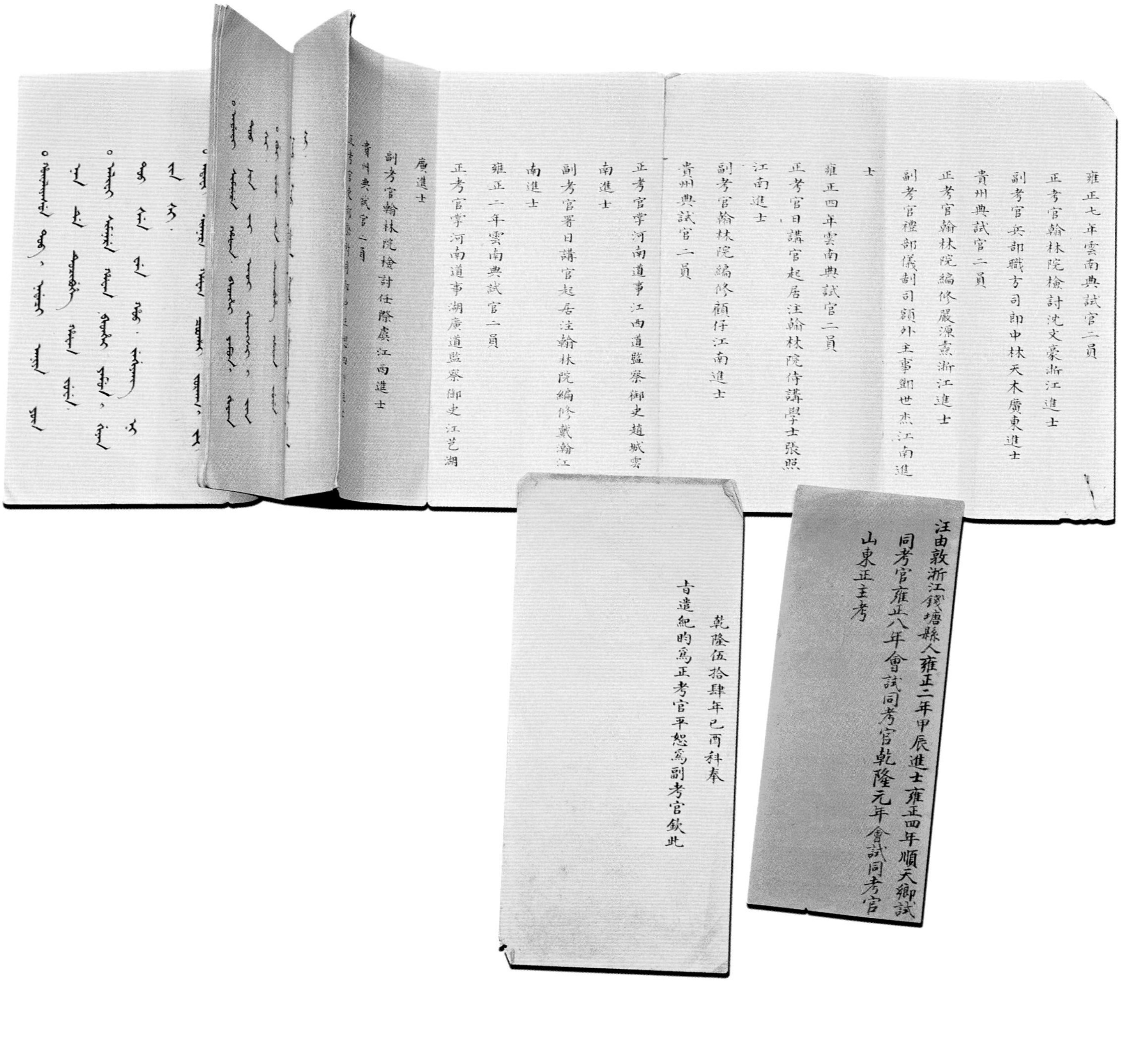
雍正七年雲南典試官二員
正考官翰林院檢討沈文豪浙江進士
副考官兵部職方司郎中林天木廣東進士
貴州典試官二員
正考官翰林院編修嚴源燾浙江進士
副考官禮部儀制司額外主事鄧世杰江南進士
雍正四年雲南典試官二員
正考官日講官起居注翰林院侍講學士張照江南進士
副考官翰林院編修顧仔江南進士
貴州典試官二員
正考官掌河南道事江西道監察御史趙城雲南進士
副考官署日講官起居注翰林院編修戴瀚江南進士
雍正二年雲南典試官二員
正考官掌河南道事湖廣道監察御史江芑湖廣進士
副考官翰林院檢討任際虞江西進士
貴州典試官二員

汪由敦浙江錢塘縣人雍正二年甲辰進士雍正四年順天鄉試同考官雍正八年會試同考官乾隆元年會試同考官
山東正主考

乾隆伍拾肆年己酉科奉
旨遣紀昀為正考官平恕為副考官欽此

【五·一·五】

【五·一·七】會試朱卷

清朝，漢文，紙質，冊，30.5cm × 21cm。

此為會試謄錄卷，冊面左上朱戳，印場次、卷號，右下押彌封、謄錄、對讀、收掌官戳，除對讀官戳為紫色外，餘皆為朱。內墨印界格，每頁二十二行，每行二十五格，頁間有彌封官關防的騎縫章，尾押謄錄官關防，並附謄錄書手的姓名。

清代鄉試、會試皆有謄錄，墨卷彌封後，送謄錄所，由專門謄錄書手用朱筆謄錄（祇謄錄文字句讀，不謄添註塗改）。謄錄後送對讀所校對，朱卷送考官評閱。

【五·一·八】會試薦卷簿

光緒九年（一八八三年），漢文，紙質，冊，24.5cm×15.7cm。

此為考官閱卷的批語記錄，紅皮，內為紅色界格印刷，依次為各場具體考試記錄，批語用藍、黑兩種墨色。清代科考批卷，主考官用墨筆，同考官用藍筆，內監試官用紫筆，內收掌官及書吏用藍筆。

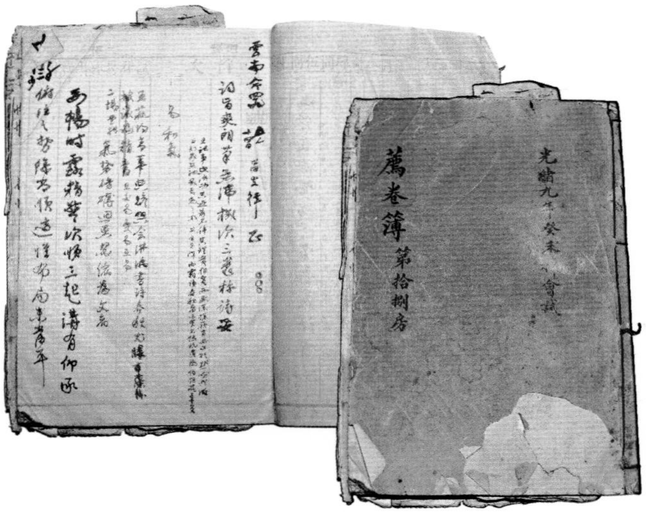

【五·一·八】

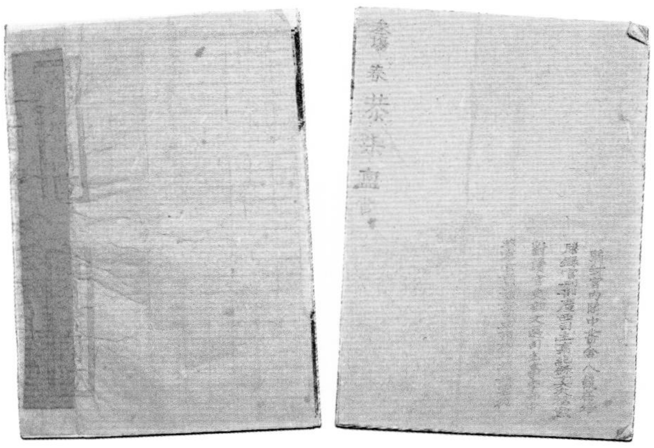

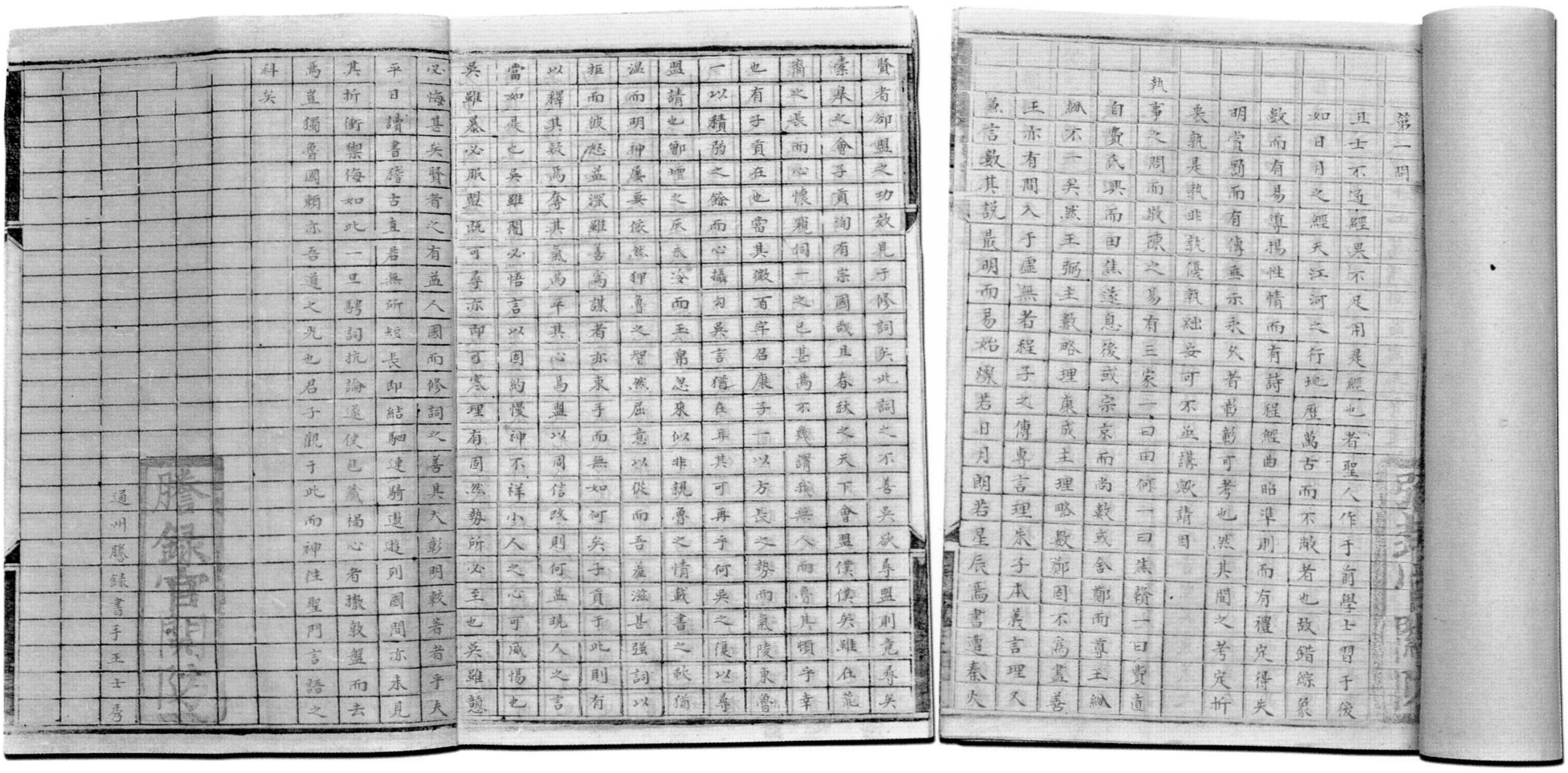

【五·一·七】

【五・一・九】覆試名單

乾隆五十八年（一七九三年），漢文，紙質，冊，19.3cm × 8cm。

此為武科覆試名單，木刻印，內填武舉姓名、籍貫、成績及闈字號（一般為辰、宿、列、張）並填寫所取名次。

【五・一・一〇】會試題名錄

道光三年（一八二三年）、道光十二年（一八三二年），漢文，紙質，冊，30.5cm × 21cm。

其式與鄉試題名錄同，為手書，黃綾面，內容一般為：考官名錄、會試題目、中式貢士名錄（名次、姓名、籍貫、出身）。

【五・一・一〇】

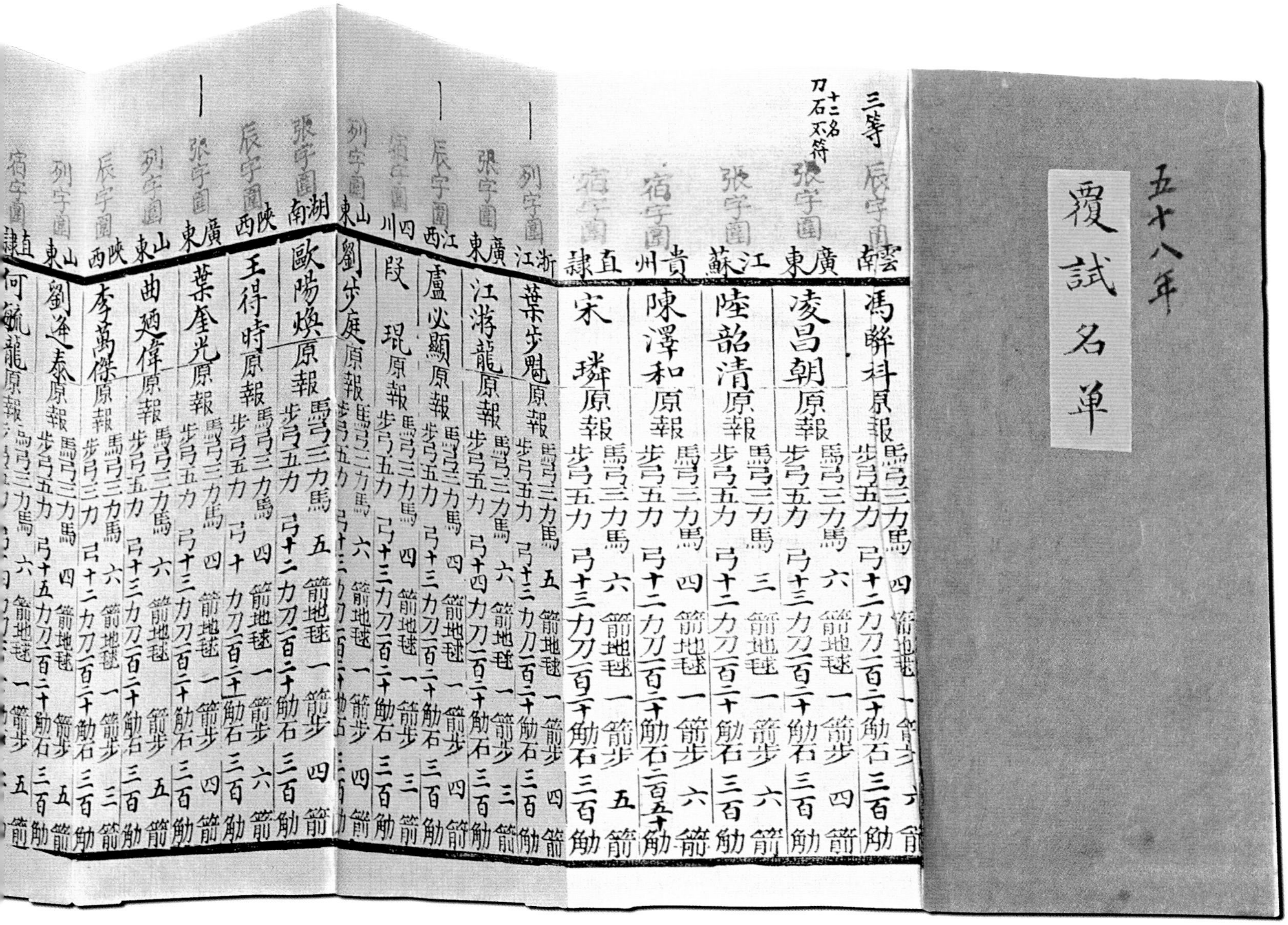

【五・一・一二】殿試策題

道光二十五年（一八四五年），漢文，策題抄本，紙質，冊，26cm × 10.5cm。

清制殿試策題向由內閣預擬，恭候選定，定讀卷大臣派出後，殿試前一日群集於文華殿值廬擬策題，進候欽定圈出，然後照此題緘封呈圈發下後，讀卷官同赴內閣，用黃紙由內閣中書端書，入夜在內閣大堂傳匠刊刻印刷。

【五・一・一二】

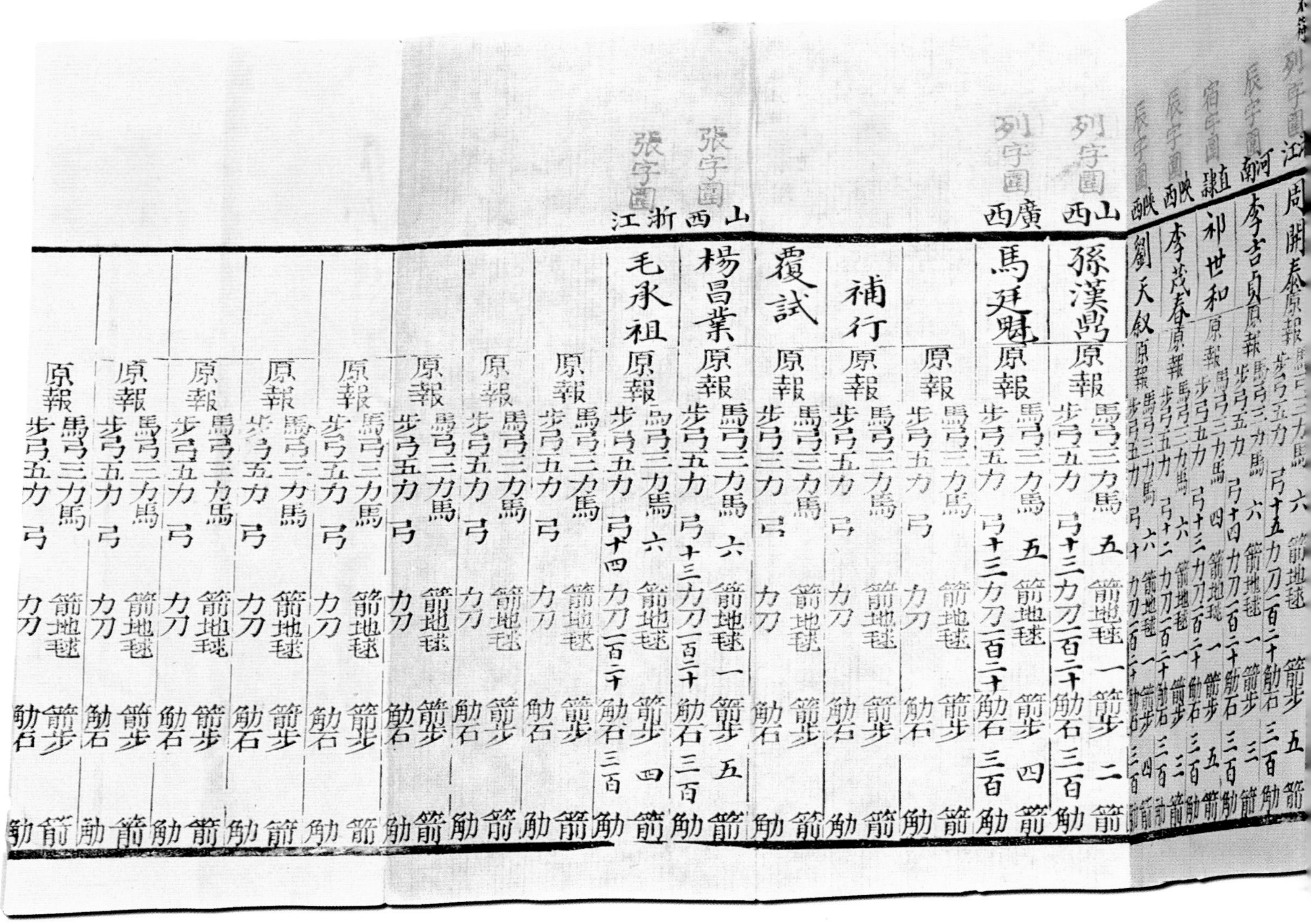

【五・一・九】

【五・一・一二】殿試卷

清朝，漢文，紙質，44cm × 11.5cm。

卷面正中蓋着禮部之印，寫應試舉人臣×××，內頁寫履歷，交卷後由彌封官將卷前人名及履歷一頁摺疊成筒，用紙釘固，以紙糊之，加蓋彌封官關防上下各一方。卷內策文為實寫七開半，策文末書「臣謹對」，印卷官印在後面。其背後為監試大臣的簽押。

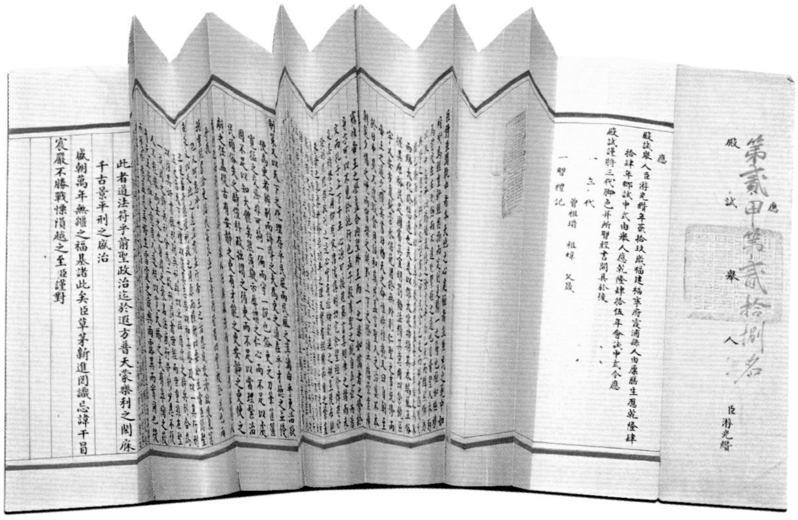

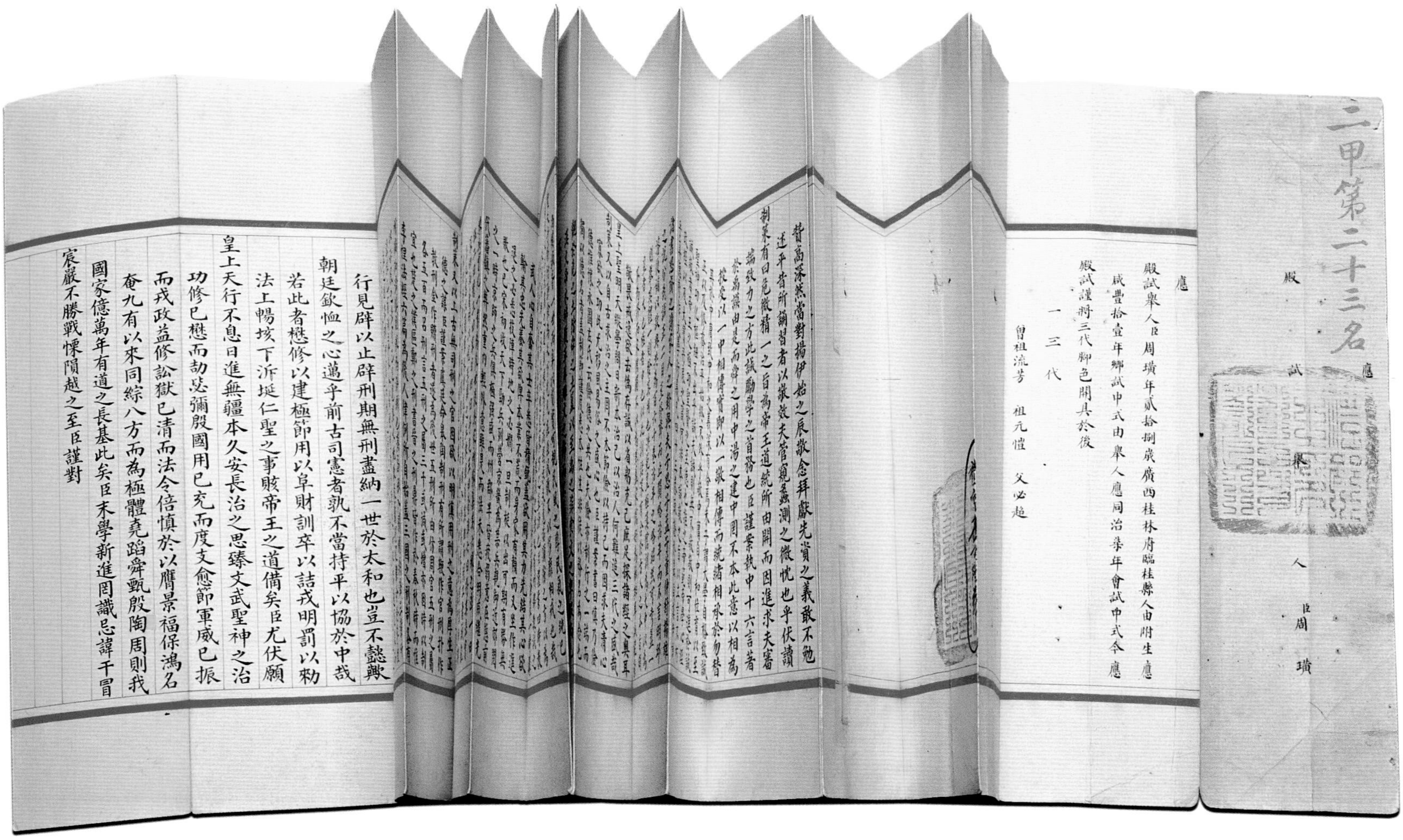

【五・一・一二】

【五・一・一三】殿試題名錄

①登科錄，漢文，紙質，冊，34.5cm × 20cm 。

②金榜題名錄，漢文，紙質，冊，24cm × 15cm 。

殿試題名錄又稱「登科錄」，黃絲皮，墨刻木印，內容一般包括玉音（欽點考官名錄）、殿試策題、恩榮次第、甲第名錄（細及履歷、籍貫、三代出身）。此外還有一種簡本，即「金榜題名」，黃紙皮，墨刻木印，較登科錄版要粗糙，一般是禮部金榜謄黃的翻印本。衹簡述中式甲第名單。

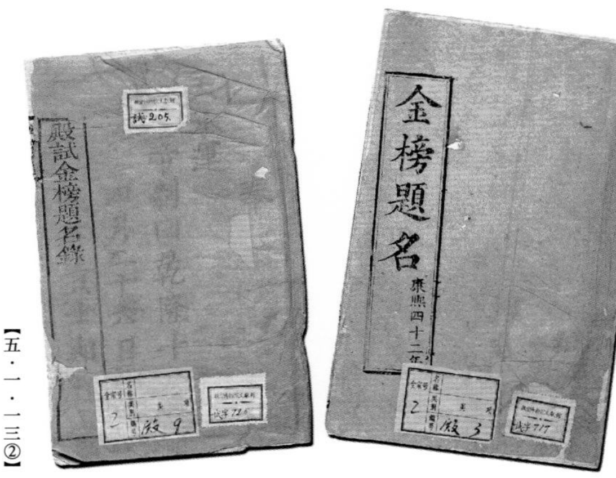
殿試金榜題名錄
金榜題名

【五・一・一三②】

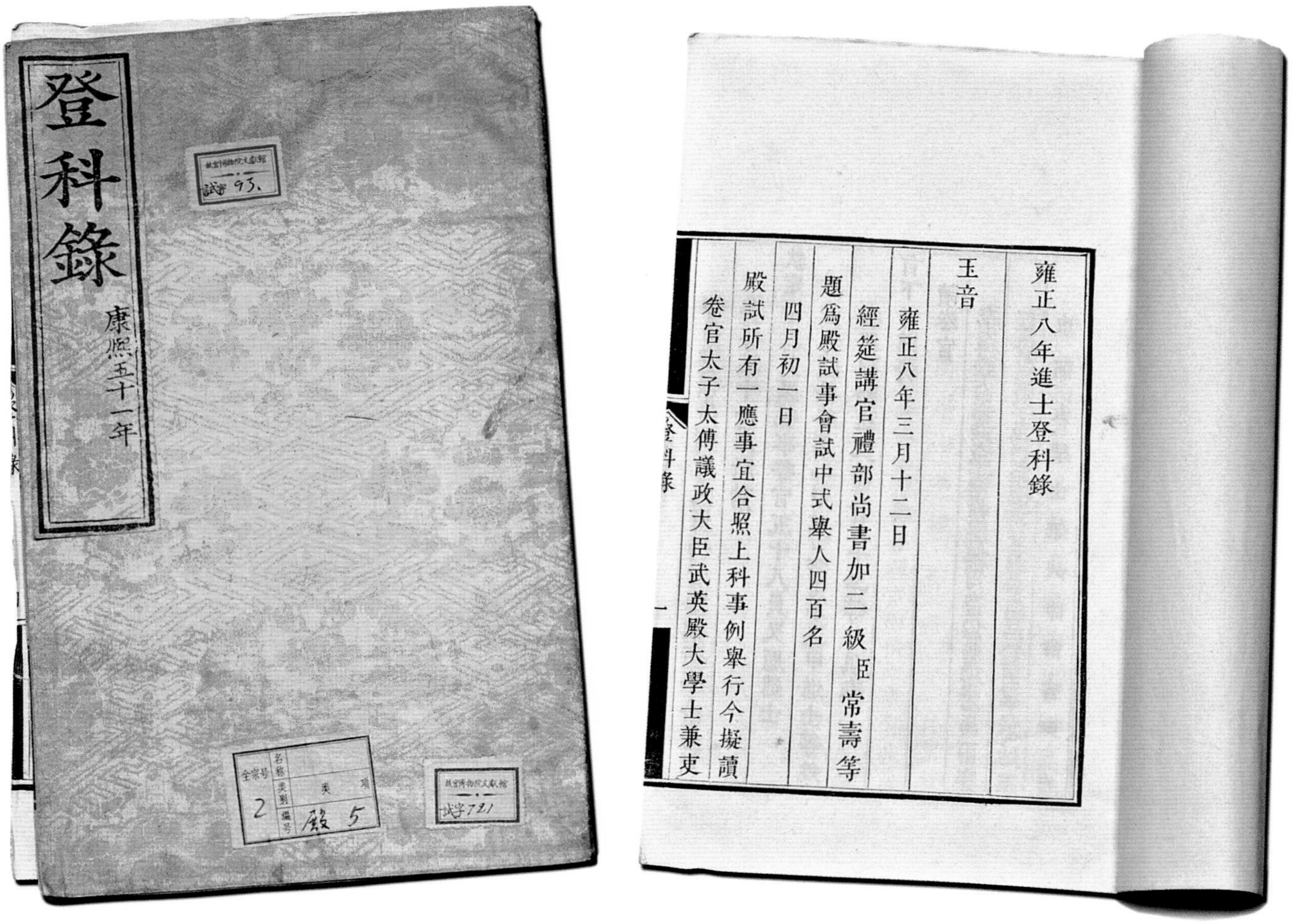
登科錄
康熙五十一年
雍正八年進士登科錄
玉音
雍正八年三月十二日
經筵講官禮部尚書加二級臣常壽等
題爲殿試事會試中式舉人四百名
四月初一日
殿試所有一應事宜合照上科事例舉行今擬讀
卷官太子太傅議政大臣武英殿大學士兼吏

【五・一・一三①】

【五・一・一四】殿試錄取名單

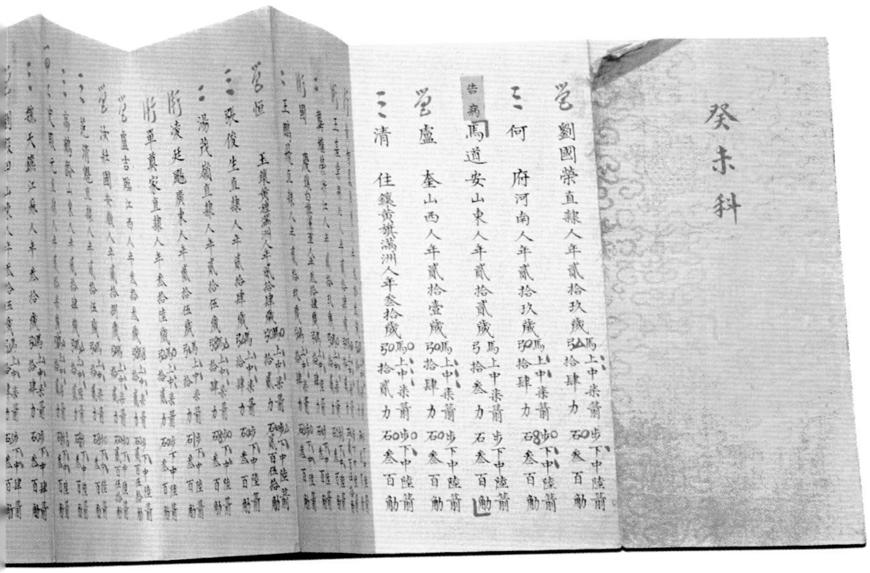
癸未科

①癸未武科殿試錄取名單，漢文，紙質，摺，每扣21cm × 9.8cm。

為朱筆御覽冊，內開列武進士姓名、籍貫、年齡及考試成績，上有朱批任官等級。一般殿試武進士定甲第後，分別以武職錄用，一甲一名授一等侍衛，二名三名授二等侍衛，以次往下為三等侍衛、藍翎侍衛、營官、衛官等。

②嘉慶十三年（一八〇八年）至二十二年（一八一七年）上五科殿試等第錄用名單，漢文，紙質，摺，每扣25.5cm × 11.5cm

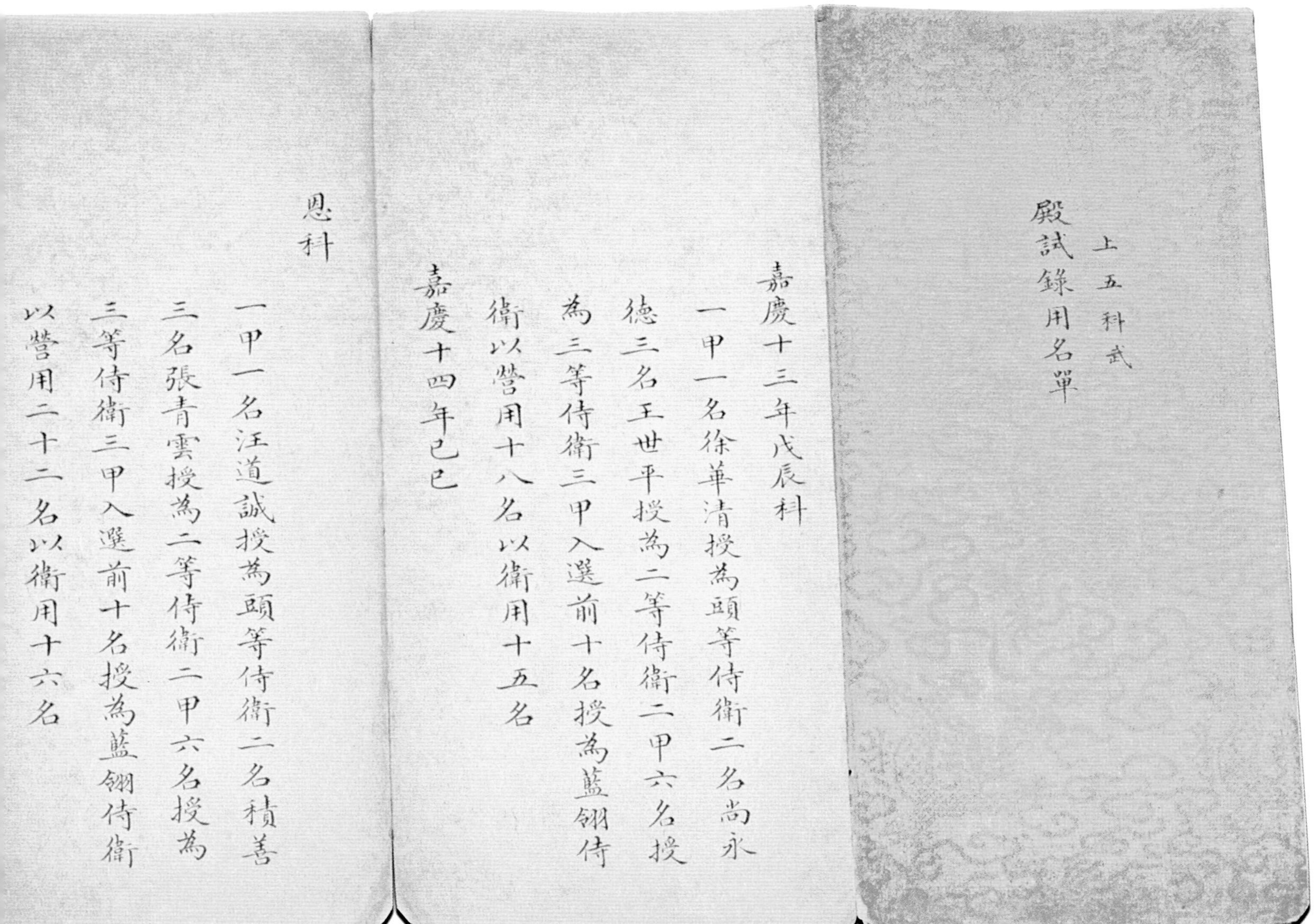
上五科武
殿試錄用名單
嘉慶十三年戊辰科
一甲一名徐華清授為頭等侍衛二名尚永
德三名王世平授為二等侍衛二甲六名授
為三等侍衛三甲入選前十名授為藍翎侍
衛以營用十八名以衛用十五名
嘉慶十四年己巳
恩科
一甲一名汪道誠授為頭等侍衛二名積善
三名張青雲授為二等侍衛二甲六名授為
三等侍衛三甲入選前十名授為藍翎侍衛
以營用二十二名以衛用十六名

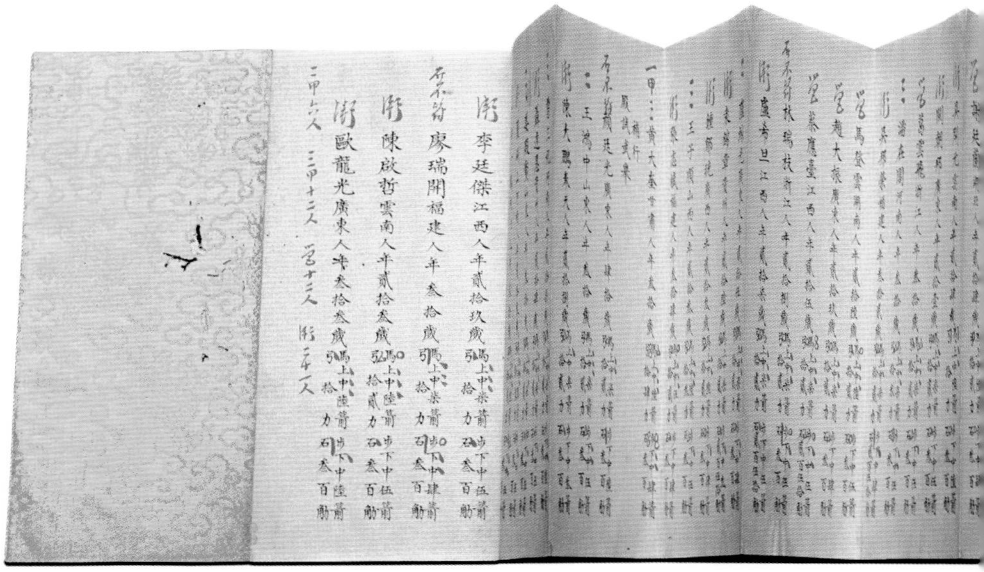

衛 李廷傑江西人年貳拾玖歲

營 廖瑞開福建人年叁拾歲

衛 陳啟哲雲南人年貳拾叁歲

衛 歐龍光廣東人年叁拾叁歲

二甲六人 三甲十二人 營十二人

【五·一·一四①】

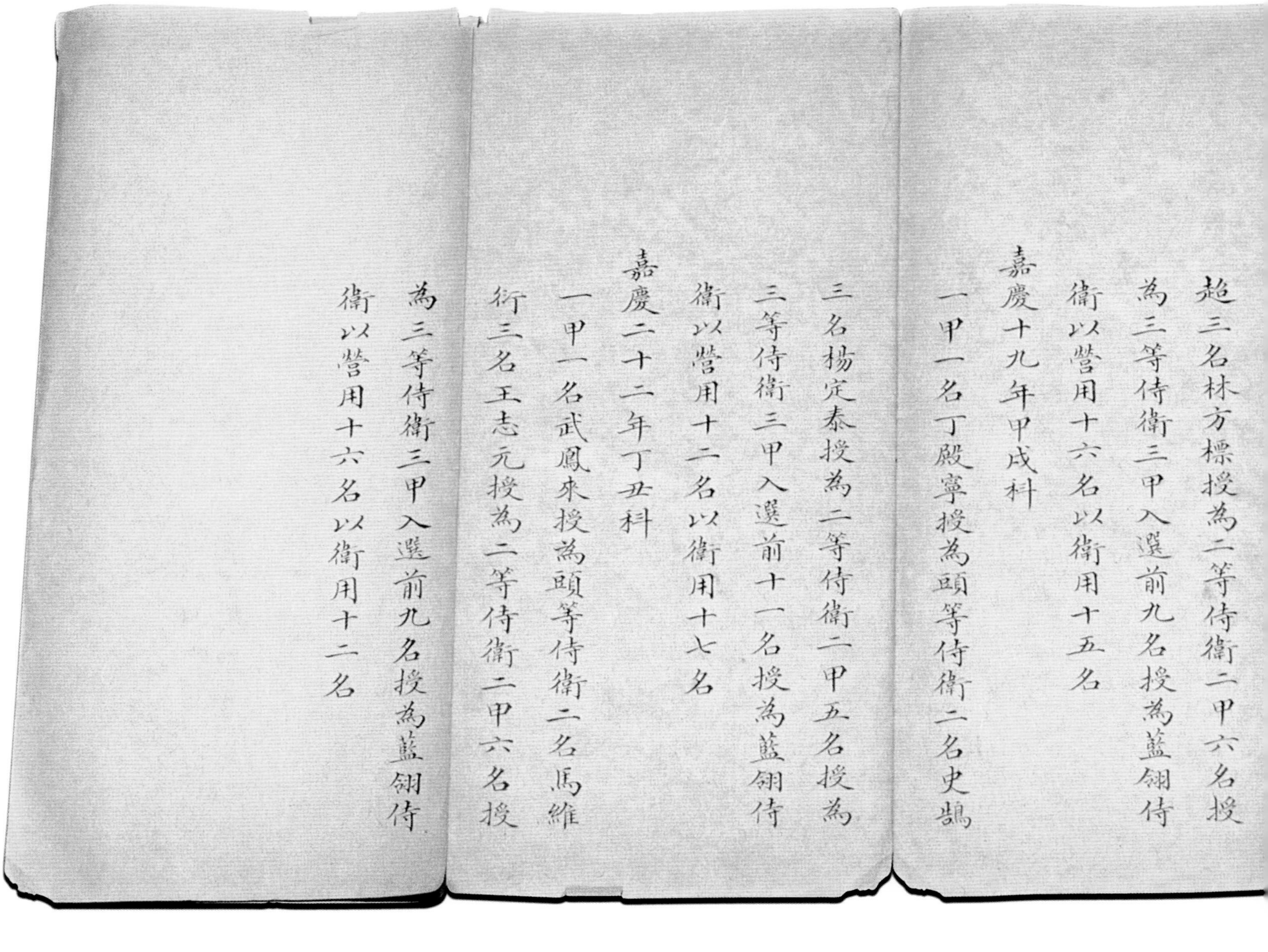

趂三名林方標授為二等侍衛二甲六名授
為三等侍衛三甲入選前九名授為藍翎侍
衛以營用十六名以衛用十五名
嘉慶十九年甲戌科
一甲一名丁殿寧授為頭等侍衛二名史鵬
三名楊定泰授為二等侍衛二甲五名授為
三等侍衛三甲入選前十一名授為藍翎侍
衛以營用十二名以衛用十七名
嘉慶二十二年丁丑科
一甲一名武鳳來授為頭等侍衛二名馬維
衍三名王志元授為二等侍衛二甲六名授
為三等侍衛三甲入選前九名授為藍翎侍
衛以營用十六名以衛用十二名

【五·一·一四②】

【五・一・一五】大金榜

咸豐六年（一八五六年），滿漢文合璧，紙質，榜，16.3m×8.35m。又稱「黃榜」，殿試題名揭曉榜。一般由皇帝制文及中式名單組成。通常殿試三日後，舉行儀式，皇帝升座行禮三跪九拜禮後，禮部官取金榜捧至丹墀正中黃案上，行三叩禮畢，鴻臚寺官引各進士跪，鳴讚官宣布皇帝制書，三甲分次叩畢，禮部官舉榜出，由中路奉至午門前跪置於龍亭中，行三叩禮，然後鑾儀衛舉亭作樂，行至長安門外張掛。一般文榜掛長安左門外，武榜掛長安右門外。狀元及進士們俱隨榜出。

【五・一・一六】小金榜

乾隆十六年（一七五一年）五月十五日，滿漢文合璧，紙質，摺，每扣 30cm ×9cm 。小金榜，即禮部抄送的進士題名榜。此榜中二甲二名的是劉墉。

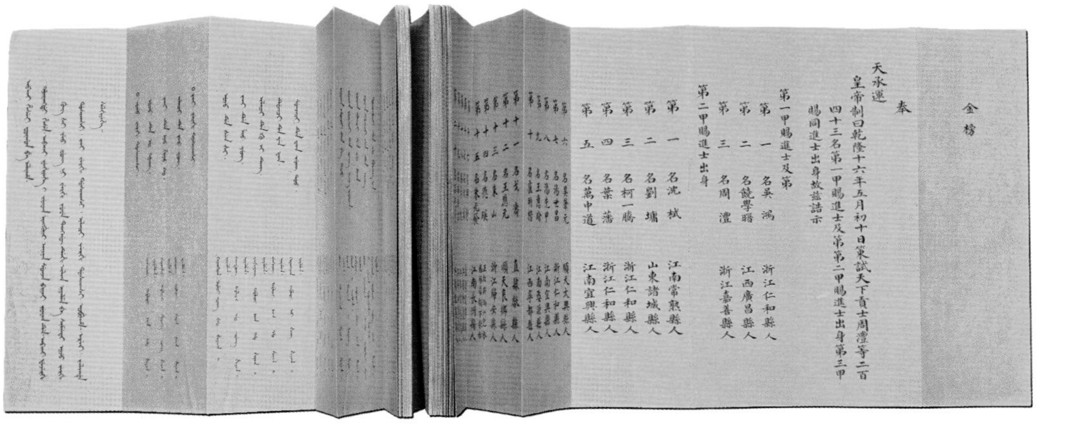

【五・一・一六】

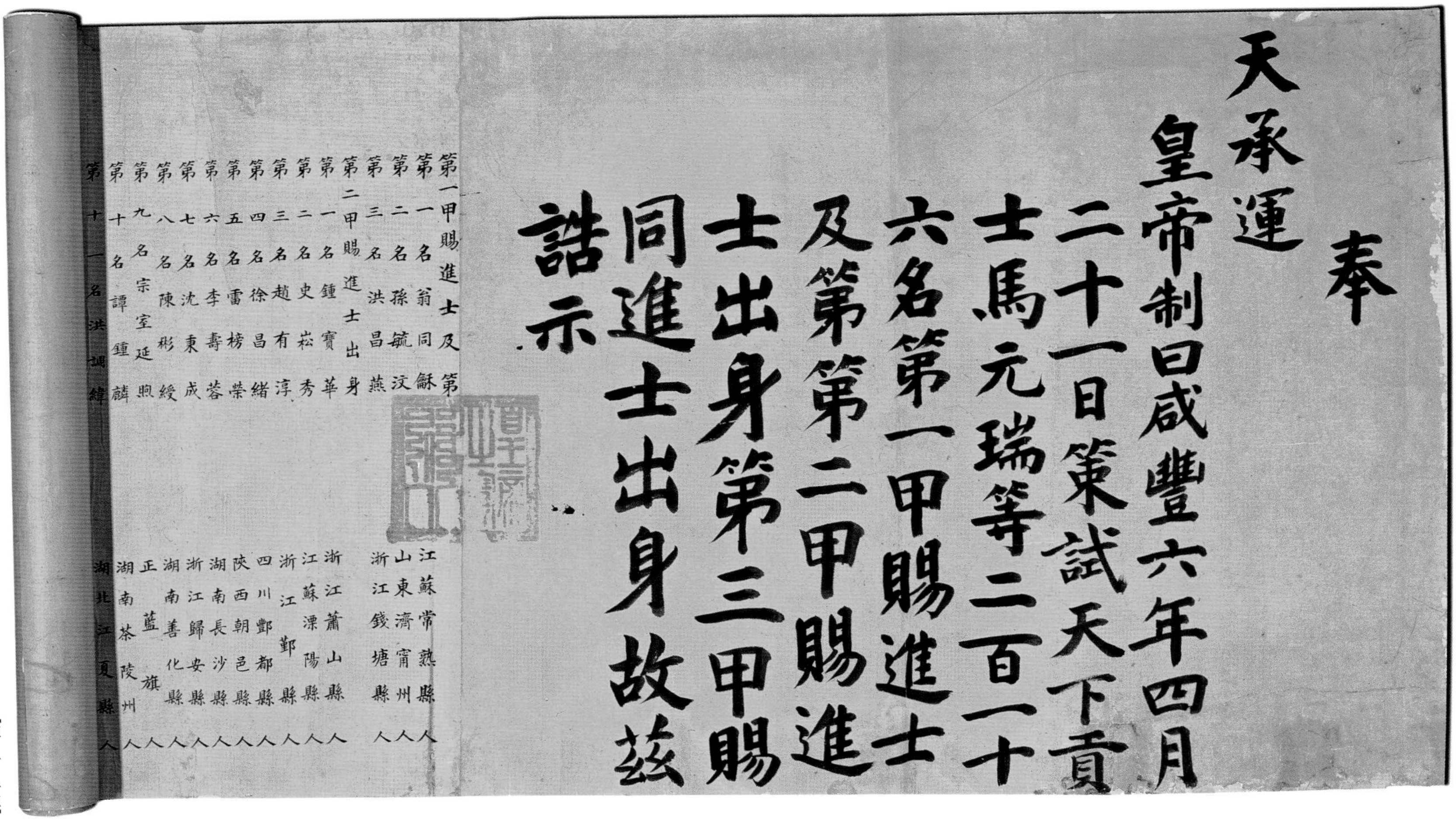

【五・一・一五】

【五·一·一七】博學鴻詞科

乾隆元年（一七三六年），漢文，紙質，36cm × 13cm。

博學鴻詞（本稱「宏詞」，以「宏」字近乾隆廟諱「弘曆」，遂改「鴻詞」）科，清代特設的延攬統治人才的制科之一。康熙十八年（一六七九年）及乾隆元年（一七三六年）各舉行過一次。先由內外大臣薦舉，不分已仕未仕，定期在宮殿召試。取列高等者，一般授予翰林官職。

此為乾隆元年，朱超的博學鴻詞試卷。

【五·一·一八】拔貢試卷

咸豐、光緒朝，漢文，紙質，冊。

拔貢，清代五貢之一。每十二年（逢酉年）由地方學政選拔州縣廩、增、附生優秀者考試。拔貢考試一般於科考生員之後，共試兩場，均當日交卷，第一場試《四書》文兩篇，經文一篇，第二場試論一篇，策一篇，判一條（或加五言八韻詩一首）。學政就近考試，隨棚錄取。八月鄉試前，又會考復試一場，考場在學政試院，試以《四書》文一篇，經文一篇，策一道，次日學政齊集全省靠攏貢生點名驗看，校閱試卷，選文品兼優，年富力強者，即通發一榜。拔貢名額，定為府學二名縣學一名。各省拔貢生五月到京六月初朝考，第一場於貢院至公堂前兩旁號舍考試，試《四書》文一篇，五言八韻詩一首。復試於保和殿，仍試《四書》文及五言八韻詩，列出等第，一二等者，禮部按省開單引見，或以七品小京官分部學習，或以知縣分發試用。

此為咸豐八年（一八五八年）廣東拔貢生郭泰升及光緒十一年（一八八五年）浙江拔貢生沈允章自刻的拔貢卷。

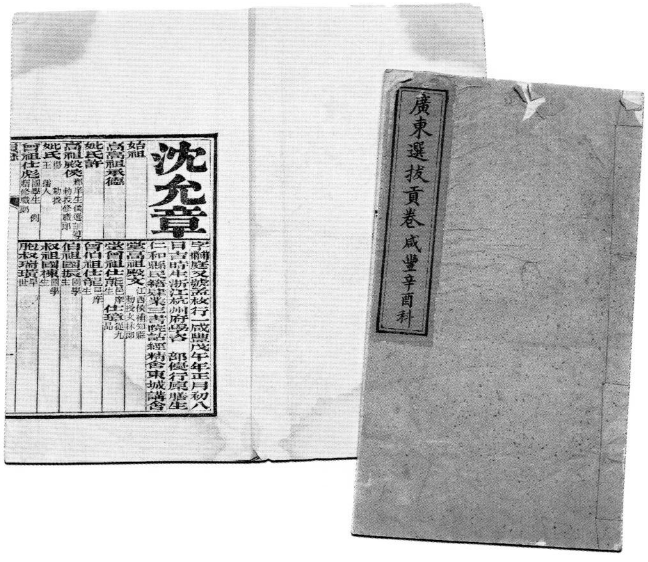

【五·一·一八】

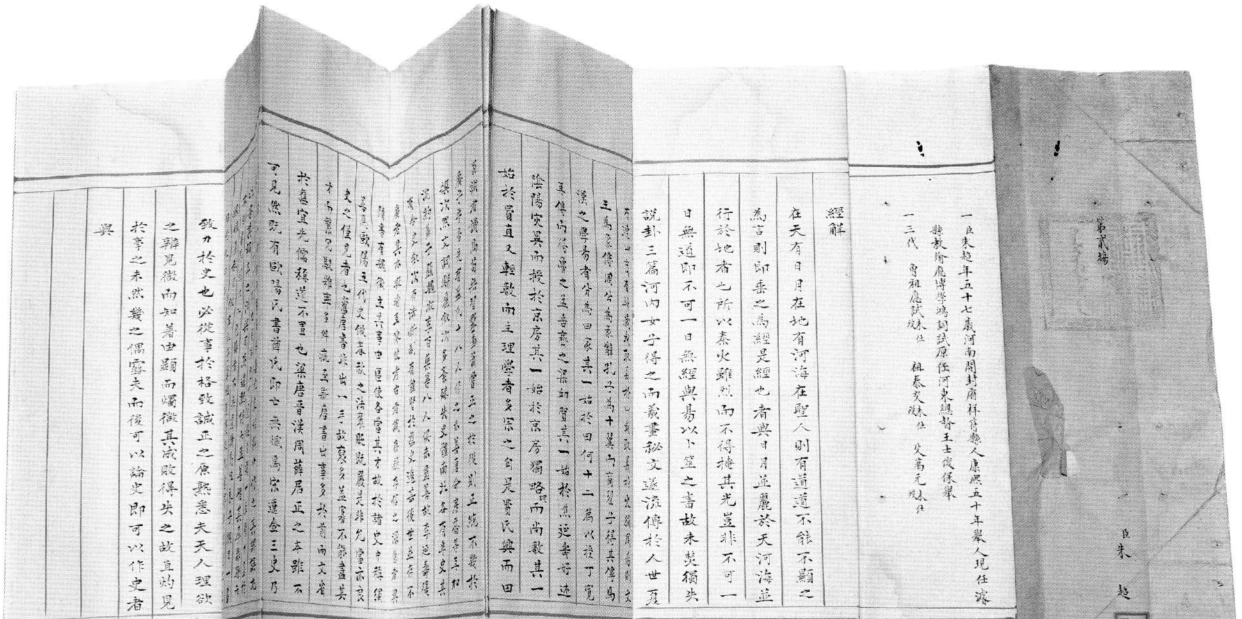

【五·一·一七】

【五・一・一九】結票

光緒九年（一八八三年），漢文，紙質，版框，13cm ×8.5cm。

清代科舉考試，為防冒充，實行保結之法，如童試的五童互結，會試的京官同鄉保結等。下為禮部收到光緒癸未科中式貢生榮慶同鄉京官印結一張後，給與的收據。印文為「三更又見狀元來」。

【五・一・二〇】欽定孝廉方正試題

道光四年（一八二四年），漢文，紙質，摺，每扣21cm ×9.2cm。

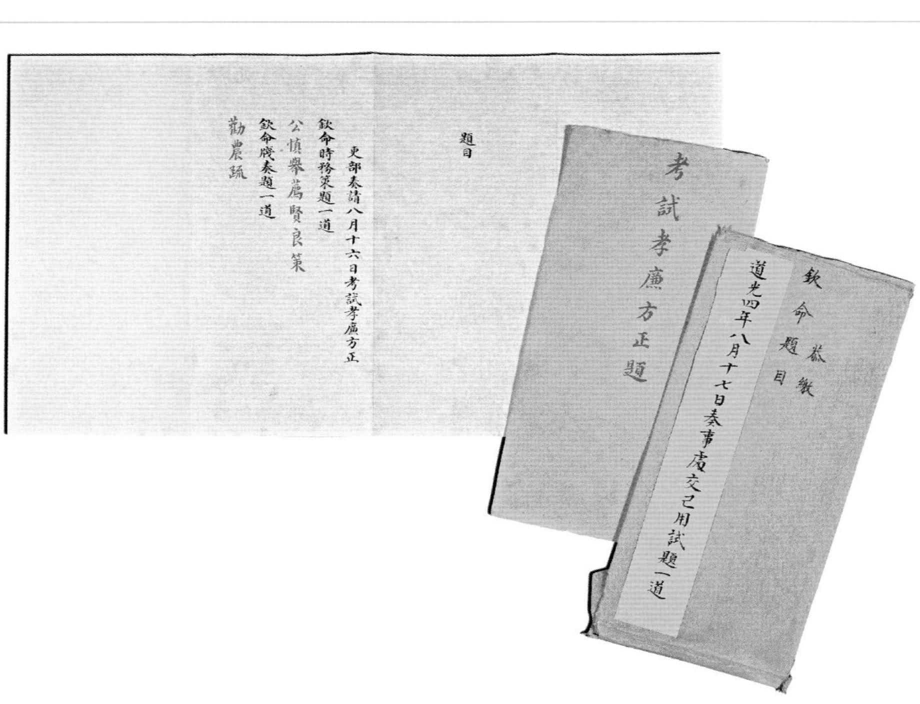

題目
吏部奏請八月十六日考試孝廉方正
欽命時務策題一道
公慎舉薦賢良策
欽命疏奏題一道
勸農疏
考試孝廉方正題
欽命恭繳題目
道光四年八月十七日奏事處交已用試題一道

【五・一・二〇】

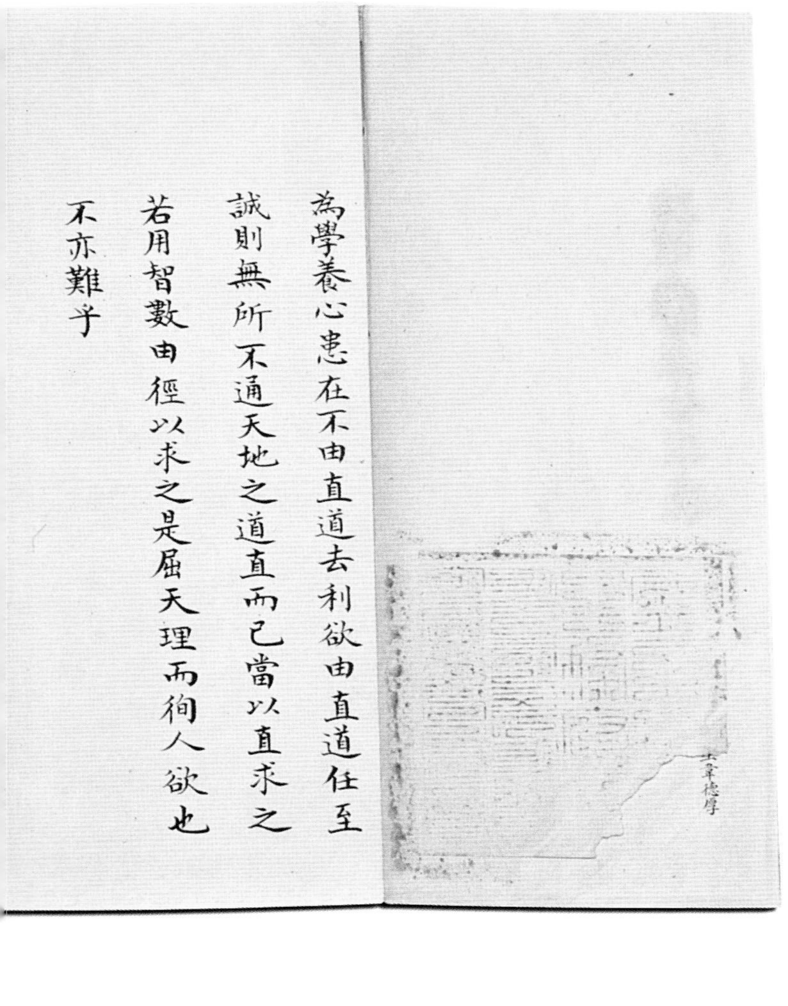

為學養心患在不由直道去利欲由直道任至
誠則無所不通天地之道直而已當以直求之
若用智數由徑以求之是屈天理而徇人欲也
不亦難乎

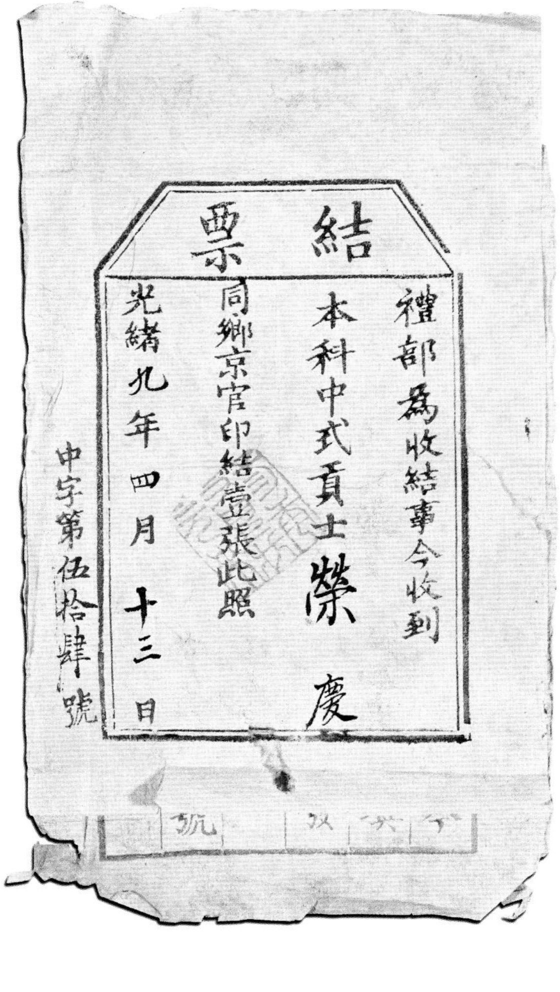

結票
禮部為收結事今收到
本科中式貢士榮慶
同鄉京官印結壹張此照
光緒九年四月十三日
中字第伍拾肆號

【五・一・一九】

【五・一・二一】翻譯科試卷

清末，滿漢文合璧，紙質，摺，每扣27cm ×12.5cm。

翻譯科為清代特定之科目，專為滿文、蒙古文、漢文之翻譯而設，應試者以八旗士子為限，亦分童試、鄉試、會試，與文闈相同。

此為盛京總管內務府的翻譯試卷，卷面朱欄木刻，封背摺頁處開列闈號，卷尾姓名處摺疊彌封糊名，押印，題目為經解一道，漢翻滿。

【五・一・二二】欽定宗室試題

嘉慶十三年（一八〇八年），漢文，紙質，21cm ×9.3cm。

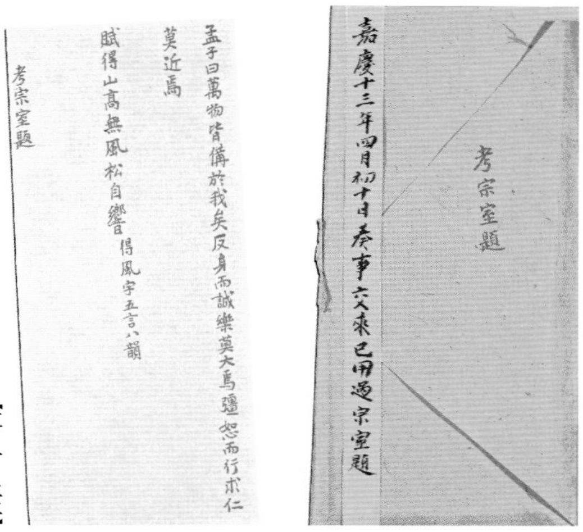

【五・一・二二】

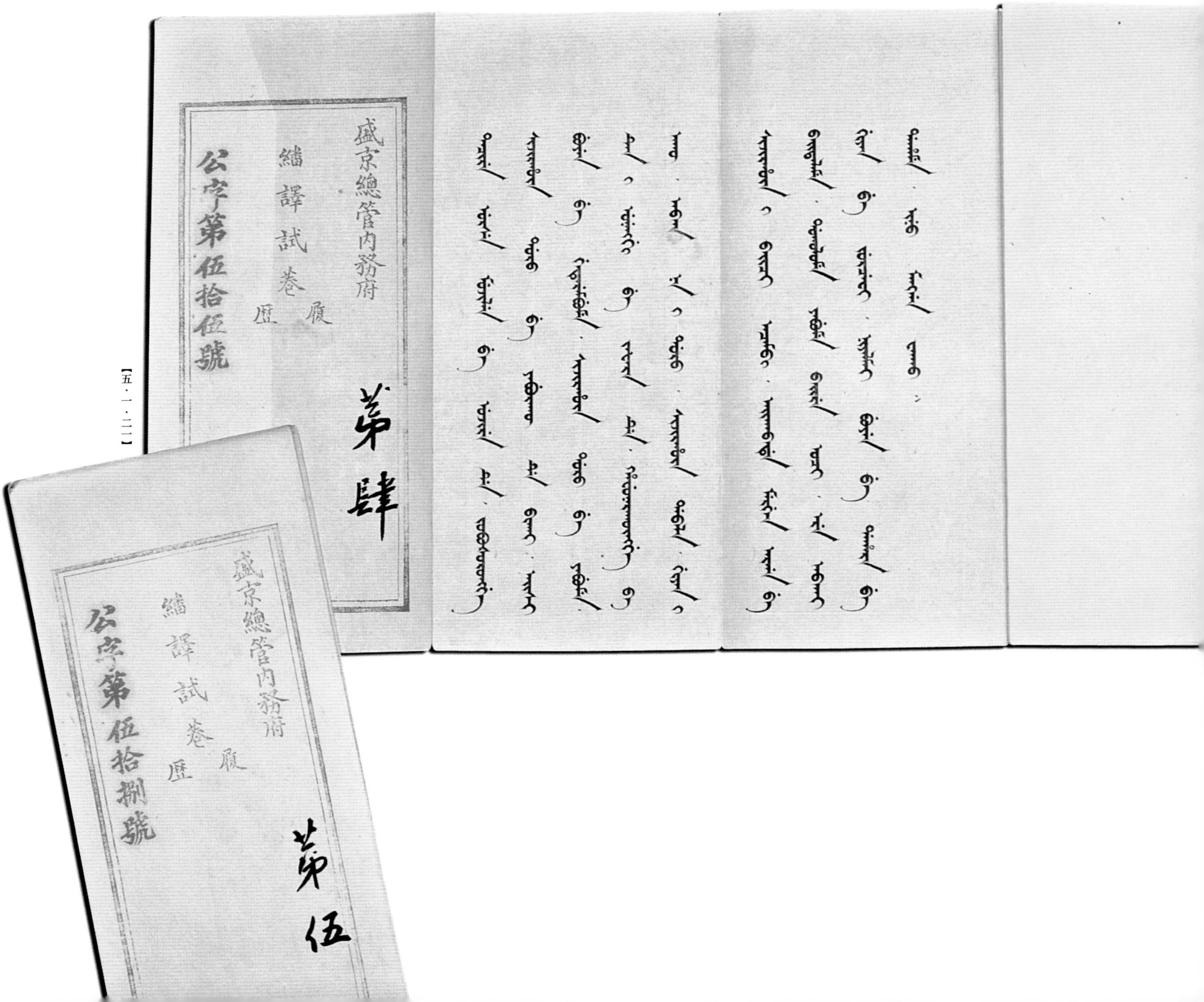

【五・一・二一】

【五·一·二三】宗學試卷

雍正二年（一七二四年），漢文，紙質，摺，每扣30.6cm × 10.5cm。

宗學是清代滿洲官學的一種，是八旗宗室（清太祖之父為顯祖，顯祖以下本支子孫稱宗室，用黃帶子）子弟的官學。順治十八年（一六六一年）於各旗下設宗學，雍正二年於左右翼設滿漢學各一。規定宗室子弟十八歲入學，三十歲無成出學。嘉慶時定左右翼學額一百名。此為宗學入學試卷，題目為四書文一篇，五言八韻詩一首，卷面印「×翼宗學錄科試卷」，右上墨填「××科第××名」，卷內前為草稿數紙，後為印刻紅線界格，每頁六行，每行二十五字，後頁角名字糊密印鑒彌封。

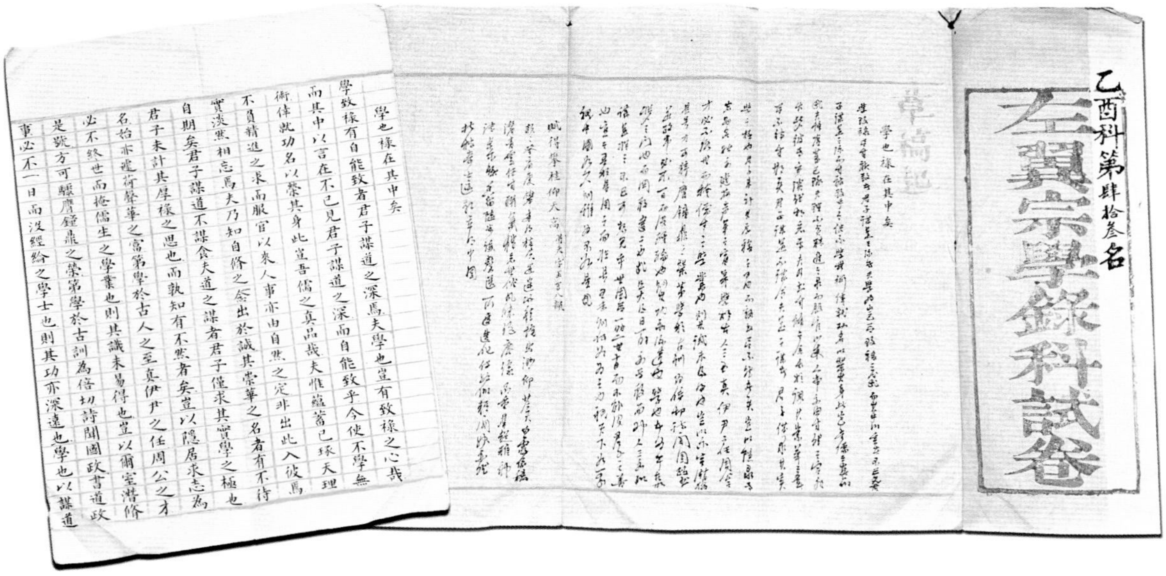

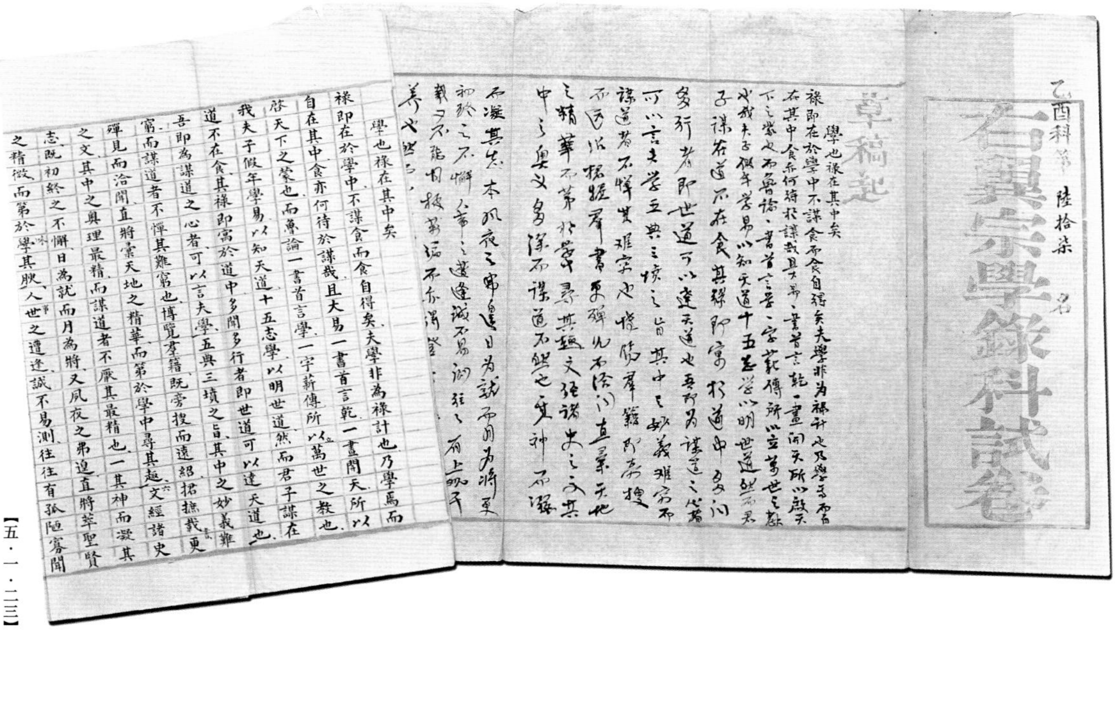

【五·一·二四】咸安宮官學課卷、報到名單

①光緒十四年（一八八八年）九月，漢文，紙質，摺，每扣16.5cm × 16cm。

此為咸安宮課卷（入學考試），課卷題目為論一、詩五言一首，卷內朱絲界格，每頁九行，每行二十五字。

②雍正十二年（一七三四年）十一月，漢文，紙質，摺，每扣25cm × 12.5cm。

此為咸安宮官學滿漢十一報房教習報到名單。

咸安宮官學於雍正六年（一七二八年）設，隸內務府，選內務府八旗子弟，學制五年，欽派大臣考試，考列一、二等者用七八品筆帖式，又可考翻譯中書，庫使等。

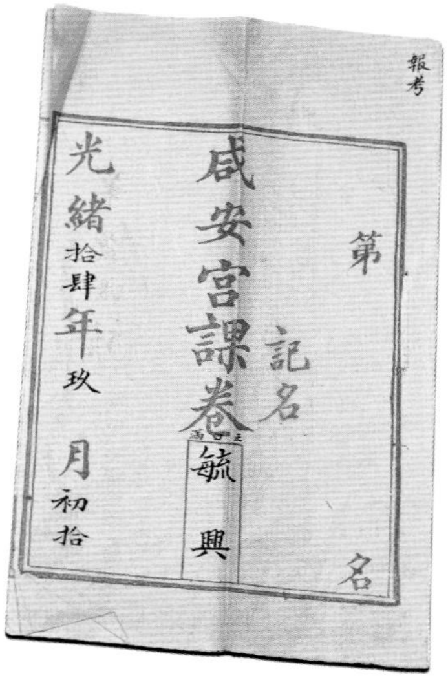
報考
第　名
咸安宮課卷　記名
毓興
光緒拾肆年玖月初拾

【五·一·二四①】

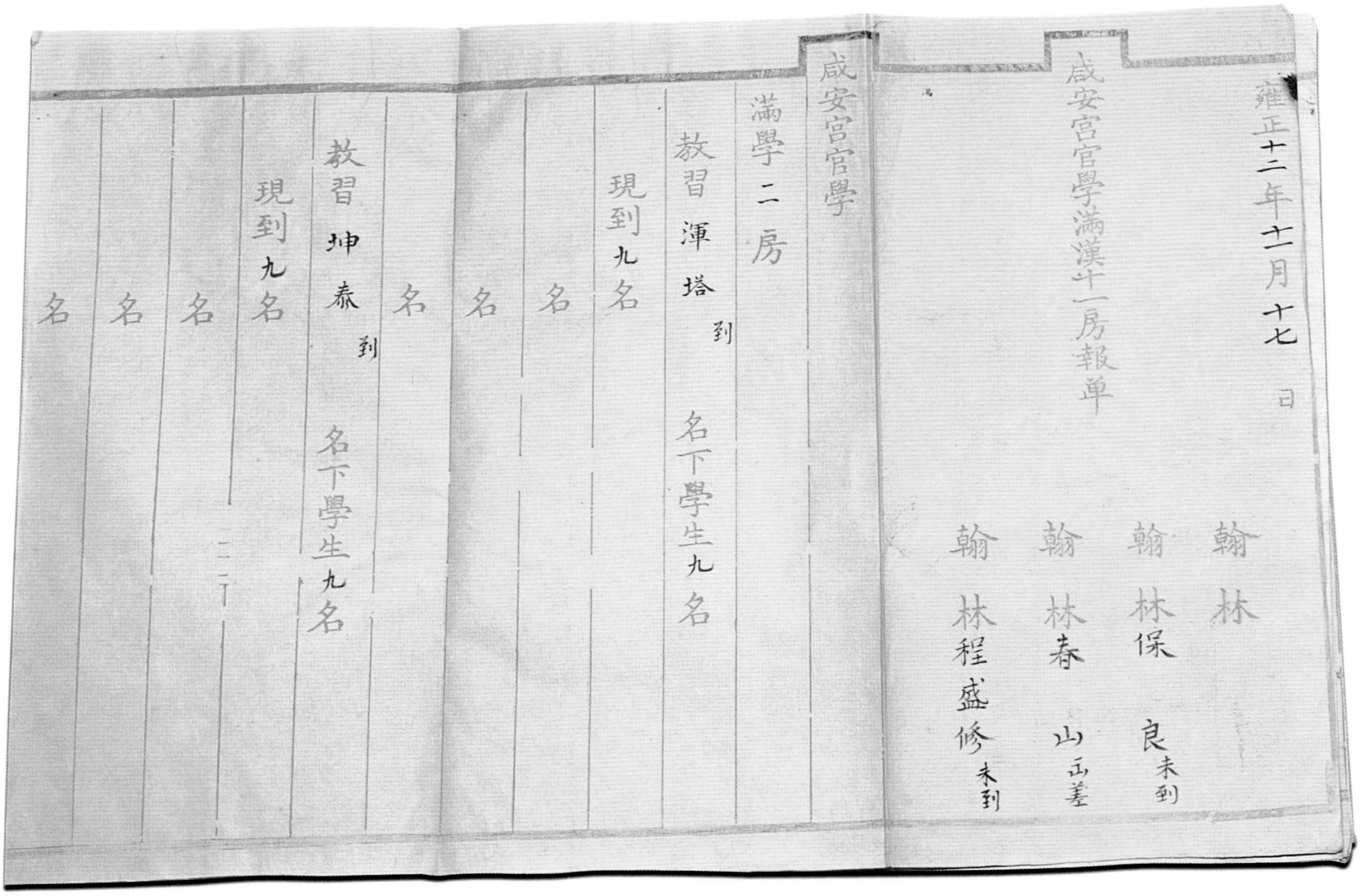
雍正十二年十一月十七日
咸安宮官學滿漢十一房報單
翰林
翰林保良　未到
翰林春山　正差
翰林程盛修　未到
咸安宮官學
滿學二房
教習渾塔　到
名下學生九名
現到九名
名
名
名
教習坤泰　到
名下學生九名
現到九名
名
名
名

【五·一·二四②】

【五・一・二五】書院試卷

清末，漢文，紙質，摺，每扣26cm × 11cm。

清代書院科考，每月師課一次，官課一次，官課則於卷面用浮簽書名，收卷後去浮簽，於卷背右上編號彌封糊名，加蓋書院鈐記，取定等第，摺封填名榜示。師課則卷無彌封，此為清末遼陽萃升書院師課考卷。

【五・一・二六】稟生點單

清朝，漢文，紙質，墨刻印，版框，16.5cm × 8cm。

此為州學考試稟生點單，清代各省府、州、縣學中都設稟生、增廣生，稟生名額以府、州、縣學大小多寡之差計，大約府四十名，直隸州三十名，縣學二十名。

【五・一・二六】

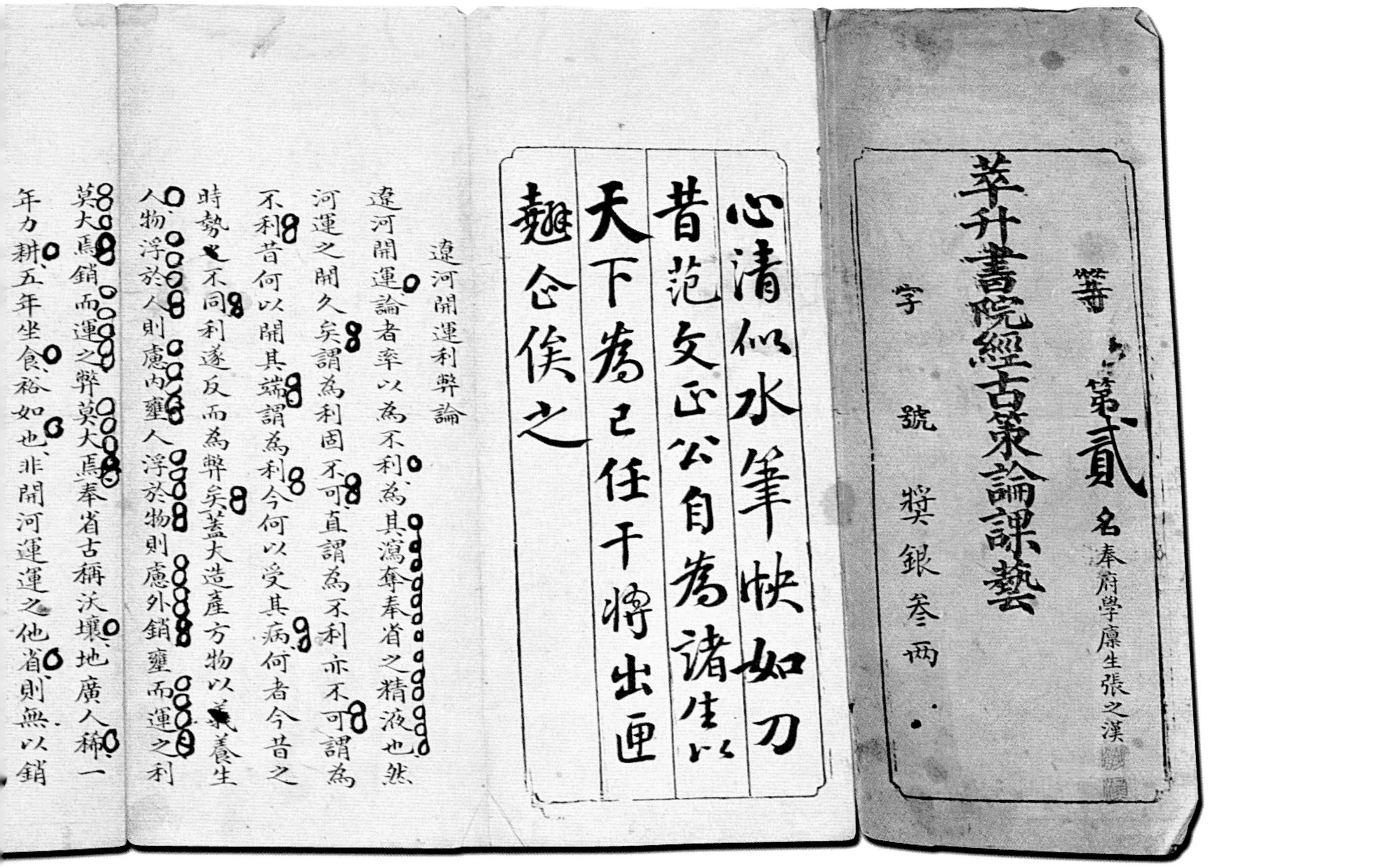

【五・一・二七】國子監監照

同治八年（一八六九年）十一月二十一日，漢文，紙質，版框，54cm × 48cm。

清制，各省俊秀及稟增補附生報捐，戶部給發執照。並將該生年貌、籍貫、三代、履歷造冊送國子監。待該生親持部照到國子監，再發給監照。若以後該生員有鄉試中式，或斥革身故等情，原照要交監銷毀。

此為國子監發給江蘇吳縣秀才蔣亦烜的監照。標朱，押印。

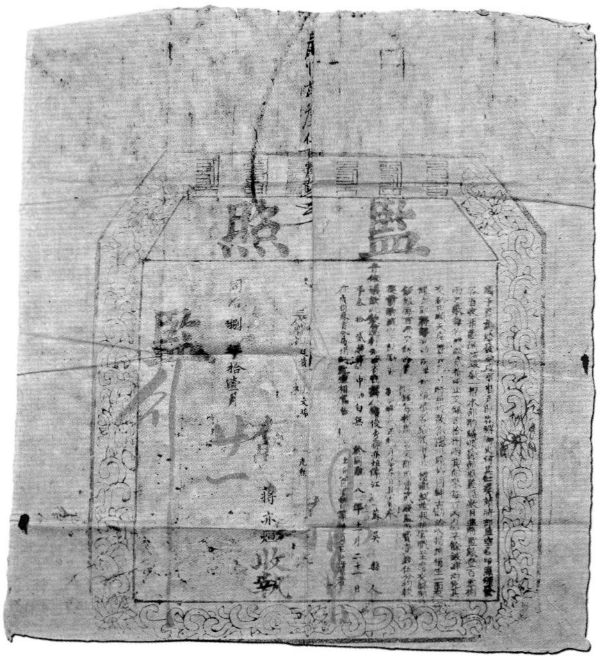

【五・一・二七】

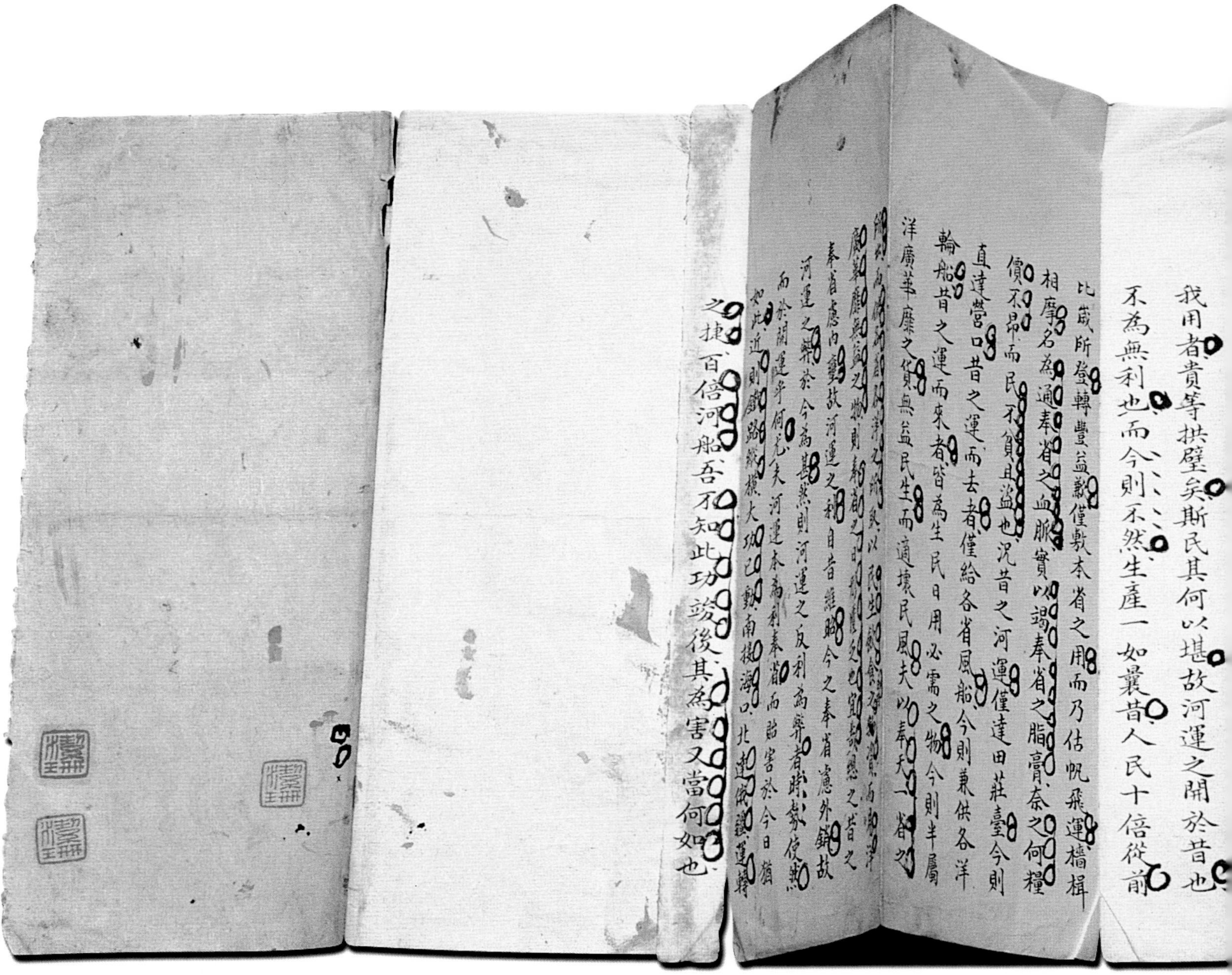

我用者貴等拱璧矣斯民其何以堪故河運之開於昔也
不為無利也而今則不然生產一如曩昔人民十倍從前
比歲所登轉豐益歉僅敷本省之用而乃估帆飛運檣楫
相摩名為通奉省之血脈實以竭奉省之脂膏奈之何糧
價不昂而民不貧且盜也況昔之河運僅達田莊臺今則
直達營口昔之運而去者僅給各省風船今則兼供各洋
輪船昔之運而來者皆為生民日用必需之物今則半屬
洋廣華靡之貨無益民生而適壞民風夫以奉天一省之
之捷百倍河船吾不知此功竣後其為害又當何如也

【五・一・二五】

【五·一·二八】江南將備學堂畢業證

光緒三十二年（一九〇六年）十月，漢文，紙質，47.5cm × 53cm。

此為江蘇張棣於江南將備學堂畢業，由兩江總督端方簽發的畢業證書。押印，具年月無日，木版紅色。

【五·一·二九】江南陸師學堂畢業證

光緒三十二年（一九〇六年）十二月，漢文，紙質，32.3cm × 50cm。

此為浙江黃任於江南陸師學堂畢業，由兩江總督端方簽發的畢業證書。

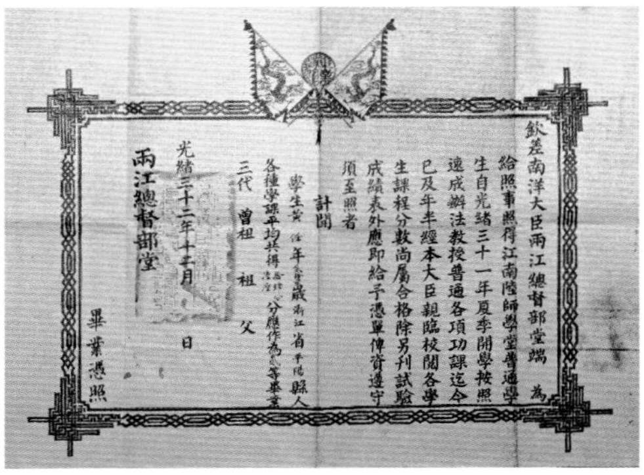

欽差南洋大臣兩江總督部堂端　為
給照事照得江南陸師學堂普通學
生自光緒三十一年夏季開學按照
速成辦法教授普通各項功課迄今
已及年半經本大臣親臨校閱各學
生課程分數尚屬合格除另刊試驗
成績表外應即給予憑單俾資遵守
須至照者
計開
學生黃　年　歲浙江省　縣人
各種學課平均共得　分應作為　等畢業
三代　曾祖　祖　父
光緒三十二年十二月　日
兩江總督部堂
畢業憑照

【五·一·二九】

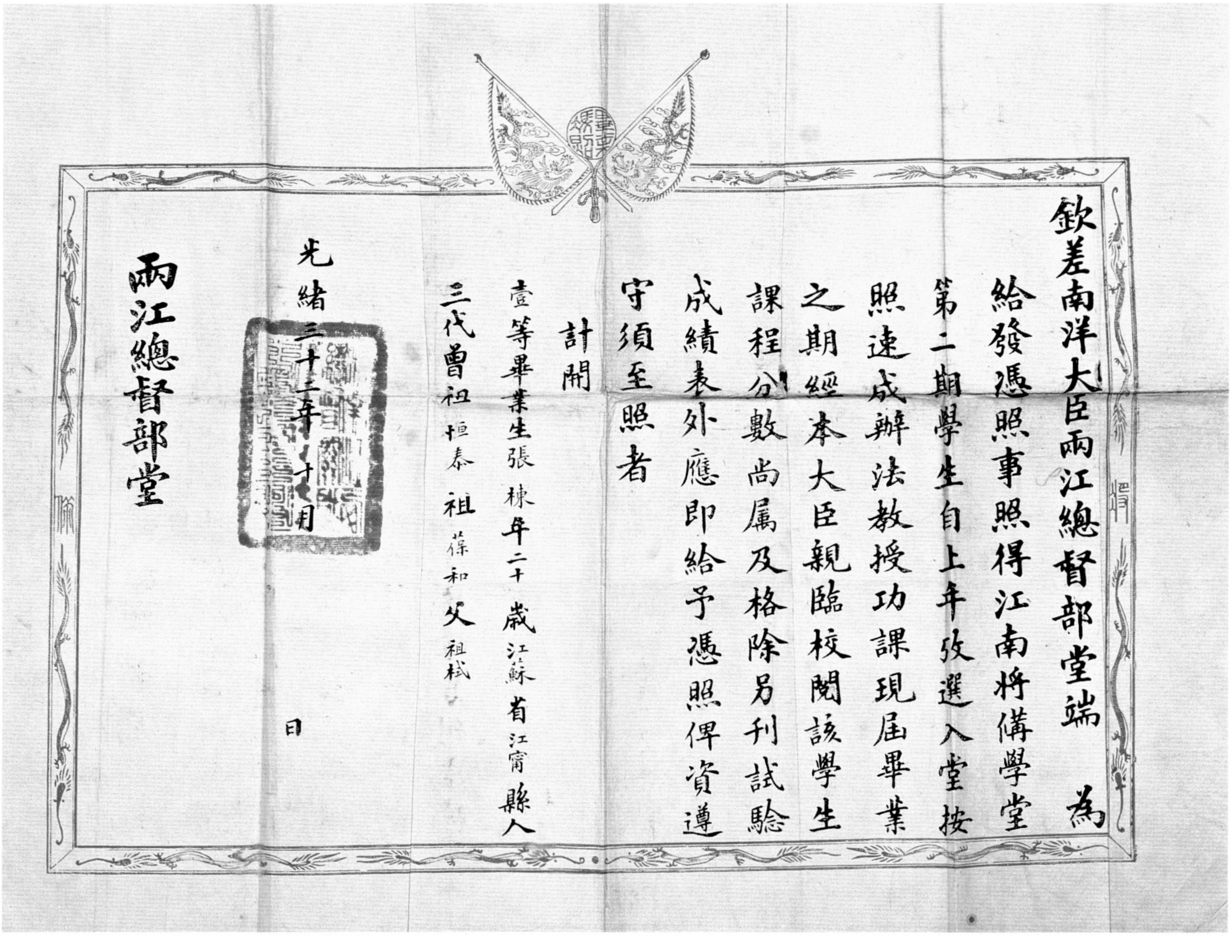

欽差南洋大臣兩江總督部堂端　為
給發憑照事照得江南將備學堂
第二期學生自上年考選入堂按
照速成辦法教授功課現屆畢業
之期經本大臣親臨校閱該學生
課程分數尚屬及格除另刊試驗
成績表外應即給予憑照俾資遵
守須至照者
計開
壹等畢業生張棣年二十歲江蘇省江甯縣人
三代曾祖恒泰　祖葆和　父祖棫
光緒三十二年十月　日
兩江總督部堂

【五·一·二八】

【五・一・三〇】江蘇常州金匱縣高等小學清冊

光緒三十四年（一九〇八年），漢文，紙質，冊，24cm × 18cm。

光緒二十七年（一九〇一年）八月，下詔各省書院改設學堂，省城改設大學堂；各府及直隸州改設中學堂；各州縣改設小學堂。

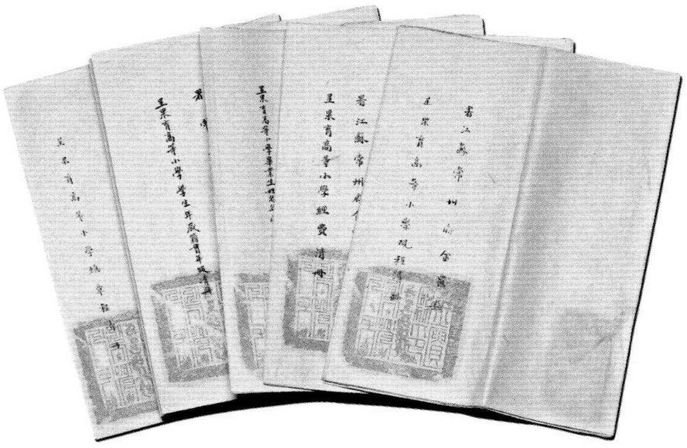

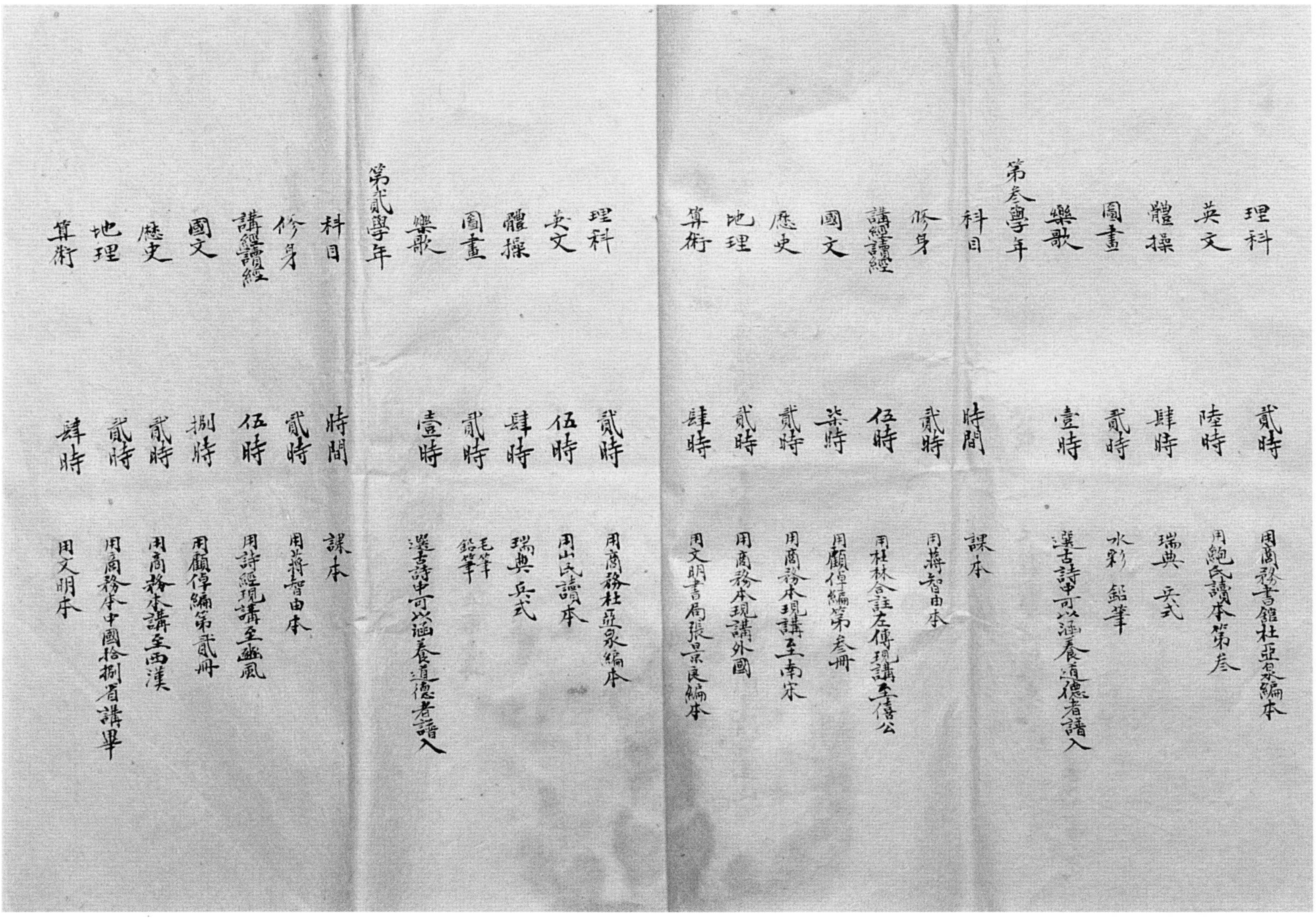

理科	貳時	用商務書館杜亞泉編本
英文	陸時	用納氏讀本第叁
體操	肆時	瑞典　兵式
圖畫	貳時	水彩　鉛筆
樂歌	壹時	選古詩中可以涵養道德者譜入

第叁學年

科目	時間	課本
修身	貳時	用蔣智由本
講經讀經	伍時	用杜林合註左傳現講至僖公
國文	柒時	用顧倬編第叁冊
歷史	貳時	用商務本現講至南宋
地理	貳時	用商務本現講外國
算術	肆時	用文明書局張景良編本

第貳學年

科目	時間	課本
修身	貳時	用蔣智由本
講經讀經	伍時	用詩經現講至豳風
國文	捌時	用顧倬編第貳冊
歷史	貳時	用商務本講至西漢
地理	貳時	用商務本中國拾捌省講畢
算術	肆時	用文明本
理科	貳時	用商務杜亞泉編本
英文	伍時	用山氏讀本
體操	肆時	瑞典　兵式
圖畫	貳時	毛筆　鉛筆
樂歌	壹時	選古詩中可以涵養道德者譜入

【五·一·三一】容城縣高等小學修業文憑

宣統二年（一九一〇年）十二月，漢文，紙質，版框，24cm × 29cm。

【五·一·三二】上三科散館等第錄用單

嘉慶朝，漢文，紙質，摺，每扣24.5cm × 11.5cm。

清殿試傳臚後三日，於保和殿舉行進士朝考，專為選庶吉士而設。其前列者入選，也叫「館選」。定制庶吉士肄業三年期滿，於下科考試。舊在體仁閣，後在保和殿，謂之「散館」。考試一般為一賦一詩，閱卷大臣評定為一、二、三等。等第呈定後，越日引見授職，文理優者留館。二甲授翰林院編修，三甲授翰林院檢討，散館第一者保送武英殿協修，餘改用部屬與知縣。

此為嘉慶時期翰林院典籍廳所上嘉慶四至七年（一七九九—一八〇二年）散館等第錄用名單。

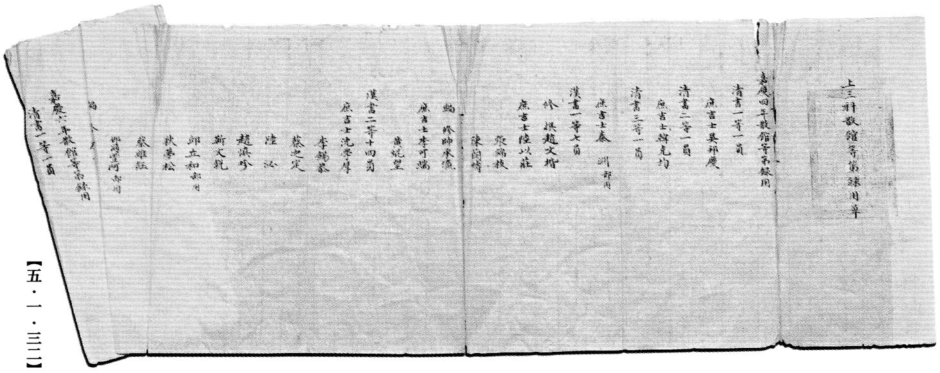
上三科散館等第錄用單
嘉慶四年散館等第錄用
清書一等一員
庶吉士吳邦慶
清書二等一員
清書三等一員
漢書一等七員
漢書二等十四員
嘉慶六年散館等第錄用
清書一等一員

【五·一·三二】

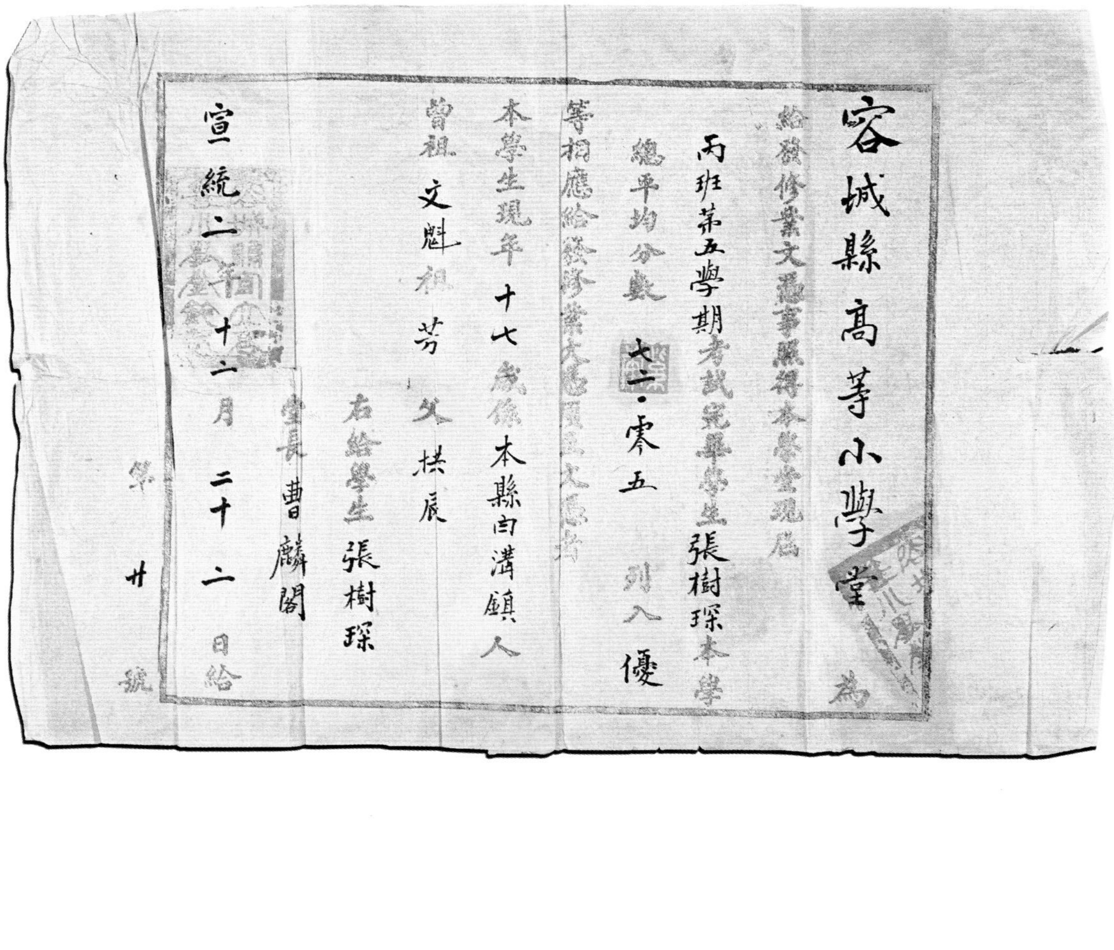
容城縣高等小學堂　為
給發修業文憑事照得本學堂現屆
丙班第五學期考試完畢學生張樹琛本學
總平均分數　七二·零五　列入優
等相應給發修業文憑須至文憑者
本學生現年十七歲係本縣内溝鎮人
曾祖　文魁　祖　芳　父　拱宸
右給學生張樹琛
堂長曹麟閣
宣統二年十二月二十二日給
第　廿　號

【五·一·三一】

【五・一・三三】內閣京堂考卷

清中期，漢文，紙質，摺，每扣 26.7cm × 11.3cm 。

清代稱都察院、通政司、詹事府和大理寺、太僕寺、光祿寺等寺以及國子監的主官為「京堂」。內閣考官二品以下京堂的試卷一般為白卷，不糊名彌封，題目為一論、一五言八韻詩。論，每扣六行，每行十八字。詩，每行十六字。

此為戴敦元、王引之的考卷。

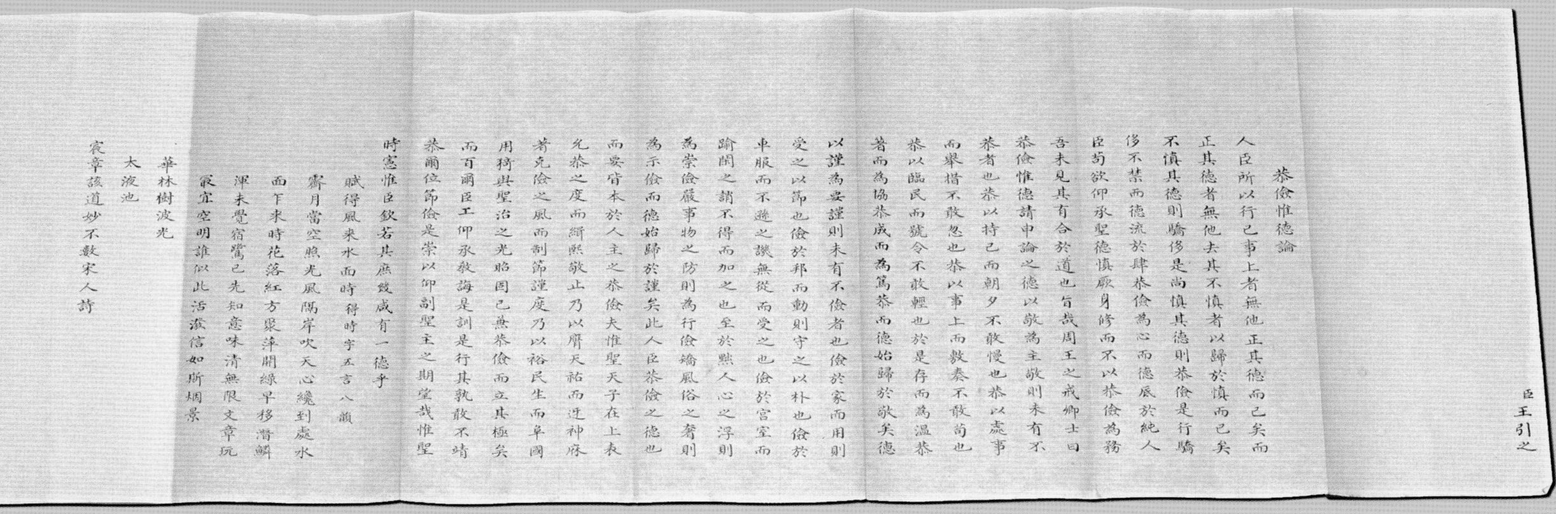

臣王引之

恭儉惟德論

人臣所以行己事上者無他正其德而已矣而
正其德者無他去其不慎者以歸於慎而已矣
不慎其德則驕侈是尚慎其德則恭儉是行驕
侈不禁而德流於肆恭儉為心而德底於純人
臣苟欲仰承聖德慎厥身修而不以恭儉為務
吾未見其有合於道也旨哉周王之戒卿士曰
恭儉惟德請申論之德以敬為主敬則未有不
恭者也恭以持己而朝夕不敢慢也恭以處事
而舉措不敢忽也恭以事上而敷奏不敢苟也
恭以臨民而號令不敢輕也於是存而為溫恭
著而為協恭成而為篤恭而德始歸於敬矣德
以謹為要謹則未有不儉者也儉於家而用則
受之以節也儉於邦而動則守之以朴也儉於
車服而不逾之譏無從而受之也儉於宮室而
踰閑之請不得而加之也至於黜人心之浮則
為崇儉嚴事物之防則為行儉矯風俗之奢則
為示儉而德始歸於謹矣此人臣恭儉之德也
而要皆本於人主之恭儉夫惟聖天子在上表
允恭之度而緝熙敬止乃以膺天祐而迓神庥
著克儉之風而制節謹度乃以裕民生而阜國
用猗與聖治之光昭固已兼恭儉而立其極矣
而百爾臣工仰承教誨是訓是行其孰敢不靖
恭爾位節儉是崇以仰副聖主之期望哉惟聖
時憲惟臣欽若其庶幾咸有一德乎

賦得風來水面時得時字五言八韻

霽月當空照光風隔岸吹天心纔到處水
面下來時花落紅方聚萍開綠早移潛鱗
渾未覺宿鷺已先知意味清無限文章玩
最宜空明誰似此活潑信如斯烟景
華林樹波光
太液池
宸章該道妙不數宋人詩

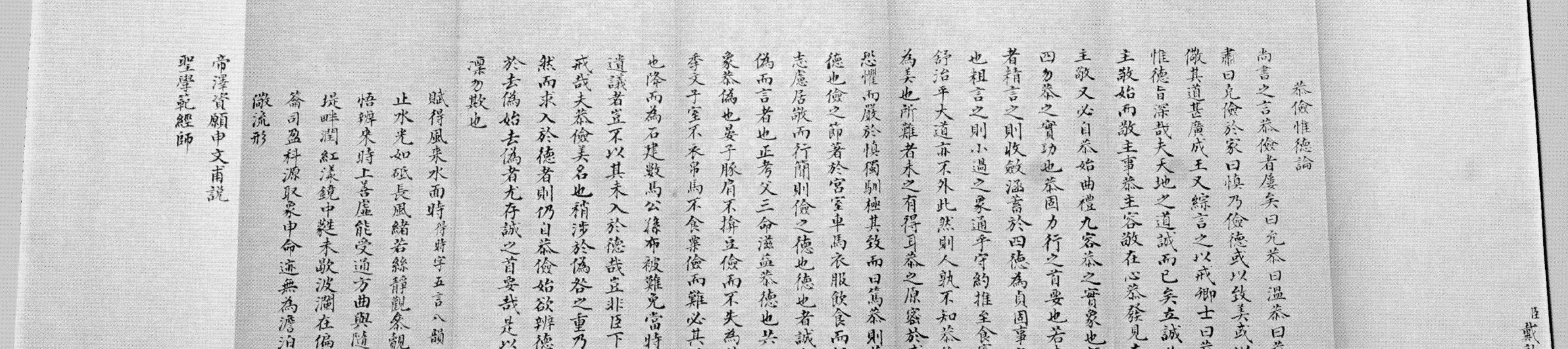

臣戴敦元

恭儉惟德論

尚書之言恭儉者屢矣曰允恭曰溫恭曰恭作
肅曰克儉於家曰慎乃儉德式以致美式以陳
儆其道甚廣成王又綜言之以戒卿士曰恭儉
惟德旨深哉夫天地之道誠而已矣立誠必自
主敬始而敬主事恭主容敬在心恭發見在外
主敬又必自恭始曲禮九容恭之實象也顏子
四勿恭之實功也恭固力行之首要也若夫儉
者精言之則收斂涵畜於四德為貞固事之幹
也粗言之則小過之象通乎守約推至食寡用
舒治平大道亦不外此然則人孰不知恭儉之
為美也所難者未之有得耳恭之原窓於戒慎
恐懼而嚴於慎獨馴極其致而曰篤恭則恭之
德也儉之節著於宮室車馬衣服飲食而根於
志慮居敬而行簡則儉之德也德也者誠也對
偽而言者也正考父三命滋益恭德也共工氏
象恭偽也晏子豚肩不掩豆儉而不失為德也
季文子室不衣帛馬不食粟儉而難必其非偽
也降而為石建數馬公孫布被難免當時後世
遺議者豈不以其未入於德哉豈非臣下之大
戒哉夫恭儉美名也稍涉於偽咎之重乃若此
然而求入於德者則仍自恭儉始欲辨德則當
於去偽始去偽者尤存誠之首要哉是以臣道
凜勿欺也

賦得風來水面時得時字五言八韻

止水光如砥長風緒若絲靜觀參覿面妙
悟辨來時上善虛能受通方曲與隨翠添
堤畔潤紅漾鏡中甤未歇波瀾在偏專崇
籥司盈科源取象中命遊無為澹泊臣衷
徹流形
帝澤資顧申文甫說
聖學範經師

【五·一·三四】玉牒館謄錄試卷

清朝，漢文，紙質，摺，每扣26.5cm × 11.8cm。

清代開館修書，需用繕寫之人，於是有謄錄招考之舉。凡貢監生員甚至舉人，皆可應試。考取者名為「謄錄」。清初於各省鄉試發榜後，於薦卷中挑取，嘉慶四年（一七九九年）始，於會試每科取四十名，鄉試祗限於順天內挑，在館舉貢監生合為一班，貢監生員三人，舉人用一人，五年期滿議敘，舉人以知縣用，貢監生以雜職用。

此為玉牒館挑選幫辦寫清書謄錄的試卷。

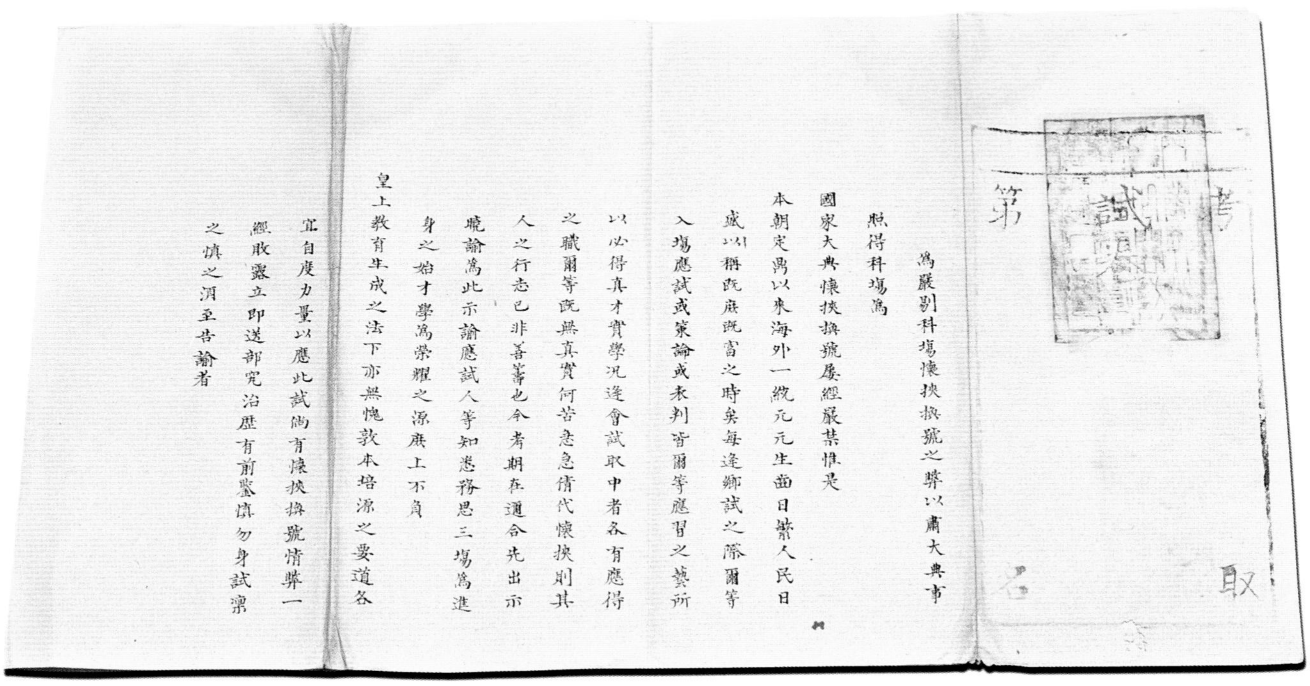

考試第　名　取

為嚴剔科場懷挾換號之弊以肅大典事
照得科場為
國家大典懷挾換號屢經嚴禁惟是
本朝定鼎以來海外一統元元生齒日繁人民日
盛以稱既庶既富之時矣每逢鄉試之際爾等
入場應試或策論或表判皆爾等應習之藝所
以必得真才實學況逢會試取中者各有應得
之職爾等既無真實何苦急急倩代懷挾則其
人之行志已非善蓄也今考期在邇合先出示
曉諭為此示諭應試人等知悉務思三場為進
身之始才學為榮耀之源庶上不負
皇上教育生成之法下亦無愧敦本培源之要道各
宜自度力量以應此試倘有懷挾換號情弊一
經敗露立即送部究治歷有前鑒慎勿身試凜
之慎之須至告諭者

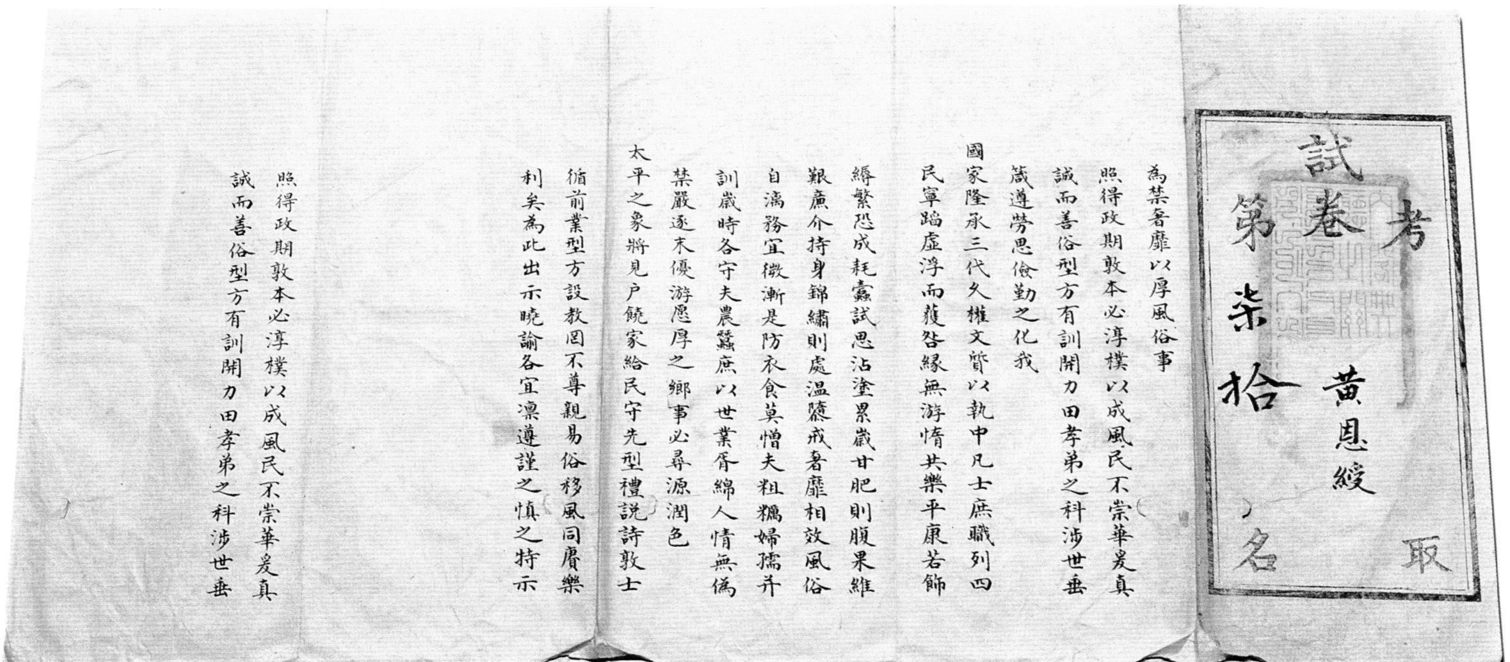

考試卷第柒拾　黃恩綬　名　取

為禁奢靡以厚風俗事
照得政期敦本必淳樸以成風民不崇華爰真
誠而善俗型方有訓開力田孝弟之科涉世垂
箴遵勞思儉勤之化我
國家隆承三代久權文質以執中凡士庶職列四
民寧蹈虛浮而獲咎緣無游惰共樂平康若飾
縟繁恐成耗蠹試思沾塗累歲甘肥則腹果維
艱廉介持身錦繡則處溫驕戒奢靡相效風俗
自滴務宜微漸是防衣食莫憎夫粗糲婦孺并
訓歲時各守夫農蠶庶以世業胥綿人情無偽
禁嚴逐末優游愿厚之鄉事必尋源潤色
太平之象將見戶饒家給民守先型禮說詩敦士
循前業型方設教罔不尊親易俗移風同賡樂
利矣為此出示曉諭各宜凜遵謹之慎之特示
照得政期敦本必淳樸以成風民不崇華爰真
誠而善俗型方有訓開力田孝弟之科涉世垂

【五·一·三五】大考試卷

光緒朝，漢文，紙質，摺，每扣28.5cm × 11cm。

清制大考乃專為翰林官之考試，乾隆二年（一七三七年）始定翰林院講讀學士至編檢、詹事府少詹至中允贊善等官與試，每隔數年一考，或春或夏，地點或太和門、暢春園、乾清門、圓明園、保和殿，題多為一賦一詩為主，加論或疏一篇，無定制。卷用白摺，乾隆二十八年（一七六三年）始彌封，考試後欽派大臣閱卷，擬定名次進呈，帶領引見，一般分為四等，考在三等以後者降等錄用，或分別罰俸。

此為徐世昌大考之卷，卷面蓋翰林院印，右下角閱卷大臣及所取名次之黃簽，文字十一扣，每扣十二行，賦佔八扣，詩佔二扣，每行十六字，卷背名字處，用翰林院印糊名彌封。

【五·一·三六】考差卷

清朝，漢文，紙質，摺，每扣28cm × 11.5cm。

各省鄉試正副主考官例由京選，一般滿漢二品以下出身之侍郎京員皆與其試，由禮部、吏部等機構主持。題目，嘉慶後為四書文一篇、五經文一篇，詩一首，考試不列等，分取與不取，祇將擬取之卷進呈。

此為蔡元培之考差卷，白摺，面押吏部文選清吏司印，右下閱卷大臣名字，及擬取名次之黃簽，全文十二扣，每扣六行，《四書》及《五經》文每行二十字，詩十八字，尾頁作者署名處糊名彌封押印。

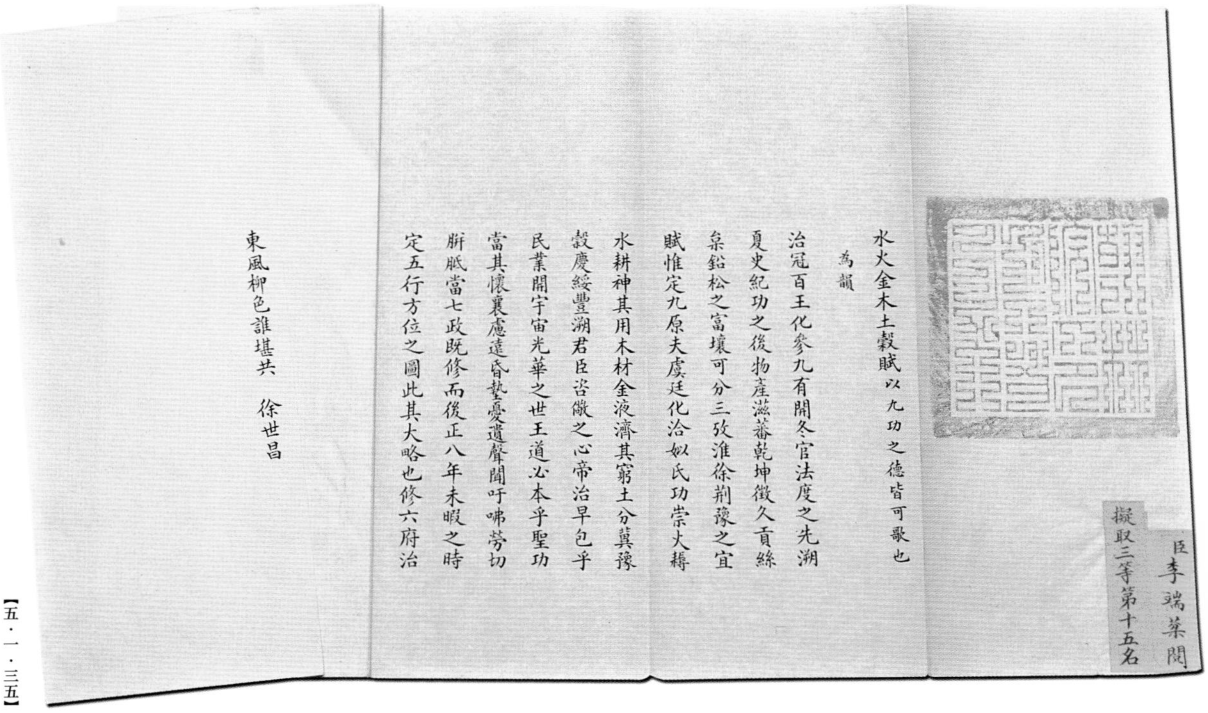

【五·一·三五】

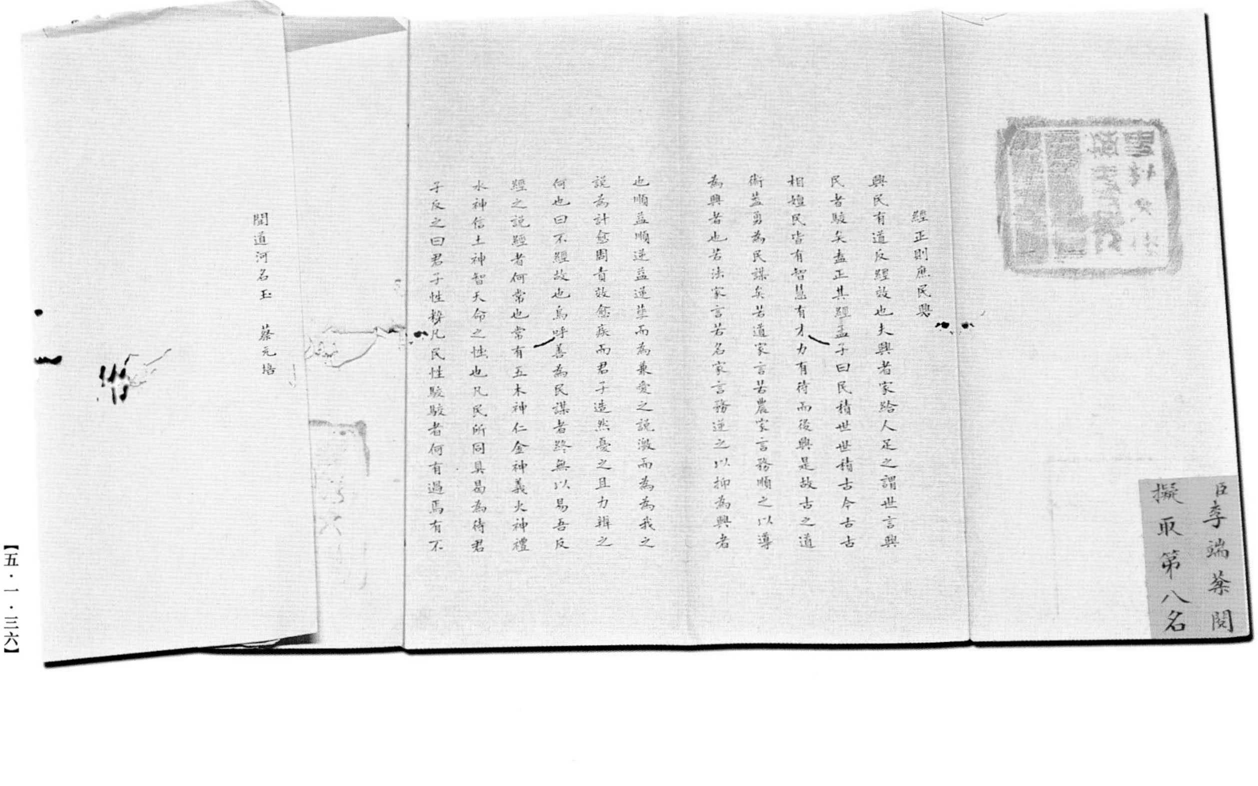

【五·一·三六】

【五·一·三七】欽定考試滿洲教習題

道光四年（一八二四年），漢文，紙質，摺。

【五·一·三八】欽定考試翰詹題

道光四年（一八二四年），漢文，紙質，摺。

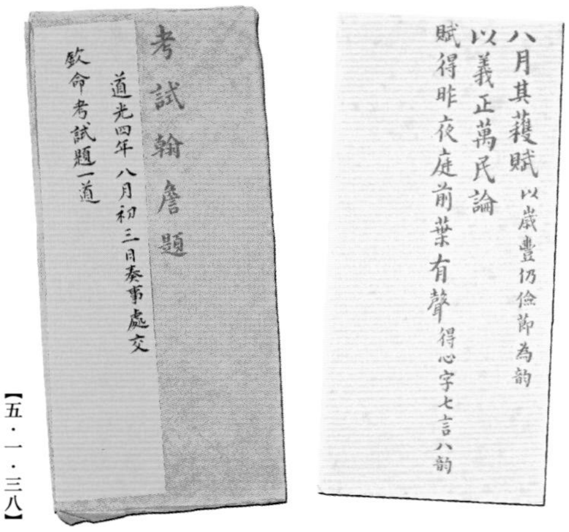

考試翰詹題
道光四年八月初三日奏事處交
欽命考試題一道
八月其穫賦 以歲豐仍俭節為韵
以義正萬民論
賦得昨夜庭前葉有聲 得心字七言八韵

【五·一·三八】

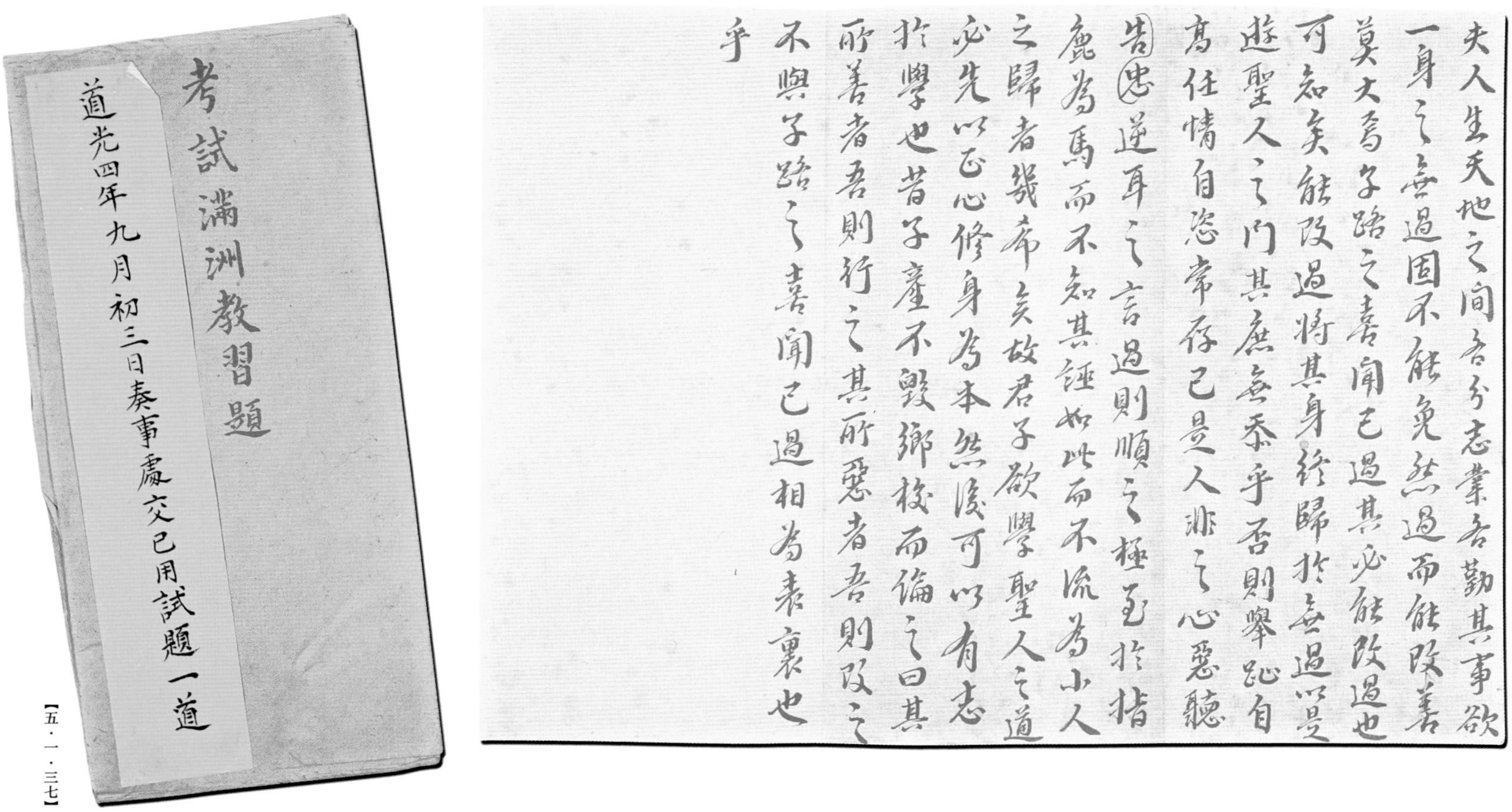

考試滿洲教習題
道光四年九月初三日奏事處交已用試題一道

夫人生天地之間各有志業各勤其事欲一身之無過固不能免然過而能改善莫大焉子路之喜聞己過其必能改過也可知矣能改過將其身終歸於無過以是進聖人之門其庶幾乎否則舉趾自高任情自恣常存己是人非之心惡聽告忠逆耳之言過則順之極至於指鹿為馬而不知其誣如此而不流為小人之歸者幾希矣故君子欲學聖人之道必先以正心修身為本然後可以有志於學也昔子產不毀鄉校而論之曰其所善者吾則行之其所惡者吾則改之不與子路之喜聞己過相為表裏也乎

【五·一·三七】

【五・二・一】卷票

道光十九年（一八三九年），漢文，紙質，墨刻印，版框，17cm × 10cm。

此為正白旗下幼丁福奎應試庫使所領試卷的憑票。

【五・二・二】領照票

光緒十七年（一八九一年）十二月，漢文，紙質，藍色木刻，23cm × 15cm。

此為內閣發給考取供事官到閣領取執照的照票。

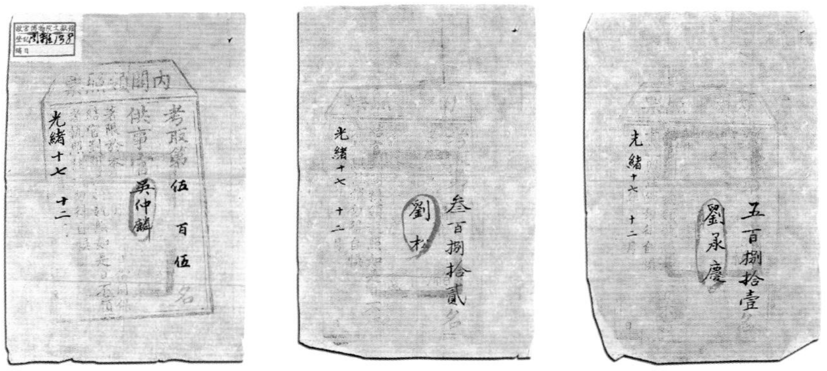

【五・二・二】

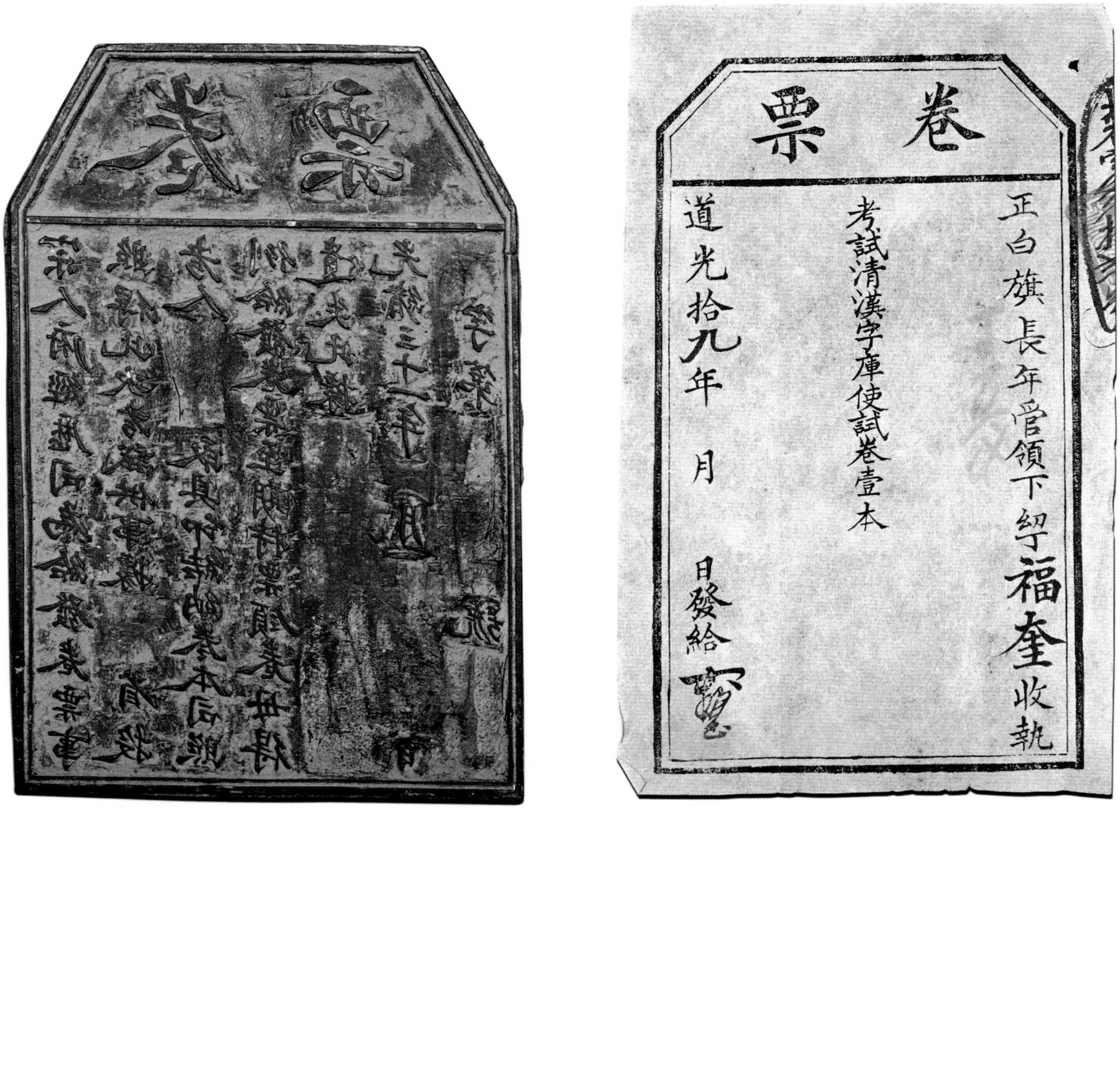

【五・二・一】

【五・二・三】內閣測繪生試卷

清朝，漢文，紙質，31.5cm × 22cm。

【五・二・四】內閣俄羅斯文館翻譯試卷

清朝，俄文及滿文，紙質，29cm × 12cm。

俄羅斯館為教學俄文機構，屬內閣管轄。康熙四十七年（一七〇八年）設立，初稱「俄羅斯學」，後稱「俄羅斯文館」。同治元年（一八六二年）裁撤。

此為將俄文翻譯成滿文的試卷，糊名彌封，押「俄羅斯文館記」。

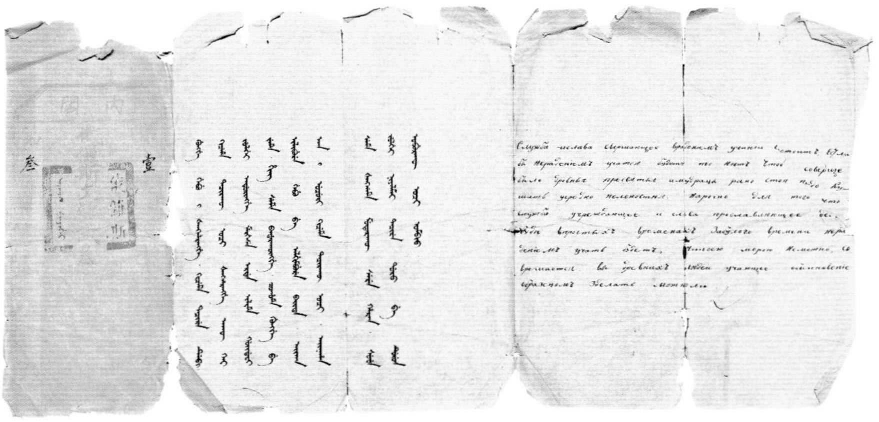

【五・二・四】

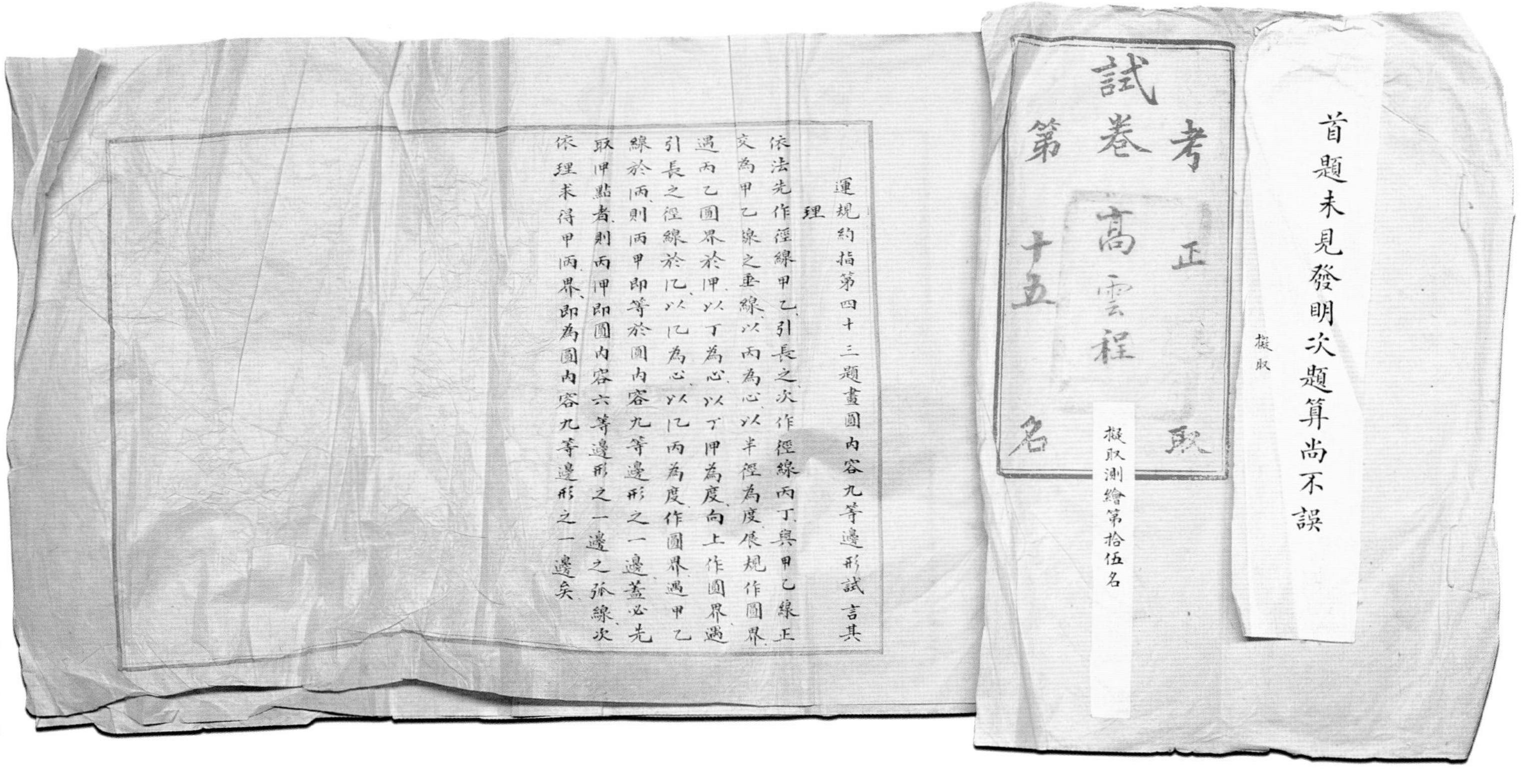

【五・二・三】

【五·二·五】雨雪糧價單

乾隆二十七年（一七六二年）二月，漢文，紙質，摺，每扣21.5cm × 9.5cm。

清代官員上奏，除報地方政務軍機秘事外，還兼報地方雨雪糧價豐歉，故有隨摺而上雨雪糧價單之制。

【五·二·五輔】瑞穀圖

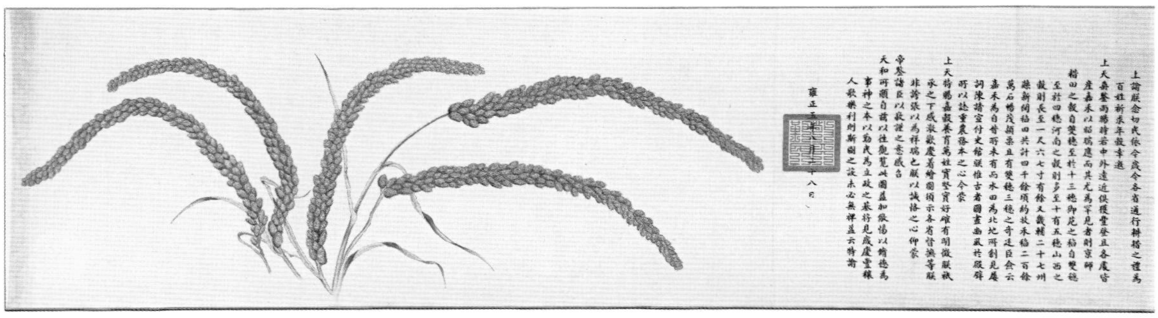

【五·二·五輔】

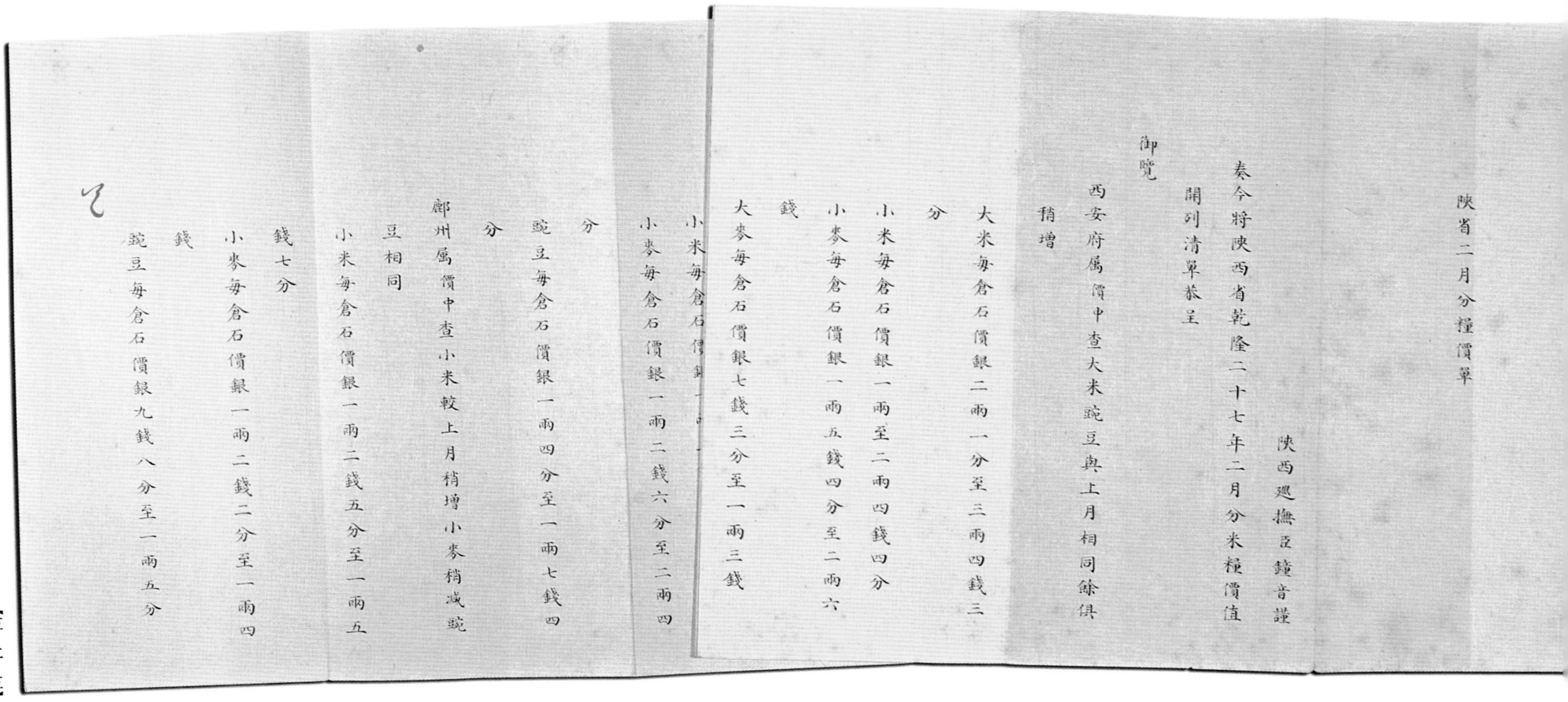

陝省二月分糧價單

陝西巡撫臣鍾音謹

奏今將陝西省乾隆二十七年二月分米糧價值

開列清單恭呈

御覽

西安府屬價中查大米豌豆與上月相同餘俱稍增

大米每倉石價銀二兩一分至三兩四錢三分

小米每倉石價銀一兩至二兩四錢四分

小麥每倉石價銀一兩五錢四分至二兩六錢

大麥每倉石價銀七錢三分至一兩三錢

小米每倉石價[illegible]

小麥每倉石價銀一兩二錢六分至二兩四分

豌豆每倉石價銀一兩四分至一兩七錢四分

鄜州屬價中查小米較上月稍增小麥稍減豌豆相同

小米每倉石價銀一兩二錢五分至一兩五錢七分

小麥每倉石價銀一兩二錢二分至一兩四錢

豌豆每倉石價銀九錢八分至一兩五分

【五·二·五】

清代保甲實行門牌管理，立循環二冊，交互循環對照。其編審順序，初由州縣官交付循環冊及門牌紙於里長，里長交與牌甲長，甲長交牌長散發各戶填註後，作牌冊呈於甲長，甲長合十牌之冊作循環二冊，並次序達於州縣。州縣對照後，循冊存縣，環冊由保長存之。門牌則由各戶裱於木板上懸掛於門口。

①保甲十家門牌及保結。光緒朝，漢文，紙質。牌，45cm × 40cm；結，45cm × 40cm。

清代實行保甲法，每十至十五家舉一牌，稱十家牌。牌上註明×路×段×村第×保甲第×牌，並寫明保長、甲長、牌頭姓名，及各戶戶主姓名、年齡、生理、家中老幼壯丁婦女人數，如有光棍孤身寄零戶則註於牌尾。該牌十家輪流懸掛，另有相應黃冊二冊，一冊在官，一冊在甲長手中。該版牌每年年終更換一次，十家共具甘結一張，牌與結皆由官府統一印發。

②鋪戶門牌。同治朝，漢文，紙質，37cm × 35cm。

③煙戶門牌。同治朝，漢文，紙質，37cm × 35cm。

④公館門牌。同治朝，漢文，紙質，37cm × 35cm。

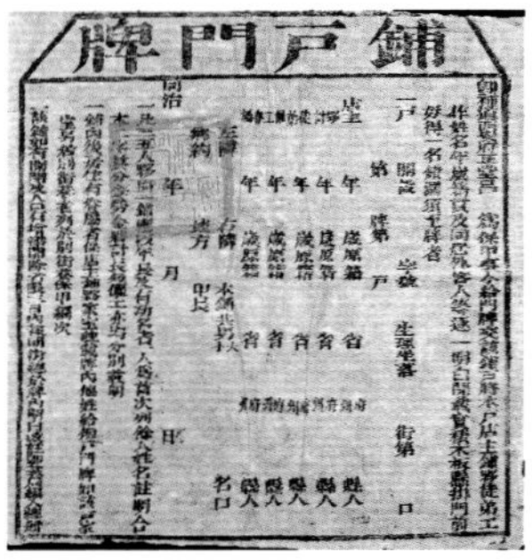
鋪戶門牌

【五・二・六②】

烟戶門牌

【五・二・六③】

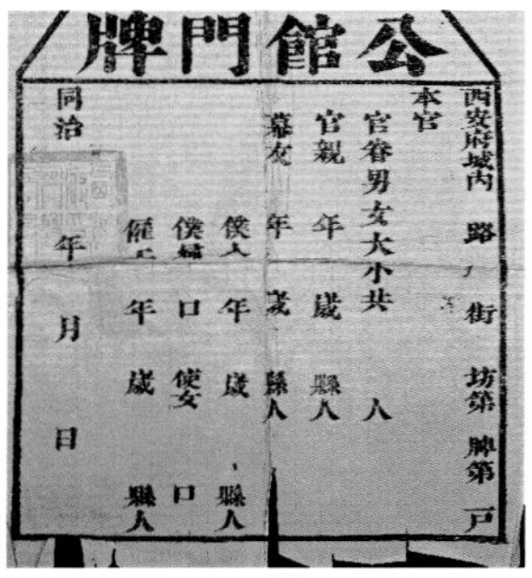
公館門牌

【五・二・六④】

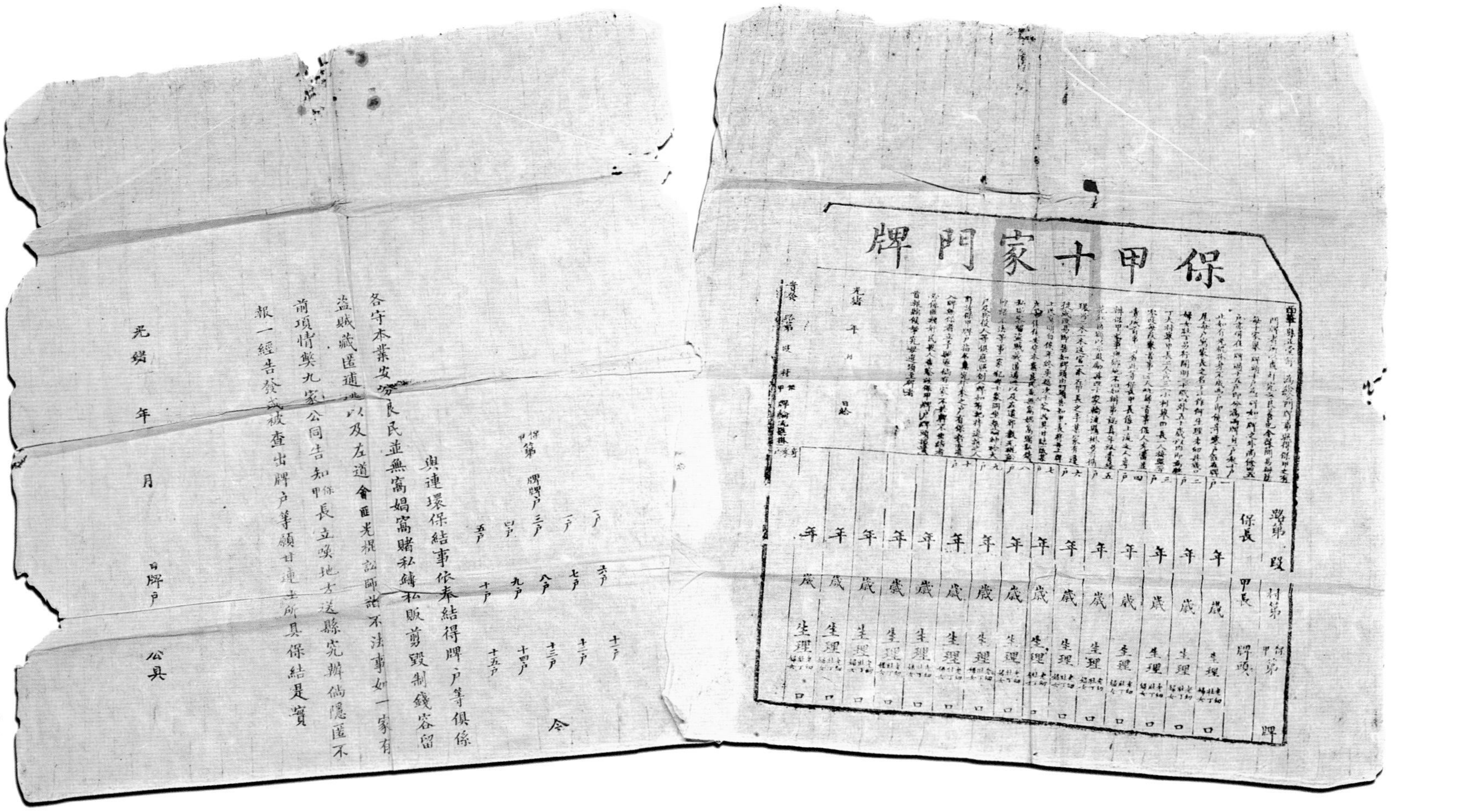
保甲十家門牌

【五・二・六①】

【五・二・七】地畝冊

光緒三十三年（一九〇七年）十二月，漢文，紙質，冊，27cm × 21cm。

此為地方州縣徵納地畝冊，一般開列戶主姓名，下列領地畝數、應徵銀數、實際折錢數，並有「核對」、「照發訖」等戳記及主政官員的畫押。

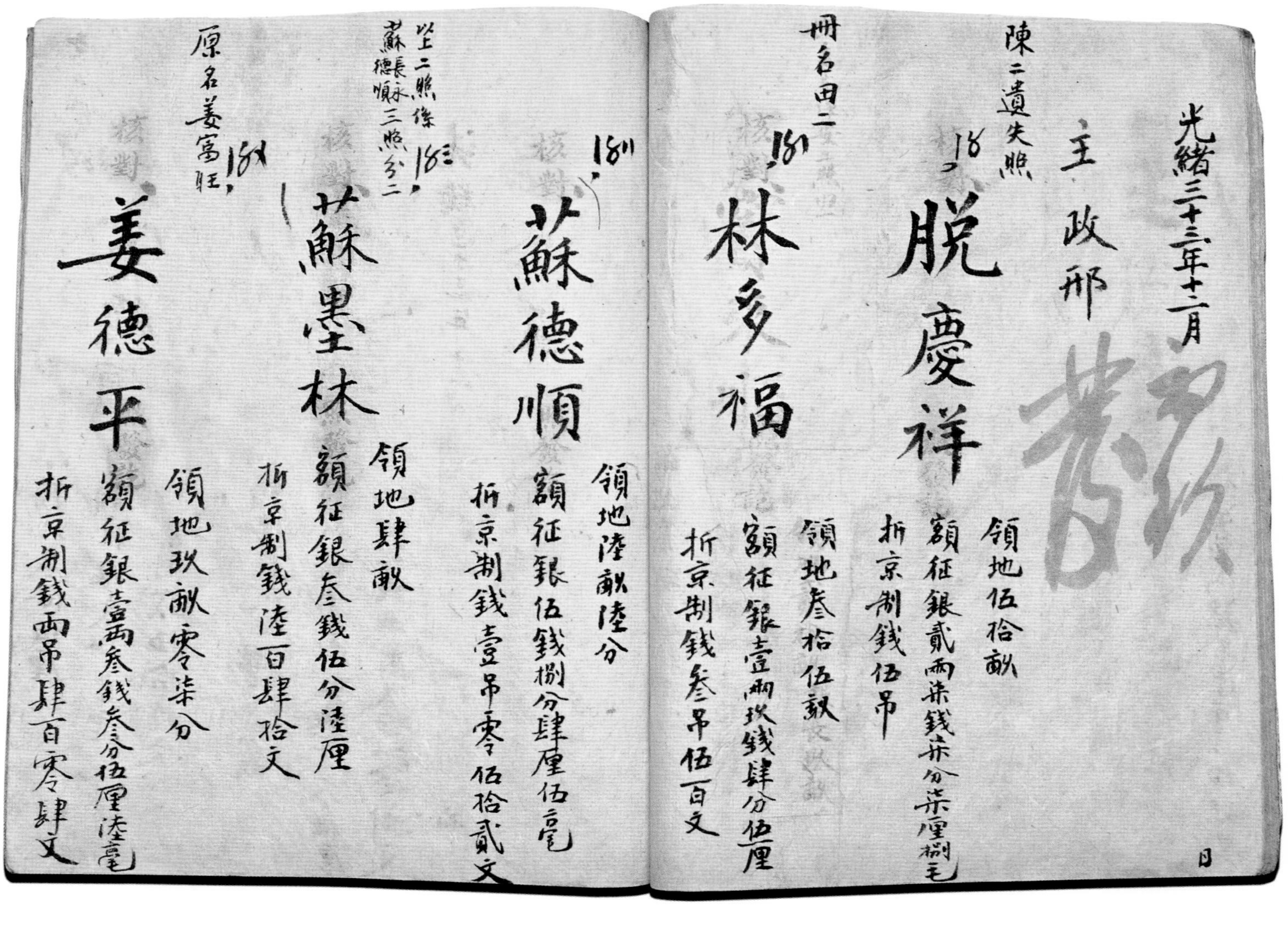

【五·二·八】地丁清冊

光緒十九年（一八九三年），漢文，紙質，冊，22.5cm×18.5cm。

清代戶籍制度，仿前明里廂坊之制，定三年一編審，責成州縣印官，察照舊例，繕造清冊，每一百一十戶，推丁多者十人為長，其餘一百戶為十甲，甲繫以戶，戶繫以口，編為一冊，城中稱「坊」，近城稱「廂」，在鄉曰「里」，各置一長，造冊時，人戶各登其丁口之數，而授之甲長，甲長授之坊廂里各長，坊廂里長上之州縣，州縣上之府，府別造一總冊，上之布政使司，布政司依府上之冊造黃冊，督撫再據布政司所上之黃冊，達於戶部。順治十三年（一六五六年）編審時期改為五年一舉行。

此為光緒十九年（一八九三年）湖南岳州衛的戶口清冊。冊內分列編號、老戶、戶首、舊管丁口、開除丁口、實在丁口、地畝、執業屯田等項目。

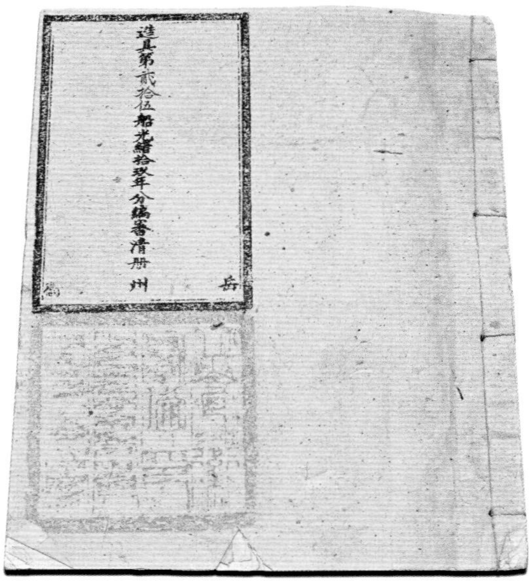

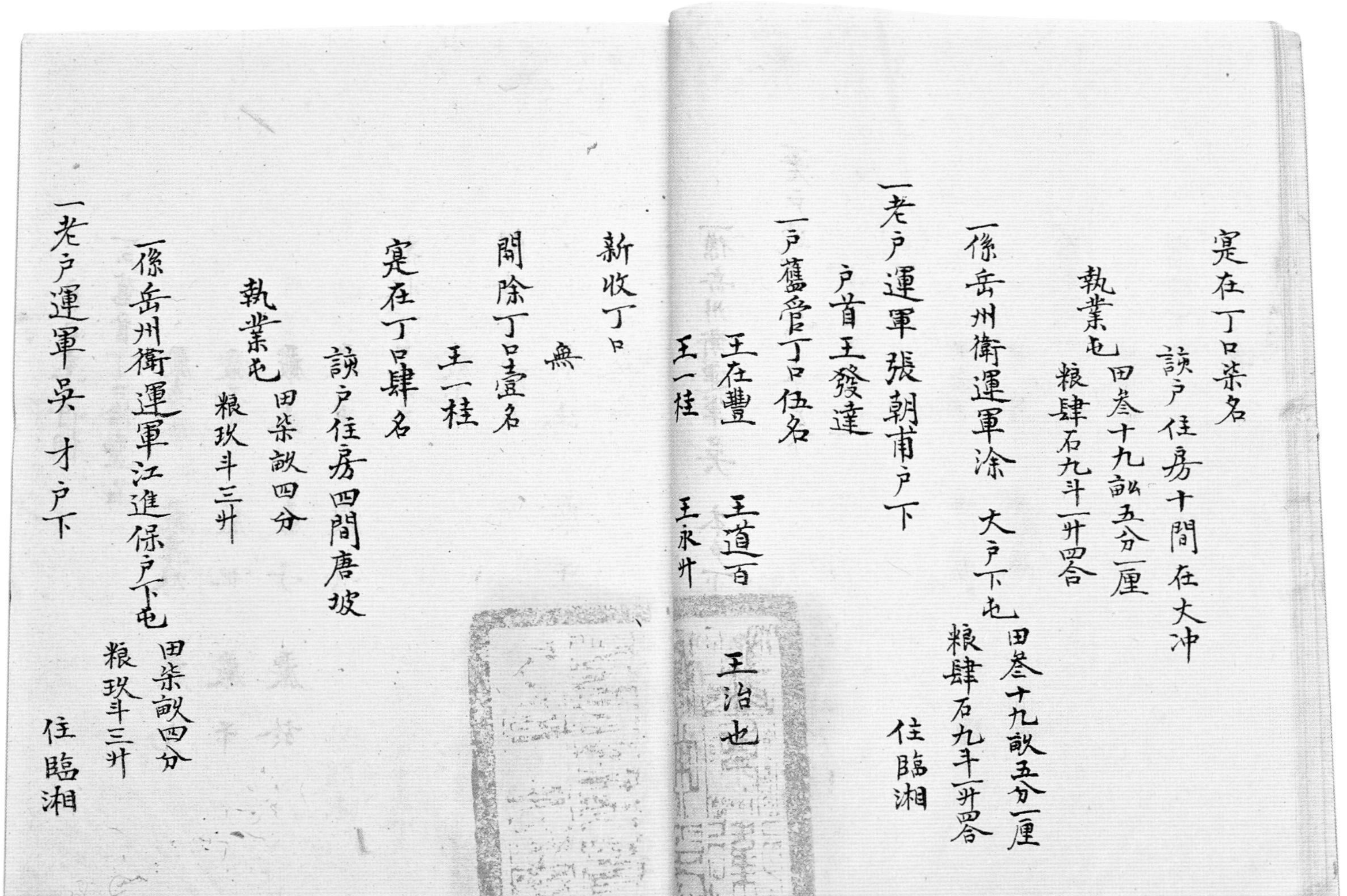

【五·二·九】買房執照

光緒十八年（一八九二年），滿漢文合璧，紙質，58cm × 87cm。

此為瑞源與丁文貴買賣房屋之契。由官方執照與民從字據粘連而成。通常押有官印的憑據稱「紅契」，而民間所立的字據通常祇畫押簽字，叫「白契」。

【五·二·一〇】買賣房契

清代房屋買賣，要向官府納稅，由官府發給印信憑契。順治四年（一六四七年）定凡賣田地房產，增用契尾。每年輸銀三分。雍正七年（一七二九年），田文鏡創為契紙契根之法，預用布政司印，發給州縣。雍正十三年（一七三五年）停止。乾隆十二年（一七四七年）復契尾之法，量為變通，申定稅契之制，凡民間買置田房，令布政司頒發契尾格式於州縣，編列號數，前半幅細書業戶姓名、買賣項目、價錢，後半幅，於空白處預鈐官印，以備投稅時將契價銀數目填寫於押印之處，收稅時，當業戶面用騎縫印將契尾截開（從納稅銀數目處），一半給業戶執照，一半同季冊彙送布政使查核。

①憑照。康熙四十四年（一七〇五年），漢文，紙質，57cm × 40cm。此為順天府宛平縣發給劉姓與盧姓買賣房產的官方憑照。

②契尾。康熙四十三年（一七〇四年），漢文，紙質，50cm × 38.5cm。此為直隸錢穀分守道發下的房屋買賣的契尾。

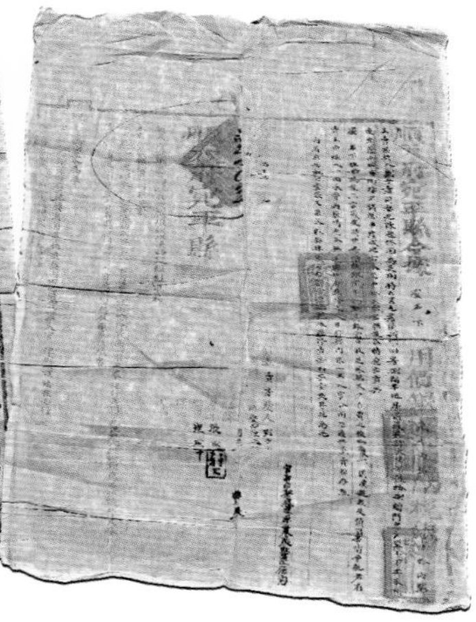
【五·二·一〇①】

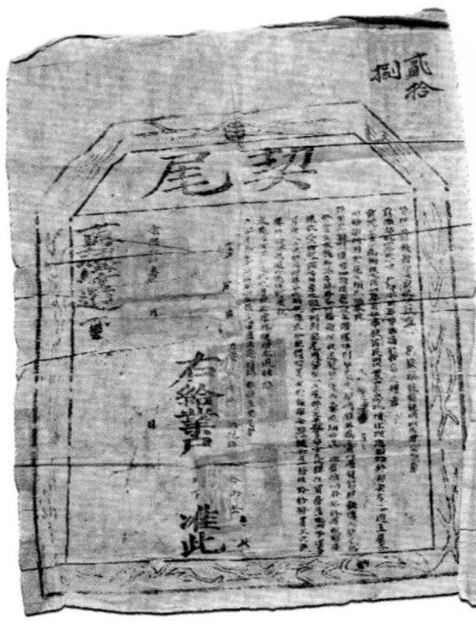
【五·二·一〇②】

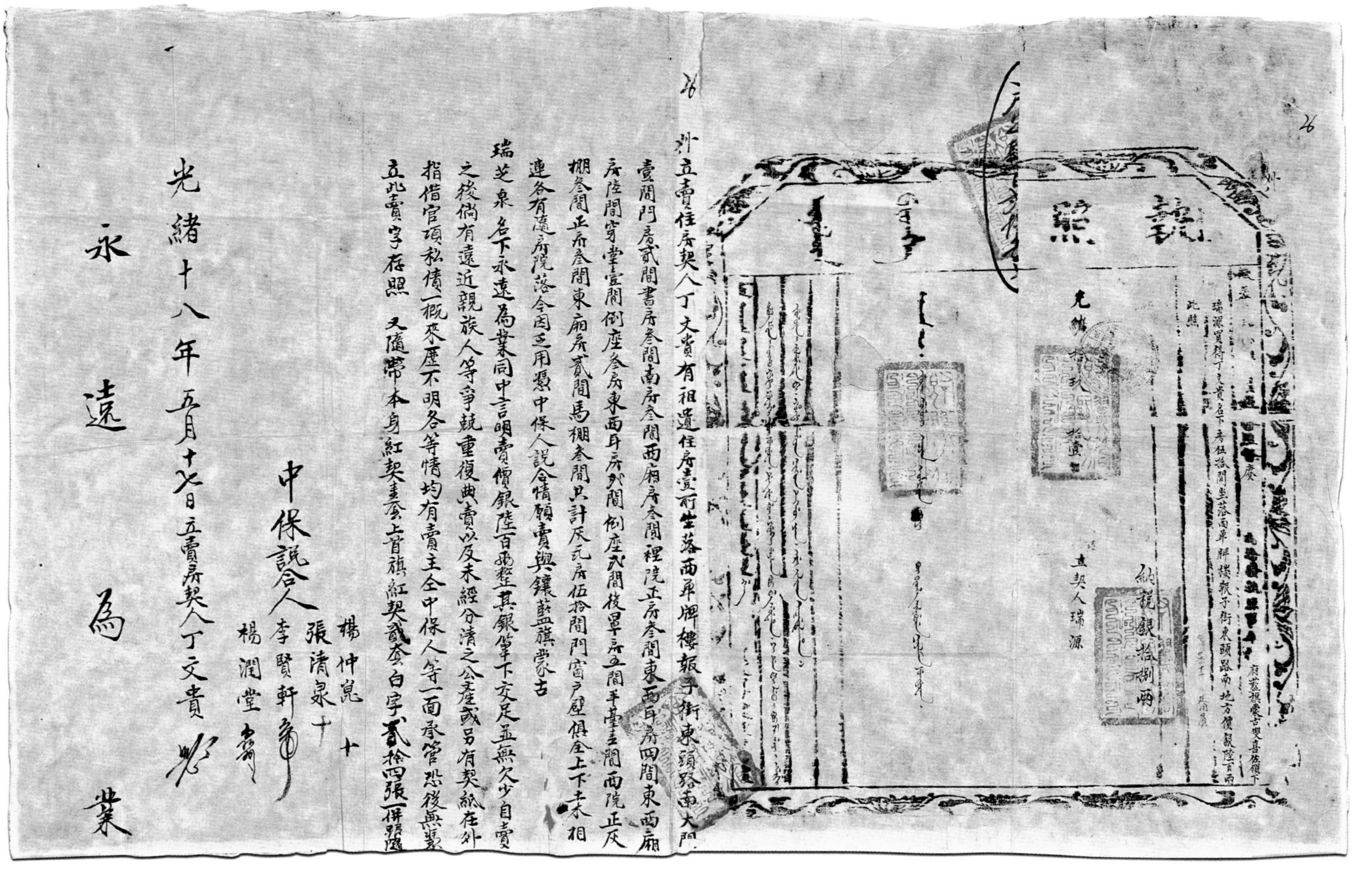
立賣住房契人丁文貴有祖遺住房壹所坐落西單牌樓報子街東頭路南大門壹間門房貳間書房叁間南房叁間西廂房叁間裡院正房叁間東西耳房四間東西廂房陸間穿堂壹間倒座叁房東西耳房貳間倒座貳間後罩房五間平臺壹間西院正灰棚叁間正房叁間東廂房貳間馬棚叁間共計灰瓦房伍拾間門窗戶壁俱全上下土木相連各有遊廊房院落今因乏用憑中保人說合情願賣與鑲藍旗蒙古瑞芝泉名下永遠為業同中言明賣價銀陸百兩整其銀筆下交足並無欠少自賣之後倘有遠近親族人等爭競重復典賣以及未經分清之公產或另有契紙在外指借官項私債一概來歷不明各等情均有賣主全中保人等一面承管恐後無憑立此賣字存照　又隨帶本身紅契壹套上首旗紅契貳套白字貳拾四張一併點隨

中保說合人　楊仲崑　十　張清泉　十　李賢軒　楊潤堂

光緒十八年五月十七日立賣房契人丁文貴

永遠為業

立契人瑞源

【五·二·九】

【五‧二‧一一】土地買賣的契尾及循環編號

康熙朝，漢文，紙質，58cm × 52cm。

清代凡民人買賣田房山場產業，例由布政司照連根串票式樣刊刻契版印契根（尾）發給各州縣憑存契尾，將契紙發給各紙舖聽民買用，百姓契約規定要用官印契紙。

此為康熙時期土地買賣的契尾及循環編號。

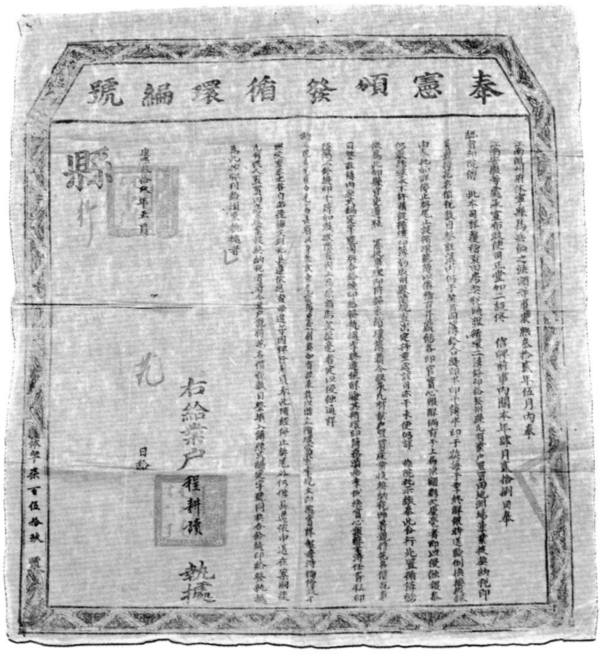

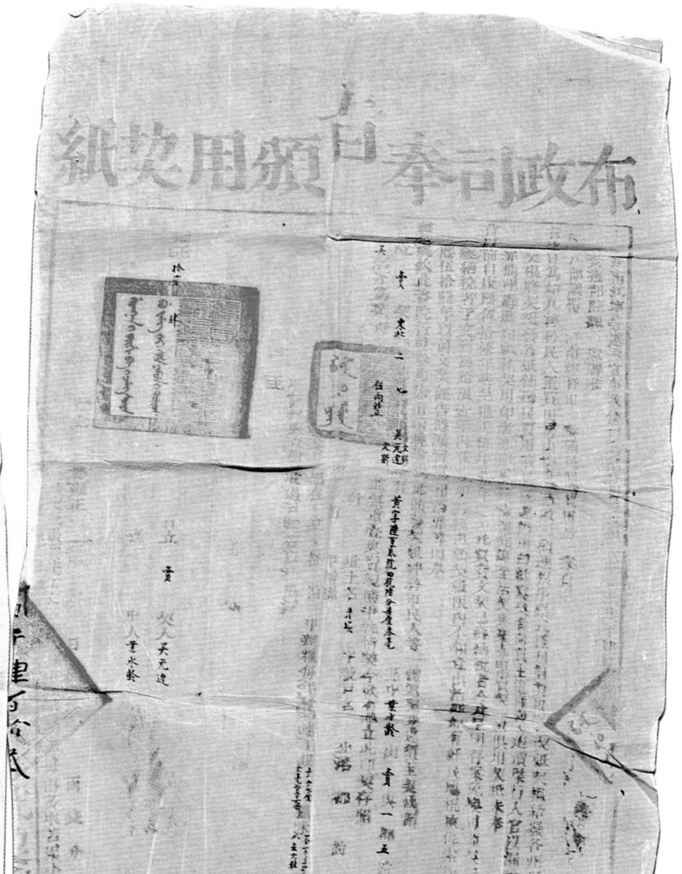

【五・二・一二】買田契

乾隆三十七年（一七七二年），漢文，紙質。白契，50cm × 46cm；契尾，52cm × 32cm；執照，24cm × 11.5cm。

此為乾隆時期安徽黟縣汪姓賣田與盧姓的紅契、白契，及執照。

【五・二・一三】庫收

同治三年（一八六四年）十月三十日，漢文，紙質，版框，22.5cm × 13cm。

此為長洲縣收過業戶陶義莊田捐錢後給與的憑據。此憑為合符，一半存官，一半由民人收執。

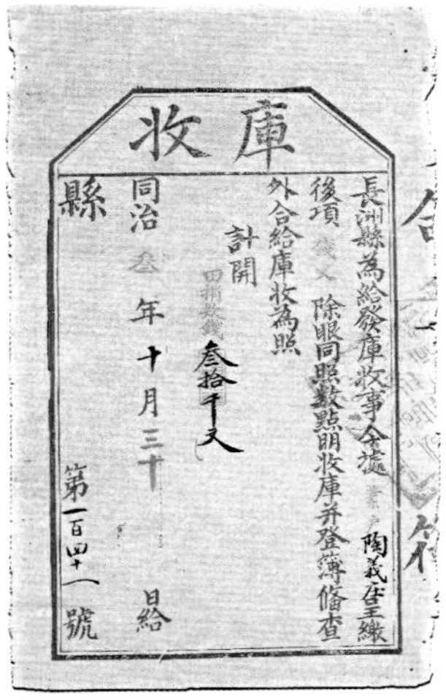
庫收
長洲縣為發庫收事。今據業戶陶義莊繳
後項錢文，除照數點明收庫并登簿備查
外，合給庫收為照。
計開
田捐錢叁拾千文
同治叁年十月三十日給
縣　第一百四十一號

【五・二・一三】

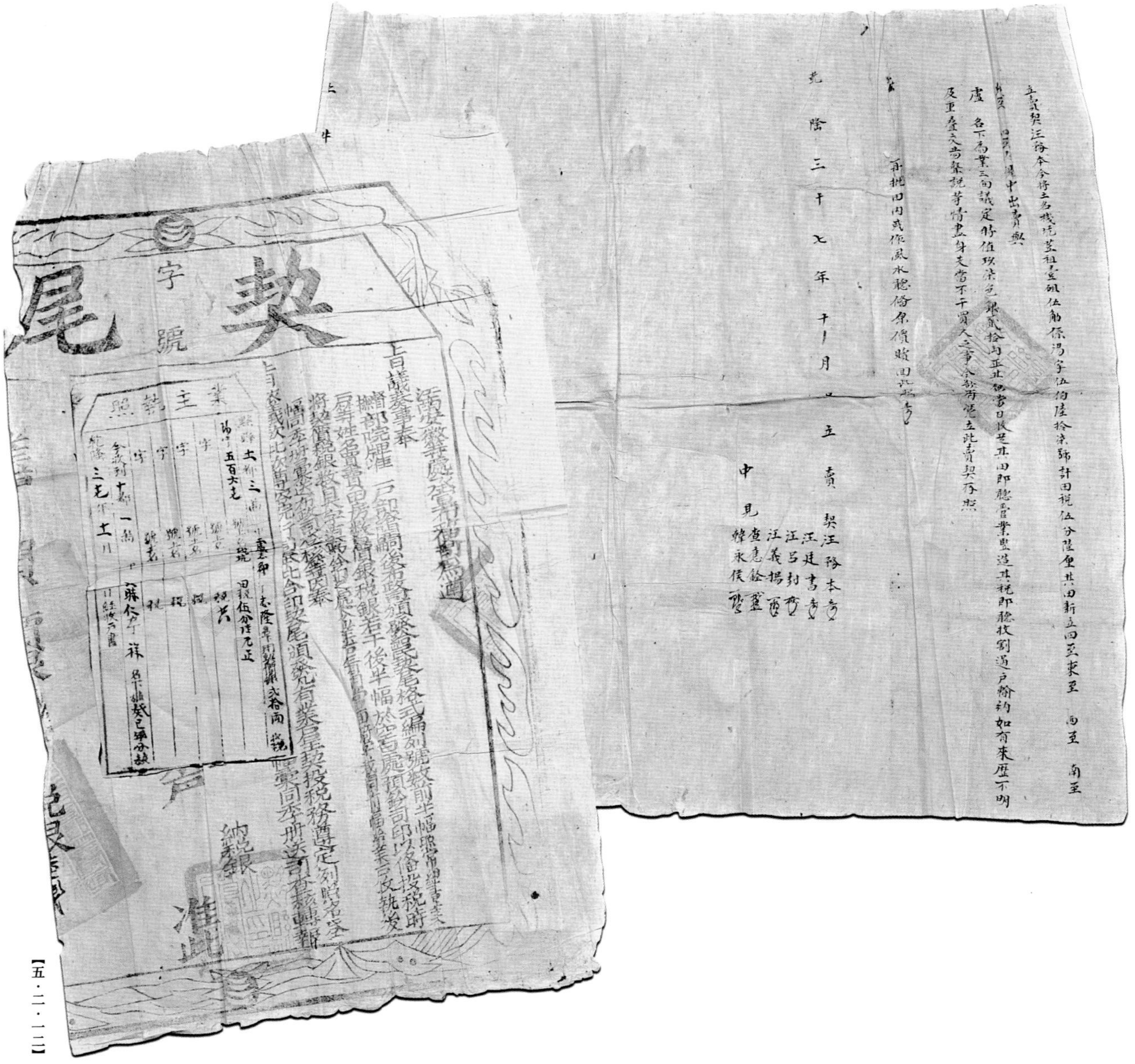

【五・二・一二】

【五·二·一四】易知由單

康熙朝，漢文，紙質，版框，23.5cm × 38cm。

清前期徵收地丁錢糧契書，由單之式，以州縣上中下則正雜本摺錢糧，刊給花戶。始於順治六年（一六四九年），十五年（一六五八年）將申飭私派之令刊入由單。康熙六年以由單款項繁多，小民難以通曉，令將上中下則地每畝應徵實數開明，停於康熙二十六年（一六八七年）。

此為康熙年間安徽歙縣發給花戶吳世德的徵收地丁實數的易知由單。

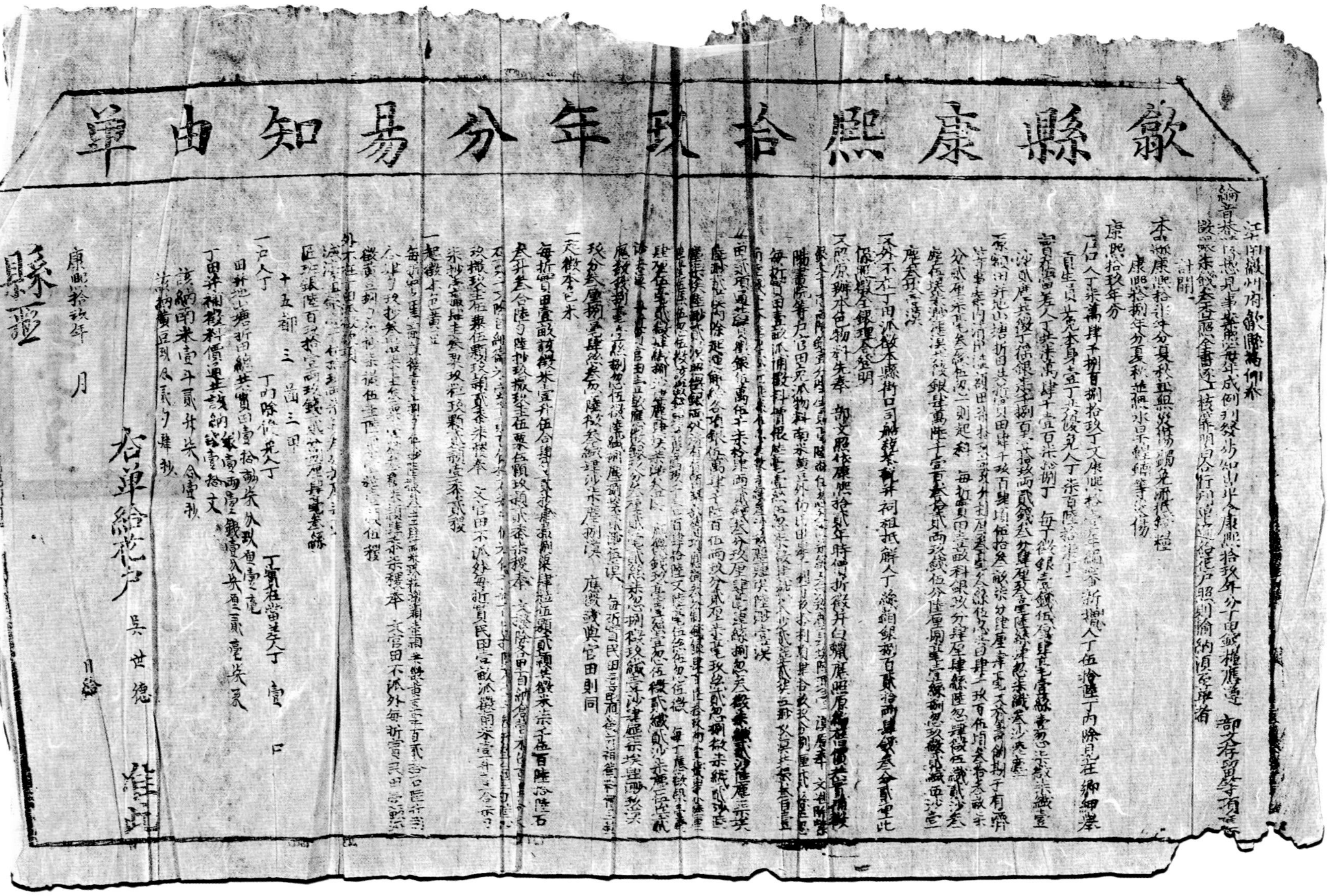
歙縣康熙拾玖年分易知由單

清代納糧花戶交納的憑據，叫「串票」，也叫「三聯串票」，又稱「截票」。其法一連三票。順治十二年（一六五五年）行二聯串票，而奸胥作弊，康熙二十八年（一六八九年）乃行三聯串票，雍正三年（一七二五年）曾刊刻四聯串票，至八年（一七三〇年）復行三聯串票，分為納戶執照，臨限查截，票根存算。執照及查截二票完糧時櫃吏填付納戶，一自執，一付催糧人，票根留官，查截票完催後也要上交官府以為憑證。

①咸豐二年（一八五二年），漢文，紙質，版框，22cm × 8cm。此為咸豐二年江南徽州休寧縣花戶張恆升自封投櫃後收的串票。

②此為光緒七年（一八八一年）常熟縣的「上忙條銀版串」。清代徵納分限，二至五月稱「夏限」，又稱「上忙」；八至十一月稱「秋限」，又稱「下忙」。

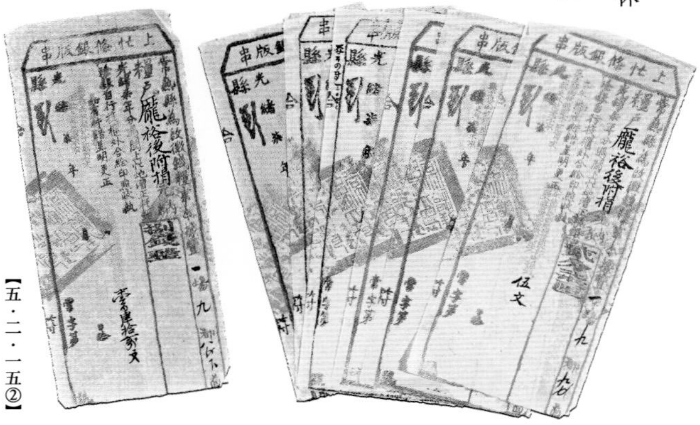

【五·二·一五②】

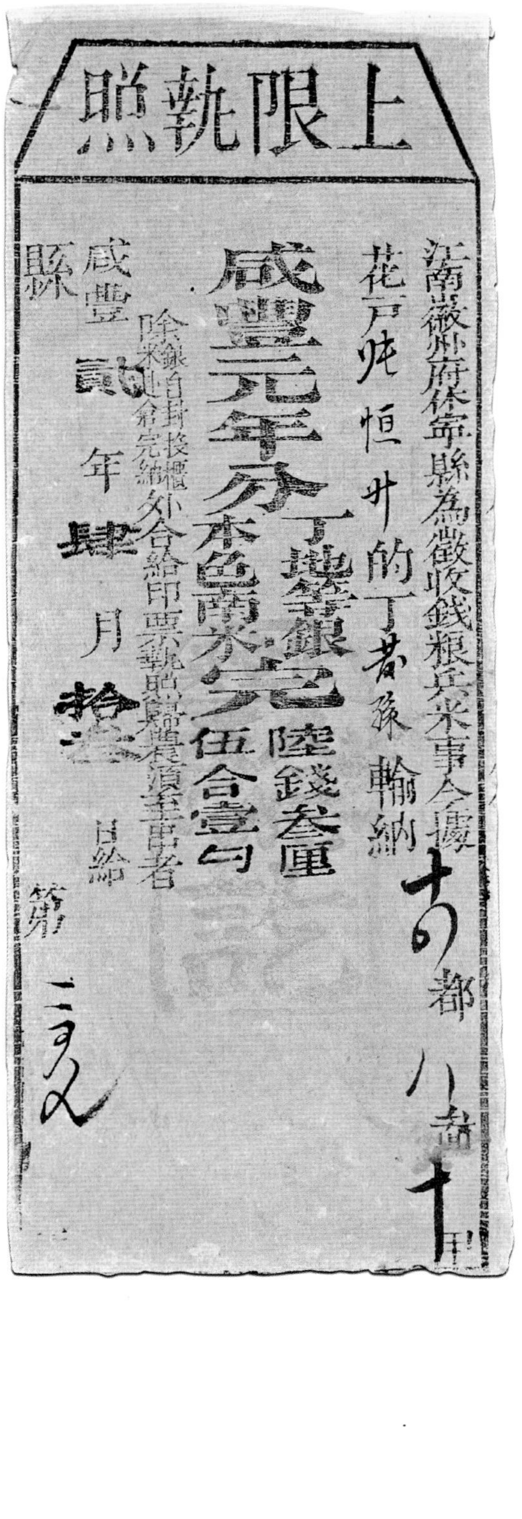

【五·二·一五①】

【五・二・一六】執業清田單

同治四年（一八六五年），漢文，紙質，版框，26cm ×34cm 。執業清田單是清政府發給業戶的土地執照。此為江南元和縣遵憲發給業戶彭敦悅的地畝版圖執業清田新單。

【五・二・一七】納糧照票

光緒十二年（一八八六年），漢文，紙質，25.5cm ×13.5cm 。此為江南蘇州府昭文縣發給糧戶們本年納糧分數的憑證。

【五・二・一七】

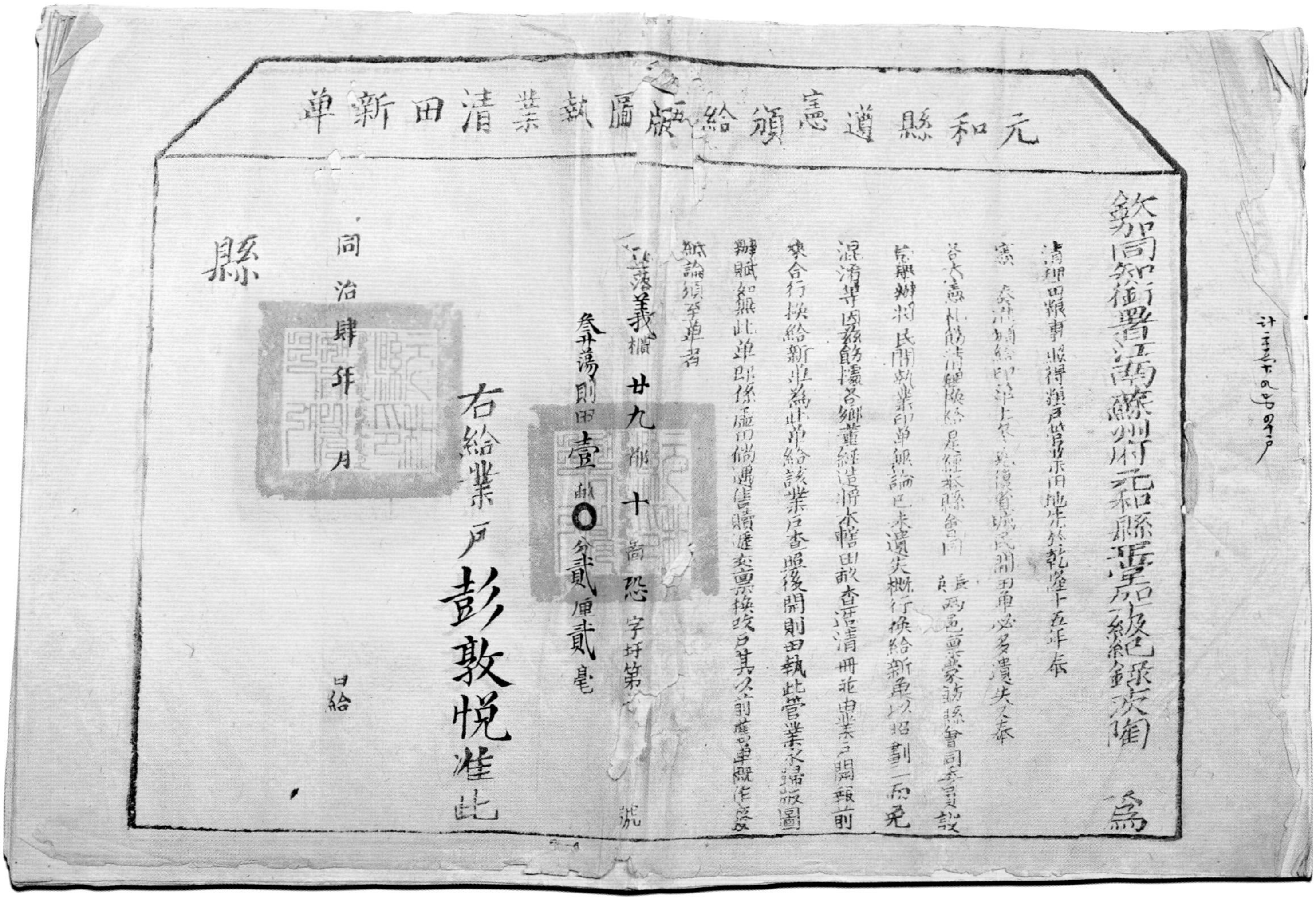

【五・二・一六】

【五·二·一八】牙帖

光緒二十三年（一八九七年），漢文，紙質，墨刻印，版框，57cm × 105cm。

清代，凡城廂衢市山場集鎮，舟車所輳，擇民之食者，授之帖以為牙儈，使辦物平價，以通貿易，而稅其帖，稱「牙稅」。故牙稅似一種商業牌照稅。清初於各省設牙帖之額，由布政司發牙帖，而收其課。後改為由戶部印發，各省按所給多寡，徵稅交部。其稅大約分三等，上則納銀三兩，中則納銀二兩，下則一兩。如果業主死，或更換新帖，舊帖要上交，並由該管衙門截角交戶部核銷。

此為光緒年間甘肅當商陳鼎三開業領取的戶部牙帖。

戶部頒發甘肅省牙帖

右帖給當商牙戶陳鼎三執

同治　年　月　日

牙帖

【五·二·一八】

【五·二·一九】牙稅環簿

光緒二十七年（一九〇一年），漢文，紙質，冊，44.5cm × 20cm。

此為光緒年間奉天鐵嶺縣本年夏冬兩季徵收牙稅記錄的循環簿冊。

【五·二·二〇】施送棉衣票

清朝，漢文，紙質，版框，15cm × 8cm。

清制每年京師五城兵馬司散賞棉衣於貧民，以備過冬。通常由內務府於生息銀兩中撥三千咨交五城巡城科道辦理，有時不發棉衣，而以時價計算賞發錢文。此為領取棉衣的票證。

【五·二·二一】收銀簿

清朝，漢文，紙質，冊，27.5cm × 19.5cm。

【五·二·一九】

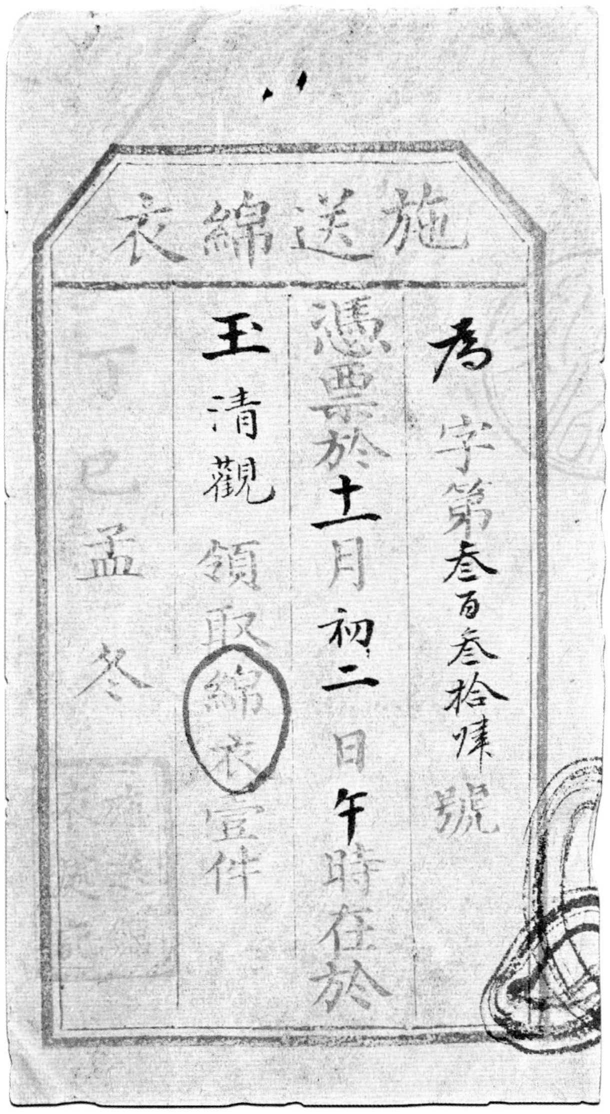

【五·二·二〇】

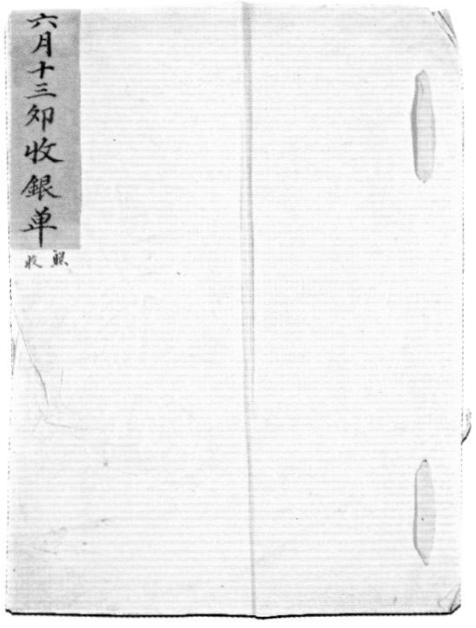

【五·二·二一】

【五・二・二二】四項出入清摺

光緒朝，漢文，紙質，紅色木印，版框，21cm × 11cm。

此二件為九龍新關、思茅關四項出入清摺，內開列經費、船鈔、罰款、另款四項。

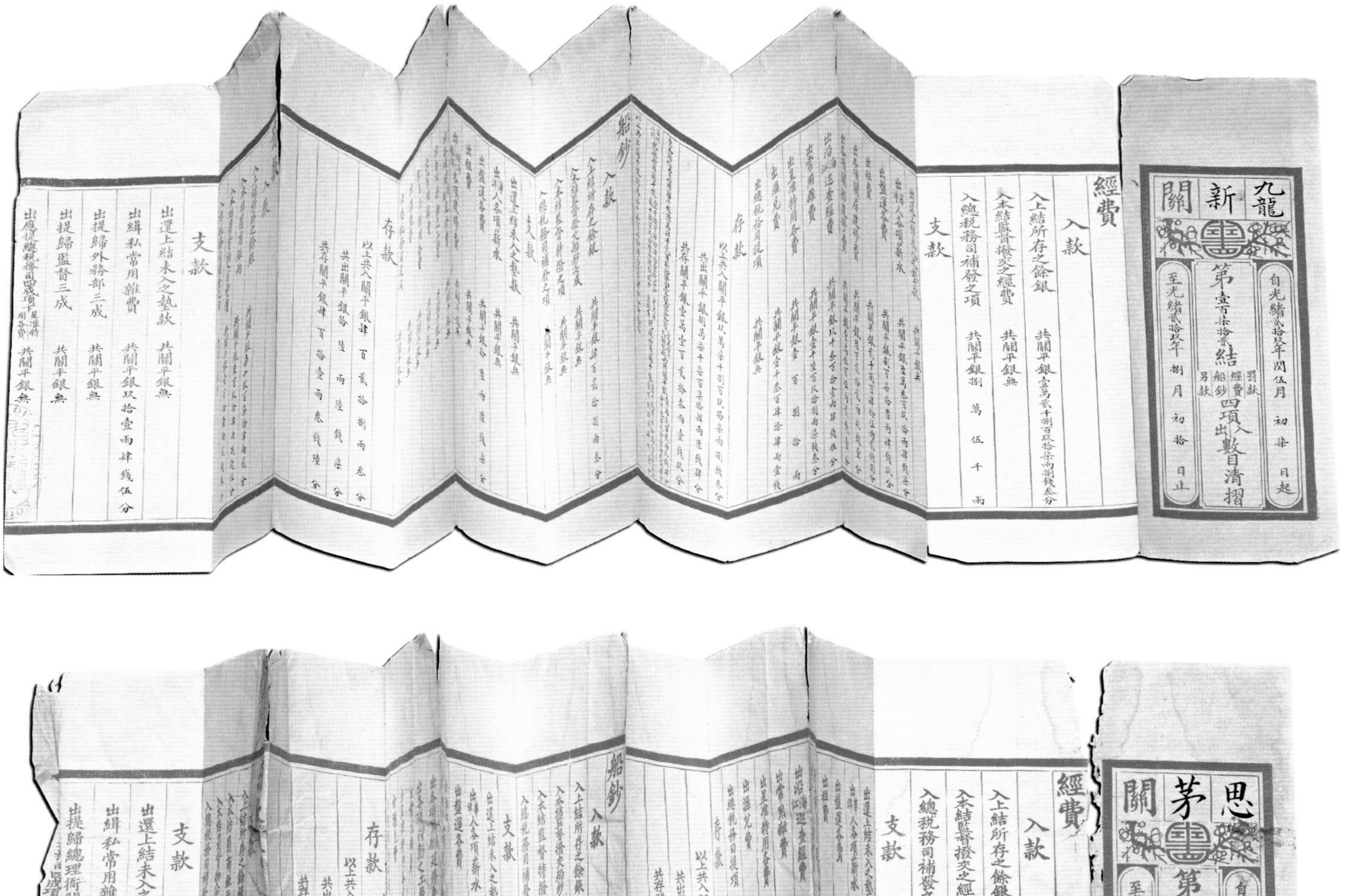

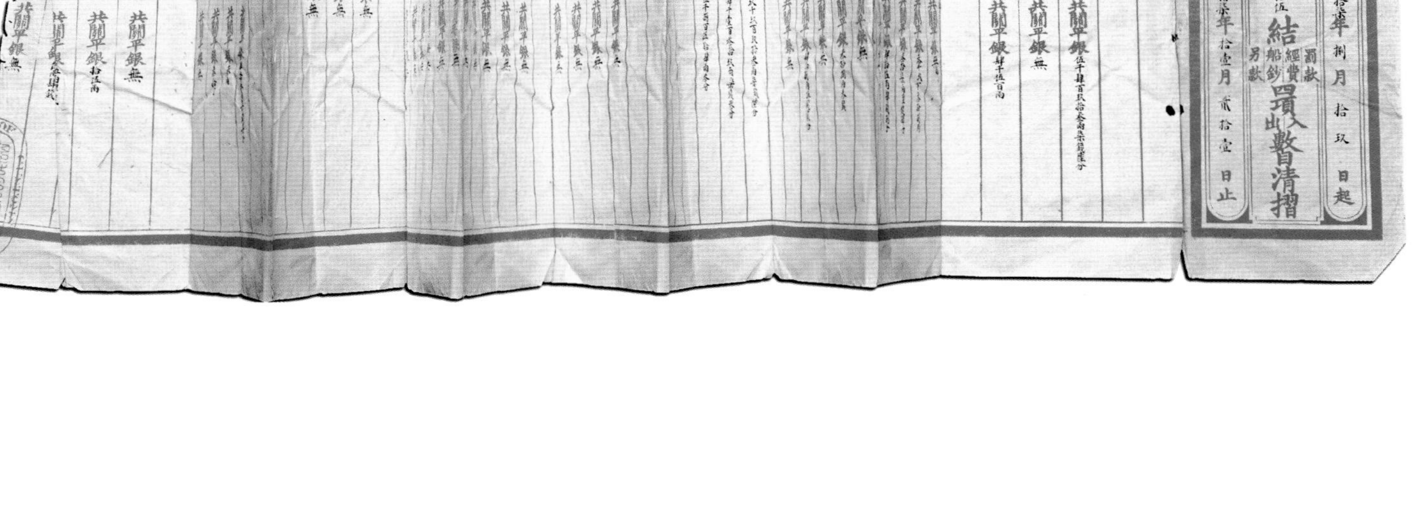

【五・二・二三】照票

官府出具的一種財務憑照。

① 內務府進貨照票。宣統三年（一九一一年）十二月，漢文，紙質，版框，27.5cm × 22.5cm。

此為膳房進隆裕太后食品的照票。

② 內務府領物照票。同治八年（一八六九年），漢文，紙質，墨刻印，版框，22cm × 17.5cm。

③ 緞匹庫照票。同治五年（一八六六年）二月二十八日，漢文，紙質，墨刻印，版框，24cm × 21cm。

④ 商船米照。道光九年（一八二九年）五月十五日，漢文，紙質，墨刻印，版框，36.5cm × 28.5cm。

清代海禁甚嚴，為防商船走私，外海商船需用食米都有所限制，由官方統一發給照票，到指定米舖購買，出關時憑照報驗。

此為上海縣發給商船的商船米照，押縣印，並有米舖的戳記。

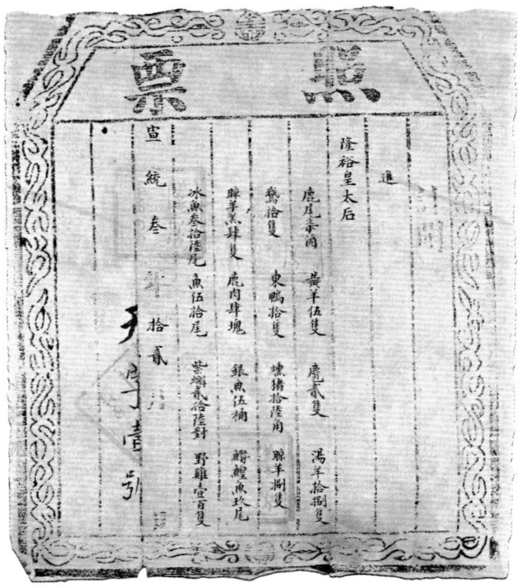

【五・二・二三①】

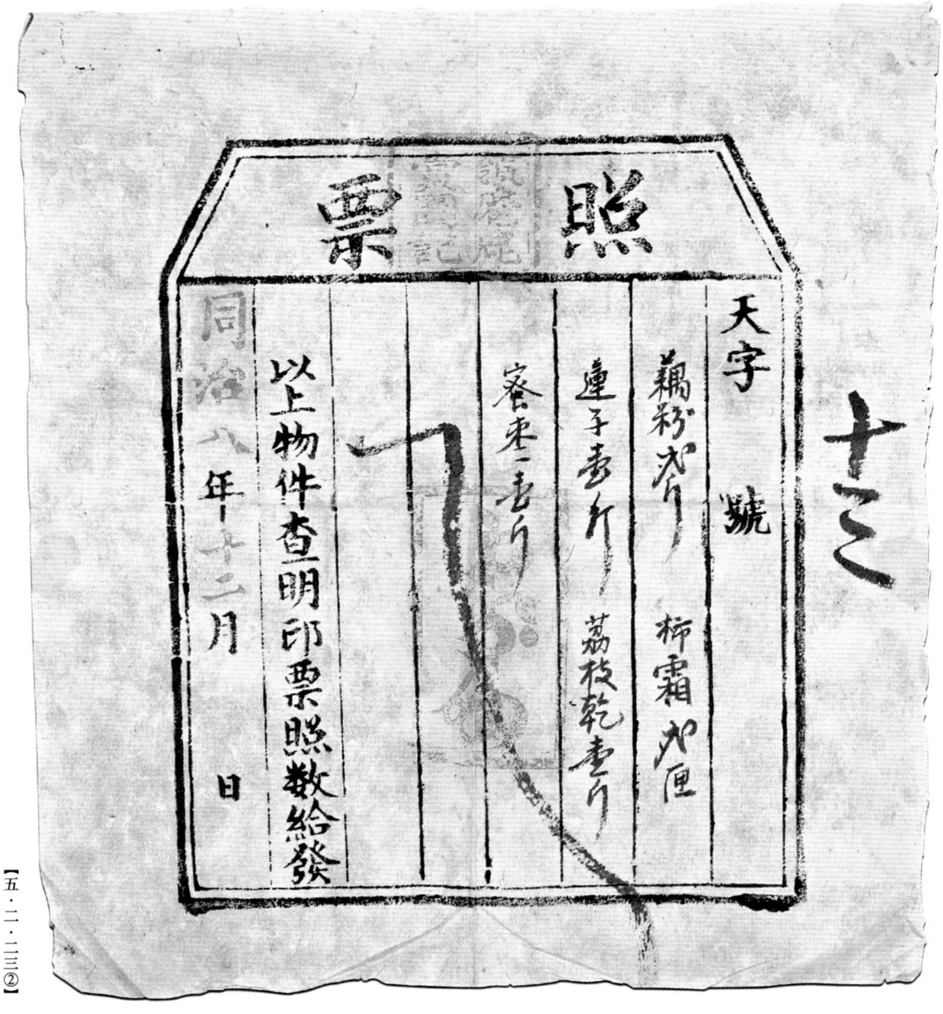

照票

天字 號

以上物件查明印票照數給發

同治八年十二月 日

【五・二・二三②】

【五・二・二四】領據（工資單）

光緒三十三年（一九〇七年）三月十一日，漢文，紙質，紅色，刻印，版框，21.5cm × 9cm。

光緒三十三年（一九〇七年）八月，詔設咨政院，為立憲作準備。

此為一等咨議官羅澤暐當年三月的工資單。

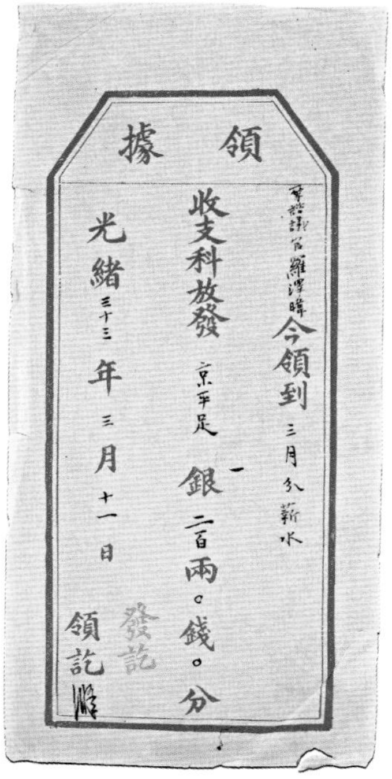

領據

咨議官羅澤暐今領到三月分薪水

收支科放發 京平足 銀二百兩〇錢〇分

光緒三十三年三月十一日

發訖

領訖

【五・二・二四】

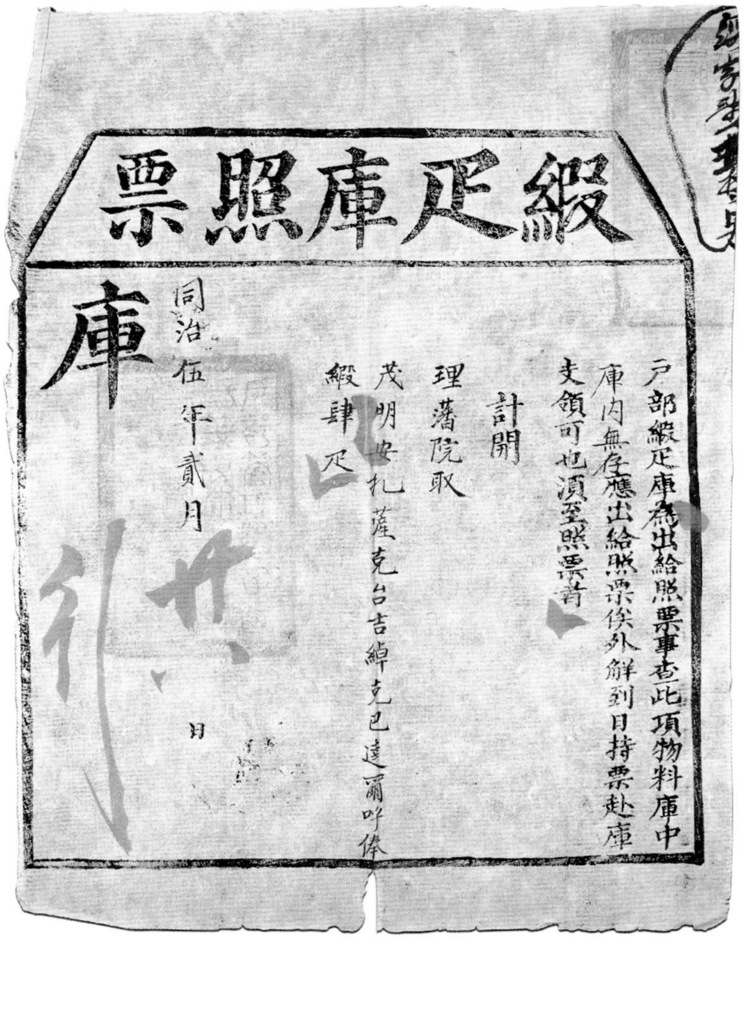

緞疋庫照票

庫

戶部緞疋庫為出給照票事查此項物料庫中

庫內無存應出給照票俟外解到日持票赴庫

支領可也須至照票者

計開

理藩院取

茂明安扎薩克台吉綽克巴達爾呼侏

緞肆疋

同治伍年貳月　日

【五・二・二三③】

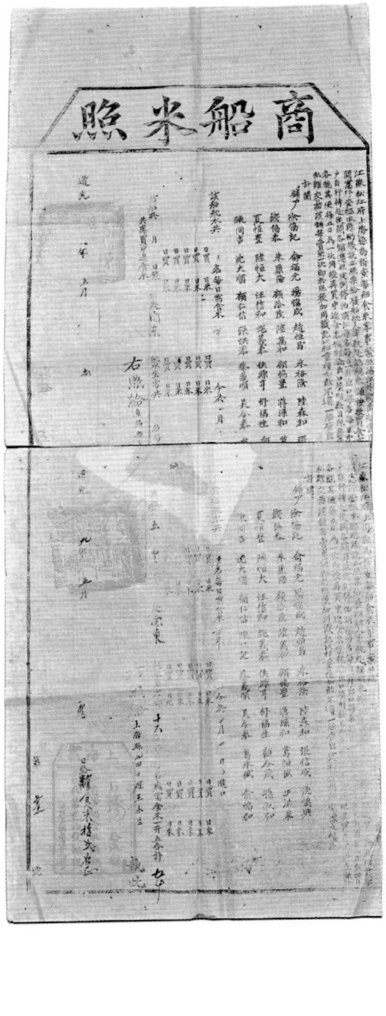

商船米照

【五・二・二三④】

【五・二・二五】推糧票

同治二年（一八六三年）十二月，漢文，紙質，23.5cm × 10cm。

此為同治年間糧戶湯錦園賣地過戶所立的票憑。

【五・二・二六】收租簿及租票

同治朝，漢文，紙質，冊，22cm × 14.5cm；票，22.5cm × 9cm。

此為湖北鄖陽府陳氏府第的收租簿及租地給他人所收到的租票憑證。

【五・二・二七】承攬、承據

嘉慶、道光朝，漢文，紙質。攬，50cm × 26.5cm；據，43cm × 42cm。

此為嘉慶、道光年間民間佃農向地主承租耕地的憑據。

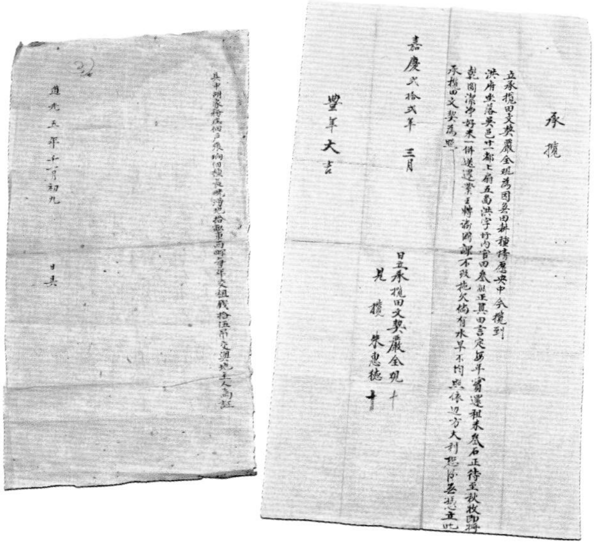

【五・二・二七】

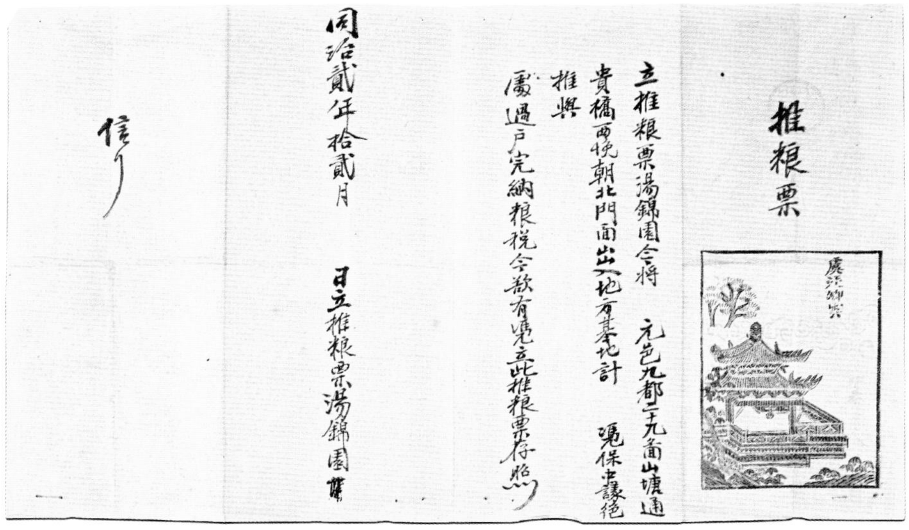

【五・二・二五】

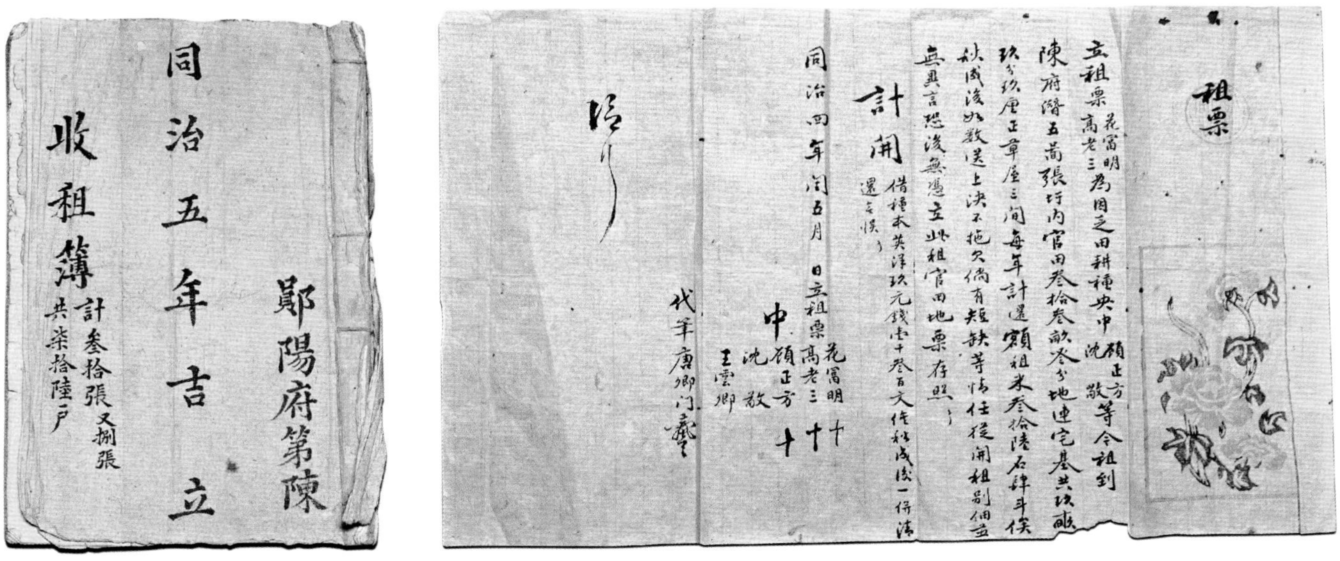

【五・二・二六】

【五・二・二八】當稅由單

光緒二十八年（一九〇二年），漢文，紙質，藍墨刻印，版框，52.5cm × 60cm。

此為順天府宛平縣善後總局，發給京師阜成門內西斜街路東玉興當舖商人伍貴善按新章納稅的通知。

【五・二・二九】當票

同治四年（一八六五年），漢文，紙質，藍墨木刻，版框，16cm × 10cm。

此為直隸香河縣渠口鎮天成、泰來當舖的當票。

【五・二・二九】

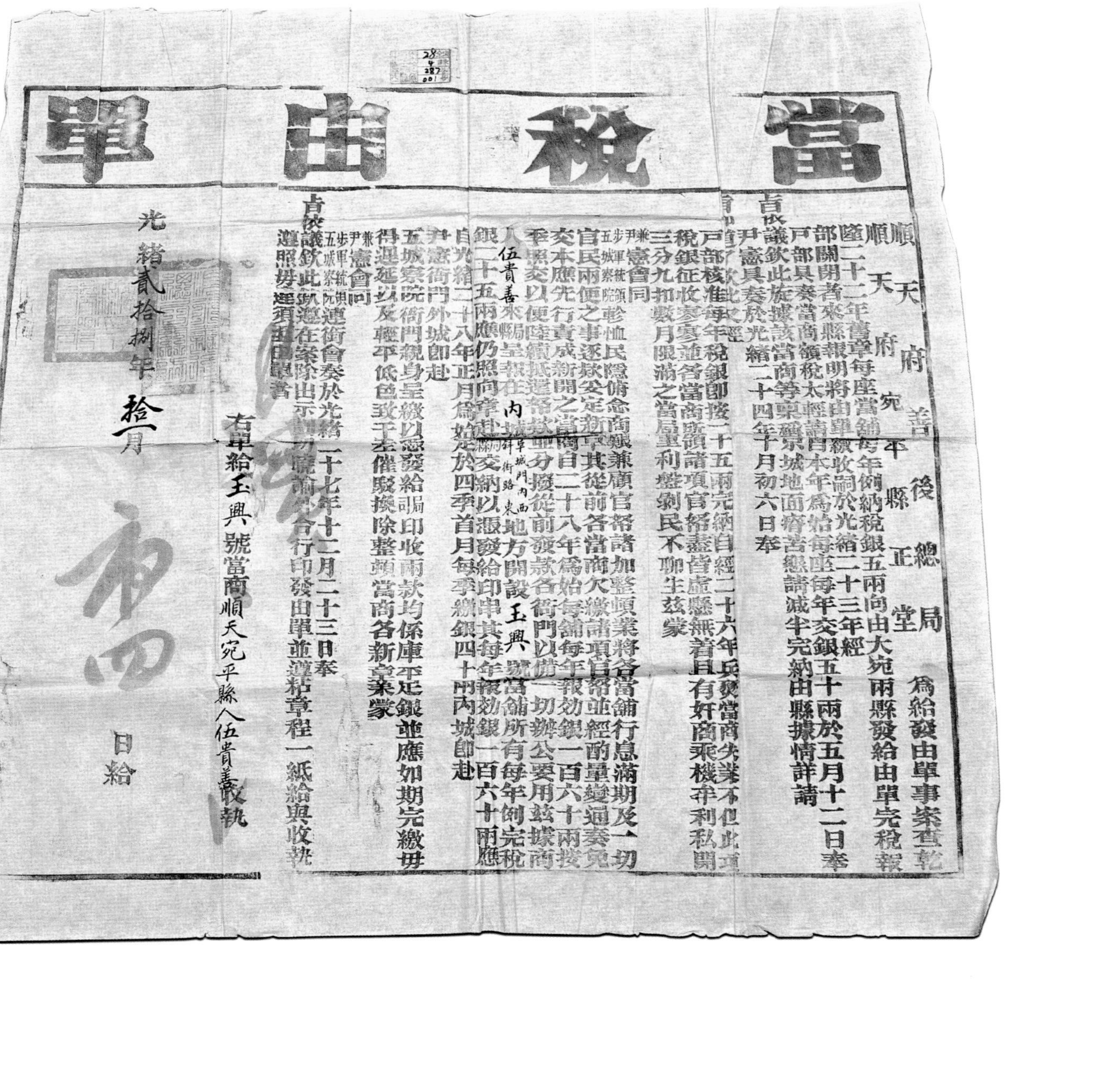

當稅由單

順天府善後總局 為給發由單事案查乾
隆二十二年舊章每座當鋪每年例納稅銀五兩向由大宛兩縣發給由單完稅報
部關閉者來縣報明將由單繳收嗣於光緒二十三年經
戶部具奏當商領稅太輕請自本年為始每座每年交銀五十兩於五月十二日奉
旨依議欽此旋據該當商等稟稱京城地面瘠苦懇請減半完納由縣據情詳請
順天府尹憲具奏於光緒二十四年十月初六日奉
旨[illegible]欽此又經
戶部核准每年稅銀即按二十五兩完納自經二十六年兵燹當商失業不但此項
稅銀征收寥寥並各當商所領諸項官帑盡皆虛懸無着且有奸商乘機牟利私開
三分九扣數月限滿之當層重利盤剝民不聊生茲蒙
兼尹 府尹 憲會同
步軍統領 五城察院 軫恤民隱俯念商艱兼顧官帑諸加整頓業將各當鋪行息滿期及一切
官民兩便之事逐款妥定新章其從前各當商欠繳諸項官帑並經酌量變通奏免
交本應先行責成新開之當商自二十八年為始每鋪每年報効銀一百六十兩援
案照交以便陸續抵還各款並分撥從前發款各衙門以備一切辦公要用茲據商
人伍貴善來縣局呈報在內城阜城門內西斜街路東地方開設玉興號當鋪所有每年例完稅
銀二十五兩應仍照向章赴局交納以憑發給印串其每年報効銀一百六十兩應
自光緒二十八年正月為始定於四季首月每季繳銀四十兩內城即赴
尹憲衙門外城即赴
五城察院衙門親身呈繳以憑發給司局印收兩款均係庫平足銀並應如期完繳毋
得遲延以及輕平低色致干差催駁換除整頓當商各新章業蒙
兼尹 府尹 步軍統領 五城察院 憲會同遵街會奏於光緒二十七年十二月二十三日奉
旨依議欽此欽遵在案除出示曉諭外合行印發由單並遵粘章程一紙給與收執
遵照毋違須至由單者

右單給玉興號當商順天宛平縣人伍貴善收執

光緒貳拾捌年拾一月　日給

【五・二・二八】

【五・二・三〇】借貸憑票、字據

宣統二年（一九一〇年），漢文，紙質。票，24.5cm × 11.5cm；據，23.5cm × 11cm。

此為上海萃隆裕彙存厚大寶莊銀元五千兩的彙存憑票及厚大寶莊立債還錢所立字據。

【五・二・三一】崇壽當租摺

光緒朝，漢文，紙質，摺，每扣 12cm × 6cm。

此為民人高禮堂承包內務府當舖官房開當納租的底摺。

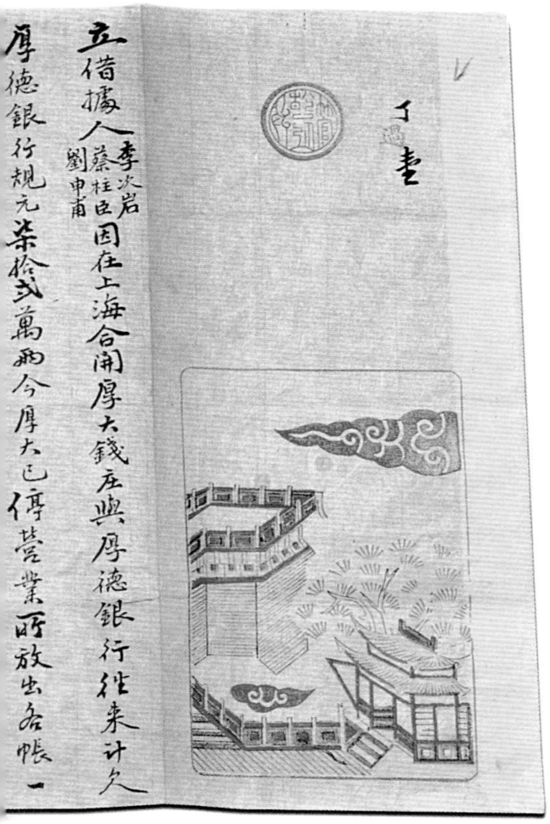

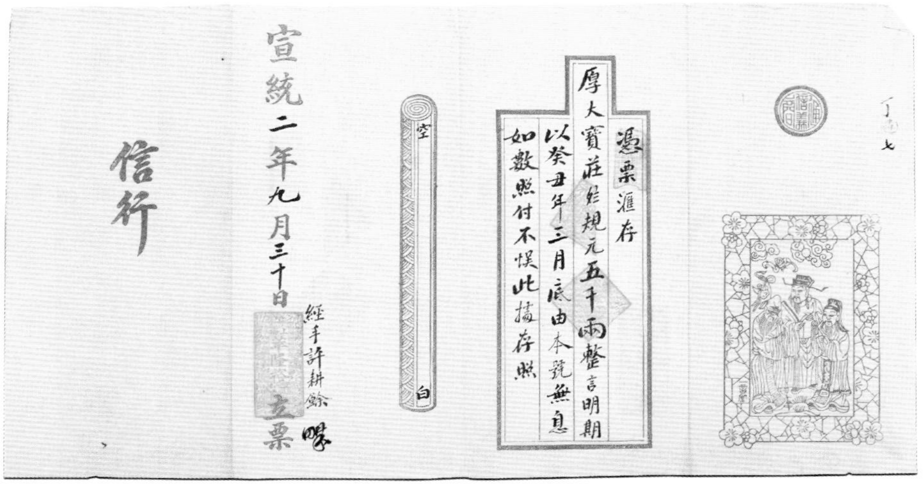

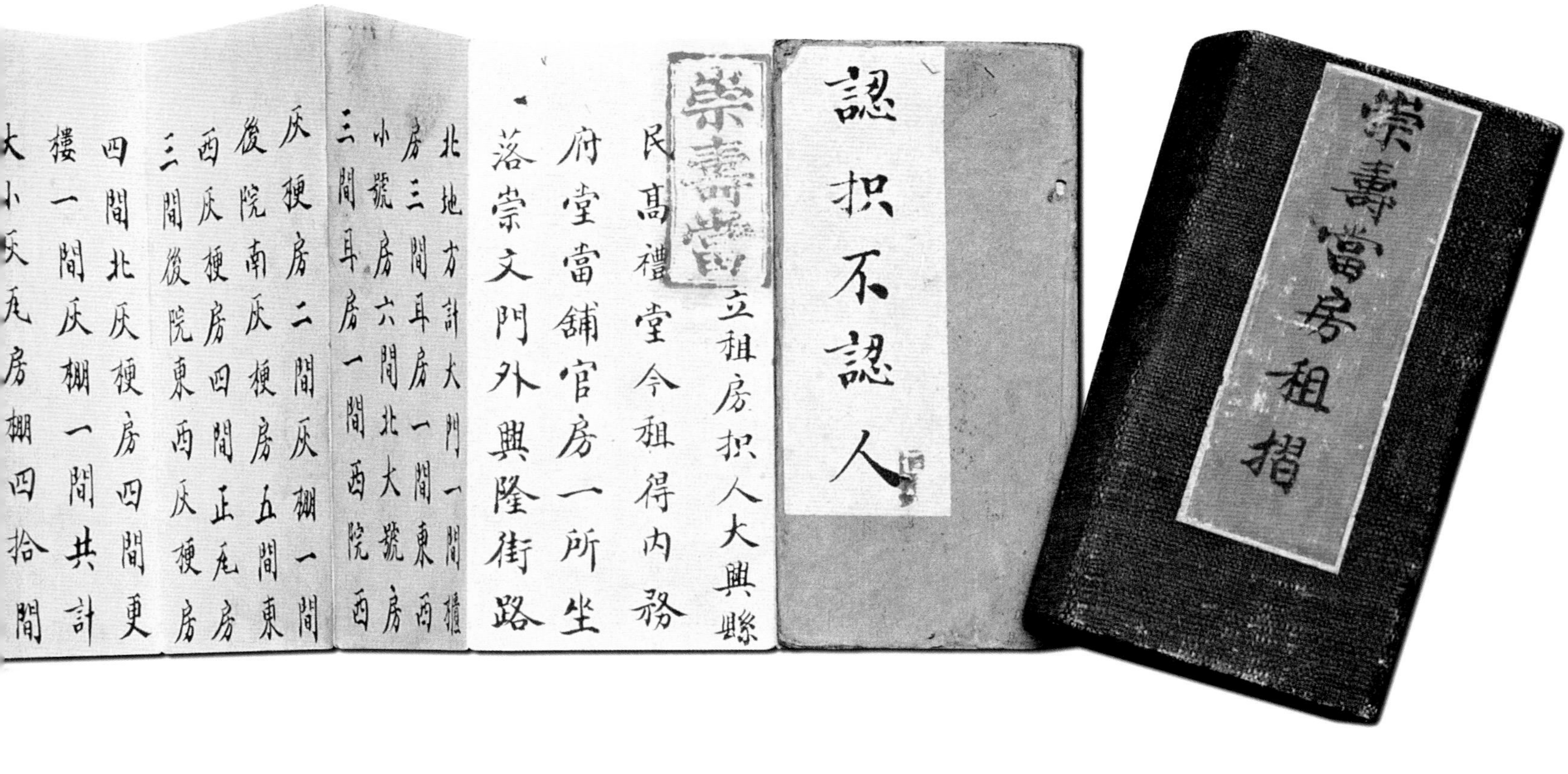

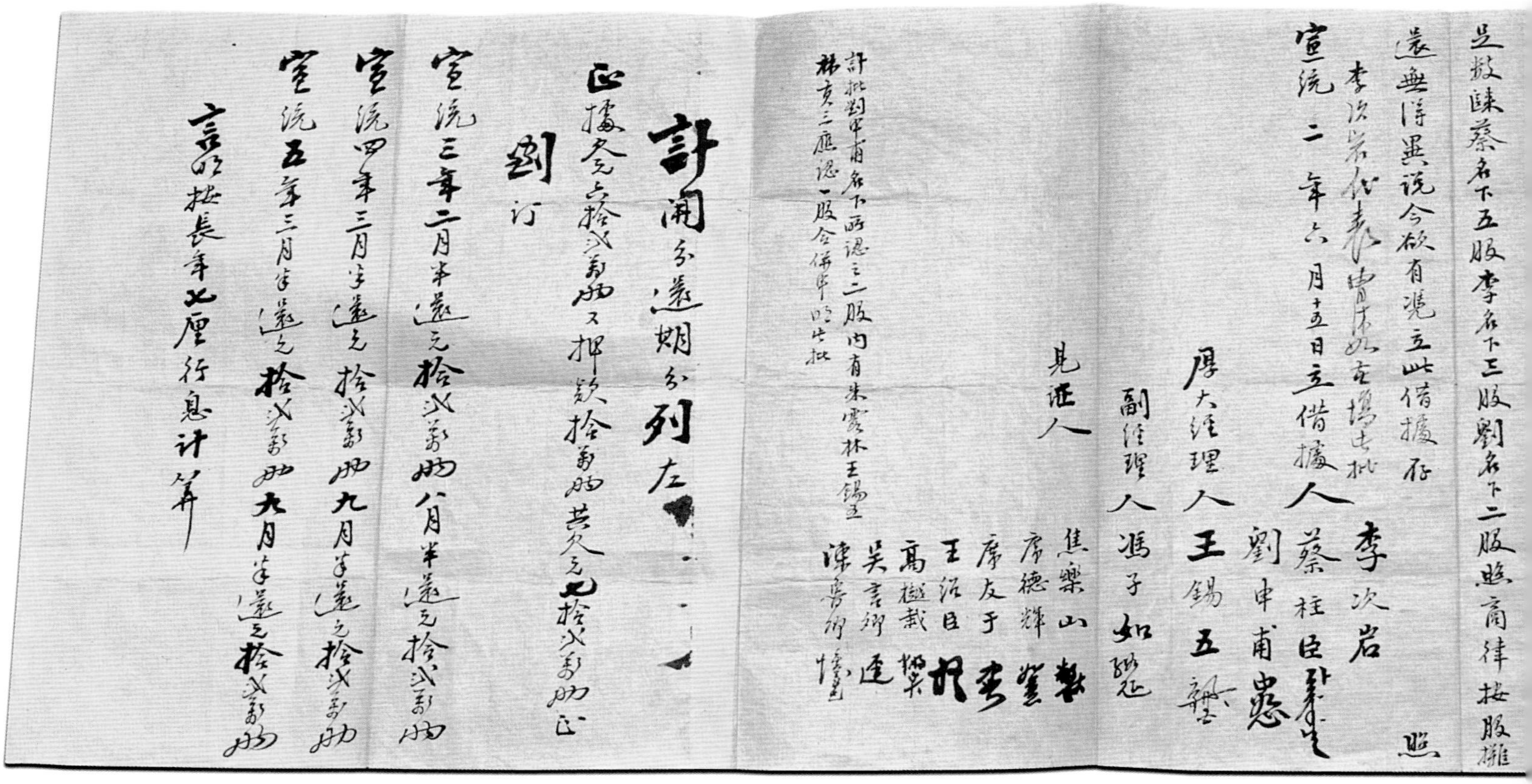
是數陳蔡名下五股李名下三股劉名下二股照商律按股攤
還無得異說今欲有憑立此借據存照
李次岩代表曹床如在場出批
宣統二年六月十五日立借據人 李次岩
蔡柱臣
劉申甫
厚大經理人 王錫五
副經理人 馮子如
見証人 焦樂山
唐德輝
唐友于
王紹臣
高樾栽
吳言卿
陳禹卿
計批劉申甫名下所認之二股內有朱雲林王錫五林貞之應認一股合併申明此批
計開分還期分列左
正據本元六拾弍萬兩又押款拾萬兩共欠元七拾弍萬兩正
劉訂
宣統三年二月半還元拾弍萬兩 八月半還元拾弍萬兩
宣統四年三月半還元拾弍萬兩 九月半還元拾弍萬兩
宣統五年三月半還元拾弍萬兩 九月半還元拾弍萬兩
言明按長年七厘行息計算

【五·二·三〇】

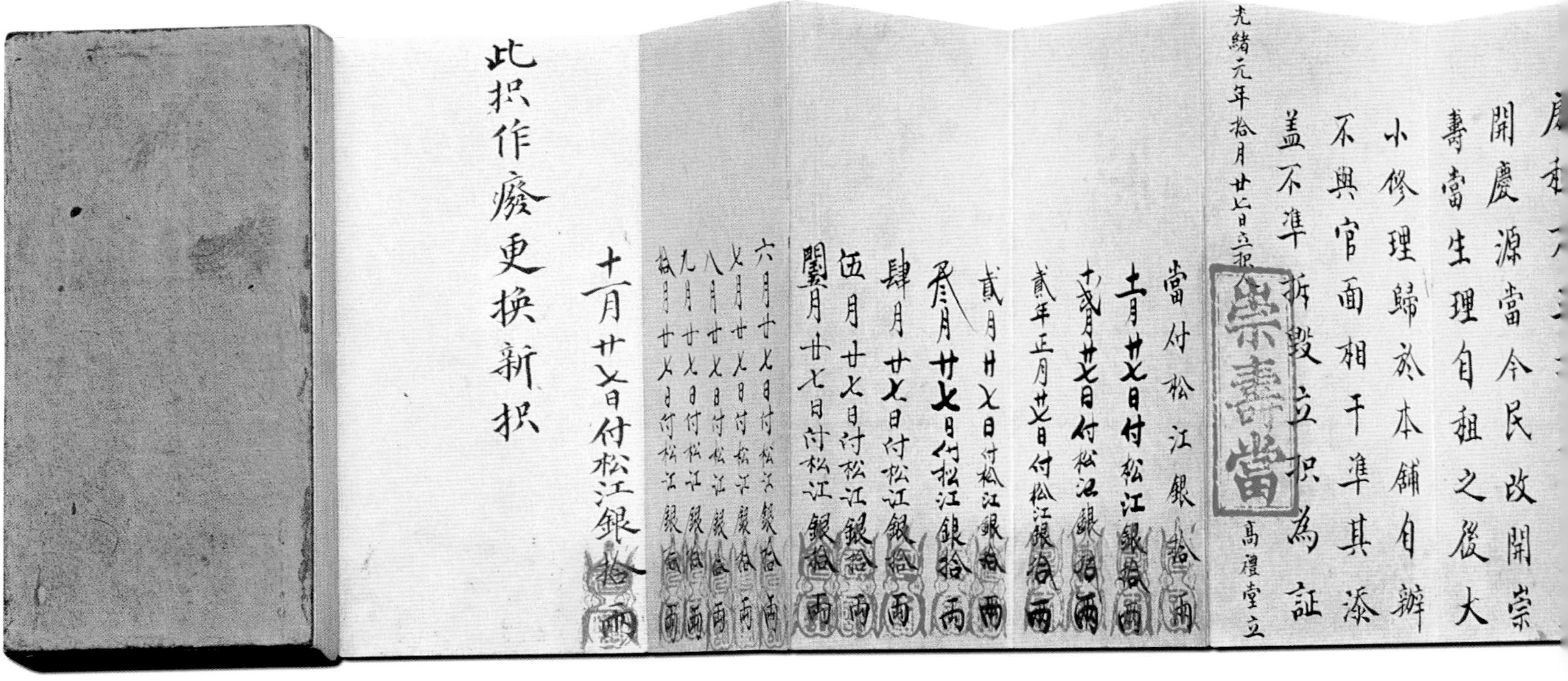
開慶源當今民改開崇
壽當生理自祖之後大
小修理歸於本鋪自辦
不與官面相干準其添
蓋不準拆毀立摺為証
光緒元年拾月廿七日立摺
崇壽當
高禮堂立
當付松江銀拾兩
十一月廿七日付松江銀拾兩
十二月廿七日付松江銀拾兩
貳年正月廿七日付松江銀拾兩
貳月廿七日付松江銀拾兩
叁月廿七日付松江銀拾兩
肆月廿七日付松江銀拾兩
伍月廿七日付松江銀拾兩
閏月廿七日付松江銀拾兩
六月廿七日付松江銀拾兩
七月廿七日付松江銀拾兩
八月廿七日付松江銀拾兩
九月廿七日付松江銀拾兩
拾月廿七日付松江銀拾兩
十一月廿七日付松江銀拾兩
此摺作廢更換新摺

【五·二·三一】

【五・二・三二】咸陽清茂店店票

嘉慶十四年（一八〇九年）三月十八日，漢文，紙質，墨刻印，版框，42cm × 21cm。

此為清茂店店主與船腳人張某訂立的運送煙貨自咸陽至絳州的運費合同。合同上填墨處均押「清茂店記」、「清茂粟店」等戳記。

【五・二・三三】押據

宣統二年（一九一〇年），漢文，紙質，23cm × 12.5cm。

此為北京聚增舖將本舖抵押給大清銀行的押據。

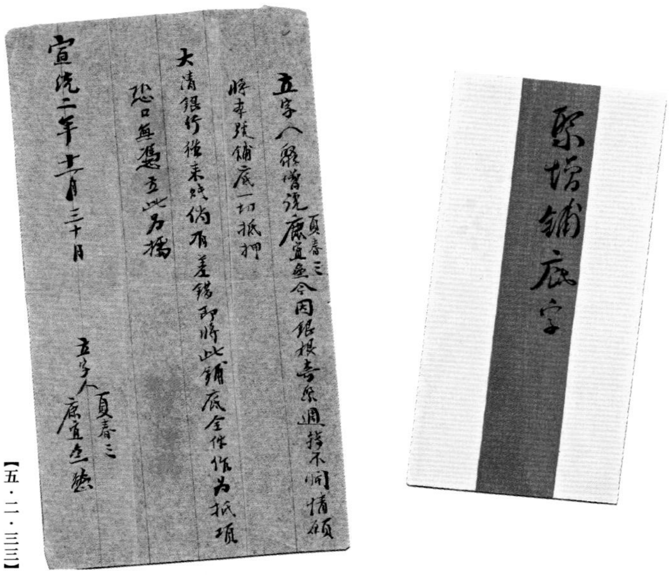

聚增鋪底字

立字人聚增號原宜亭夏春三今因銀根吃緊週轉不開情願
將本號鋪底一切抵押
大清銀行從來欠款倘有差錯即將此鋪底全作作為抵項
恐口無憑立此為據
宣統二年十一月三十日
立字人夏春三原宜亭

【五・二・三三】

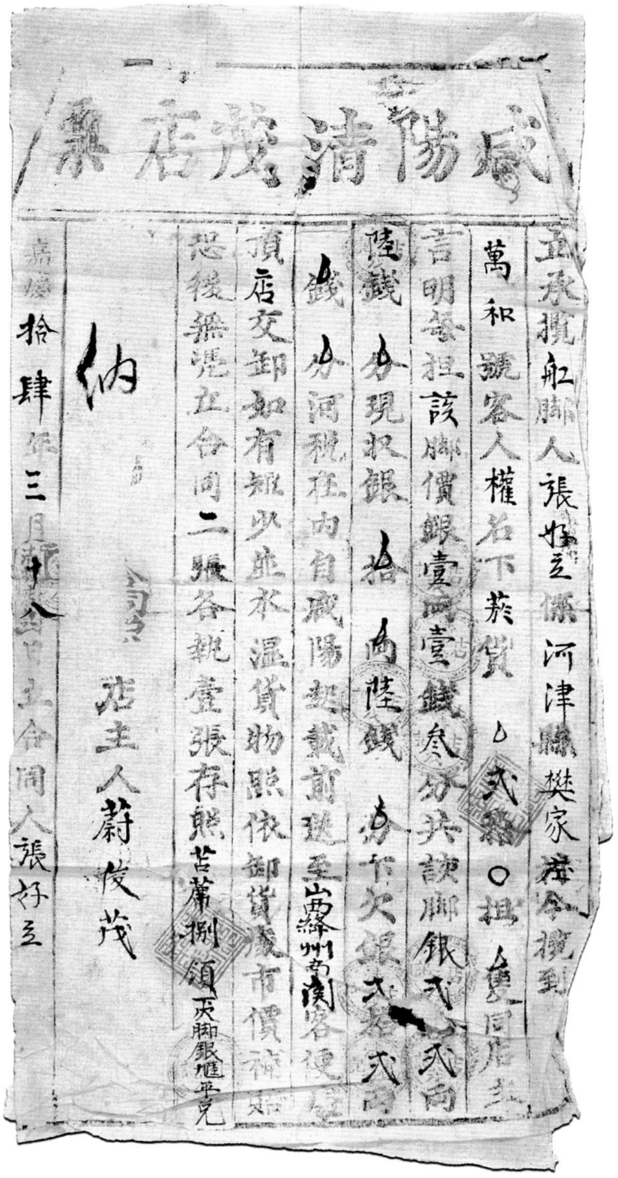

咸陽清茂店票

立承攬船腳人張好立係河津縣樊家莊今攬到
萬和號客人權名下菸貨

【五・二・三二】

【五・二・三四】大清寶鈔

咸豐朝，漢文，紙質。

清初順治年間為解決財政拮据，曾「仿明舊制，造為鈔貫與錢兼行」，順治十八年（一六六一年）停。咸豐初年，經濟再次危機，咸豐三年（一八五三年）開始製銀票、寶鈔。寶鈔又名「錢票」，或「錢鈔」，以制錢為單位。寶鈔有二千文、一千五百文、一千文、五百文、二百五十文幾種，厚白紙印刷，上端印「大清寶鈔」漢字，中間印製文數，花紋字畫皆藍色。

【五・二・三五】官銀票

咸豐朝，漢文，紙質。

銀票又稱「官票」，以銀兩為單位，有一兩、三兩、五兩、十兩及五十兩多種。用高麗紙印製，上端有「戶部官票」滿漢文字。中間印銀兩數目，花紋字畫用藍色印刷，銀數用大字墨戳。

這種官票與寶鈔原規定皆以五成為限，民間完納地丁、關稅、鹽河及一切交官等款，皆須鈔票與銀錢相輔而行。咸豐帝死後，官票與寶鈔也停止使用。

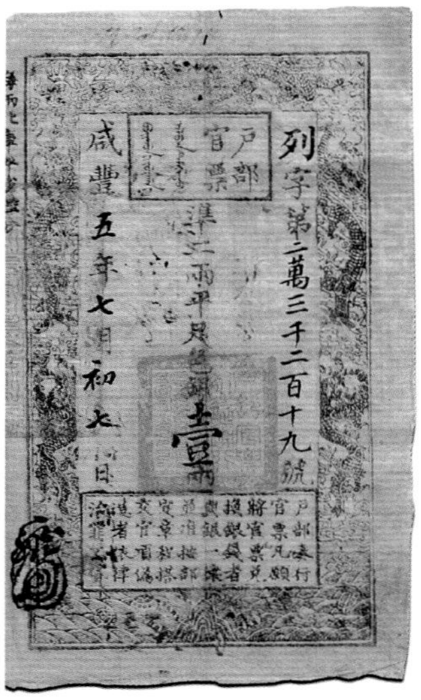

【五・二・三五】

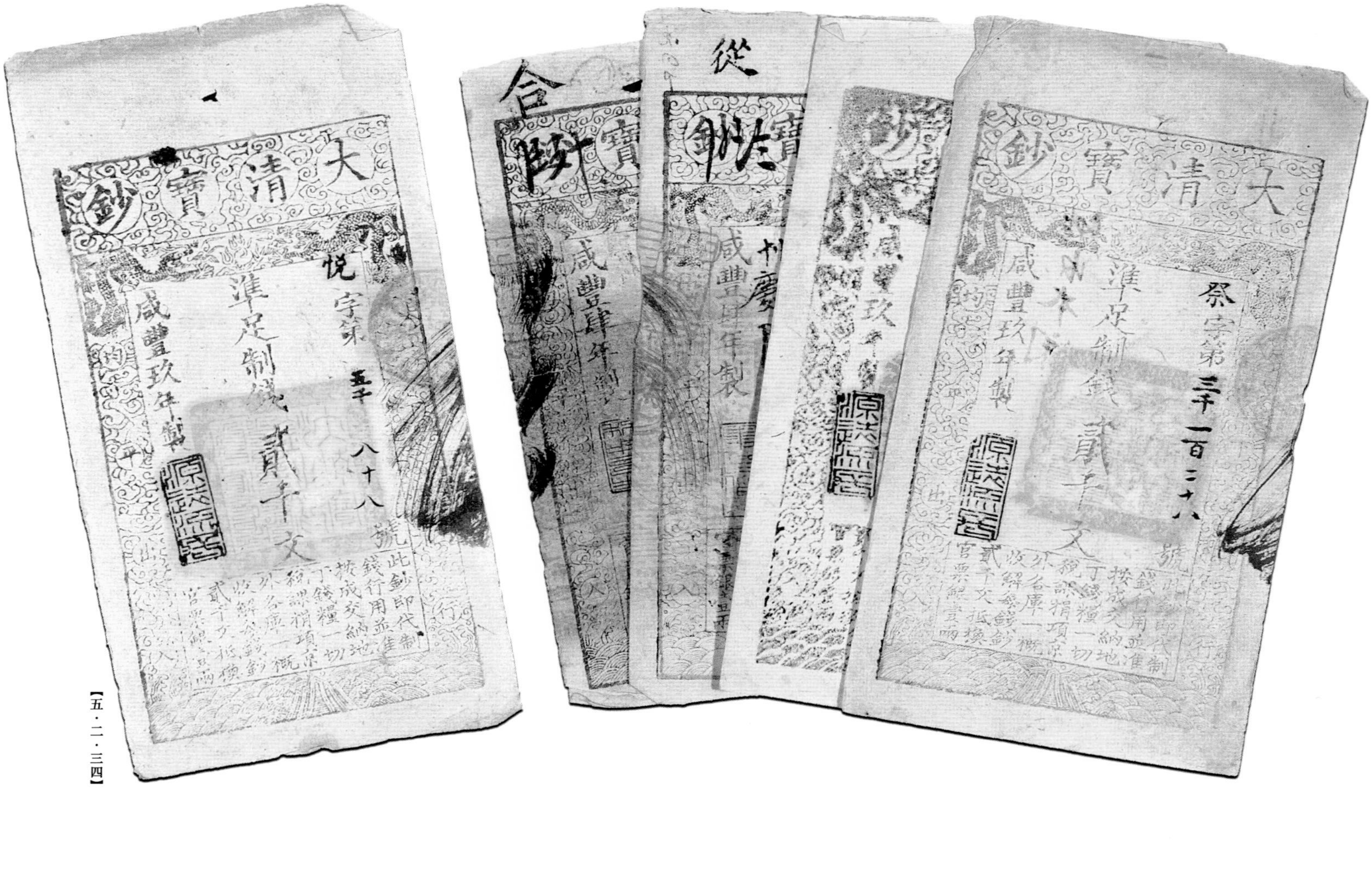

【五・二・三四】

【五·二·三六】大清寶鈔圖樣

咸豐朝，漢文，紙質。

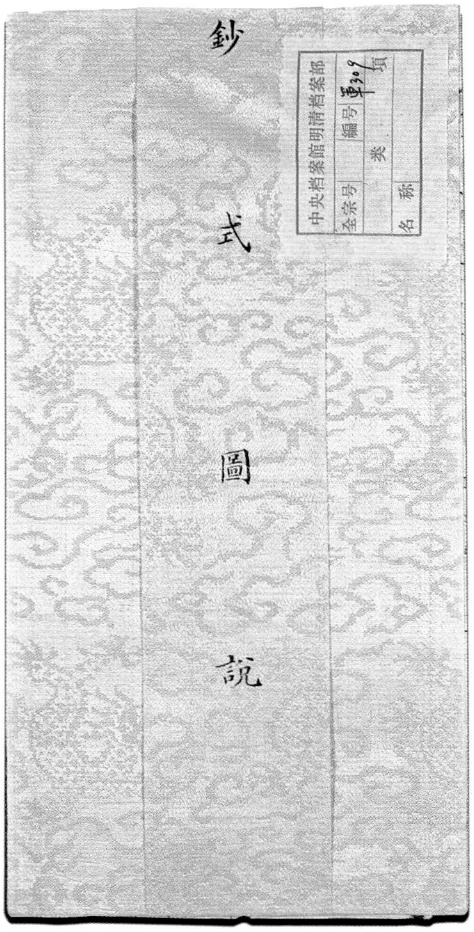

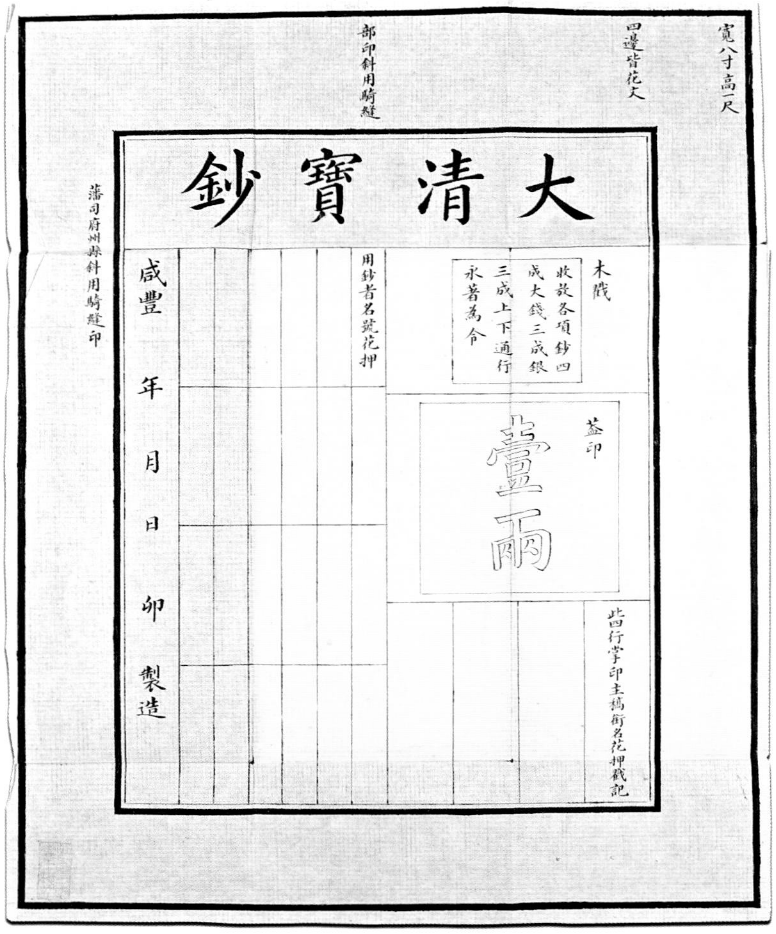

【五・二・三七】清末股票

光緒朝，漢文，紙質。厚德商業銀行股票，版框，24cm × 29.8cm；華商鴻茂採煤有限公司股票，版框，24cm × 22cm；華商鴻茂採煤有限公司息單，版框，24.2cm × 12cm；湖北水泥廠股份有限公司整股息單，26.5cm × 15.5cm。

【五・二・三八】清末彩票

宣統朝，漢文，綠紙，墨印，版框，23.5cm × 10cm。

【五・二・三八】

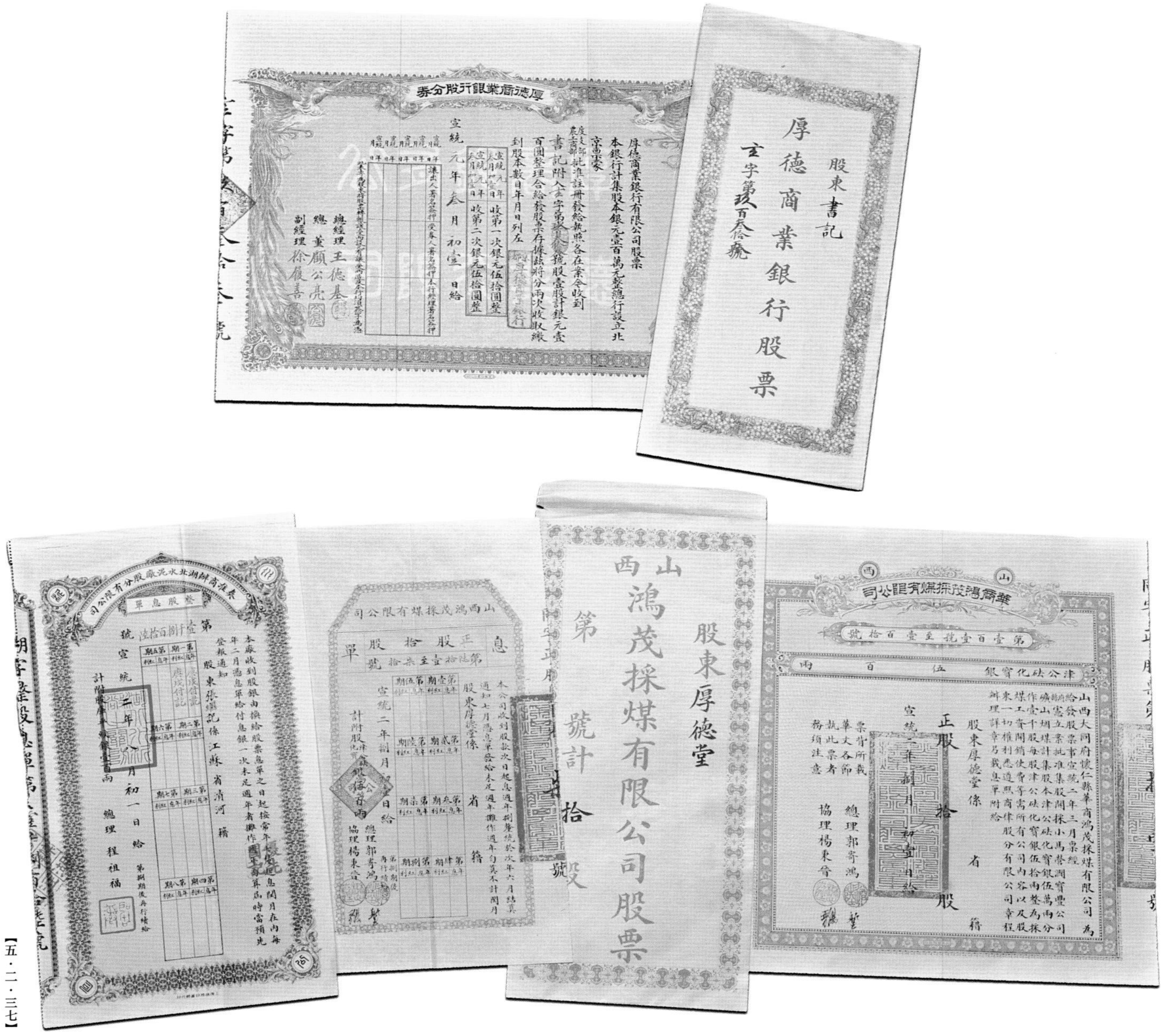

【五・二・三七】

【五・三・一】清政府致比利時國書

光緒三十一年（一九〇五年），滿漢文合璧，五扣，絲繡雲龍面，內黃紙，34.5cm × 22.5cm。

此為清政府派載澤等五大臣出洋考察憲政所帶的國書之一，由於五大臣於北京東車站登車之際，遭吳樾投擲炸彈，致使數人受輕傷，遂中止出發，此國書交回，存於宮中。

【五・三・一輔】大清國旗

醇親王載灃依《辛丑條約》赴德時用過的「大清國旗」。

【五・三・一輔】

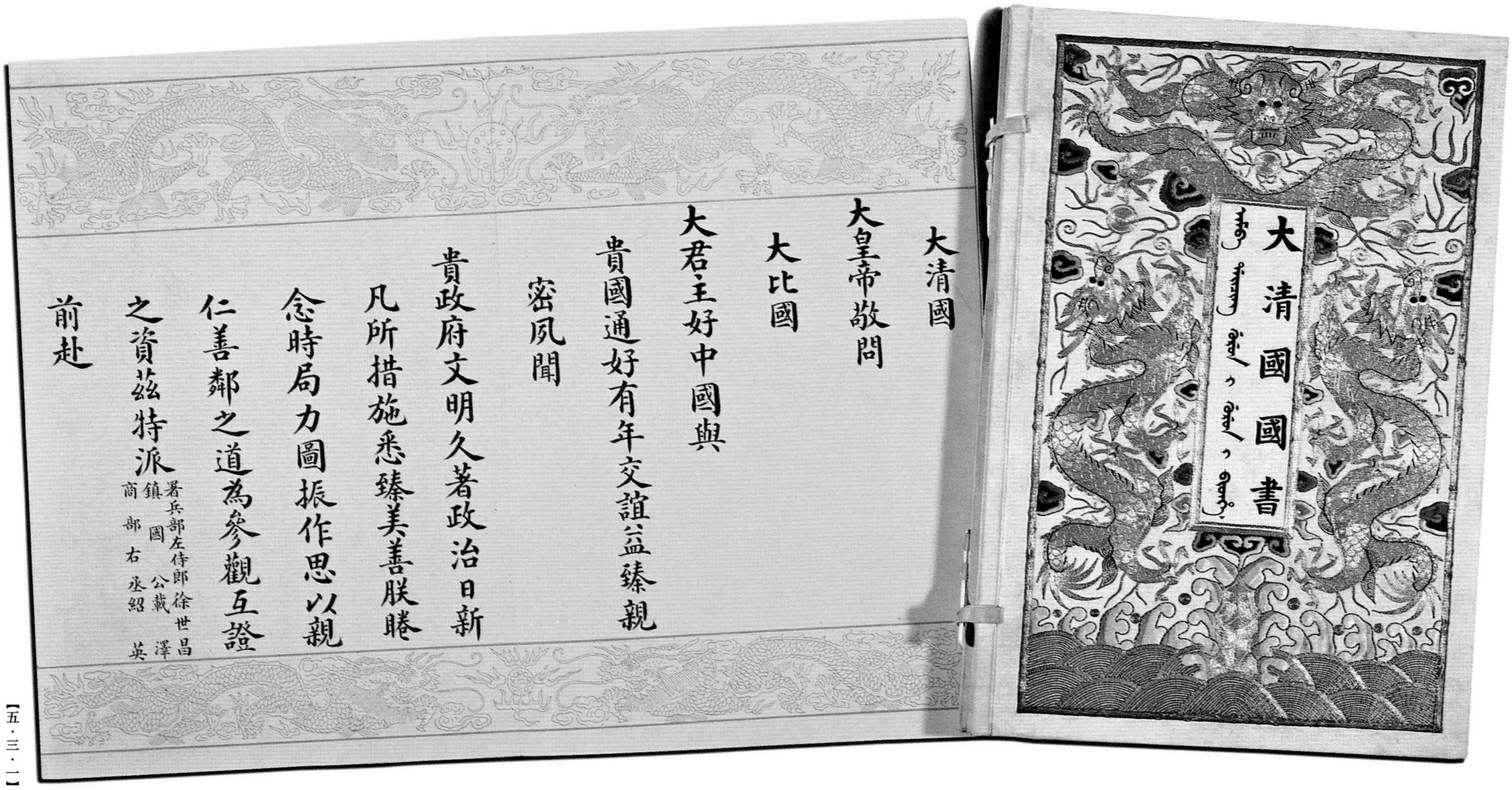

大清國國書

大清國
大皇帝敬問
大比國
大君主好中國與
貴國通好有年交誼益臻親
密夙聞
貴政府文明久著政治日新
凡所措施悉臻美善朕睠
念時局力圖振作思以親
仁善鄰之道為參觀互證
之資茲特派 署兵部左侍郎徐世昌 鎮國公載澤 商部右丞紹英
前赴

【五・三・一】

【五・三・二】辛丑條約

光緒朝，中法文，紙質，鉛印本，34.5cm × 28cm。

即《辛丑議定書》，或《辛丑各國條約》，八國聯軍攻佔北京後強迫清政府訂立的喪權辱國條約。光緒二十七年（一九〇一年）九月由清全權代表奕劻、李鴻章與英、美、俄、德、奧、日、法、意、西、荷、比十一國家的代表在北京簽訂。共十二款，附件十九件。主要內容：中國賠款銀四億五千萬兩；將東交民巷劃為使館區；拆毀大沽及海通道至北京沿線砲台；承認「縱信」義和團的錯誤，懲辦有關官員，向各國「道歉」；改總理各國事務衙門為外務部，班列六部之首。此條約從政治、經濟、軍事等各方面加深了帝國主義對中國的侵略與統治。

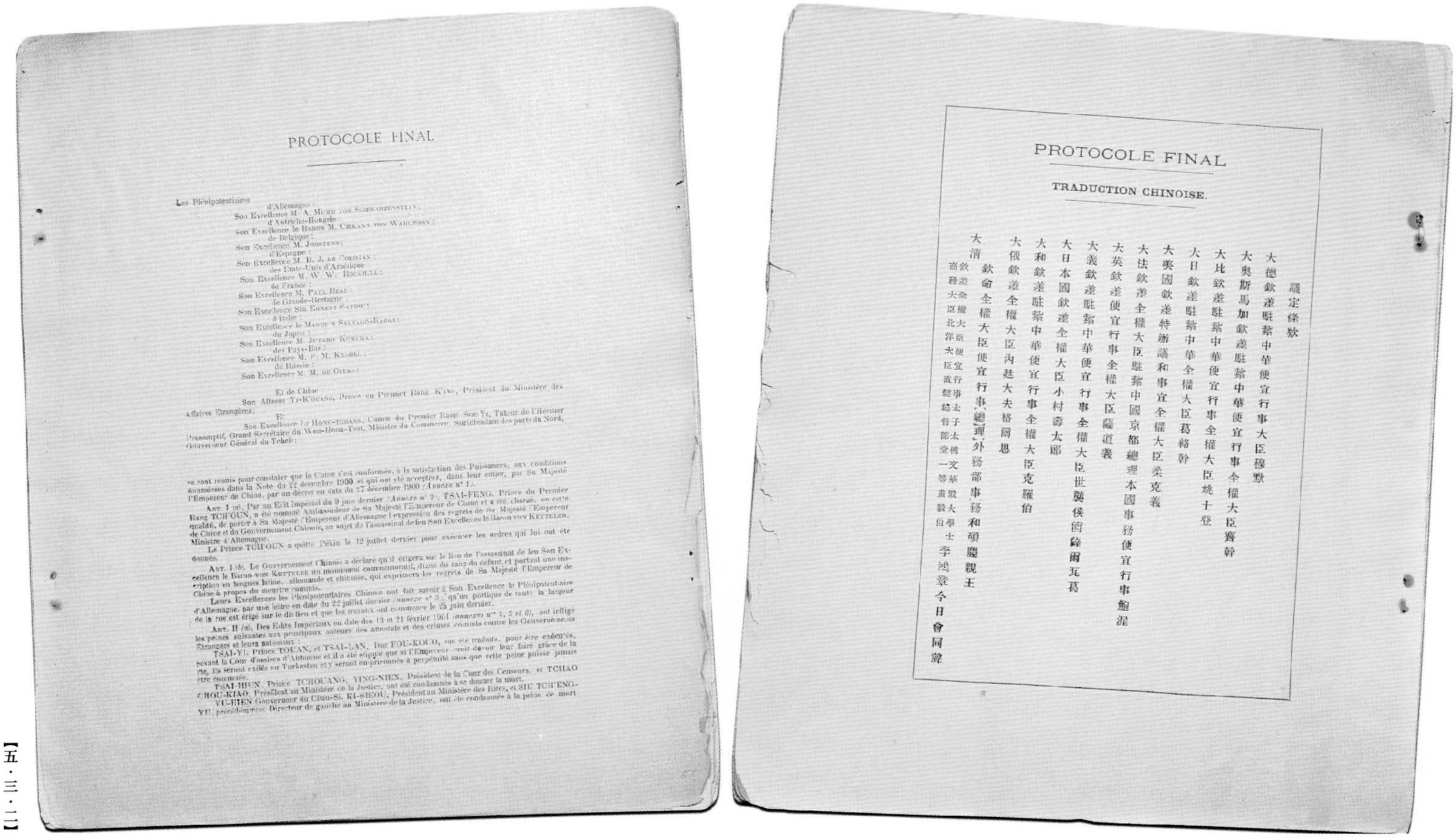

PROTOCOLE FINAL

PROTOCOLE FINAL

TRADUCTION CHINOISE.

議定條款

大德欽差駐紮中華便宜行事大臣穆默

大奧斯馬加欽差駐紮中華便宜行事全權大臣齊幹

大比欽差駐紮中華便宜行事全權大臣姚士登

大日欽差駐紮中華全權大臣葛絡幹

大美國欽差特辦議和事宜全權大臣柔克義

大法欽差全權大臣駐紮中國京都總理本國事務便宜行事鮑渥

大英欽差便宜行事全權大臣薩道義

大義欽差駐紮中華便宜行事全權大臣世襲侯爵薩爾瓦葛

大日本國欽差全權大臣小村壽太郎

大和欽差駐紮中華便宜行事全權大臣克羅伯

大俄欽差全權大臣內廷大夫格爾思

大清欽命全權大臣便宜行事總理外務部事務和碩慶親王

欽差全權大臣便宜行事太子太傅文華殿大學士商務大臣北洋大臣直隸總督部堂一等肅毅伯李鴻章今日會同聲

【五・三・三】清駐意大利使館印

宣統三年（一九一一年），直徑3.5cm。

印文為「大清駐義使者」，圓形。中國自古官印講究方正，此印為圓，顯然受西方印章制度的影響。

【五・三・四】覲見各國使臣檔

光緒三十一年（一九〇五年）正月，漢文，紙質，冊，26.5cm × 22cm。

此為內務府掌儀司編抄本年度一至十月有關外國人覲見皇帝的時間、地點、人名之記載。

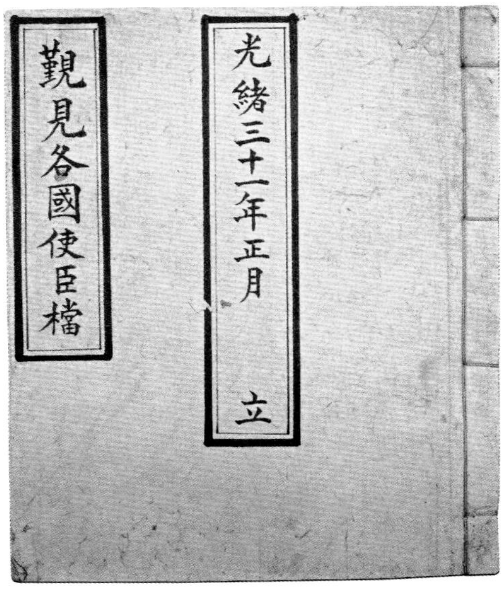

【五・三・四】

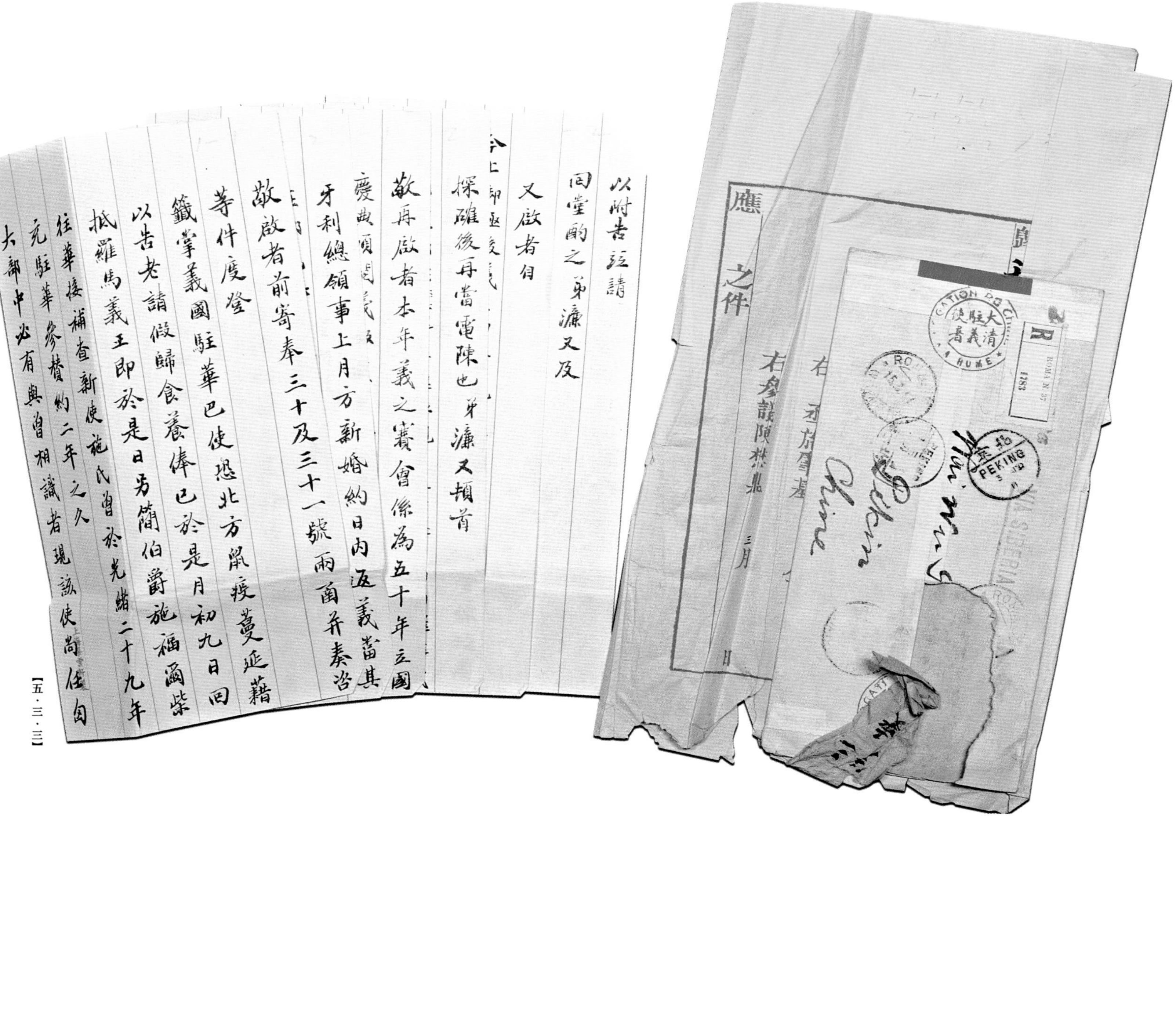

【五・三・三】

【五・三・五】意大利使館開送的覲見名單

宣統三年（一九一一年），紙質，附參贊名片。

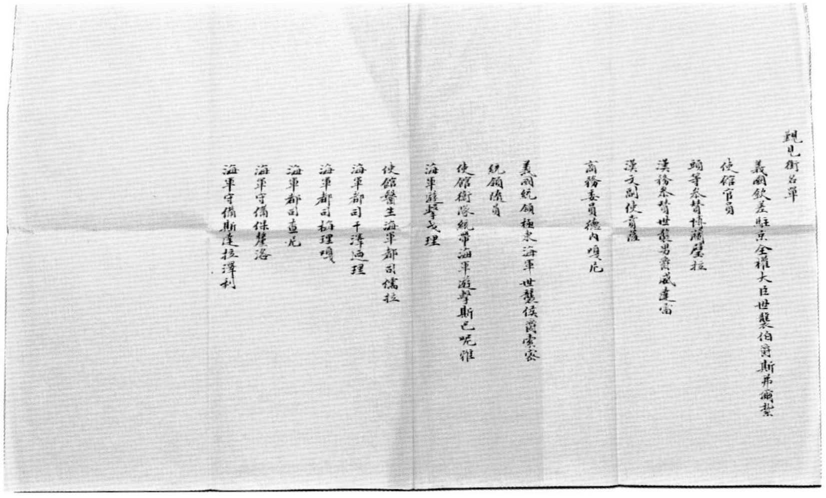

覲見銜名單
義國欽差駐京全權大臣世襲伯爵斯弗爾蔡
使館官員
頭等參贊博蘭壁拉
漢務參贊世襲男爵威達雷
漢文副使貢薩
商務委員德內嘎尼
義國統領極東海軍世襲侯爵索密
統領隨員
使館衛隊統帶海軍游擊斯巴呢雅
海軍游擊戈理
使館醫生海軍都司儒拉
海軍都司干澤逦理
海軍都司格理嘎
海軍都司查尼
海軍守備保壁洛
海軍守備斯達拉澤利

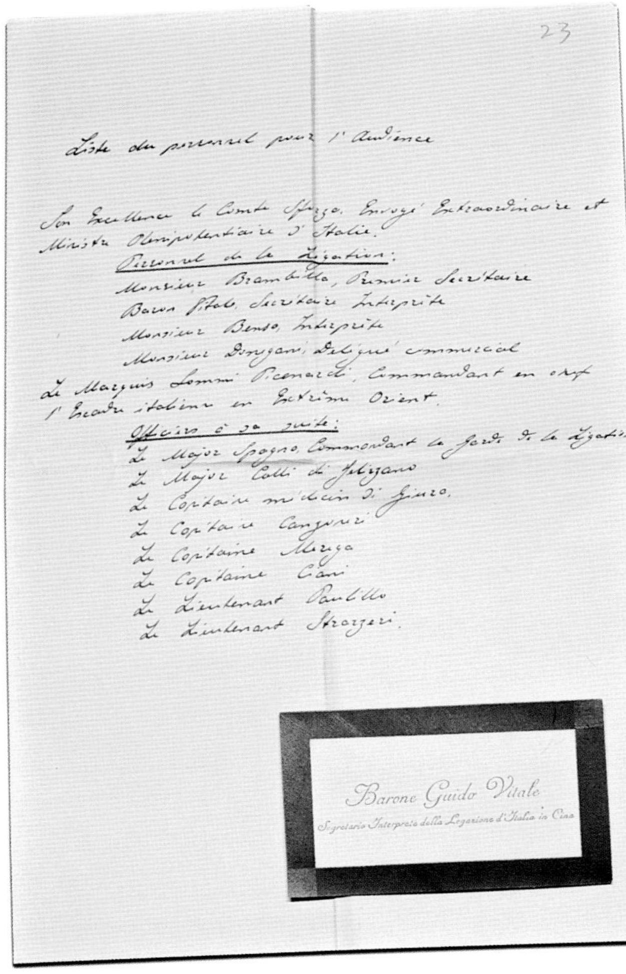

23

Liste du personnel pour l'Audience

Son Excellence le Comte Sforza, Envoyé Extraordinaire et Ministre Plénipotentiaire d'Italie.
Personnel de la Légation:
Monsieur Brambilla, Premier Secrétaire
Baron Vitale, Secrétaire Interprète
Monsieur Benso, Interprète
Monsieur Dongani, Délégué commercial
Le Marquis Somm Piccardi, Commandant en chef l'Escadre italienne en Extrême Orient.
Officiers à sa suite:
Le Major Spagno, Commandant la Garde de la Légation
Le Major Colli di Felizzano
Le Capitaine médecin di Giuro.
Le Capitaine Canzoneri
Le Capitaine Meruga
Le Capitaine Cavi
Le Lieutenant Paulillo
Le Lieutenant Strozzeri.

Barone Guido Vitale
Segretario Interprete della Legazione d'Italia in Cina

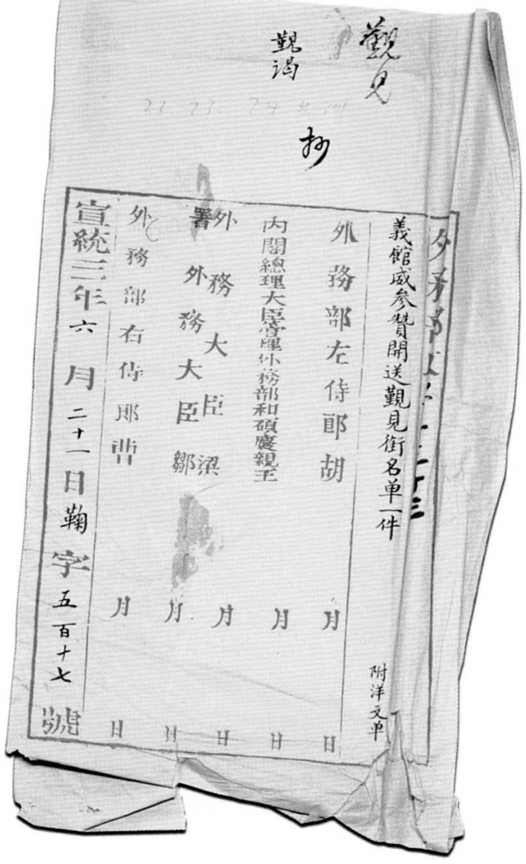

覲見
覲謁
抄
義館威參贊開送覲見銜名单一件
附洋文单
外務部左侍郎胡
內閣總理大臣管理外務部和碩慶親王
署外務大臣鄒
外務大臣梁
外務部右侍郎曹
宣統三年六月二十一日鞠字五百十七號

【五・三・六】葡萄牙國書

雍正、乾隆朝，葡文，紙質，33cm × 44cm。

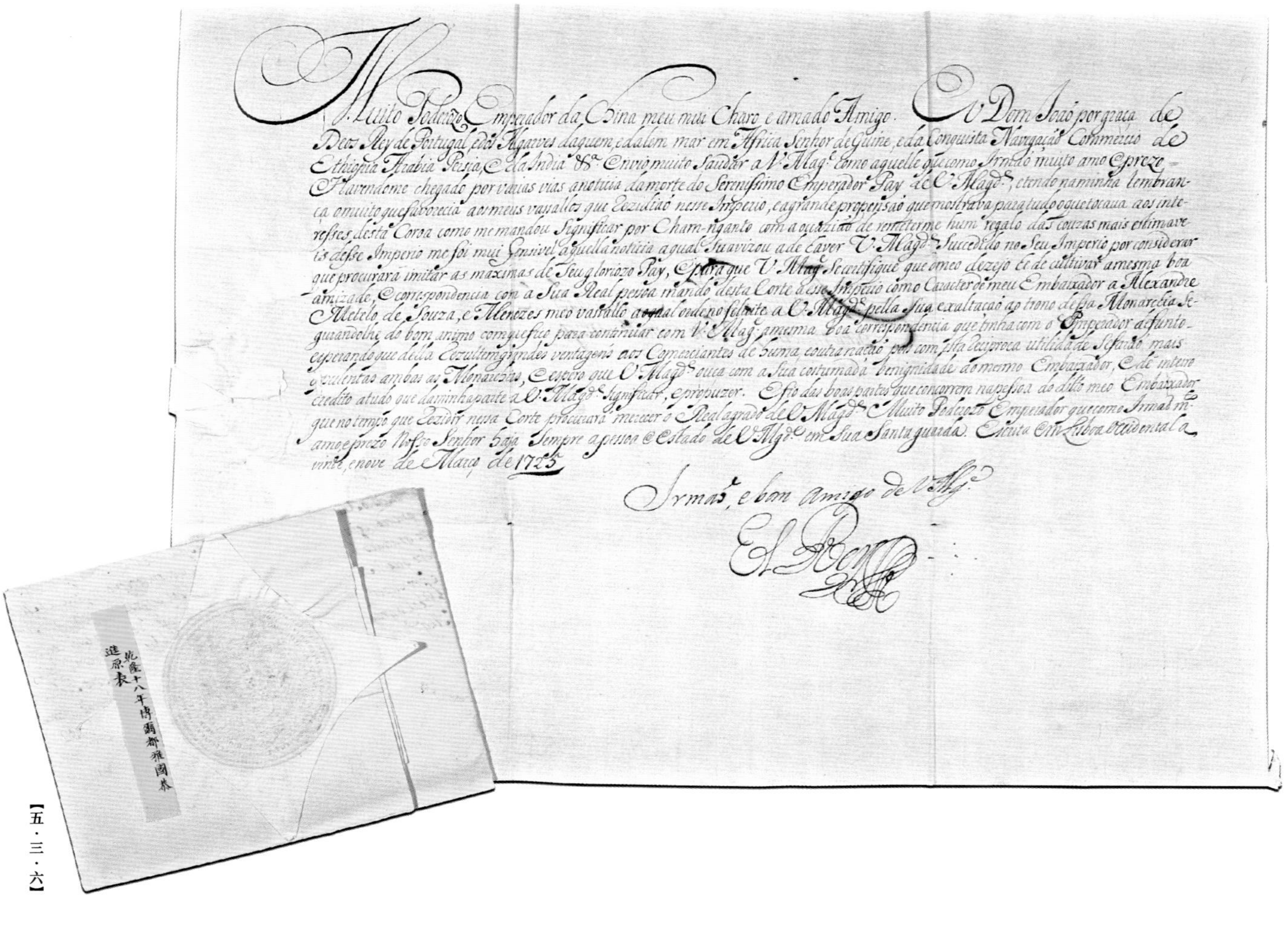

Muito Poderozo Emperador da China meu mui Charo e amado Amigo. Eu Dom João por graça de Deos Rey de Portugal, e dos Algarves daquem, e dalem mar em Africa Senhor de Guiné, e da Conquista Navegação Commercio de Ethiopia Arabia Persia, e da India &c. Envio muito saudar a V. Mag.e como aquelle que como Irmão muito amo e prezo. Havendome chegado por varias vias a noticia da morte do Serenissimo Emperador Pay de V. Mag.de, e tendo na minha lembrança o muito que favorecia aos meus vassallos que rezidião nesse Imperio, e a grande propensão que mostrava para tudo o que tocava aos interesses desta Coroa como me mandou significar por Cham-nganto com a ocazião de remeterme hum regalo das couzas mais estimaveis desse Imperio me foi mui sensivel aquella noticia a qual suavizou a de haver V. Mag.de succedido no seu Imperio por considerar que procurará imitar as maximas de seu glorioso Pay, e para que V. Mag.e se certifique que o meo dezejo he de cultivar a mesma boa amizade, e correspondencia com a sua Real pessoa mando desta Corte a esse Imperio com o Caracter de meu Embaixador a Alexandre Metelo de Souza, e Menezes meo vassallo o qual o de no felicite a V. Mag.de pella sua exaltação ao trono dessa Monarchia segurandolhe do bom animo com que fico para continuar com V. Mag.e a mesma boa correspondencia que tinha com o Emperador defunto esperando que della rezultem grandes ventagens aos Comerciantes de huma, e outra nação pois com esta reciproca utilidade se farão mais opulentas ambas as Monarchias, e espero que V. Mag.de ouça com a sua costumada benignidade ao mesmo Embaixador, e de inteiro credito a tudo que da minha parte a V. Mag.de significar, e propuzer. E fio das boas partes que concorrem na pessoa do dito meo Embaixador que no tempo que rezidir nessa Corte procurará merecer o Real agrado de V. Mag.de Muito Poderozo Emperador que como Irmão muito amo e prezo Nosso Senhor haja sempre a pessoa e Estado de V. Mag.de em sua Santa guarda. Escrita em Lisboa Occidental a vinte, e nove de Março de 1725.

Irmão, e bom Amigo de V. Mag.e

El Rey

【五・三・七】英國國書及照會

宣統二年（一九一〇年）十一月，漢文，紙質。國書，32cm×20.5cm；照會，26.5cm×11.5cm。英國國書為副本。

【五・三・八】比利時公使上的頌詞

光緒二十八年（一九〇二年），羊皮殼內紙，33cm×42cm。

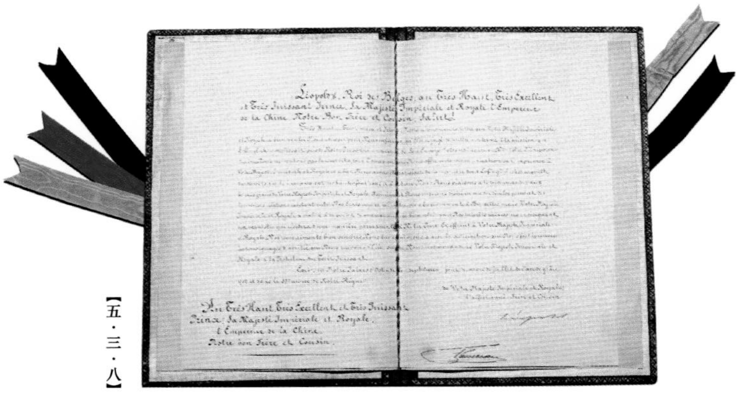

【五・三・八】

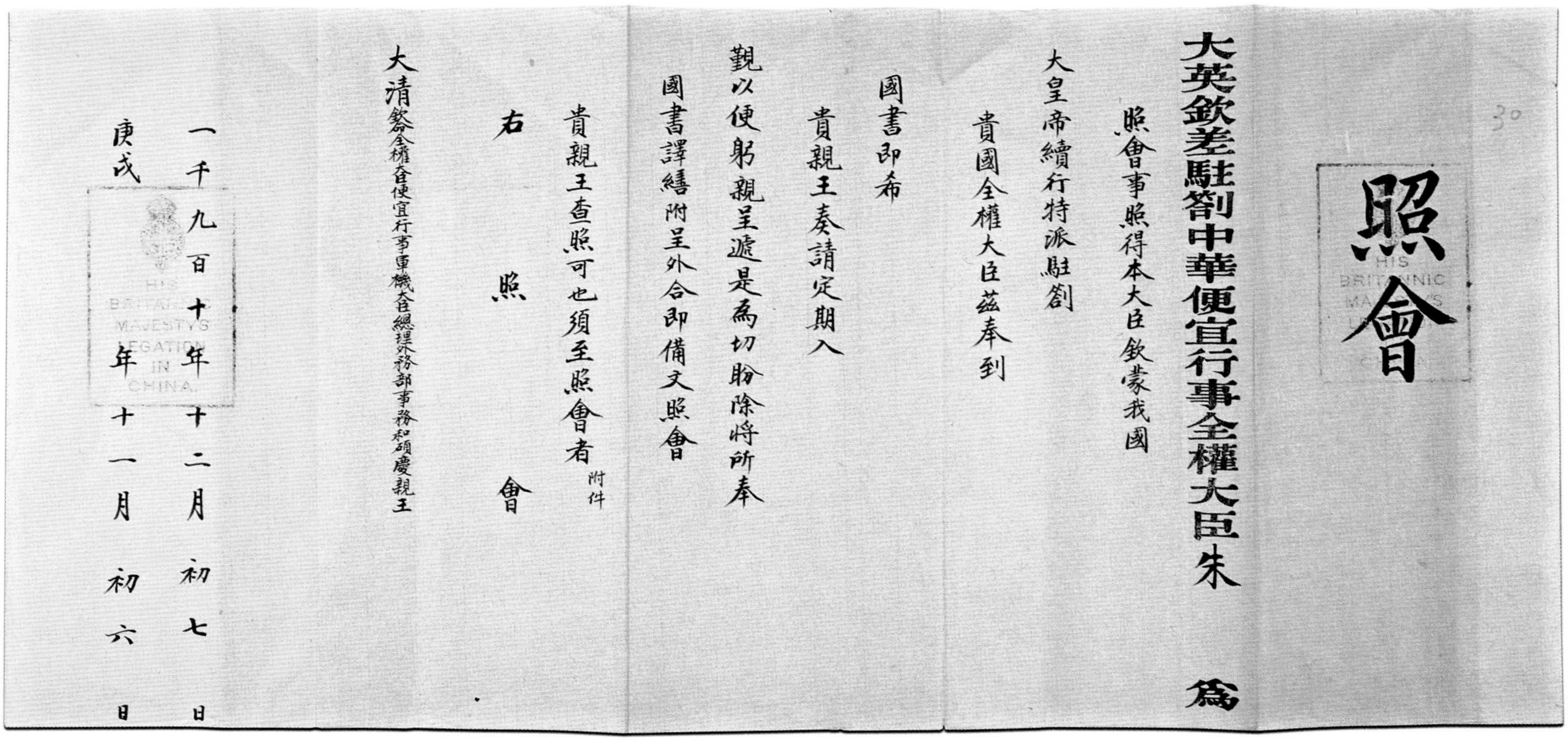

照會

HIS BRITANNIC MAJESTY'S LEGATION IN CHINA

30

大英欽差駐劄中華便宜行事全權大臣朱 為

照會事照得本大臣欽蒙我國

大皇帝續行特派駐劄

貴國全權大臣茲奉到

國書即希

貴親王奏請定期入

覲以便躬親呈遞是為切盼除將所奉

國書譯繕附呈外合即備文照會

貴親王查照可也須至照會者 附件

右 照 會

大清欽命全權便宜行事軍機大臣總理外務部事務和碩慶親王

一千九百十年十二月初七日

庚戌年十一月初六日

【五・三・七】

【五・三・九】法國照會上的火漆

光緒三十三年（一九〇七年），直徑4cm。

這是法國駐華大使巴斯德（Edmond Bapst）為任命法駐哈爾濱地方代領事而給和碩慶親王的照會，封上火漆為法使之印。

【五・三・一〇】美國駐華使臣印信關防

清末，關防，滿漢文合璧，7.5cm × 5cm，「大美國駐紮中華地欽差全權大臣關防」；印，9.8cm × 9.8cm，「大美國駐華欽差大臣印」。

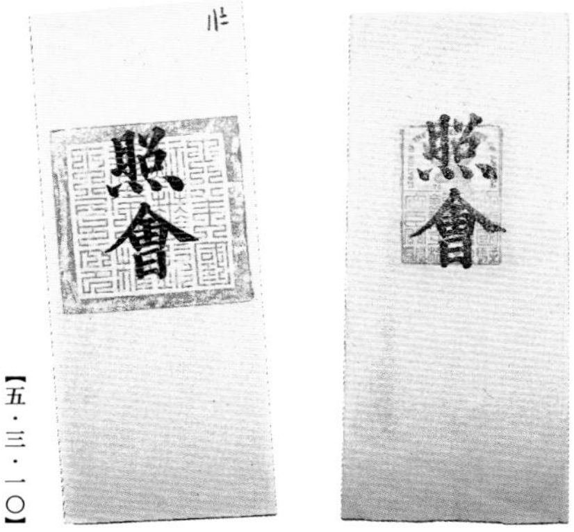

【五・三・一〇】

【五・三・九】

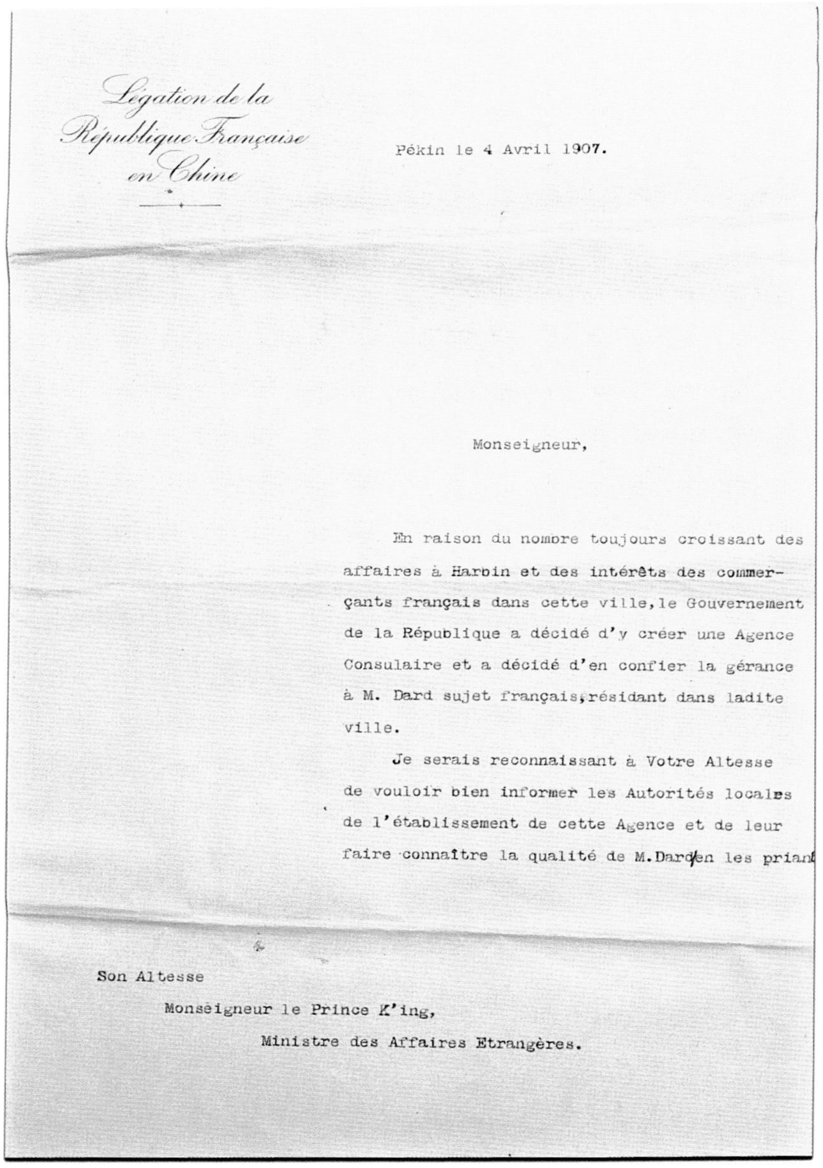

Légation de la République Française en Chine

Pékin le 4 Avril 1907.

Monseigneur,

En raison du nombre toujours croissant des affaires à Harbin et des intérêts des commerçants français dans cette ville, le Gouvernement de la République a décidé d'y créer une Agence Consulaire et a décidé d'en confier la gérance à M. Dard sujet français, résidant dans ladite ville.

Je serais reconnaissant à Votre Altesse de vouloir bien informer les Autorités locales de l'établissement de cette Agence et de leur faire connaître la qualité de M. Dard en les prian

Son Altesse

Monseigneur le Prince K'ing,

Ministre des Affaires Etrangères.

【五・三・一一】英人在華旅遊護照

光緒三十一年（一九〇五年），滿漢文合璧，紙質，手繪墨框，版框，47.5cm × 40cm。

此為外務部發給英人巴克斯從京師前往西北遊歷的護照，滿漢文合璧，押印，標朱，照左下角粘戳記印花，「此照遊歷回日即行繳銷，如有遺失作為廢紙」，滿漢文各年月下押「順天府印」，滿漢文中間押「外務部印」。

【五・三・一二】各國洋人遊歷出入境清冊

宣統二年（一九一〇年）春，漢文，紙質，冊，28cm × 19.5cm。

此為廣西左江道造報洋人遊歷入境出境日期簡明清冊。

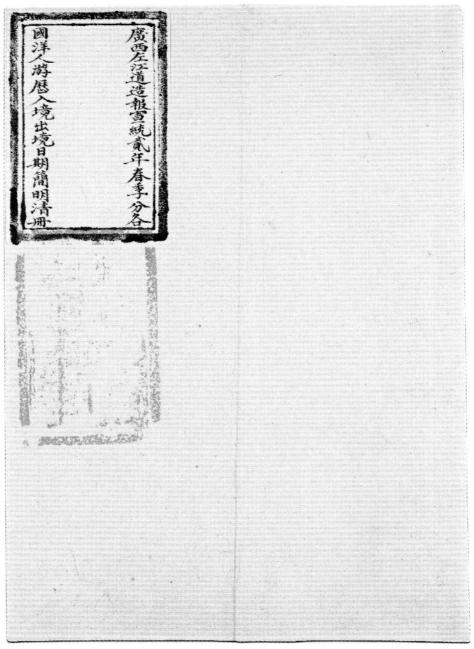

【五・三・一二】

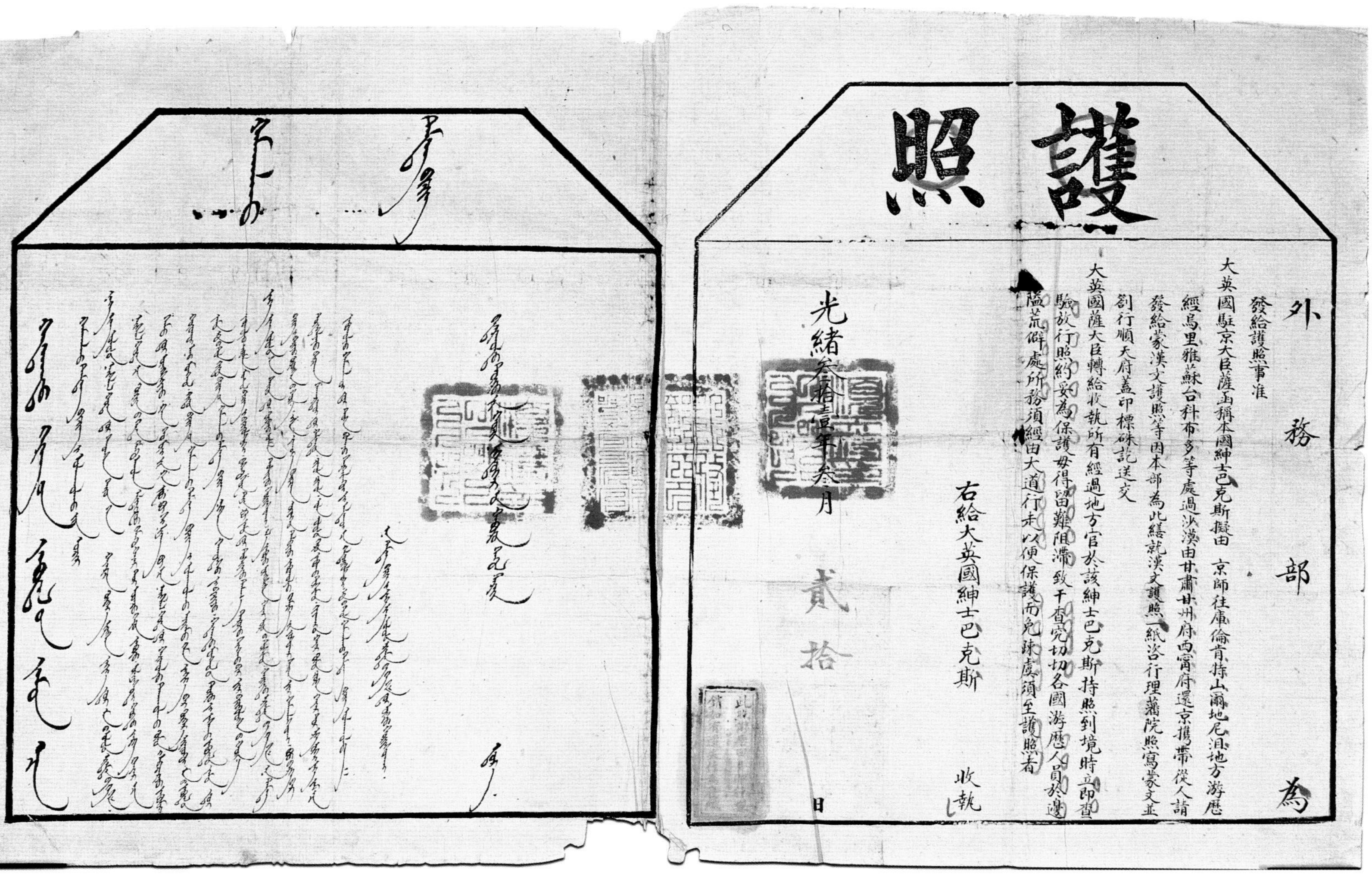

【五・三・一一】

【五・三・一三】朝鮮國王奏表

光緒六年(一八八〇年)十一月十三日，滿漢文合璧，紙質，摺，每扣31.5cm × 11.5cm。

此為朝鮮國王所上表文，二六扣，每扣六行，每行十八字，另有單、雙抬。

【五・三・一四】美國總統羅斯福致慈禧壽誕電

光緒三十四年(一九〇八年)十二月，英文，紙質，26cm × 19cm。

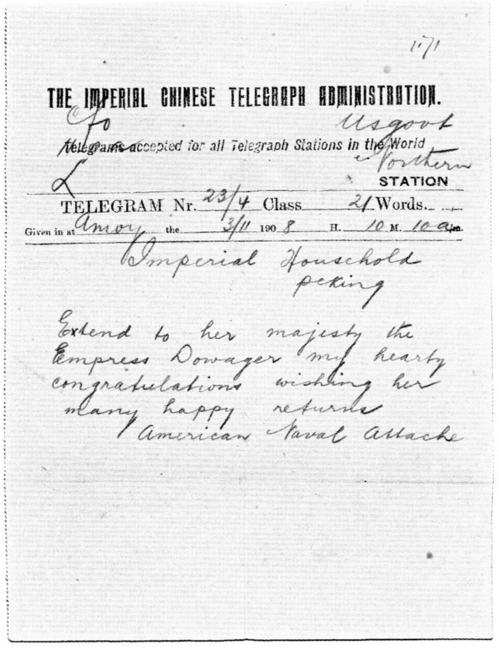

171

THE IMPERIAL CHINESE TELEGRAPH ADMINISTRATION.

To Usgoot

Telegrams accepted for all Telegraph Stations in the World

L Northern STATION

TELEGRAM Nr. 23/4 Class 21 Words.

Given in at Amoy the 3/11 1908 H. 10 M. 10 am.

Imperial Household peking

Extend to her majesty the Empress Dowager my hearty congratulations wishing her many happy returns

American Naval Attache

【五・三・一四】

【五・三・一五】第五回日本勸業博覽會請柬

明治三十五年（一九〇二年）十月，漢文。啟程赴會須知：20cm × 14.3cm；副帖：9.7cm × 7cm。

此為清末日本發給清政府內閣侍讀學士載大人的請柬。

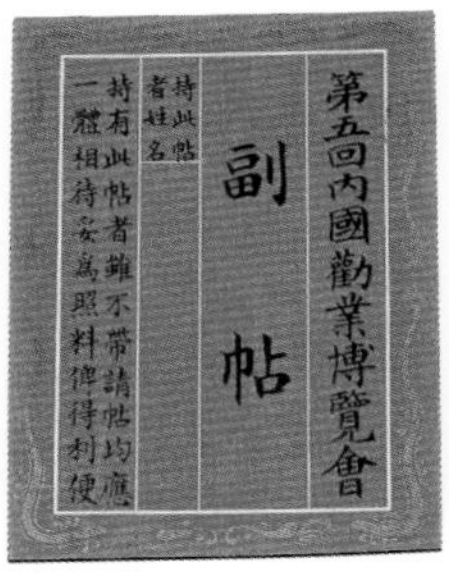

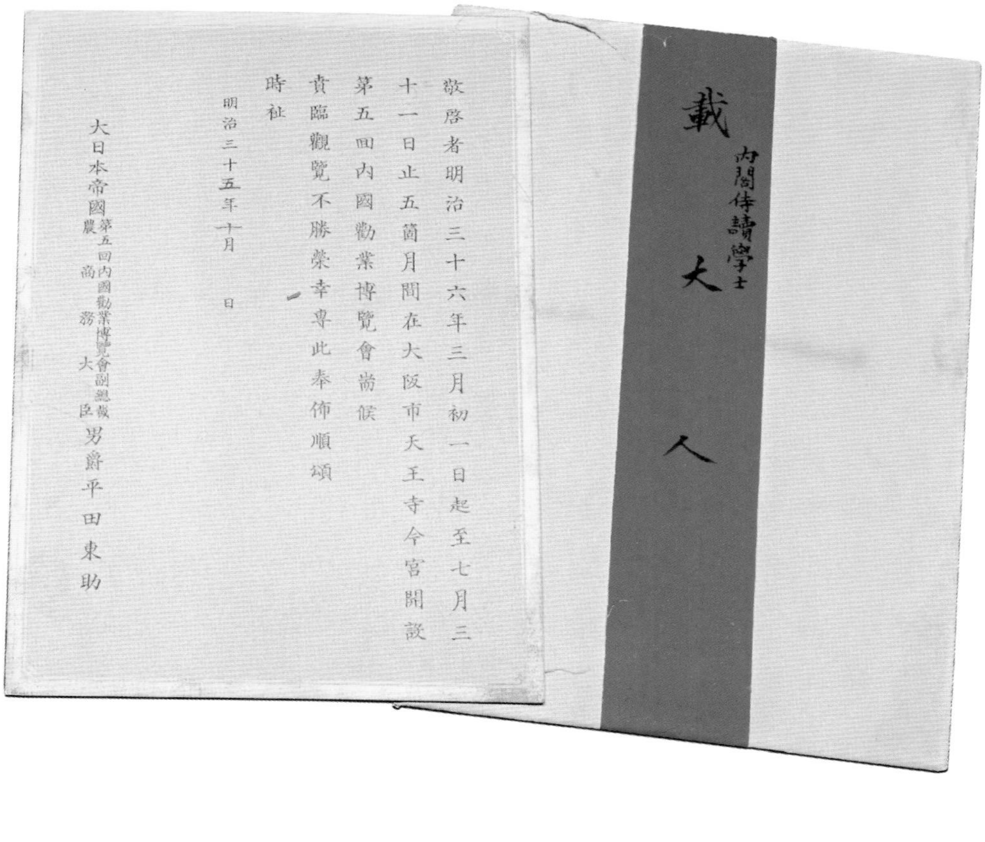
敬啓者明治三十六年三月初一日起至七月三十一日止五箇月間在大阪市天王寺今宮開設第五回內國勸業博覽會務候貴臨觀覽不勝榮幸專此奉佈順頌時祉

明治三十五年十月　日

大日本帝國第五回內國勸業博覽會副總裁農商務大臣男爵平田東助

【五・三・一五】

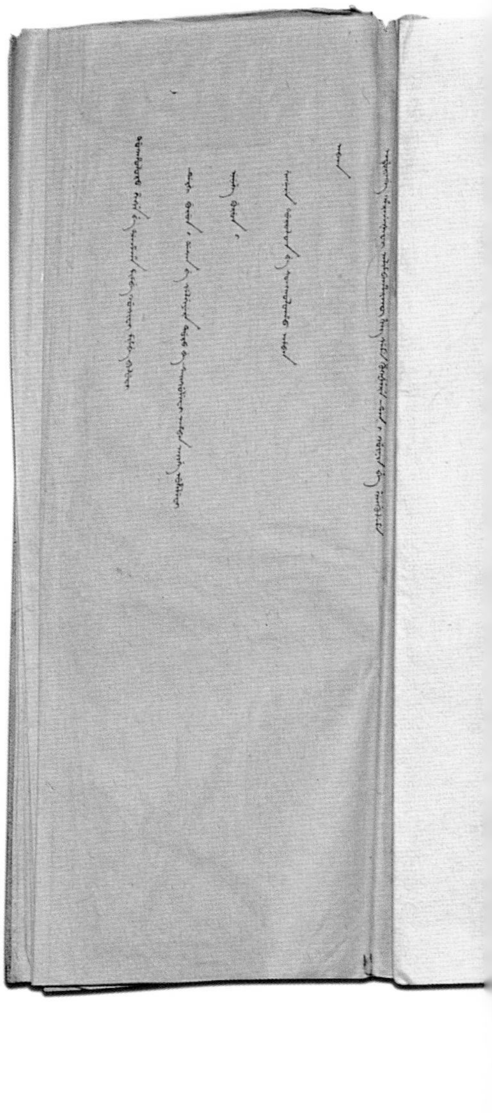

【五・三・一三】

【五·三·一六】清末購買外艦的文件

光緒二十八年（一九〇二年），英文。價目表，32.5cm×20.5cm；照片，19.5cm ×27cm 。

此為曾紀澤等考察購買外國船艦的價目表及照片。

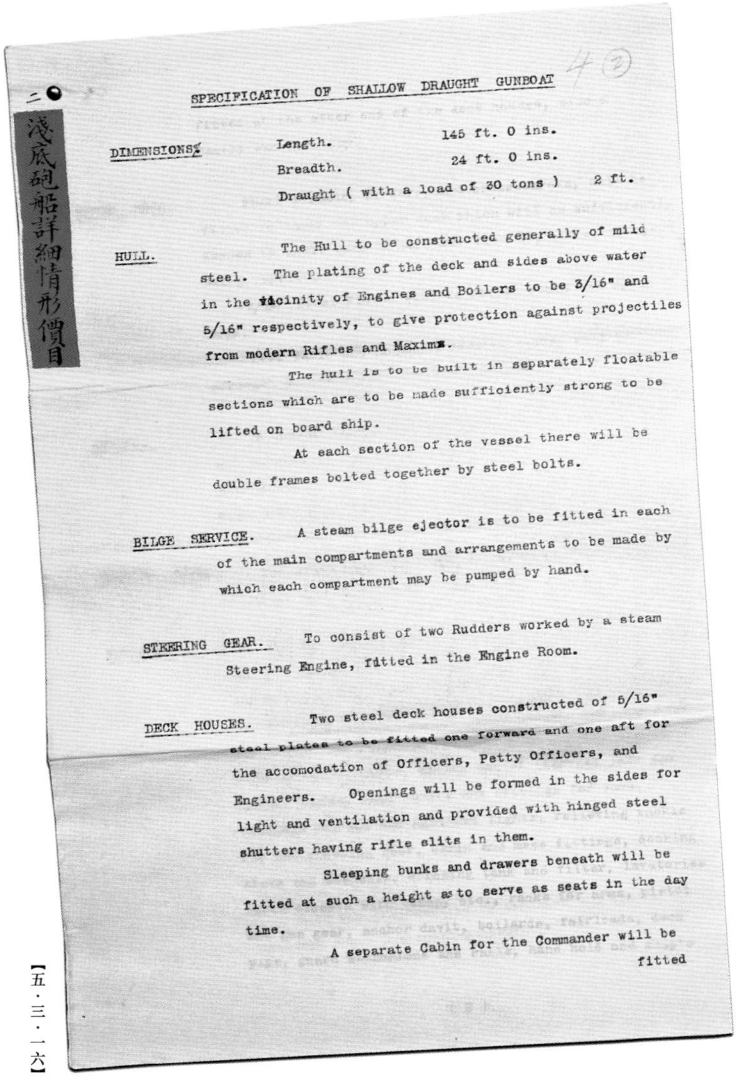

二

淺底砲船詳細情形價目

SPECIFICATION OF SHALLOW DRAUGHT GUNBOAT

DIMENSIONS:
Length. 145 ft. 0 ins.
Breadth. 24 ft. 0 ins.
Draught (with a load of 30 tons) 2 ft.

HULL. The Hull to be constructed generally of mild steel. The plating of the deck and sides above water in the vicinity of Engines and Boilers to be 3/16" and 5/16" respectively, to give protection against projectiles from modern Rifles and Maxims.

The hull is to be built in separately floatable sections which are to be made sufficiently strong to be lifted on board ship.

At each section of the vessel there will be double frames bolted together by steel bolts.

BILGE SERVICE. A steam bilge ejector is to be fitted in each of the main compartments and arrangements to be made by which each compartment may be pumped by hand.

STEERING GEAR. To consist of two Rudders worked by a steam Steering Engine, fitted in the Engine Room.

DECK HOUSES. Two steel deck houses constructed of 5/16" steel plates to be fitted one forward and one aft for the accomodation of Officers, Petty Officers, and Engineers. Openings will be formed in the sides for light and ventilation and provided with hinged steel shutters having rifle slits in them.

Sleeping bunks and drawers beneath will be fitted at such a height as to serve as seats in the day time.

A separate Cabin for the Commander will be fitted

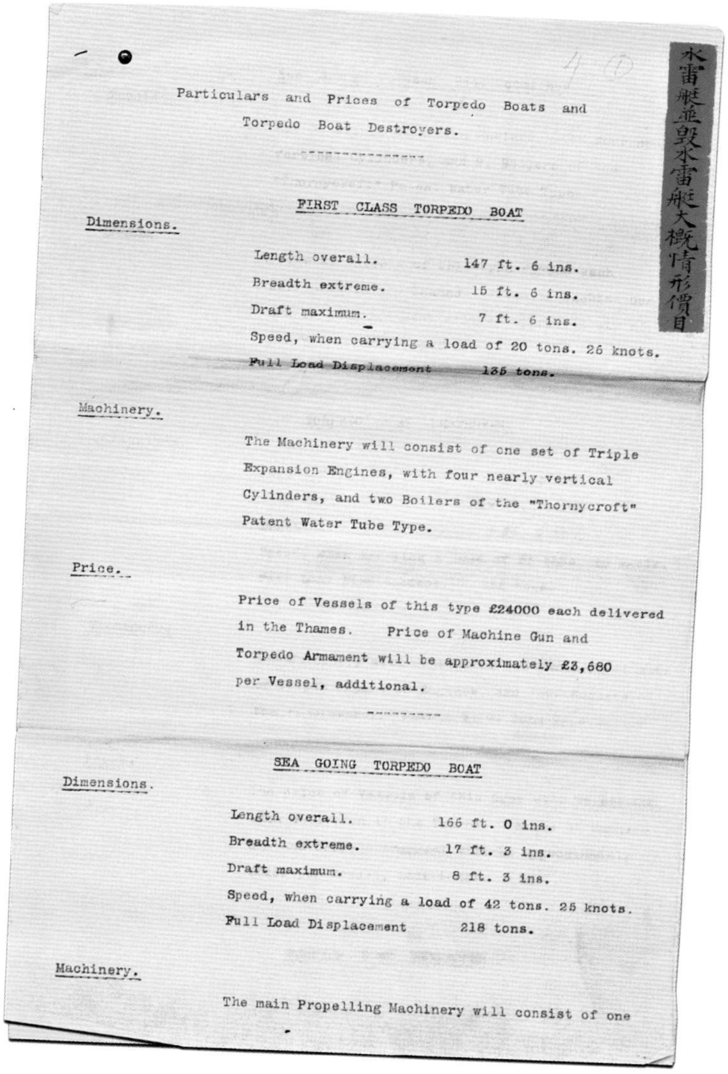

一

水雷艇並毀水雷艇大概情形價目

Particulars and Prices of Torpedo Boats and Torpedo Boat Destroyers.

FIRST CLASS TORPEDO BOAT

Dimensions.
Length overall. 147 ft. 6 ins.
Breadth extreme. 15 ft. 6 ins.
Draft maximum. 7 ft. 6 ins.
Speed, when carrying a load of 20 tons. 26 knots.
Full Load Displacement 135 tons.

Machinery.
The Machinery will consist of one set of Triple Expansion Engines, with four nearly vertical Cylinders, and two Boilers of the "Thornycroft" Patent Water Tube Type.

Price.
Price of Vessels of this type £24000 each delivered in the Thames. Price of Machine Gun and Torpedo Armament will be approximately £3,680 per Vessel, additional.

SEA GOING TORPEDO BOAT

Dimensions.
Length overall. 166 ft. 0 ins.
Breadth extreme. 17 ft. 3 ins.
Draft maximum. 8 ft. 3 ins.
Speed, when carrying a load of 42 tons. 25 knots.
Full Load Displacement 218 tons.

Machinery.
The main Propelling Machinery will consist of one

【五・三・一七】英商在華購買土貨之報單

光緒二十四年（一八九八年），漢文，紙質，墨刻印，版框，36.5cm × 24cm。

此為英商仁記洋行所執天津海關發給的收買土貨的三聯單。

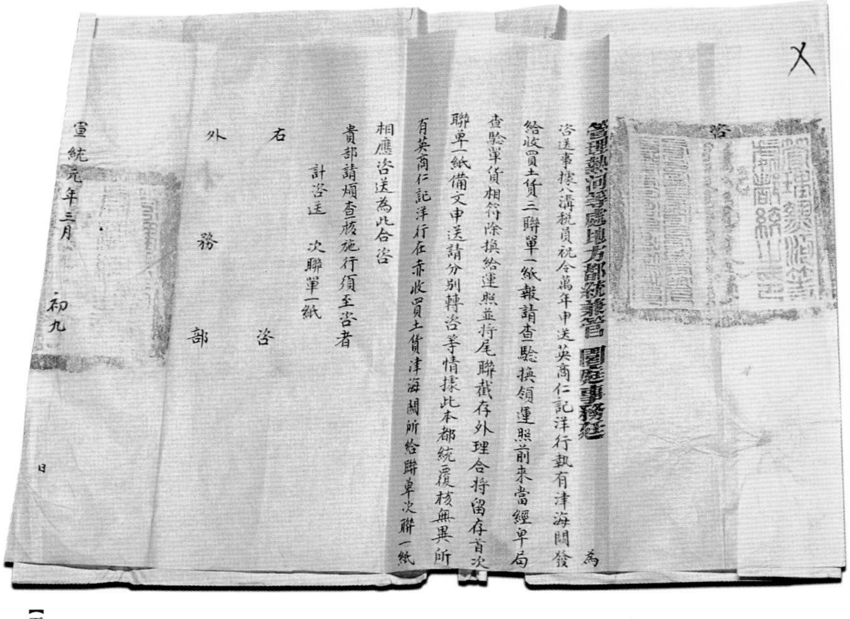

管理熱河等處地方都統兼管圍場事務廷 為
咨送事據八溝稅員祝令萬年申送英商仁記洋行執有津海關發
給收買土貨三聯單一紙報請查驗換領運照前來當經卑局
查驗單貨相符除換給運照並將尾聯截存外理合將留存首次
聯單一紙備文申送請分別轉咨等情據此本都統覆核無異所
有英商仁記洋行在赤收買土貨津海關所給聯單次聯一紙
相應咨送為此合咨
貴部請煩查核施行須至咨者
計咨送 次聯單一紙
右 咨
外 務 部
宣統元年三月 初九 日

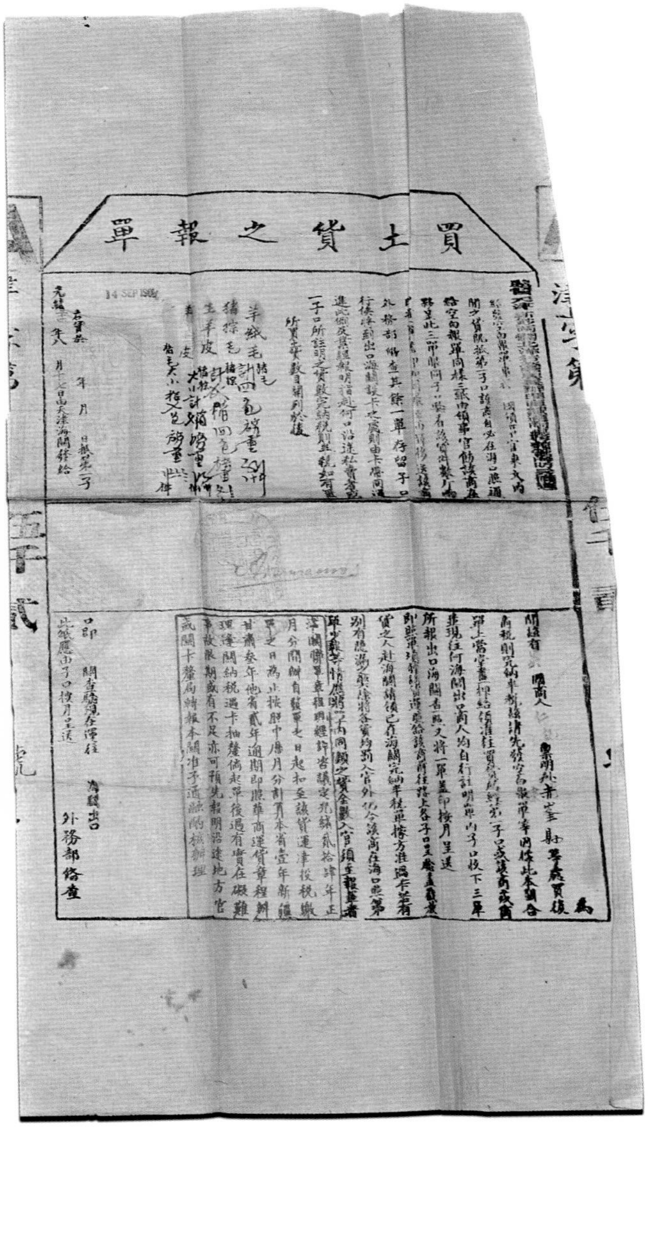

買土貨之報單

【五・三・一七】

【五・三・一八】醫療藥費單據

光緒朝，漢文，紙質，長寬大小不一。

中國派留學生出洋，始議於同治十年（一八七一年）、同治十一年（一八七二年）第一批留學生出國。

這是中國留學生在日本留學期間的醫療藥費單據。

【五・三・一九】留學生李兆濂的家書及照片

光緒朝，漢文，信，23cm × 12.5cm；照片，17.5cm × 9cm。

此為中國留學比利時的學生李兆濂給伯父的家書及照片。

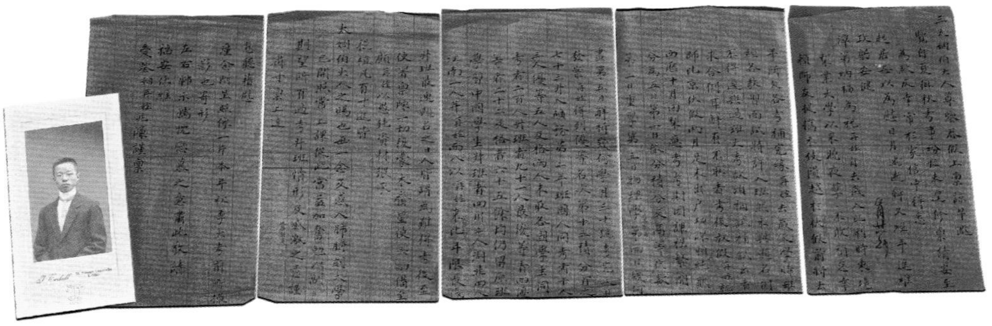

【五・三・一九】

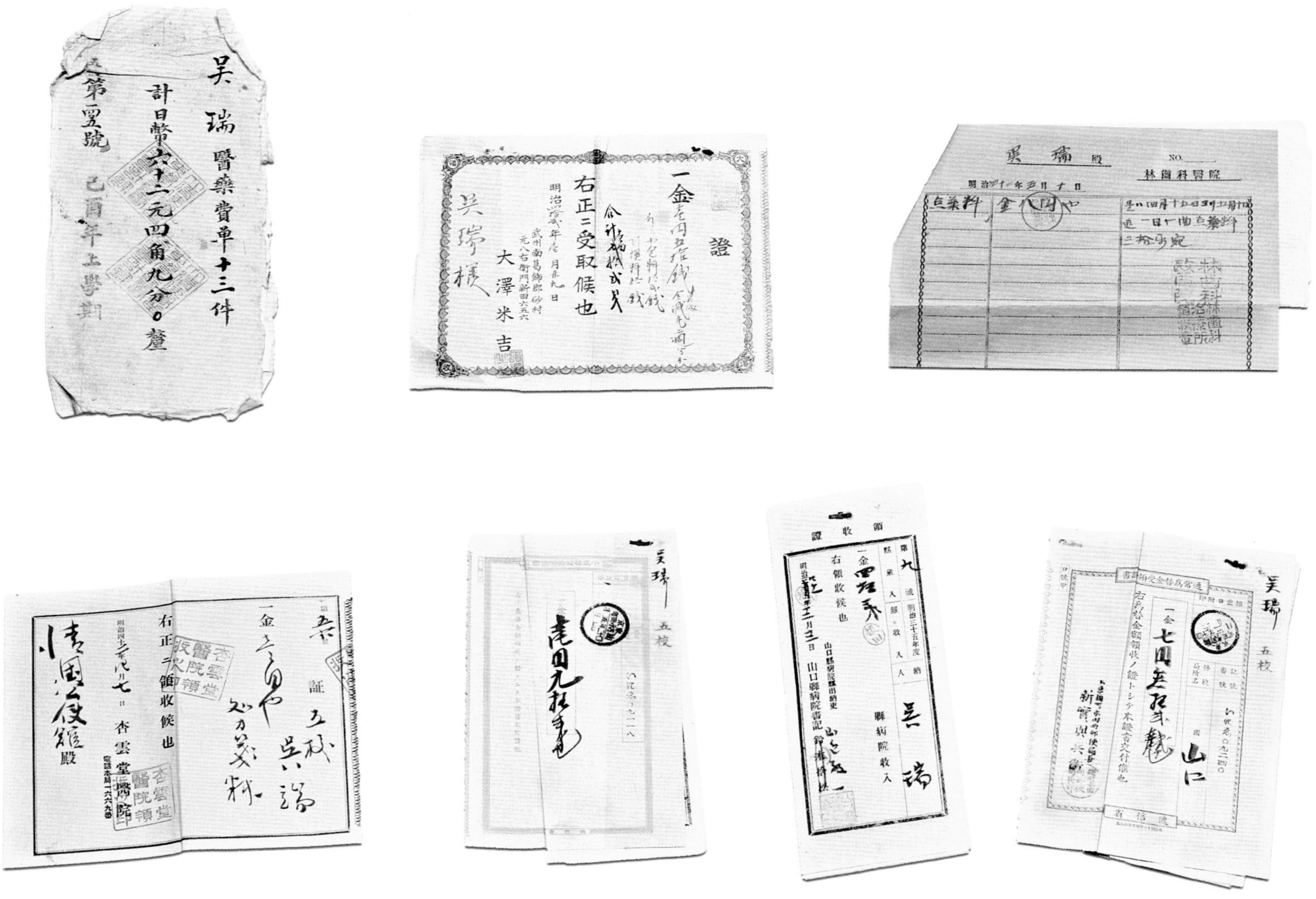

【五・三・一八】

第六章　清代文書的保密、稽察、發遞和印信

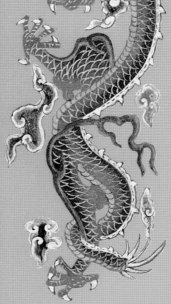

為了維護對國家的統治，清統治者建立了一系列相關的文書，制定了文書的保密和稽察制度，文書的發遞制度以及印信制度。

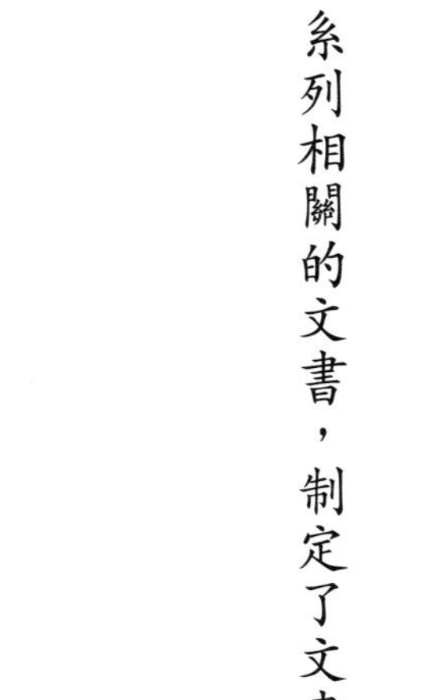

第一節　文書的保密和稽察制度

清代在機構的設置安排及官員的遴選上，有嚴密的部署。

從清代中央樞密機構設立的地理位置來看，從內閣、南書房到軍機處，大體上是一個從外朝轉向內朝的移動趨向。這固然有考慮辦公效率的因素存在，但另一個不容忽視的客觀因素就是為了保密。儘管軍機處設在隆宗門外，咫尺天廷，但統治者為了防止走漏消息，甚至一度設專門大臣負責監察軍機處周圍動靜，以防閑雜人等靠近其處，打探動靜。

清代文書保密制度得以貫徹的另一條措施是：擬辦機要文書工作者的挑選嚴格執行迴避制度，以防裙帶營私。軍機處為了保密，嚴格規定：「京官文職官員三品以上，武職官員二品以上，外官文職督、撫、司、道，武職官員提督、總兵以上各大員子弟，均不得充任軍機章京。」即使使用聽差也皆選用十五歲以下不識字的兒童。並嚴格規定：軍機處軍機章京辦事處，各部院大小官不得擅入，其窗前階下，均不得閑人窺視，滿漢文武大臣俱不准至軍機處同軍機大臣談說事體，違者重處不赦。（《樞桓記略》卷十四）

清代文書保密制度更重要的是體現在文書擬辦的過程中，如軍機處承辦諭旨，尤其是「密諭」事件往往專人專辦，一般從接摺、閱摺、進見、請示、草擬、審閱、謄清全過程在當天完成，次日呈皇帝審閱、交發。遇有緊要事情，甚至連夜趕辦，交接手續謹密嚴格，必須畫押登記，以備存查。而地方所上奏章「一切本章、咨呈文件，有案關緊要及緝拿人犯，內外各衙門應密封投遞。各該管官應謹慎辦理，以防洩漏」（《光緒會典事例》卷一千十五）。此外，清統治者還對重要公文所發對象及傳閱範圍進行嚴格控制。軍機處所發廷寄諭旨，非本人不得拆閱，否則要受到重法處置。而一些重要的題奏，如機密奏摺，不許與別人參酌。朱批密諭，不許互相傳看。雍正三年（一七二五年）曾諭令內閣：「各省督撫提鎮將朕批密諭，有同在一省而彼此互相傳看者，有越鄰省而彼此互相通知者，亦有經過其地而私相探問者：：：嗣後若有此等，一經發覺，該部概照洩漏軍機律治罪。」（《雍正朱批諭旨》）清末，政府又制定了《懲治漏洩軍事機密章程》，其中有四條是關於保守軍事文書秘密的規定。如明知為軍事上秘密圖畫、文書等，未經派令經管而私自探知，或擅行收集者；或偶然得知而擅自表示公眾；或受人賄賂，而洩告或交付一人以上者，都要視情節，科以刑罰。

清廷為了提高施政效率，建立了相應的公文稽察和催辦辦法。

一、各部院辦理的諭旨、摺件，必須按規定的限期辦理。每個月末，各部院將該月所奉事件，分別已結、未結，通知內閣稽查房，於月終，向皇帝彙奏一次各部院衙門辦理文書的情況，此彙奏叫「月摺」。軍機處每日交內閣發諭旨，由滿票簽處移交稽察房，經審核後，於月終具摺彙奏，叫「彙奏諭旨」。

二、凡各部院衙門及八旗都統衙門等奉到特交上諭，其辦理情況，特設稽察欽奉上諭處專門稽察。雍正八年（一七三〇年），以「諭旨特交事件，各衙門有即行辦理者，亦有遲久尚未辦理者，總因無專司稽察督促之人，是以遲速不齊，間或至於留滯」（《光緒會典事例》卷十五）。因此，特設上諭事件處，「總司稽查督催之責」。凡各部院衙門等奉到上諭事件，從奉旨之日起，限五日內抄錄原文移奉上諭事件處，按限稽察。辦理完結具奏奉旨後，仍將原旨錄送上諭事件處稽察銷案。稽察上諭事件處於每月二十五日彙總造冊，奏報註銷。

三、各部院衙門內部催辦文件，由各機關設置的督催所，或專派司員管理。各司每半月一次，將已完、未完題奏文書，造冊送督催所，經該所審核後，對已辦結者註銷，未辦結者呈報堂官處置。

四、各部院衙門及八旗都統衙門辦文情況，還要受都察院的六科、十五道的總稽查。各部院衙門及八旗都統衙門將所收文件，摘錄事由，於何日文到之處，一併開寫明白，三日內咨行科道衙門，即行註銷。註銷之日，照所造冊逐件按期察核。

第二節　文書的發遞制度

在古代社會，公文步遞者叫「郵」，馬遞者叫「驛」，通稱郵驛。郵驛始於西周，秦漢時稱「郵」、「亭」，隋唐時稱「驛」，到了元朝叫「驛站」。元朝在全國設置了比較暢達的驛站一千三百八十三處。與驛站相輔而行的還設有「急遞鋪」，以傳遞緊急公文。明因元制。

到了清代，郵驛制度更為完備。據《光緒會典》卷五十一載：「凡置郵，曰驛、曰站、曰塘、曰台、曰所、曰鋪，各量其途之衝僻而置焉。備其夫、馬、車，與其經費，以供差，以馳報，歲終則題銷。」內地各省所設的郵驛叫「驛」。為遞送軍事情報所設的叫「站」，例如西北、東北各站。甘肅安西廳，新疆哈密廳、鎮西廳三屬，特設軍塘，以通文報。西北兩路所設為軍台。清代各地共設驛、站、台、塘一千七百九十一個。另外，各省腹地廳、州、縣皆設鋪司，以急遞公文。全國共設有一萬三千八百三十三個鋪所。驛站的任務：

一、供差。即官役因公出京回京者，可持郵符到各驛站領取夫馬車船和膳食口糧。郵符給官的叫「勘合」，給兵役的叫「火牌」。各站驗明勘合、火牌，按規定支給。若官員過境，需要派兵護送的，驛站驗以兵牌按例撥兵弁護送。

二、驛遞公文。在北京的捷報處和駐京提塘官，專司官文書的收發。捷報處專門接收各省的奏摺，遞交奏事處轉進。軍機處交發各省寄信諭旨及朱批奏摺，由捷報處加封，交驛站遞送。駐京提塘官專門接收各省的題本，呈送通政使司轉進。各省咨行各部院的公文，也由其接收分送。凡馬遞的公文，皆加兵部火票，規定遲速之限。如軍機處交出公文簽，馬上飛遞者，定限日行三百里。遇有加急事件，以日行四百里、五百里、六百里簽發。各站按兵部火票規定，接遞送行。

各省督撫等尋常咨商文稿，都由塘舖兵夫遞送，叫「舖遞」。一般限日行一百里至三百里不等。外地送達京師及外地彼此互送的公文，則各舖按排單（亦稱「滾單」）規定，簽註時刻，依次遞送。

發遞公文用的工具有報匣、夾板、印花、印封等。《光緒會典》卷五十一載：「凡督撫等官皆賞給報匣，遇奏事用以封進。升調別省即行帶往。其接任之員有未經賞給報匣者，令自行奏請賞給。至奉旨密交事件，亦用匣頒發，覆奏時恭繳。各省督撫皆先頒發匙鑰一副，存留交代。其將軍都統提鎮藩臬並欽差各員，如有密寄事件，臨時將匙鑰一併封固發往，存留交代。」未經賞給報匣的督撫等官，遇奏事，將奏摺盛以夾板，外有棉紙封固，接縫鈐蓋本職印信，再包以黃綾發遞。軍機處交發各省的廷寄諭旨，要貼印花由捷報處粘貼發驛。各省督撫所發的機要公文，也要粘貼印花，還要於公文封套上鈐以印封。印花即以本機關的印信，鈐蓋紙上，剪成單個，粘於摺包的封口處，以防私自開折。督撫、欽差各官，平時印色用紫，惟封包印花，一體用朱。

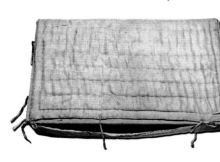

清廷對驛遞的管理十分重視，令兵部車駕司專管郵驛事宜。光緒三十二年（一九〇六年）九月，郵傳部設立後，又設郵政司，專管全國郵政。並設立郵政總局，經營電報、

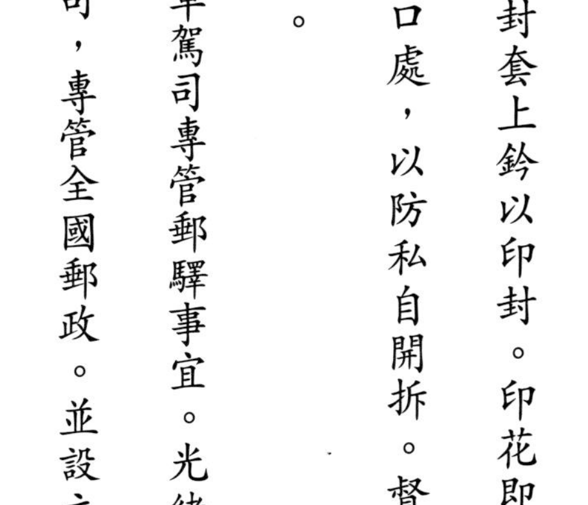

電話業務。清末公文的遞送，逐漸採用鐵路、輪船及電報、電話等近代化的傳遞方法。

第三節　文書的印信制度

官印是權力和地位的象徵。官署行文必須用印，以作憑證。清代統治者對於印信十分重視。根據權力、地位和品級尊卑，規定帝王和各官署的印信有寶、印、關防、圖記、條記、鈐記六種，並設有鑄印局以鑄造和管理印信。

御寶

皇帝的印信稱為「御寶」，乾隆十一年（一七四六年）定為二十五寶。這二十五寶，質地或金、或玉、或檀香木，均為龍鈕，以示尊貴。且均滿漢文字合璧，左滿篆，右漢篆。存於交泰殿，由宮殿監正掌管。凡頒發制、詔、誥、敕等詔令文書，都要加蓋御寶。用寶時，內閣先將用寶之數奏明，屆期，學士率侍讀學士、侍讀、典籍等赴乾清門接寶，與內監共同驗用。如皇帝出巡，由學士率典籍一人赴乾清門，領出「皇帝之寶」隨往行在。回鑾日，再行交進。每年歲終，封寶之日例由學士率典籍洗寶。洗淨，再交內監收貯。

寶

親王的印信叫「寶」，金質，龜鈕平台，方三寸六分，厚一寸。滿漢文芝英篆。親王世子印亦稱「寶」，方三寸五分，厚一寸，均用金質，龜鈕平台，滿漢文芝英篆。（《光緒會典》卷三十四）

印

清代，凡屬常設的國家行政機關，都要頒給印以為憑信。根據《光緒會典》卷三十四載，使用印的文武各衙門如下：多羅郡王、宗人府、六部、都察院、理藩院、盛京五部、軍機處、總管內務府、盛京內務府、翰林院、鑾儀衛、領侍衛內大臣、八旗都統、步軍統領、通政使司、大理寺、太常寺、順天府、奉天府、詹事府、光祿寺、太僕寺、武備院、上駟院、奉宸苑、鴻臚寺、國子監、欽天監、太醫院、六科、中書科、各道監察御史、稽察宗人府御史、稽察內務府御史、經略大臣、大將軍、鎮守將軍、提督、總兵官、各省駐防副都統、各省布政使、各省按察使、各省鹽運使、城守尉、各府、各州、各縣。以上各印分別用金、銀、銅鑄造，印文字體、尺寸大小，各有等差。

關防

清代，凡臨時性質及辦理財經、工程的機構，頒給關防，以資信守，根據《光緒會典》所載，使用關防的各衙門有：各省總督、巡撫，倉場、河道、漕運各總督，欽差出使各國大臣，鎮守總兵官，欽差三品以上大臣，欽差四品以下官員，總理各國事務衙門，內閣典籍廳，禮部鑄印局，各省監督，各關監督，各省守巡道，各省副將、參將、游擊，各省提督學政，各省織造，巡視五城御史，各同知、通判、直隸州州同、州判。以上關防，總督、巡撫用銀鑄，其餘為銅質。印文文體及尺寸各有等差。

圖記

清朝設在西北、東北等地的領隊大臣、八旗佐領等武職衙門，多使用圖記。如管理伊犁索倫領隊大臣、管理額魯特領隊大臣、管理錫伯營領隊大臣、管理察哈爾領隊大臣等的圖記等均銅質。印文用滿、托忒、回三種文字。塔爾巴哈台領大臣圖記，印文用滿文和托忒兩種文字。烏里雅蘇台札薩克班上辦事圖記印文用滿文和蒙古文。八旗佐領圖記，印文用滿、漢文字。盛京防禦圖記，移駐宗室正旗長圖記、宗室覺羅族長圖記、盛京八旗圖記、吉林、黑龍江、伊犁駐防各佐領圖記，印文均用滿文。

條記

清代使用條記的，多是軍政機關的基層單位，如各州縣的儒學、縣丞、驛丞、主簿、吏目、守備，各省駐防旗營佐領等。

鈐記

清代使用鈐記的官吏，多為各文職佐雜，及不兼管兵馬錢糧的武職官。鈐記用木質，由各省布政司發官匠刻給。各府州縣僧道陰陽醫官等也用木質鈐記，由官匠鐫刻正字發給。

清代印信等級尊卑制度，不僅表現在質材、尺寸、鈕制的不同，文字的變化也有嚴格的制度，如皇帝御寶，多用玉箸篆，而督撫關防則採用九疊篆，至於一些基層軍政機構的條記，鈐記則祇用隸或楷體。清初滿文並無篆體，乾隆十三年（一七四八年）下旨後，所有官府印信滿文才一體改為滿篆。

清朝對印信的管理制度十分嚴格。凡寶、印、關防、圖記、條記的鑄造、頒發、更換、銷毀，統一由禮部鑄印局管理。各衙門的印信，都指定專門的親信官員管理。軍機處的銀印，藏在內奏事處，印鑰以領班軍機大臣佩帶，需用印時，由值日章京持請印金牌，親到內奏事處首領太監領回，再向軍機大臣請印鑰啟用，用畢即還。

清代官方文書的用印制度基本遵循「公事用印，私事不用印」的原則。這一古板的規定，甚至影響了整個清朝一代的公文題奏制度。於是出現了題本用印，奏摺不用印的奇怪現象。公文印章所蓋的位置也有講究。基本上是首尾盡鈐，但一些文件，為了防止各頁之間開粘脱落，被人偷換，於是各頁間也須蓋印，以示連接，這就是世人皆知的「騎縫章」。一份文件如果由多人列銜擬寫，而鈐印則只選其中官銜最高者之印蓋之，以示尊敬。

清規定，文件須擬寫好後，當即蓋印，不准於擬寫之前蓋印，或預先準備空白印箋。但由於有每年年末至次年年初封印制度，而這一期間可能會逢上需用印發文之事，因此規定可於封印前，預先蓋出適量的空白印箋，以備不時之需。但必須在該箋上註明「空白印箋」，且一旦開印，所有空白印箋須立時銷毀。通常各衙門文書用印，都須謹密登記，以備日後查核。

一般說來，公務文書鈐印都須蓋官印，但也有不用官印的現象，而且這一奇特現象基本存在於公務文書體系的兩端，即或是皇帝之書，或是縣以下的公務文書。所用印章，基本是「吉語章」或「名號章」。

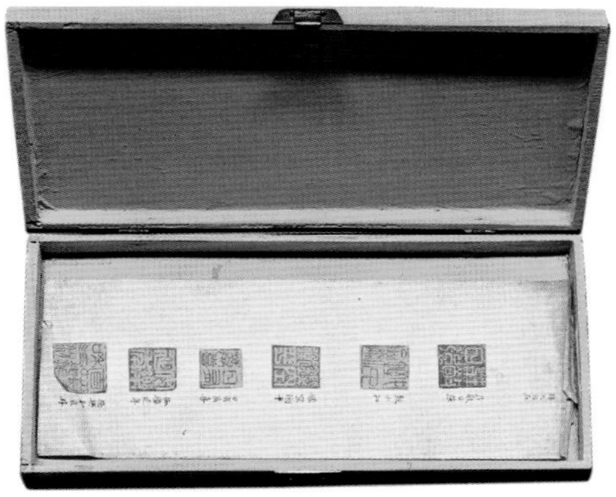

官文書用印的顏色也有規定。據《光緒會典》卷三十載：「宗人府、六部、都察院、通政司、大理寺、翰林院、詹事府、內務府、理藩院、太常寺、光祿寺、太僕寺、鑾儀衛、武備院、上駟院、奉宸苑、順天府尹、倉場侍郎等衙門，盛京五部、奉天府、各省總督巡撫色用紫，惟本章內用朱。衍聖公同。其餘文武衙門皆用朱。」凡遇「國喪」時期，各衙門本章文移，均蓋藍印。

【六·一·一】官員考語冊

光緒三十二年（一九〇六年），漢文，紙質，藍墨刻印，版框，17cm × 20cm。

清代官吏考核制度十分嚴格，地方官員上憲考核下屬有專門的賢否冊。

此為江蘇巡撫考核下屬的考語冊。內開各級官員考語，一員一頁。首頁為官員履歷及四柱考語（年力、政事、才具、操守），背頁為「填註事實」項（官員政績簡述）。

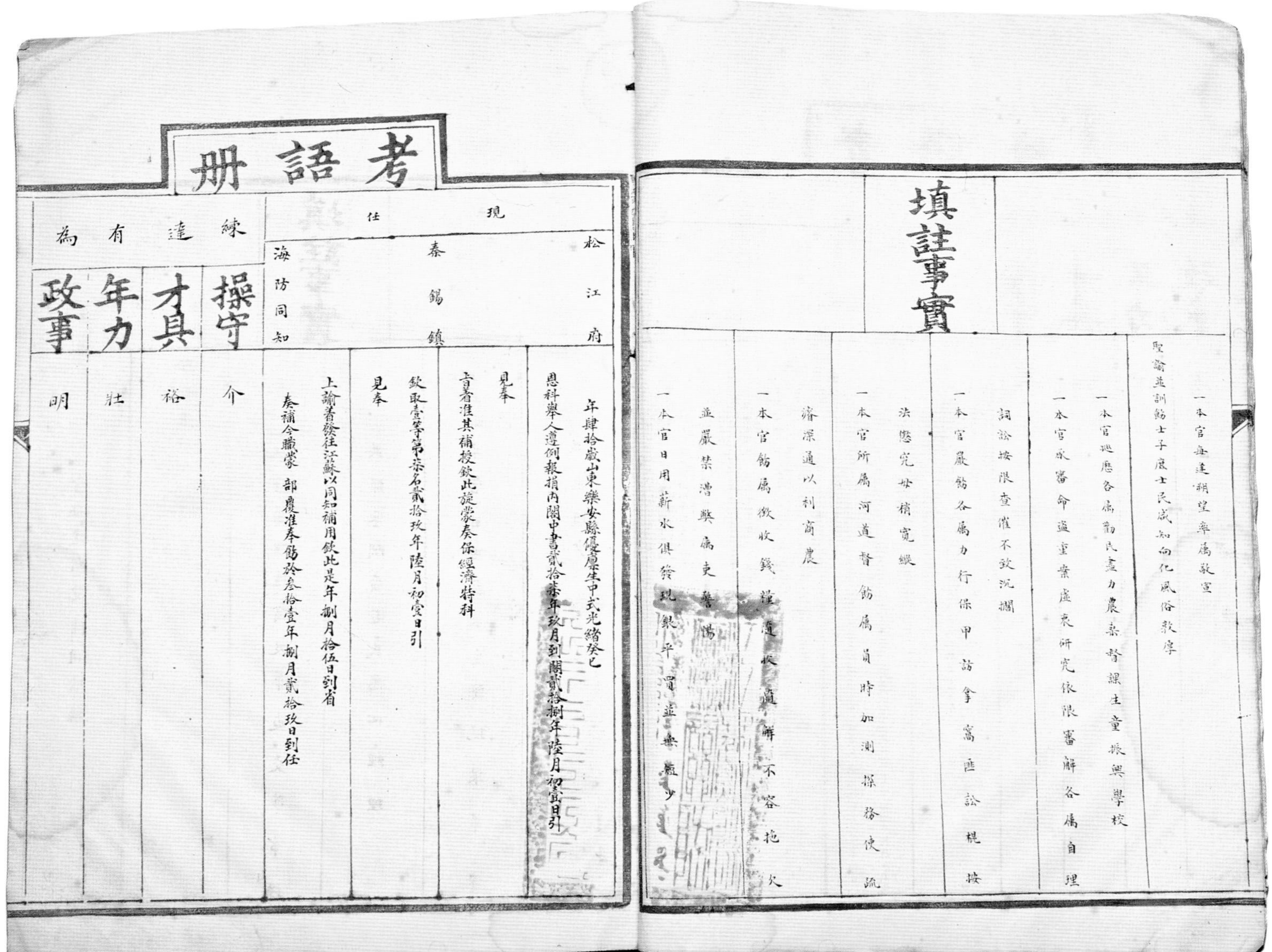

【六·一·一】

【六・一・二】京察冊

乾隆三十六年（一七七一年），光緒二十年（一八九四年），漢文，27.5cm × 13.5cm，19cm × 30cm。

清代官員慣例考核，京官叫「京察」，地方官叫「大計」。京察每三年舉行一次，以四格八法為升降標準。四格為守、政、才、年，每格按成績列為特職、勤職、供職三等，列一等者記名，優先升任外官。

此為乾隆三十六年吏部所上京察三等筆帖式黃冊，及光緒二十年京察泰陵盛京一等京察冊。

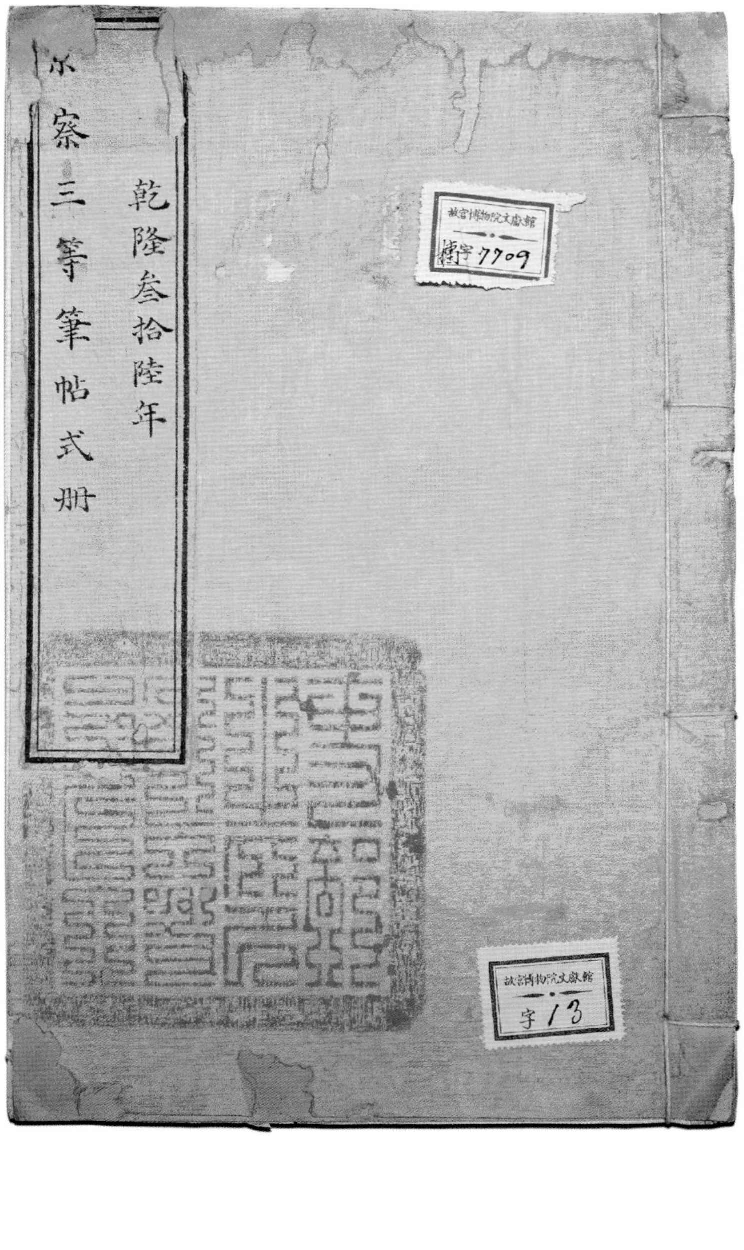

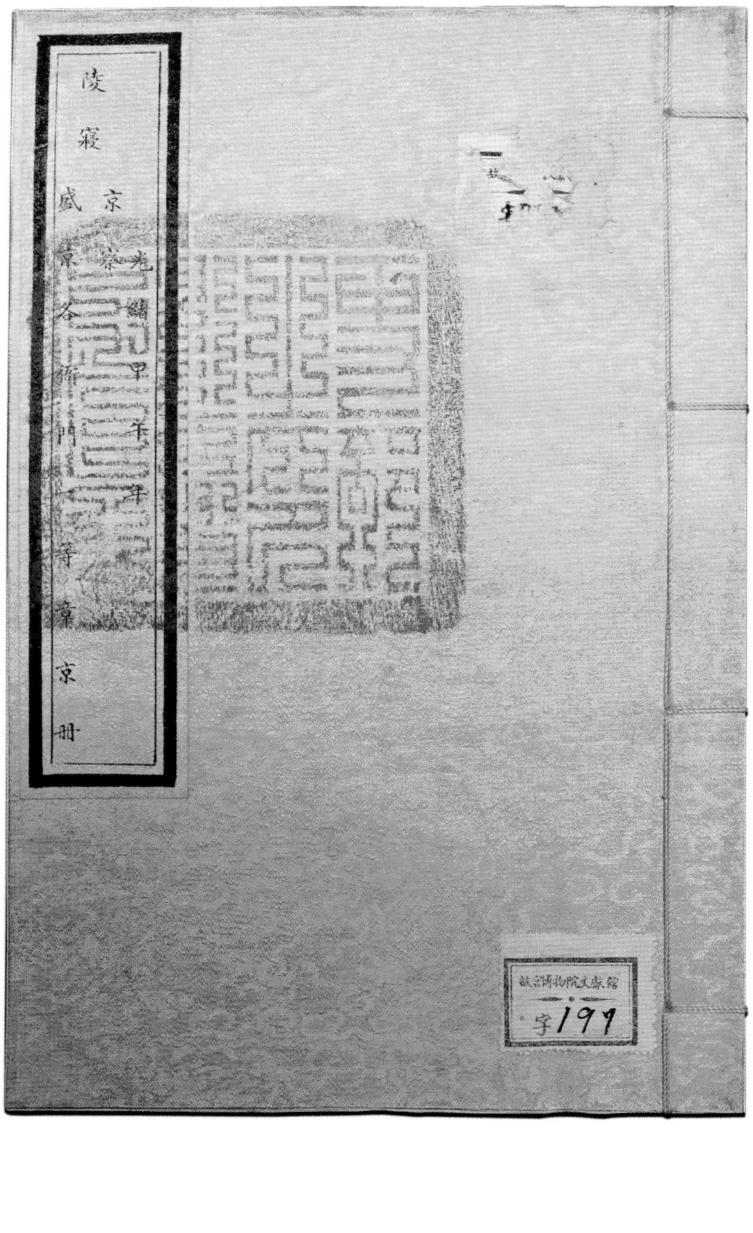

【六·一·三】官員手鏡摺

宣統三年（一九一一年），漢文，紙質，摺，每扣23cm×12cm。

係高一級官員所備的下級各官員簡明履歷。清制，各部院及各省督撫等，要定期將本部屬各級官員的簡明情況造冊，以備隨時查閱了解，並呈報吏部，有「簡明清摺」、「考語冊」、「任職冊」等多種，其性質和作用大同小異。此為宣統三年山東全省現任州縣官員簡明履歷手鏡摺。

【六·一·四】履歷手本

光緒朝，漢文，紙質，摺，每扣23cm×9.5cm。

清代，凡科甲、勞績、捐納各班人員分發到地方，上任前謁見上司，須先呈遞履歷手本，本內載明個人仕途履歷。係稟文的一種。

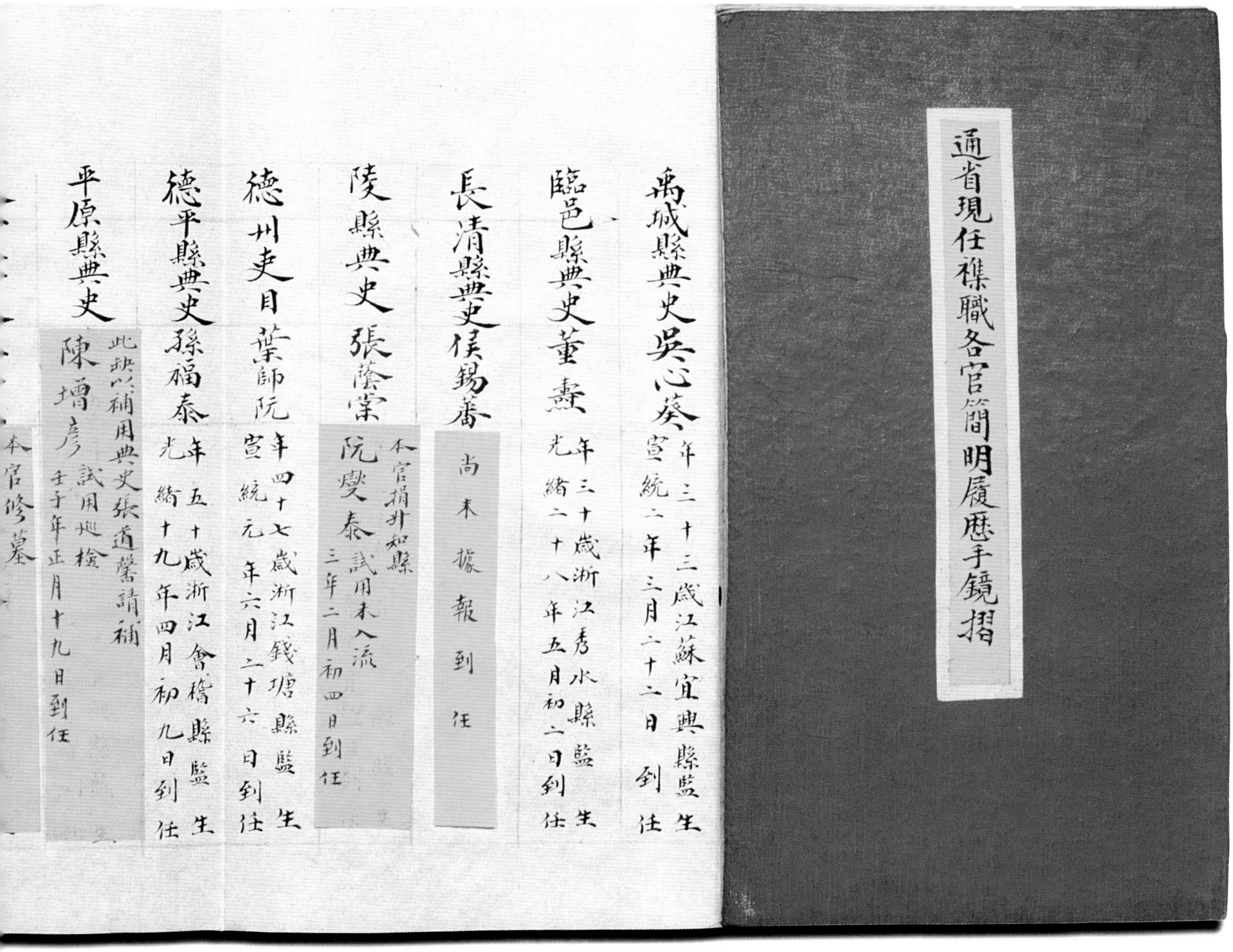

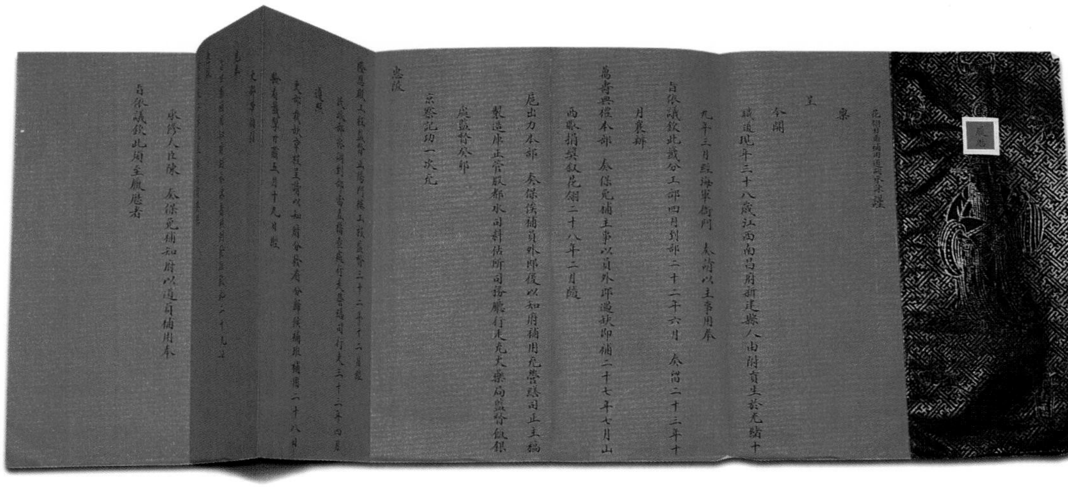

【六·一·四】

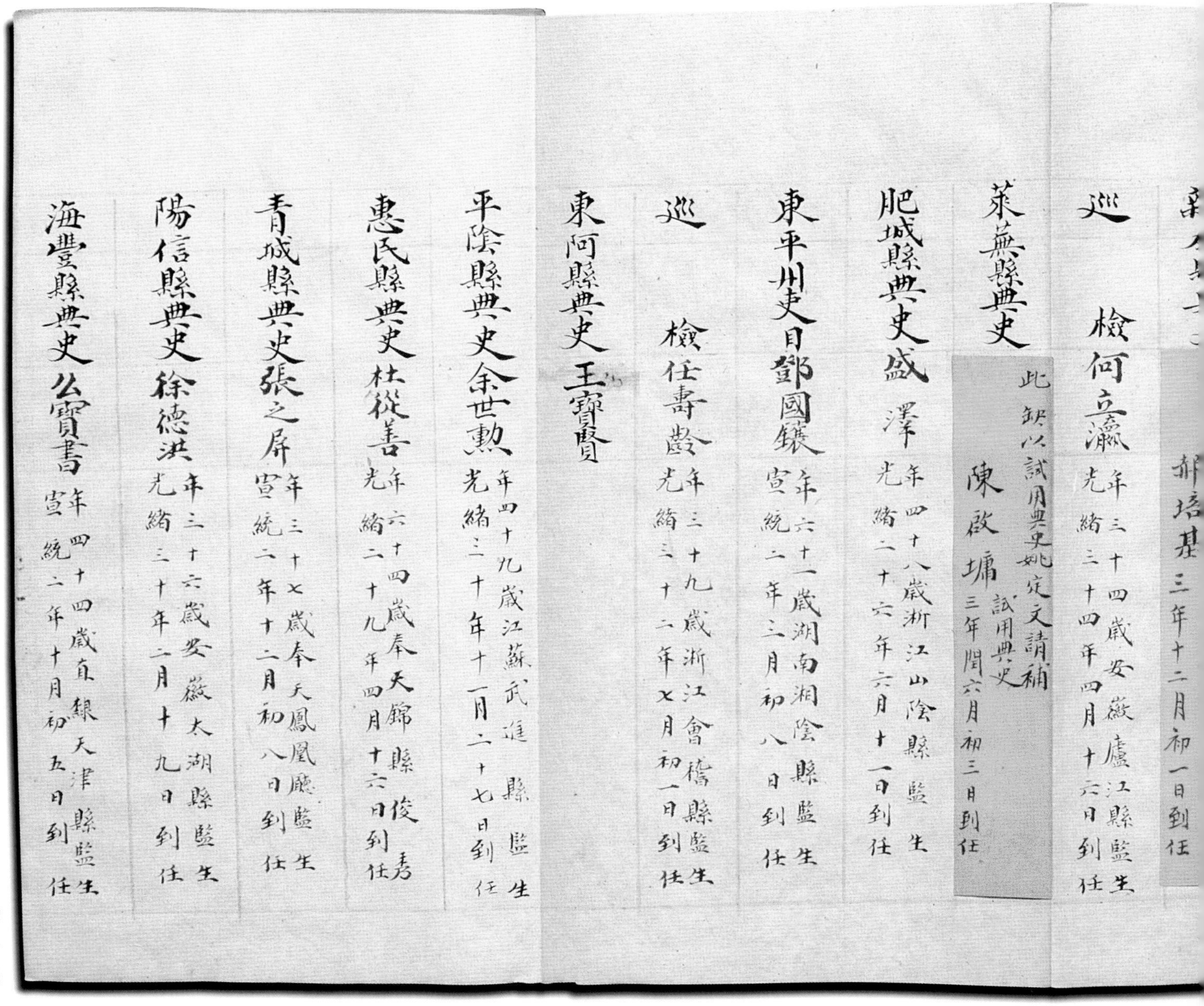
龔培基 三年十二月初一日到任

巡 檢何立瀛 年三十四歲安徽廬江縣監生 光緒三十四年四月十六日到任

萊蕪縣典史
此缺以試用典史姚定文請補
陳啟墉 試用典史 三年閏六月初三日到任

肥城縣典史盛 澤 年四十八歲浙江山陰縣監生 光緒二十六年六月十一日到任

東平州吏目鄧國鑲 年六十一歲湖南湘陰縣監生 宣統二年三月初八日到任

巡 檢任壽齡 年三十九歲浙江會稽縣監生 光緒三十二年七月初一日到任

東阿縣典史王寶賢

平陰縣典史余世勲 年四十九歲江蘇武進縣監生 光緒三十年十一月二十七日到任

惠民縣典史杜從善 年六十四歲奉天錦縣俊秀 光緒二十九年四月十六日到任

青城縣典史張之屏 年三十七歲奉天鳳凰廳監生 宣統二年十二月初八日到任

陽信縣典史徐德洪 年三十六歲安徽太湖縣監生 光緒三十年二月十九日到任

海豐縣典史么寶書 年四十四歲直隸天津縣監生 宣統二年十月初五日到任

【六·一·三】

【六・二・一】勘合

順治十年（一六五三年）七月二十二日，漢文，紙質，木刻墨印，100cm × 116cm。

清代官員外出差務，都要隨身帶有官方簽發的勘合以證明其身份，沿途關卡驛站，抄勘換馬，供給飯食，並填註押印。公差後，勘合要交上以憑查銷。

此為順治十年戶部派龔鼎英前往山東臨清關管理鈔關事務所給的勘合，押印畫押。

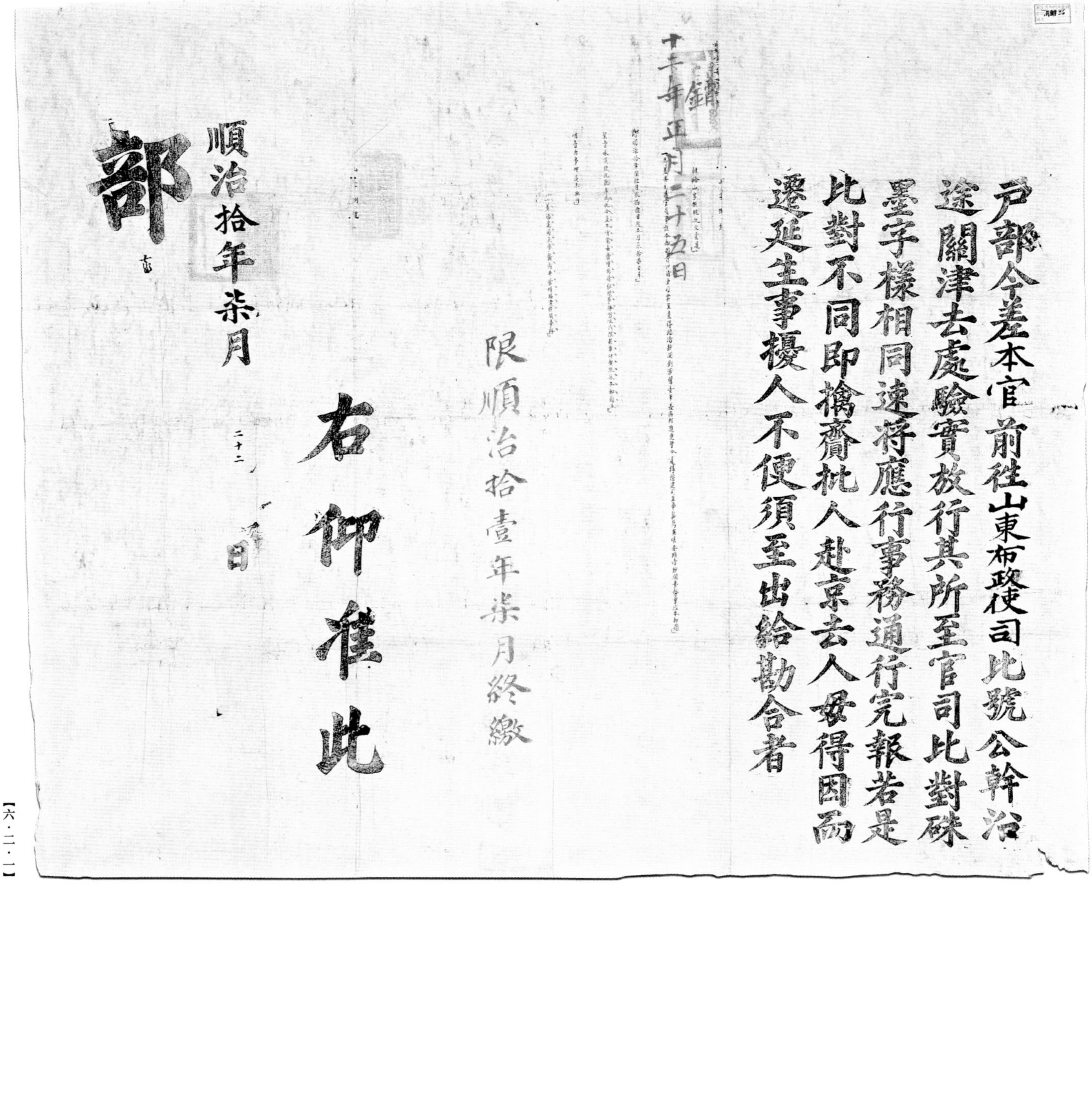
戶部今差本官 前往山東布政使司比號公幹沿途關津去處驗實放行其所至官司比對硃墨字樣相同速將應行事務遵行完報若是比對不同即擒齎執人赴京去人毋得因而遷延主事擾人不便須至出給勘合者

十一年正月二十五日

右仰准此

限順治拾壹年柒月終繳

順治拾年柒月二十二日

部

【六·二·二】勘合牌文黃冊

康熙五十三年（一七一四年），漢文，冊，黃綾面，內紙，36.5cm × 34.5cm。

清代公務出差，官員給與勘合，吏兵給與牌文，以為憑證。地方官員每年年底要將辦過勘合火牌開列報京。此為署理杭州將軍戴色等向兵部兵科報送的康熙五十三年杭州將軍填用過的勘合火牌數目清冊。

【六·二·三】火票

光緒三十四年（一九〇八年），紙質，墨框，64cm × 50cm。

凡馬遞公文，由京達外省者，皆加兵部火票，令沿途各驛站接遞。此為陸軍部火票。

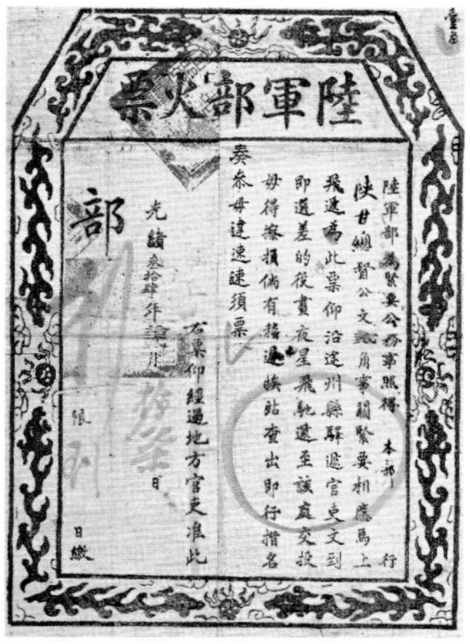

【六·二·三】

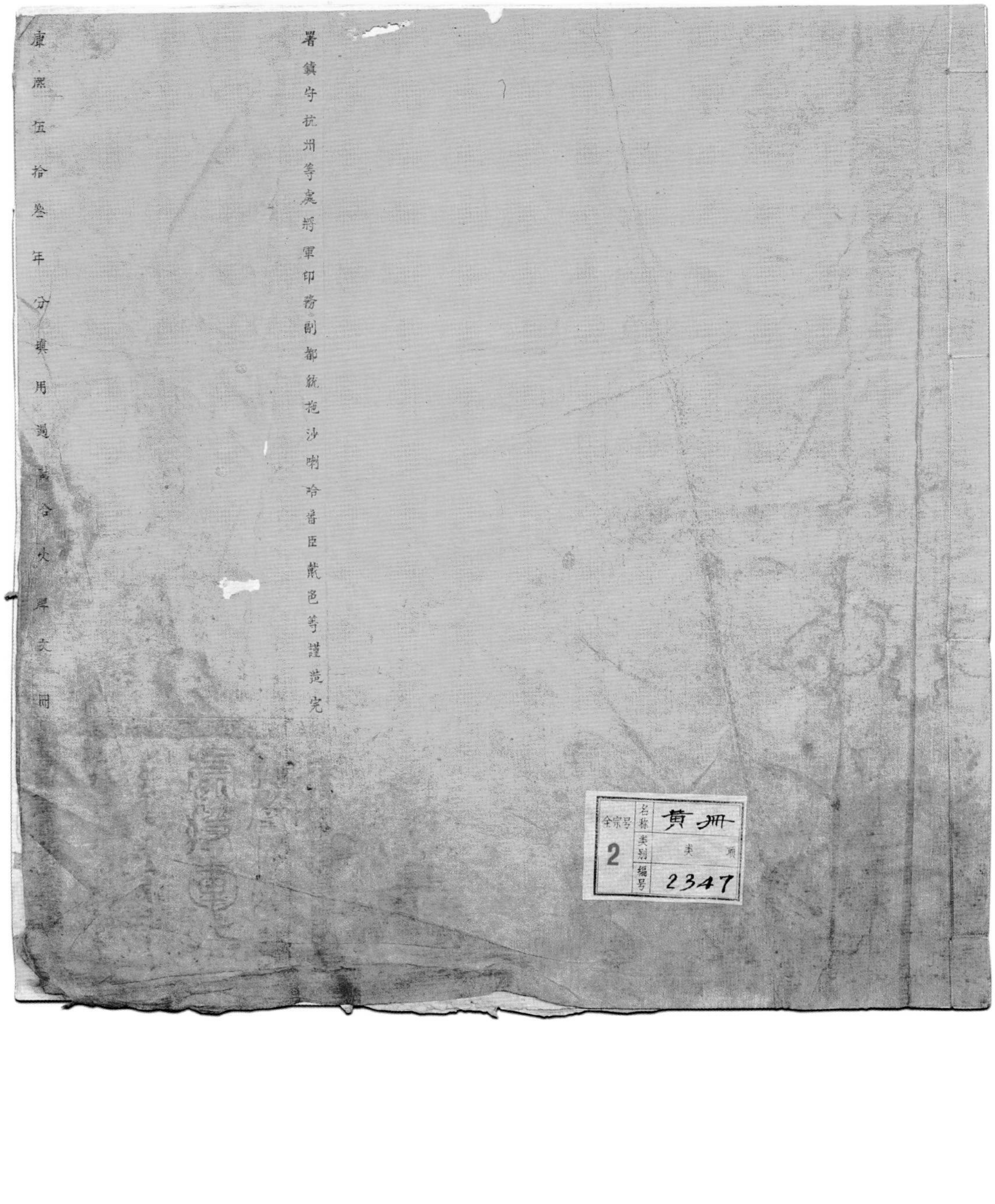

【六·二·二】

【六・二・四】驛站排單

宣統三年（一九一一年），漢文，紙質，摺，每扣52cm×60cm。

凡馬遞公文，其由外達京，及外省間相互往遞者，須各粘連排單，按程於單內登註時刻。

此為貴州巡撫簽發的押犯前往雲南安插的憲牌，及沿途所過驛站關卡抄牌填註押印的驛站排單，又稱滾單，並附遣犯年貌、箕斗、籍貫、事由清冊。

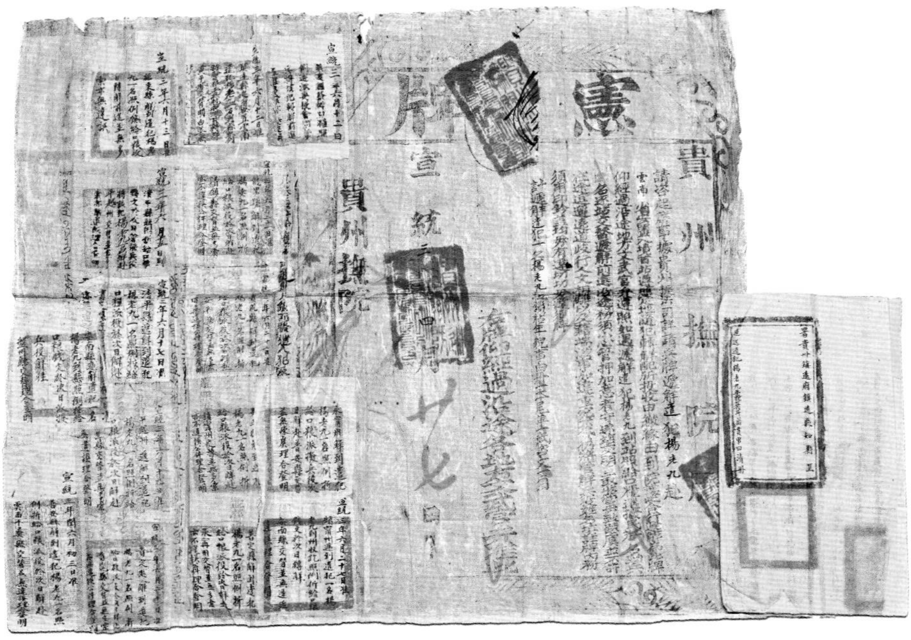

【六・二・四】

【六・二・四輔①】京師至各省驛站路程單

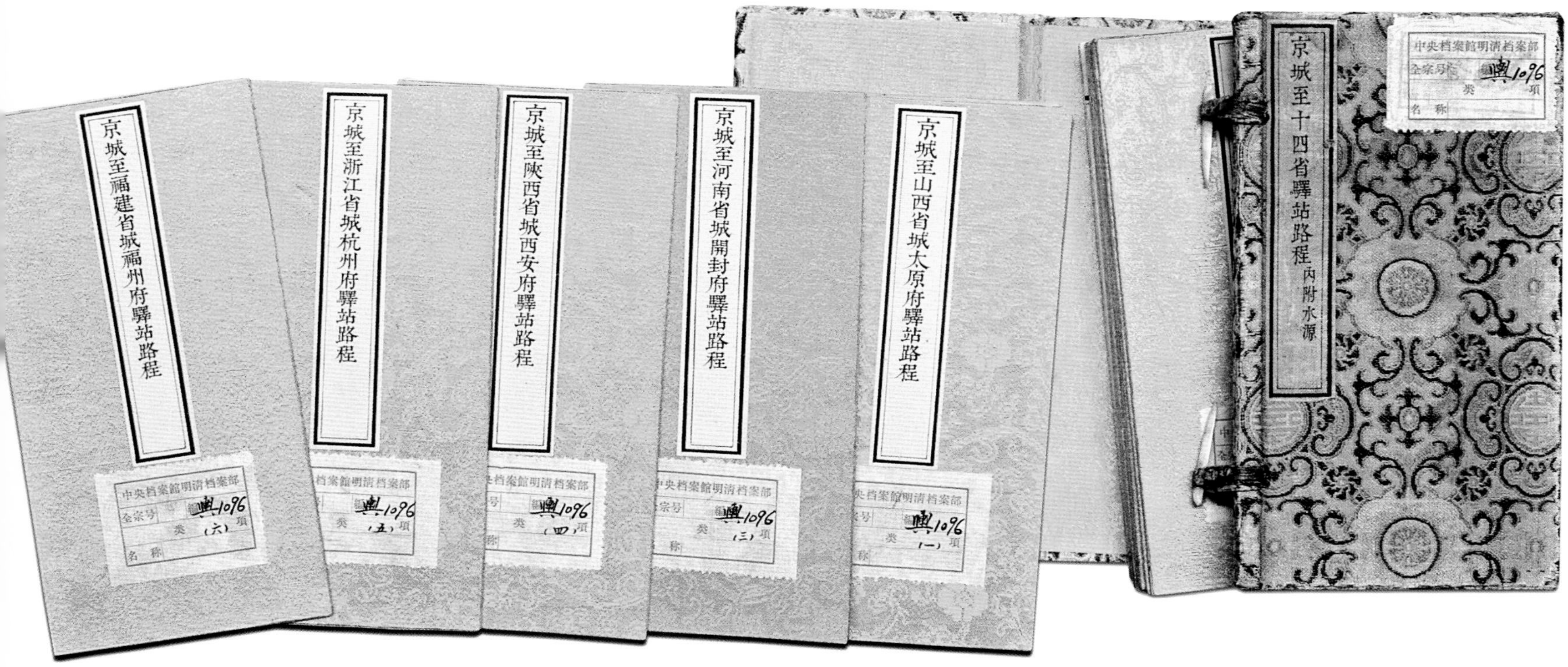

【六・二・四輔②】

京城至廣東省城廣州府驛站路程

京城至
良鄉縣固節驛至 七十里
涿州涿鹿驛至 七十里
新城縣汾水驛至 六十里
雄縣歸義驛至 七十里
任邱縣鄚城驛至 七十里
河間縣瀛海驛至 七十里
獻縣樂城驛至 六十里
交河縣富庄驛至 四十里
阜城縣阜城驛至 四十里
景州東光驛至 五十里
德州安德驛至 六十里
恩縣太平驛至 六十里
高唐州魚邱驛至 七十里
茌平縣茌山驛至 六十里
東阿縣桐城驛至 五十八里
東阿縣舊縣驛至 四十里
東平州東原驛至 六十三里
汶上縣新橋驛至 七十里
滋陽縣新嘉驛至 四十五里
滋陽縣昌平驛至 四十里
鄒縣邾城驛至 四十九里
界河驛至 五十里
滕縣滕陽驛至 四十里

【六・二・四輔①】

【六·二·五】護照

光緒朝，漢文，紙質，木刻藍墨印，版框，43.5cm ×40cm。

此為江南織造派案書陶世榮前往各處採辦絲絹過關驗明身份的護照，押印，標朱。護照上有各關卡的驗戳。首句「×××為發給護照事，照得……」，結尾「……切切，須至護照者，右照仰×××准此」。

【六·二·六】解單

光緒二十年（一八九四年）十二月，漢文，紙質，藍墨刻印，牌框，26.5cm ×29cm。

此為營口轉運分局派員解兵米的解單。

【六·二·七】路引

光緒三十三年（一九〇七年），漢文，紙質，木刻墨印，版框，46cm ×36cm。

押印，標朱。起首「×××為給路引事……」，結尾「須至引者，右引仰沿途定口官弁准此」。

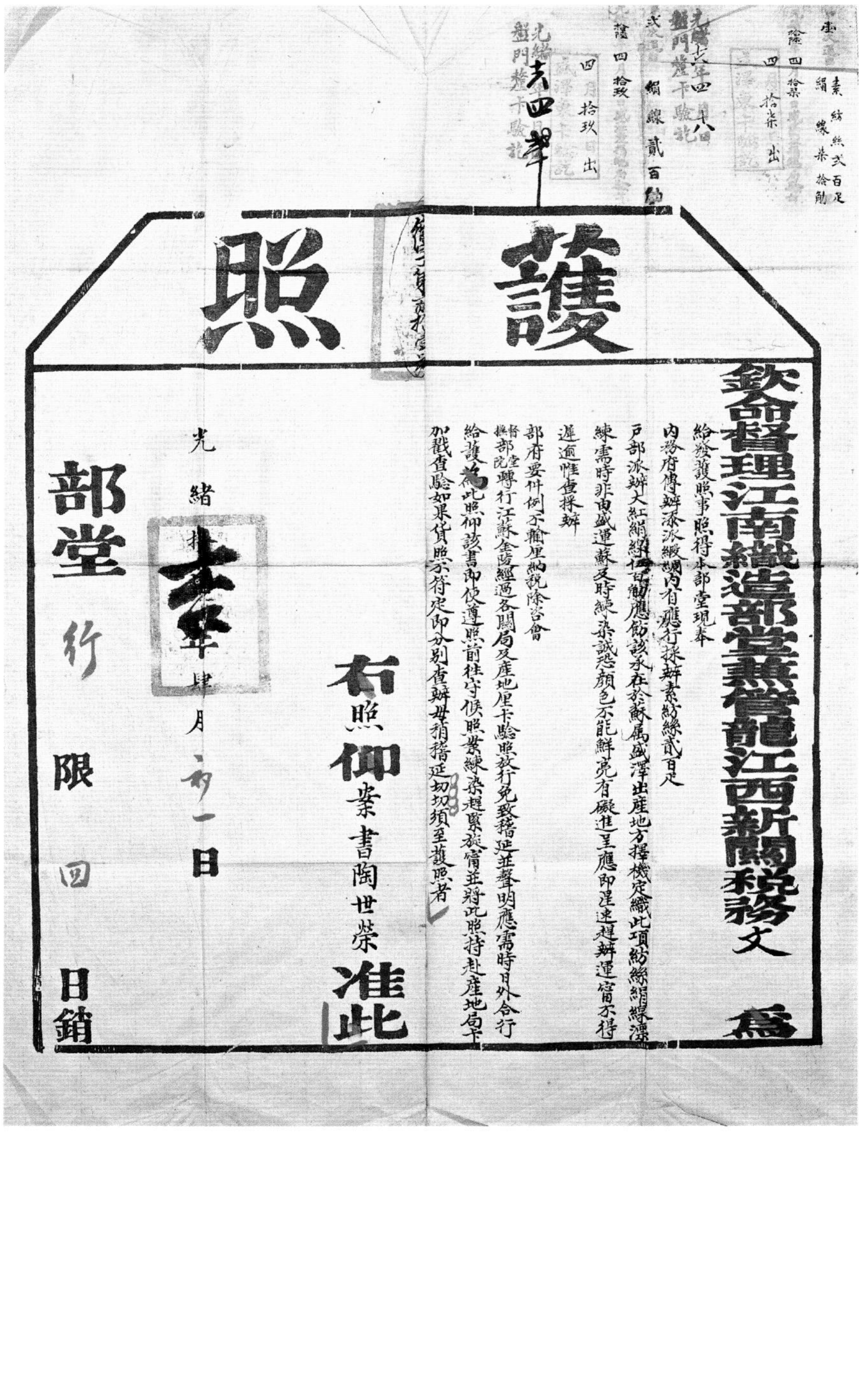

【六·二·五】

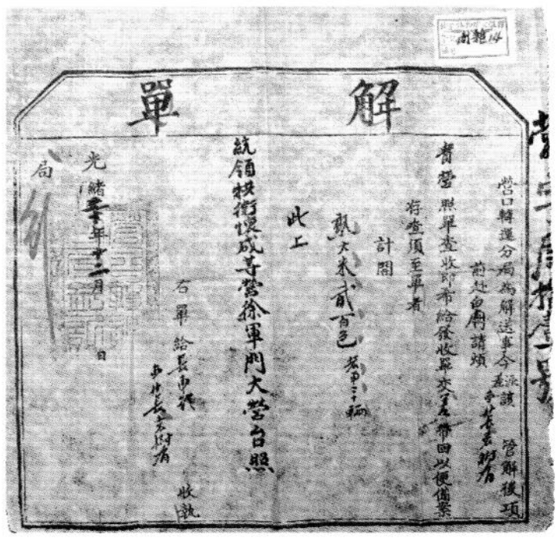

【六·二·六】

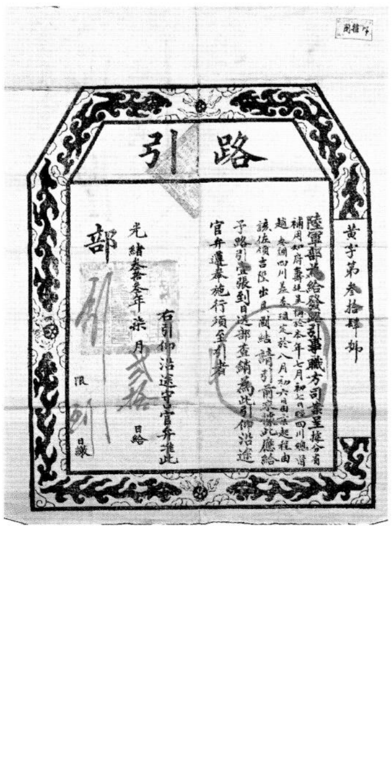

【六·二·七】

【六・二・八】奏匣

雍正元年（一七二三年）李煦恭交的硃批奏匣，大匣中套小匣。

大匣：38cm × 65cm × 22.5cm。

小匣：10cm × 18cm × 9.8cm。

清代奏報文件的裝具，又稱「報匣」，凡督撫等官皆賞報匣，遇奏事用以封進。升調外省即行帶往，其接任之員未經賞給報匣者，令其自行奏請賞給，至奉密旨交辦事件，亦用匣，隨旨頒發覆奏時恭交。各督撫皆先發匙鑰一副，存留交代；其將軍都統提鎮藩臬並欽差各員，如有密奏事件，臨時將匙鑰一併封固發往，存留交代。

【六・二・九】奏匣

清代流行的官員奏匣。通常27.5cm × 13cm × 3.5cm。

【六・二・一〇】夾板

木質，26cm × 11.5cm。

清代奏報文件的裝具，凡未經賞給報匣之督撫等官，遇奏事，將奏摺盛以夾板，外用棉紙封固，接縫處鈐蓋本職印信，外包以黃綾發遞。軍機處交發緊要事件，由兵部捷報處加具夾板封固，粘貼印花發驛。其各部緊要文書交部者，由司用夾板封固發驛。

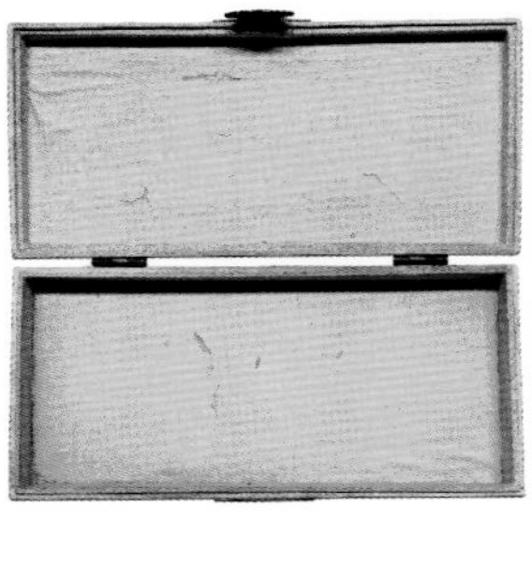

【六・二・九】

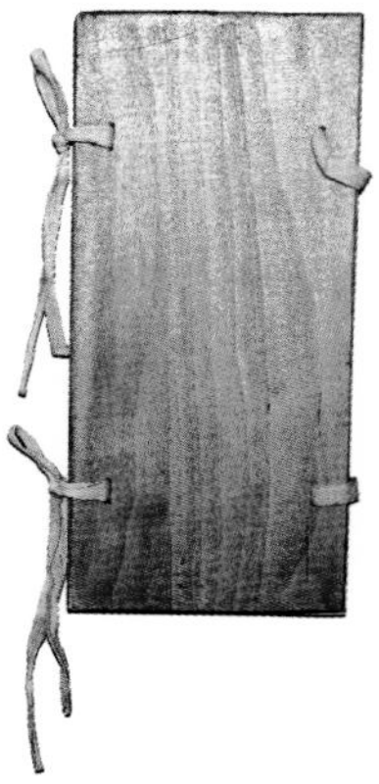

【六・二・一〇】

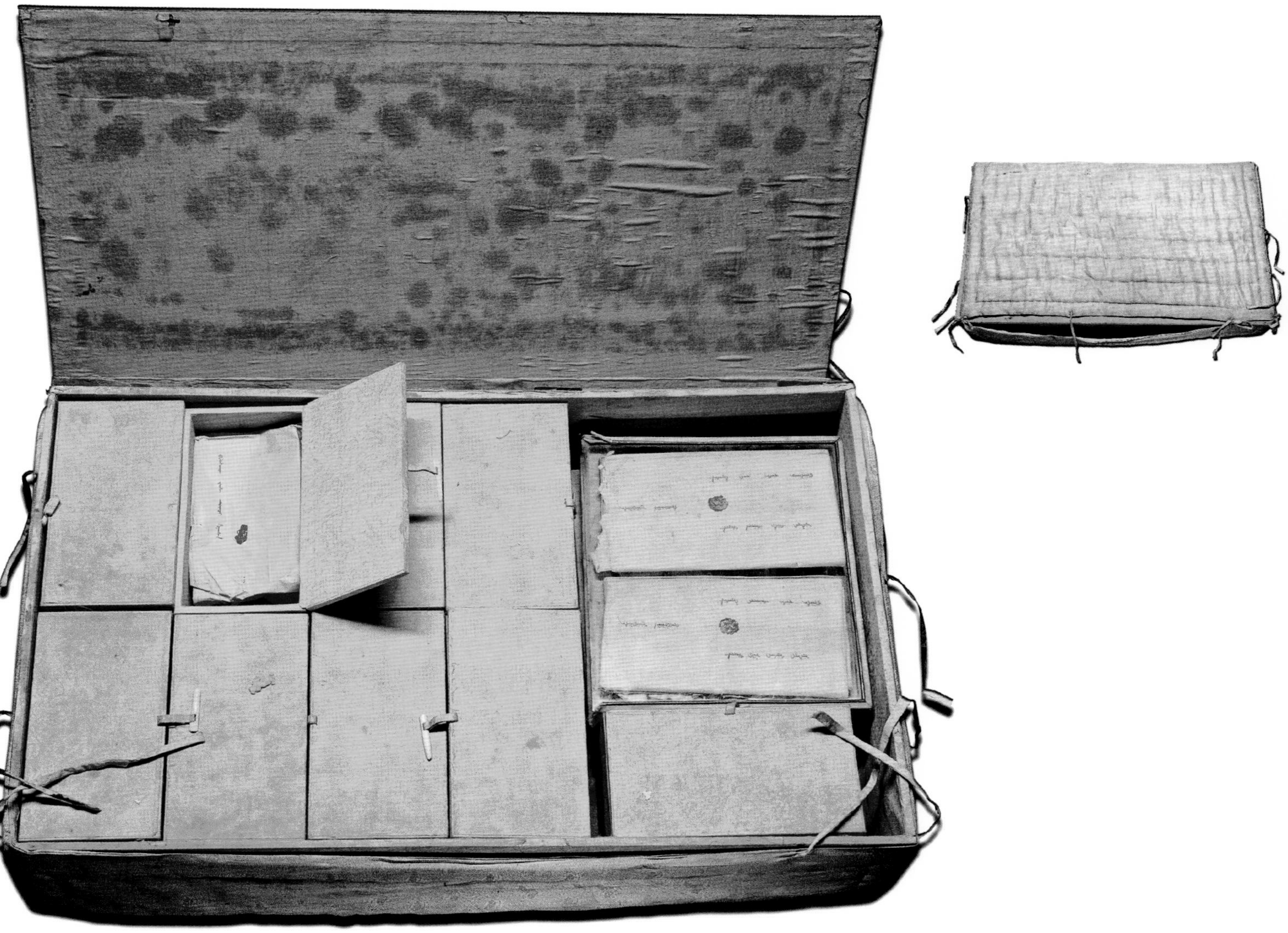

【六・二・八】

奏
謹
福建道監察御史臣朱琦跪封
戶科掌印給事中臣陳光亨跪封
江南道監察御史臣江鴻升跪封
科場除弊四條
鴻臚寺少卿臣董瀛山跪封
陳光亨跪封
【六·二·二】

【六・二・一一】道光朱批信封

道光朝，漢文，紙封，22cm × 10cm。

此為京中言官所上奏摺的白封，其封奏方式：封面上摺蓋右角書「奏」字，上蓋左下角書「謹」字；封中下半部書官員職名；下摺蓋中書「封」字。封背居中書封奏年月日，有的左邊註明內中件數。

此為道光皇帝批閱過的奏摺封皮，為了方便，在封面上朱筆寫下了奏摺的事由，並有閱刷過的痕迹。

【六・二・一二】光緒皇帝御筆封押

清代皇帝給大臣的密諭通常以御筆封押勒之，官員於交回朱筆的同時也要交回御筆封押。

此為清駐新疆、西藏將軍大臣交回的御筆封押。

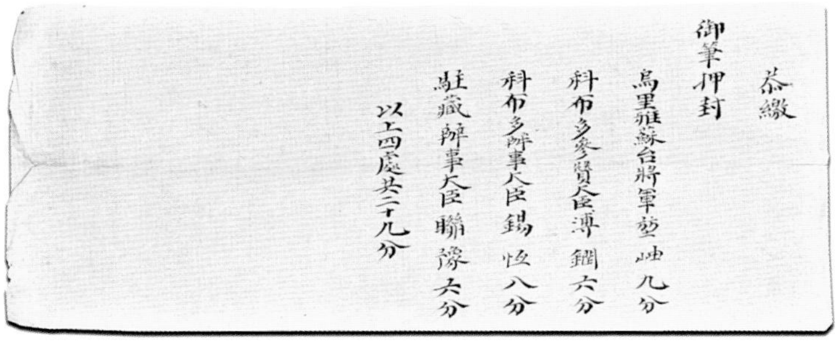

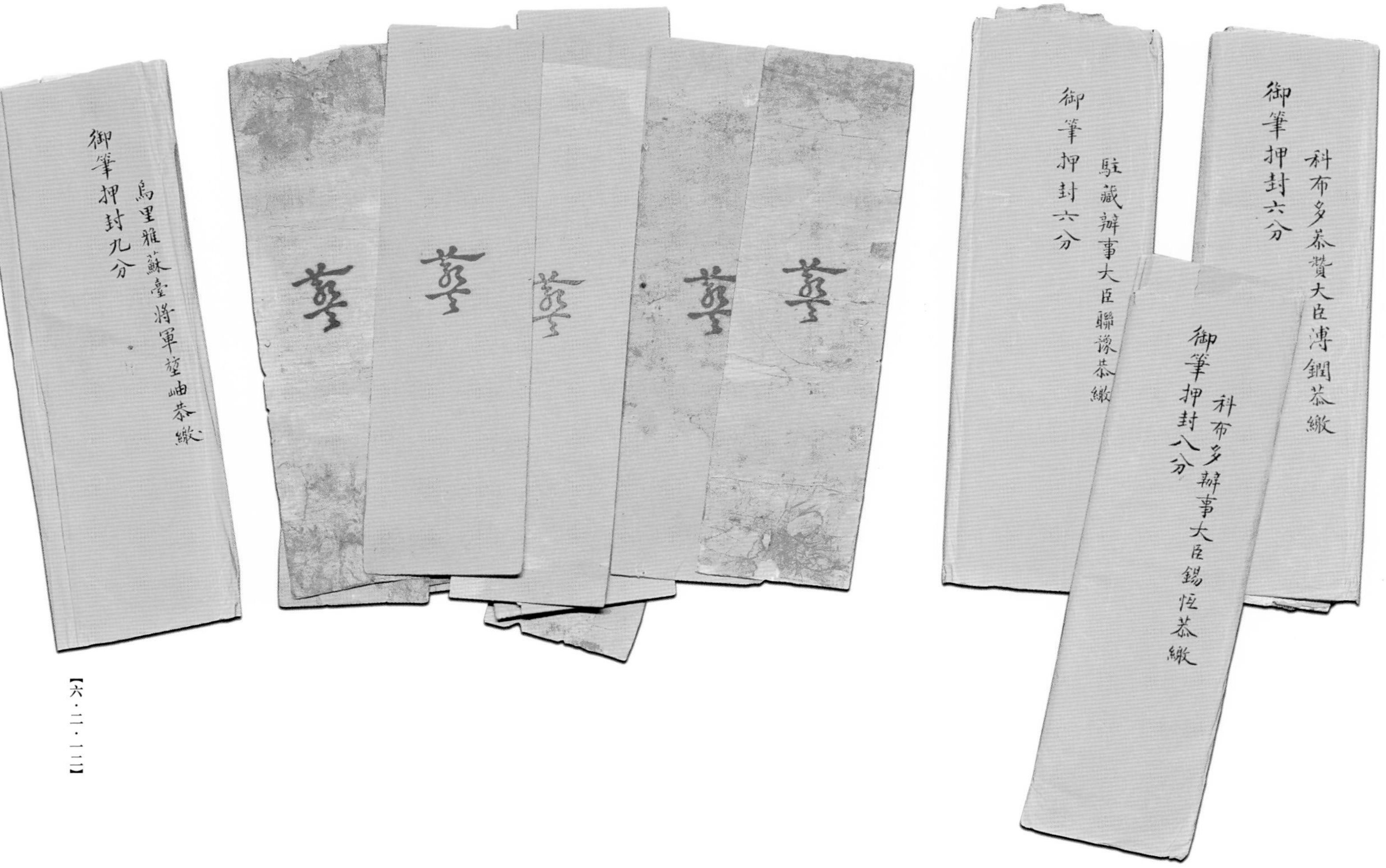

【六・二・一二】

【六·二·一三】郵票

光緒四年（一八七八年），北洋大臣李鴻章鼓勵英人赫德在華試辦海關郵政，赫德派英人璀德琳在北京、天津等五口試辦，並要求上海海關造冊處印刷郵票，分發北方各通商口岸使用，是為中國第一套大龍郵票的誕生。

【六·二·一三】

【六·二·一四】信封

①清末郵政信封。
②清代官衙間驛遞信封。
③清代私人間寄送的小信封。

【六·二·一四③】

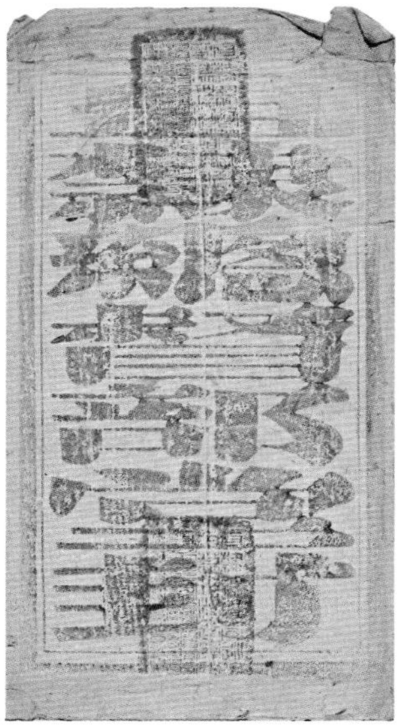

【六·二·一四②】

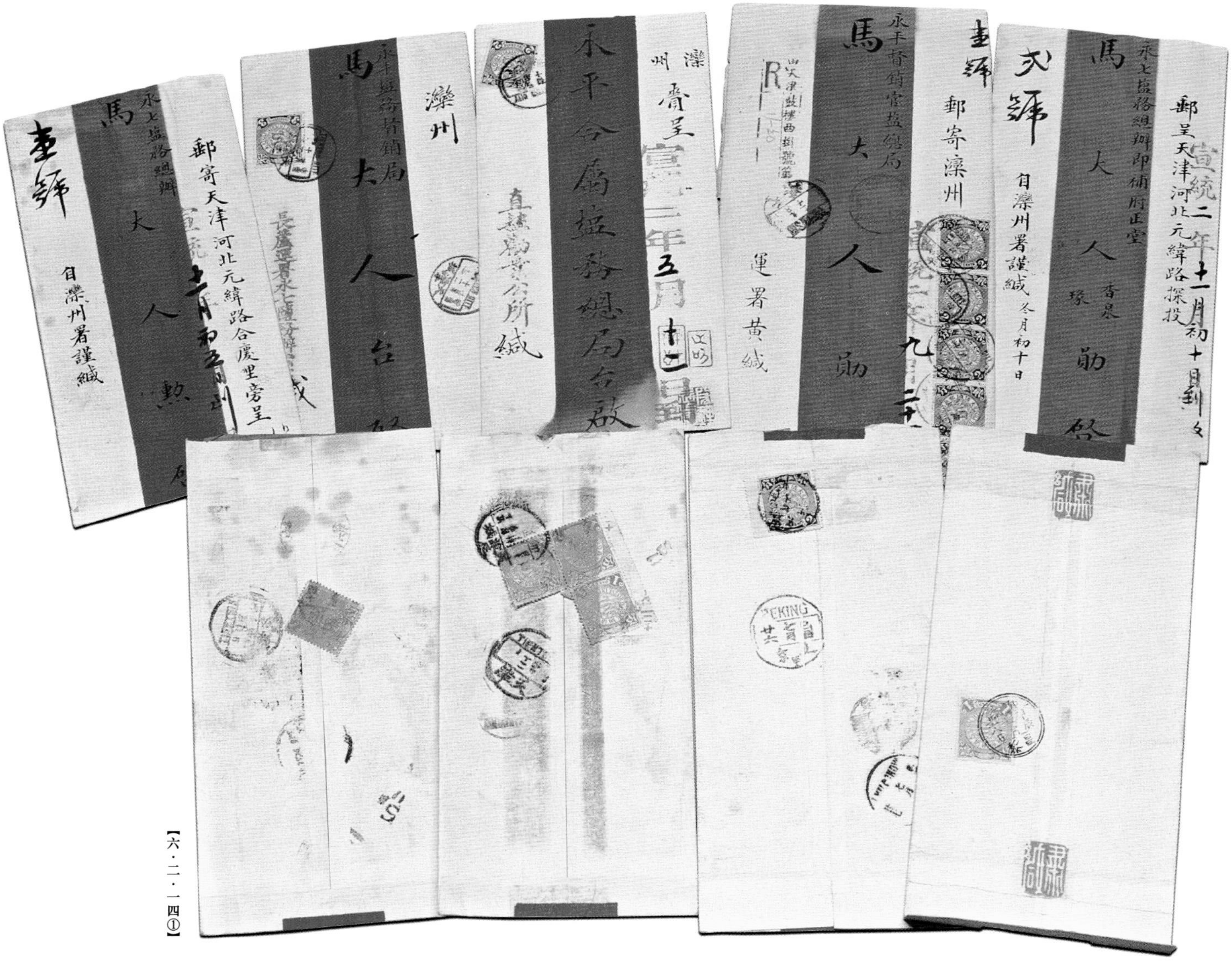

【六·二·一四①】

【六・三・一】清帝寶譜及有關上諭

乾隆十三年（一七四八年），紙質。冊，38cm×30cm；諭，25cm×11.2cm。

乾隆十一年（一七四六年）乾隆皇帝對宮中所存前代三十九方皇帝的寶璽進行了釐定修正，欽定二十五寶，以符天數，存於交泰殿，並製成印譜，註明滿漢釋文，存於內閣。乾隆十三年又對後二十一寶的滿文進行了篆刻改鐫。

此為乾隆十三年定稿後存於內閣的寶譜，及乾隆十三年關於重鐫滿篆二十五寶的上諭草稿。此稿為內閣起草，由乾隆皇帝御筆朱改。

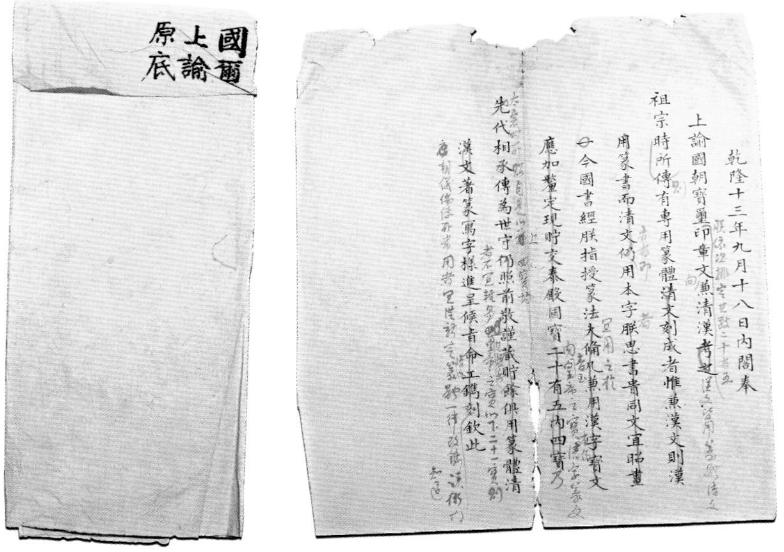

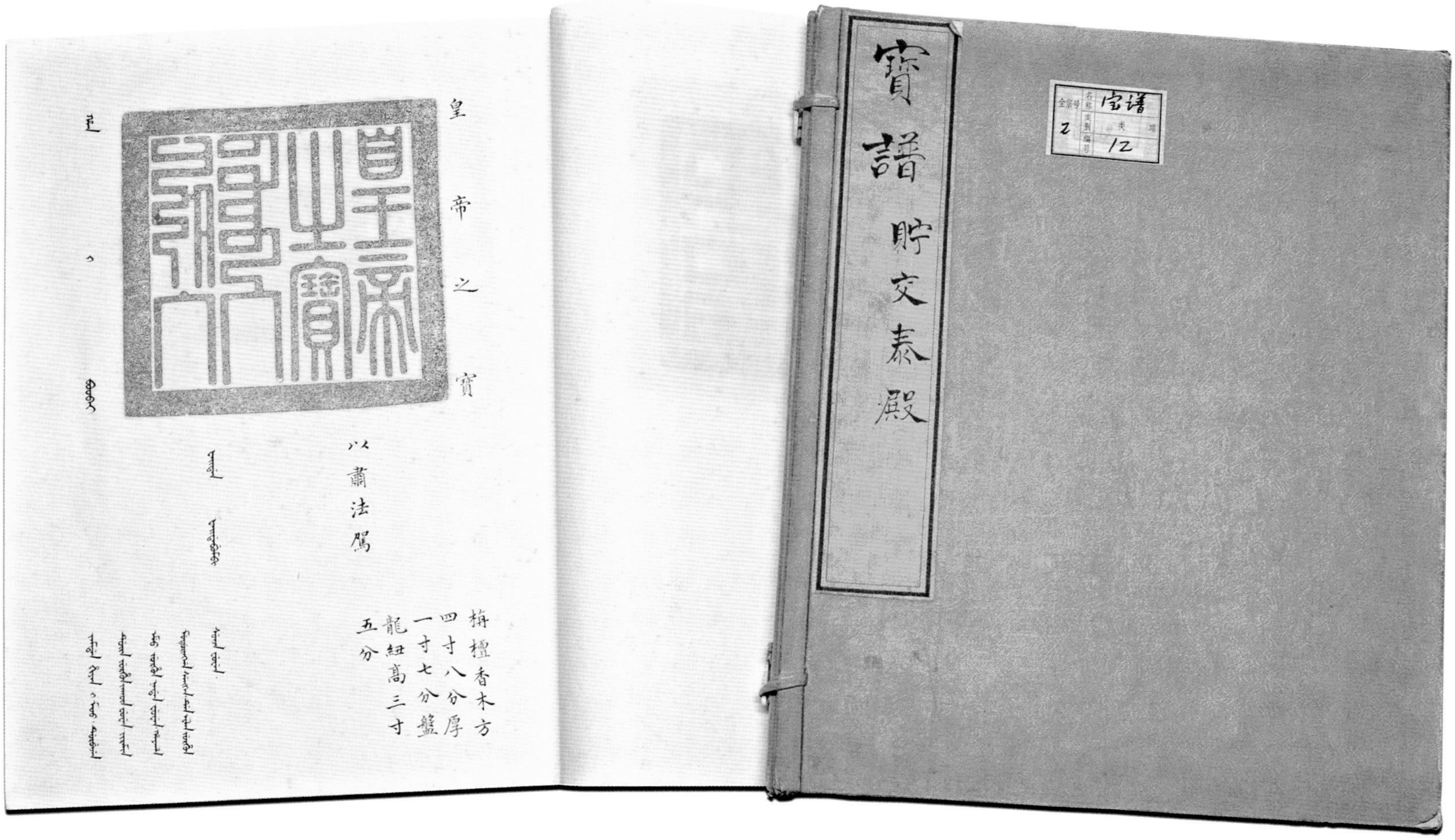

【六・三・二】將軍印譜

乾隆朝，滿漢文合璧，紙質，冊，39cm × 28cm。

清代欽命將軍印信，由中央統一鑄刻頒發，覆命後收回，存於宮中，遇有戰爭，再取出命將。至乾隆時宮中庫藏各種經略大將軍、將軍印凡百餘，乾隆十四年飭部重新釐定銷毀，只留下十五方印，分匣收藏，稽其始末，刻文而藏之。如有命將征討，則開列奏請頒給。後又改鑄滿篆。

此為內閣所藏的將軍印譜。

將軍印譜

【六・三・三】提督山西總兵官印

滿漢文合璧，10.5cm × 10.5cm。

【六・三・三】

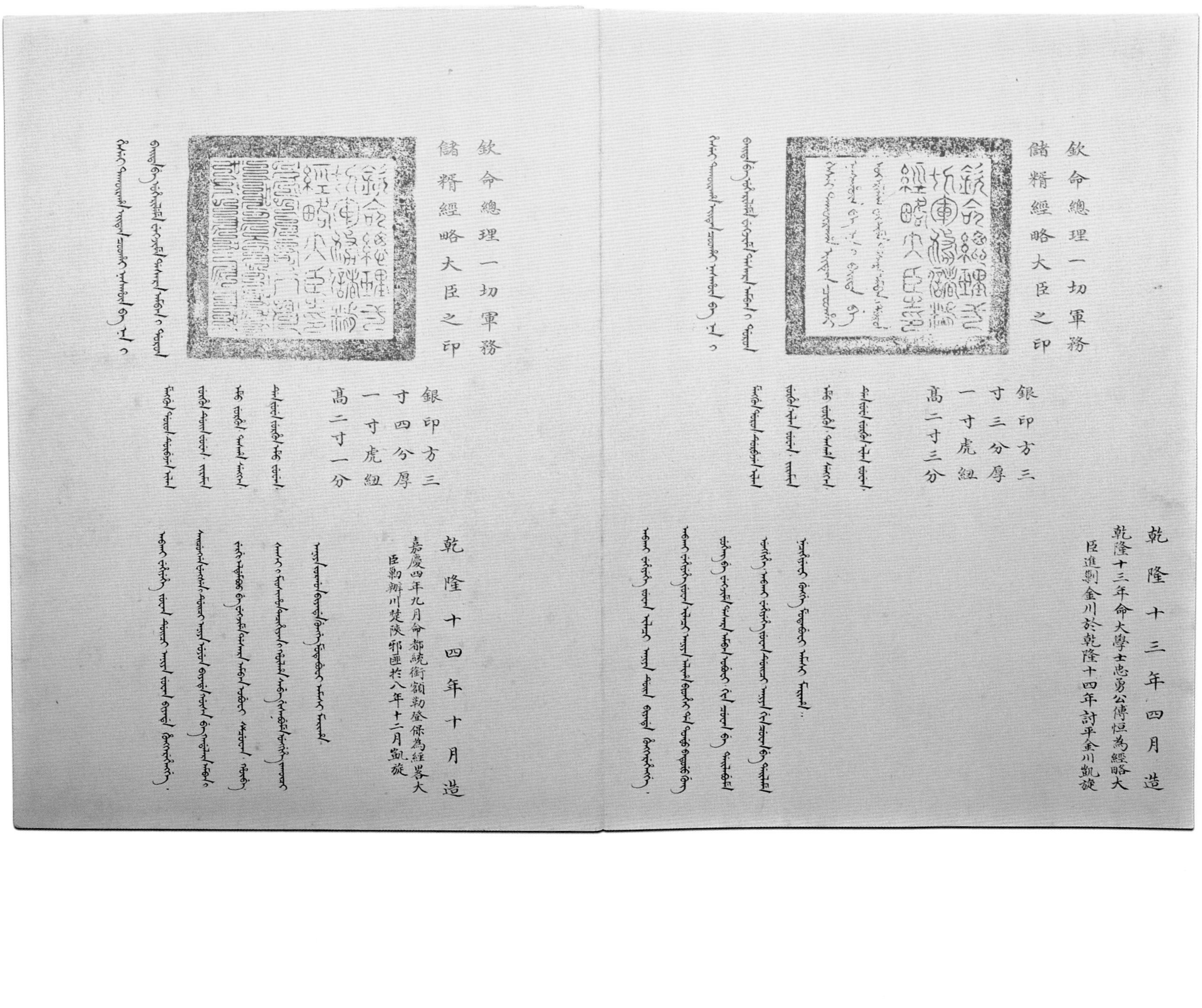

欽命總理一切軍務
儲糈經略大臣之印
銀印方三寸三分厚一寸虎紐高二寸三分
乾隆十三年四月造
乾隆十三年命大學士忠勇公傅恒為經略大臣進剿金川於乾隆十四年討平金川凱旋
欽命總理一切軍務
儲糈經略大臣之印
銀印方三寸四分厚一寸虎紐高二寸一分
乾隆十四年十月造
嘉慶四年九月命都統銜額勒登保為經略大臣勦辦川楚陝邪匪於八年十二月凱旋

【六・三・二】

【六·三·四】慈禧用寶印樣

光緒朝，漢文。

印章的使用是十分講究的事，何種印用於何種文書，印蓋於何處，都有規定。

此為慈禧佛經用寶樣摺。

【六·三·五】平南王印

順治九年（一六五二年），滿漢文合璧，10.5cm × 10.5cm。

【六·三·五】

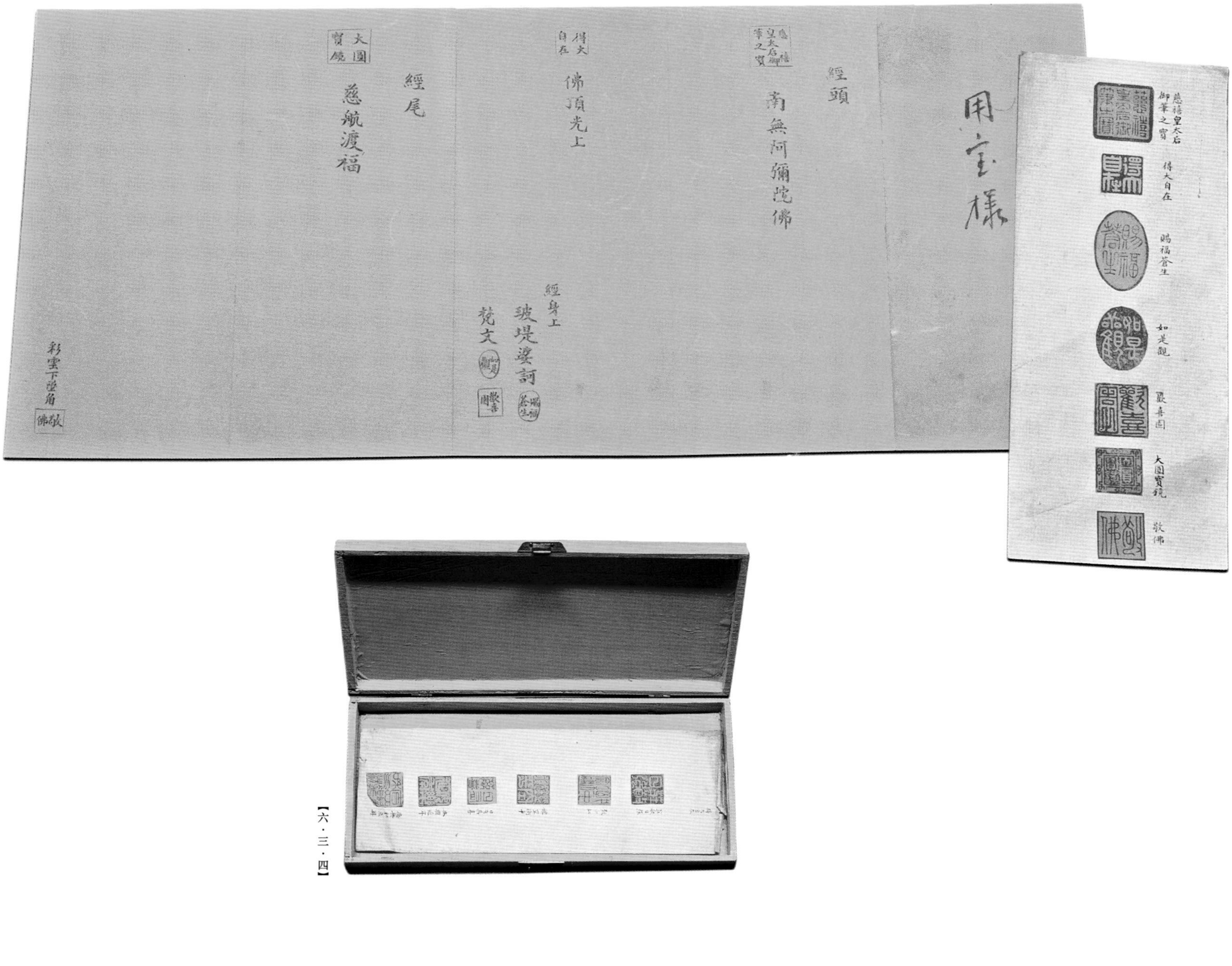

【六·三·四】

【六・三・六】紅藍紫三色印鑒

① 藍印，定邊左副將軍之印，滿漢文合璧，10.5cm × 10.5cm。

② 紫印，安徽巡撫兼提督之關防，滿漢文合璧，10.3cm ×6.3cm。

③ 紅印，廣西巡撫關防，滿漢文合璧，10.3cm × 6.3cm 。

清代官防用印，除朱砂印油外，也有用紅、紫、粉、藍等色顏料印汁的。而藍色只有國喪期間才能用。

【六・三・七】出外代寶記載清冊

光緒二十八年(一九〇二年)七月二十四日，漢文，冊。

光緒二十六年(一九〇〇年)八國聯軍打進北京，慈禧挾光緒帝西逃西安，次年年底才回到京。此為回京後宮中清理此次西逃時慈禧、光緒隨身所帶的御寶印章的清冊。

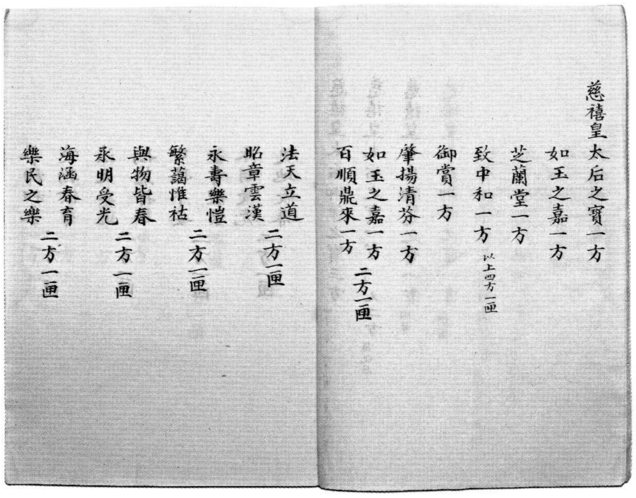

慈禧皇太后之寶一方
如玉之嘉一方
芝蘭堂一方
致中和一方 以上四方一匣
御賞一方
肇揚清芬一方
如玉之嘉一方
百順鼎來一方
二方一匣
法天立道 二方一匣
昭章雲漢
永壽樂愷
繁藹惟祜 二方一匣
與物皆春
承明受光 二方一匣
海濡春育
樂民之樂 二方一匣

【六・三・七】

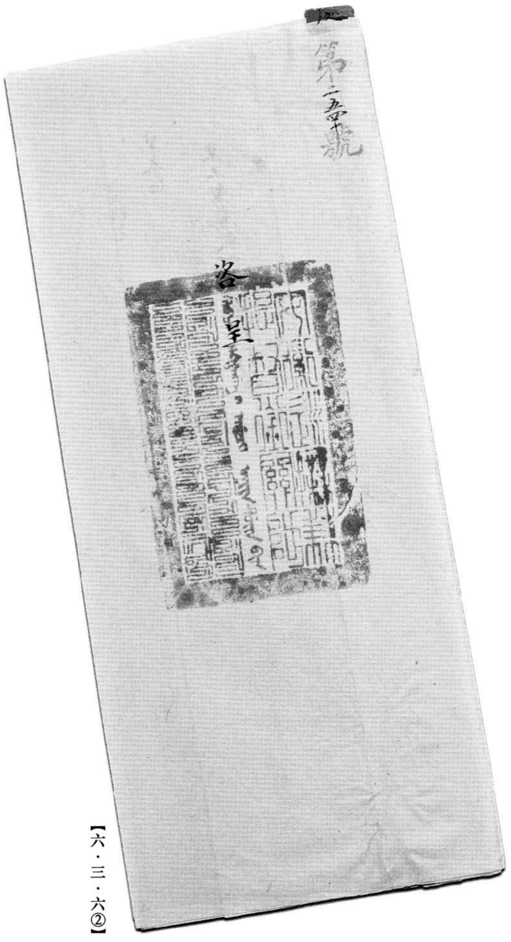

【六・三・六②】

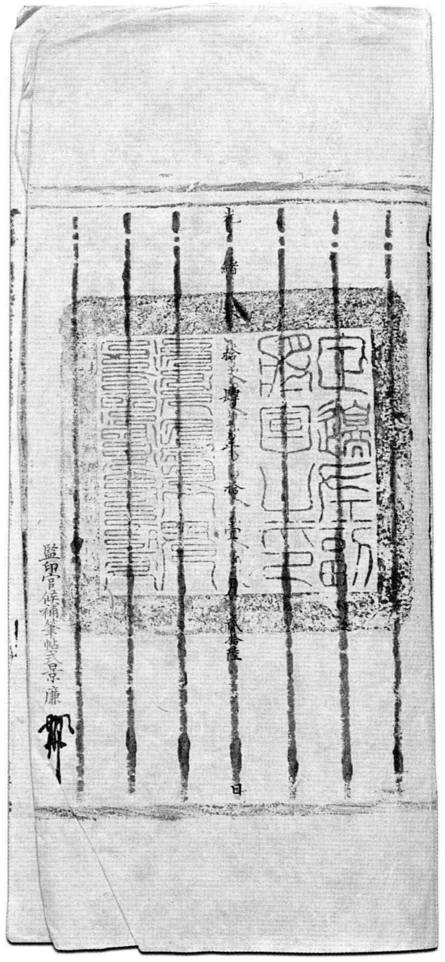

【六・三・六①】

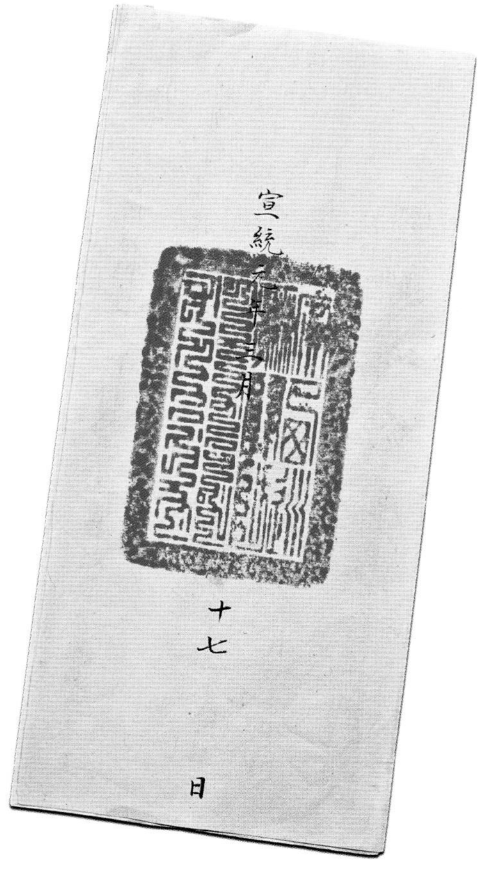

【六・三・六③】

【六・三・八】預用空白

咸豐十年（一八六〇年），漢文，紙質。

清代各官衙門於歲暮封印後，遇有緊要文移須用印者，於文尾年月兩旁朱寫「印信遵封」四字，上司牌票，則刻本官花押鈐蓋於年月上。但易滋詐偽，於是有預用空白之制。乾隆五年（一七四〇年），始命各省封印後，預用蓋印空白。內外有印信的衙門，俱於每年年底封印之後，翌年年初啟印之前一日酌量件數各用空白印紙並文移封套，以備封印期間遇有緊要公文之用，印旁蓋戳「預用空白」，並登記號簿詳慎檢查，開印後，將未用完的件數驗明銷毀。

【六・三・九】監國攝政王章

宣統元年，2cm × 2cm。

此為溥儀登極時，其父醇親王載灃的「監國攝政王章」印樣。

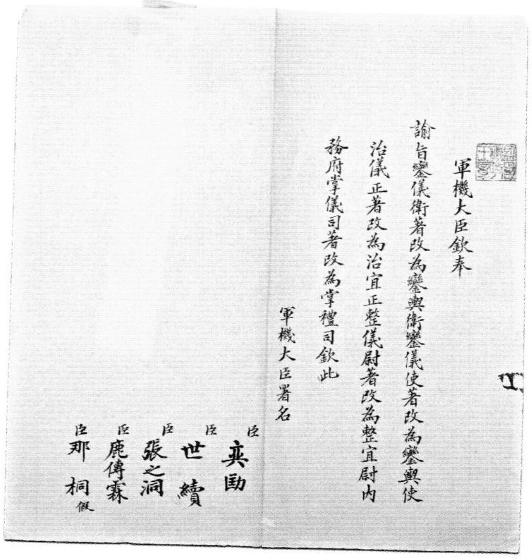
軍機大臣欽奉
諭旨鑾儀衛著改為鑾輿衛鑾儀使著改為鑾輿使
治儀正著改為治宜正整儀尉著改為整宜尉內
務府掌儀司著改為掌禮司欽此
軍機大臣署名
臣奕劻
臣世續
臣張之洞
臣鹿傳霖
臣那桐 假

【六・三・九】

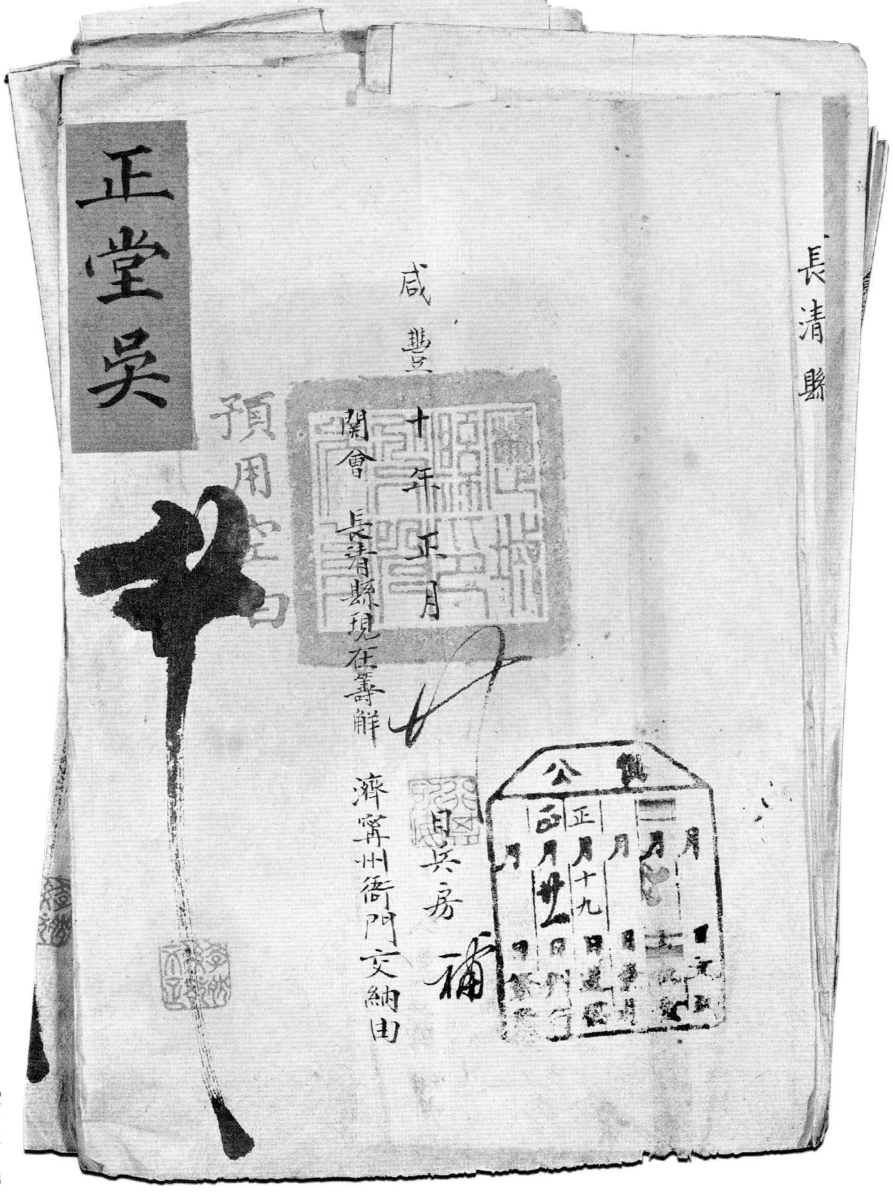

【六・三・八】

【六・三・一〇】關防

清代官印之一種。長方形，俱直鈕，質地有銀、銅等。篆體多樣。

【六・三・一一】印簿

①康熙年間，國史院印簿，37cm×26.5cm。②光緒年間，內務府某衙門的關部印簿，25.5cm×23.5cm。

清代官署衙門印信使用管理十分嚴格，都要設立印簿，逐日記載印信關防的使用情況。

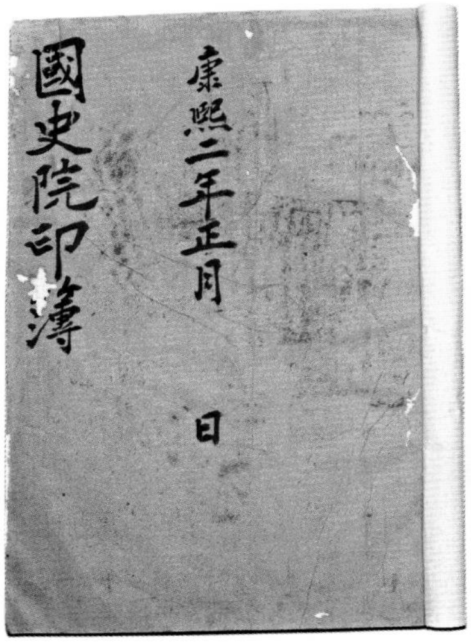

【六・三・一一①】

【六・三・一一②】

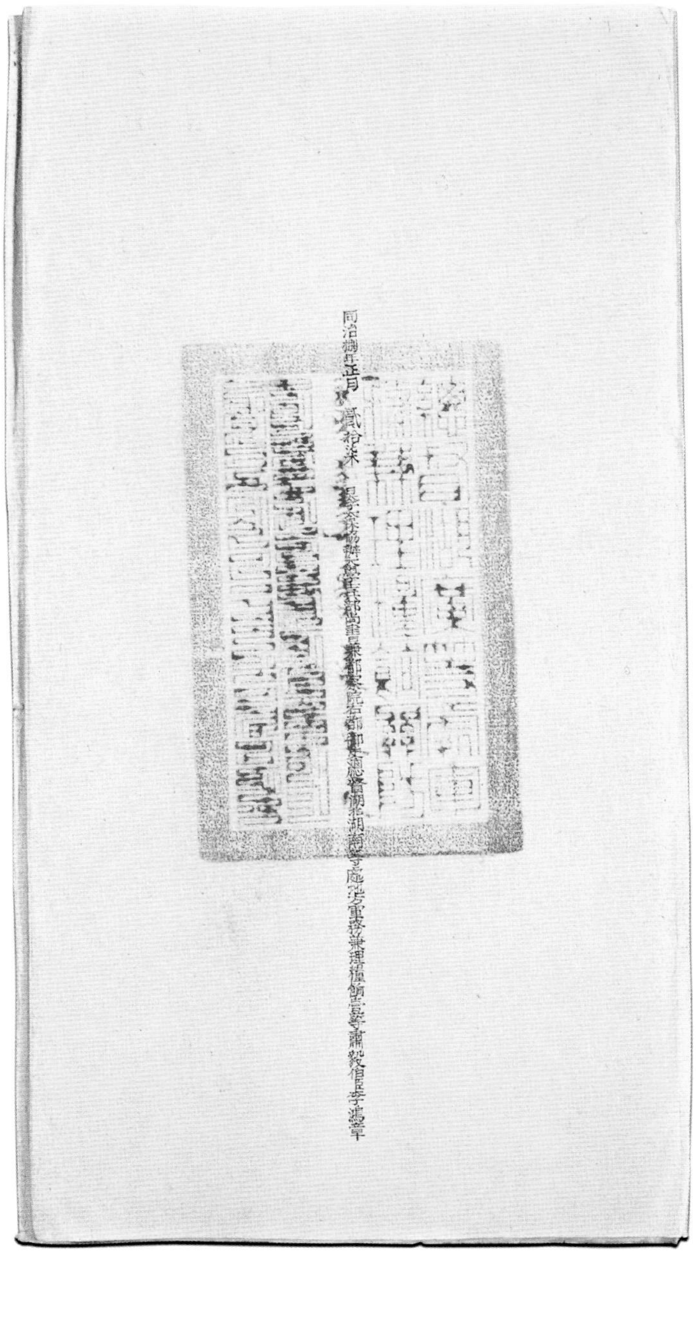

【六・三・一〇】

【六・三・一二】圖記

清代官印之一種。長方形，俱銅質直鈕。多用於旗務，內府機構，及駐防大臣等。

【六・三・一三】鈐記

宣統三年（一九一一年）。

一般不鑄，由官衙發官匠鐫刻。此為禁衛軍樂隊鈐記。

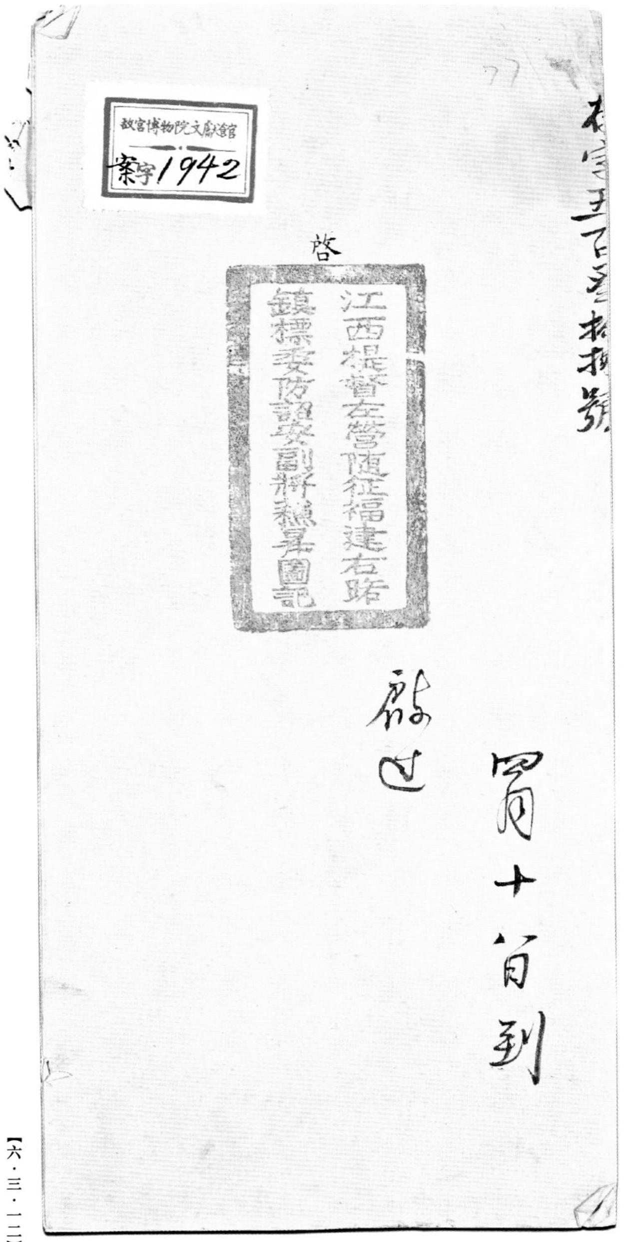

【六・三・一二】

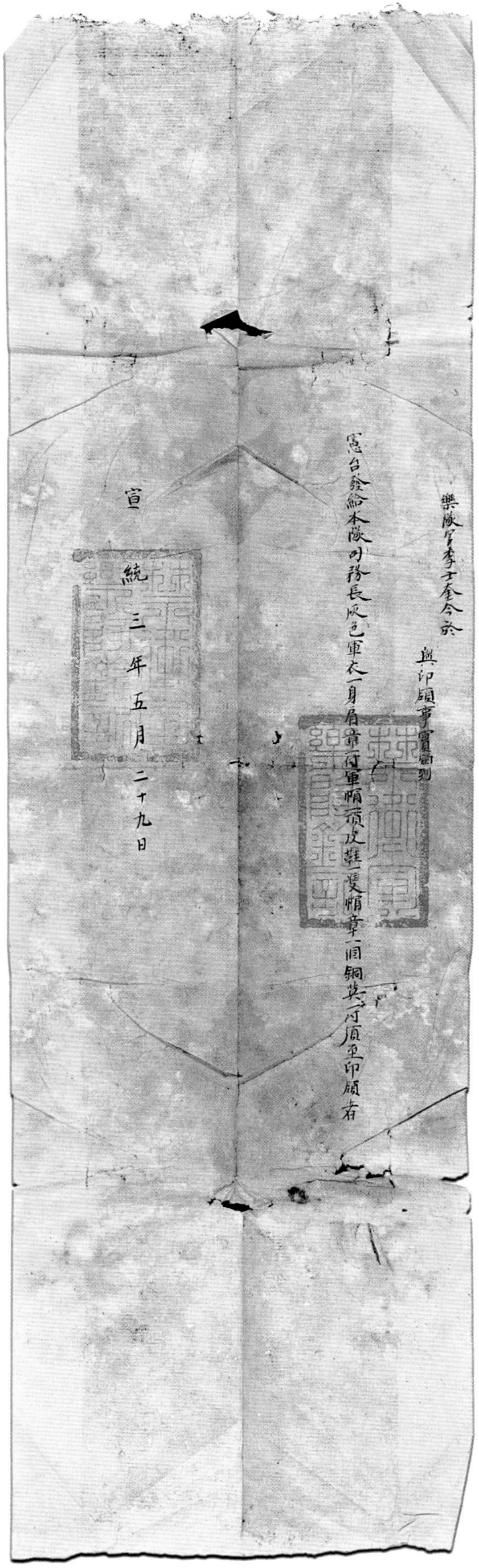

【六・三・一三】

光緒十四年（一八八八年）。

一般不鑄，由官衙發官匠鐫刻。此為廣東南海縣華德里地保梁安的戳記。

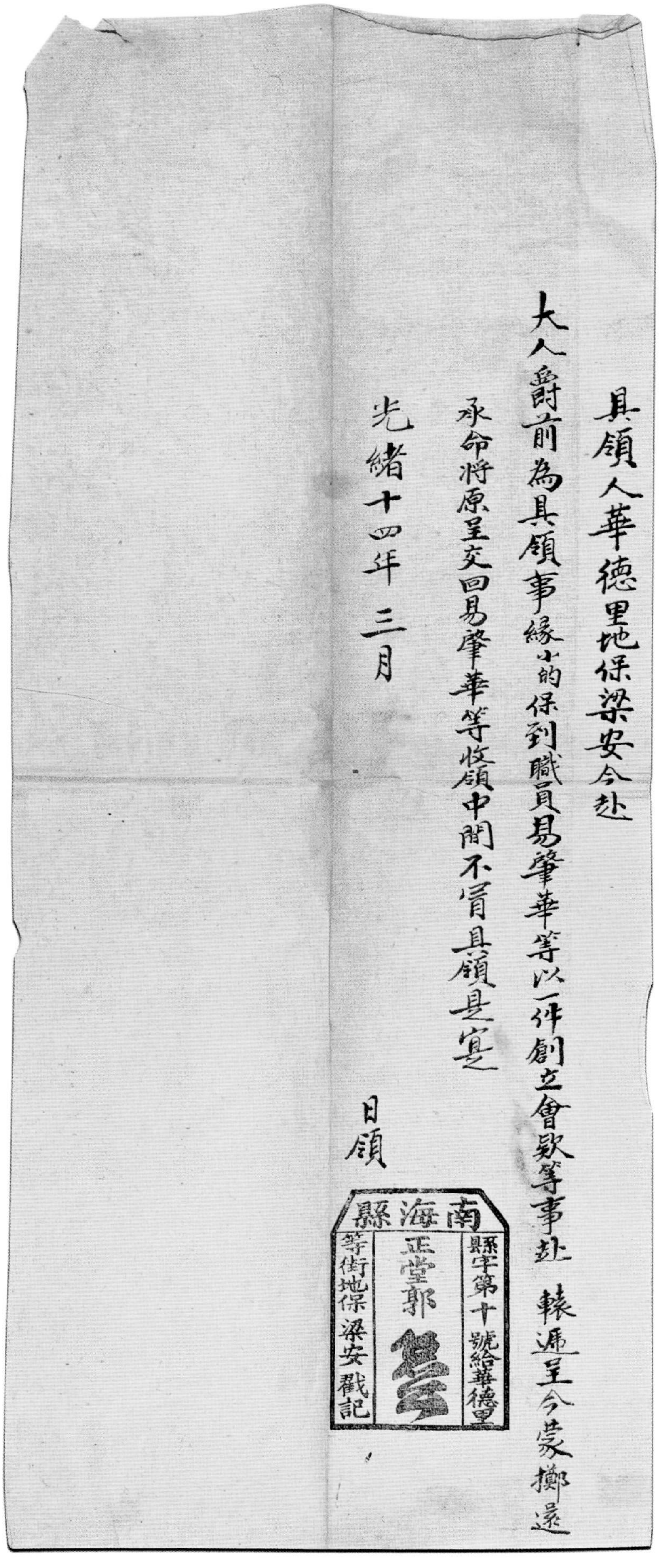
具領人華德里地保梁安今赴
大人爵前為具領事緣小的保到職員易肇華等以一件創立會欵等事赴 轅遞呈今蒙擲還
承命將原呈交回易肇華等收領中間不冒具領是實
光緒十四年 三月 日領

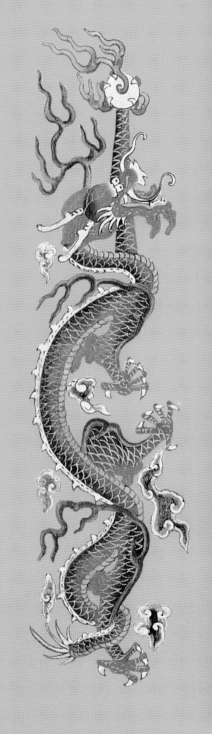

第七章　清代官修史籍制度

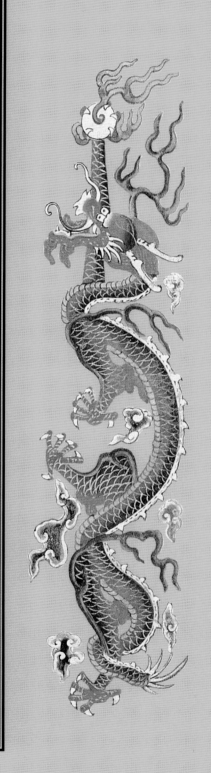

「凡一代之興，必有一代之史」，清王朝曾大量利用檔案，撰修書史，以「昭當時之政治，垂後世之法程」（《光緒會典事例》卷一〇五〇）。清代修書開館，可分為三類：例開之館，長開之館以及三通館。

第一節　例開之館

例開之館包括實錄、玉牒等館。每屆修書時開館，書成即閉館。

實錄館

清代一般由下一朝修上一朝的實錄。清代修的實錄，有《太祖實錄》十三卷，於崇德元年（一六三六年）敕修，康熙二十一年（一六八二年）重修，雍正十二年（一七三四年）敕加校訂。《太宗實錄》六十八卷，於順治九年（一六五二年）敕纂，康熙十二年（一六七三年）重修，雍正十二年敕加校訂。《世祖實錄》一百四十七卷，於康熙六年（一六六七年）敕纂，雍正十二年敕加校訂。《聖祖實錄》三百〇三卷，於康熙六十一年（一七二二年）敕纂。《世宗實錄》一百五十九卷，於雍正十三年（一七三五年）敕纂。《高宗實錄》一千五百卷，於嘉慶四年（一七九九年）敕纂。《仁宗實錄》三百七十四卷，於道光四年（一八二四年）敕纂。《宣宗實錄》四百七十六卷，於咸豐二年（一八五二年）敕纂。《文宗實錄》三百五十六卷，於同治元年（一八六二年）敕纂。《穆宗實錄》三百七十四卷，於光緒五年（一八七九年）敕纂。《德宗實錄》五百六十七卷，於宣統時敕纂。《宣統政紀》

於民國二年（一九一三年）修成，為大學士世續等所撰（見第一歷史檔案館所藏《溥儀檔案》）。另外，同時還修有太祖、太宗、世祖、世宗、高宗、仁宗、宣宗、文宗、穆宗等各朝的《聖訓》。

玉牒館

玉牒館是掌編修清朝皇家玉牒的非常設性專門機構。清朝規定，皇帝家族的玉牒每十年修一次，屆期，由內務府奏請皇帝批准，專開玉牒館。例由宗人府宗令宗正、滿漢大學士、禮部尚書、侍郎、內閣學士充正副總裁官，翰林院官、內閣侍讀、禮部司官等充提調、纂修。玉牒告竣，分送皇史宬、盛京恭貯，館撤銷。

第二節　長開之館

長開之館包括國史館、方略館、武英殿、起居註館等。

清朝為修國史，於天聰三年（一六二九年）曾設文館於盛京。天聰十年（一六三六年）改文館為內三院：內國史院、內弘文院、內秘書院。內國史院專「掌記註詔令，編纂史書及撰擬諸表章之屬」（《光緒會典事例》卷十一）。這是清朝最早的修史機構。

國史館

乾隆三十年（一七六五年）為纂修國史列傳，始常設國史館於禁城東華門內。國史館設總裁，多由大學士兼任。還設有提調、總纂、纂修、協修、總校、校對等官，具體負責纂修國史。館內設有翻譯股、纂修股、滿纂修房、漢纂修房、書庫。清末又增設承發房、長編股、奏議處、文移處等機構，以分辦各項事務。國史依紀傳的體例，分本紀、傳、表、志四部分。國史館曾大量調閱各衙門的檔案，先將檔案史料編成長編，然後再纂修成書。國史館編纂刊刻的有《宗室王公功績表傳》十二卷，於乾隆四十六年（一七八一年）敕纂。《蒙古王公功績表傳》十二卷，於乾隆四十四年（一七七九年）敕纂。《聖朝殉節諸臣錄》十二卷，於乾隆四十一年（一七七六年）敕纂。《滿漢名臣傳》八十卷，《貳臣傳》八卷，俱於乾隆時敕纂。

方略館

方略館設於康熙二十六年（一六八七年），專修各種方略和史書。初非常開，乾隆十四年（一七四九年）以後成為長開之館。館設總裁、提調、收掌等官。內部設有文稿、謄錄、纂修、校對四處及書、紙二庫，以分辦各項事務。方略館等官修的方略，有《平定三逆方略》六十卷，於康熙二十一年（一六八二年），勒德洪等奉敕撰。《親征平定朔漠方略》四十八卷，於康熙四十七年（一七〇八年），温達等奉敕撰。《平定金川方略》三十二卷，於乾隆十三年（一七四八年），來保等奉敕撰。《平定准噶爾方略》前編五十四卷，正編八十五卷，續編三十三卷，於乾隆三十七年（一七七二年），傅恆等奉敕撰。《臨清紀略》十六卷，乾隆四十二年（一七七七年），于敏中等奉敕撰。《平定兩金川方略》一百五十二卷，乾隆四十六年（一七八一年），阿桂等奉敕撰。《蘭州紀略》二十卷，乾隆四十六年敕撰。《石峰堡紀略》二十卷，乾隆四十九年敕撰。《台灣紀略》七十卷，乾隆五十三年（一七八八年）敕撰。《安南紀略》三十二卷，乾隆五十六年（一七九一年）敕撰。《廓爾喀紀略》五十四卷，乾隆六十年（一七九五年）敕撰。《巴布勒紀略》二十六卷，乾隆時敕撰。《平苗匪紀略》五十二卷，嘉慶二年（一七九七年），鄂輝等奉敕撰。《剿平三省邪匪方略》前編三百六十一卷，續編三十六卷，附編十二卷，嘉慶十五年（一八一〇年），慶桂等奉敕撰。《平定教匪紀略》四十二卷，嘉慶二十一年（一八一六年），托津等奉敕撰。《平定回疆剿逆裔方略》八十卷，道光九年（一八二九年），曹振鏞等奉敕撰。《剿平粵匪方略》四百二十卷，同治十一年（一八七二年）敕撰。《剿平捻匪方略》三百二十卷，同治十一年敕撰。《平定陝甘新疆回匪方略》三百二十卷，光緒二十二年（一八九六年）敕撰。《平定雲南回匪方略》五十卷，光緒二十二年敕撰。《平定貴州苗匪紀略》四十卷，光緒二十二年敕撰。

起居註館

起居註館是專記皇帝每天言行的機構。所謂「左史記言，右史記動」，名「起居註」。清於康熙七年（一六六八年）設起居註官，九年（一六七〇年）始置起居註館於太和門西廓。以後歷朝相沿，形成大量的起居註冊。凡記註「先載起居，次諭旨，次題奏，次官員引見」。清制規定，凡京內外各衙門所奉諭旨及題奏本章，都要抄錄一份，送起居註館，以便記註（《光緒會典事例》卷一〇五五）。起居註每月二冊，每年二十四本。正本存內閣，副本存起居註館。

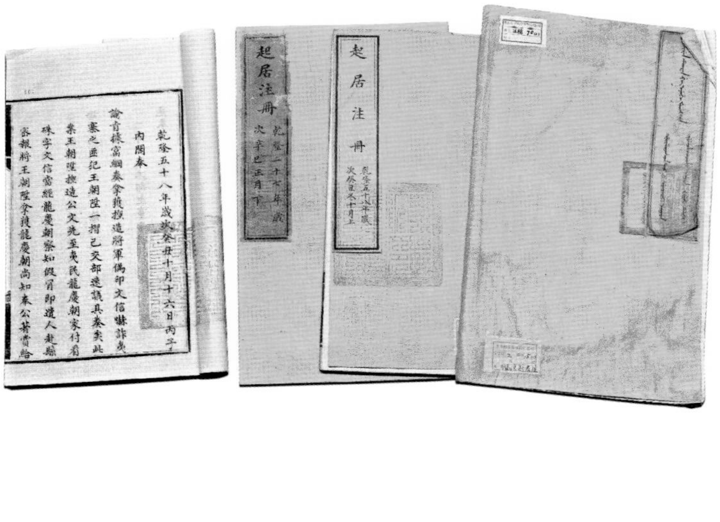

另外，還有內起居註，專記皇帝每天祭祀、行禮、問安、駕臨、駐蹕等事。

第三節　特開之館

特開之館包括會典館、明史館、三通館、三禮館、文穎館、四庫館、一統志館、八旗滿洲氏族通譜館等。

會典館

會典館專修會典。清會典是清朝三百多年典章制度的總彙。清朝共有五次開館修會典。《康熙會典》一百六十二卷，康熙二十九年（一六九〇年）成書，雍正時續修，雍正十年（一七三二年）刊印，稱《雍正會典》。《乾隆會典》一百卷，《會典則例》一百八十卷，乾隆二十九年（一七六四年）成書。《嘉慶會典》八十卷，《圖》四十六卷，《事例》九百二十卷，嘉慶二十三年（一八一八年）成書。《光緒會典》一百卷，《圖》二百七十卷，《事例》一千二百二十卷，光緒二十五年（一八九九年）成書。

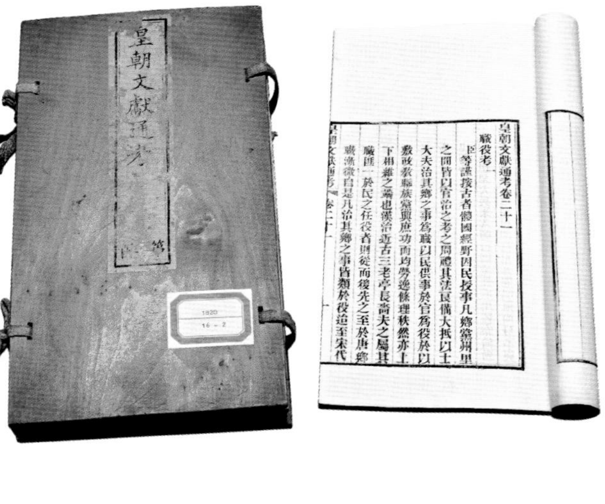

明史館

清代為總結明朝的統治經驗，於「順治二年（一六四五年）敕修明史」（《光緒會典事例》卷一〇四九），因史料不足，順治五年（一六四八年）九月曾下令徵集明朝檔案：「今纂修明史，缺天啟四、七年實錄及崇禎元年以後事迹。著在內六部、都察院等衙門，在外督撫鎮按及都布按三司等衙門，將所缺年份內一應上下文移有關政事者，作速開送禮部，彙送內院，以備纂修。」（《順治實錄》卷四十）當時因兵馬倥偬，只是搜集史料，並未着手撰修。至康熙十八年（一六七九年）始設專館——明史館，命王鴻緒等纂修明史。當時因記載浩繁，異同歧出，未遽成書。至雍正元年（一七二三年），又命張廷玉為總裁，就王鴻緒稿本，增損排比，先後六十年，到乾隆四年（一七三九年）始修成《明史》。全書凡三百三十六卷，分本紀、志、表、列傳四部分。

三通館

三通館是為修《通典》、《通志》、《通考》而設。唐朝杜佑曾撰《通典》，宋朝鄭樵曾撰《通志》，元朝馬端臨曾撰《文獻通考》，這是一套封建統治制度的總彙。乾隆皇帝為使這一系統的文化史料纂編能連貫起來，於乾隆十二年（一七四七年），命撰《續文獻通考》二百五十二卷。乾隆三十二年（一七六七年）又特開三通館，先後修成《續通典》一百四十四卷，《皇朝通典》一百卷，《皇朝通志》二百卷，《皇朝文獻通考》二百六十六卷。

漢、滿、蒙文三種，紙質，冊，楷書朱絲欄本，綾質封面。小黃綾：33cm × 20cm × 0.5cm；大紅綾：44cm × 29cm × 1cm；小紅綾：37cm × 25cm × 0.5cm。

實錄是中國傳統史籍之一，係記載皇帝在位期間重要實迹的編年體史冊。因謂「其文直，其事核，不虛美，不隱惡」，故稱之「實錄」。早在南北朝時期已有之，唐朝始，每位皇帝去世，嗣皇帝必令史官撰修前一帝的實錄，歷代相沿，遂成定例。

《清實錄》始纂於清入關前的天聰元年（一六二七年），為《滿洲實錄》，即《太祖努爾哈赤實錄》，最後一次則是修於民國十七年（一九二八年）的《宣統政紀》，因此時清已亡，故不稱實錄稱政紀。有清一代，共修實錄十一朝十一部，四千三百九十七卷，加上《宣統政紀》四十三卷，共四千四百三十卷。每次纂修，例專開實錄館，選滿漢大學士、尚書、侍郎等充實錄館總裁、提調、總纂等官，書成後館撤銷。纂修時，先定進呈皇帝的送審本一部，係黃綾封面，俗稱「小黃綾」，分漢、滿、蒙文三種，漢文本每日進呈一冊，滿文本每月進一次，蒙文本每季度進一次。皇帝覽定後，實錄館再依審定本分繕用紅綾封面的大、小紅綾各兩部。大紅綾為尊藏本，一存皇史宬，一存盛京（今瀋陽）崇謨閣；小紅綾一為平日御覽本，一為閣藏本，分存乾清宮和內閣大庫。小黃綾本亦存內閣大庫。《清實錄》彙集了清代各朝政治、經濟、軍事、文化等史實，題材廣泛，內容豐富，而且取材於宮藏秘籍和官方檔案，是研究清朝歷史的基本史料之一。

《清實錄》原本現在主要分存於北京中國第一歷史檔案館和故宮博物院圖書館、遼寧省檔案館、台北故宮博物院圖書文獻處。

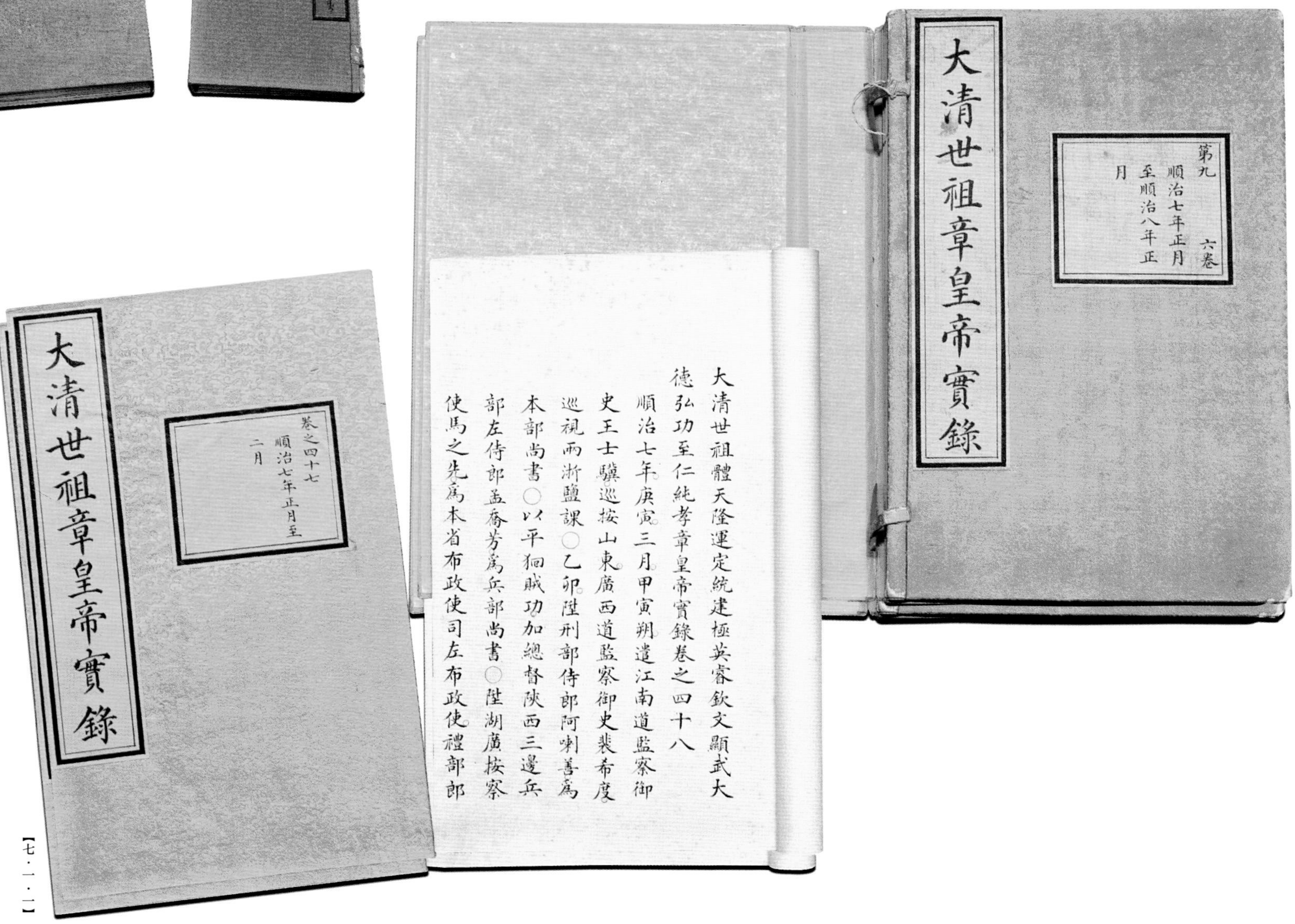

【七·一·二】《滿洲實錄》

天聰元年（一六二七年），滿、漢、蒙文合璧，紙質，黃綾封面，23cm × 36cm × 2cm。

是記載清太祖努爾哈赤一生業績的繪圖本史籍。初於天聰元年清太宗皇太極命額爾德尼等撰修，至天聰九年（一六三五年），畫工張儉、張應魁始將文圖合繪的太祖實錄告成，名《滿洲實錄》。但因為書中記事方法均先圖而後說，這與歷代帝王實錄體例不合，故又命國史館大學士希福、剛林等改編，每頁均以滿、漢、蒙三種文字書寫，三種文字間用墨筆畫欄，重要事件中間插入繪圖，至崇德元年（一六三六年）改纂完成，共八卷，圖八十三幅，封面用滿、漢、蒙文書「滿洲實錄」及各冊卷次。《滿洲實錄》是歷代帝王實錄中，惟一用多種文字合璧書寫並繪圖的實錄。以後，順、康、雍各朝又在此基礎上修改校訂，但不再插圖。最後一次修成於乾隆四年（一七三九年），名《太祖高皇帝實錄》，共十三卷。

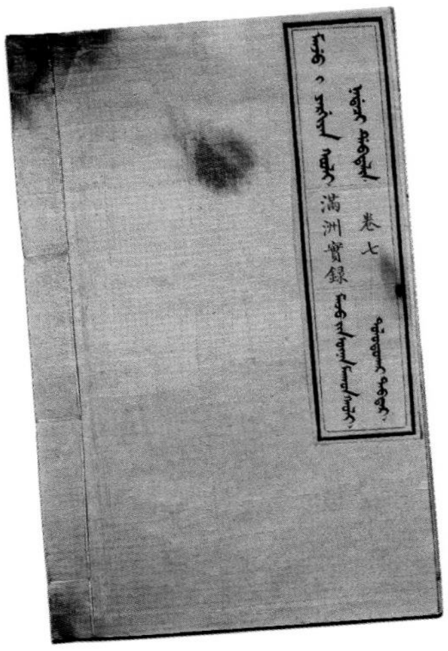

卷七
滿洲實錄

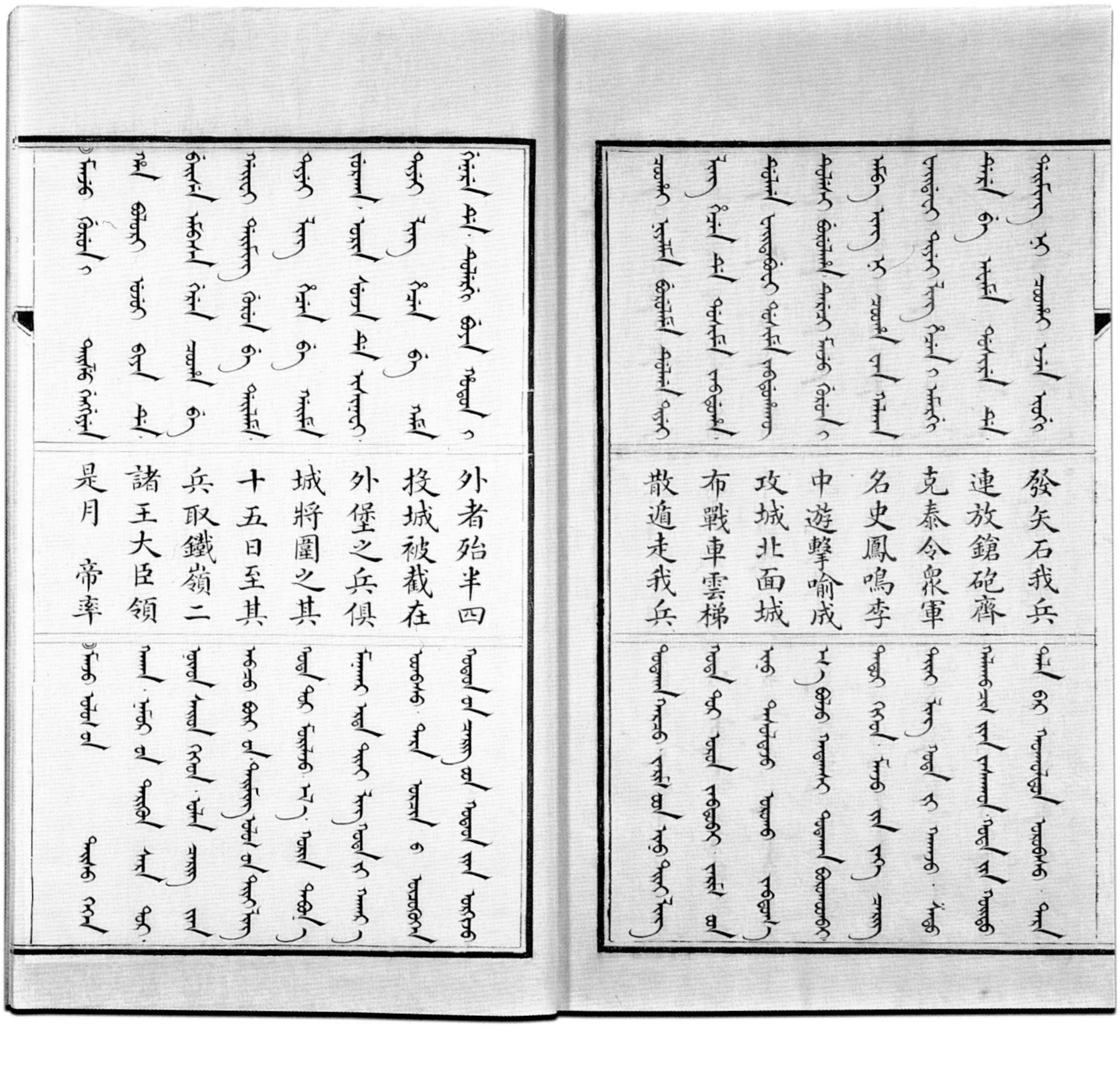

發矢石我兵
連放鎗砲齊
克泰令衆軍
名史鳳鳴李
中遊擊喻成
攻城北面城
布戰車雲梯
散遁走我兵
外者殆半四
投城被截在
外堡之兵俱
城将圍之其
十五日至其
兵取鐵嶺二
諸王大臣領
是月 帝率

【七・一・三】蒙文實錄

乾隆四十四年（一七七九年），蒙文，紙質，綾質封面，24cm×33.2cm。

清代實錄的版本之一。蒙文實錄與漢文本同由內閣蒙古房管理。此件為嘉慶朝所修乾隆蒙文實錄。

【七・一・三輔】包實錄、聖訓的包袱

包袱規格一般90cm×90cm至130cm×130cm，包袱的一角有一條2cm×220cm的長帶，另有一長12cm左右的木簽或骨簽，用以纏裹包袱。

清朝所修的實錄、聖訓、玉牒等史籍，入櫃前例需用包袱包裹。包袱有綾質、布質兩種，顏色亦有黃色、紅色兩種，各根據史籍版本及用途的不同選用不同的包袱。

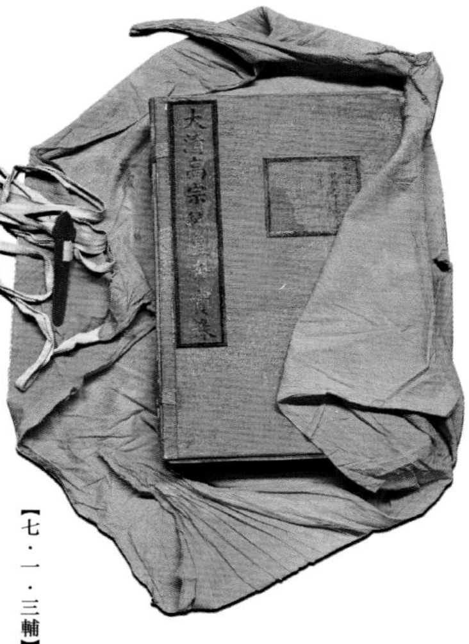

【七・一・三輔】

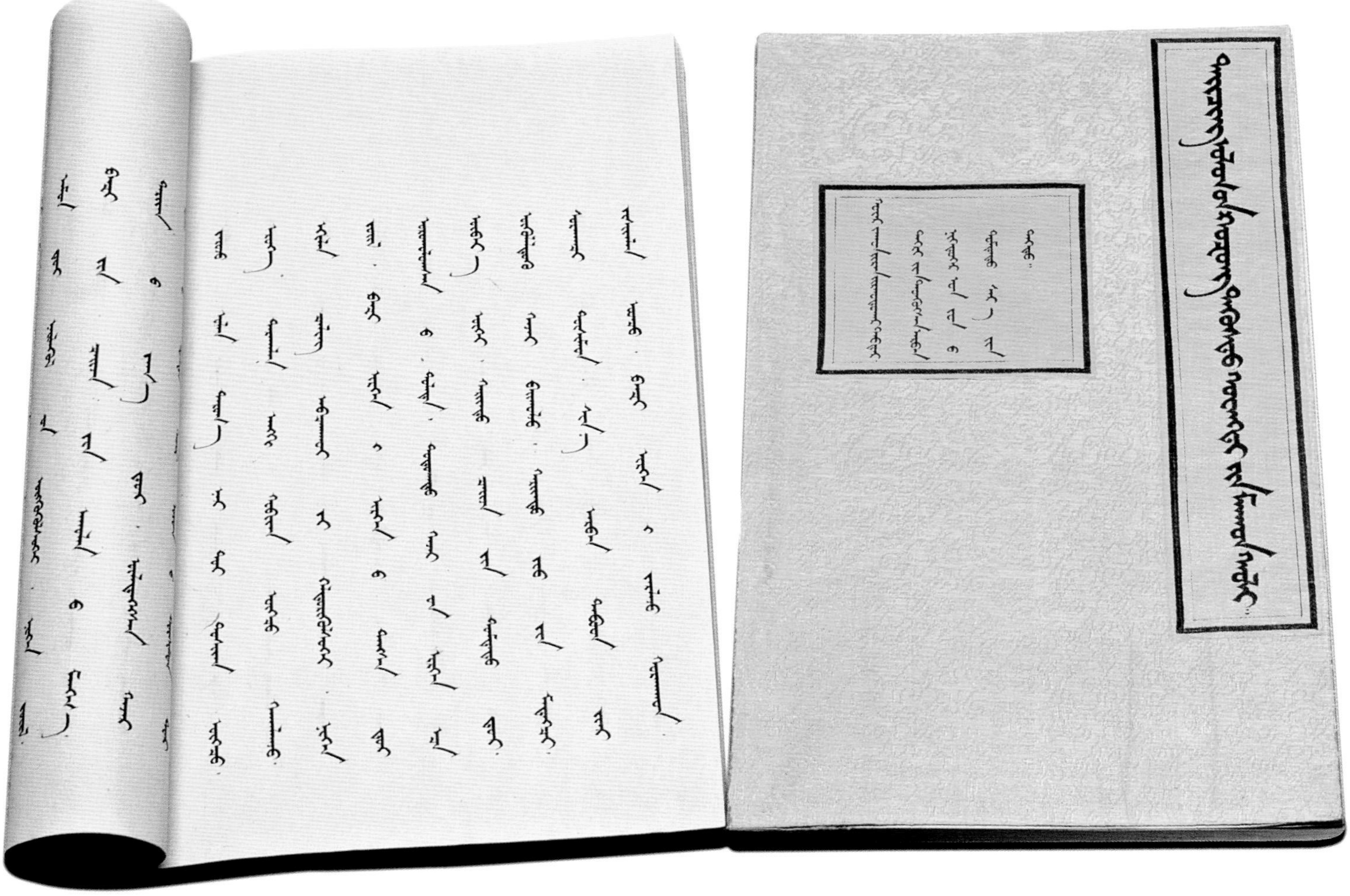

【七・一・三】

滿、漢文兩種，紙質，冊，楷書朱絲欄本，綾質封面。小黃綾本：30cm ×20cm ×0.5cm；大紅綾本：44cm ×29cm ×1cm。

是分類輯錄清代皇帝諭旨的彙編。始編於順治十二年（一六五五年），為《太祖高皇帝聖訓》和《太宗文皇帝聖訓》。此後按實錄編纂定制，例由嗣皇帝令史官將前一朝皇帝的諭旨編纂成集，作為後代恪守的祖訓。聖訓的內容，主要取材於清實錄所載之上諭，即每朝實錄定稿後，從中摘取帝王的言論，分門別類，編纂而成。聖訓的版本、份數和藏地，均和實錄規定相同，分黃綾本和紅綾本、滿文本和漢文本，但是不繕蒙文本。到光緒朝，共修聖訓十部九百二十二卷，通稱「十朝聖訓」。雍正朝以前，設官專修，以後由實錄館兼修。乾隆朝以前，聖訓僅供收貯和皇帝個人御覽，乾隆朝起，陸續由武英殿刊印頒發，故有刻本、寫本兩種。刻本均有傳世。原寫本現存中國第一歷史檔案館。這裡所選分別為刻本漢文小黃綾《聖祖仁皇帝聖訓》及漢文精寫本大紅綾《高宗純皇帝聖訓》。

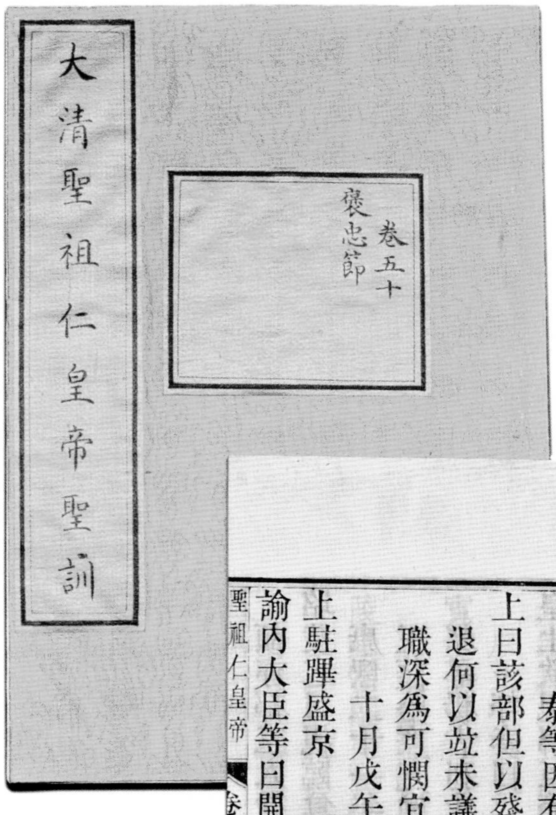

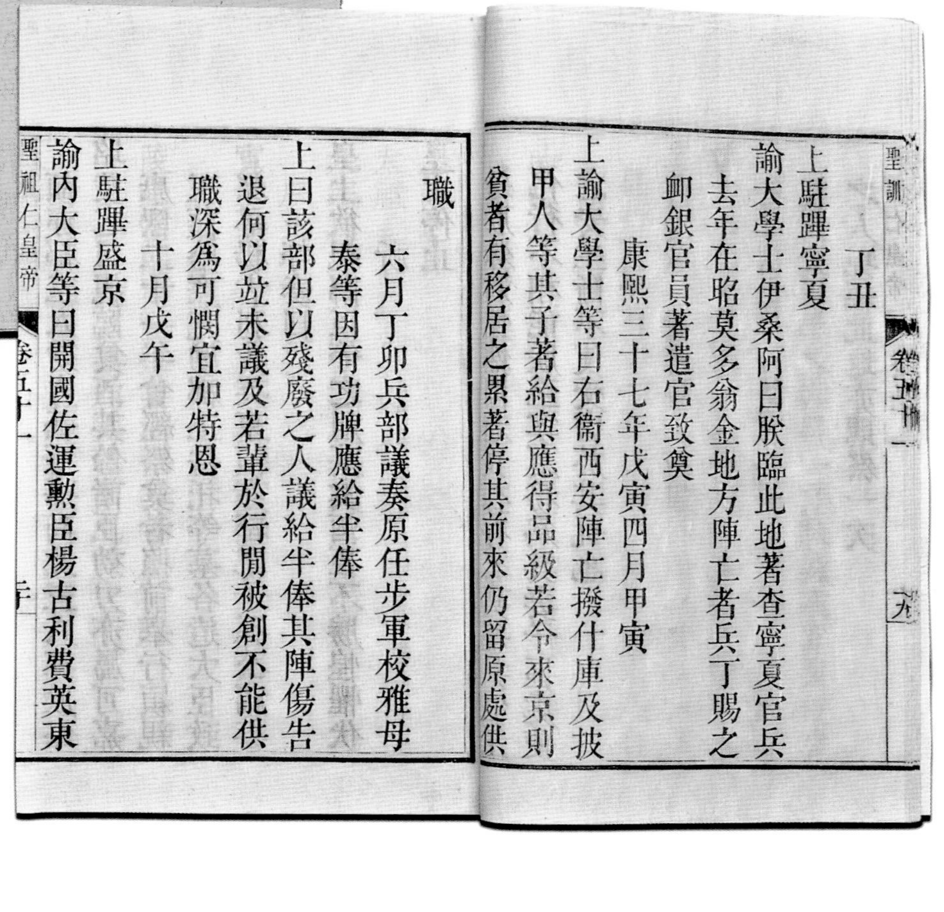
丁丑
上駐蹕寧夏
諭大學士伊桑阿曰朕臨此地著查寧夏官兵
去年在昭莫多翁金地方陣亡者兵丁賜之
卹銀官員著遣官致奠
康熙三十七年戊寅四月甲寅
上諭大學士等曰右衞西安陣亡撥什庫及披
甲人等其子著給與應得品級若令來京則
貧者有移居之累著停其前來仍留原處供
職
六月丁卯兵部議奏原任步軍校雅母
泰等因有功牌應給半俸
上曰該部但以殘廢之人議給半俸其陣傷告
退何以並未議及若輩於行間被創不能供
職深為可憫宜加特恩
十月戊午
上駐蹕盛京
諭內大臣等曰開國佐運勳臣楊古利費英東

【七・一・五】玉牒

清朝，漢文，紙質，朱絲欄本。大玉牒：51cm×90cm；小玉牒：31cm×48cm。

清代皇族族譜稱「玉牒」。每十年重修一次。自順治十八年（一六六一年）至清亡後的一九二一年，共纂修二十八次。屆時，由內務府具奏請旨，皇帝命宗人府宗令、內閣大學士、禮部尚書等充正副總裁官，禮部司官參與纂修。以努爾哈赤之父塔克世為大宗，其子孫腰繫黃帶子，稱宗室，宗室玉牒封面用黃綾，以帝系為統，輩份為序，每一輩首列皇帝，自近支推及遠支。塔克世叔伯兄弟之子孫，腰束紅帶子，稱覺羅，覺羅玉牒封面為紅色，按宗支分記各子後裔。每屆纂修，皆從第一代塔克世輩算起，生者朱書，歿者墨書。各分男名、女名，滿文、漢文，又分直格、橫格，直格表示輩份，橫格表示支系。直格內容包括封爵、授職、生卒年月日，享年，母妻姓氏及輩序等；橫格則記宗支、房次、姓名等。皇帝項下另加被立皇太子年月、即位年月日、謚號、生母姓氏及徽號、后妃晉封等。皇族女子嘉慶二十二年（一八一七年）前例不入橫格玉牒，衹入按輩份編修之直格玉牒。嘉慶二十二年起，仿橫格玉牒例，添寫漢文「星源集慶」，女子可入星源集慶。玉牒告成，送皇帝閱看。正本即大玉牒，存皇史宬龍櫃內，嘉慶以後存景山壽皇殿東西配殿。大玉牒紙張厚實，規格較大，每冊一般厚五十至八十厘米，最厚者達一百四十厘米，一萬餘頁，重數百公斤。另有抄錄件兩份，分貯皇史宬和盛京（今瀋陽）敬典閣。小玉牒為大玉牒之稿本，格式內容均同大玉牒，內夾簽、修改、加註處較多，紙張輕薄，一般厚十厘米。底本亦裝成帙，由工部備造黃櫃，仍儲宗人府庫。玉牒是研究有清一代滿族最高統治集團家族史、宮廷史、譜牒學等的重要史料。

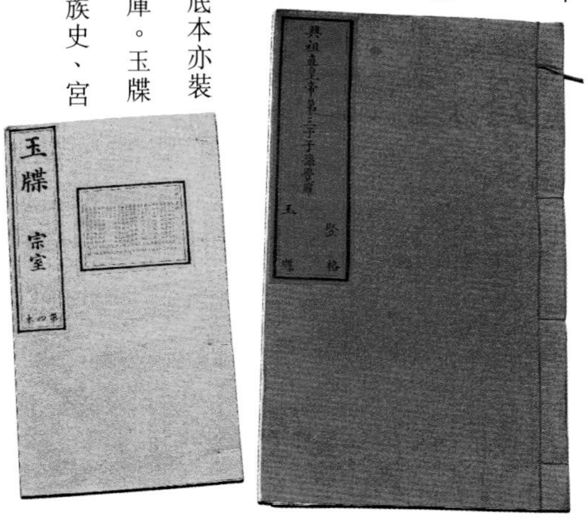

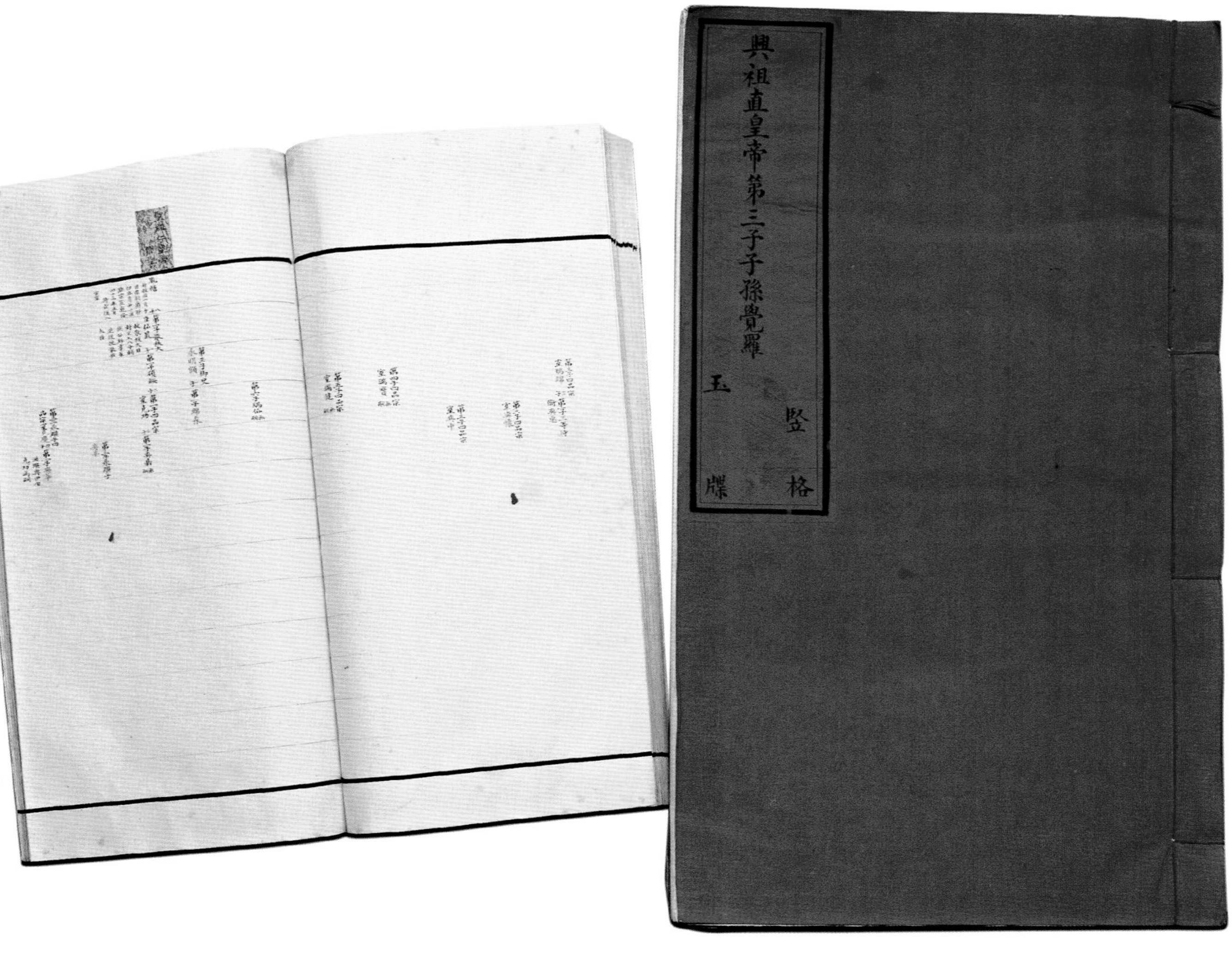

【七・一・五】

【七・一・六】太和門進書單

光緒朝，漢文，黃色紙質，摺，每扣27cm × 19cm。

清制，實錄、聖訓、玉牒，時憲書等各種官修史書修好後，例先進呈皇帝、皇后御覽，時稱「進書」。進書時必須舉行一定的儀式，這些儀式一般在太和門內之太和殿、乾清宮舉行，所以進書時舉行儀式的第一道大門即為太和門，故向帝后進書時開列的清單，稱「太和門進書單」。

此為光緒朝欽天監進慈禧皇太后、光緒皇帝、隆裕皇后及瑾妃的時憲書、七政書書單。

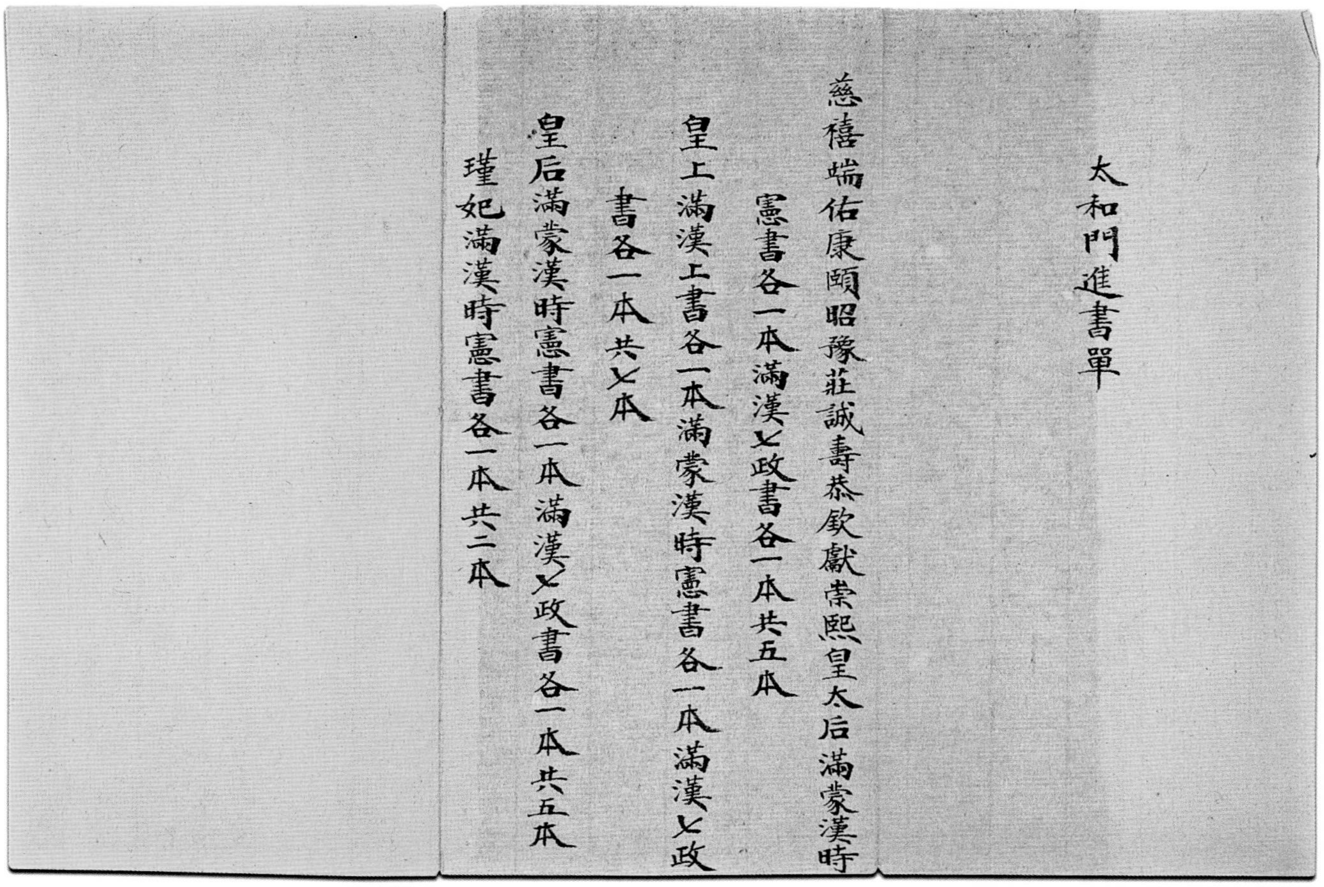
太和門進書單
慈禧端佑康頤昭豫莊誠壽恭欽獻崇熙皇太后滿蒙漢時憲書各一本滿漢七政書各一本共五本
皇上滿漢上書各一本滿蒙漢時憲書各一本滿漢七政書各一本共七本
皇后滿蒙漢時憲書各一本滿漢七政書各一本共五本
瑾妃滿漢時憲書各一本共二本

【七・一・六】

【七·一·七】星源集慶

清中期以後皇帝家族的一種譜牒。漢文，紙質，楷書朱絲欄本，黃綾封面，30cm ×17cm ×0.5-2.5cm。

係宗人府每年繕進當朝皇帝位下子女及親王子女之序次、封號、宗支、生卒年月等的簿冊。如橫格玉牒例，重在記支系，存者朱書，歿者墨書。皇帝和親王子女，分別註寫為宮中某后妃、某氏或某福晉、某氏所出，皇子歷任職務、現在年歲，福晉某人，皇女下嫁某人，親王女與某人成婚等，一一繕寫入冊，按年進呈後，送宮中收存，同時撤下上年進呈的舊本，存入宗人府。初僅有滿文本，嘉慶二十二年（一八一七年），命添寫漢文本一份。嘉慶皇帝在卷帙簽上寫有「星源集慶」四字，從此，用漢文書寫的橫格小玉牒便被稱為「星源集慶」。現存星源集慶自嘉慶二十二年至清末最後一位皇帝溥儀退位並被逐出宮的一九二五年，共三百餘冊。

【七·一·八】玉牒館功課執照

光緒二十八年（一九〇二年），漢文，紙質，51cm ×32cm。

即由清宮玉牒館頒發的證明某人為纂修玉牒所做貢獻大小的憑證。清朝從順治十八年（一六六一年）起，每隔十年纂修皇家族譜一次，每次纂修，專開玉牒館，各項費用、飯食銀兩，均由宗人府報戶部支取，同時允許官員投效認領，或捐錢或當差。至光緒二十八年，第二十六次纂修時，由於國庫空虛，不得已採取由官府發放玉牒館功課執照，經費、紙張均招募投效人員辦理的方法，由招募官員自願認領承擔數目，或輸錢，或自己僱人抄寫。認領份數，記入執照，憑此執照，清政府給承領人員記功升爵。

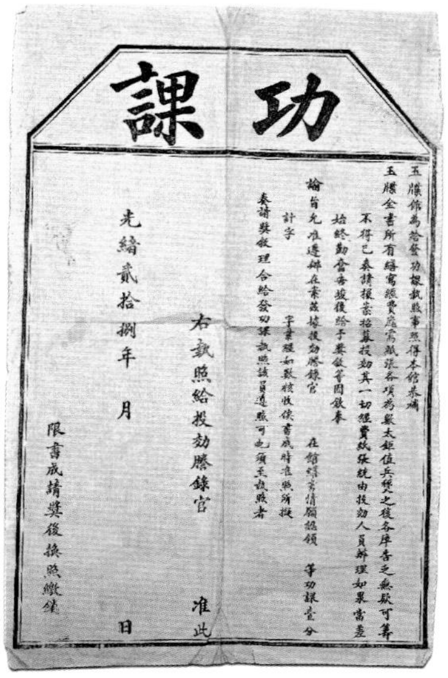
功課

玉牒館為給發功課執照事照得本館恭修
玉牒全書所有繕寫經費應需紙張各項為數太鉅值兵燹之後各庫告乏無款可籌
不得已奏請援案招募投効其一切經費紙張統由投効人員辦理如果當差
始終勤奮告竣後給予獎敘等因欽奉
諭旨允准遵辦在案茲據投効謄錄官　在館繕寫情願認領　等功課壹分
計字　字業經如數核收俟書成時准照所擬
奏請獎敘理合給發功課執照該員遵照可也須至執照者
右執照給投効謄錄官　准此
光緒貳拾捌年　月　日
限書成請獎後換照繳銷

【七·一·八】

【七·一·七】

【七・二・一】《平定兩金川方略》

乾隆四十六年（一七八一年），漢文，紙質。草本，26cm ×21cm ×0.5cm；清本，35cm ×22cm ×0.5cm。

係由清宮方略館纂修的清乾隆朝平定大小金川叛亂的史籍，共一百五十二卷。

大小金川，地處四川西北大渡河上游，是藏族聚居地之一。乾隆年間，大金川勢力日盛，謀併小金川，出兵攻打周圍土司。從乾隆十二年（一七四七年）起，清廷先後派雲貴總督張廣泗、大學士傅恒統兵鎮壓，歷兩年，大金川亂平。乾隆三十六年（一七七一年），又有小金川頭目僧格桑發動叛亂，清廷再度用兵，乾隆四十一年（一七七六年）亂平。清統治者為給自己歌功頌德，於乾隆十四年（一七四九年）大金川亂平後，即從大學士張廷玉奏請，開方略館纂修《平定金川方略》。此前，曾於康熙二十一年（一六八二年）為修《平定三逆方略》始設方略館，書成後遂撤。平定金川方略開館後，方略館成為常設機構，凡遇較大的軍事用兵等事畢，均由方略館負責收集有關的上諭、奏摺等文書，纂修成帙，名為「方略」或「紀略」。方略分草本、清本、進呈本等。

此為乾隆四十一年（一七七六年）小金川亂平後，方略館所修《平定兩金川方略》的草本和清本。草本封面註寫纂修、校對、總纂等人員姓名及總裁閱改時間，內容加簽修改處較多，每頁七行，每行十八字。抬格處十九字。清本為朱絲欄本，封面註明每冊內容的起止時間，格式同草本。

【七・二・一輔】金川戰圖

乾隆朝，紙質，銅版印刷，88cm ×54cm。

大小金川戰爭結束後，清帝令宮廷畫家根據戰爭情況，描繪的戰圖。共十六幅，根據每幅圖描繪的戰況，乾隆皇帝親筆題寫了讚詠詩。此幅圖係乾隆三十八年（一七七三年），根據將軍阿桂收復小金川全境奏報所繪，並有乾隆所作誌事詩。

【七・二・一輔】

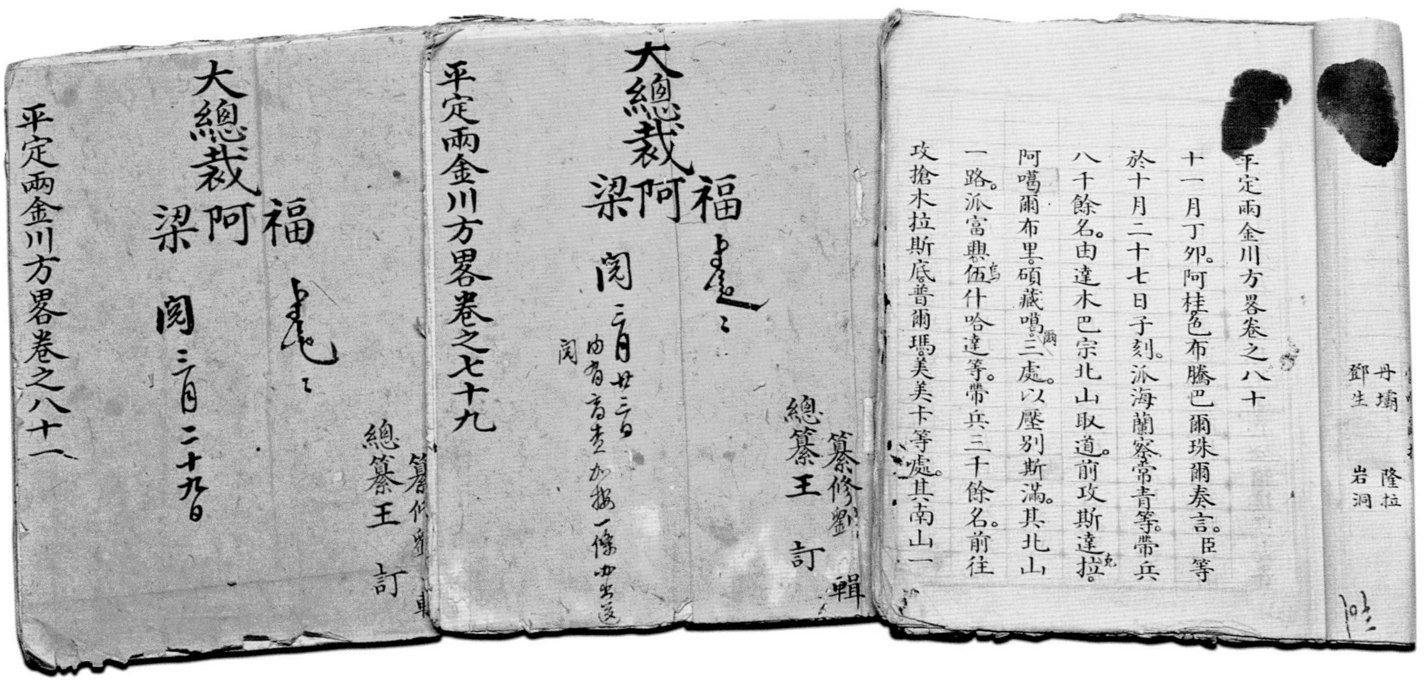

【七・二・一】

【七·二·二】多爾袞開國史館之敕書

順治元年(一六四四年)正月，滿漢文合璧，黃色紙質，周邊用墨色畫格，欄內繪龍，165cm ×54cm。

係多爾袞命令開國史館纂修清太宗文皇帝實錄的敕諭。崇德八年(一六四三年)九月，清入關前的第二位皇帝皇太極死後，八歲的福臨繼位，由其叔多爾袞攝政。攝政伊始，多爾袞即沿明制，令內三院(國史院、弘文院、秘書院)官員，開館為皇太極修撰實錄。敕諭中提出了「稽實成編，毋誇以失實，毋偏以廢公，毋忽以致遺，毋怠以玩歲」的編纂原則。此後代代相沿，每位皇帝去世，例由嗣皇帝下令開館撰修其統治時期的實錄。

【七·二·三】滿文老檔

天聰四年(一六三〇年)，滿文，榜紙朱絲欄本，黃綾封面，函帙，每冊40cm ×24cm ×0.5cm，每函六至七冊。

係用滿文記載明末清初滿族入關前各種活動的編年體史書。內容所涉，始於明萬曆三十五年(一六〇七年)，止於明崇禎九年(一六三六年)。一六三二年以前，均以無圈點老滿文記述，此後，皇太極命巴克錫、達海改進老滿文，並對前檔進行過圈點加工。乾隆四十年(一七七五年)，為防止檔案霉殘散佚，由國史館修纂等官，再進行了照寫和音寫，即重抄和轉抄。重抄檔冊面簽註「無圈點字檔冊」；轉抄即將原來無圈點字檔，轉寫為加圈點字檔，冊面簽註「加圈點字檔冊」。這兩種抄本均另有草本，因此共有四部，每部裝訂為二十六函，一百八十本。抄寫的這四部老檔及原檔四十冊，清代藏於內閣大庫，現在原檔在台灣，四部轉抄檔存於北京中國第一歷史檔案館。另外，乾隆四十三年(一七七八年)，又將有圈點、無圈點檔各抄一部，藏盛京(今瀋陽)崇謨閣。該檔是研究清入關前政治，經濟、軍事、文化等問題的重要史料。此件為無圈點之重抄檔。

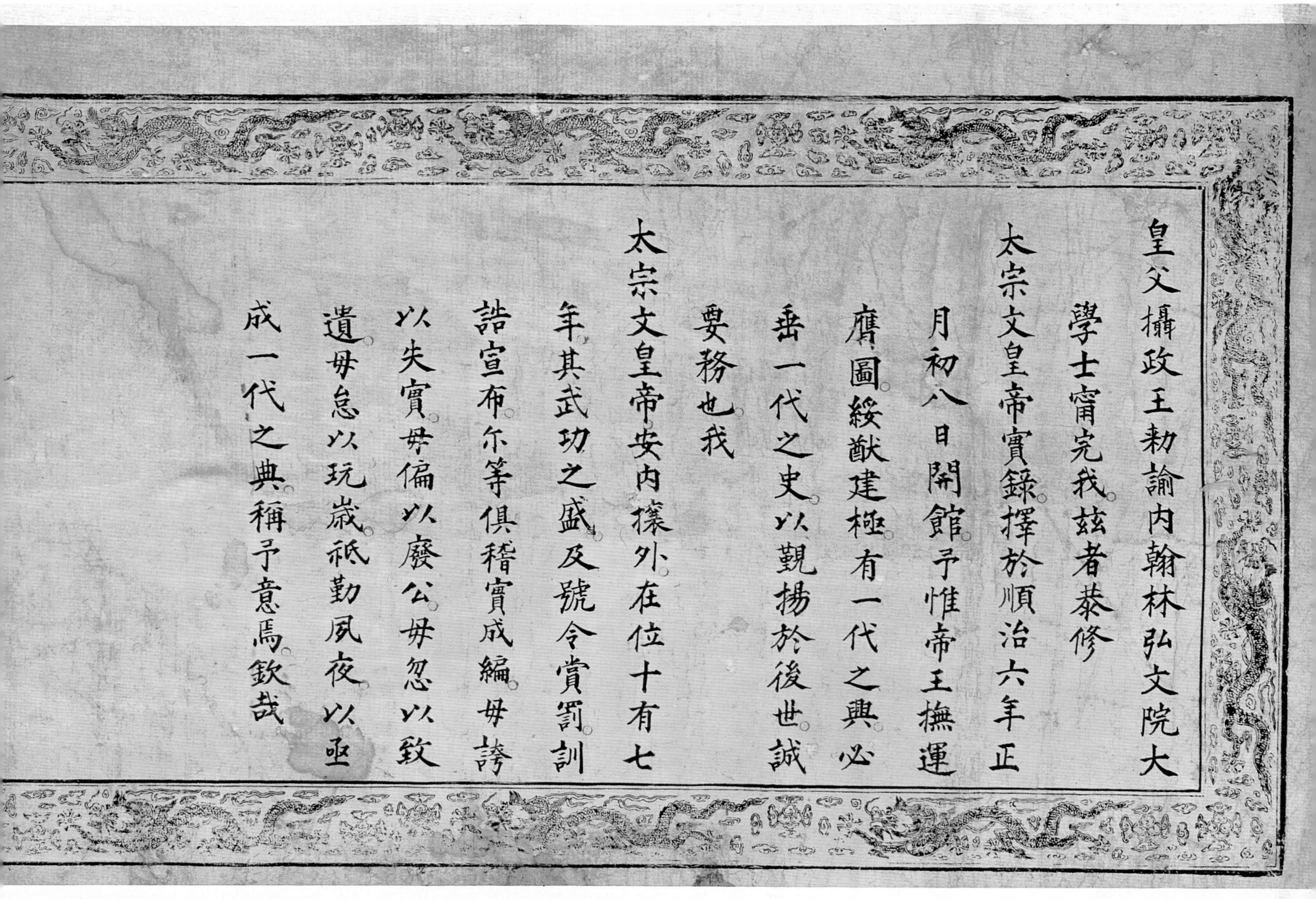

皇父攝政王勅諭內翰林弘文院大
學士甯完我茲者恭修
太宗文皇帝實錄擇於順治六年正
月初八日開館予惟帝王撫運
膺圖綏猷建極有一代之興必
垂一代之史以覲揚於後世誠
要務也我
太宗文皇帝安內攘外在位十有七
年其武功之盛及號令賞罰訓
誥宣布尓等俱稽實成編毋誇
以失實毋偏以廢公毋忽以致
遺毋怠以玩歲祇勤夙夜以亟
成一代之典稱予意焉欽哉

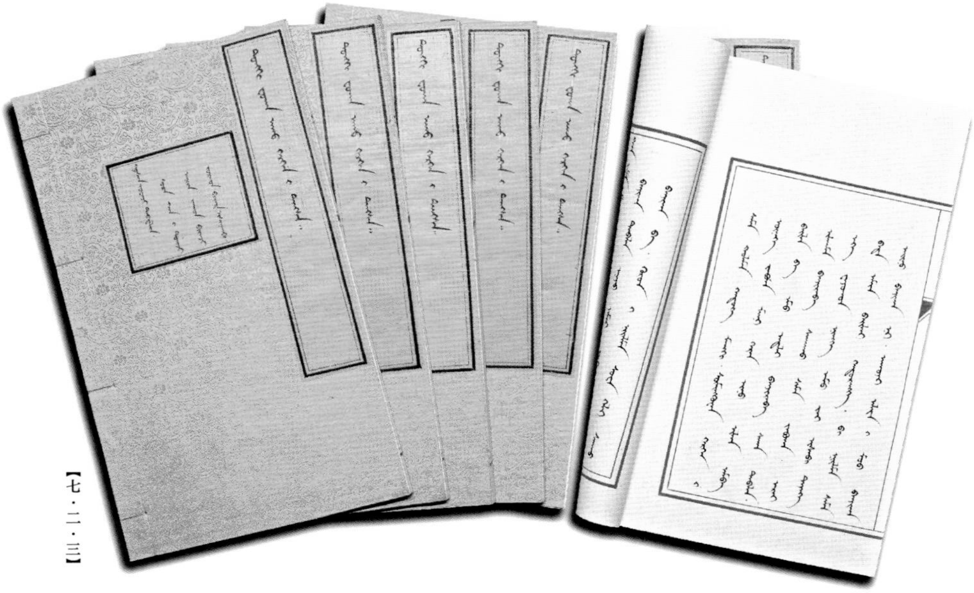

【七·二·三】

【七·二·二】

【七・二・四】起居注冊

乾隆朝，滿漢文合璧，楷書，黑色畫欄本，黃綾質封，35cm ×22cm ×0.5cm。

係記載帝王言行的日記體裁的檔冊。清初未有起居註館，多爾袞攝政時，有每日日記，為清代起居註之早期形式。從康熙九年（一六七〇年）起，始設起居註館。凡皇帝每日各項政事活動，均有日講起居註官在場侍值，將其言行按規定體例記錄下來，按年月日順序裝訂成冊，一般每月兩冊，每年二十四冊，分滿文起居註和漢文起居註兩種。記註次序是：「先載起居，次載諭旨，次題奏，次官員引見」，最後署當日值官姓名。草本完成後，由總辦記註官逐條查核增改，遞掌院閱定，繕寫正本，每頁七行，每行十七字，加抬格每行二十字，寫好後，用翰林院印鈐縫，以鐵匭肩鐍封識，年底由記註官會同內閣學士監視，將正本貯內閣大庫匱中，草本收貯起居註館。起居註屬內廷秘籍，封貯後不再輕易啟視。現存起居註自康熙十一年（一六七二年）迄於宣統三年（一九一一年），是中國歷代帝王起居註中惟一保存下來的較完整的一份，文物、史料價值極高。此為乾隆朝滿、漢文起居註。

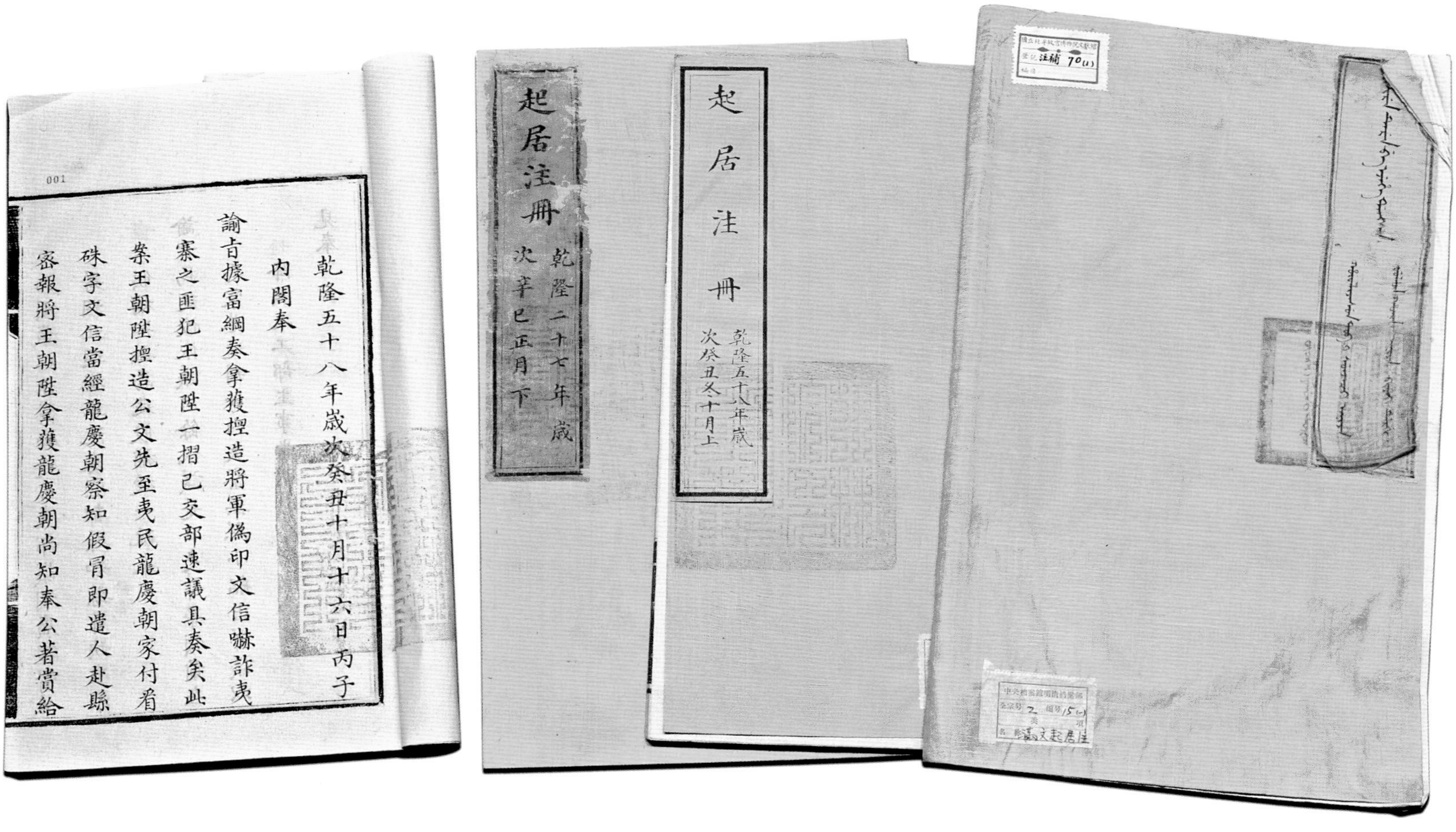

【七・三・一】光緒會典、光緒會典事例

光緒朝，漢文，紙質，朱絲欄稿本，27cm × 19cm × 0.5cm。

清會典，是官修的清代典章制度的彙集。《光緒會典》及《會典事例》係清朝最後一次纂修的會典，此前修過四次，初纂於康熙二十三年（一六八四年），再修於雍正四年（一七二六年），又修於乾隆十三年（一七四八年），再續修於嘉慶六年（一八〇一年）。每次纂修，都專開會典館，館址設在清宮之文華殿東三座門內，欽命內閣大學士充總裁，翰林院、內閣等處官員任修撰。會典所依據的資料，主要為各衙門的檔案。乾隆以前，僅修會典，不附事例，乾隆十二年（一七四七年），命區分會典、會典事例分別修纂，嘉慶朝於事例外，又增圖說，附於會典，光緒朝沿嘉慶朝成例，分別纂修會典、會典事例和會典圖說。會典按機構、職掌分類成書，以官統事，以事隸官，提綱挈領，闡明規章；會典事例則以典為經，以例為緯，以圖為形，分門別類，按年詳細排比，說明各種典章的起源、沿革，並舉出歷屆實施凡例。該會典自光緒九年（一八八三年）開館撰修起至光緒二十五年（一八九九年）成書，共纂成會典一百卷，事例一千二百二十卷，圖說二百七十卷，首卷一卷。內容次序為：首宗人府、次內閣、次六部以下各衙門。漢文本脱稿後，繼由滿官譯成滿文會典，其格式、體例一如漢文會典。全部成書後，交武英殿刊刻印行，草本存會典館，稿本存內閣。

此為《光緒會典》及《會典事例》之草本和稿本。

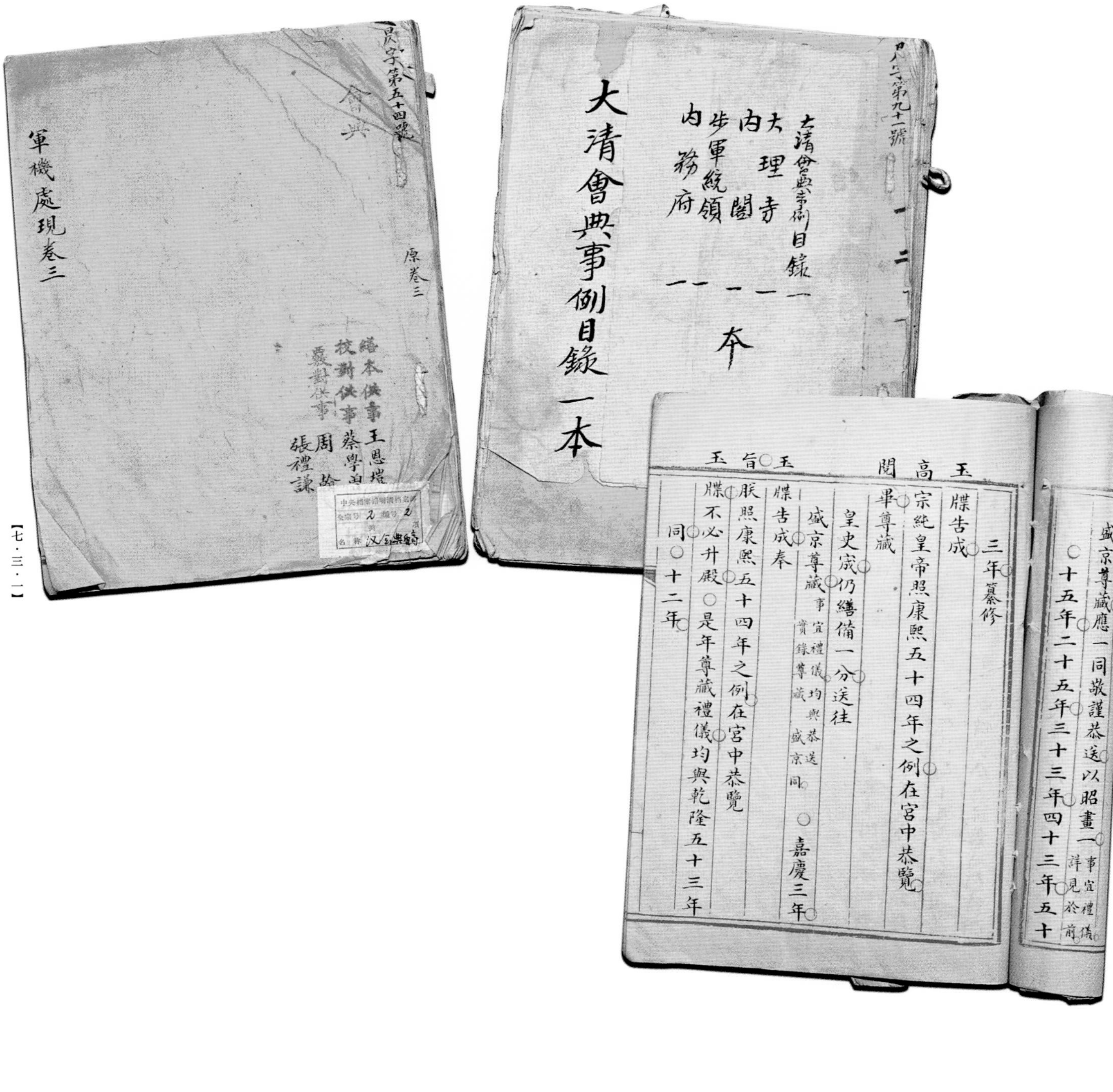

【七・三・一】

【七・三・二】滿文會典

清朝，滿文，紙質，朱絲欄本，函帙，黃綾封面，34cm×21cm×0.5cm。

係用滿文抄繕的清代典章制度彙集。清代成例，每次纂修會典，均先用漢文書寫，漢文本脫稿後，由修書館滿大臣另用滿文抄繕，其格式內容一如漢文會典。收貯方式及地點也按漢文會典例辦理。

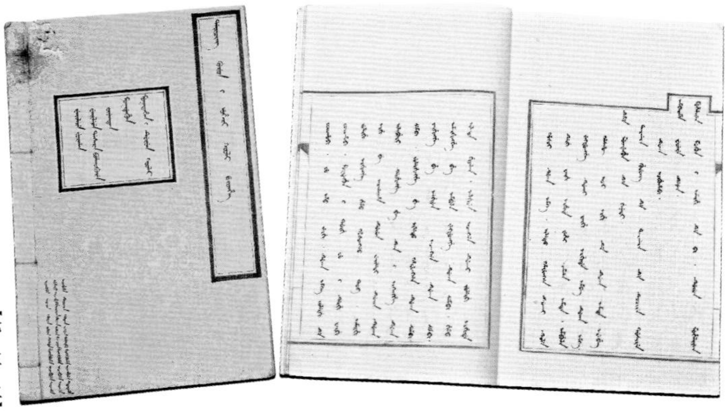

【七・三・二】

【七・三・三】明史稿本

康熙，雍正朝，漢文，紙質，殿刻底本，31cm×20cm×0.2cm。

係清朝官修的明朝史書。清入關不久，即於順治五年（一六四八年），諭令各部院、各督撫提鎮等衙門，搜集明朝檔案和史籍，着手纂修《明史》。康熙十八年（一六七九年）正式開館，欽定纂修官五十人，葉方藹、張玉書、湯斌、徐乾學、陳廷敬、張英、王鴻諸等知名人士相繼出任總裁，直至雍正九年（一七三一年）史成，頒行天下。分本紀、志、表、列傳四目，共三三六卷。《明史》設館逾六十年，從着手籌備到完成，歷經三世，較之前幾代修史，更刻意求精；其志、表、傳諸目，多有創新處；且明史內容，主要依據的是《明實錄》及清朝徵集的一些明代檔案，較翔實可靠，是研究明朝歷史的重要資料。

此件為刻印版底本，從中可以看出多次修改的痕迹。

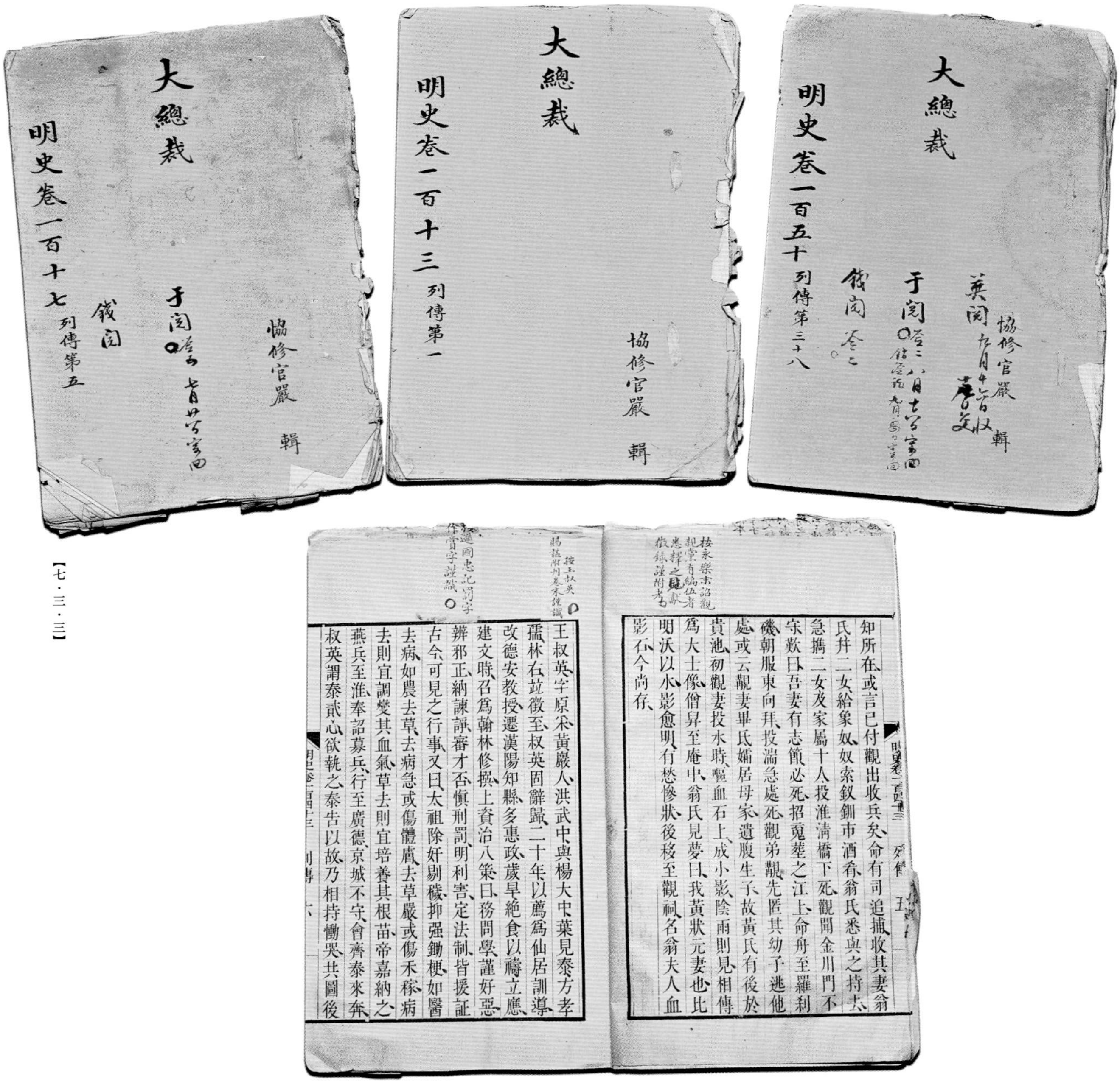

【七・三・三】

【七・三・四】《皇朝文獻通考》

乾隆朝，漢文，紙質，殿刻本，30cm × 17cm × 1cm 。

又稱《清朝文獻通考》，是官修的自清朝開國（一六一六年）至乾隆五十年（一七八五年）間，各項規章制度的彙編。始撰於乾隆十二年（一七四七年），係乾隆皇帝依唐、宋、元朝杜佑、鄭樵、馬端臨所修《通典》、《通志》、《文獻通考》的體裁，令成立「三通館」，專門修纂的。共一百卷，首卷凡例十六例，內容分為戶口考、賦役考、錢幣考、宗廟考等三十六考。是研究清早、中期社會制度史的重要參考資料。

此為光緒七年（一八八一年）殿刻本。前後用木板穿捻加以封固，以代替函匣。

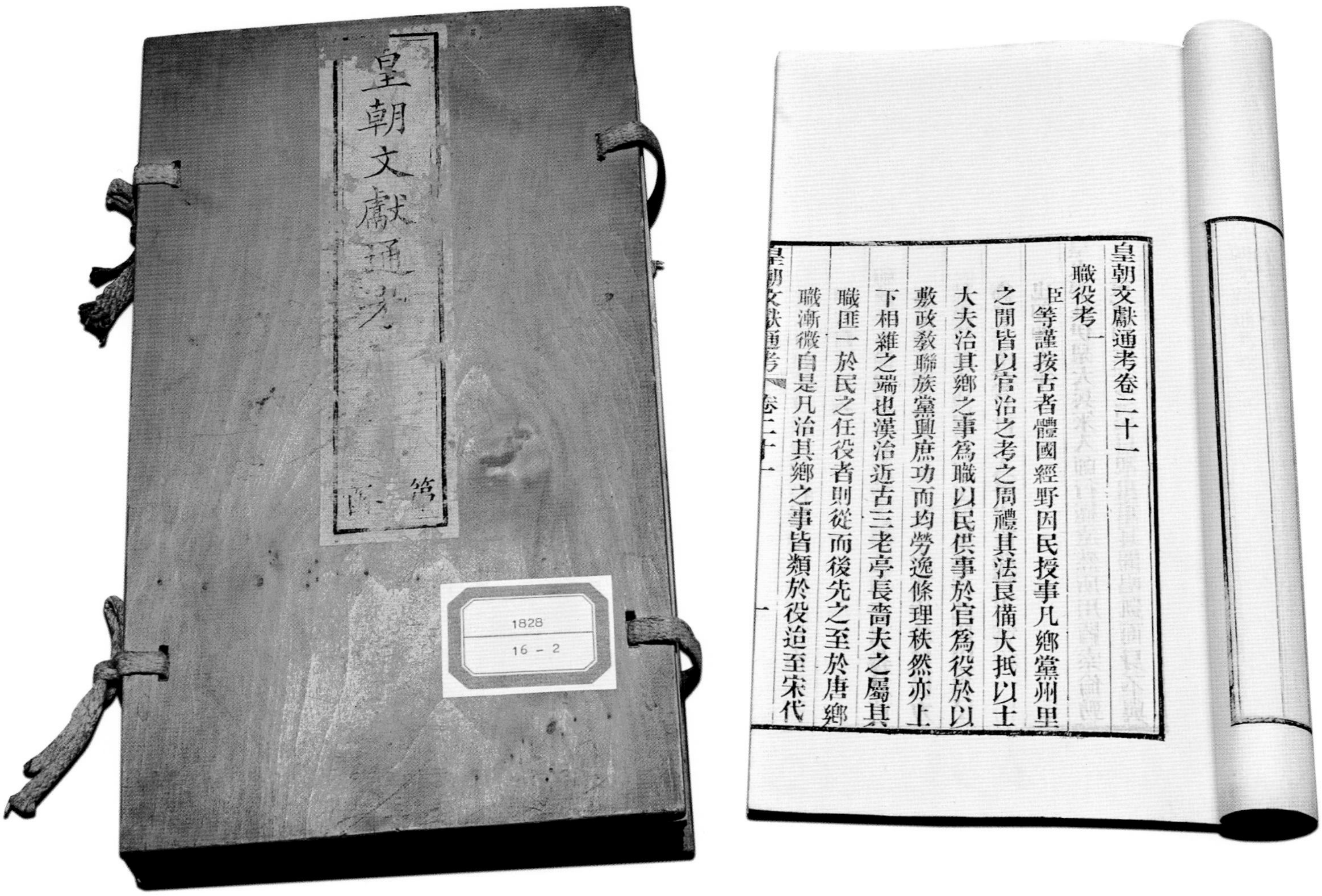

【七・三・五】《四庫全書》總目

乾隆朝，漢文，紙質，函帙，每冊20cm × 12.5cm × 1cm。

《四庫全書》是清乾隆朝官修的一部囊括乾隆以前古往今來一切主要著述的巨型叢書。

自晉代起，中國圖書分為經、史、子、集四個部分，分藏書庫中，故曰「四庫」。乾隆好大喜功，取「四庫」之意，加「全書」之稱，先後用二十年時間，編纂了《四庫全書》。修書始於乾隆三十七年（一七七二年），初僅為擴大政府藏書，下詔在全國徵求民間遺書，至三十八年（一七七三年），接納安徽學政朱筠建議，於翰林院設四庫書館，任皇六子永瑢、大學士紀昀、陸錫熊為總纂官，對所存全部書籍進行總編纂。書館設置官員三百六十人，在纂修過程中，又招收抄寫、繪畫、刻字等工匠四千餘人，至乾隆五十二年（一七八七年）告成。收入全書的書籍共三千四百六十一種、七萬九千三百〇九卷，分裝成三萬六千三百冊，六千七百五十二函。

該書以經、史、子、集分目，經十類、史十五類、子十四類、集五類。共抄繕七部，分貯紫禁城之文淵閣，圓明園之文源閣，承德避暑山莊之文津閣、盛京（今瀋陽）故宮之文溯閣，揚州之文匯閣、鎮江金山寺之文宗閣、杭州西湖聖因寺玉蘭堂改建之文瀾閣。後來此七部書中有三部焚於戰火，現一部在台灣，其餘三部在北京、浙江等地。

《四庫全書》是中國歷史上最巨大的一部書，由於該書卷帙浩繁，僅總目即達二百卷，此為總目中之一函。

此書係聚珍版，是乾隆五十九年（一七九四年），由浙江貢生沈青、沈以澄、鮑士恭等輸資，浙江布政使等請示當時的浙江巡撫吉慶，發文瀾閣藏本為底本，核刊而成。

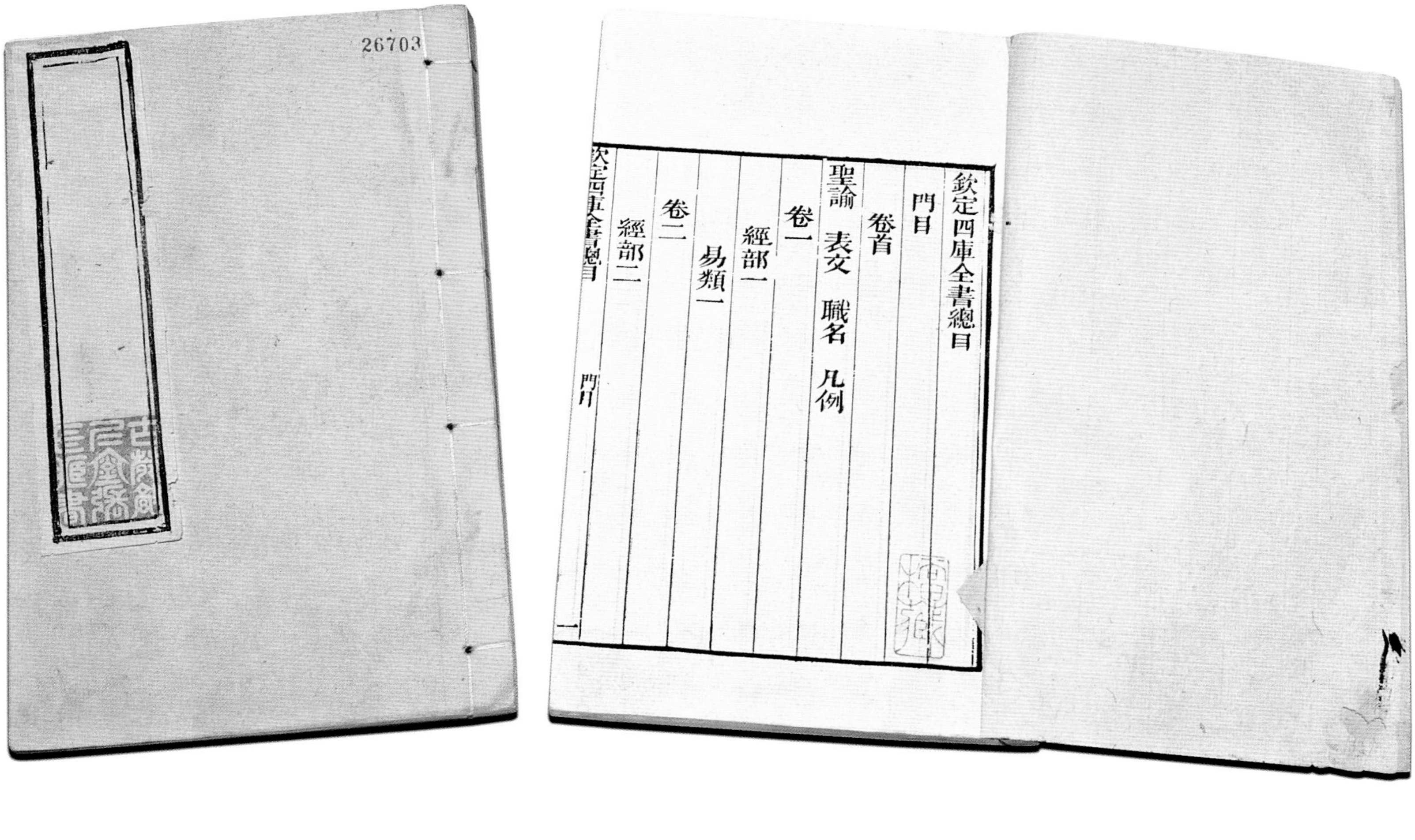

【七·三·五輔】違礙書目

光緒八年（一八八二年）七月，漢文，紙質，刻本。

即清朝皇帝認為對其統治有不良影響或有妨礙的書籍目錄。清從康熙朝起，逐漸加強對漢族文化人著作和思想的統治，多次銷毀禁書。至乾隆時，先是為修《四庫全書》，下詔徵求民間遺書，並責令四庫書館將民間獻書詳細檢查，發現有違礙或詆毀清政府字句或內容的，揀出後登記註冊，交軍機處銷毀；其後，又在全國大肆清查，由各省初步甄別，分門別類，繕寫清單，具摺奏進。軍機處將各省解交書籍，按韻編號，開單呈皇帝批准後或全毀或抽毀。計乾隆朝列為應毀應禁的書籍共達三千餘種，僅浙江一省乾隆三十九年（一七七四年）至四十七年（一七八二年）間，即繳進違礙書二十四次，計五百五十八種，一千三百八十六部。光緒初年，廣東布政使姚覲元將乾隆時查禁銷毀的各書目進行彙刊，有四庫全書館進本，軍機處奏准通行各省本，以及各省繳進違礙書目單等。

此冊為其重刊河南布政使榮柱當年所刊之《違礙書目》，該書目內共列禁書七千三百三十八種，所列各書，現在大部分已經絕世。乾隆帝修《四庫全書》是對中國文化的一大貢獻，但其同時銷毀世所罕見的書籍的行為，又是對中國歷史文化的一大破壞。

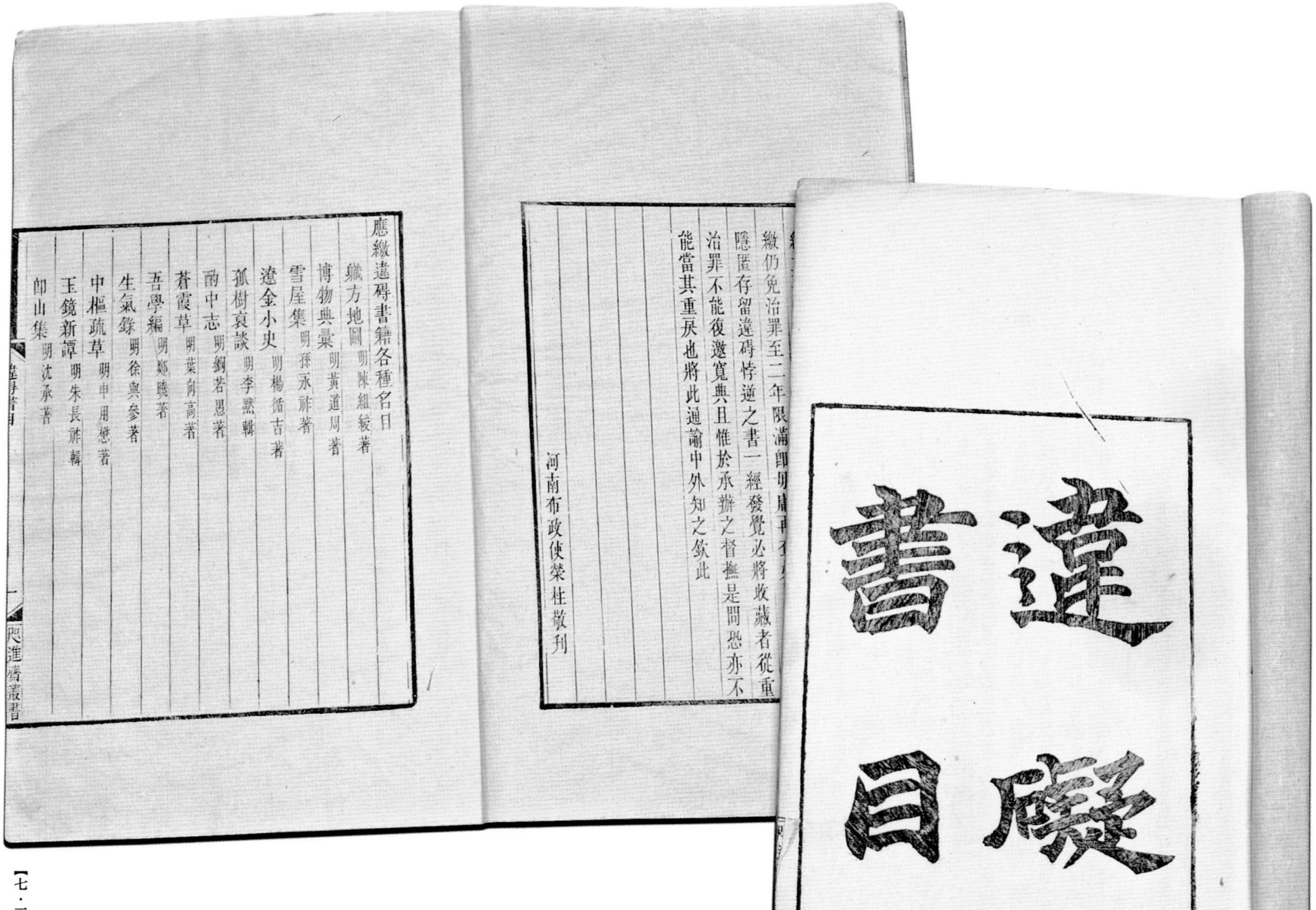

【七·三·五輔】

【七・三・六】《大清一統志》

乾隆朝，漢文，刻本，34cm × 20cm；道光朝，漢文，稿本，30cm × 19cm。

清代官修的全國輿地總志。有清一代，共修三次，第一次從康熙時起，至乾隆八年（一七四三年）成書，共三百四十二卷；第二次成書在乾隆四十九年（一七八四年），共五百卷；第三次成書在道光二十二年（一八四二年），共五百六十卷，包括當時二十五個省。內容排列為，先是圖表，繼以總敘，再按省府、廳、州分卷。內容包括疆域分野、建置沿革、風俗、山川、戶口、田賦等，是一部重要的歷史地理著作。

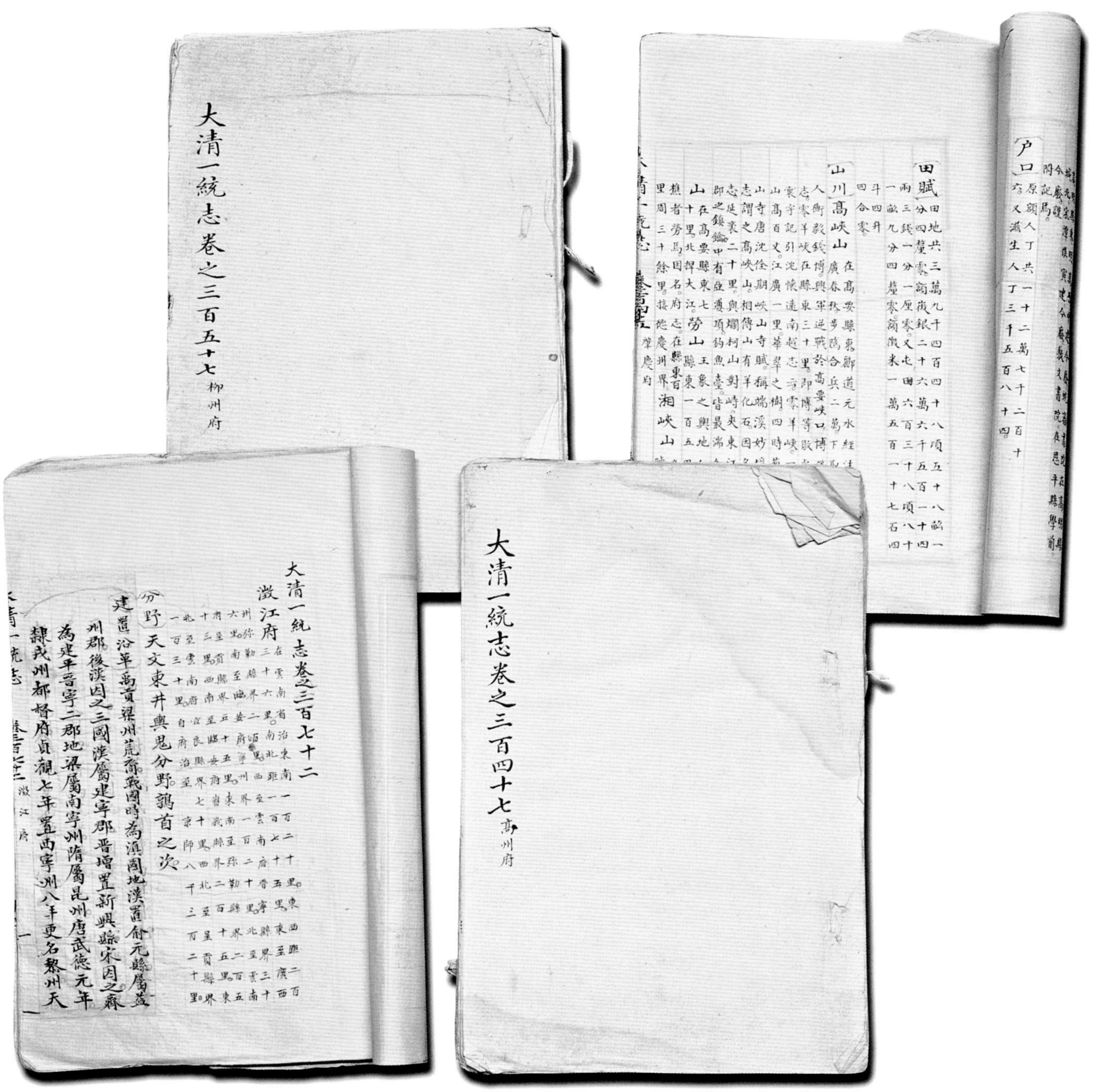

【七・三・七】刻版

清朝，漢文，木質，19cm × 17cm × 3.5cm 。

武英殿是清宮專門的刻書處，位於清宮太和殿西。每次敕修各書，須刊行者，多由宮中刻書處刻版印刷。清宮刻書所用之版多為梨木或棗木。此為宗人府則例之刻版。

【七・三・七輔】欽定內務府則例

乾隆朝，漢文，紙質，楷書朱絲欄本，34.5cm × 22cm × 1.5cm 。

即內務府的職掌條例。內務府，是清朝專門管理宮廷事務的機關，清初即已設立。順治十年（一六五三年）曾改為以太監為主的十三衙門，康熙時裁十三衙門，重建內務府，下設廣儲司、會計司等七司及上駟院、奉宸院、武備院三院，下轄五十多個單位，職官三千多人，是清朝規模最大的機關。為使該龐大的機構能很好地運轉，有效地為皇家服務，從康熙朝起即按慣行定例制定內務府則例。則例內容包括機構建置、職責事宜、歷朝成例等。此分別為乾隆五年（一七四〇年）和光緒朝內務府則例修訂本。

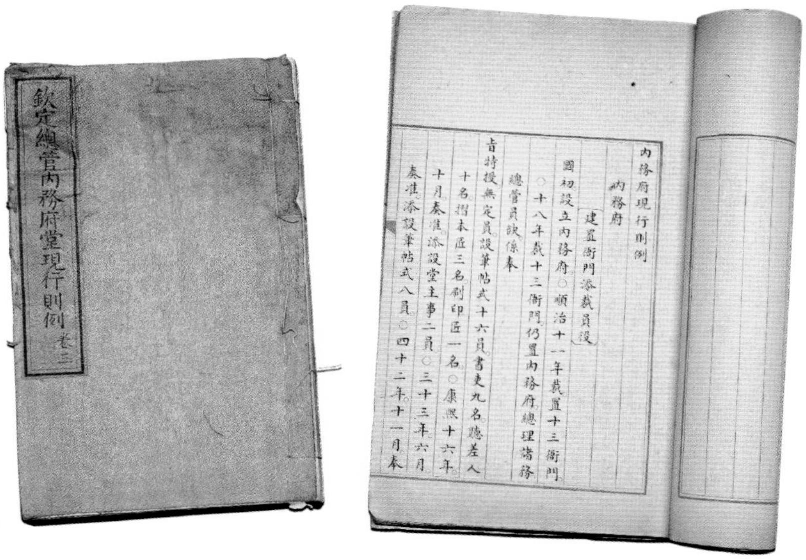

【七・三・七輔】

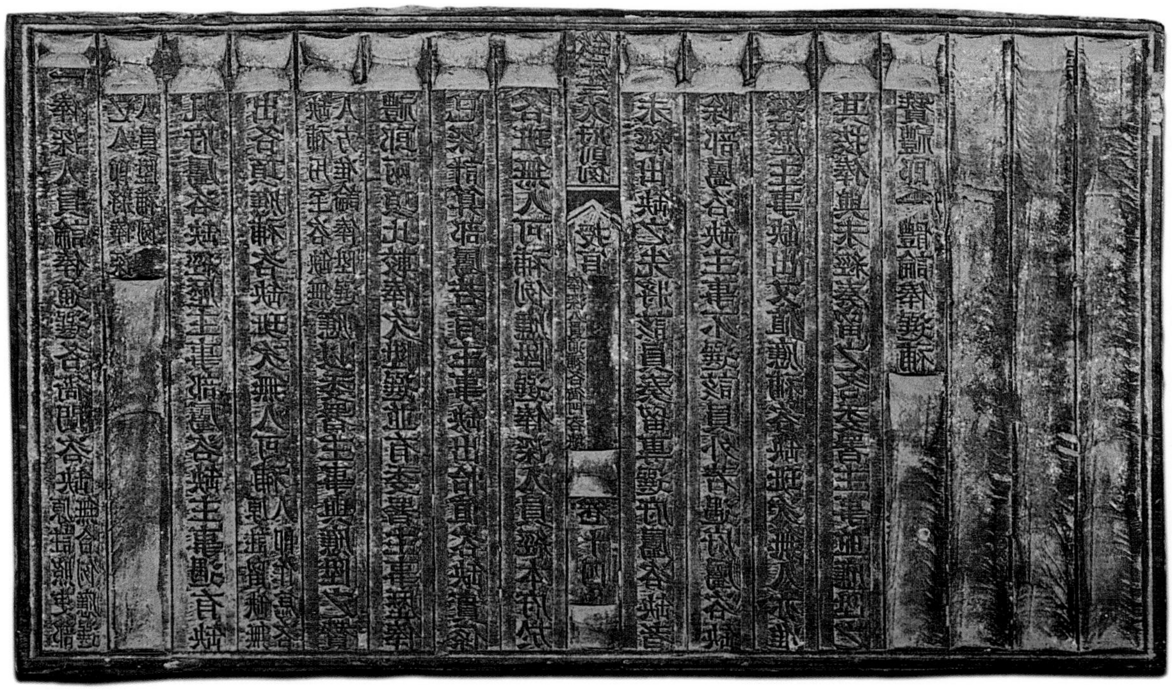
【七・三・七】

【七·三·八】《大學》

清朝，滿漢文合璧，冊裝，紙質。

《大學》，是中國古代儒家經典著作之一。原為《禮記》中的名篇，南宋時朱熹從中摘出，合《中庸》、《論語》、《孟子》，通稱《四書》。《大學》主要講述修身、齊家、治國、平天下的方法，故是中國歷代帝王必讀之書。清代又將其加譯滿文，成為滿漢文合璧形式，是清朝皇帝、皇子日常學習用的書籍。

此冊為送審本，加黃簽處及朱筆批改處，分別是總纂官和皇帝認為滿文譯得不準確，予以改正之處。

【七·三·九】《帝鑒圖說》

光緒朝，漢文，紙質，朱絲欄本，58cm×46cm。

原是明朝隆慶六年（一五七二年），大學士張居正、呂調陽為繼位的年僅十歲的萬曆皇帝編寫的繪圖教材。內容選自堯舜至唐宋歷代帝王善事八十一件，惡事三十六件，以此作為皇帝君臨天下之借鑒，後來此書也成為各大臣教育子女的教材，並逐漸流傳民間。清代帝王均十分重視此書，常置身邊，隨時瀏覽。至光緒年間，再命有關大臣用大式朱絲欄本，逐件精寫仿畫成卷。此圖即為精寫冊頁。

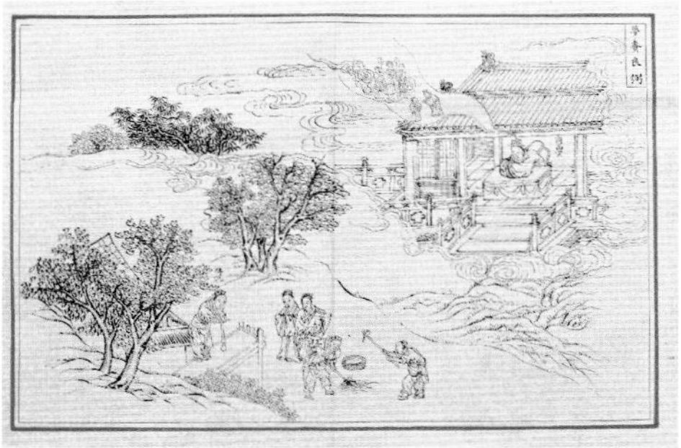

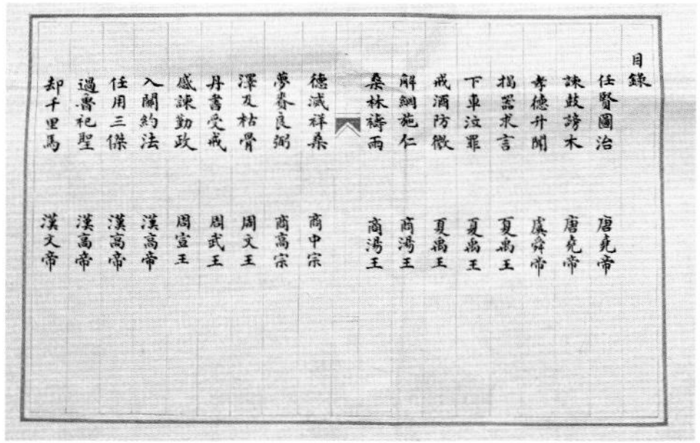

目錄

任賢圖治	唐堯帝
諫鼓謗木	唐堯帝
孝德升聞	虞舜帝
揭器求言	夏禹王
下車泣罪	夏禹王
戒酒防微	夏禹王
解網施仁	商湯王
桑林禱雨	商湯王
德滅祥桑	商中宗
夢賚良弼	商高宗
澤及枯骨	周文王
丹書受戒	周武王
感諫勤政	周宣王
入關約法	漢高帝
任用三傑	漢高帝
過魯祀聖	漢高帝
却千里馬	漢文帝

【七·三·九】

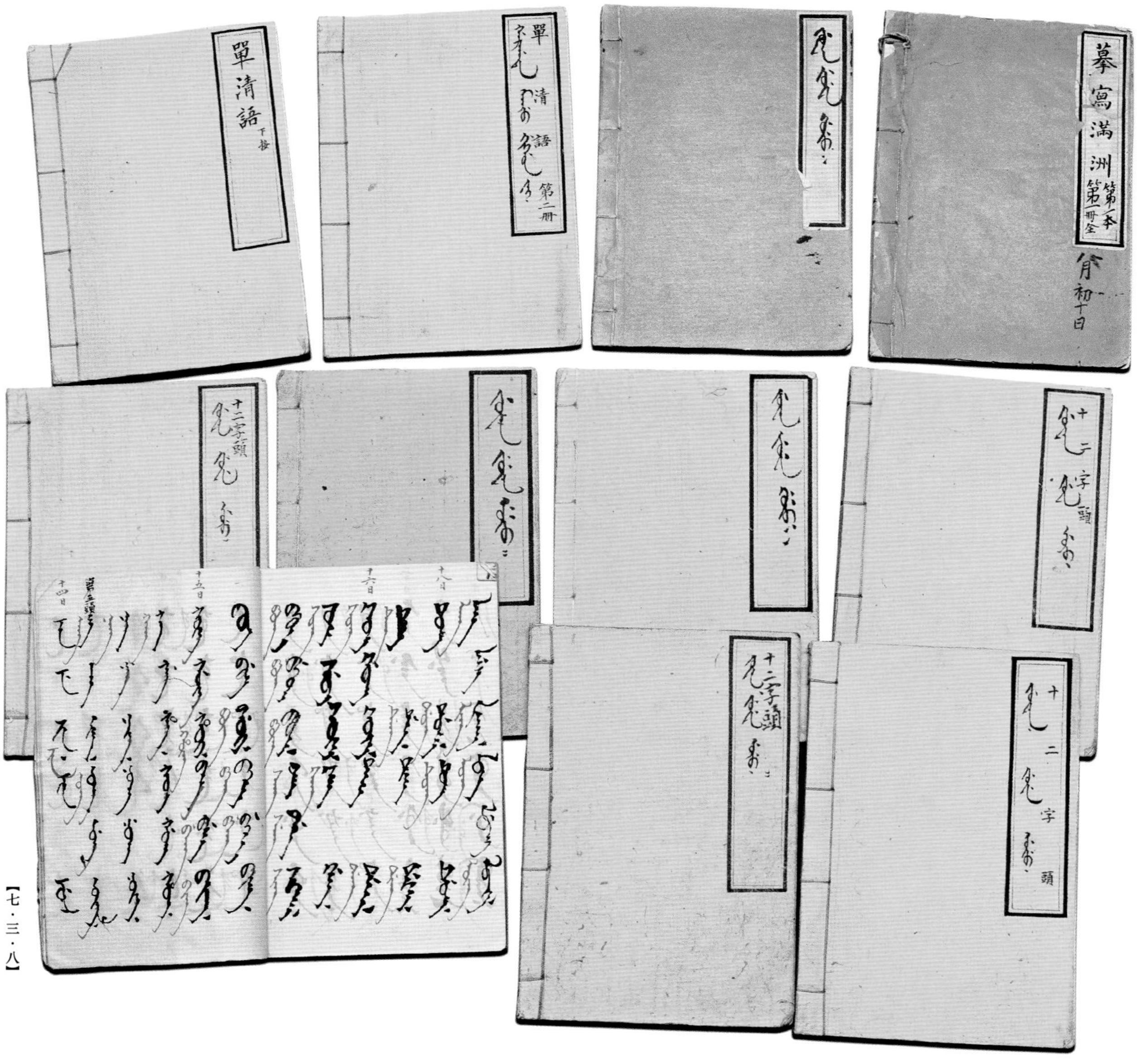

【七·三·八】

【七・三・一〇】《三國演義》

順治七年（一六五〇年），滿文，冊裝，紙質，22cm×26cm，七冊。

《三國演義》是我國第一部通俗長篇歷史小說，描寫了從東漢靈帝劉宏中平元年（一八四年）到晉武帝司馬炎太康元年（二八〇年）期間，即東漢末年到整個三國時代統治集團之間的矛盾和鬥爭。它不僅是一本生動的小說，也是一部形象的歷史參考書。它深刻提示了歷代戰爭中參戰各方在政治上、軍事上勝敗的原因，給後人以深刻的啟迪。清代諸皇帝都很喜愛讀《三國演義》，以從中汲取文治武功的經驗。

為能使更多的滿人讀《三國演義》，清從皇太極開始便組織了一批滿文專家將漢文《三國演義》翻譯成滿文，頒賜給不識漢字的滿族貴胄、臣僚。至順治七年正月，滿文《三國演義》全部譯成。擔任翻譯工作的滿漢大學士范文程等，均受到賞賜。順治皇帝將滿文本的《三國演義》頒賜給諸王以下八旗甲喇章京以上等官員，使其中許多不諳漢文之滿族武將受益非淺。

此套《三國演義》為順治七年刊刻本，原藏於故宮慈寧宮。該書前加有內閣弘文院奉旨翻譯的過程及參加的人員情況的敘文；蜀、魏、吳各國皇帝、皇太后、宗室名、大臣名；以及各冊章回目錄；最後為演義正文。

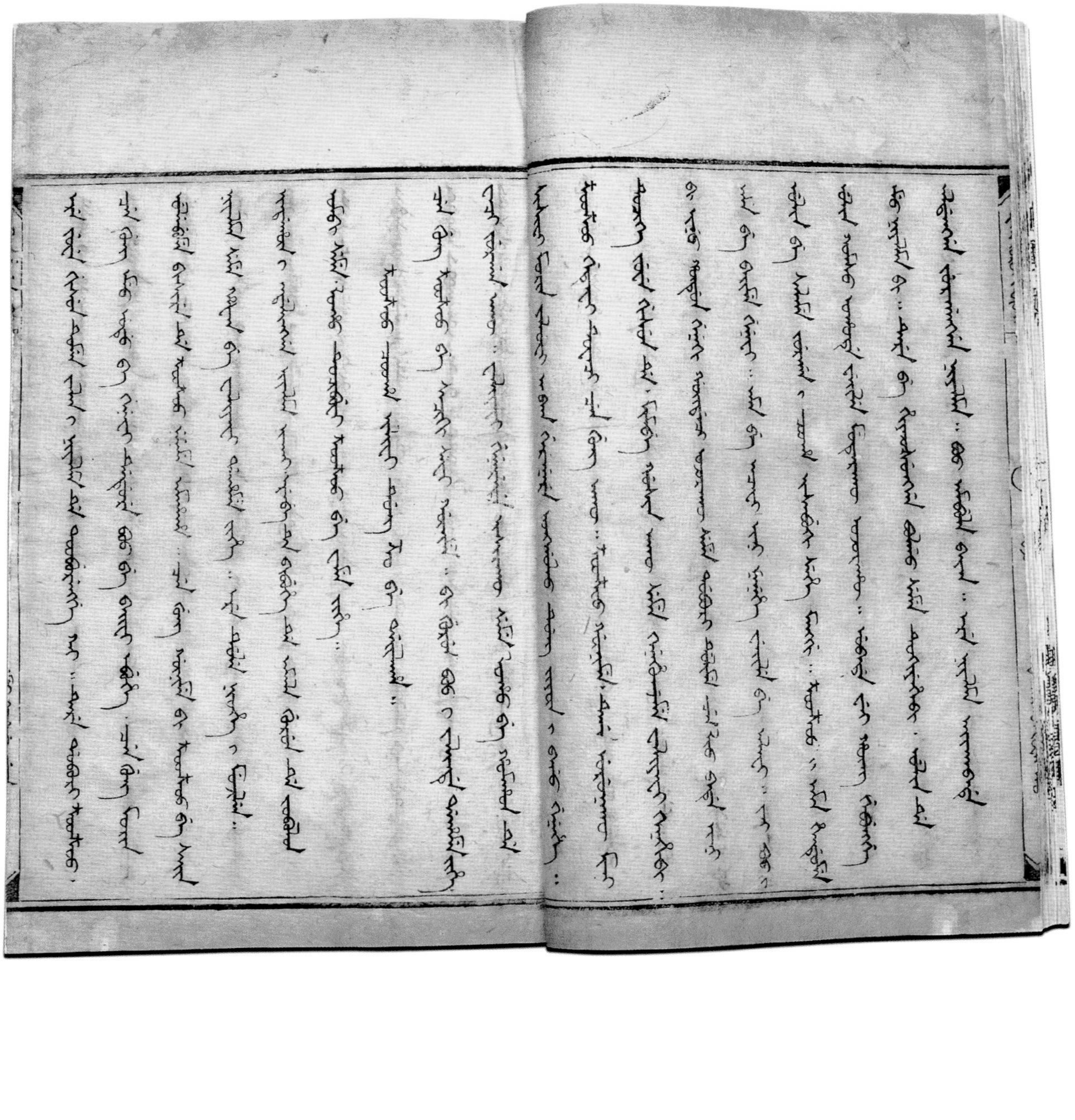

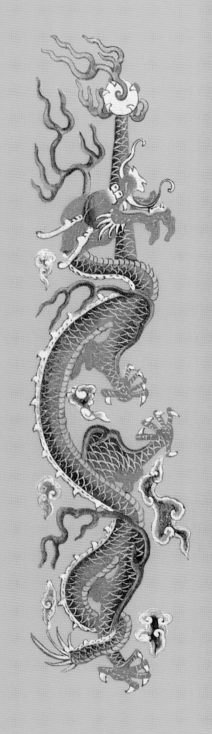

第八章　清代檔案制度與檔案的典藏

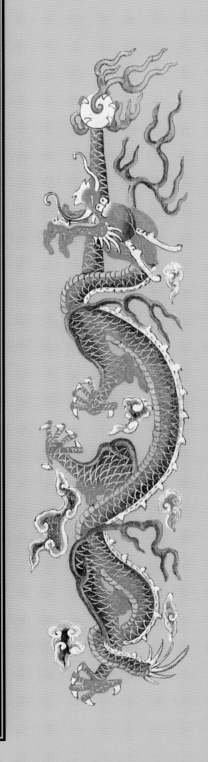

第一節　清代檔案制度

清朝不僅具有完備的文書制度，而且還定有嚴密的檔案制度。清朝規定，各國家機關，凡文書處理完畢以後，便歸檔存案，以備查考。結果，各官衙門形成了大量的檔案。此外，清廷對於國家的重點文書檔案，還立有專門的制度。

清代官文書，從發布形式及其功能上看，可分為詔令文書、臣工題奏文書及官府間行移往來文書。這些文書在從文書過渡到檔案的過程中，整理歸檔的原則與方法各有不同：

一、詔令文書按照文種——時間的原則來整理歸檔。如詔書、諭旨等，均依文種、發布時間的順序排列。

二、臣工題奏文書則多以作者（機構）——時間的原則來整理歸檔。如題本，分別依吏、户、禮、兵、刑、工六科各自辦理的時間順序排列。朱批奏摺則按朱批文件作者，並其具奏時間的自然順序存放排列。

三、官府間的往來文書，多依事件——時間的原則歸檔。如刑名案件採用一宗一卷的粘卷形式，而內務府、宗人府，則採用「事筒」、「卷單」的形式。

在清代，為了保證檔案的完整與檢查便利，還採用了許多專門的措施。其中最著名的，則有朱諭朱批繳回制度、文件副本制度及文件彙抄存查制度等。

繳回朱批制度

奏摺是清朝高級官員向皇帝報告政務的一種機要文書，經皇帝親自用朱筆批閱之後，叫「朱批奏摺」。這些奏摺關乎國家軍政要事，用人行政，皇權爭奪，察奸除私等。雍正皇帝登基之後，出於政治鬥爭的目的，諭令京師滿、漢大臣及各省督、撫、將軍、提、鎮凡存有皇帝朱批的諭旨，一律繳回宮中。雍正元年（一七二三年）上諭：「所有皇考朱批諭旨，俱著敬謹封固進呈。若抄寫存留，隱匿焚棄，日後發覺，斷不寬宥，定行從重治罪。……嗣後朕親批密旨，亦著繳進，不可抄寫存留。」此後歷朝相沿，形成制度，結果形成了大批的朱批檔案，這就是現存於世幾十萬件朱批奏摺的來歷。

文件副本制度

雍正七年（一七二九年），吏部大堂失火，大量檔案被焚，以致很多事情，無案可查。同時又鑒於當時書吏舞弊嚴重，所以皇帝諭令：「嗣後內閣本章及各衙門檔案，皆於正本之外立一副本，另行收貯。如本章正本係紅字批發，副本則批墨筆存案。其他檔案副本或用鈐記以分別之。不但於公事有益，且可杜奸胥猾吏隱藏改換之弊。」（《光緒會典事例》卷十四）同時還規定，各省督撫題奏事件，原是將副本送通政使司，嗣後應令一併送交內閣。內閣遵照例用墨筆批錄後，存貯於皇史宬石室前的東西兩廂。

軍機處在辦理朱批奏摺時，另錄一副本備查，叫「錄副奏摺」。據《樞桓紀略》記載，凡抄錄朱批奏摺，多由方略館供事承擔。若係密行陳奏及用寄信傳諭之原摺，或有朱批應慎密者，皆章京自抄。各摺抄畢後，章京二人執正副二本互相讀校。即於副摺面註明某人所奏某事及年月日，並註「交」與「不交」字樣，謂之「開面」。值日章京將本日所接各省原摺各歸原函繳入內奏事處，謂之「交摺」。諭旨及所遞片單抄訂成冊，按日遞添，每月一換，謂之「清檔」。凡交發的奏摺、奏片，由內閣等處交還及彙存本處者，每日為一束，每半月為一包，謂之「月摺」。

文件彙抄存查制度

清代中央機關，都實行文書彙抄制度，以便保存檔案資料，利於日後的查考和編史修志。這種彙抄一般使用兩種方法：

一、採用編年體。例如內閣專門彙抄皇帝明發諭旨的檔冊，叫「上諭簿」，每半年或每一季為一冊。內閣滿、漢票簽處專門摘記題奏本章事由和全錄批紅的檔冊，叫「絲綸簿」。軍機處彙抄的廷寄諭旨的檔冊，叫「寄信檔」或「廷寄檔」。彙抄用電報拍發的上諭、廷寄的檔冊，叫「電寄檔」。內務府將奏報各項已辦結案件的文書彙抄成冊叫《奏銷檔》。彙抄內務府紅本的檔冊，叫「紅本檔」。

二、還有以事件為主題彙抄文件的，如軍機處彙抄的《西藏檔》，為乾隆朝治理西藏事務文件彙集。《土爾扈特檔》為乾隆時期有關接納土爾扈特部回歸祖國的全部文件彙抄。《剿捕檔》為鎮壓農民起義方面的專檔。《洋務檔》專門彙抄有關辦理洋務的奏摺、諭旨。分類彙抄藩屬事務專門檔案，有安南檔、緬甸檔、廓爾喀檔等。總理各國事務衙門和外務部為辦理外交事務查考，分類彙抄有關中外交涉的文書，叫「清檔」。

此外，在各衙門還產生了大量的文書處理登錄簿冊。如各種來文號簿、隨手登記檔等。而日常工作記錄交接簿冊則有交班檔、引見檔等。而官員考稽查核，則有京察冊、大計冊、考語簿等。在內務府和宮中還存有大量物品存核日常記錄流水賬，如陳設清冊，穿戴檔等。

第二節　清代檔案的典藏

清廷對檔案的典藏和管理十分重視，曾設置有皇史宬、內閣大庫、方略館、清史館大庫等專門建築，以貯存皇帝和中樞機關的檔案。

皇史宬

皇史宬為明嘉靖時期仿古代「石室金匱」之意而修建的一座皇家檔案庫。它坐落於明代的「東苑」，今日的北京南池子大街。皇史宬總面積八千四百六十平方米，是由正殿和東西配殿組成的一個院落群。院內正中為皇史宬正殿，建於一點四二米高的石基上，四周環以白石欄杆。正殿東西九楹，正中券門五座。東西寬四〇點五米，南北進深八點九五米。大殿東西山牆各有一窗，以便通風。殿內築有一點四二米高的石台，以便防潮。皇史宬正殿建築全部為磚石所砌，不用一根木材，不使一點金屬。東西兩廡為配殿，規模較小，屬磚石木植結構。東配殿北邊為御碑亭，係嘉慶十二年（一八〇七年）重修皇史宬增建的，亭中樹立「重修皇史宬記」石碑。

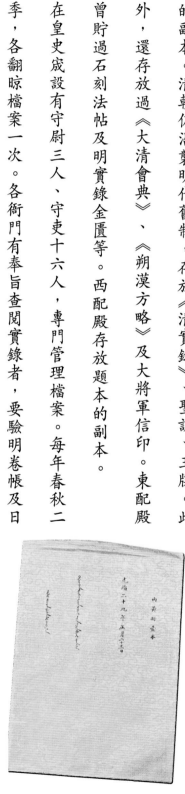

皇史宬正殿石台上，排放一百五十多個「金匱」以存檔案。明朝時存放實錄、聖訓、玉牒及《永樂大典》的副本。清朝仍沿襲明代舊制，存放《清實錄》、聖訓、玉牒。此外，還存放過《大清會典》、《朔漢方略》及大將軍信印。東配殿曾貯過石刻法帖及明實錄金匱等。西配殿存放題本的副本。

清廷在皇史宬設有守尉三人、守吏十六人，專門管理檔案。每年春秋二季，各翻晾檔案一次。各衙門有奉旨查閱實錄者，要驗明卷帳及日

期，呈明大學士後才予借閱。

內閣大庫

內閣大庫位於紫禁城的東南隅，內閣大堂之東。分東西兩個庫，東庫專貯實錄和表章，又稱「實錄庫」。西庫專藏紅本，又稱「紅本庫」。內閣大庫總面積為一千二百九十五平方米。紅本庫、實錄庫東西長均為四十七點三米，南北寬十三點七五米。兩庫室內均為重樓、磚木結構，門窗均鐵皮包面，窗中裝以鐵欄，以防偷盜。內閣大庫的檔案由內閣典籍廳和滿本房分別管理，當時內閣大庫為「機要重地」，「一般官員閑雜人員不許擅入」。阮葵生在《茶餘客話》中說：「內閣大庫藏歷代策籍，並封貯存案之件，漢票簽之內外紀，則具載百餘年詔令陳奏事宜，九卿翰林部員有終身不得窺見一字者。」

清史館大庫

清史館大庫在紫禁城東華門內，原為國史館大庫，是清廷為纂修國史存放稿本和檔案資料的庫房。庫房五楹二十七間，總面積為八百零一點六平方米，建築為磚門結構。清自康熙二十九年（一六九〇年）為修天命、天聰（崇德）、順治三朝歷史、始設「三朝國史館」，史成館撤。乾隆元年（一七三六年）為修天命、天聰、順治、康熙、雍正五朝本紀和排纂表志、列傳，復開國史館，至十四年修成，史館遂撤。乾隆三十年（一七六五年）十月，為重修國史列傳，復開國史館，此後國史館便成為常設機構。清朝滅亡後，國史館為北洋政府所接管，將之改名為「清史館」。

清史館存放的檔案有：

一、國史的本紀、傳、志、表的各種稿本。

二、國史館編的長編總檔。長編總檔，即把內閣所存上諭原片，並外紀、絲綸，軍機處所存之月摺、廷寄、議覆譯漢、剿捕等檔案以編年體形式彙編的檔案史料。

三、為修國史而徵集、抄錄的各類史料。

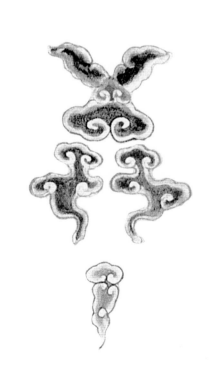

【八・一・二】繳回朱諭

康熙五十三年（一七一四年）七月初二日，漢文，紙質，摺，每扣22.5cm×11cm，七扣。

雍正登極初發布上諭，「所有皇考朱批諭旨」及「朕親批密旨」，「俱著敬謹封固進呈」，從而形成了朱筆繳回制度。並規定有以各種方式存留者，定行重罪。

此件為漕運總督郎廷奏報淮安揚州地方乾旱，康熙帝令其速察是否得雨的親筆朱諭。由其子郎文燾遵旨恭繳。朱諭有三層包裝：一層為滿文紙質封皮；二層為康熙帝親筆書「上諭一道總漕郎廷極」字樣；三層為書有「上諭」二字的封套。此上諭用紙講究，封套及摺件紙上均印有凸起的雲龍等紋飾。

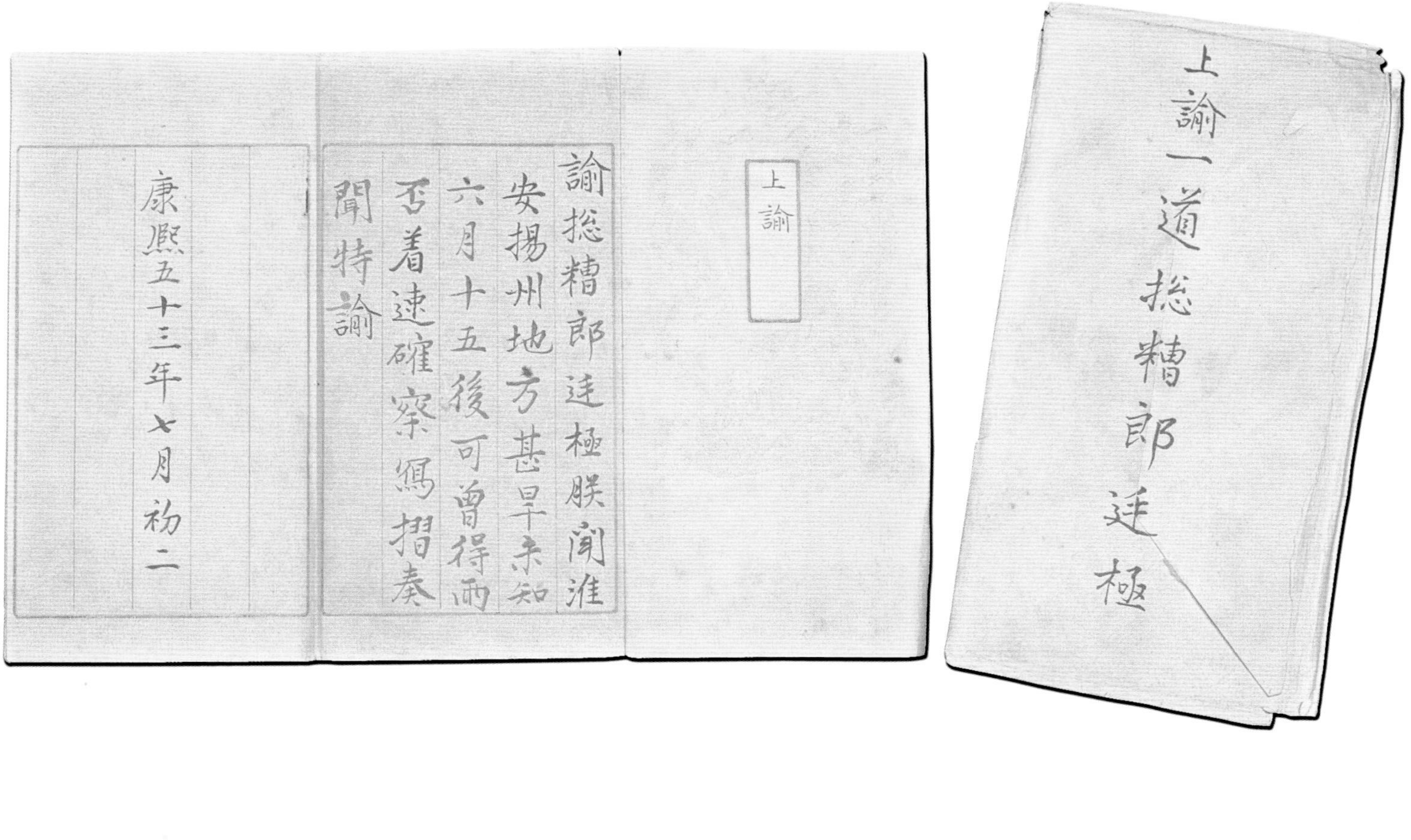

【八・一・二】錄副奏摺

乾隆三十九年（一七七四年）九月初八，漢文，紙質，摺，每扣20.5cm × 10cm，九扣。

清代官員奏摺上呈皇帝，經過朱批以後，再由奏事處轉交軍機處封發。軍機處接到朱批過的奏摺，首先要抄錄副本存案，這些照朱批奏摺抄錄的副本稱為「錄副奏摺」。

「錄副奏摺」一般為行書體，在抄錄過程中於首頁或尾頁標明此摺的奉朱批時間。並將有無被內閣轉傳在京各關係衙門抄過用記號及文字標明。

此件為姚立德奏為派兵剿捕白蓮教事宜的錄副奏摺。一七九六年，湖北、四川、陝西一帶又爆發了白蓮教大起義。清政府調集各地軍隊，用了九年的時間，才將這次起義鎮壓下去。

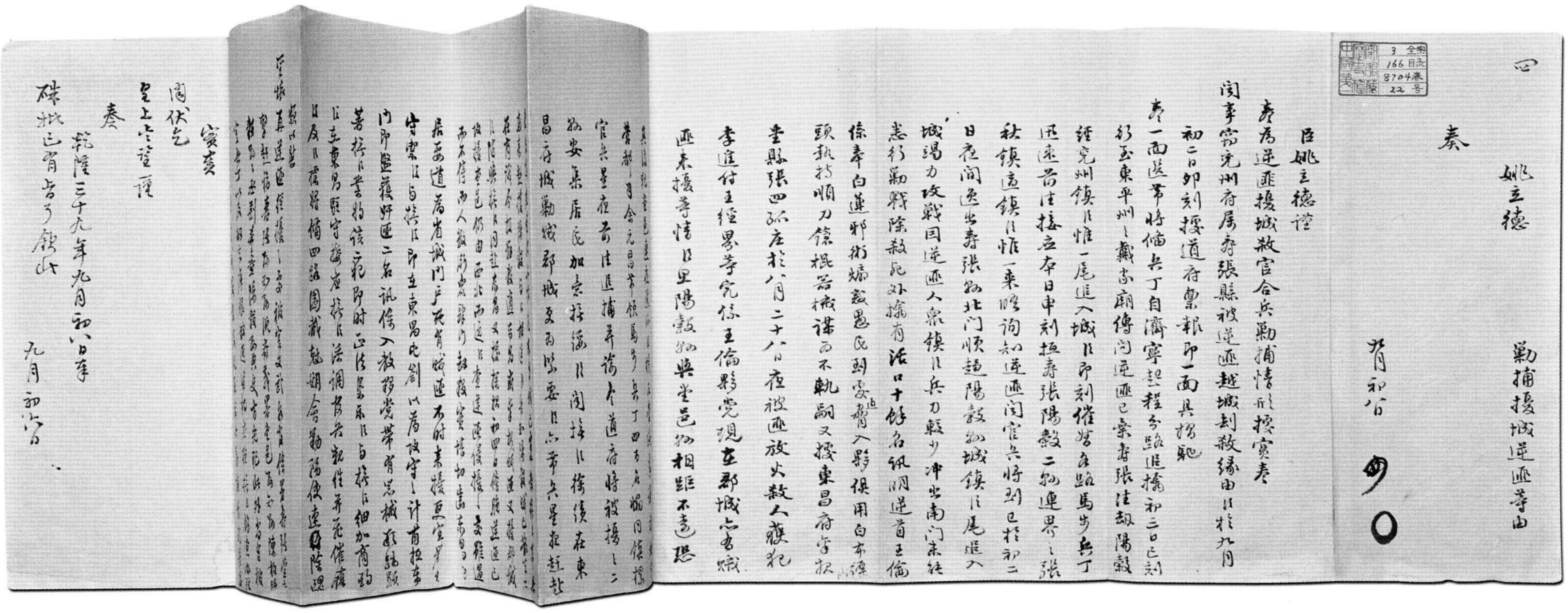

【八·一·三】絲綸簿

①康熙七年（一六六八年）正月，漢文，紙質，冊，42cm × 34cm。

②雍正三年（一七二五年）五月，滿文，紙質，冊，49cm × 33cm。

抄錄皇帝批答臣僚題奏本章之文字（時稱「批紅」，亦稱「批旨」）的簿冊，稱作「絲綸簿」。其名取自《禮記·緇衣》：「王言如絲，其出如綸」之意。

內閣設置絲綸簿始於明代。據《萬曆野獲編》云：「向傳閣中有絲綸簿為擬旨底本，無論天語（指皇帝批答及旨意文字）大小，皆錄之，以備他日照驗。」清沿明制。題本、奏本經批紅以後，每日由內閣交六科發抄之前，均由值班之內閣中書詳細記錄本章之批紅文字，每月成一冊，以備參考。

清代《絲綸簿》分滿絲綸與漢絲綸兩種檔冊。記載項目、內容的方法基本相同。

【八·一·三②】

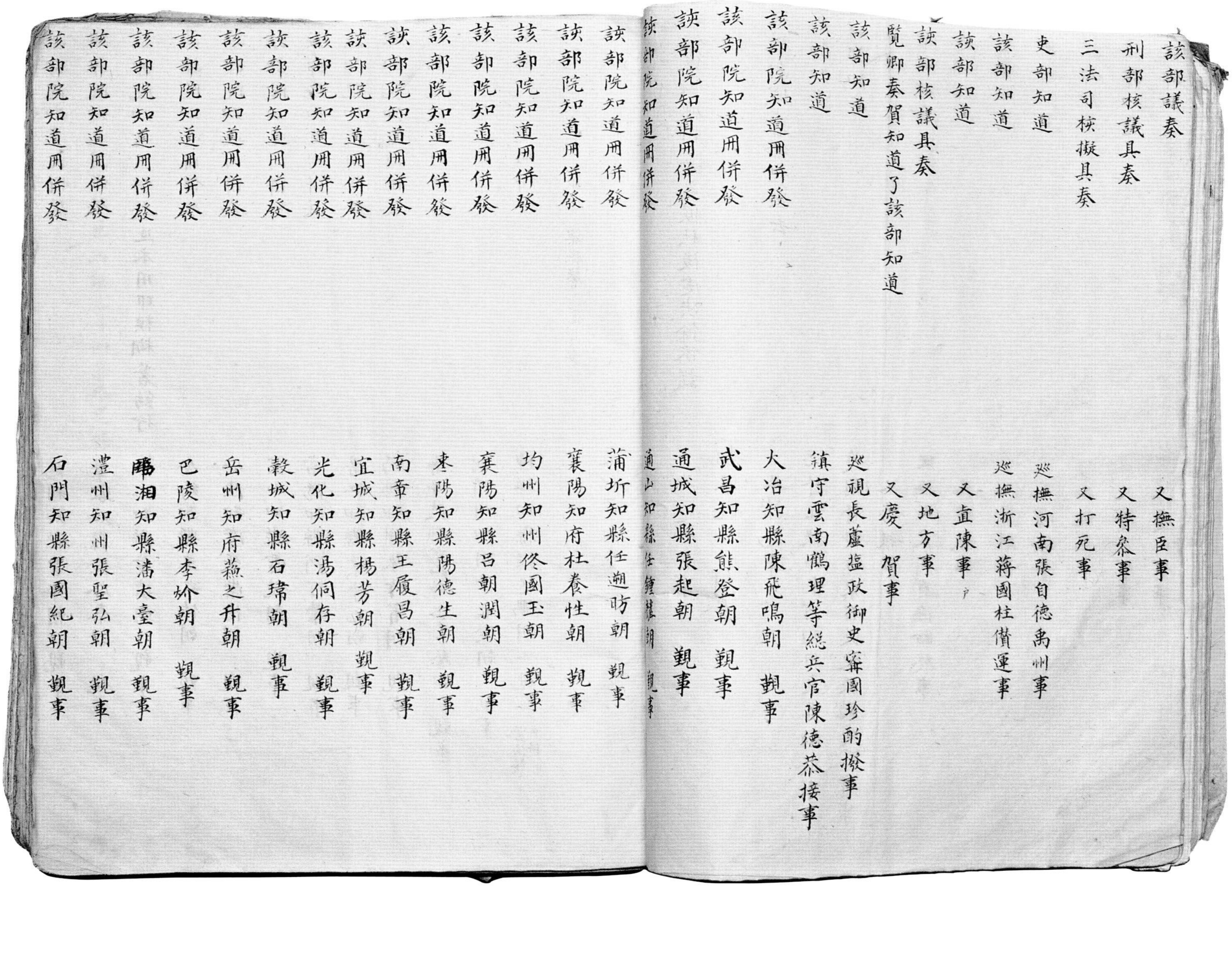

該部議奏　又撫臣事
刑部核議具奏　又特參事
三法司核擬具奏　又打死事
吏部知道　巡撫河南張自德禹州事
該部知道　巡撫浙江蔣國柱償運事
該部知道　又直陳事
該部核議具奏　又地方事
覽卿奏賀知道了該部知道　又慶賀事
該部知道　巡視長蘆鹽政御史寗國珍酌撥事
該部知道　鎮守雲南鶴理等総兵官陳德蓀接事
該部院知道用併發　大冶知縣陳飛鳴朝　覲事
該部院知道用併發　武昌知縣熊登朝　覲事
該部院知道用併發　通城知縣張起朝　覲事
該部院知道用併發　通山知縣□□□朝　覲事
該部院知道用併發　蒲圻知縣任迴昉朝　覲事
該部院知道用併發　襄陽知府杜養性朝　覲事
該部院知道用併發　均州知州佟國玉朝　覲事
該部院知道用併發　襄陽知縣呂朝潤朝　覲事
該部院知道用併發　棗陽知縣陽德生朝　覲事
該部院知道用併發　南章知縣王履昌朝　覲事
該部院知道用併發　宜城知縣楊芳朝　覲事
該部院知道用併發　光化知縣馮侗存朝　覲事
該部院知道用併發　穀城知縣石瑋朝　覲事
該部院知道用併發　岳州知府蕭之升朝　覲事
該部院知道用併發　巴陵知縣李妗朝　覲事
該部院知道用併發　臨湘知縣潘大臺朝　覲事
該部院知道用併發　澧州知州張聖弘朝　覲事
該部院知道用併發　石門知縣張國紀朝　覲事

【八·一·三①】

【八・一・四】上諭檔

清朝，漢文，紙質，冊，36cm × 36cm。

清朝歷代皇帝發布諭旨的編年彙抄。自康雍以來，專門彙抄各項各種諭旨的檔冊，稱「上諭簿」或「上諭檔」。此種檔冊，最初每半年為一冊，後逐漸改為每季一冊。此外還有按專題及諭旨文種編抄者。

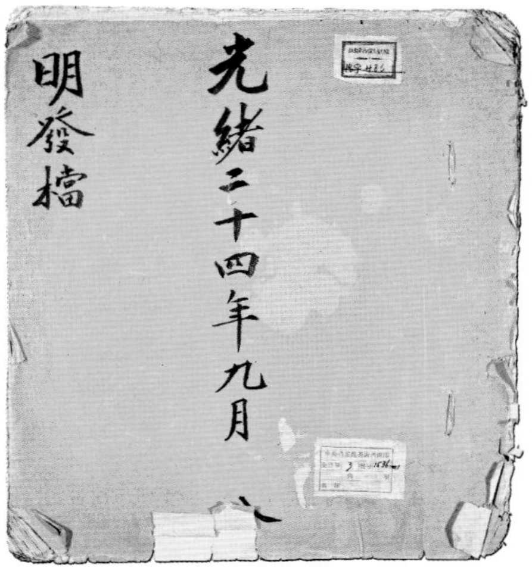
光緒二十四年九月
明發檔

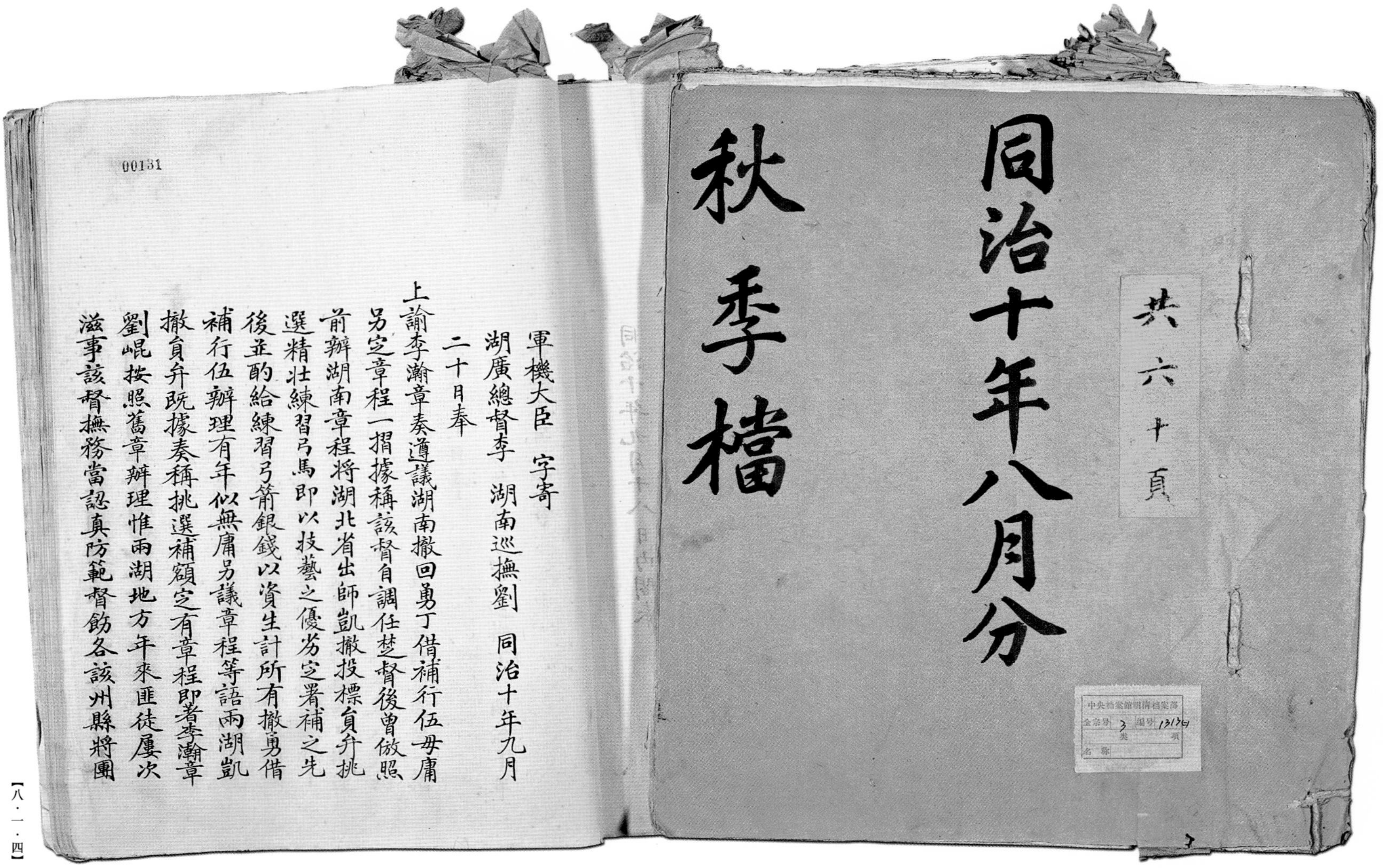
同治十年八月分
秋季檔
共六十頁
00131
軍機大臣 字寄
湖廣總督李 湖南巡撫劉 同治十年九月
二十日奉
上諭李瀚章奏遵議湖南撤回勇丁借補行伍毋庸
另定章程一摺據稱該督自調任楚督後曾倣照
前辦湖南章程將湖北省出師凱撤投標員弁挑
選精壯練習弓馬即以技藝之優劣定署補之先
後並酌給練習弓箭銀錢以資生計所有撤勇借
補行伍辦理有年似無庸另議章程等語兩湖凱
撤員弁既據奏稱挑選補額定有章程即著李瀚章
劉崐按照舊章辦理惟兩湖地方年來匪徒屢次
滋事該督撫務當認真防範督飭各該州縣將團

【八·一·五】祭祀壇廟冊

光緒二十九年（一九〇三年），滿漢文合璧，紙，冊，黃綾面，30cm × 21.2cm。

此為禮部恭繕次年應行祭祀壇廟之清冊。

【八·一·六】依都檔

光緒三十年（一九〇四年），漢文，紙，冊，紅墨刻印，白口，單魚，版框，17.5cm × 12cm。

此為紫禁城內及各處壇廟園苑逐日值班登記簿。「依都」，滿語「值班」的譯音，清代宮內各處值班向由各衙門輪流排班。

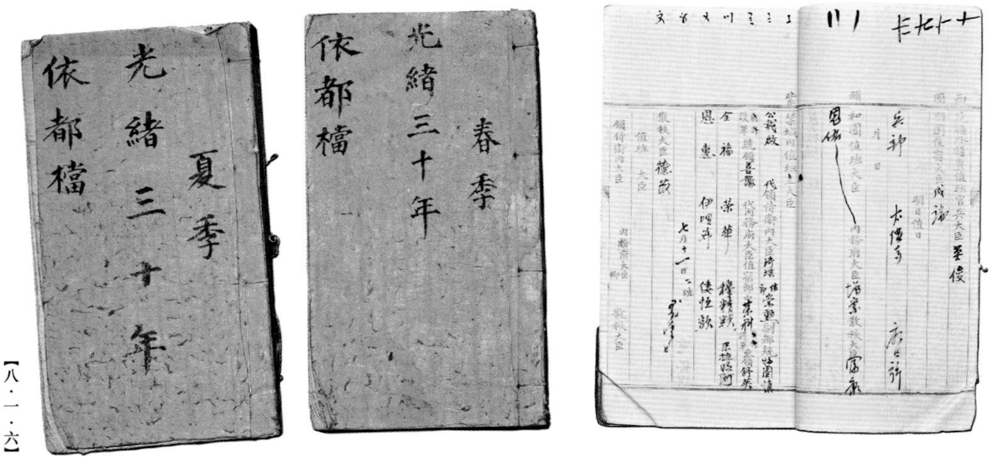

【八·一·六】

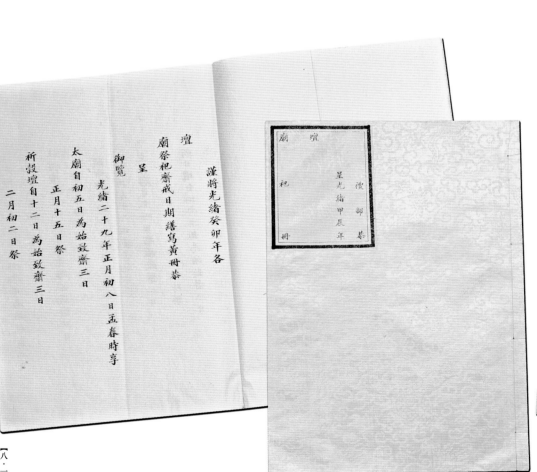

【八·一·五】

【八・一・七】宮中各種記載簿冊

光緒朝，漢文，冊，21.8cm × 15.2cm。

此為宮中最常見的各種差務、活計的記載簿冊。

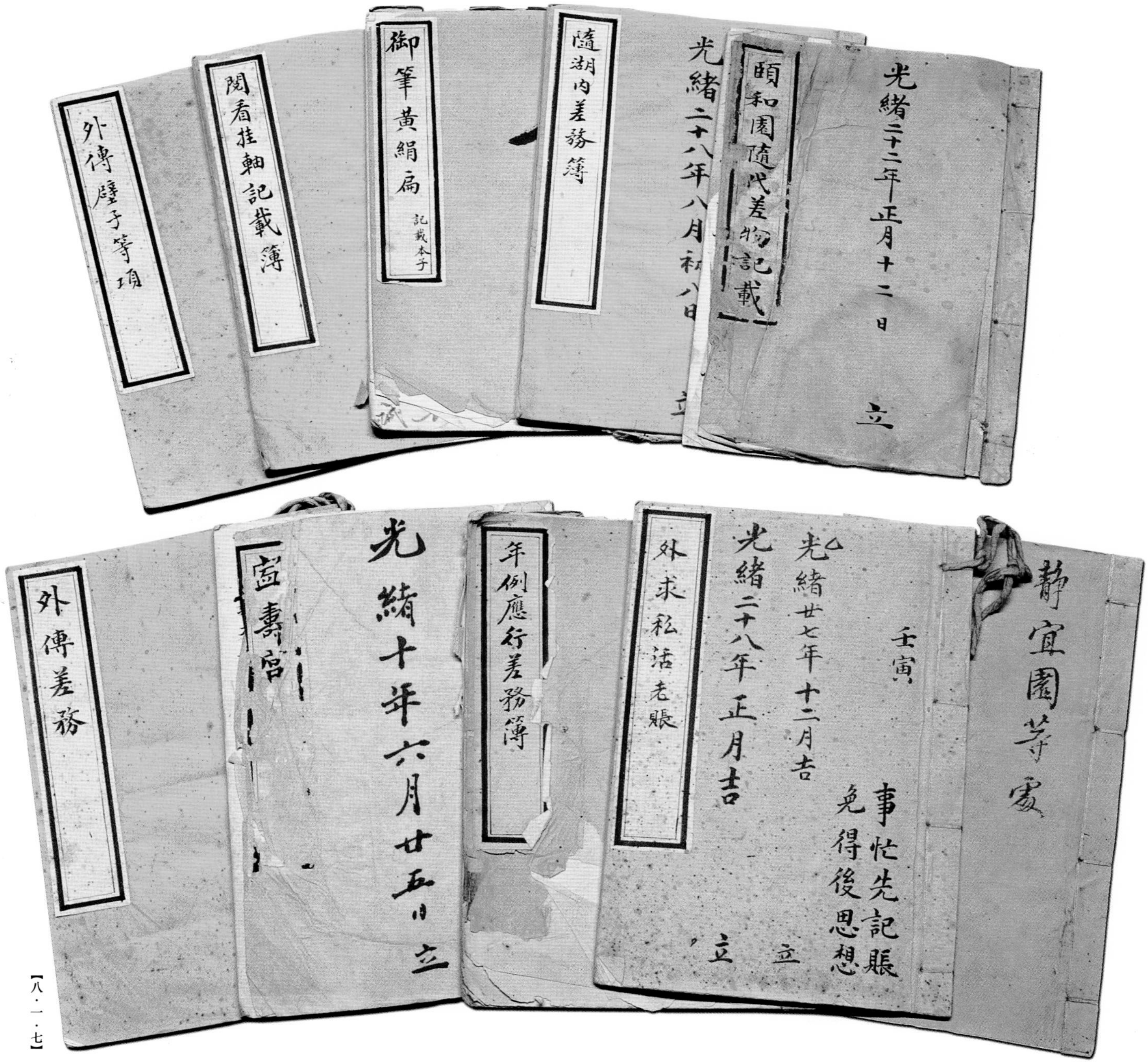

【八·一·八】和圖禮檔

光緒三十四年（一九〇八年），漢文，紅墨刻印，白口，單魚，版框，25.5cm×14.5cm。宮中逐日記載帝后行止的檔冊。「和圖禮」，滿語譯音，「雜檔」之意。

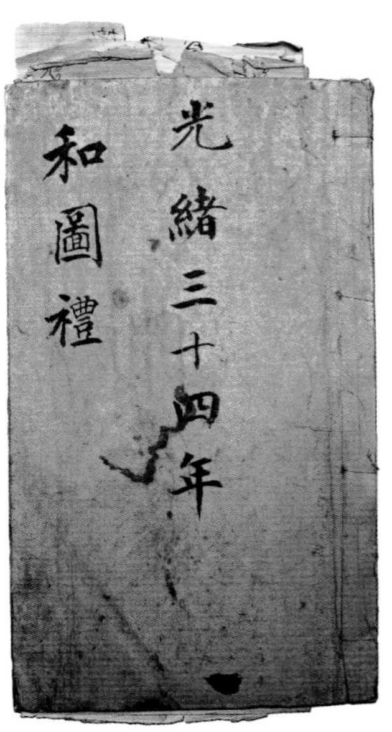

【八·一·八】

【八·一·九】牌樣檔

咸豐二年（一八五二年），漢文，紙質，冊，28.5cm×24cm。此為內務府人事核考任免方面綠頭牌記錄。冊頁上繪原牌大小印上牌樣，然後照錄原牌文字。

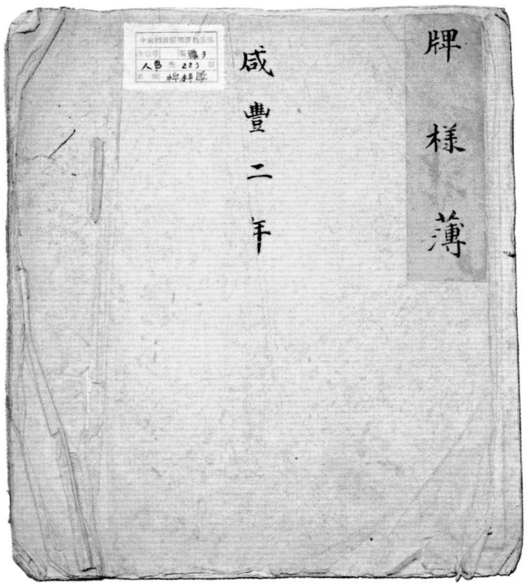

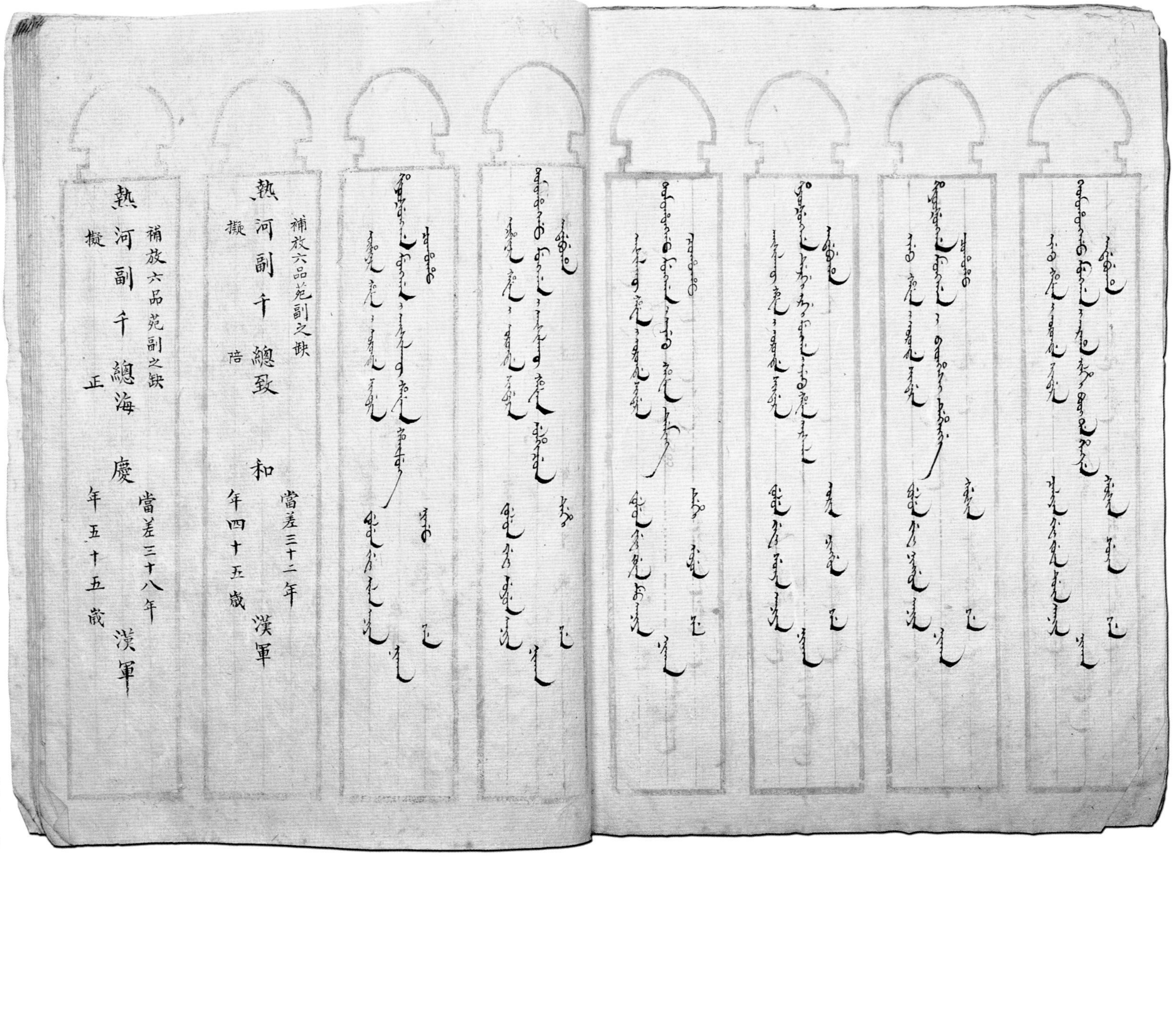

【八·一·九】

【八・一・一〇】記載檔

光緒三十年（一九〇四年），漢文，紙質，冊，26.8cm × 22cm 。

內務府定期彙抄有關帝后起居、傳喚內監等宮中活動的記載檔冊。

【八・一・一一】英華殿供器檔案

乾隆二十一年（一七五六年）十二月，漢文，紙質，冊，楷書，35.5cm × 22.5cm 。

此為乾隆二十一年內務府清查英華殿內陳設時所立的陳設檔，有騎縫章「廣儲司印」。係以後歷代清點的依據。後粘有咸豐八年（一八五八年）、道光十四年（一八三四年）清點的單子，並附光緒二年（一八七六年）清查摺。

乾隆二十一年十二月
英華殿供器檔案

【八・一・一一】

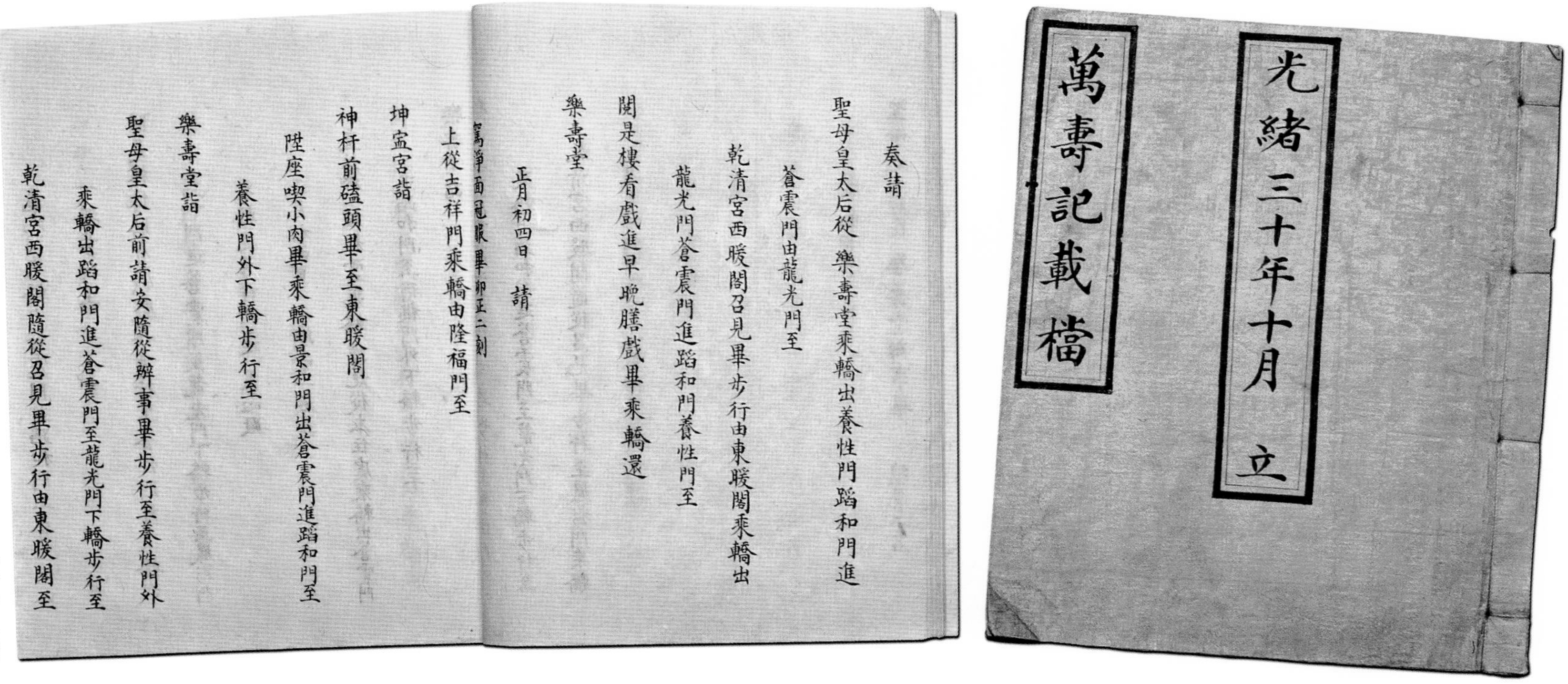
光緒三十年十月 立
萬壽記載檔
奏請
聖母皇太后從 樂壽堂乘轎出養性門蹈和門進
蒼震門由龍光門至
乾清宮西暖閣召見畢步行由東暖閣乘轎出
龍光門蒼震門進蹈和門養性門至
閣是樓看戲進早晚膳戲畢乘轎還
樂壽堂
正月初四日 請
上從吉祥門乘轎由隆福門至
坤寧宮詣
神杆前磕頭畢至東暖閣
陞座喫小肉畢乘轎由景和門出蒼震門進蹈和門至
養性門外下轎步行至
樂壽堂詣
聖母皇太后前請安隨從辦事畢步行至養性門外
乘轎出蹈和門進蒼震門至龍光門下轎步行至
乾清宮西暖閣隨從召見畢步行由東暖閣至

【八・一・一〇】

【八・一・一二】記事珠等簿冊

清朝，漢文，紙質，冊。

此為內務府、宗人府衙門記錄處理公務文書的檔冊。

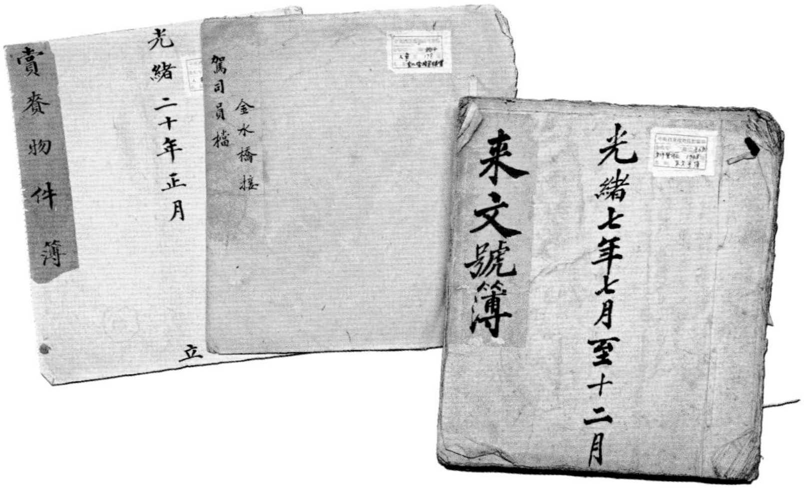

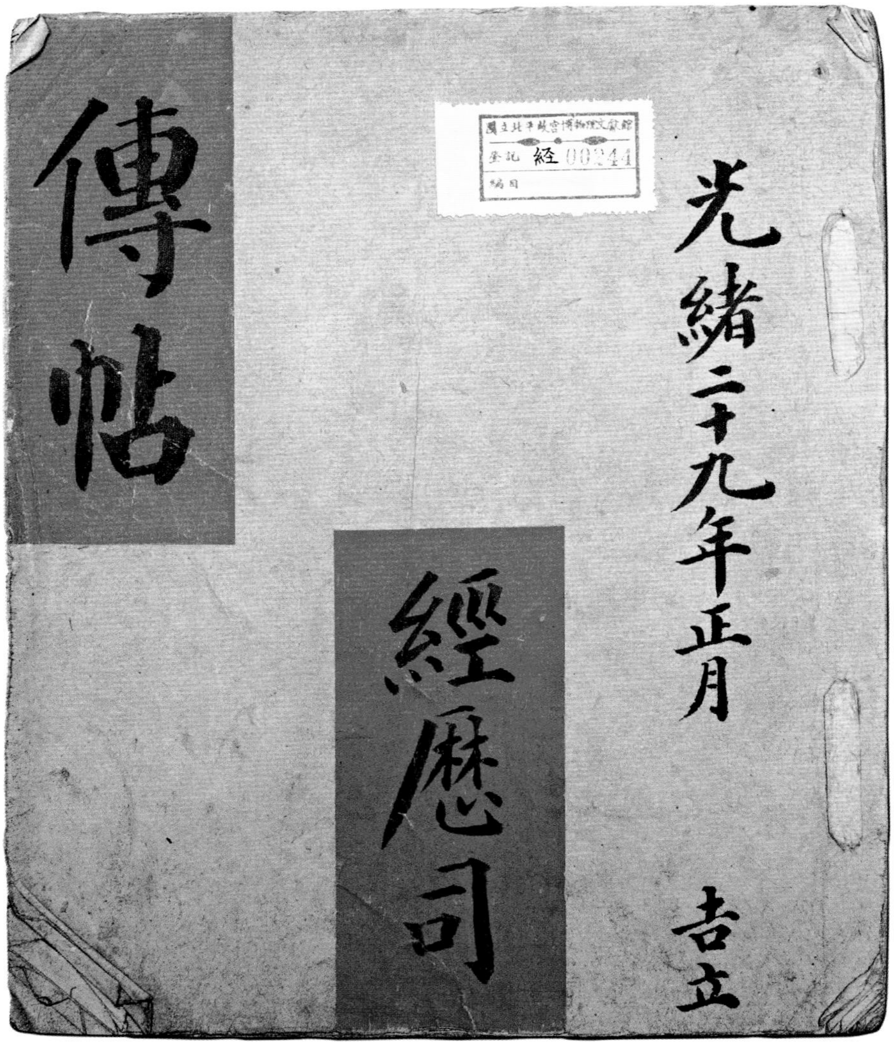

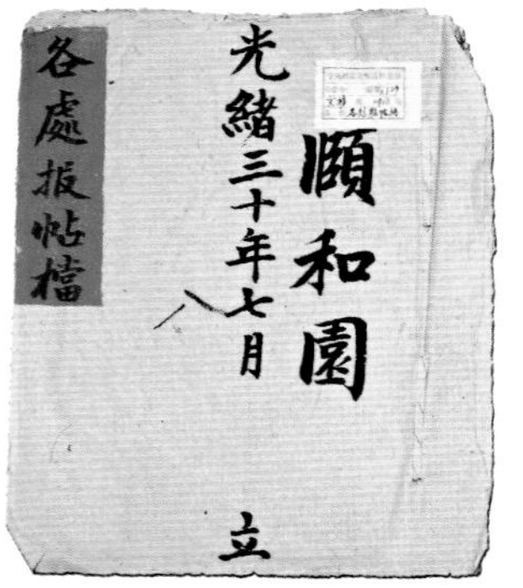

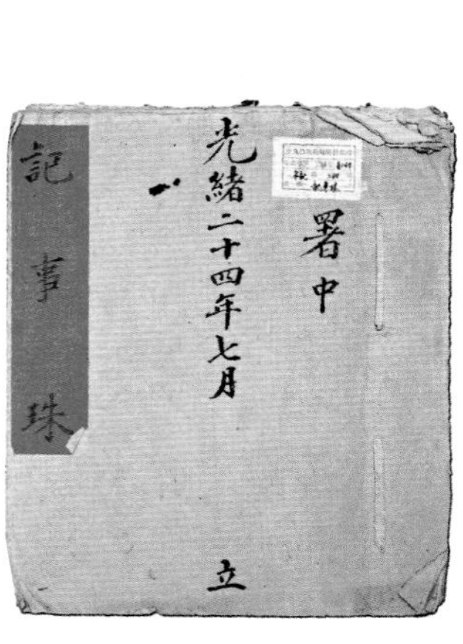

【八·一·一三】五年一次預備閱看馬步箭宗室名冊

清朝，漢文，紙質，冊，24.5cm × 23cm。
內一頁一名，列姓名、年齡、步箭、馬箭。

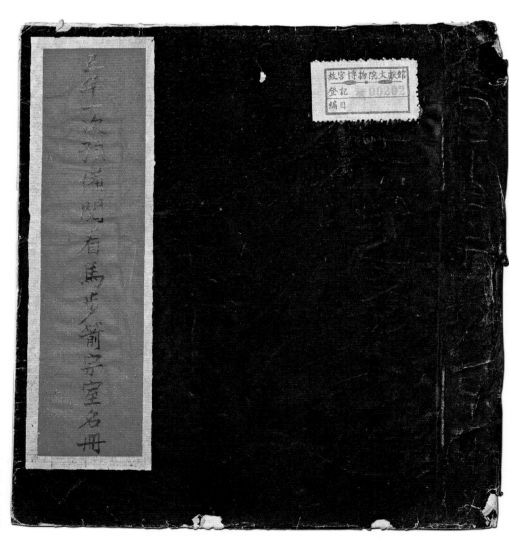

【八·一·一三】

【八·一·一四】門照底簿

光緒三十四年（一九〇八年），漢文，紙質，冊，26.5cm × 22cm。

此為宗人府經歷司發照底簿，內逐條登記所發門照編號，合符半印，及所發人員的名字。

【八·一·一五】號簿

道光四年（一八二四年），漢文，紙質，冊，23.5cm × 19.5cm。

清代地方官衙通常按吏、戶、禮、兵、刑、工六門分類設立號簿，以便辦公立檔。

此為安徽省撫衙所設立的安徽省各屬詳辦命竊雜案號簿。冊中按縣分類，縣下則以命盜案件性質分類，分別以浮簽書寫粘於頁右上角，如：「歙命」，便是歙縣命案；「休縊」便是休寧縣自殺案。每案下簡要記述該案案由，經辦過程，並註明經辦人員姓名。

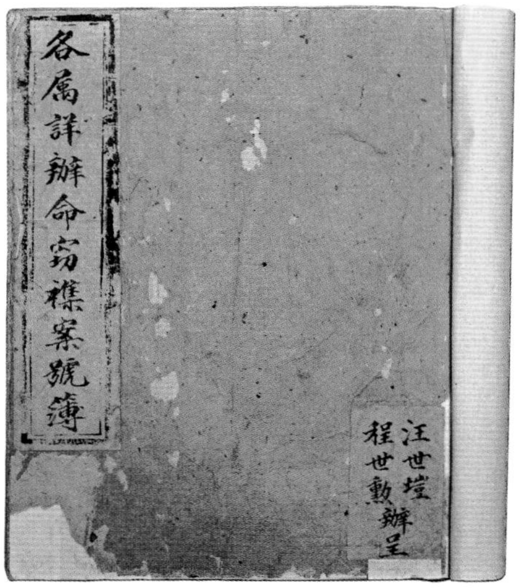

【八·一·一五】

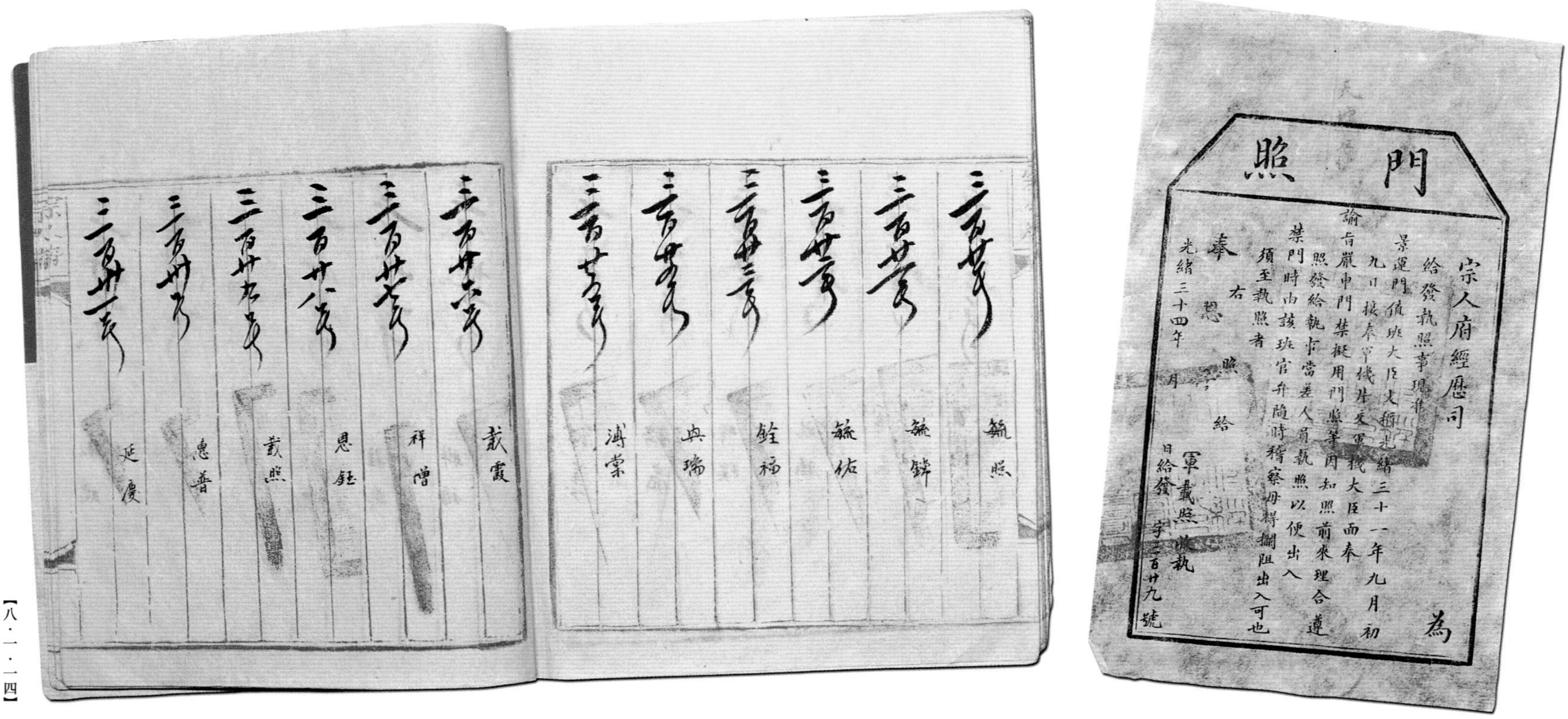

【八·一·一四】

責任編輯　俞笛　鄭德華
裝幀設計　吳冠曼　彭若東

書　　名　清代文書檔案圖鑒
編　　著　中國第一歷史檔案館
總編審　徐藝圃
主　　編　秦國經
副主編　鄒愛蓮　胡忠良
執行編輯　高換婷
攝　　影　霍華
攝影助理　周欣華　楊軍

出版發行　三聯書店（香港）有限公司
香港鰂魚涌英皇道一〇六五號一三〇四室
JOINT PUBLISHING (H.K.) CO., LTD.
Rm. 1304, 1065 King's Road, Quarry Bay, Hong Kong

印　　刷　深圳中華商務安全印務股份有限公司
深圳市龍崗區平湖鎮萬福工業區

版　　次　二〇〇四年十月香港第一版第一次印刷
規　　格　八開（257×355mm）三八〇面
國際書號　ISBN 962.04.1914.6